THOMAS MARSCHLER

# DIE SPEKULATIVE TRINITÄTSLEHRE DES FRANCISCO SUÁREZ S.J. IN IHREM PHILOSOPHISCH-THEOLOGISCHEN KONTEXT

ASCHENDORFF MÜNSTER

BEITRÄGE ZUR GESCHICHTE DER PHILOSOPHIE
UND THEOLOGIE DES MITTELALTERS

Texte und Untersuchungen

Begründet von Clemens Baeumker
Fortgeführt von Martin Grabmann, Michael Schmaus,
Ludwig Hödl und Wolfgang Kluxen

Im Auftrag der Görres-Gesellschaft
herausgegeben von Manfred Gerwing und Theo Kobusch

Neue Folge
Band 71

Gedruckt mit Unterstützung
der Görres-Gesellschaft zur Pflege der Wissenschaft



Druck: Aschendorff Medien GmbH & Co. KG. Druckhaus Aschendorff, Münster, 2007
Gedruckt auf säurefreiem, alterungsbeständigem Papier ∞

ISBN 978-3-402-10281-7

# Zum Geleit

Vorworte zu wissenschaftlichen Studien sind bekanntlich in Wahrheit Nachworte. Wenn sie geschrieben werden, kann ihr Autor mit Erleichterung auf ein Projekt zurückblicken, das er zum Ende geführt hat und nun der Öffentlichkeit vorstellen darf.

Nicht anders geht es dem Verfasser der vorliegenden Arbeit, die im Sommersemester 2007 von der Katholisch-theologischen Fakultät der Ruhr-Universität Bochum als Habilitationsschrift angenommen wurde. Für die Zuerkennung der Lehrbefähigung im Fach „Dogmatik und Dogmengeschichte" weiß er sich der Fakultät, deren Mitarbeiter er fünf Jahre lang sein durfte, dankbar verbunden. Dieser Dank sei in besonderer Weise gegenüber Herrn Prof. Dr. Wendelin Knoch ausgesprochen, der von Anfang an den Themenvorschlag seines Assistenten unterstützt und das Forschungsvorhaben mit kundigem Interesse bis zur Erstellung des Erstgutachtens begleitet hat. Das kollegiale und freundschaftliche Miteinander an seinem Lehrstuhl und die Vermittlung langjähriger akademischer Erfahrung haben wesentlich dazu beigetragen, die ursprüngliche Idee zur Realisierung zu bringen.

Herr Prof. em. Dr. Ludwig Hödl hat nicht bloß das *opus supererogatorium* des Zweitgutachtens auf sich genommen, sondern stand immer wieder für anregende Gespräche über Themen der Scholastikforschung zur Verfügung. Dafür sei ihm ebenso herzlich gedankt wie Herrn Prof. Dr. Manfred Gerwing (Eichstätt) und Herrn Prof. Dr. Theo Kobusch (Bonn) für die Aufnahme der Studie in die von ihnen herausgegebenen „Baeumker-Beiträge".

Wertvolle Unterstützung wurde dem Band wie zuvor schon der theologischen Dissertationsschrift des Autors durch einen großzügigen Druckkostenzuschuß der Görres-Gesellschaft zuteil. Daran sei hier gleichermaßen mit Dank erinnert wie an die wohlwollende Förderung, die der Erzbischof von Köln, S. E. Joachim Card. Meisner, dem Verfasser durch die fortgesetzte Freistellung zur akademischen Qualifikation erwiesen hat.

Nach 2006 erschienene Literatur konnte in der Regel für die vorliegende Arbeit nicht mehr verwertet werden. Bedauerlich ist dies etwa im Blick auf die jüngst erschienene Untersuchung von Hannes Möhle über die Metaphysikkonzeption des Franciscus de Mayronis (Münster 2007), in der Wichtiges über die Entwicklung des Modus-Begriffs innerhalb der Scotistenschule zu finden ist.

Zu guter Letzt darf eine wissenschaftliche Publikation des Jahres 2007 ohne Einschränkung ein Wort zitieren, das vor mehr als 350 Jahren ein theologischer Autor auf der letzten Seite seiner Gotteslehre an die Leser gerichtet hat:

„Fallitur, mi Lector, qui cudere typis, vel minimam opellam sine errore contendit. In hoc tomo non unus mihi fuit obvius, erit et tibi. Notavi illos, qui a meo sensu alium reddebant sensum; reliquos non adeo praecipuos (...) tuae humanitati corrigendos credo“ (Johannes Morandus C. R., Cursus theologici, tom. 1, Venedig 1650, p. 336).

Augsburg, am 25. September 2007 Thomas Marschler

# Inhalt

# Kapitel 1: Hinführung zum Thema

Die Abfassung einer dogmengeschichtlichen Studie über nachtridentinische Trinitätslehre stellt angesichts der theologischen Konjunkturbewegungen unserer Gegenwart eine – vorsichtig ausgedrückt – eher antizyklische Investition dar. Man betritt damit, um im ökonomischen Bild zu bleiben, ein exquisites, aber enges Marktsegment der philosophie- und theologiehistorischen Produktion, in dem Angebots- und Nachfragevolumina überschaubar sind. Doch Nischenprodukte besitzen ihren ganz eigenen Reiz, zumal in der Wissenschaft. Worin dieser angesichts des von uns ausgewählten Themas bestehen könnte, soll im folgenden begründet werden, indem einige Argumente für und gegen den Nutzen einer Beschäftigung mit der frühneuzeitlichen Jesuitenscholastik, näherhin ihrer Trinitätstheologie und im speziellen mit der Trinitätslehre des Jesuiten Francisco Suárez (1548-1617) zusammengetragen und diskutiert werden. Indem so die Themenwahl der vorliegenden Studie ihre Begründung findet und ihr Erörterungsrahmen – bewußt etwas großflächiger – abgesteckt wird, können Hinweise zur gewählten Methode der Durchführung und zu den speziellen Interessen der Untersuchung angeschlossen werden.

## 1) Frühneuzeitliche Scholastik?[1]

### *a) Definitionsversuche*

Die scholastische Theologie des 16. bis 18. Jahrhunderts ist offenbar schon rein terminologisch nicht leicht zu erfassen. Unter den zahlreichen Vorschlägen, die dazu in den letzten Jahrzehnten gemacht wurden, hat sich bislang keiner allgemein durchsetzen können[2]. Man spricht von

[1] Vgl. manche weitere Aspekte zum folgenden bei GIACON (1947) 11-130; KNEBEL (2000) 1-39. Zur entscheidenden Rolle der Orden, allen voran der SJ, ebd. 20-24.29-35.

[2] Vgl. SCHMUTZ (2000) 275.

„zweiter", „gegenreformatorischer", „spanischer", „moderner" Scholastik, von Spät- und Barockscholastik. Auch die Abgrenzung zu dem meistens für das 19. und frühe 20. Jahrhundert reservierten Begriff der „Neuscholastik" erfolgt oft wenig scharf[3]. Die präzise zeitliche Erfassung dieser in der langen Entwicklungsgeschichte des durch scholastische Methodik geleiteten Denkens keineswegs marginalen Epoche bereitet somit ebenso Probleme wie ihre eindeutige wissenschaftsgeographische Charakterisierung. Zwar ist der Schwerpunkt im weiten romanischen Sprachgebiet unverkennbar, doch müßte eine Beschränkung auf die „spanische" Stammlinie oder gar die impulsgebende Schule von Salamanca ebenso wie auf das weltkirchliche Zentrum Rom angesichts der institutionellen Polyzentrik, der weit gestreuten Herkunft der Autoren und der internationalen Verbreitung der Ordensgemeinschaften, die als entscheidende Träger theologischer Arbeit in der Zeit zwischen dem Trienter Konzil und der Aufklärung gelten dürfen, viel zu kurz greifen[4]. Mehr als lokale Zuordnungen bietet sich die Eigenart der wissenschaftlichen Methode als Kriterium für eine Wesensbestimmung der Scholastik in der beginnenden Neuzeit an. Wenn ein scholastischer Autor des frühen 17. Jahrhunderts Thomas von Aquin kommentiert, so trennen ihn von der Theologie des 13. Jahrhunderts die durch Scotismus und Nominalismus begründeten Entwicklungen ebenso wie die Impulse des Humanismus mit seiner Verbreiterung der Quellenbasis, der Verfeinerung des philologischen Handwerkszeugs und der Tendenz zur Autonomisierung des philosophischen Selbstverständnisses gegenüber der kirchengebundenen Theologie. Hinzu kommen die neuen Fragestellungen und oft apologetisch bedingten Schwerpunktsetzungen, die der Scholastik auf dem Wege ihrer Konfessionalisierung nach Reformation und Trienter Konzil eingeschrieben wurden. Angesichts dieses komplexen Gefüges verändernder Faktoren sind Unterschiede, wie sie sich etwa zwischen der Quästionenform der hochmittelalterlichen Summa und den Disputationen frühneuzeitlicher Summenkommentare oder in der Anreicherung der spekulativen Traktate durch immer mehr positiv-theologische Elemente[5] erkennen lassen, kaum rein äußerlicher Natur[6]. Sie weisen auf ähnliche Umgestaltungsprozesse in den Fragestellungen und Inhalten hin, wo man aus der Kontinuität der Autoritäten, die zitiert, und der Texte, die kommentiert werden, ebenfalls nicht voreilig auf unveränderte Urteile schließen darf. In man-

[3] Bei VON BALTHASAR (1965) 382 heißt Suárez der „Vater der Barock- und Neuscholastik".

[4] Vgl. SCHMUTZ (2000) 276.

[5] Vgl. BERTRAND (1997); KNOLL (2004).

[6] Vgl. zu dieser Entwicklung der Methode LOHR (1976) 209; SPECHT (1988) 26f.

cher Hinsicht ähneln die scholastischen Texte der frühen Neuzeit damit den vielen mittelalterlichen Kirchen Roms, deren romanische oder gotische Baukerne mit den Transformationen des Barock nicht beseitigt, aber durch ganz neue Gestaltideen überformt wurden und so als sie selbst nur noch auf den zweiten Blick erkennbar geblieben sind.

### *b) Die Positionierung der theologiegeschichtlichen Forschung*

(1) Trotz dieser an sich reizvollen, für Schwellenzeiten eigentümlichen Problemlage ist das Interesse an der Scholastik auf dem Übergang zwischen Mittelalter und Moderne innerhalb der theologiegeschichtlichen Forschung, wie sie sich in den letzten hundertfünfzig Jahren kontinuierlich entwickelt hat, auffallend zurückhaltend geblieben. Wenn ein Philosophiehistoriker der Gegenwart im Blick auf die (vor allem spätere) Jesuitenschule unserer Epoche feststellt, daß kaum die Namen der wichtigsten Autoren, „geschweige denn die Schulzusammenhänge" bekannt seien und man – wenn überhaupt – über schlagwortartige Zuordnungen wie die des „Molinismus" oder „Suárezismus" selten hinauskomme[7], bestätigt sich erneut die schon vor fast acht Jahrzehnten formulierte Einschätzung Karl Eschweilers, „daß die Scholastik des 12. bis 14. Jahrhunderts uns heute – wenigstens materiell – bekannter ist als die Scholastik des 16. bis 18. Jahrhunderts"[8]. Ein „detailliertes Gesamtbild der Thomasrezeption bzw. der Summenkommentare" dieser Zeit fehlt uns ebenso wie ihr umfassender Vergleich mit den weit über Thomas hinausreichenden scholastischen Ausgangstexten[9]. Neben wenigen monographisch intensiver erschlossenen Themenfeldern, unter denen aus der Dogmatik vor allem der sogenannte Gnadenstreit und teilweise auch die Ekklesiologie genannt werden könnten, stehen zahlreiche theologische Traktate, deren Entwicklung bis heute praktisch unerforscht ist. Während das aus der neuscholastischen Fixierung auf die „großen Autoren" des 13. Jahrhunderts stammende Urteil, daß nach Thomas und Scotus die weitere Geschichte der Scholastik nur noch unter den Vorzeichen des Niedergangs und des Sich-Verlierens in theologisch irrelevante Spitzfindigkeiten zu betrachten ist, für das 14. Jahrhundert durch zahlreiche Detailstudien widerlegt werden konnte, hält es sich im Blick auf die Autoren der nachtridentinischen Ära mit erstaunlicher Zähigkeit. Etwas süffisant, aber treffend formuliert der Philosoph Jeffrey Coombs: „Second scholasticism has usually been viewed

[7] Vgl. KNEBEL (2000) 22f.
[8] ESCHWEILER (1929) 338.
[9] So DOMÍNGUEZ (2003) 686.

as a sickly child living off the riches of its parents, medieval scholasticism"[10].

Aus der deutschen Theologiegeschichtsschreibung des 20. Jahrhunderts sind vor allem zwei Gelehrte zu nennen, die sich mit dieser vorschnellen (Ab-)Qualifizierung nicht zufriedengeben wollten und darum die bessere Erschließung der neuzeitlichen Scholastik bewußt unter ihre vorrangigen Forschungsinteressen aufgenommen haben. Die Idee des bereits zitierten Braunsberger Fundamentaltheologen Karl Eschweiler (1886-1936), im Ausgang von der (nicht ohne wertende Konnotation) als „Barockscholastik" bezeichneten[11] Jesuitentheologie der Frühmoderne die Genese der neuzeitlichen apologetischen Methode zu rekonstruieren, ihre unbewußte Verwandtschaft mit dem rationalistischen Geist der Neuzeit aufzudecken und den letztlich in der Kantschen Vernunftkritik mündenden „Anthropismus" dieses Denkens zu entlarven, um ihn anschließend durch ein erneuertes originär thomistisches Theologieverständnis zu überwinden, ist durch eine unübersehbare Einseitigkeit der Prämissen, die letztlich zum traurigen Versinken des begabten und früh verstorbenen Autors in der Ideologie des Nationalsozialismus beitrug, vorzeitig gescheitert. Aus historischer Sicht fruchtbarer, wenn auch im Unterschied zum Werk Eschweilers mit eher geringer Verbindung zur lebendigen theologischen Systematik entfalteten sich die Studien des Freiburger Dogmatikers Friedrich Stegmüller (1902-1981)[12]. Impulse für eine vertiefte Zuwendung zur neuzeitlichen Scholastik vermochte über den unmittelbaren Schülerkreis hinaus jedoch auch Stegmüller in der deutschen theologischen Forschungslandschaft nicht zu setzen.

Weit lebendiger ist seit jeher das Interesse in den romanischen Ländern, namentlich Spanien, gewesen. Traditionell wird der Schwerpunkt auf die Erforschung der engeren Schule von Salamanca gelegt. Während, wie eindrucksvolle Bündelungen der vielen theologiegeschichtlichen Einzelforschungen beweisen, ein Überblick über Institutionen und Akteure in der spanischen Universitätslandschaft der frühen Neuzeit mittlerweile geschaffen ist[13], sind viele Texte samt ihren Inhalten gerade aus der dogmatischen Theologie auch hier weiterhin unerschlossen.

[10] COOMBS (2003) 224.

[11] Vgl. etwa die Begründung bei ESCHWEILER (1928) 307.

[12] Vgl. Alois Madre / Helmut Riedlinger, Bibliographie Friedrich Stegmüller = HBA 24 STE 1,1 (Freiburg 1972). Eine Fortsetzung und Ergänzung durch Albert Raffelt findet sich im Internet:
http://www.theol.uni-freiburg.de/forsch/stegmuel/stegmue02.htm

[13] Vgl. nur die materialreichen Beiträge bei ANDRÉS (1976-77); ANDRÉS MARTÍN (1983-87) und die enzyklopädische Studie von BELDA PLANS (2000).

(2) Für die auffällige Abstinenz der Theologen in der Beschäftigung mit der frühneuzeitlichen Scholastik gerade in jüngerer Zeit dürften vor allem zwei Gründe entscheidend sein.

(a) Nicht zu unterschätzen sind zunächst die wissenschaftstechnischen Hürden, die in der Arbeit an theologischen Quellen dieser Epoche zu überwinden sind. Die Scholastik der frühen Neuzeit ist „Foliantentheologie", deren Traktate dem Umfang nach die Vorgaben des 13. oder 14. Jahrhunderts meist um ein Vielfaches übertreffen. Die 17 Quästionen der thomanischen Trinitätslehre, um keineswegs das extremste Beispiel zu nennen, werden von einigen nachtridentinischen Kommentatoren auf 1000 oder mehr Folio-Seiten erörtert. Der systematisch-enzyklopädische Ansatz der Summisten des 13. Jahrhunderts, autoritativ repräsentiert in der „Summa theologiae" des Aquinaten, verbindet sich in diesen Texten mit der Subtilität und Technizität der gedanklichen Darstellung, wie sie in die lateinische Theologie des 14. und 15. Jahrhunderts Einzug gehalten hatten, und mit dem Drang nach reicherer Entfaltung des Überlieferungsmaterials, der seit dem Humanismus in der Wissenschaft prägend wurde[14] und nachreformatorisch in allen Konfessionen erhalten blieb. Zu dem nun in größerem Umfang verfügbaren literarischen Gut der antiken Philosophie und der Vätertheologie trat in den Darstellungen unseres Zeitalters die ganze Fülle der mittelalterlich-scholastischen Textproduktion, die man im Strom der ungebrochenen Schultraditionen immer neu darzustellen, zu klassifizieren und in spekulativer Hinsicht weiterzuführen bemüht war. Alles, was durch den Buchdruck aus der vorangehenden Scholastik zugänglich war (freilich zumeist auch nur das), stand prinzipiell für die Synthesen des 16. und 17. Jahrhunderts bereit. Einem Autor der frühneuzeitlichen Scholastik kann man folglich nur dann gerecht werden, wenn man bereit und in der Lage ist, seine Ausführungen wenigstens ansatzhaft in diesen umfassenden Kontext einzuordnen. Nur in der historisch rückgebundenen Mikroanalyse läßt sich das diffizile Ineinander von Tradition und Innovation freilegen, das die schultheologischen Traktate der beginnenden Moderne kennzeichnet. An dieser Vorgabe wird sich auch die vorliegende Arbeit messen lassen müssen.

Neben die diachrone tritt mit gleicher Relevanz die synchrone Verflochtenheit der doktrinellen Thesen. Wer die „recentiores" in den Blick nimmt, die man nach dem Brauch der Zeit in der modernen Scholastik immer wieder, gerne ohne konkrete Namensnennung[15], erwähnt, um eine

[14] Vgl. BLUM (1998) 32ff.

[15] Vgl. zu dieser Weise der Auseinandersetzung SPECHT (1988) 32: „Der für den heutigen Leser ärgerliche Umstand, daß Suárez gegen Gegner nicht sehr direkt vorgeht, hängt (...) auch mit den institutionellen Bedingungen zusammen, unter

ihrer Aussagen aufzugreifen oder abzulehnen, muß bald erkennen, wie beschränkt die Perspektive einer Darstellung bleibt, die vom Kontext der hochproduktiven Schulen absehen wollte, denen sich ein Autor unserer Epoche selbstverständlich zugeordnet wußte. Die Schwierigkeiten für den modernen Interpreten vermehren sich nicht unerheblich, wenn er sich vor der eigentlichen Werkanalyse zunächst vor die Aufgabe gestellt sieht, die oft über die Bibliotheken Europas verstreuten, nur selten in modernen Editionen oder Nachdrucken zugänglichen Texte zu lokalisieren und verfügbar zu machen – noch immer eine aufwendige Vorarbeit, die erst in neuester Zeit durch fortschreitende Digitalisierungsprojekte Erleichterung zu erfahren scheint. Wie fruchtbar es sein kann, diese Mühe auf sich zu nehmen, haben in den letzten Jahren philosophische Untersuchungsvorhaben wie diejenigen von Tilman Ramelow, Sven K. Knebel, Jacob Schmutz oder Ulrich G. Leinsle zu erkennen gegeben[16]. Indem sie vor allem die Forschungen zur Jesuitenschule des 16. und 17. Jahrhunderts aus der Fixierung allein auf die „großen Namen“ Bellarmin, Vázquez oder Suárez zu befreien suchen und zahlreiche andere Schulautoren und -traditionen von teils erheblicher spekulativer Qualität neu ans Licht bringen, nicht zuletzt aus den bislang gänzlich unbeachteten Jahrzehnten nach 1650, weisen sie auch den Theologiehistoriker auf unerschlossene Textzeugnisse hin, deren Potential und Relevanz vorerst nur erahnt werden kann[17]. Das ebenfalls in überreichem Maß existierende und bislang selten herangezogene ungedruckte Material der Zeit ist dabei häufig noch gar nicht berücksichtigt.

denen er zu arbeiten hat. Seine Äußerungen der Ablehnung wirken gedämpft und fast verschlüsselt, aber wir dürfen davon ausgehen, daß Zeitgenossen sie leichter verstehen konnten als wir.“

[16] Vgl. KNEBEL (2000) und viele weitere Veröffentlichungen des Vf.; RAMELOW (1997); LEINSLE (2006). Die unter der Betreuung von Jean-Luc Solère und Olivier Boulnois entstandene Dissertationsschrift von Jacob Schmutz (La querelle des possibles. Recherches philosophiques et textuelles sur la métaphysique jésuite espagnole, 1540-1767, 3 mschr. Bde., ca. 1350 S., Univ. libre de Bruxelles 2003) ist bisher unveröffentlicht. Der gewaltige Umfang der Studie erklärt sich daraus, daß nach einer systematischen Analyse der Possibilienspekulation in der Untersuchungsepoche ein umfangreicher Editionsteil anschließt, der 20 Jesuitenautoren mit ihren zentralen Texten zum Thema präsentiert. Das mir zugängliche Inhaltsverzeichnis der Arbeit läßt umfassendere Bezüge zur Trinitätstheologie nicht erkennen. Die Anlage der Studie wie auch weitere schon publizierte Arbeiten des Vf. geben aber zu erwarten, daß sich das Werk nach seiner (hoffentlich baldigen) Publikation als Meilenstein in der Erforschung der frühneuzeitlichen Jesuitentheologie erweisen könnte. Eine Suárez betreffende Passage ist bereits publiziert: SCHMUTZ (2004).

[17] Vgl. ähnlich LEINSLE (1995) 262.

(b) Neben die forschungspraktischen Schwierigkeiten tritt ein weiterer, wohl noch maßgeblicherer Grund dafür, daß die profanhistorisch im Blick auf iberische Politik und Gesellschaft als „siglo d'oro" gerühmte Epoche in theologiegeschichtlicher Perspektive zuweilen wie ein „saeculum obscurum" erscheint.

Historische Forschungsbemühungen im Rahmen der systematischen Theologie, sofern sie über das Spezialinteresse einzelner Wissenschaftler hinausreichen, erweisen sich wenigstens in der Rückschau fast immer als mit aktuellen Anliegen verknüpft. Sie haben Argumente für Debatten der Gegenwart beigesteuert, neue Entwicklungen durch den Brückenschlag in die Vergangenheit bestätigt oder verstärkt, zweifelhaft gewordene Paradigmen erschüttert und maßgeblich zu ihrer Überwindung beigetragen. Schon der flüchtige Blick auf große dogmengeschichtliche Unternehmungen in der Theologie des 20. Jahrhunderts kann diese Behauptung bestätigen. Generell hat die historisch-kritische Scholastikforschung, obwohl im Umfeld der Neuscholastik initiiert, durch die Freilegung der Differenziertheit und Vielfalt mittelalterlicher Denkbemühungen die einseitige Bindung an weithin unhistorisch konzipierte Schulsysteme fragwürdig werden lassen[18]. Aus der Wiederentdeckung patristischer Ekklesiologie oder Sakramententheologie erwuchsen entscheidende Impulse für die gegenüber dem Ersten Vatikanum erweiterte Sicht der Kirche und ihrer Heilssendung für die Welt in den Texten des Zweiten Vatikanischen Konzils. Das in den ersten nachkonziliaren Jahrzehnten besonders spürbare Interesse an der Dogmatik des 19. Jahrhunderts verband sich mit dem Versuch, den neu entdeckten Sinn für die Geschichtlichkeit theologischen Denkens bei solchen Autoren zu verifizieren, die nach der historisch-philosophischen Kritik der Aufklärung sowie in der Auseinandersetzung mit dem deutschen Idealismus und der auf ihn folgenden Romantik eine Neubegründung der Theologie außerhalb der ererbten scholastischen Vorgaben unternommen hatten. Bis in die Gegenwart hinein ist es schließlich die mit Neubewertungen verbundene Relecture vieler traditionell als heterodox qualifizierter Autoren und Denktraditionen der Vergangenheit oder der Hinweis auf Außenseiter und Querdenker der Ideengeschichte, in deren Licht man die neu wertgeschätzte Pluralität kirchlicher Theologie zu unterstützen und bislang mit unhinterfragbarer Normativität ausgestattete dogmatische Urteile als selbst denkformgebunden, reformulierbar und relativierbar zu erweisen sucht. Daß eine intensivierte Hinwendung zur scholastischen Tradition der katholischen Neuzeit für diese Gegenwartsanliegen kaum besondere Impulse bereitzu-

[18] Vgl. exemplarisch die Bemerkungen zum Werk Clemens Baeumkers bei BENDEL-MAIDL (2004) 118-128.

halten versprach, kann nicht überraschen. Vielmehr scheint gerade sie die unmittelbare Quelle jenes petrifizierten, historismusartigen Denkens zu sein, dessen Überwindung in der theologischen Erneuerung des Zweiten Vatikanums mündete: „nachtridentinische Schultheologie" mit den doppelt negativen Konnotationen dieses Begriffs. Systematische Theologen, die selbst unmittelbar in den Prozeß des theologischen Aggiornamento involviert waren, haben Interesse an einer ernsthaften Beschäftigung mit dem Denken des Barock oft ebensowenig aufgebracht wie den Willen zu seiner fairen Beurteilung. Das beste Beispiel dafür ist der durch die extrinsezistische Neuscholastik seiner Studienzeit bleibend traumatisierte Hans Urs von Balthasar, der sich für seine vernichtenden Urteile über die Theologie der frühen Neuzeit mit flüchtigen Fußnotennotizen begnügen konnte[19]. Ob derartige Stellungnahmen ihrem Objekt wirklich gerecht zu werden vermögen, wird bis heute nur selten gefragt. Damit verliert die Theologie der Gegenwart das Recht zum Protest, wenn sich mittlerweile eine hochqualifizierte Philosophiegeschichtsschreibung selbstbewußt zur Nachlaßverwalterin des von den Theologen ausgeschlagenen Erbes erklärt. Sven K. Knebel läßt an diesem Transfer keinen Zweifel: „Seitdem, infolge des II. Vaticanum, die katholische Theologie auf die Kompetenz für die Erforschung dieser Phase ihrer Geschichte endgültig verzichtet hat, geht es darum, ob die fällige interdisziplinäre Aufteilung der theologischen Hinterlassenschaft auch gelingt. Während es bisher fast nach einem Monopol des Rechtshistorikers aussieht, erstreckt sich dessen Zuständigkeit sicherlich auf Teilbereiche der Theologie, aber gerade nicht auf die spekulative Dogmatik. Sie fällt gänzlich in die Kompetenz des Philosophiehistorikers"[20]. Die vorliegende Arbeit mag als Lebenszeichen einer Glaubenswissenschaft verstanden werden, die sich mit einer solchen Abstention nicht zufrieden geben will. Ihre spezielle Themenwahl soll im folgenden Abschnitt eingehender erläutert werden.

[19] Vgl. VON BALTHASAR (1989) 37, Anm. 1: „Man muß, um den Geist der Barocktheologie kennenzulernen, weniger die Kommentatoren der thomasischen Summe lesen, die im wesentlichen über Thomas und seine Zeit nicht hinausführen, sondern die großen Schauspieler und Dekoratöre mit ihrer stupenden Vielwisserei – einen Kircher, Caramuel von Lobkowitz, Théophile Raynaud –, und zugleich hinter die Kulissen spähend die Maschinerie der Aufmachung durchschauen. Zu holen ist in diesen gewaltigen Steinbrüchen und Kuriositätenläden wenig, da und dort ein seltsames Stück, aber keinesfalls eine Synthese". Wie sehr Balthasar dieser eigenen Einschätzung mit seinem später noch zu zitierenden (gleichfalls rundum negativen) Urteil zur angeblichen Kant-Nähe der suárezischen Philosophie widerspricht, sei nur beiläufig erwähnt.

[20] KNEBEL (2000) 19f.

## 2) Trinitätstheologie?

### *a) Das Trinitätsthema in der modernen Scholastikforschung*

(1) Die Erforschung der Trinitätstheologie gehört in der historischen Scholastikforschung des 20. Jahrhunderts generell keineswegs zu den vernachlässigten Bereichen. Gewöhnlich gelten die Untersuchungen, die Théodore de Régnon S. J. 1892 vorlegte[21], als erstes brauchbares Werk größeren Umfangs zur mittelalterlichen Geschichte dieses Traktats. Indem es nach der ausführlichen Darstellung der Vätertheologie auch die scholastische Periode bis zu Thomas von Aquin in den Blick nahm[22], brach es die Bahn für viele weitere Trinitätsstudien innerhalb der theologischen Mediävistik. Auch inhaltlich konnte de Régnon mit seiner Zentralthese in der nachfolgenden Forschung großen Einfluß entfalten. Sie zielt auf die scharfe Unterscheidung eines „westlichen" von einem „östlichen" Grundmodell der Trinitätskonstruktion: Die Griechen beginnen beim Blick auf die Person am unteren Ende der „arbor Porphyriana" (also bei der Person als dem Konkretesten und Bestimmtesten), während die Lateiner beim oberen Extremum, dem Allgemeinsten, der Wesenheit, den Anfang ihres Verstehens suchen[23]. Freilich hat diese recht schroffe Entgegensetzung des „persontheoretischen" und des „wesenstheoretischen" Trinitätsmodells nicht erst in der jüngeren Forschung auch deutliche Kritik provoziert[24]. Sie ist mittlerweile so zahlreich geworden, daß die Alternative de Régnons in ihrer ursprünglichen Form kaum mehr aufrechterhalten werden kann[25]. Den Weg zu einer differenzierten Sicht der

[21] Vgl. DE RÉGNON (1892) Bd. 2, wo neben Richard von St. Viktor vor allem Alexander von Hales, Thomas und Bonaventura behandelt werden. Autoren der späteren Scholastik werden nicht herangezogen, häufig dagegen Petavius.

[22] Vgl. die Charakterisierung des Inhalts bei SCHEFFCZYK (1992) 1208-1211.

[23] Vgl. MICHEL (1922) 407; DE RÉGNON (1892) I, 278. Zur exakteren Darstellung und zum Vergleich der beiden Konzepte vgl. ebd. 301-435.

[24] Vgl. etwa RICHARD (1913) 2470, der es als den „erreur fondamentale" de Régnons bezeichnet, „de supposer que toute théologie, non commune aux grecs et aux latins, est une théologie qui ne s'impose pas".

[25] Vgl. DEN BOK (1996) 11: „These two conceptions cannot simply be opposed, however. It may be hard to imagine a person without relations to other personal beings, but it is equally hard to think of a personal being without basic mental faculties. God's being personal may depend on His being a Trinity in some relevant sense, but it certainly depends on having mental powers also." Mit ähnlicher Stoßrichtung u. a.: SCHMAUS (1927) 12, Anm. 3; POMPEI (1953) 125ff.; DALMAU (1955) 455-458; DIETRICH (1967) 266ff.; SCHNIERTSHAUER (1996) 18; KANY (2000) 15ff.;

westlichen, sich zweifellos im Kielwasser (einer bestimmten Interpretation[26]) Augustins entwickelnden Trinitätslehre im Mittelalter haben auf entscheidende Weise die beiden deutschen Dogmenhistoriker Albert Stohr und Michael Schmaus geebnet. Vor allem durch seine materialreiche Habilitationsschrift hat Schmaus die Quellenbasis für die Einordnung trinitätstheologischer Schulrichtungen und Lehrthesen entscheidend erweitert, und er hat unter seinen akademischen Schülern eine Fülle von Einzeluntersuchungen angestoßen, die diesen Weg fortsetzten. Bis in die Gegenwart hinein hat das Interesse an den mittelalterlichen Trinitätstraktaten angehalten, wobei ein Schwerpunkt auf der Theologie des 12. und 13. Jahrhunderts und in neuerer Zeit eine gewisse Verdrängung theologiegeschichtlicher zugunsten philosophiegeschichtlicher Forschungsperspektivik nicht zu verkennen sind.

Was die Zeit der Frühscholastik anbelangt, besitzen wir, um nur einige zentrale Untersuchungen zu nennen, mittlerweile Arbeiten zur Trinitätslehre bei Hugo von St. Viktor († 1141), Bernhard von Clairvaux († 1153), Gilbert von Poitiers († 1154), Petrus Lombardus († 1160) und seiner Schule oder Robert von Melun († 1167); ebenfalls untersucht sind Petrus von Poitiers († 1205), Praepositinus († 1210) und Wilhelm von Auxerre (†

GRESHAKE (2001) 71, Anm. 68; OBERDORFER (2001) 108; EMERY (2003b) XX (Vorwort J.-P. Torrell).

[26] Vgl. das Resümee bei STUDER (2005) 25: „In einem grossen Teil der Theologen ist die Rezeption von *De Trinitate* dogmatisch bestimmt. Augustinus gilt als Zeuge der rechten Lehre. Seine Spekulationen hingegen werden ignoriert oder abgelehnt. Schon sehr früh, spätestens vom *Symbolum Quicumque* an, wird die eine *essentia* als Ausgangspunkt vorausgesetzt. Die historische Grundlegung des trinitarischen Glaubens, einschliesslich der Lehre von den *missiones*, wird allgemein vernachlässigt. Die Anwendung der aristotelischen Kategorien, die auf Augustinus zurückgeht, wird konsequent ausgebaut. Die Bedeutung, welche dieser dem Christusgeheimnis hinsichtlich des Glaubens zumisst, wird nur von einem Teil der Theologen, von Bonaventura, den Reformatoren und Thomassin übernommen. Das für Augustinus grundlegende Thema der persönlichen Suche nach dem Angesicht Gottes wird weitgehend übergangen oder im besten Fall den Mystikern überlassen." An anderer Stelle bedauert Studer das Desinteresse der meisten Interpreten an der biblischen Ausrichtung von Augustins *opus laboriosum* (ebd. 86ff.); sie wird in seiner eigenen Deutung ein wichtiges Leitmotiv: „es sollte vor allem hervortreten, wie Augustinus im Anschluss an die Bibel, wie sie in der Kirche gelebt wird, das Wirken und das Sein von Vater, Sohn und Geist voneinander unterscheidet, und wie er sich bemüht, die persönliche Liebe für das Geheimnis Christi zu wecken, das auf die ewige Liebe zwischen Vater und Sohn verweist" (147). Daß Augustinus in „De trinitate" ein größeres Interesse an der Einheit der Personen als an ihrer jeweiligen Proprietät zeigte, bezweifelt auch Studer nicht (186ff.).

1231), die bereits auf der Schwelle zur Hochscholastik stehen[27]. Besonderes Interesse, vor allem in den letzten Jahren, hat der Ansatz des Richard von Sankt Viktor erfahren, weil seine „personalistische" Prägung, auf deren Ähnlichkeit mit den griechischen Modellen bereits de Régnon hingewiesen hat[28], modernen systematischen Interessen entgegenkommt[29].

Aus der Hochscholastik sind es – wenig überraschend – Bonaventura († 1274)[30], Thomas von Aquin († 1274)[31] und Johannes Duns Scotus († 1308)[32], deren Trinitätstheologie immer wieder Interpreten gefunden hat[33]. Eine beachtliche Zahl von Studien zu unserem Thema liegt auch noch zum späten 13. und 14. Jahrhundert vor. Der große Überblick in Schmaus' Habilitationsschrift[34] ist im Blick auf eine Reihe exemplarischer Gestalten wie Johannes de Bassolis († 1347)[35], Gregor von Rimini († 1359)[36], Johannes a Ripa († nach 1368)[37], Hugolin von Orvieto († 1373)[38] oder Marsilius von Inghen († 1396)[39] monographisch vertieft worden. Wichtige Ergänzungen bieten in jüngster Zeit die gründlichen Arbeiten von Russell Friedman über die Franziskanerschule bis Mitte des 14. Jahr-

[27] Vgl. WILLIAMS (1951); SCHMIDT (1956); SCHNEIDER, J. (1961); HOFMEIER (1963); HORST (1964); HÖDL (1965); WIPFLER (1965); ANGELINI (1972); SCHMIDT (1984); KNOCH (1985); STICKELBROECK (1994); ARNOLD (1995).

[28] Vgl. DE RÉGNON (1892) II, 289f.

[29] Vgl. aus den zahlreichen neueren Arbeiten: WIPFLER (1965); PURWATMA (1990); DEN BOK (1996); SCHNIERTSHAUER (1996); CACCIAPUOTI (1998); HOFMANN (2001).

[30] Die qualitätsvollste neuere Arbeit ist OBENAUER (1996).

[31] Die derzeit aktuellste und beste Überblicksdarstellung zur thomanischen Trinitätstheologie, zugleich das Ergebnis umfangreicher eigener Forschungen bietet EMERY (2004c), der mit Recht gerne auf den präzisen Kommentar von DONDAINE (1943) verweist. Vgl. daneben als größere neuere Untersuchungen: HANKEY (1987) 115-135; SCHMIDBAUR (1995); SMITH (2003).

[32] Ganz so dürftig, wie DAVENPORT (1999) 248, Anm. 50 beklagt, ist die Forschungslage zu Scotus in dieser Frage nicht. Vgl. neben der bei COURTH (1985) 138-144 zitierten Lit. VOS JACZN. (1994) 217-245; CROSS (1999) 61-70; HUCULAK (2002); CROSS (2005).

[33] Zu weiteren Theologen des 13. Jahrhunderts vgl. STOHR (1925a); (1925b); (1928); POMPEI (1953); BOTTE (1965); EMERY (1995); (2001); FRIEDMANN / SCHABEL (2001-2004).

[34] SCHMAUS (1930b).

[35] Vgl. VOLZ (1969).

[36] Vgl. GARCÍA LESCÙN (1966); ders. (1970)

[37] Vgl. BORCHERT (1974).

[38] Vgl. DIETRICH (1967).

[39] Vgl. MÖHLER (1949).

hunderts[40] und von Isabel Iribarren über Durandus a S. Porciano († 1334)[41] in seiner Auseinandersetzung mit dem frühen Thomismus innerhalb des Dominikanerordens. Zentralen Einzelkontroversen in den Schulen des frühen 14. Jahrhunderts hat sich jüngst Ludwig Hödl zugewandt[42]. Auch eine erste Monographie zu der höchst wirkmächtigen Trinitätstheologie Heinrichs von Gent († 1293), deren fehlende Bearbeitung immer wieder beklagt worden ist[43], steht seit kurzem zur Verfügung[44]. Immer noch nur ausschnitthaft erschlossen ist dagegen die trinitarische Gotteslehre des Wilhelm von Ockham († nach 1347)[45]. Gleiches gilt für weitere einflußreiche Autoren ab dem späten 13. Jahrhundert wie Aegidius Romanus († 1316)[46], Petrus Aureoli († 1322)[47] oder Pierre d'Ailly († 1420), dessen Trinitätslehre noch Luther lobte[48].

[40] Vgl. FRIEDMAN (1997b) und die weiteren im Literaturverzeichnis angeführten Arbeiten des Vf.

[41] Vgl. IRIBARREN (2005), zuvor auch DECKER (1967); EMERY (1997).

[42] Vgl. HÖDL (2002); (2004); (2006).

[43] DECORTE (1997) 237 spricht von der Trinitätslehre als „hardly ever read (...) section of Henry's work". Vgl. auch FRIEDMAN (1996) 158, Anm. 70; FRIEDMAN (1997b) 108, Anm. 4; LAARMANN (1999) 63f.: „Gottes dreieinem und dreipersonalem Leben widmet sich vor allem Summa 53-72, also ein Großteil des henrizianischen Spätwerkes. Seine Gedankengänge, die die skotische Trinitätslehre trotz der dort allgegenwärtigen Kritik tief geprägt haben, kennzeichnet eine Beachtung der Personhaftigkeit der einzelnen göttlichen Personen, so daß Heinrich hinsichtlich deren gemeinsamen personalen Seins das Neutrum ens sorgsam in den Plural tres entes zu setzen pflegte. Obwohl Albert Stohr (1890-1961) bereits 1925 Heinrichs Trinitätslehre als einen der originellsten und innovativsten Entwürfe des 13. Jahrhunderts hingestellt hatte, griff bislang niemand diesen Hinweis angemessen auf. Hier klafft immer noch eine der empfindlichsten Lücken der theologischen Heinrich-Forschung." PINI (2003) 307 verweist auf Heinrichs Trinitätstraktat, „which scholars regard with awe, and rarely study."

[44] Vgl. FLORES (2006). Grundzüge der Interpretation lieferten zuvor vor allem die Beiträge von FRIEDMAN (1996) 158-180 und FRIEDMAN (1997b) 105-153. Im Blick auf Heinrich bleibt zu beachten, daß auch nach der Studie von Flores, die einen kleinen Editionsteil enthält (Summa a. 55, q. 6), die vollständige kritische Edition der breiten trinitätstheologischen Passagen der Quaestionensumme noch fehlt.

[45] Vgl. SCHRÖCKER (2003) 148, in Anknüpfung an COURTH (1985) 146, Anm. 49. Beiträge zur Interpretation finden sich bei COURTH (1985) 145ff. (Lit.); ADAMS (1987) 996-1007; COURTENAY (1987) 276-180; SCHRÖCKER (2003) 147-199.

[46] Vgl. LUNA (1988).

[47] Zu Aureoli vgl. FRIEDMAN (1997b) 293-340; zum literarischen Charakter seiner Sentenzenkommentierung: NIELSEN (2002).

[48] Vgl. HELMER (1999) 108 mit der Zitierung von Luthers hohem Lob auf Pierre d'Ailly: „doctissimo inter Scholasticos" (WA 39/2, 288, 21). Siehe auch RIEGER (2005) 488-492.

Ein recht spezielles, aber dafür intensives Interesse haben trinitätstheologische Texte der nachscotischen Scholastik bei Erforschern der mittelalterlichen Logik geweckt, die auf die hier stattfindende Intensivierung des seit Beginn scholastischen Denkens lebendigen[49] Fragens nach der Geltung des aristotelischen Logikparadigmas in Anwendung auf die geoffenbarten Wahrheiten der Gotteslehre hingewiesen haben[50]. Zwar behält diese Diskussion auch für den Theologen ihre Bedeutung, sofern sie zum Paradebeispiel für eine erneuerte Verhältnisbestimmung von philosophisch-natürlichem und theologisch-übernatürlichem Wissen avanciert, wie sie im Nominalismus verstärkt in die Diskussion gebracht wurde[51]. Daß sich trotz der hier erkennbaren Tendenz, die aristotelischen Vorgaben im Interesse des Dogmas zu beschränken, statt wie noch bei Thomas die kirchliche Lehraussage mit ihnen in möglichst umfassende Übereinstimmung zu bringen, im Ausgang von den logischen Herausforderungen des Trinitätsglaubens dennoch nie ein generell „fideistisches" Verständnis der Theologie auf breiterer Front zur Durchsetzung bringen konnte[52], ist

[49] Vgl. COURTENAY (1987) 277.

[50] Erste Bemerkungen zum Thema bietet PRANTL (1855-67), z. B. IV, 6-9.76.94; danach: ROTH (1936) 329-335.358-367; AUER (1957); GELBER (1974); SCHRAMA (1981) 99-106; D'ORS (1997); SHANK (1988); FRIEDMAN / SCHABEL (2001-2004); KNUUTTILA (1993b); (2003); LEPPIN (1995) 239-243; HALLAMAA (2003). Besonders hinzuweisen ist auf die zahlreichen Arbeiten von A. Maierù (s. Literaturverzeichnis). Vgl. auch den breiten Überblick bei RIEGER (2005) 446-492.

[51] Vgl. GELBER (1974) 1-11. Die Vorsicht, mit der in der neueren Forschung die Bestimmung des Phänomens „Nominalismus" angegangen wird, und die differenzierte Sicht, mit der man den früher zuweilen recht grob skizzierten „Wegestreit" zu erfassen sucht (vgl. MÜLLER [2000], mit Blick auf die Bewertung nominalistischer Autoren in der Jesuitenschule [62-65]; BOLLIGER [2003] 3-59, mit instruktiver Sichtung der Forschungsgeschichte), werden auch in der Charakterisierung einzelner Trinitätstheologien als „nominalistisch" zu beachten sein. Bislang gibt es keinen umfassenden Vorschlag zur Bestimmung dessen, was in inhaltlicher Hinsicht „Nominalismus" in der Trinitätstheologie ausmacht. Daß unser Thema im Wegestreit keineswegs unbedeutend war, läßt paradigmatisch der Fall John Wyclifs († 1384) erahnen, dessen kirchlich verurteilter „Ultra-Realismus" seinen Niederschlag nicht zuletzt in einem zum Tritheismus neigenden Trinitätsverständnis fand.

[52] Wo die Paralogismen als nicht mehr auflösbar betrachtet wurden, blieb nur der Ausweg, philosophische Logik und Logik des Glaubens als zwei voneinander verschiedene Bereiche der Rationalität zu trennen. Bekanntlich haben manche nominalistische Autoren in diese Richtung tendiert, während die Mehrzahl der Theologen die Geltung der aristotelischen Prinzipien auch vor dem Anspruch der Offenbarungstheologie verteidigte. Beispielhaft sei auf die Auseinandersetzung zwischen Heinrich Totting von Oyta (These: Hinreichen der aristotelischen Logik in der Trinitätslehre unter Inkaufnahme eines gewissen theologischen Positivismus) und Nikolaus von Dinkelsbühl (These: kein Hinreichen, darum theologische Erweiterung der natürlichen Logik) verwiesen. Vgl. AUER (1957) 468-472; MAIERÙ (1981); ders.

ein entscheidendes Faktum, an das die nachtridentinische Theologie anknüpfte. Andererseits ist nicht zu übersehen, daß die Debatten aussagenlogischer Probleme im theologischen Gewand, wie sie durch die Entwicklung der Suppositionslogik in der nachscotischen Scholastik befördert wurden, der Trinitätsspekulation des 14. Jahrhunderts den Vorwurf einbrachten, in weiten Teilen zum Turnierfeld einer formalistischen Paralogismenlehre geworden zu sein – wohlwollender ausgedrückt: zur komplexen Frage nach einer korrekten Trinitätsgrammatik, die einer heilsgeschichtlich ausgerichteten Theologie nur wenig zu sagen hat.

(2) Der zeitlich späteste scholastische Autor, dessen Trinitätstheologie bislang in einer monographischen Studie erforscht wurde, ist der Nominalist Gabriel Biel († 1495)[53]. Die Entwicklung der Trinitätslehre vom 15. bis zum 17. Jahrhundert[54], die sich wie die gesamte theologische Denkbemühung nicht mehr als Suche nach umfassenden Neuansätzen, sondern als Bezugnahme auf die großen Denker der Vergangenheit präsentiert[55], hat dagegen bis heute kaum Interesse gefunden. Indem man gewöhnlich das Konzil von Florenz (1439-1445) als endgültigen Abschluß lehramtlicher Ausfaltung der scholastisch ausgerichteten Trinitätstheologie benennt, dispensiert man sich zugleich von der Frage nach deren weiterer spekulativer Diskussion[56].

(1986) 187-192; ders. (2002) 154-158; SANTOS NOYA (2000), bes. 200-203. Ein gewisser Einfluß dieser Debatten ist noch bei Luther erkennbar; vgl. MAIERÙ (1986) 185f.; KNUUTTILA (2003) 134-137.

[53] Vgl. SCHRAMA (1981).

[54] Manche Hinweise auf trinitätstheologische Positionen dieser wie auch der vorangehenden Zeit bieten die vielen Studien Karl Werners. Vgl. etwa WERNER (1859) 13-25 zu Scotus, zu späteren Diskussionen um die thomistische Trinitätslehre ebd. 200-212.320ff. u. ö.; WERNER (1883b) 221-274 zu den Trinitätstheologien von Aureoli, Baconthorp, Durandus und Ockham; WERNER (1887a) 86-90.220-227 zu Pierre d'Ailly und Dionysius dem Karthäuser.

[55] Vgl. HOENEN (2003b) 19: „Fifteenth-century theology was marked by an enormous desire to collect traditional philosophical opinions and bring them together within the framework of a commentary on the *Sentences* or some other systematic plan. The ideal was encyclopedic eclecticism. Theologians were not concerned with finding new solutions or new methodologies, but stayed within the limits of the *communis opinio*, which they tried to systematize and to classify into different traditions."

[56] Vgl. MICHEL (1950) 1806: „La plupart des auteurs qui, depuis le concile de Florence, ont commenté la Somme de saint Thomas ont suivi scrupuleusement l'ordre du saint Docteur. Le progrès dogmatique est nul. Le progrès théologique se réduit à peu près aux conceptions nouvelles de la subsistence, proposés par Cajétan, Suarez, Tiphaine et Duns Scot." Ähnlich WERBICK (1996) 971: „Im römisch-katholischen Bereich wiesen die trinitätstheologischen Entwürfe seit dem späten Mittelalter und bis ins 19. Jahrhundert hinein kaum bedeutsame neue Akzente auf."

(a) Wie sich die großen Schulrichtungen[57] seit dem 15. Jahrhundert in ihrer bis in die Neuscholastik hinein autoritativen Gestalt in trinitätstheologischer Hinsicht ausgeformt haben, bleibt damit ebenso im Dunkeln wie die Rezeption ihrer Vorgaben durch die von Anfang an von einem für scotistische und nominalistische Einflüsse offenen Thomismus geprägte Jesuitentheologie[58], die spätestens seit Ende des 16. Jahrhunderts die geistige Führungsrolle im akademischen Leben der katholischen Welt übernehmen konnte.

Die Behandlung eines Jesuitenautors wie Suárez wird durch diese Forschungslücken nicht leichter. Wenn Suárez, um nur das Beispiel einer einzigen Schule zu nennen, trinitätstheologisch von „Thomismus" spricht, denkt er vor allem an die Begründer der großen Thomaskommentare seit Mitte des 15. Jahrhunderts, nämlich Johannes Capreolus († 1444), Franciscus de Sylvestris von Ferrara († 1528) und Thomas de Vio Cajetan († 1534)[59], denen im vorliegenden Traktat regelmäßig der ansonsten kaum bekannte Bartholomé de Torres († 1568)[60] an die Seite gestellt ist. Da uns ein differenziertes Bild der spätmittelalterlichen Trinitätsdebatten innerhalb des Thomismus nicht vorliegt (kaum anders verhält es sich für den

[57] Zur Charakterisierung der Schulen im Spanien des 16. Jahrhunderts vgl. ANDRES (1976) I, 278-294.

[58] Vgl. bei Ignatius die „Regulae ad sentiendum cum Ecclesia", reg. 11, entstanden zwischen 1535 und 1541, auch die „Constitutiones" (1541-1550), c. 5, p. 2. Darin wird die Wertschätzung der „scholastischen" wie der „positiven" Theologie deutlich. Ihr zufolge sollen die Jesuiten der „sichersten und am meisten bestätigten Lehre" folgen („securiorem et magis approbatam doctrinam"). Cap. 14 der Konstitutionen betont, daß in der Theologie die Thomaskommentierung als leitende Methode vorgesehen ist wie in der Philosophie die Ausrichtung an Aristoteles. Dazu: LE BACHELET (1924) 1012-1018; TSHIAMALENGA (1972) 434f.

[59] Einige Hinweise zu Themen, die auch trinitätstheologisch relevant sind, bietet NIEDEN (1997), bes. 12-41.

[60] Der keinem Orden zugehörige Torres wurde 1512 in Revilla Vallejera/Burgos geboren und studierte in Salamanca unter Francisco de Vitoria und Domingo de Soto. Nach fast 20jähriger Tätigkeit als Theologieprofessor an der Universität von Sigüenza wurde er 1566 zum Bischof für die Kanarischen Inseln geweiht (darum sein geläufiger Beiname „Canariensis"), verstarb aber bereits nach kurzer bischöflicher Tätigkeit. Als Professor hat Torres die ganze thomanische Summa kommentiert, aber allein die Trinitätslehre ist im Druck erschienen. Dieser seit 1567 mehrfach aufgelegte Kommentar avancierte in den folgenden Jahrzehnten zu einem quer durch die Schulen hochgeschätzten Standardwerk. Zu Leben und Werk besitzen wir die gründliche Arbeit von LLAMAS MARTINEZ (1979); zur Trinitätslehre ebd. 22f.427-434 und TEMIÑO SAIZ (1940). Vgl. als knappe biographisch-bibliographische Charakterisierung MARSCHLER (2006).

Scotismus[61]), fehlt uns zugleich eine wichtige Vorarbeit für die Interpretation der an sie anknüpfenden Jesuitenschule. Erneut wird deutlich, daß sich eine Studie über einen ihrer Autoren wie Suárez nicht mit dem bloßen Textreferat seines Werkes begnügen kann. Sie muß zumindest ansatzweise durch den Blick in die von ihm zitierten und diskutierten Texte auch diejenigen Schulpositionen der vorangehenden Zeit erkennbar werden lassen, die seinen Stellungnahmen zugrundeliegen, die aber bislang nicht im einzelnen erforscht sind.

(b) Was wir über die Forschungssituation zur scholastischen Trinitätstheologie in Spätmittelalter und früher Neuzeit festgestellt haben, läßt sich durch einen Blick in die sie widerspiegelnde und zusammenfassende dogmengeschichtliche Überblicksliteratur leicht verifizieren. Wenn darin überhaupt auf die Existenz einer spekulativen Erörterung der göttlichen Dreifaltigkeit nach den großen Denkern des 13. Jahrhunderts verwiesen wird[62], dann zumeist verbunden mit dem Hinweis auf ihre mangelnde Originalität und Bedeutsamkeit. Seit Ferdinand Christian Baurs noch vor 1850 erschienenen Monographien[63] hat sich in diesem Punkt bis in die neueste Standardliteratur kaum etwas verändert. Während die Darstellung durch Franz Courth im „Handbuch der Dogmengeschichte" wenigstens in einigen Randbemerkungen erahnen läßt, daß es zwischen Scotus

[61] Vgl. die Hinweise bei ROTH (1936); DOUCET (1938); MAIERÙ (1991); ders. (2005); BOLLIGER (2003).

[62] Schon die neuscholastisch geprägte Dogmengeschichte von Joseph Schwane läßt in ihrer Darstellung der nachtridentinischen Theologie (SCHWANE [1892-95] IV) die Trinitätslehre völlig unbeachtet.

[63] BAUR (1842) II, 300-306 erwähnt – wenn auch eher abschätzig – immerhin noch die Trinitätslehre beim einflußreichen Prager Jesuiten Roderigo de Arriaga (1592-1667), der den meisten heutigen Dogmenhistorikern kaum dem Namen nach bekannt sein dürfte. Vgl. auch die Gesamtcharakterisierung der katholischen nachtridentinischen Debatten zum Thema bei BAUR (1843) III, 305f.: „Darum soll die hier gegebene Probe des speculativen Denkens in der katholischen Kirche unserer Periode nur als ein Beweis davon gelten, wie diese ächt scholastische Theologie auch jezt noch nicht davon lassen konnte, das Wasser ihrer Weisheit in das alte bodenlose Danaidenfaß zu gießen. Es gibt in der That nichts Unerquicklicheres und Unerträglicheres, als die Disputationen dieser Scholastiker post scholasticismum, welche, nachdem längst das Licht eines andern Tages angebrochen ist, noch in der Nacht der alten Labyrinthe umherirren, und mit ihrer veralteten, geisteslahmen, in den gehaltlosesten Argumenten sich erschöpfenden, Dialektik nicht einmal das Interesse, das der alten Scholastik als einer frischen, durch den Entwicklungsgang des Geistes selbst hervorgerufenen und für ihre Zeit geschaffenen Form des Denkens unstreitig zukommt, für sich in Anspruch nehmen können. Lassen wir daher diese vermoderte Scholastik, über welche die Geschichte längst durch die Vergessenheit, welcher sie sie anheim fallen ließ, gerichtet hat, auch ferner in ihrer Grabesstille ruhen!"

und einer sich ganz der positiv-theologischen Methode zuwendenden Erörterung des Dogmas, wie sie bleibend durch Denis Petau S. J. (Petavius, † 1652)[64] und den Oratorianer Louis de Thomassin († 1695) repräsentiert wird, weiterhin trinitätstheologische Bemühungen gegeben hat[65], begnügt man sich andernorts auch innerhalb heutiger katholischer Theologie mit der Prolongierung polemischer Urteile, in denen betont wird, die nachtridentinische Trinitätslehre habe sich von Thomas weit entfernt und sei „zu einer reinen Leerformel geworden, die irgendwo in einem spekulativen Trinitätstraktat ein abgeschottetes Sonderdasein führte“[66]. Wie kaum in einem anderen scheint sich in diesem theologischen Lehrstück eine von Joseph Ratzinger für die Geschichte des Geistes formulierte Gesetzmäßigkeit zu bestätigen: „Einem großen Durchbruch folgen Generationen von Epigonen, die das Kühne des neuen Anfangs ins Banale von Schultheorien herunterholen, es verschütten und verdecken, bis es durch vielerlei Verzweigungen hindurch wieder neu zur Wirkung kommt“[67] – was man für die Trinitätslehre nach Augustinus und Thomas frühestens dem deutschen Idealismus zugestehen mag. Daß selbst in der ansonsten stets nach Anknüpfungspunkten für eine antimoderne Erneuerung der Theologie suchenden Neuscholastik des 19. Jahrhunderts die Trinitätstheologie „der Vorzeit“ kaum mehr besonderes Interesse zu wekken vermochte[68], mag als Bestätigung dieser Einschätzung verbucht wer-

[64] Die bislang beste und gründlichste Arbeit zu Petavius, HOFMANN (1976), konzentriert sich mehr auf Fragen der theologischen Methode und der Prinzipienlehre bei diesem Jesuiten; die Trinitätslehre wird gelegentlich kurz angerissen. Vgl. ebd. 2.28 (zur Kritik am Sozinianismus). 49 (Aufbau des Trinitätstraktats). 72 (Einwohnungs-Lehre); daneben: TSHIAMALENGA (1972) 472-476.

[65] Vgl. den winzigen Hinweis auf Suárez bei COURTH (1996) 47. Ähnliches gilt im Blick auf SCHEFFCZYK (1967) 197.216. Auch GRESHAKE (2001) 127f. geht nach einigen, wie der Autor selbst zugibt, sehr „holzschnittartigen“ Bemerkungen zum Nominalismus in seiner historischen Darstellung sofort zur Neuzeit über.

[66] SCHMIDBAUR (1995) 20; ebd. 437f.: „Die Trinitätstheologie vom Spätmittelalter bis zum heutigen Tag hätte sich unendlich viele modalistische Rückschläge, Verzerrungen und Blamagen, aber auch viele idealistische, personalistische und prozeßtheologische Fehlwege ersparen können, wenn sie sich einmal die Mühe gemacht hätte, die Relationenlehre des Aquinaten genau zur Kenntnis zu nehmen.“

[67] RATZINGER (1989) 27. Im Anschluß verweist Ratzinger ausdrücklich auf „ganze Generationen von Schüler[n] des hl. Thomas“, welche „die Größe seiner Gedanken nicht zu halten vermocht“ haben (ebd.).

[68] Vgl. PEITZ (2006) 415: „Das Verhältnis von Gnade und menschlicher Freiheit bestimmt bis 1870 so sehr die Diskussion, dass rein dogmatische Fragen wie die Sakramentenlehre oder die Ekklesiologie, die Trinitätslehre oder die Eschatologie nicht zum Gegenstand des wissenschaftlichen Diskurses zwischen den Neuscholastikern werden.“ Wenn man Scheebens Trinitätslehre als Ausnahme von dieser generellen Feststellung zu verstehen hat, bleibt die Frage, ob die Originalität des Kölner

den – oder aber als bis heute wirkmächtiges Hemmnis für die Forschung, das bequeme Fazit „Nach Thomas nichts Neues“ im vorliegenden Traktat durch exakte Detailanalysen zu überprüfen.

### *b) Historisches Interesse an frühneuzeitlicher Trinitätstheologie?*

Ebendieser Aufgabe möchte sich die vorliegende Studie stellen. Dazu muß sie die bislang in genereller Form erwähnten Vorbehalte neuzeitlicher Wissenschaft gegenüber der spätscholastischen Trinitätstheologie in möglichst umfassender Form zur Kenntnis nehmen und Argumente nennen, welche das Anliegen ihrer umfassenderen Erschließung in der bei Suárez vorfindlichen Gestalt plausibel machen.

(1) Es läßt sich kaum in Abrede stellen, daß auf dem Trienter Konzil Trinitätslehre und Christologie keine nennenswerte Rolle spielten, „da sich an diesen Punkten auch der Protestantismus zu der altkirchlichen Überlieferung bekannte“[69]. Das Konzil brauchte die Themen nicht zu behandeln, weil allein die Darlegung der Kirchenlehre „unter dem Gegensatz wider den Protestantismus“[70] in seinem Interesse lag. Somit gehörten die Aussagen über Gott und Jesus Christus auch nicht zu den „heißen“ Themen der durch das Konzil angestoßenen theologischen Debatten der Folgezeit. Es wäre dennoch zu voreilig, den frühneuzeitlichen Traktat zur Trinität, der den Autoren selbst weiterhin als der „schwierigste von allen“ galt[71], deswegen für historisch gänzlich uninteressant zu erklären.

(a) Man gerät generell in die Gefahr anachronistischen Vorgehens, wenn man „schulmäßig“ betriebene Philosophie und Theologie, wie sie als eigene methodische Gestalt der Wissenschaft auch in der Neuzeit anerkannt zu werden verdient[72], nach modernen Vorstellungen von Innovativität und Originalität zu beurteilen versucht. Nicht der geniale Neuent-

Thomisten in seiner Anknüpfung an scholastisches Erbe oder nicht vielmehr im Rückgriff auf die positiv-patristische Darstellung des Petavius zu erklären ist, die in der römischen wie der Tübinger Schule ihre Fortsetzung fand. Vgl. zu Scheeben MINZ (1982).

69 SEEBERG (1953-54) IV/2, 821.

70 Ebd.

71 Vgl. etwa B. Torres, Comm. in I$^{am}$, q. 43, a. 8 (141vb): „…huic difficillimo omnium tractatui…“.

72 Vgl. die hilfreichen Ausführungen bei BLUM (1998) 254 u. ö., der die Eigentümlichkeit neuzeitlicher „Schulphilosophie“ neben der „Philosophenphilosophie“ konturiert. Vieles davon ließe sich auch für eine Phänomenologie neuzeitlicher Theologie fruchtbar machen.

wurf, sondern Verfeinerung und Reform der ererbten Methode, geschickte Selektion und tiefere Durchdringung des vorgegebenen Materials, die Fähigkeit zu je neuer Strukturierung, Systematisierung und Synthese machen die Qualität eines Schulautors unserer Epoche aus[73]. Es gehört zu den Verdiensten der frühneuzeitlichen Trinitätstheologie nach dem Übergang zur Thomaskommentierung, daß sie die methodische und inhaltliche Verengung des Traktats, wie er sich in der Gesamtentwicklung der Theologie seit dem zweiten Drittel des 14. Jahrhunderts vollzogen hatte, einer nachhaltigen Korrektur unterzog. Die einseitig spekulativ-formalistische Behandlung theologischer Themen unter Vernachlässigung des biblisch-historischen Zugangs[74] und die inhaltliche Fokussierung auf bestimmte Fragen des ersten Sentenzenbuches, die schon Gerson beklagt hatte[75], wurden nun zugunsten eines neuen Zugriffs auf das Gesamt der Theologie auch in der Trinitätsfrage überwunden; die Traktate im einzelnen gewinnen den Charakter des dogmatischen Gesamtentwurfs zurück bzw. bilden ihn überhaupt erst aus. Wer die Gestalt der Trinitätstheologie kennenlernen will, wie sie in scholastischer Ausformung bis ins 20. Jahrhundert betrieben wurde, aber auch, wer die Abweichungen und Neuansätze seit der Aufklärung verstehen möchte, kommt am Blick auf die frühneuzeitliche Entwicklung nicht vorbei.

Wie „isoliert" bzw. „funktionslos" die Trinitätsdebatten dieser Zeit im Vergleich mit den übrigen Traktaten bzw. dem Gesamt der theologischen Erörterungen eines Autors tatsächlich dastanden, kann erst die Detailuntersuchung erweisen. Wenn das Trinitätsthema für lullistisch-universalwissenschaftlich ausgerichtete Jesuitenautoren wie Athanasius Kircher († 1680) oder Sebastian Izquierdo († 1681) Bedeutung besaß[76], wenn es immer wieder im Ringen der frühen Neuzeit um die Rezeption heidnisch-antiker Kultur herangezogen wurde[77] und wenn auch in Debatten um die konkrete Praxis in Liturgie und Frömmigkeit[78] wie in der

[73] Vgl. auch BALDINI (1992) 19f.

[74] Vgl. BORCHERT (1940) 10; COURTENAY (1987) 280.

[75] Vgl. WEILER (1962) 297.

[76] Vgl. LEINKAUF (1993), bes. 324-348, mit Hinweis auf Kirchers ternarische Explikationen des Magnetismus, des Lichts und der Musik. Kircher fiel zudem durch seinen Versuch auf, „Trinitätszeugnisse" aus der vorchristlichen Religionsgeschichte, namentlich aus ägyptisch-orphischen Quellen beizubringen. Vgl. die (kritischen) Hinweise bei Gazzaniga, Praelectiones theologicae, tom. 3, Praef. (iii-xii).

[77] Vgl. HÄFNER (2003).

[78] Suárez bekennt sich zur trinitarischen Prägung des liturgischen Sonntags in der römischen Tradition, der das später eingeführte eigene Dreifaltigkeitsfest nicht entgegenstehe: De virtute religionis, tr. 2, 2.4.13-14 (XIII, 257b-258a). Dem Text ist zu entnehmen, daß zur Zeit des Suárez der allsonntägliche Gebrauch der Trinitätsprä-

persönlichen Spiritualität entscheidender Heiliger unseres Zeitalters[79] der

fation nicht (nach seiner Ansicht: nicht mehr) üblich war. Bekanntlich wurde er später (endgültig erst 1759) eingeführt; vgl. JUNGMANN (1962) II, 155. Zu den Debatten des 17. Jahrhunderts um die Einführung eines eigenen liturgischen Festes für Gott Vater, in denen sich u. a. Suárez (zustimmend) positioniert hat, vgl. CAILLAT (1939) und DE MARGERIE (1975) 209f. Siehe auch Avendaño, Problemata theologica, s. 29, probl. 3, n. 1155-1193 (327b-336b), zur Messe „De S. Trinitate" und zur Ablehnung einer eigenen Messe „De Patre aeterno". Ebenfalls von den Theologen aufgegriffen wurden zu dieser Zeit Fragen um die Darstellbarkeit der Trinität in der bildenden Kunst; vgl. beispielhaft Jean Molanus (1533-1585), De historia sacrarum imaginum, l. 2, cc. 3-4 (414-417); l. 4, c. 16 (542); Possevino, Bibliotheca selecta, l. 8, c. 16 (I, 542-552); Vázquez, De cultu adorationis lib. 2, disp. 3, cap. 3 (72r-75v); Avendaño, Problemata theologica, s. 29, probl. 4, n. 1194-1213 (336b-340b).

79 Allen voran ist hier Ignatius von Loyola zu nennen, dessen ursprüngliche spirituelle Prägung sich mit einer „Trinitätsmystik" verbindet; vgl. GRESHAKE (2001) 410 im Anschluß an die Untersuchungen Martha Zechmeisters. Schon in Manresa soll Ignatius gnadenhaft ein „sehr klares Wissen über die Personen der Dreifaltigkeit" erworben haben (ZECHMEISTER [1985] 24f.). Es wird von ihm berichtet, daß er „viel Andacht" zur Dreifaltigkeit („devoción a la Santísima Trinidad") gepflegt und zu ihr wie auch den göttlichen Personen einzeln täglich gebetet habe. In einer Vision schaute er die Trinität „in Gestalt von drei Tasten" (ebd. 29), also wohl als göttlichen Dreiklang und Harmonie. Im Exerzitienbüchlein kehrt ein sinnliches Dreifaltigkeitsbild in der Form dreier Personen wieder, die „gleichsam auf ihrem königlichen Sitz oder Thron ihrer göttlichen Majestät" (Exerzitienbuch, n. 106; vgl. ZECHMEISTER [1985] 51) geschaut werden. Aus der trinitarischen Communio erwächst in Gott der Entschluß zur Inkarnation, die als gemeinsames Werk der drei Personen anzusehen ist (ebd. 53, mit Bezug auf EB 108). Während seines Theologiestudiums beschäftigte sich Ignatius mit der Trinitätslehre in der damals selbstverständlichen scholastischen, an der thomanischen Summa ausgerichteten Form. Beim ersten Verhör vor dem Inquisitionsgericht zu Salamanca konnte er mit seinen diesbezüglichen Kenntnissen offensichtlich die Richter überzeugen (vgl. ZECHMEISTER [1985] 78f.). Auch der weitere Weg, der Ignatius zur Gründung der Gesellschaft Jesu führte, war geprägt durch eine besondere Beziehung zum Trinitätsgeheimnis. Als sich der Approbation der Gemeinschaft ernste Schwierigkeiten in den Weg stellten, ließ Ignatius nicht weniger als 3000 Messen zur Allerheiligsten Dreifaltigkeit lesen (ebd. 90). Nach Überwindung der ersten Probleme sind die Arbeiten des Gründers an den Konstitutionen des neuen Ordens mit weiteren Visionen der Trinität bzw. einzelner ihrer Personen verbunden. Manches von diesen Erfahrungen ist im „Geistlichen Tagebuch" des Heiligen festgehalten; wiederum fällt die je eigene Beziehung zu den drei Personen auf, denen Ignatius jeweils das Geschenk besonderer Zuwendung und Nähe im geistlichen Erleben zuschreibt (vgl. ebd. 114ff.). Als besondere Gnade deutet es Ignatius, im Gebet die Perichorese, das lebendige Ineinander der Personen erfahren zu haben. Sie geht so weit, daß es zu Schauungen des göttlichen Wesens (in sonnenhafter „Kugelgestalt") kam, aus welcher die erste Person (des Vaters) oder alle drei Personen zugleich hervorzugehen schienen (vgl. ebd. 118-124). Die spekulative Trinitätslehre der Jesuiten hat angesichts dieser Feststellungen die Frage getroffen, ob sie mit ihrer scholastisch-philosophischen Ausgestaltung den geistlichen

trinitarische Bezug nicht fehlte, dann sind dies schon erste Argumente gegen die undifferenzierte Behauptung einer generellen Marginalisierung unseres Themas in der nachtridentinischen Epoche. Gleiches darf man auch für die schulmäßig ausgearbeitete Trinitätstheologie dieser Zeit wenigstens vermuten. Es kann hier nicht der Ort sein, um auch nur am Beispiel der Jesuitentheologie die Qualität und Vielfalt der diesbezüglichen Traktate des 17. Jahrhunderts umfassend darzustellen. Als Beispiel mag der Hinweis auf den 1625 erstmals publizierten Kommentar „De trinitate" des in Cordoba und Sevilla lehrenden Diego Ruiz de Montoya S.J. († 1632) genügen, den Martin Grabmann als „weitaus das beste <Werk> über diesen Gegenstand" bezeichnet hat[80] und der noch in Michael Schmaus' bekannter Augustinus-Studie als durchgehende Referenzinstanz dient[81]. Schmaus hat für unsere Ära insgesamt, wenn auch nach eher punktuell und exkursartig vorgenommenem Blick in ihre Texte, ein rundum ermutigendes Gesamturteil formuliert: „Das Studium der trinitarischen Anschauungen im 16. und 17. Jahrhundert belehrte mich, daß die Durchforschung der Theologie dieser Zeit aller Mühe wert wäre"[82] – ein Wort, von dem sich die vorliegende Studie motivieren läßt.

(b) Um die theologische Produktion der nachtridentinischen Periode korrekt bewerten zu können, muß man stets die institutionellen Rahmenbedingungen berücksichtigen, innerhalb derer sie sich entfaltete. Neben den allgemeinen kirchlichen Lehrvorgaben mußten die meisten Autoren bestimmte Ordens- und Schuldoktrinen berücksichtigen. Zwar gehörte es zur Eigenart der Gesellschaft Jesu wie auch anderer nach Trient gegründeter Gemeinschaften[83], daß ihre Theologen im Vergleich zu denjenigen vieler alter Orden eine größere Freiheit im Umgang mit den Schulautoritäten des Mittelalters besaßen. Ignatius wollte seine Mitbrüder bekanntlich auf die zuverlässige „opinio communis" verpflichten, was bei grundsätzlicher Orientierung an Thomas und der Ablehnung unsicherer Auto-

Grundimpuls des Ordensgründers hinreichend treu gewahrt hat. Schon RAHNER (1975b) 210 hat in genereller Form (selbst-)kritisch bemerkt: „Vielleicht wäre die etwas melancholische Meinung nicht abwegig, die Jesuitentheologie habe im Laufe ihrer bisherigen Geschichte nicht immer und in jeder Hinsicht das Erbe ihrer ignatianischen Spiritualität richtig zur Auswirkung kommen lassen. Dafür konnte man auf viele Themen verweisen, die in dieser Spiritualität gegeben sind, aber doch nicht in ihrer Eigenart und mit ihrem Gewicht in die Reflexion der Jesuitentheologie übersetzt sind, wie sie es ihrer Bedeutung nach eigentlich sein sollen".

80 GRABMANN (1933) 170; ähnlich MICHEL (1950) 1804: „un ouvrage qui se classe parmi les plus parfaits du genre de son epoque".

81 Vgl. SCHMAUS (1927) ad indic.

82 SCHMAUS (1930b) 557, Anm. 79.

83 Vgl. JANSEN (1938) 7.

ren keine einseitige Schulbindung notwendig machte, sondern den Rückgriff auf Vertreter aller anerkannten „viae" zuließ[84]. Die Suche nach einer „sicheren" Mittelposition jenseits der Extreme förderte nicht bloß die Tendenz, vor dem eigenen Urteil die vorangehende scholastische Diskussion in enzyklopädischer Bündelung darzustellen, sondern eröffnete auch die Möglichkeit eigenständiger Weiterentwicklung der Vorgaben. Daß andererseits die Freiheit der Jesuitentheologen nicht grenzenlos war[85], sondern feste interne Orthodoxiekriterien zu berücksichtigen hatte[86], zeigen die Anweisungen der berühmten „Ratio studiorum" des Ordens, die, 1569 in der Urfassung erarbeitet, 1586 in ihrer ersten und 1599 in der dritten gedruckten Fassung erschien, welche dann bis zur Auflösung des Jesuitenordens 1773 in Geltung blieb. Es ist erstaunlich, daß die „Ratio" zwar schon häufig in bildungs- und institutionengeschichtlicher Perspektive untersucht worden ist[87], man aber kaum nach ihrer Relevanz für die Ausgestaltung der theologischen Traktate innerhalb der Jesuitenschule gefragt hat. Dabei enthalten vor allem die erste und zweite der gedruckten Fassungen (1586/1591) eine sehr ausführliche Version des sogenannten „delectus opinionum", einer Auflistung von solchen (kontroversen) Thesen aus allen Teilen der thomanischen Summa, denen gegenüber die Jesuitentheologen nach Einschätzung der durch die Ordensleitung eingesetzten Redaktionskommission frei Position beziehen konnten, und anderen Sätzen, zu denen eine bestimmte Stellungnahme erwartet wurde. In der „Ratio" von 1586 finden sich aus der I[a] Pars zwei die Trinitätslehre betreffende Aussagen, die als frei diskutierbar qualifiziert wurden, während vier andere Thesen verpflichtend gelehrt werden sollten[88]. Von besonderem Interesse ist zudem ein beigefügter Kommentar, der beispielhaft einige der Entscheidungen begründet, darunter den vorgeschriebenen trinitätstheologischen Satz, wonach es neben den drei relati-

[84] Vgl. LOHR (1976) 210f. Zur umfassenderen Charakterisierung der jesuitischen Methode in der Theologie vgl. ANDRES (1976) I, 174-198.

[85] Dies betont zurecht BALDINI (1992) 12: „ogni autore gesuita (…) deve essere considerato come centro non di una elaborazione del tutto autonoma, ma di una prodotta all'interno di convenzioni e pattuizioni rese istituzionali, espresse in regole e sancite dalla fedeltà religiosa e dal controllo gerarchico".

[86] Diese Spannung ist gut herausgearbeitet bei ROMANO (2000).

[87] Vgl. aus der überreichen Literatur HENGST (1981) 66-72; BARTLETT (1984); LASALA (1986); NOREÑA (1991) 280ff.; LEINSLE (1997), bes. 170ff.; HELL (1999) 55-79; LEINSLE (2006) ad ind.; dazu die neueren Sammelbände ATTEBERRY / RUSSELL (1999); DUMINUCO (2000); HINZ (2004). Die wichtigste ältere Lit. ist verzeichnet bei POLGÁR I (1981) 454-457.

[88] Vgl. Ratio atque institutio studiorum (ed. Lukács), 9 (nn. 8-9 in der ersten, nn. 15-18 in der zweiten Liste).

ven Subsistenzen in Gott auch eine gemeinsame, absolute und wesenhafte Subsistenz gibt[89], und den für die Diskussion freigegebenen Satz, daß Sohn und Heiliger Geist auch durch die Erkenntnis der Kreaturen nach ihrem möglichen Sein bzw. durch die Liebe zu ihnen hervorgehen[90]. Wir werden diesen Themen allesamt bei Suárez wiederbegegnen. Erwähnenswert ist schließlich eine weitere Liste der „Ratio" von 1586, die – erneut nach der Ordnung der thomanischen Summa – bestimmte Fragen und Themen nennt, die der Ordenstheologe bei seiner Erklärung nicht, nur kurz oder an festgelegter Stelle behandeln sollte[91]. Diese Listung will vor allem eine Überfrachtung der theologischen Traktate durch philosophische Spezialdiskussionen oder überflüssige theologische Subtilitäten verhindern und einem unnötigen Durcheinander in den Traktatanordnungen Einhalt gebieten – Probleme, die offenbar bei der Sichtung vorangehender theologischer Werke aufgefallen waren. Auch in diesen Vorgaben der „Ratio" finden sich einige Punkte, die den thomanischen Trinitätsquästionen zugeordnet sind. Insgesamt verbindet sich so in der jesuitischen Studienvorgabe das Interesse des Zensors mit dem des Didaktikers. In der zweiten gedruckten Version von 1591 werden zu unserem Thema wiederum sowohl „sententiae definitae"[92] wie auch „propositiones liberae"[93] zusammengestellt; letzteren sind nun sogar exakte Belege für zustimmende wie ablehnende Autoren beigefügt. In der dritten gedruckten Version ist dieser „delectus" nicht mehr enthalten, da er jetzt nur noch in handschriftlicher Form an die Provinzen versandt wurde[94]. Verblieben ist allerdings die Liste mit den in einem bestimmten Traktat nicht zu behandelnden Fragen[95]. 1593 lehnte die fünfte Generalkongregation des Ordens die Beibehaltung einer detaillierten Liste von zu vertretenden oder abzulehnenden Lehrthesen im offiziellen Text der „Ratio" ab[96]. Aber auch wenn damit der ursprüngliche „Orthodoxiekatalog" zur Zeit der Veröffentlichung des suárezischen Trinitätstraktats kein formales Kriterium mehr darstellte, bleibt er als Referenz für seine Ausarbeitung von Bedeutung. Er bietet Erklärungshilfen für die Analyse der Traktatkomposition und führt zur Frage nach gemeinsamen bzw. abweichenden Posi-

[89] Vgl. „Commentariolus" der Ratio von 1586: ebd. 28f.
[90] Vgl. ebd. 31.
[91] Vgl. ebd. 59.
[92] Vgl. ebd. 317 (nn. 13-15).
[93] Vgl. ebd. 320 (nn. 8-9).
[94] Vgl. ebd. 34* (Vorwort des Herausgebers).
[95] Vgl. zu unserem Thema ebd. 389f.
[96] Vgl. ROMANO (2000) 258.

tionen innerhalb der Jesuitentheologie hinsichtlich des vorliegenden Lehrstücks.

(c) Wendet man den Blick über die innere Komposition der Trinitätslehre hinaus, ist es vor allem ihre Nähe zu der in höchstem Maße innovativen Metaphysik der frühen Neuzeit, die das Interesse des Interpreten weckt. Im Wissen um die seit dem Mittelalter übliche stark philosophisch geprägte Gestaltung der Trinitätslehre darf man erwarten, daß auch in unserer Epoche zentrale metaphysische Themen und Begriffe theologisch aufgegriffen und in ihrer Relevanz für die Explikation der Glaubensgeheimnisse nutzbar gemacht werden. Es stellt sich sofort die Frage, inwieweit es daneben die umgekehrte Einflußrichtung gibt: ob nicht theologische Interessen hinter bestimmten philosophischen Doktrinen aufweisbar werden, die somit erst aus dem Blickwinkel eines theologischen Traktats wie der Trinitätslehre ihren kompletten Motivationshintergrund preisgeben. Damit wird die theologische Erörterung nicht nur zu einem entscheidenden Bewährungsfeld für jede metaphysische Theorie, sondern zu einem Ort, an dem sich Entscheidendes über das generelle Verhältnis zwischen philosophischem und theologischem Denken im Verständnis frühneuzeitlicher Schulwissenschaft ablesen läßt. Weshalb sich aus diesem Blickwinkel gerade die Analyse der suárezischen Trinitätslehre anbietet, wird an späterer Stelle eigens zu reflektieren sein.

(d) Legt sich für den historisch interessierten Forscher die Beschäftigung mit der nachtridentinischen Trinitätslehre auch mit dem Blick auf die Kontroverstheologie der Zeit nahe?

(aa) Die Frage scheint zunächst verneint werden zu müssen. Zwischen den großen Konfessionsfraktionen im 16. und 17. Jahrhundert gehörte die Trinitätslehre, wie bereits erwähnt, nicht zu den aufsehenerregenden Streitthemen. Bei den katholischen Dogmatikern standen darum in der Trinitätstheologie Vorwürfe gegen die bekannten Reformatoren[97] und

[97] Beispielsweise: Bellarmin, Controversiae, Praef. (Op. I, 243-246). Bellarmin findet fast bei jedem der Reformatoren christologische oder trinitätstheologische Irrtümer, so daß er ihnen angesichts ihrer Verfolgung der antitrinitarischen Sektierer zurufen möchte: „Cur ferro et igne persequimini quos genuistis? Cur tam iniquo animo Evangelii vestri fructus colligitis? Nulli certe ex Papistis Ariani fiunt, sed quotquot Ariani sumus, ex vobis Lutherani et Calvinistae, omnes prodivimus. A vobis sane, non a Papistis didicimus, nihil omnino credendum esse, quod in sanctis Litteris non habeatur. Quia vero homousion, Trinitatem, essentiam, personam, relationem, proprietatem in Scripturis expresse non legimus, haec omnia damnare coacti sumus. A vobis didicimus, neque Patrum, neque Conciliorum, neque totius Ecclesiae, sed solius spiritus acquiescendum esse judicio. Nobis autem hoc Spiritus dictat, nec possumus salva conscientia aliud credere, vel dicere“ (ebd. 246); Possevino, Bibliotheca selecta, l. 8, c. 7 (I, 517-519); Gregor von Valencia, De trin. l. 1, c. 7 (73-83). c. 24

gegen einige der Reformation nahestehende Humanisten, die meist im Arianismusvorwurf mündeten, eher am Rande. Obgleich man der Orthodoxie Luthers und Calvins auch auf diesem Gebiet nicht gänzlich traute, sah man hier doch weder Gelegenheit noch Notwendigkeit zur Eröffnung großer Kontroversen. Daß es zu einer antitrinitarischen Kehre größeren Stils in der reformatorischen Bewegung als ganzer niemals gekommen ist, haben sachlich urteilende katholische Autoren stets anerkannt.

Andererseits ist nicht zu übersehen, daß im Gefolge der Reformation in sektiererischen, namentlich täuferischen Kreisen rasch ein massiver Antitrinitarismus[98] erwachte, der sich im Laufe seiner Entwicklung zunehmend radikalisierte. Nicht wenigen ihrer Vertreter galt „die Kritik am Trinitätsdogma als die notwendige Vollendung der Reformation"[99] überhaupt. Die prominenten Reformatoren selbst versuchten, diese Strömungen kämpferisch einzudämmen. Als machtvolles Zeichen dafür galt die Verbrennung des theologisierenden, zum „Antitrinitarier seines Jahrhunderts"[100] avancierten spanischen Arztes Miguel Servet, der nach der drastischen Einschätzung eines modernen Interpreten von Calvin am 27.10.1553 in Genf „wie ein Tumor chirurgisch aus dem christlichen Leib entfernt"[101] wurde. Dennoch breitete sich die maßgeblich durch ihn angestoßene Bewegung, in großer Streuung zwischen moderaten Subordinatianisten und extremen Nonadoranten, während der folgenden fünfzig Jahre in italienischen Kreisen ebenso aus wie in Polen und Siebenbürgen. Es läßt sich nicht übersehen, daß in den Jahrzehnten vor 1600 die Frage

(316); Vázquez, In I[am], 109.1.4 (17a-b): Luther als Gegner des unbiblischen Begriffs „homoousios". Schon Johannes Eck hatte Luther Arianismus vorgeworfen; vgl. SCHWÖBEL (2002) 106 (im Rückgriff auf die Forschungen von Wilhelm Gussmann).

98 Vgl. als konzisen Überblick (mit Lit.): BENRATH (1978).

99 CANTIMORI (1949) 169.

100 BENRATH (1978) 169.

101 OBERMAN (2003) 215. Calvins Maßnahme wurde auch von den Katholiken mit Zustimmung registriert; vgl. Salmeron, Commentarii, Bd. 2, Praefatio ad lectorem: „Hic etsi tantae temeritatis, et insolentiae suae condignas poenas Gebennae a Calvino combustus dederit: de eius tamen spiritu potantes Ungarici ministri orti sunt, qui tria Ecclesiae nostrae symbola (...) non admittunt, nisi quatenus Dei verbo consentiant". Servet verstand Christus „vornehmlich als das Orakel Gottes, den menschgewordenen, sichtbaren Offenbarer des göttlichen Willens. Ohne die Terminologie der altkirchlichen Logoslehre zu verwerfen, lehnte er jedoch die scholastische Ausgestaltung des trinitarischen Dogmas ab, um sich auf den einfacheren, biblisch fundierten Supernaturalismus zu beschränken; von dem rationalistischen Einschlag im Denken der späteren Antitrinitarier findet sich bei ihm noch keine Spur" (BENRATH [1978] 169). Zu seiner Trinitätstheologie vgl. SOLANA (1941) I, 644-660; CANTIMORI (1949) 31-44; SÁNCHEZ-BLANCO (1977).

nach der Schriftgemäßheit der lehramtlich-altkirchlichen Deutung neutestamentlicher Gotteslehre in einer zuvor unbekannten Schärfe und Konsequenz zur Äußerung kam. Im Blick auf die Anhänger der Miguel Servet, Fausto und Lelio Sozini oder Franciscus David wird deutlich, daß zur Zeit des Suárez in unterschiedlicher Detailausformung erstmals seit mehr als 1000 Jahren ein ernstzunehmender unitarischer Gegenentwurf zur traditionell-christlichen Trinitätslehre vorlag.

(bb) Schaut man auf die Autoren der Jesuitenschule, so finden sich in den dogmatischen Traktaten zwar durchaus klare Worte der Verurteilung gegen die neueren Antitrinitarier[102], aber ins Zentrum des Interesses rückt die Auseinandersetzung mit ihnen ebenso wenig wie diejenige mit dem trinitätsfeindlichen Islam[103], mit unitarischen Motiven infolge der jüdisch-arabischen Einflüsse in Spanien[104] oder mit religionstheologischen Einigungsbestrebungen und philosophischen Rationalisierungstendenzen, wie sie im Horizont platonisierender Denker seit dem 15. Jahrhundert (Cusanus, Pico della Mirandola) lebendig waren.

(cc) Diese apologetische Zurückhaltung in den „De trinitate"-Traktaten gegenüber der explizit antitrinitarischen Bewegung dürfte vor allem drei Gründe haben.

Erstens existiert schon im 16. Jahrhundert eine zunehmende Scheidung der vornehmlich spekulativ vorgehenden dogmatischen Werke von explizit apologetischen bzw. positiv-bibeltheologischen Behandlungen des Themas. Für den Jesuitenorden gilt: „Bereits die Konstitutionen (ab 1540) sprechen von *scholastischer* Theologie als der Ausbildungsform der Mitglieder in Abhebung von der *positiven* Theologie"[105]. Letztere stand bei den Jesuiten gegenüber der scholastischen Vorgehensweise in untergeordnetem Rang und sah sich, oft eigenen Dozenten überlassen, verwiesen in den „Cursus minor" für weniger begabte Studenten[106]. Als promi-

[102] Vgl. etwa Ruiz, De trin. 4.2.19 (26b): „Monstruositate tandem, ac simulatione recentiores haeretici nuper commemorati Franciscus David, et Servetus superant Arii, Eunomiique furorem."

[103] Wie die unsere Epoche die Stellung des Korans zur Trinitätslehre einschätzt, mag ein weiteres Zitat aus Ruiz, De trin. 4.1.4 (22a), illustrieren: „Mahumetus autem, monstrum erumpens ex Iudaismi cadavere, inter Arianorum faeces putrescente, dicit: *Unum Deum qui nec genitus sit, nec generaverit*, ut refert Damascenus...".

[104] Vgl. SÁNCHEZ-BLANCO (1977) 123, Anm. 37, der auf diese These bei B. Croce, La Spagna nella vita italiana durante la Rinascenza (Bari 1949) 223-226 und A. Farinelli, Marrano. Storia di un vituperio (Genf 1925) hinweist.

[105] LEINSLE (1995) 267.

[106] Vgl. ebd. 271 mit dem Hinweis: „Die Kontroverstheologie versteht sich als Auseinandersetzung mit den Häretikern (meist Protestanten) in den von ihnen angegriffenen Lehrpunkten der katholischen Kirche. Die Methode ist auch hier nicht mehr die der scholastischen Kommentierung, sondern der positiven Darlegung und apo-

nentes Beispiel für ein Trinitätswerk des 16. Jahrhunderts in „positiver" Ausgestaltung sei das Buch „De sancta trinitate" des Benediktinerexegeten Gilbert Genebrard (1535-1597) erwähnt, das als Frucht seiner Pariser Lehrtätigkeit 1569 erstmals erschien und auch von Suárez benutzt wurde. Als Quellen aus eigener Ordensproduktion konnten Jesuiten vor allem die apologetischen Disputationen Robert Bellarmins († 1621)[107], aber auch andere weit verbreitete Werke mit explizit apologetischen Passagen, wie den Schriftkommentar des Alfonso Salmeron († 1585) oder die „Bibliotheca selecta" des Antonio Possevino († 1611)[108], heranziehen. Wo Jesuitendogmatiker auf zeitgenössische Gegner des Trinitätsglaubens verweisen, schöpfen sie ihr Wissen meist aus solchen Texten (und somit aus zweiter Hand)[109].

Zweitens ist darauf hinzuweisen, daß offenbar die antitrinitarische Gefahr, wie sie in einigen durch die Reformation tangierten Ländern real wurde und mit der Verurteilung der Sozinianer durch Papst Paul IV. im Jahr 1603 deutlich ans Licht trat[110], von katholischen Theologen der romanischen Welt, in der die spekulative Dogmatik unserer Epoche hauptsächlich beheimatet war, im allgemeinen nicht als existentielle Herausforderung empfunden wurde. Die saloppe Einschätzung eines bekannten Jesuitenautors aus der Mitte des 17. Jahrhunderts, daß die Trinitätslehre auch bei den ärgsten Häretikern gewöhnlich unangetastet bleibe, „quibusdam idiotis Transsylvanis exceptis", spricht für sich[111]. Autoren der vorangehenden Jahrzehnte, die Kontakt zu Deutschland oder Polen besaßen, widmeten den „Transsylvani" zuweilen etwas mehr Aufmerksamkeit, wie am scholastischen Werk des Jesuiten Gregor von Valencia (1549-1603) leicht aufzuzeigen wäre[112]. Insgesamt blieben allerdings auch hier

logetischen Abwehr falscher Lehren, oft in Verbindung mit der Darlegung des Katechismus. Nicht selten werden die Kontroversen auch durch den Professor der Hl. Schrift oder einen Professor der Scholastischen Theologie mitbetreut."

[107] Vgl. etwa den kurzen Verweis auf Bellarmin, mit dem sich Suárez, De trin. 2.3.3 (I, 579a) zur Abweisung der „haeretici huius temporis, praesertim in Transylvania" zufriedengibt. Zu Bellarmins Kritik gegen die Antitrinitarier aus Schrift und Tradition in den ersten beiden Büchern der „Controversiae de Christo" vgl. SERVIÈRE (1909) 51-58. Einen Überblick über Bellarmins apologetische Stoßrichtung gibt die „Praefatio" des Werkes (Op. I, 235-246).

[108] Vgl. Possevino, Bibliotheca selecta, l. 8, cc. 12-17 (I, 534-563).

[109] Trinitätstraktate mit recht starker apologetischer Komponente haben unter den Jesuiten nach Suárez etwa Geronimo Fioravanti († 1630) oder Pierre de Bugis († 1680) vorgelegt.

[110] Vgl. DS 1880.

[111] R. de Arriaga, Disputationes theologicae, tom. 1, 42.2, n. 12 (441b).

[112] Vgl. Gregor de Valencia, De trinitate; Praefatio; l. 5 (ganz gegen polnische Sozinianer gerichtet).

die Abgrenzungen stärker gegen klassische trinitarische Häresien gerichtet und erfolgten in einer dogmatischen Form, wie sie in der Alten Kirche entwickelt wurde und bereits im Mittelalter allgemeine Übernahme fand. In ihnen sah man die zeitgenössischen Neo-Arianer oder -Sabellianer implizit längst ebenfalls widerlegt.

Drittens läßt sich zumindest ein indirekter Reflex auf die wachsenden Angriffe gegen das christliche Hauptdogma auch in vielen der dogmatischen Trinitätswerke dort feststellen, wo sie den positiv-theologischen Teilen, namentlich dem exegetischen und patristischen Nachweis der wahren Gottheit von Sohn und Geist, zunehmend größeren Raum zumessen. Obwohl die „Ratio studiorum" von 1586 (aus den in unserem ersten Argument genannten Gründen) eigentlich zur Kürze beim Beweis der Trinität aus der hl. Schrift gemahnt hatte[113], bemühten sich in diesem Punkt gerade Jesuitenautoren von Anfang an um eine Verbindung von spekulativer und positiver Methode und korrigierten so eine gewisse „lehramtspositivistische Tendenz", wie sie der Forschung in Trinitätstraktaten des spätmittelalterlichen Nominalismus aufgefallen ist[114]. Die Stärkung des positiv-theologischen Anteils ist in den Trinitätswerken schon bei Juan de Maldonado (1533-1583)[115] erkennbar. Sie setzt sich in der Jesuitenschule bei Gregor von Valencia und vor allem Gabriel Vázquez (1549-1604) fort, um in den monumentalen Summenkommentaren aus den Federn von Girolamo Fasulo [Fasolus] (1567-1639) und Diego Ruiz de Montoya in großem Umfang verwirklicht zu sein[116]. Die Trinitätslehre in den „Dogmata theologica" des bereits erwähnten Denis Petau bringt diese Entwicklung insofern zu einem Höhepunkt, als sie zwar noch im Aufbaugerüst der scholastischen Vorgabe gleicht, praktisch aber ein rein positiver Traktat geworden ist, der auch klare apologetische Ziele verfolgt[117]. In der anti-spekulativen Atmosphäre der Aufklärungszeit, wie sie das nachfolgende Jahrhundert prägt, werden die scholastischen Distinktionen und Erörterungen bei vielen Autoren fast gänzlich verschwinden oder bestenfalls in knappen Thesen, aber nicht mehr in lebendiger Dis-

[113] Vgl. Ratio atque institutio studiorum (ed. LUKÁCS), 59: „nec fiat longa tractatio de Trinitate probanda ex Scripturis".

[114] Vgl. die These bei SANTOS NOYA (2000) 202f. mit Bezug auf Marsilius von Inghen.

[115] Zentrale bibliographische Daten und die wichtigste Lit. nennt MOLINA (2003) 88ff. Auf seinen ungedruckten Trinitätstraktat (Rom, Arch. Curiae Generalis SJ, Opera NN 117, fol. 60-155; Opera NN 120, fol. 87v-173v) verweist TSHIAMALENGA (1972) 473 (mit Anm. 202).475f. Vgl. (nur zur Methode des Werkes, nicht zum Inhalt) MARRANZINI (1954); MOORE (1992) 145.166f.

[116] Vgl. LENSI (1940) 25-28.

[117] Vgl. etwa die gegen Jean Crell gerichteten Kapitel bei Petavius, Dogmata theol. De trin. 3.1-11 (II, 501-601).

putation fortgesetzt werden. Die Lehre über Gott als dreieinigen reduziert sich dann im wesentlichen auf den Erweis der Gottheit Christi und des Heiligen Geistes aus Schrift und Tradition, zu dem kaum mehr als eine kurze Erklärung der wichtigsten kirchlichen Glaubenssätze und der traditionellen trinitätstheologischen Zentraltermini tritt.

Mit Suárez haben wir dagegen noch einen Autor vor uns, der klar die spekulative Erörterung in den Vordergrund stellt. Zumindest in der Trinitätslehre fallen die positiven Passagen nicht durch Originalität auf, obgleich sie nicht fehlen und im Vergleich zu manchen anderen Zeitgenossen keineswegs allzu knapp gestaltet sind. Der apologetische Wert seiner Ausführungen liegt jedoch eher in der Bemühung um den Nachweis innerer Nicht-Widersprüchlichkeit des Dogmas und seiner Konsonanz im Gesamtverbund des christlichen Lehrsystems. Ihre Nachzeichnung und historische Einordnung stellt für den heutigen Interpreten ein interessantes Vorhaben dar.

(2) Eigens zu fragen bliebe, ob die Scholastik der frühen Neuzeit in der Lage war, die grundlegende Infragestellung des christlichen Trinitätsglaubens durch den zunehmend nicht nur theologisch-exegetisch (wie bei den Sozinianern), sondern auch philosophisch gestützten Unitarismus zu verstehen und offensiv zu beantworten, der den Antitrinitarismus der Reformatoren voraussetzte, aber durch seine eigene Zielrichtung und Argumentationsstrategie bald hinter sich ließ. Die neueste Forschung läßt immer deutlicher hervortreten, daß der aus den radikal-reformatorischen Anfängen hervorgegangene „antitrinitarische Konsens von Oppositionellen oder zumindest die Trinitätsskepsis, die von Größen wie Newton und Locke über Sozinianer, manche Arminianer bis zu Deisten, Freidenkern, Juden und Mohammedanern reichte“[118], zu einem integralen Bestandteil der „frühaufklärerischen“ Bewegung wurde[119], die schon in der zweiten Hälfte des 17. Jahrhunderts – teilweise sogar mit unmittelbarem Bezug zu der durch die Jesuitenschule ermöglichten neuen Hinwendung auf die

[118] MULSOW (2002) 442.

[119] Vgl. neben der eben zitierten Studie von Mulsow, deren reiche Belege mittlerweile in weiteren Veröffentlichungen des Verfassers noch erweitert worden sind, etwa PFIZENMAIER (1997), bes. zu Samuel Clarke und Isaac Newton. Besonders hinzuweisen ist auf die Arbeit von DIXON (2003), in der die ganze Breite und Differenziertheit der Auseinandersetzung zwischen Trinitariern und Antitrinitariern im England des 17. Jahrhunderts sichtbar wird, die vom Subordinatianismus in einer „platonischen Trinität“ über die klassischen, begrifflich eng an die scholastischen Vorgaben anschließenden Positionen bis hin zu einem Tritheismus als konsequenter Applikation des neuen bewußtseinstheoretischen Personverständnisses auf die theologische Problematik („cartesianische Trinität“) fast alle logisch möglichen Standpunkte abdeckt.

patristischen Quellen[120] – jene Distanz zu den kirchlichen Orthodoxieformeln entwickelte, wie sie wenig später im Hauptstrom der Aufklärung auf breiter Front wirksam werden sollte. Es bedürfte einer eigenen Untersuchung, um die Reaktion scholastisch ausgerichteter Theologie auf diese Entwicklung zu erfassen. Während Leibniz bei seinen lebenslangen Entgegnungsversuchen zugunsten des christlichen Trinitätsverständnisses gegen Sozinianer wie gegen englische Deisten weiterhin auf Argumentationsstrategien setzte, die denjenigen der traditionellen scholastischen Trinitätstraktate ähnelten[121], wußten spätere christliche Antworten auf die philosophischen Infragestellungen die Vorgaben der mittelalterlichen Tradition kaum mehr nutzbar zu machen und kamen oft über die Flucht in einen formelhaften Fideismus nicht mehr hinaus[122]. Da sich die philosophische Zuspitzung der Krise des christlichen Trinitätsglaubens erst ein halbes Jahrhundert nach Suárez' Tod ereignete, mit Nachdruck in den Debatten um eine trinitätstheologische Rezipierbarkeit des durch Hobbes, Descartes und Locke zur Durchsetzung gebrachten subjekt- bzw. bewußtseinsphilosophischen Personbegriffs, wie sie im protestantischen

[120] Vgl. die Bemerkungen bei José de S. Pedro de Alcántara Castro, Apología de la Theología Escholástica III, 131-136; PFIZENMAIER (1997) 155, zu Newtons Petavius-Benutzung. Der zu einem Modalismus in der Gotteslehre neigende Jean LeClerc besorgte 1700 pseudonym eine Neuausgabe von Petavius' „Dogmata" (vgl. MULSOW [2002] 269), weil man das reiche Zitatmaterial aus den vornicänischen Vätern häufig für deren arianisch-subordinatianistische Interpretation heranzog. War es dem Katholiken Petavius noch gelungen, „auf das Traditionsprinzip zu bauen und die subordinatianischen Lehren einfach als Vorstufe auf dem Weg zum Trinitätsdogma zu begreifen" (ebd. 275), galt dieses Vorgehen im protestantischen Bereich häufig als „Wasser auf die Mühlen der Antitrinitarier" (ebd. 278) bzw. scheute man sich, zur Wahrung des Trinitätsdogmas die Zuflucht zur reinen Kirchentradition zu nehmen, weil man sich dadurch auf halbem Wege zurück zum Papismus sah, der so auch andere unerwünschte Dogmen wie dasjenige der Transsubstantiation zu begründen pflegte (vgl. DIXON [2003] 114 u. ö.). Im Ergebnis dieses Bemühens um den „reinen" Bibel- und Väterbeweis für die Trinität „gewann der bis dahin unhistorische Sozinianismus Anschluß an die Historisierung in Theologie und Philologie" (MULSOW [2002] 279).

[121] So plädierte Leibniz dafür, daß das Non-Kontradiktionsprinzip auch im übernatürlichen Bereich unangetastet bleiben muß, und setzt so die scholastische Diskussion um die Gültigkeit des „principium identitatis comparatae" fort; vgl. ANTOGNAZZA (1999) 158-166. Die Glaubensmysterien galten ihm in einem gut thomanischen Sinne als Thesen, deren Geltung dadurch verteidigt wird, daß man ihre Nicht-Widerlegbarkeit verteidigt, als nicht-falsifizierte Hypothesen, denen gegenüber die Gegner eine innere Widersprüchlichkeit aufzuweisen hätten. Positiv können zur negativ-apologetischen Argumentation Analogiebelege treten; vgl. ebd. 6ff.

[122] Vgl. beispielhaft STRICKER (2003) 39.176.187ff. zum Trinitätsverständnis bei Pierre Bayle (1647-1706).

England der 1690er Jahre explizit und sehr heftig geführt wurden[123], können wir sie in unserer Studie weitgehend ausklammern. Es ist nicht erstaunlich, daß mit der Wende zum 18. Jahrhundert exakt der Zeitpunkt markiert ist, in der die scholastische Form der Trinitätstheologie auch im katholischen Bereich ihre Lebendigkeit verlor, weil von nun an die Philosophie und die auf die Applikation philosophischer Grundsätze angewiesene Dogmatik endgültig getrennte Wege gingen.

Dies war zur Zeit des Suárez noch anders. Hier trat der Theologe zugleich als einer der größten philosophischen Gestalter seiner Zeit auf und definierte damit selbst in gewissem Sinn die Anfragen, welche dem Glauben von der Vernunft her entgegentraten. Eine subjektphilosophische Personbestimmung gehörte noch nicht dazu.

### *c) Scholastische Trinitätslehre im Urteil der theologischen Systematik*

Die bislang diskutierten Einwände gegen eine nähere Beschäftigung mit der Trinitätstheologie der frühen Neuzeit, namentlich in der Jesuitenschule, hatten vor allem historisch argumentiert. Mindestens ebenso stark sind die Vorbehalte, die aus der Perspektive heutiger systematischer Theologie geäußert werden.

(1) In den Trinitätstraktaten der Neuscholastik war ein Autor wie Suárez zusammen mit den wichtigsten anderen Theologen seiner Epoche selbstverständlich präsent. Noch in einem 1955 erschienenen, in Spanien weit verbreiteten dogmatischen Handbuch war unser Jesuit neben Thomas unbestrittene systematische Hauptautorität der Gotteslehre[124]. Allerdings fiel diese Rezeption bei den Neuscholastikern historisch kaum kontextualisiert aus – die Differenziertheit der Schuldebatten des 16. und 17.

[123] Vgl. DIXON (2003) 98-169. Die aktuelle Relevanz dieser Diskussionen ist so groß, daß der Autor nicht umsonst ihre Nichtbeachtung in fast allen Darstellungen zur Geschichte der Trinitätstheologie beklagt (vgl. 208). Wenn z. B. HILBERATH (1986) 295 sich dem Urteil G. Lafonts anschließt, „daß die eigentliche Scheidelinie in der Geschichte der Trinitätstheologie nicht zwischen östlicher und westlicher, sondern zwischen vor- und nachnizänischer Theologie verläuft“ und er daraus gegen Rahner den „Vorwurf“ (!) ableitet, er sei in seinem trinitarischen Personbegriff „der nachnizänischen Tradition treu geblieben“, kehrt die heutige Erörterung faktisch auf einen zentralen Schauplatz der Trinitätsdebatten des 17. Jahrhunderts zurück. Eine systematische Relecture der überreichen sozinianischen Literatur würde sich von diesem Standpunkt aus nahelegen.

[124] Vgl. DALMAU (1955), zur Trinitätslehre ebd. 232-458. Selbstverständlich ist der Verfasser ebenfalls Jesuit.

Jahrhunderts vermochten das 19. und frühe 20. Jahrhundert kaum mehr zu erfassen und fruchtbar zu machen. Zudem herrschte selbst bei Jesuitenautoren der Trend vor, auf die als scholastische Idealgestalt der Erörterung angesehene thomanische Darstellung zurückzugehen und Probleme, denen sich die späteren Kommentatoren gewidmet hatten, bestenfalls in geraffter, ergebnishafter Form zu präsentieren. Mit dem Ende des neuscholastischen Paradigmas in der Gotteslehre erlosch das systematische Interesse an den barockscholastischen Autoren fast vollkommen. Schon Karl Rahner konnte geradezu damit kokettieren, die große trinitätstheologische Literatur der scholastischen Tradition für seinen eigenen Entwurf nicht mehr berücksichtigt zu haben[125].

Dies hat selbstverständlich sachliche Gründe, die nicht nur in Rahners einflußreicher und vielzitierter Kritik am scholastischen Trinitätstraktat leicht greifbar sind[126]. Die Einwände bei ihm und vielen anderen Theologen der neueren Zeit betreffen Form, Methode, offenbarungstheologische Prämissen, gesamttheologische Funktion und spirituelle Relevanz der sich anscheinend in einer „leeren Metaphysik oder Begriffsmythologie"[127] erschöpfenden scholastischen Trinitätslehre[128]. Der zentrale dogmatische

[125] Vgl. RAHNER (1975a) 602f.: „Ich schreibe vielleicht über die Trinität und habe nicht einmal die Lehre von den Relationen bei Thomas von Aquin oder bei Ruiz de Montoya, die ja diese Frage betrifft, studiert."

[126] Vgl. etwa RAHNER (1967) 319-327 u. ö.; dazu: LEVERING (2000) 594f.; LEVERING (2004) 23ff.

[127] SEEBERG (1953-54) II, 148. Schon bei BAUR (1842) II, 713, liest man: „Solche Partien der Scholastik, wie die Behandlung der Trinitätslehre bei Duns Scotus großentheils ist, können nur als ein Uebungsstück des formalen Denkens angesehen werden, welchem der Inhalt etwas völlig gleichgültiges ist." Ähnliche Urteile könnte man aus fast allen Dogmengeschichten des 19. und 20. Jahrhunderts zusammentragen.

[128] Vgl. beispielhaft MATHA (1960) 66f.: „Man könnte von einer Meisterdebatte über subsistente Relationen sprechen, die keinen anderen Lebenswert hatten, als daß die Unbegreiflichkeit alles dessen die Demut förderte"; SCHEFFCZYK (1967) 192: Die Arbeit „am trinitarischen Dogma im Mittelalter [blieb] wesentlich auf die spekulative Durchdringung und formale Verbesserung seiner lehrhaften Seite beschränkt. So ging auch der Zusammenhang mit der Christologie und Soteriologie verloren. In demselben Maße, als diese Grundwahrheit des Glaubens zum Gegenstand spekulativer Erkenntnis gemacht wurde, entzog sie sich dem religiösen Denken und verlor ihre Verbindung zum heilspraktischen Glauben. Das intellektuelle Glaubensgesetz dominierte über die lebendige Glaubenserfahrung, die abstrakte Formel über den erfüllten Glauben. Die Trinität bewegte nicht mehr wie in der alten Zeit das religiöse Denken, sondern war zu einem Gegenstand der theoretischen Glaubenslehre geworden". Positiver fällt das Urteil bei SCHEFFCZYK (1995) im Blick auf Thomas aus. Mit kritischer Tendenz bemerkt zur Entwicklung im Spätmittelalter SCHULZ (1997) 115f.: „Die Trinitätstheologie degeneriert nicht selten zum immer schwerer

Einwand zielt auf die Überbetonung des augustinisch geprägten Wesensprimats in der lateinischen Traditionslinie. Gelegentlich betrachtet man ihre spätscholastische Ausformung sogar als unmittelbare Vorbereitung des häretischen Unitarismus in der frühen Neuzeit[129]. Auch wenn die meisten Theologen so weit nicht gehen wollen, ist doch die These von einer dem augustinisch-scholastischen Trinitätsdenken immanenten Modalismusgefahr, durch Dogmenhistoriker des 19. Jahrhunderts vorbereitet[130], seit de Régnon allgemein verbreitet – ebenso wie der Versuch, dieser Einseitigkeit mit einer Ergänzung, wenn nicht Ersetzung des „lateinischen" Ansatzes durch „griechische" Momente zu begegnen. Impulse dafür sucht man kaum bei den scholastischen Autoren selbst – es ist bezeichnend, daß mit Michael Schmaus der vielleicht wichtigste Erforscher scholastischer Trinitätstheologie im 20. Jahrhundert zugleich in systematischer Hinsicht entscheidend zu ihrer endgültigen Überwindung beige-

verständlichen Spiel mit Distinktionen und Begriffen. Die Theologie der immanenten Trinität erscheint blutleer und lebensarm. Zu einer Art Trinitätslogik verkommt die Antwort auf die biblische Forderung nach der intellektuellen Redlichkeit des Glaubens. Bei trinitätstheologischen wie auch bei ontologischen und metaphysischen Fragestellungen geht es schließlich um das Wissen von distinkten und exakten Definitionen, geeignet für den ‚Lehrbetrieb'". STRIET (2002) 205 qualifiziert den „De Deo trino"-Traktat als einen solchen, der „lange nur die kaum verstehbare [sic!] Zugabe zum Traktat ‚De Deo uno'" gewesen sei.

[129] Vgl. SCHULZ (2001) 260: „Der davon [sc. vom Traktat *De Deo Uno*, Th. M.] abgesetzte Traktat *De Deo Trino* scheint darüber hinaus nur noch einige Zusatzbestimmungen über das innere Wesen Gottes, die immanente Trinität, zu bieten. Die damit gegebene Isolation und Funktionslosigkeit der Trinitätslehre wird durch die dezidiert soteriologische Ausrichtung der reformatorischen Theologie noch deutlicher. Antitrinitarier und Sozinianer ziehen mit ihrer Trinitätskritik die Konsequenzen." Differenzierter, aber mit vergleichbarer Tendenz urteilt DIXON (2003) 212: „Michael Buckley has admirably shown how the rise of modern atheism was in many ways a self-inflicted wound; a similar story has emerged regarding the demise of the doctrine of the Trinity. Here, too, it is the internal factors that are the most important, interesting and poignant. Theology simply failed to keep the doctrine alive. There were a variety of causes for this, among them the fading of trinitarian imagination, fear of practical pneumatology, problems connected with exegesis, the development of what could be labelled ‚over-familiarity' in talk about God, and the corrosive power of ridicule."

[130] Vgl. etwa das Urteil über die mittelalterliche Trinitätsspekulation bei MEIER (1844) I, 236f.: „die Momente des Selbstbewußtseins werden an die Personen verteilt, ohne sie mit rechter Klarheit als persönlich subsistierend zu fassen, so bleibt einer jeden nur ein Moment der Bewegung des Selbstbewußtseins; dies hat aber in sich keinen Halt, es ist nur Moment, das in die Einheit der göttlichen Persönlichkeit unterschiedlos zurückfällt". Ähnlich zum augustinischen Paradigma und seiner mittelalterlichen Rezeption: HARNACK (1909-10) II, 304ff.; III, 527ff.

tragen hat[131]. Am Ende ist der generelle Zweifel vorherrschend, „daß dort und dann, wo die Theologie lebendig bleibt, sie noch Zeit, Lust, ja nicht einmal das Recht hat, (...) dicke Werke über die Trinität zu schreiben"[132]. Ihm korrespondiert das apodiktische Plädoyer, man solle „hinter alle ‚trinitarische Mathematik' zurückgehen auf die hermeneutische Zurückhaltung der frühen Kirchenväter"[133].

Um diese rundum negativen Urteile über scholastische Trinitätstheologie aus der Perspektive moderner Systematik richtig einordnen zu können, sollte man sich vergegenwärtigen, daß sie (bewußt oder unbewußt) in einer langen Tradition stehen. Vorbehalte gegen eine dialektisch geleitete Reflexion dogmatischer Inhalte, wie sie scholastische Theologie im allgemeinen und deren Trinitätslehre im besonderen prägt, sind so alt wie die scholastische Methode selbst. Im folgenden Exkurs sei an zentrale Stationen der Geschichte dieser Kritik erinnert.

### *Exkurs: Zur Geschichte der Kritik am scholastischen Trinitätsdenken*

(i) Vom Beginn der mittelalterlichen Schultheologie bis in ihre späten Phasen, von Johannes von Salisbury bis Gerson, gab es warnende Stimmen gegen die Tendenz, das Trinitätsmysterium mit philosophischen Mitteln bibelfern zu „zerdenken"[134]. Programmatische Gestalt nahm diese Scholastikkritik im Humanismus an[135], wo es wiederum die Behandlung des trinitarischen Dogmas war, auf die man zum Beleg für die eigenen Reformforderungen gerne verwies. Wenn Erasmus von Rotterdam (1469-1536) eine „theologia legibus Aristotelicis contaminata" zur Zielscheibe heftiger Kritik machte[136], wollte er die Glaubenswissenschaft zu den Quellen der Schrift und der Väter zurückleiten und ihren praktischen, das Heil des Menschen betreffenden Charakter neu hervortreten lassen. Diese soteriologische Finalisierung sah er in vielen Fragen der Scholastik seiner Zeit nicht mehr gewahrt. Besondere Vorwürfe wurden dabei gegen

[131] Vgl. aus der Analyse von Schmaus' Dogmatiklehrbuch den Aufweis bei TÖLG (1997); resümierend: 193ff.

[132] RAHNER (1972) 49.

[133] PESCH (2001) 192.

[134] Vgl. die Hinweise bei GRABMANN (1909-11) II, 120; DOLFEN (1936) 14-17. Eine umfassende Geschichte der Scholastikkritik ist nicht nur in Bezug auf die Trinitätstheologie ein Desiderat.

[135] Vgl. die allgemeine Charakterisierung bei GIACON (2001) 13-17.

[136] Vgl. DOLFEN (1936) 9.

die Subtilitäten der Scotisten erhoben, nicht zuletzt in der Trinitätstheologie[137]. Mindestens ebenso scharf wie bei Erasmus ist der Spott bei Juan Luis Vivès (1492-1590). Er trifft die Naivität „moderner" Schultheologen, die sich wundern, in Augustins Trinitätslehre noch nicht all diejenigen logischen Figuren finden zu können, derer man sich jetzt in den „syllogismi divini" bedient[138]. Auch die dogmatischen Konsequenzen der „depravatio vocabulorum", wie sie vom dialektischen Verfahren geprägt ist, prangert Vivès in trinitätstheologischer Hinsicht an. In seiner Sicht gelangen die Scholastiker zu einer Multiplikation der Termini für Gott, obwohl das Nicaenum jede Verdreifachung des Wesens ausgeschlossen hatte. So ist für den Spanier die dialektische Überformung der Gotteslehre, wie er sie der Scholastik vorwirft, nicht nur eine falsche Schwerpunktsetzung und ein unangemessener theologischer Stil, sondern echte Glaubensgefährdung[139].

(ii) An die aus philologisch-philosophischer Perspektive vorgetragene Theologiekritik der Humanisten konnten die Reformatoren fast nahtlos anknüpfen.

Bei Luther selbst ist die Aristoteleskritik verbunden mit der eigenen, theologisch motivierten Option für eine Relational- statt einer Substanzontologie und für den Primat der Theologie gegenüber allen Begründungsansprüchen der philosophischen Vernunft, der mit Hilfe einer (im Mittelalter so niemals eingesetzten) Lehre von der „doppelten Wahrheit" abgesichert wird[140]. Wichtiger noch als die Infragestellung des klassischen philosophischen Instrumentariums für die Explikation des Trinitätsdogmas scheint bei Luther ihre neue Zuordnung in der Gesamtkomposition des theologischen Lehrgebäudes zu sein. Auch die Gotteslehre muß sich ihren Ort von der entscheidenden Frage nach der Rechtfertigung des Sünders zuteilen lassen[141]; der Blick auf die immanente Trinität tritt so

[137] Vgl. ebd. 58ff.64-86.

[138] Vgl. Vivès, In Pseudodialecticos (von 1519): Opera Omnia III, 55. Zu dieser Kritik im allgemeinen PFEIFFER (1924), bes. 20-27.44-47.

[139] Dies bedeutet nicht, daß in Vivès' Aussagen zur Trinität jede Beziehung zur scholastischen Tradition aufgegeben wäre; man vgl. nur die diesbezüglichen Passagen in seinem apologetischen Hauptwerk De veritate fidei christianae, l. 2, c. 2 „De divina Trinitate": Opera Omnia VIII, 141-147.

[140] Vgl. FRANK (2003) 26.47ff.

[141] Dies betont schon BAUR (1843) III, 19-46; zu den früh mit der Reformation verbundenen antitrinitarischen Bewegungen ebd. 47-219. Auch SEEBERG (1953-54) IV/1, 230-236 unterstreicht die Rückbindung der Lehre von der immanenten Trinität, in der Luther gegenüber der scholastischen Lehre kaum einen Fortschritt erzielt habe (ebd. 236), an die ökonomische Trinität, greifbar vor allem in den Aussagen über Christi Werk.

hinter den soteriologisch fokussierten Blick auf die ökonomische Trinität zurück. Allerdings hat gerade die neuere Forschung klar gemacht, daß von einer radikalen Ablehnung der traditionell-scholastischen Denkformen in der Trinitätstheologie bei Luther keineswegs die Rede sein kann. Wie Christine Helmer gezeigt hat, wollte Luther die scholastische Erörterungsform neben anderen Zugängen zum Glaubensgeheimnis niemals völlig aufgeben und hat in seinen späten Disputationen explizit darauf zurückgegriffen[142]. Schon Reiner Jansen hatte die Erneuerung eines trinitätstheologischen Augustinismus, der den Blick auf die immanente und nicht bloß die ökonomische Trinität richtet, in Luthers späten Jahren (seit 1533) durch die Erfahrung der schwärmerischen Häresien begründet, die der Reformator ablehnte[143]. Erasmianische Aussagen, die wegen ihrer arianischen Tendenz von den Antitrinitariern herangezogen wurden, hat er ausdrücklich kritisiert[144]. Grundsätzlich hat Luther so das Fundament der abendländischen Trinitätslehre augustinischer Grundprägung niemals verlassen[145], mag sie manchem seiner Interpreten auch wie ein „erratischer Block" innerhalb seines heilstheologisch gewendeten Denkens erscheinen[146]. Er hat sich prinzipiell an die überlieferte dogmatische

[142] Vgl. HELMER (1999) 80-119; HELMER (2002) 6-12.

[143] Vgl. JANSEN (1976) 225.

[144] Vgl. FRANK (2003) 50: „Kein anderer als Erasmus von Rotterdam (1469-1536) hatte aufgrund seiner philologisch-kritischen Methode der Bibelauslegung den Vers des 1. Johannesbriefes 5,7, eine der klassischen Stellen biblischer Trinitätsaussagen, als sekundär erwiesen und damit das Problem des Schriftbezugs der Trinitätstheologie aufgeworfen. Der führende Antitrinitarier Miguel Servet (1511-1553) griff in seiner programmatischen Schrift *De Trinitatis erroribus libri septem* aus dem Jahr 1531 ausdrücklich auf Erasmus zurück und verwarf aus dessen Auslegung des 1. Johannesbriefes die Trinität als unbiblisch. Und es gehörte zum konstitutiven theologisch-philosophischen Selbstverständnis der später Sozinianismus genannten antitrinitarischen Bewegung, keine Aussagen in der Theologie zuzulassen, die *contra scripturam* und *contra rationem* sind. Luther selbst bezeichnete übrigens Erasmus als Arianer, weil durch seine »zweideutigen« Anmerkungen zum Neuen Testament der alten Häresie Vorschub geleistet werde [WA Br 7, 27-40; bes. 34f.]".

[145] So das Fazit bei HELMER (1999) 267. Vgl. auch KNUUTTILA / SAARINEN (1997); dies. (1999). Ähnlich urteilt PESCH (2001) 190: „Luther hält am gesamten Bestand der augustinischen Tradition der Trinitätslehre fest, am gesamten Bestand der traditionellen ‚Sprachspiele' in Bezug auf dieses Thema; er kann sie verteidigen, wo erforderlich, dass jeder ‚Sophist' nur höchst zufrieden sein kann". Allerdings ist Luther an einer systematischen Entfaltung wenig interessiert. Vgl. auch BIENERT (1994) 111f.: „Luther korrigiert den abendländischen Ansatz durch seine Betonung der Eigengestalt der einzelnen Personen der Trinität und ihre heilsgeschichtliche Bedeutung. Er nähert sich damit dem östlichen Verständnis der Trinität an, ohne jedoch den augustinischen Ansatz völlig aufzugeben."

[146] Vgl. ELERT (1958) 190f.

Sprachgestalt[147] gehalten und verleugnet seine Beheimatung in der „überraschend kohärenten Tradition“[148] des Anti-Thomismus nominalistischer Prägung auch trinitätstheologisch nicht.

Andere bedeutende Reformatoren wie Melanchthon und Calvin teilten zwar die anti-aristotelischen Tendenzen Luthers, „unterscheiden (...) sich jedoch von ihm in ihrer Annahme, daß eine philosophische Gotteslehre möglich ist aufgrund eines neuplatonischen Exemplarismus“[149]. Dieses Bekenntnis zu einem stärkeren Eigenwert der Philosophie wird allerdings für die Trinitätslehre kaum fruchtbar gemacht, die z. B. bei Melanchthon nur als unvermittelte „Offenbarungszugabe“ über den philosophisch erfaßbaren Gottesbegriff hinaus erscheint[150]. Mit der strikten Trennung eines „übernatürlichen“ von einem „natürlichen“ Gottwissen entspricht man allerdings einer auch in der katholischen Schultheologie unübersehbaren Tendenz.

[147] Vgl. JANSEN (1976) 217: „Im wesentlichen bringen Luthers Aussagen über die immanente Trinität nichts Neues. Er hält sich meistens an die überlieferten Formeln, versucht sie aber nicht spekulativ zu begründen und verzichtet überhaupt auf ‚Verbalismen', wie sie vor allem in der Dogmatik des Mittelalters, aber auch in der protestantischen Orthodoxie gang und gäbe waren. Mit seiner Ablehnung der Trinitätsspekulation hängt auch seine Polemik gegen die Scholastiker und ihre scharfsinnigen Distinktionen zusammen.“

[148] OBERMAN (2003) 49.

[149] FRANK (2003) 72f.; vgl. ELERT (1958) 191f.

[150] Vgl. FRANK (2003) 76f.: „Die Bestimmung des Daseins und der Einheit Gottes erfolgt also auf der Grundlage des platonischen Gottesgedankens. Die Bestimmung der Trinität erfolgt jedoch nicht aufgrund einer diesem Begriff inhärierenden inneren Differenzierung des göttlichen Lebens, so daß sich aus der göttlichen Einheit die Dreiheit ergäbe, sondern wird sozusagen durch die Offenbarungszeugnisse hinzugefügt. Was also die von Melanchthon proklamierte Verstümmelung des Gottesbegriffs ausmacht, resultiert gerade nicht aus einer inneren Bestimmung des platonischen Begriffs, sondern erhellt erst aus der Offenbarung. Folgerichtig wird die Bestimmung der Trinität allein durch die Offenbarungszeugnisse der Schrift expliziert. Im 16. Jahrhundert scheinen unter Gelehrten der Reformation nur Nikolaus Taurellus und Bartholomäus Keckermann den – wenngleich heftig umstrittenen – Versuch unternommen zu haben, eine spekulative Trinitätslehre in ihrem systematischen Verhältnis zur allgemeinen Gotteslehre zu entwickeln. Insgesamt belegt jedoch Melanchthons Konzept der Trinitätslehre eine Diastase von Offenbarungstheologie und Philosophie, die jedenfalls – anders als in der Scholastik – systematisch miteinander nicht vermittelt ist.“ Auch die Gefährdung eines supranaturalistisch zugespitzten Trinitätskonzepts kann im Blick auf die protestantischen Autoren ähnlich formuliert werden, wie man es in Stellungnahmen gegenüber der katholischen Schultradition findet: „Es war diese systematische Problematik, die Trinitätslehre sozusagen als Anhang zur allgemeinen Gotteslehre und darüber hinaus allein aus den Offenbarungsquellen zu konzipieren, die die entscheidende Angriffsfläche für die beginnende Trinitätskritik der Antitrinitarier bot“ (ebd. 78).

Eine gewisse Zwiespältigkeit in der Beurteilung der Scholastik im allgemeinen und ihrer Trinitätstheologie im besonderen blieb wie bei Luther auch in der nachfolgenden lutherischen Orthodoxie präsent. Hier sei nur ein besonders sprechendes Beispiel herausgegriffen, das in unmittelbarer Verbindung zum Thema unserer Studie steht. In der Abschiedsrede, die der junge lutherische Dogmatiker Balthasar Meisner 1611, wenige Jahre nach Erscheinen des suárezischen Trinitätstraktates, an der Universität Tübingen hielt[151], verbindet sich grobe kontroverstheologische Polemik mit ernstzunehmender humanistisch geprägter Scholastikkritik. Während Meisner gegenüber den mittelalterlichen Scholastikern, die seiner Ansicht nach in einer dunklen Epoche erzogen wurden und dessen Ideale verinnerlicht hatten, noch eine gewisse Nachsicht üben möchte, trifft die katholischen Schulautoren der eigenen Gegenwart, die trotz der reformatorischen Errungenschaften an der scholastischen Methode festhalten wollen, die ganze Schärfe der Ablehnung. Besonders sind die Theologen der Gesellschaft Jesu im Visier, wenn Meisner schreibt: „Daß sich aber die modernen Jesuiten angesichts so großen Lichts der Wahrheit dennoch an der alten Dunkelheit ergötzen, sich in ihren Schulen und Büchern auf ähnliche Weise zu den spitzfindigen Spekulationen des Thomas bekennen und über zahllose neugierige Probleme zanken, das ist sicherlich ein Verbrechen und ein solches Vergehen, daß es in keiner Weise entschuldigt werden kann. Erwägt nur das furchtgebietende Geheimnis der herrlichen und lobwürdigen Dreifaltigkeit, dieses Hauptstück und Fundament des christlichen Glaubens: Es läßt sich nicht ausdrücken, mit welchen Widerwärtigkeiten und Spitzfindigkeiten es von den Jesustötern [„Iesucidis“ als Verballhornung von „Iesuitis“, Th. M.] eingehüllt wird. All ihre Bücher tönen von nichts anderem als von Relationen, Notionen, notionalen Akten, Charakterisationen, Sohnschaften, Hauchungen, Hervorgängen. Man disputiert, ob es in den drei Personen drei real distinkte personale Subsistenzen und Existenzen gibt. Man streitet darüber, ob sich in den drei göttlichen Personen drei transzendentale Einheiten finden. Man erörtert, wie die transzendentalen Prädikate *Sache, Etwas, Seiendes* in der Trinität vervielfacht werden, ob die göttliche Wesenheit zum wesenhaften und quidditativen Begriff der einzelnen Relationen und Proprietäten gehört, ob die drei Personen eins in irgendeiner absoluten Subsistenz sind – und so weiter. Und von solchen neugierigen Fragen und fiebrigen Albernheiten wimmeln die Kommentare des

[151] Vgl. B. Meisner (1587-1626), Dissertatio de antiqua vitiosa theologice disputandi ratione (Giessen 1611).

Francisco Suárez zum ersten Teil der thomanischen Summa."[152] Bei aller Oberflächlichkeit der ironisierenden Verzeichnung verdienen die Ausführungen Meisners insofern sachlich ernstgenommen zu werden, als der Verfasser in ihnen offenbar nicht ungeschickt gerade einige derjenigen Debatten der scholastischen Trinitätsspekulation aufs Korn nimmt, die erst in der nachtridentinischen Theologie ausdrücklich zum Thema gemacht wurden und hier unverkennbar ins Zentrum rückten: die Multiplizierbarkeit bestimmter ontologischer Prädikate in Gott, die Verbindung von Trinitätslehre und Transzendentaliendebatte oder das Subsistentia-absoluta-Problem. Indem Meisner sie namentlich mit dem erst wenige Jahre zuvor erschienenen Summenkommentar des Suárez in Verbindung bringt, beweist er seine Kenntnis der literarischen Produktion des konfessionellen Gegners. Derselbe Meisner hat freilich bei aller soteriologisch-praktischen Ausrichtung seiner Theologie in späteren Hauptschriften durchaus selbst an metaphysisch-scholastische Terminologie angeknüpft, um etwa systematische Christologie mit anticalvinischer Stoßrichtung zu betreiben[153]. Damit ist Meisner kein Einzelfall. Karl Eschweilers Urteil ist nicht überholt: „Wo immer eine Stichprobe in die philosophische Literatur und in den philosophischen Schulbetrieb an den deutschen Universitäten gemacht wird, jedesmal bestätigt und festigt sich das Urteil, dass die Metaphysik der Suarezschule ungefähr seit 1620 bis 1690 die Gang-und-Gäbe-Philosophie gewesen ist"[154]. Auch im protestantischen Deutschland ist auf breiterer Front eine Ontologie heimisch geworden, die ihre entscheidende Prägung durch Suárez (und die an ihn anknüpfende Jesuiten-

[152] „Quod vero moderni Iesuwitae, in tanta luce veritatis, antiqua nihilominus caecitate delectantur, et in Scholis librisque suis consimiliter spinosas Thomae speculationes profitentur, et de innumeris curiosis problematibus altercantur, id certe scelus et piaculum tantum est, ut nullam prorsus excusationem mereatur. Vel solum tremendum gloriosae et benedictae Trinitatis mysterium, istud caput, istud fundamentum Christianae fidei perpendite: Dici non potest, quantis tricis et spinis involvatur a Iesucidis. Omnes libri eorum crepant nil nisi relationes, notiones, actus notionales, characterizationes, filiationes, spirationes, processiones. Disputatur, sintne in tribus personis tres subsistentiae et existentiae personales realiter distinctae? Disceptatur, an in tribus personis divinis tres sint unitates transscendentales? Disquiritur, quomodo praedicata transscendentalia, res, aliquid, ens, multiplicentur in Trinitate? Sitne divina essentia de conceptu essentiali et quidditativo singularum relationum ac proprietatum? An tres personae sint unum in aliqua subsistentia absoluta? etc. Et talibus curiositatibus, ac febriculis ineptiis scatent commentaria Francisci Suaretz in primam Summae Thomisticae partem" (ebd. 22).

[153] Vgl. LEWALTER (1935) 69.

[154] ESCHWEILER (1928) 311.

schule) empfangen hat[155] – was für theologische Traktate wie die Trinitätslehre nicht folgenlos bleiben konnte.

Günter Frank hat in seinen gründlichen Untersuchungen zur Religionsphilosophie im frühneuzeitlichen Protestantismus Elemente spekulativer Trinitätslehre schon bei frühen Autoren dieser Richtung wie Jacob Schegk (1511-1587), Nikolaus Taurellus (1547-1606) oder Bartholomäus Keckermann (1573-1609) gefunden[156]. Wenn sich auch die theologischen Schwerpunkte ihrer Erklärung von den seit der Hochscholastik in den katholischen Schulen entfalteten Modellen unterscheiden, sind gewisse Grundprobleme identisch geblieben. So findet sich bei Taurellus der Versuch, „die Betonung der Einheit Gottes als substantia absolutissima

[155] Vgl. das (mit Blick auf den Lutheraner Martini) gesprochene Urteil bei SPARN (1976) 5: „In demselben Wittenberg, das Luthers Anathema gehört und in dem Melanchthon, für das ganze protestantische Deutschland mustergültig, die Metaphysik aus der Bildungsorganisation ausgeschlossen hatte, kann kaum einhundert Jahre später die Verteidigung der Metaphysik als das echte Luthertum auftreten.“ Während das Faktum in der Forschung unumstritten ist, herrscht über die Gründe nicht selten Dissens; vgl. etwa LEWALTER (1935) 19f. gegen ESCHWEILER (1928), z. B. 314. Zur Lehre von B. Meisner über die ontologischen Grundlagen der Christologie vgl. SPARN (1976) 112-117.123-127. Trinitätstheologisch führt für den Lutheraner das philosophische Denken nicht weiter als bis zur unvermittelten Dialektik zwischen Vernunft und Glaube; vgl. ebd. 149-153, bes. 150: „Martini und Meisner führen (...) in ihrer metaphysischen Theologie, die thomistische Entscheidung fortführend, einen überaus gründlichen Beweis gegen die Möglichkeit, die Dreieinigkeit (*trinitatis personarum in unitate simplicissima et purissima essentiae divinae*) philosophisch und ohne theologische ‚Information' zu begreifen; zugleich den Beweis dafür, daß die Trinität nur aus der Schrift demonstriert werden könne.“ Dagegen wird bei calvinistischen Autoren die durch Melanchthon vermittelte augustinische Tradition, sich der Trinität über geschöpfliche „vestigia“ zu nähern, aufgegriffen.

[156] Vgl. FRANK (2003) 23f.: „Namhafte Gelehrte der Reformation im 16. Jahrhundert sind den grundlegenden Entscheidungen Luthers und Melanchthons nicht gefolgt. Dies gilt zunächst für deren Ablehnung der aristotelischen Wesensmetaphysik und damit dem seinsphilosophischen Kontext des Gottesgedankens. Dies gilt aber auch für die streng theologische Interpretation des Verhältnisses von Theologie und Philosophie, wie es in Luthers Positionen erscheint (...). In der Folgezeit finden wir religionsphilosophische Entwürfe, die sich sowohl am Konzept des neuplatonischen Innatismus Melanchthons als auch an der aristotelischen Wesensmetaphysik orientieren. Der Zeitgenosse Luthers und Melanchthons, der berühmte Tübinger Metaphysiker Jacob Schegk (1511-1578), hatte dabei die klassische Position der Einheit und Allgemeinheit der Metaphysik mit dem thomasischen Konzept einer theologia philosophica – letztlich ohne Erfolg – zu erneuern versucht. Mit dem Altdorfer Metaphysiker Nicolaus Taurellus (1547-1606) hielt die Metaphysikkonzeption der am Scotismus orientierten spanischen Spätscholastik Einzug in die Theologie der Reformation. In dieser Folge hatte dann auch als erster reformierter Gelehrter Bartholomäus Keckermann (1573-1609) seine Metaphysik vorgelegt.“

und die Schwierigkeit, diese Einheit mit der Trinität systematisch zu vermitteln", dessen modalistische Gefährdung Frank klar benennt[157]. Keckermann müht sich um den „Nachweis eines dreifachen modus existentiae des einen göttlichen Wesens", jeweils verstanden als „eine Relation, die zur Existenz Gottes hinzukommt"[158], so daß im Resultat Wesen und Personen wie „ens" und „modus entis" unterschieden werden, was auch gegenüber Keckermann Modalismusvorwürfe laut werden ließ[159]. Kann man diese Versuche schon rein terminologisch nur im Rückgriff auf die scholastische Tradition, an die sie anknüpfen, verstehen, so ist sogar eine weitgehende Konstanz gegenüber der katholischen Scholastik in dem an den Charakteristika „Selbstand" und „Individualität" ausgerichteten ontologischen Personverständnis festzustellen, dessen sich die genannten Autoren in theologischem Interesse bedienten. Spätere innerprotestantische Kritik hat diese Anknüpfung an die scholastische Tradition den Autoren der Orthodoxie immer wieder zum Vorwurf gemacht[160], obgleich diese niemals ganz die bei Luther begründete „Zurückhaltung (...) gegenüber einer spekulativen Entwicklung der Trinitätslehre"[161] aufgegeben hat und dem reformatorischen Bewußtsein „des Neuansatzes gegenüber der alten Scholastik"[162] prinzipiell treu geblieben ist. Dennoch sahen andere protestantische Interpreten gerade das, was sie an den alten Scholastikern kritisierten, in der Orthodoxie des 17. Jahrhunderts und ihrer dem Anliegen Luthers widerstreitenden „Neutralisierung des Gottesbegriffs"[163] nur ungenügend überwunden: „Für einen beträchtlichen Teil nachaufklärerischer protestantischer Interpreten des Thomas (eingeschlossen insbesondere einige der führenden Gestalten in der protestantischen Theologie und Dogmengeschichte seit dem 19. Jahrhundert) hat die intellektuelle Anstrengung der mittelalterlichen Scholastik, in der er die beherrschende Kraft (wie sie annahmen) war, nach einem Wort des lutherischen Dogmatikers Abraham Calov aus dem 17. Jahrhundert eine gewaltige ‚mixo-philosophico-theologica' hervorgebracht. Diese groteske und sterile Kreuzung war beides, schlechte Theologie und schlechte Philosophie"[164].

[157] Vgl. ebd. 167.
[158] Ebd. 188.
[159] Vgl. ebd. 217.
[160] Vgl. den Überblick bei SCHWÖBEL (2002) 110ff.
[161] ELERT (1958) 193.
[162] SPARN (1976) 206.
[163] ELERT (1958) 195.
[164] MARSHALL (1994) 195. Vgl. als Beleg das scharfe Urteil gegen die eigene orthodoxe Tradition bei BAUR (1843) 388f.: „Man argumentierte mit Einem Worte aus der Einheit des Glaubens und der Lehre, oder der Identität des A. und N. T. auf dieselbe Weise, wie das katholische Dogma die Einheit der Tradition oder der Kirche zu

Trotz aller faktischen Tendenzen der „Rescholastisierung lutherischer Theologie“[165] im 17. Jahrhundert blieb in langfristiger Perspektive dieses kritische Element in ihren Stellungnahmen zur Scholastik und ihrem Trinitätsverständnis klar vorherrschend und wurde mit dem Einbruch der neuen Philosophien seit Descartes nur verstärkt. Der Spott über die unverständlichen scholastischen Subtilitäten und ihre angebliche philosophierende Verfälschung der biblischen Botschaft wurde zum Topos, den sich reformatorische Autoren aller Fraktionen, ob Trinitarier oder Antitrinitarier, Unterstützer oder Gegner der aristotelischen Ontologie, immer wieder zunutze machten[166].

(iii) Weniger bekannt ist, daß es auch aus den Reihen der katholischen Theologie nicht nur eine faktische Abwendung vom scholastischen Trinitätsdenken seit der Aufklärungszeit sowie Beiträge zur allgemeinen Scholastikkritik gab, die an Heftigkeit kaum hinter den protestantischen Wortmeldungen zurückblieben[167], sondern darüber hinaus explizite Ver-

seiner absoluten Voraussezung macht, und stellte sich ebendamit auf einen Standpunkt, welcher nur als ein unprotestantischer angesehen werden kann, da er über das protestantische Schriftprincip hinausgeht, und die Schrift nicht aus sich selbst, aus ihrer unmittelbaren Wahrheit und Evidenz, sondern aus einer über stehenden Voraussezung erklären will.“

[165] Vgl. LEINSLE (1995) 293 mit direktem Bezug auf das Werk von A. Calov (1612-1686).

[166] Ein kämpferisches Kompendium der reformatorischen Scholastikkritik hat (erstmals 1668) Adam Tribbechovius vorgelegt („De doctoribus scholasticis“). Die in dem katholischerseits indizierten Buch immer neu wiederholten Vorwürfe zielen auf die Selbstüberschätzung der scholastischen Autoren, ihren angeblichen Papalismus, die Unterwerfung der Theologie unter die Philosophie, die fehlende Kenntnis des Griechischen und Hebräischen und die barbarische Dialektik dieser Theologen. Ausdrücklich wird behauptet, der Scholastikerstreit habe das Aufkommen des Atheismus befördert (ebd. 131f.). Besondere Polemik gegen die scholastische Trinitätslehre findet sich in diesem Buch allerdings nicht. Auch, um noch einen berühmteren Autor zu nennen, in Hobbes' Leviathan (EA 1651) liest man den Vorwurf, die Scholastiker hätten bei der Behandlung der wichtigen theologischen Themen (die Trinität wird ausdrücklich erwähnt) Worte gebraucht, denen kein vernünftiger Inhalt entspräche. Vgl. die Belege bei DIXON (2003) 70-74, der den Angriff unmittelbar gegen Suárez gerichtet sieht, den Hobbes gelesen hat (73). Dixons Arbeit bietet noch viele weitere Beispiele für Polemik gegen die scholastische Trinitätslehre im englischen Protestantismus des 17. Jahrhunderts, aber ebenso Belege für manche Anknüpfung an die scholastische Terminologie in den Beiträgen dieser Autoren. Vgl. für Leibniz und andere auch ESCHWEILER (1928) 311ff.

[167] Genannt seien hier nur die beiden 1758 publizierten Werke des Benediktiner-Fürstabts von St. Blasien, Martin Gerbert (1720-1793): De Recto Et Perverso Usu Theologiae Scholasticae / De Ratione Exercitiorum Scholasticorum. Die Trinitätslehre wird nur im ersten der vor allem auf Methodenkritik abzielenden Texte am Rande ausdrücklich erwähnt (vgl. ebd. 48f.149).

suche der Kritik am scholastischen Trinitätsdenken, die allerdings nicht nur ablehnende Reaktionen unter den eigenen Fachkollegen, sondern auch Maßnahmen des Lehramts im Gefolge hatten. Der französische Oratorianer Pierre Faydit (1644-1703) wanderte nicht zuletzt für seine 1696 publizierte Polemik gegen das Trinitätsverständnis der aristotelisch geprägten Scholastik, das er für modalistisch und der Vätertheologie widersprechend erklärte[168], für einige Zeit ins Gefängnis[169]. Eine positive Rezeption seines Vorstoßes beschränkte sich denn auch vorwiegend auf protestantische Autoren, wie exemplarisch der Blick in Pierre Bayles „Dictionnaire" belegen kann[170]; die katholische Seite hielt Faydits Lehre für tritheistisch und reagierte schroff ablehnend[171]. Im 19. Jahrhundert war es vor allem Johann Baptist Hirscher (1788-1865), der mit seiner Kritik an der scholastischen Trinitätslehre hohe Wellen schlug, wie die ausführlichen Widerlegungsversuche in Kleutgens „Theologie der Vorzeit" belegen[172]. Auch sie konnten nicht verhindern, daß nur wenig später der bayerische Privatgelehrte Johann Nepomuk Oischinger (1817-1876) eine

[168] Vgl. Faydit, Altération du dogme théologique. Grunddaten der Biographie nennt INGOLD (1913).

[169] Vgl. auch TAMIZEY DE LARROQUE (1878).

[170] Vgl. Pierre Bayle, II. Eclaircissement sur les Manichèens: Dictionnaire historique, vol. IV, p. 634: „Il y a dans l'une et dans l'autre Communion, la Romaine et la Protestante, beaucoup de personnes qui sont mal édifiées des Explications des Scholastiques, et qui jugent que ces gens-là ont plus embrouillé que débrouillé les Mysteres de la Religion. Quelques Théologiens Protestans sohaiteroient qu'on s'en fût tenu aux termes de l'Ecriture, et qu'on eût enfermé en cinq ou six lignes tout ce qui concerne la Trinité (...). Il y a beaucoup d'apparence que ce Mystere, proposé en peu de mots selon la simplicité de l'Ecriture, effaroucheroit et révolteroit beaucoup moins la Raison, qu'il ne l'effarouche, et ne la révolte, par le grand détail d'Explications qui l'accompagne dans les Commentateurs de Thomas d'Aquin. Plusieurs Catholiques Romains diroient de bon coeur, s'ils osoient, contre les subtilitez des Scholastiques, ce que Mr. l'Abbé Faydit en a publié; mais pour n'avoir pas le courage qu'il a eu d'imprimer sur ce sujet une Invective très-forte, ils n'en pensent pas moins."

[171] Vgl. die gegen Faydit gerichtete Schrift des Prämonstratenserhistorikers und Bischofs Charles Louis Hugo (1667-1739): Refutation du sistème de M. Faydit sur la Trinité (Luxembourg 1699). Bossuet nennt Faydits Buch „un livre abominable (...): il est monstrueux en toutes ses parties" (Brief an M. Pastel vom 3.8.1696: Œuvres, Bd. 26 [Paris 1864] 511). Der katholische Standpunkt gegen Faydit findet sich zusammenfassend formuliert bei Gazzaniga, Praelectiones theologicae, tom. 3, diss. 2, n. 1, p. 34a; José de S. Pedro de Alcántara Castro, Apología de la Theología Escholástica, III, 73f.

[172] Vgl. KLEUTGEN (1853) 142-204 gegen HIRSCHER (1823), hier bes. 90-102.

noch heftigere Polemik zum gleichen Thema entfachte[173], deren Resonanz in der erstarkenden Neuscholastik allerdings begrenzt blieb. Wie solch unverhohlene Kritik an der scholastischen Trinitätstheologie implizit in den dogmatischen Neuentwürfen des Traktats in der Aufklärungstheologie, der Tübinger Schule oder in „offenen" neuscholastischen Darstellungen berücksichtigt worden ist, wäre einer eigenen Untersuchung wert. Sie kann in unserem Kontext ebensowenig geleistet werden wie der Aufweis, daß sich die besseren scholastischen Autoren selbst bei aller Überzeugung von der Richtigkeit ihrer Methode stets der damit verbundenen Gefährdungen bewußt waren und sie nach Möglichkeit zu vermeiden suchten. Man braucht nur Domingo de Sotos Passagen über die Unverzichtbarkeit der scholastischen Methode im Vorwort seines Werkes „De natura et gratia", die auf eine Rede vor den Trienter Konzilsvätern zurückgehen, oder Melchor Canos zurecht berühmten Ausführungen über die Autorität der „doctores scholastici" heranzuziehen, um zu erkennen, mit welch wachem Problembewußtsein und echter Kritikfähigkeit Schultheologen bereits zur Zeit des Suárez Rechenschaft über ihre Aufgabe ablegen konnten[174]. Die auf solchem Hintergrund vorgenommene Verteidigung der scholastischen Behandlung eines Traktats wie der Trinitätslehre, die bei Cano gegen Erasmus ebenfalls ausdrücklich zu finden ist[175], gewinnt dann besonderes Gewicht.

[173] Vgl. OISCHINGER (1860) 69-123; ders. (1862). Der Hauptvorwurf gegen die scholastische Trinitätslehre, durch den Oischinger schon früher in Konflikt mit der Index-Kongregation geraten war (vgl. ebd. XXXVI-XLIV), lautet auch hier auf Modalismus. Er trifft die alte Scholastik, als deren Repräsentanten Oischinger vor allem Petavius heranzieht (obwohl auch andere Jesuiten wie Suárez, Becanus oder Arriaga zitiert werden), ebenso wie die Neuscholastik bei Liberatore, Perrone oder Kleutgen. Eine Monographie über Oischinger, diesen vielseitigen, sonderbaren Theologen, fehlt bislang.

[174] Vgl. D. Soto, De natura et gratia, l. 1, praefatio (2v-4v) (dazu: BELTRÁN DE HEREDIA [1960] 139-148; BELDA PLANS [1995]); M. Cano, De locis theologicis, l. 8 (II, 85-117). Siehe auch Canos Klage über das Versagen einer in ihrer Liebe zur formalen Syllogistik inhaltsleer gewordenen Theologie gegenüber den Herausforderungen der deutschen Reformation in l. 9, c. 1 (II, 120f.) und über die Auswüchse der dialektischen Erörterungen in l. 9, c. 7 (II, 134f.).

[175] Vgl. ebd. l. 8, c. 2 (II, 88): „Nec vero audiendi sunt, qui scholasticas quaestiones ut curiosas reprehendunt et scholae temeritatem insimulant, quod de rebus longe semotis a captu nostro audeat pronunciare et tam multa definire, quae citra salutis dispendium vel ignorari poterant vel in ambiguo relinqui. Huius generis exempla ponunt: quid discernat Patrem a Filio; quid ab utroque Spiritum Sanctum; quid intersit inter Filii nativitatem et Spiritus processionem; utrum Spiritus Sancti a Patre et Filio proficiscentis unicum sit principium, an duo. Ita censent, id praeclari et magni theologi esse, nihil ultra quam Sacris Literis proditum est definire, hoc est in theologiae principiis haerere, mentem a consequentibus et repugnantibus sevocare. Quo-

(2) So unvollständig diese exkursorischen Bemerkungen zum historischen Hintergrund der theologischen Kritik an der scholastischen Trinitätslehre sein mögen – sie beweisen, daß die umfassende Abweisung dieses Paradigmas, wie sie sich spätestens seit Mitte des 20. Jahrhunderts vollzog, nicht vorbereitungslos geschah. Andererseits ist erstaunlich, daß trotz der immer wieder aufflammenden Vorwürfe der scholastische Typus der Trinitätstheologie über acht Jahrhunderte lang in der Kirche beheimatet sein konnte, ja sogar im Werk der expliziten Kritiker häufig bis zu einem gewissen Grad präsent geblieben ist. Die Gründe dafür findet man bei den am Ende des Exkurses zitierten katholischen Autoren zum Teil bereits genannt. Man darf sie in Erinnerung rufen, wenn man die Beschäftigung mit einer prominenten Ausformung dieser Theologie rechtfertigen möchte[176].

(a) Erstens ist nicht zu bestreiten, daß der „scholastische" Zugang zur Trinitätslehre in unübertroffener Form die antiarianische Grundoption kirchlicher Gotteslehre wahrt, wie sie seit Nicäa allgemeine Verbindlichkeit erlangt hatte. Als großes Anliegen der Vätertheologie ist sie zum verbindlichen Erbe aller nachfolgenden orthodoxen Entwürfe der Gotteslehre geworden. Manche der besonders umstrittenen Prinzipien scholastischer Trinitätsspekulation (wie das der „opera indivisa ad extra"[177]) verstehen sich als unmittelbare Folgerungen des konsequenten *homoousios*-Bekenntnisses. Der Glaube an die Unterschiedenheit der drei Personen in der einen, ungetrennten Wesenheit, so waren die Scholastiker aller Jahr-

rum sententia quid sibi velit non intelligo. Potest enim quidquam esse absurdius quam sola disciplinae principia habere definita, conclusiones vero, quae certo atque evidenti syllogismo ex illis conficiuntur, aut ignorari velle aut in ambiguo relinqui? quod si in geometria, physica astrologiave quisquam assereret, vere et iure stultissimus haberetur." Auf die Notwendigkeit der dialektisch-scholastischen Rede über die Trinität aus apologetischer Perspektive hatte gegen die Kritiker etwas früher bereits Johannes Driedo († 1535), De ecclesiasticis scripturis, l. 4 (499), hingewiesen. Nach Anführung diesbezüglicher Beispiele heißt es im Resümee: „Neque est his in rebus inter haereticos et Ecclesiam controversia solum de vocabulis seu nominibus, sed de rebus ipsis, hoc est de patre, et filio, et spiritu sancto tribus personis, uno deo in una substantia. (...) Nequaquam igitur candorem sacratissimae theologiae polluimus frivolarum rerum sordibus, sed magis illustramus, dum in sacris litteris, in sententiarum libris, et in scripturis, ubi congruit, exponendis, utimur huiusmodi rebus et distinctionibus."

[176] Wir beschränken uns auf diesen theologischen Blick, allerdings nicht ohne den Hinweis, daß auch heutige philosophische Literatur, zuweilen an unerwarteter Stelle, Impulse durch klassische Trinitätsspekulation verrät – man lese nur Peter Sloterdijks Interpretation der patristisch-scholastischen Trinitätslehre als des Urtyps einer „Theorie der starken Beziehungen" in: Sphären I. Blasen (Frankfurt 1998) 598-631.

[177] Vgl. STUDER (2005) 156: „das nicänische Prinzip".

hunderte überzeugt, muß ebenso konsequent mit dem Handwerkszeug aristotelischer Philosophie spekulativ begriffen und verteidigt werden, wie er durch die Häretiker aller Couleur von andersartigen philosophischen Prämissen aus bekämpft wird. Lehramtliche Verlautbarungen zur Trinitätslehre mit vorwiegend apologetischer Ausrichtung – seien es die Stellungnahme Pauls IV. gegen die Sozinianer (7.8.1555), Pius' IX. Abweisung der Thesen Anton Günthers (15.6.1857) oder die Verurteilung Rosminis unter Leo XIII. (14.12.1887)[178] – haben an diese Bemühungen angeschlossen, sofern sie sich als „völlig aufgebaut (...) auf dem Inhalt der überlieferten Spekulation"[179] präsentieren. Bis heute bleibt das Bemühen um eine dialektische Vermittlung von monotheistischem und trinitarischem Gottdenken, wie es in der scholastischen Tradition zu einer gewissen Perfektion geführt wurde, im Dialog mit der Philosophie und den nichtchristlichen Religionen jeder Theologie aufgegeben, die der nicaeno-konstantinopolitanischen Vorgabe treu bleiben will[180]. Das Grundanliegen der scholastischen Trinitätstheologie erweist sich hier als unverzichtbar.

(b) Zweitens hat die Scholastik stets ein Gespür für die Erhabenheit und „Exzellenz" des trinitarischen Mysteriums vor allen anderen Glaubensaussagen bewahrt. Man muß sich dies vor Augen halten, um die so oft gescholtene „Isolierung" des klassischen Trinitätstraktats – soweit es sie überhaupt gegeben hat – recht einordnen zu können. Die tripersonale Wesensentfaltung in ihrer absoluten Notwendigkeit, Ewigkeit und Naturalität, so sind sich die Autoren einig, ist Gott noch innerlicher als das Vernünftigsein dem Menschen. Daß das trinitarische Sein sogar als dem freien Wollen Gottes vorgängig zu denken ist, macht die einzigartige Würde dieser Wahrheit aus, die für den geschaffenen Geist Mysterium sein muß, weil es für sie wie für das Wesen Gottes keinen übergeordneten Erkenntnisstandpunkt mehr gibt, von dem aus sie deduziert werden könnte. Für den Menschen wird das Geheimnis von den drei Personen in der Einheit des Wesens dadurch zum unverrückbaren Letztziel aller theologischen Reflexion. Die Betrachtung der Trinität, so waren die scholastischen Theologen überzeugt, ist in der Ordnung der theologischen Ableitungen niemals bloßes Mittel zu einem anderen Erkenntnisziel, denn sie selbst ist letztes Ziel und oberster Zweck allen Theologietreibens und schließlich Inhalt der beseligenden Schau in der Ewigkeit[181]. Daß sich dieses theologische Paradigma in seiner häufig gescholtenen „Funktionslosigkeit"

[178] Vgl. DH 1880.2828.3225ff.
[179] KREBS (1930) 186.
[180] Vgl. das ähnliche Votum bei SCHMIDBAUR (1995) 398f.
[181] Vgl. so Bañez, Comm. in I$^{am}$, q. 27 (708bE-709aC).

gegenüber vielen heute anzutreffenden Trinitätskonstrukten in allzu praktischer Absicht[182] abhebt, muß aus solcher Perspektive kein Nachteil sein.

(c) Drittens: Mit dem zuletzt Festgestellten hängt zusammen, daß in der scholastischen Methode, die Trinität zu reflektieren, der für die Kirche unaufgebbare kontemplativ-sapientiale Zugang zur Wirklichkeit Gottes im Vordergrund steht[183]. Vor allem in der jüngeren Thomas-Interpretation ist auf diesen Aspekt hingewiesen worden. Weisheit, so sagt der Aquinate, ist das Bedenken der höchsten und letzten Ursachen. Weil der Theologie nicht bloß das Schlußfolgern aus Prinzipien, sondern das Bedenken Gottes als der höchsten Ursache des ganzen Universums aufgegeben ist, ist sie nicht bloß Wissenschaft, sondern im höchsten Maße Weisheit[184]. In dem Blick auf Gottes Sein, wie er durch die göttliche Selbstkundgabe ermöglicht ist, endet das menschliche Wirklichkeitsergründen. Das offenbarte Trinitätsgeheimnis ist für den suchenden Geist letzte Herausforderung und Grenze zugleich. Wenn der Theologe sich mit Hilfe einer Metaphysik, deren Rationalität göttlichen und menschlichen Geist verbindet[185], diesem Mysterium nähert, ist er im glaubenden Erkennen auf Erden der beseligenden Schau in der Ewigkeit so nahe wie nirgendwo sonst. Man hat zuweilen erhebliche Zweifel daran angemeldet, ob ebendieser betrachtende Zugang zur Wirklichkeit Gottes und der Welt im „praktischen Intellektualismus" der nachtridentinischen Theologie, namentlich bei den Jesuitenautoren, in Wirklichkeit nicht längst einem typisch neuzeitlichen Zugriff aus der Verbindung von intellektueller Ana-

[182] Man kann angesichts all der aus dem Blick auf die Trinität abgeleiteten Kirchenkonzeptionen, die uns in den letzten Jahrzehnten präsentiert wurden, nur die von Matthias Haudel exakt benannte Gefahr unterstreichen, „daß ekklesiologische Interessen zu trinitätstheologischen Prämissen werden können": HAUDEL (2001) 253.

[183] Besonders M. Levering hat dies in seinen Analysen der thomanischen Trinitätslehre betont; vgl. LEVERING (2000), mit Fazit 618; LEVERING (2004) 27: „a contemplative wisdom patterned by the narrative of Scripture"; „an exercise of contemplative ascent, in which Aquinas employs metaphysical investigation as a spiritual exercise in aid of the believer's participation in God's own knowledge". Ähnlich EMERY (2004c) 44: „Saint Thomas considère donc sa proche tâche de théologien comme un «exercice» contemplatif destiné à saisir la «petite goutte» [ScG IV, 1, n. 3345] de la connaissance divine qui nous est communiquée par la révélation."

[184] Vgl. Thomas, S. th. I, 1, 6.

[185] Von dieser Grundannahme her erklärt sich nach SCHMUTZ (2004) 379 die einzigartige Fruchtbarkeit der spanischen Scholastik des 17. Jahrhunderts auf dem Gebiet der Metaphysik (man darf wohl hinzufügen: und einer von Metaphysik durchwirkten Theologie).

lyse und Konstruktion gewichen ist[186]. Aber auch für diese Theologen steht noch fest: Das immer neue Durchdenken des Dogmas bis an die Grenzen der menschlichen Geisteskraft ist nicht spielerischer Selbstzweck der Vernunfterprobung am Mysterium, das für die christliche Existenz ansonsten ohne Relevanz bleibt. Wenn man nämlich mit Thomas die irdische Theologie als angeldhafte Teilhabe am göttlichen Wissen selbst im Lichte des Glaubens versteht, dann ist ihr spekulativer Vollzug „in sich selbst ein religiöser Akt", Weisheit als Erkenntnis der höchsten Gründe und des letzten Ziels, auf das göttliche Vollendungsversprechen bauender Vorbegriff der „visio beatifica", ja auf ihre Weise „irdische Gestalt des Heils"[187].

(d) Viertens existiert zwischen den scholastischen Trinitätsabhandlungen und ihren heutigen Nachfolgetraktaten bei allen Brüchen und Unterschieden in wichtigen Einzelfragen eine materiale Problemkonstanz, die bedeutsamer ist als zuweilen wahrgenommen. Die Verhältnisbestimmung zwischen Einheit und Dreiheit, Wesen und Personen, „statischem" und „dynamischem" Moment in Gott ist auch in der aktuellen, ganz unter den Vorzeichen einer heilsökonomischen Neuausrichtung der Inhalte stehenden Debatte kaum zu einer befriedigenden Sistierung gelangt, in welcher gegenseitige Verdächtigungen auf „modalistische" oder „tritheistische" Einseitigkeit zum Verstummen gebracht worden wären. Die bis heute andauernde Nachwirkung von Rahners Definitionsvorschlag für einen trinitätstheologisch brauchbaren Personbegriff („distinkte Subsistenzweisen") belegt, daß ein explizit scholastischer Terminus auch in der Gegenwartstheologie hilfreich sein kann, wenn er dort zweifellos auch in einen veränderten Explikationskontext eingefügt ist[188]. Wichtige Studien der

[186] Diesen Vorwurf hat vor allem Karl Eschweiler erhoben, der in der Jesuitenscholastik in scharfer Abgrenzung zur thomistischen Schule den eigentlichen Beginn „neuzeitlichen" Philosophierens (und Theologietreibens) erkannte. Für ihn steht fest, daß „Suarez den kontemplativen Charakter der Metaphysik nur als natürlich menschlichen Defekt gegenüber dem zugleich kontemplativen und praktischen Vorzug der übernatürlichen Theologie festhalten konnte und wollte. Der genuin aristotelische und thomistische und wahre Sinn der *theoria* war durch diesen «praktischen Intellektualismus» außer Kurs gesetzt worden" (ESCHWEILER [1928] 293). Immerhin gesteht Eschweiler Suárez zu, den kontemplativen Charakter der Theologie nicht gänzlich geleugnet zu haben.

[187] PESCH (2001) 190f.

[188] Vgl. HILBERATH (1986) 18-30. Wenn auf den scholastischen Ursprung von Rahners Begrifflichkeit hingewiesen wird, ist nicht behauptet, daß Rahner einfachhin einen traditionellen Lösungsvorschlag reaktiviert hätte. Dennoch wird das Neue in seiner Trinitätslehre erst dann verstehbar, wenn man ihre Konzeption aus jenem neuscholastischen Kontext heraus zu erheben sucht, in den sich Rahner (vor allem

vergangenen Jahre zeigen, daß die Frage nach der einer Trinitätstheologie zugrundezulegenden metaphysischen Basiskonzeption ebenso herausfordernd geblieben ist wie das Problem der Reichweite und Valenz menschlicher Begriffe in der Rede von Gott (Analogieproblem)[189] oder die durch moderne Sprachphilosophie unterstrichene Forderung nach Entfaltung einer umfassenden trinitätstheologischen Grammatik[190] – allesamt Themenfelder, die unmittelbar an die scholastische Tradition anzuknüpfen vermögen, auch wenn die wenigsten neueren Autoren deren Potentiale zu nutzen versuchen. Alle theologischen Entwürfe, in denen die Dimension einer immanenten Trinitätslehre nicht gänzlich ausgeklammert ist und die im trinitarischen Credo mehr sehen wollen als die spekulative Überhöhung biblischer Soteriologie oder deren transzendentale Theorie als bloß ideale Größe in unserem durch die Offenbarung angeregten Gottverstehen ohne Erklärungsanspruch für die Realität Gottes selbst[191], werden letztlich auf diejenigen zentralen Fragen stoßen, die im scholastischen Trinitätstraktat bereits jahrhundertelang reflektiert wurden. In ihrem Licht bleibt er, wie Karlheinz Ruhstorfer mit konkretem Blick auf den hl. Thomas formuliert, „ein Maßstab, hinter den eine heutige Trinitätslehre keinesfalls zurückfallen darf"[192].

## 3) SUÁREZ?

### *a) Die biographische Verortung des suárezischen Traktats „De deo uno et trino" (1606)*

Wenn im dritten und letzten Schritt unserer Hinführung zum Thema dieser Studie der Blick auf denjenigen Autor gelenkt wird, dessen Werk uns als vornehmliche Quelle für die Begegnung mit der Trinitätslehre der frühneuzeitlichen Scholastik dienen soll, ist es nicht notwendig, mit einem umfassenden biographischen Abriß anzusetzen. Die zu Recht we-

in seinen Beiträgen vor dem II. Vatikanum) ganz selbstverständlich gestellt sah. Dies gelingt in vielen heutigen Interpretationen nicht überzeugend.

[189] Vgl. vor allem SCHULZ (1997), daran anknüpfend OBENAUER (2000).

[190] Vgl. SCHÄRTL (2003).

[191] Diese Gefahr bestimmter Auslegungen, wie sie vor allem im Gefolge des bekannten „trinitätstheologischen Grundaxioms" Rahners aufgetreten sind, hat jüngst die Handreichung „Der Glaube an den dreieinen Gott" der Deutschen Bischofskonferenz (Bonn 2006) deutlich benannt und korrigiert (nn. 104f.).

[192] RUHSTORFER (2004) 48; vgl. auch SCHEFFCZYK (1995) 230-233.

gen ihrer Quellennähe und Gründlichkeit gelobte[193] große Darstellung von Raoul Scorraille[194] hat, obwohl bald ein Jahrhundert alt, bis heute ihre Maßgeblichkeit nicht verloren. Zwar ist sie punktuell in mancher Hinsicht ergänzt worden[195], aber in den Grundzügen hat sie sich als zuverlässige Grundlage für alle biographisch-prosopographischen Überblikke erwiesen, wie sie in unterschiedlichster Gestalt und Länge vorliegen[196].

(1) Keiner näheren Begründung bedarf auch die Feststellung, daß Francisco Suárez (geb. 5.1.1548 in Granada, gest. 25.9.1617 in Lissabon) in der Epoche zwischen dem Augsburger Religionsfrieden und dem Westfälischen Frieden, in die sein Leben fiel, zu den bedeutendsten Gestalten der katholischen Theologie gezählt werden muß. Dies gilt allein vom quantitativen Umfang des Werkes her, das der aus der Salmanticenser Schule in ihrer zweiten Generation hervorgegangene und seit 1564 dem Jesuitenorden angehörende Gelehrte hinterlassen hat. Die bis heute meistens benutzte (unkritische) Pariser Werkausgabe aus dem 19. Jahrhundert (Vivès, 1856-1878) umfaßt nicht weniger als 28 voluminöse Bände, die in mehr als 4200 Sektionen die Metaphysik und alle theologischen Traktate außer der Einleitungslehre und einigen Partien der III[a] Pars behandeln. Hinzu kommen Opuscula und Gelegenheitsschriften. Berücksichtigt man noch Gutachten, Briefe und von der Druckversion abweichende Traktatfassungen, wie sie bis heute nicht vollständig publiziert sind, vermehrt sich der Umfang weiter. Im Blick auf Suárez wundert es nicht, daß man gegenüber den mittelalterlichen Summen, die manchen Interpreten an die hoch aufstrebenden gotischen Dome erinnert haben, das Werk der nachtridentinischen Scholastik zuweilen mit den riesigen barocken Palästen nach Art des Escorial verglich[197]. In dieser an bedeutenden Theologen nicht armen Zeit nimmt Suárez noch einmal eine Vorrangstellung ein. Schon im zweiten Jahrzehnt nach seinem Tod nannte ihn sein Ordensgenosse Roderigo de Arriaga einen „Giganten", der sein Haupt über alle Scholastiker seiner Zeit erhebe[198].

[193] Vgl. exemplarisch die Würdigung von LLORCA (1948).

[194] Vgl. SCORRAILLE (1912-13).

[195] Vgl. etwa die Beiträge von ALMUZARA (1948); ÖRY (1959); CASTELLOTE CUBELLS (1980); RODRIGUEZ (1980). Weitere Hinweise bei POLGÁR III/3 (1990), 277f.

[196] Hervorgehoben seien darunter MAHIEU (1921) 40-75; SOLANA (1928); MONNOT (1941); GIACON (1947) 169-202; GÓMEZ ARBOLEYA (1946) 64-106; LARRAINZAR (1977) 27-47; RODRÍGUEZ (1990); NOREÑA (1991).

[197] Vgl. ALMUZARA (1948) 258; ITURRIOZ (1949) 9.

[198] Vgl. Roderigo de Arriaga, Vorwort des „Cursus Philosophicus" von 1632, zitiert nach MAHIEU (1921) 512.

Vor allem in der eigenen Schule wurde sein Name rasch zur Autorität[199]. Man sprach ihm den Titel des „Doctor Eximius“ zu, der ihn von nun an dauerhaft schmückte und der zusammen mit der Anerkennung, die ihm von kirchlicher Seite zukam[200], von Jesuiten regelmäßig zitiert wurde. In der Wissenschaft finden bis heute vor allem die umfassende scholastische Erudition, der man bei Suárez zu allen Themen begegnet[201], die Klarheit in Methode, Darstellung und Urteil sowie die nachhaltige Wirkung, die er gerade durch seine Philosophie erzielen konnte, hohe Anerkennung[202]. Die „metaphysischen Disputationen“ des Suárez als „das erste große systematische Werk einer neuen Scholastik (…), bei dem die in der Jesuitentradition vorgeschriebene Methode des Sichtens aller Lehrmeinungen und Autoritäten konsequent angewendet wird“, avancierten zum eindrucksvollen Beweis dafür, „daß auch nach dem Nominalismus Metaphysik möglich ist“[203]. Mit dem erstmals 1597 in Salamanca gedruckten Werk war eine entscheidende methodologische Neuerung verbunden: Die Disputationen stellen die erste systematische Metaphysik dar[204], die nicht mehr (wie noch das ebenfalls berühmte 1577 publizierte

199 Bezeichnend ist die launige Stellungnahme bei Avendaño, Problemata theologica, n. 982 (286b), gegen die vorschnelle Kritik eines anderen Autors an Suárez: „Sed expediet a censuris abstinere, quae primarios Theologos, et primariorum duces ac magistros aliquatenus videantur vellicare; in iis praesertim, quae ad modum loquendi spectant: in quibus major fides habenda P. Suario, qui praecipuas orbis lustravit et illustravit academias; quam aliis, qui in nido, in quo sunt nati, ibi et mortui, licet ut palmae dies multiplicaverint; quod de se Beatus Job cap. 29, n. 18“.

200 „Doctor Eximius et Pius“ nannte ihn Paul V. in einem Breve vom 2.10.1607, als „princeps theologorum modernorum“ wurde er von Alexander VII. gepriesen. Vgl. SCORRAILLE (1912-13) II, 465-70; RIVIÈRE / SCORRAILLE (1918) 39-77.

201 Vgl. exemplarisch den Überblick über die von Suárez in den DM zitierten Autoren bei GRABMANN (1926) 532ff., der im Urteil mündet, der Jesuit habe „die ganze bisherige Literatur über die einzelnen Probleme mit staunenswerter Erudition herangezogen“ (524).

202 LEWALTER (1935) 82f. weist auf den protestantischen Wissenschaftshistoriker Daniel Morhof († 1691) hin, der Suárez als einen „Ozean“ der Theologie bezeichnete. Ähnliche Superlative finden sich auch noch im 19. und 20. Jahrhundert. So lobte Schopenhauer den Jesuiten als „das ‚Kompendium der Scholastik‘“ (vgl. JANSEN [1938] 6), Ortega y Gasset galt er als „el maestro de maestros“ (vgl. BACIERO [1972] 205). Und auch unter modernen Philosophiehistorikern wird zugegeben, „daß die ausgedehnten geschichtlichen Darstellungen, die Suarez über die Entwicklung jedes Lehrpunktes der Scholastik gibt, zu dem Besten gehören, was wir über die Scholastik besitzen, und daß diese Darstellungen auch heute noch ihren Wert behalten haben“: MARTIN (1949) 28. Vgl. BAEZA (1948) 42f. Die Liste solcher Urteile könnte leicht erweitert werden.

203 LEINSLE (1985) 120.121.

204 Vgl. GRABMANN (1926) 539-542; SCHMUTZ (2004) 347f.

Vergleichswerk des portugiesischen Jesuiten Pedro da Fonseca [1528-1599]) in der Form eines Aristoteleskommentars abgefaßt ist. Schon ihrem Umfang nach kaum je übertroffen, erzielten sie bereits in den ersten Jahrzehnten – 16 Auflagen bis 1636[205] – einen unvergleichlichen Erfolg. Suárez wurde, wie Autoren des 17. Jahrhunderts feststellten, mit seinen Disputationen zum „Großvater“[206], ja sogar zum „Papst und Fürsten“[207] aller Metaphysiker. Bis in die neueste Forschung hinein hat sich bestätigt, daß der Jesuit „als das wichtigste Bindeglied zwischen der mittelalterlichen Scholastik und der Deutschen Schulphilosophie und der daran anschließenden Kritischen Philosophie anzusehen“ ist[208].

(2) Schon diese generellen Beurteilungen lassen ein Interesse an der Gotteslehre des Suárez begründet erscheinen, auch wenn diese in der biographischen Entwicklung ihres Autors keine auffällig hervorgehobene Stellung einnimmt.

Als Suárez im Frühjahr 1607 auf die kurz zuvor erfolgte Veröffentlichung seines Werkes „De Deo uno et trino“ zurückblickte, konnte er sie als eher ruhig und unspektakulär verlaufen wahrnehmen[209]. Sie folgte allerdings auf fünf Lebensjahre, die mit teils heftiger Polemik und Kontroverse angefüllt waren[210]. In der stetigen Reihe seiner theologischen Traktate, die mit „De verbo incarnato“ als erstem gedrucktem Werk begannen (ab 1590), hatte Suárez 1602/03 aus dem großen Kommentar zu den Themen der III[a] Pars des Aquinaten die Bände „De Poenitentia“ und „De Censuris“ (sein kanonistisches Hauptwerk) erscheinen lassen. In den Erörterungen über die Buße äußerte er sich – wie zuvor bereits einige andere Jesuiten – vorsichtig positiv zur lange umstrittenen Frage, ob im Notfall eine Beichte und die ihr folgende Absolution auch per Brief möglich sein könnten[211]. Während das Buch noch im Druck war, wurde diese These von Papst Clemens VIII. rundweg verworfen. Suárez versuchte im Anschluß, das Dekret des Papstes mit früheren, scheinbar zustimmenden Äußerungen des Lehramts zu versöhnen. Gegner des Suárez, besonders der Dominikaner Domingo Bañez (1528-1604), zeigten den Jesuiten deswegen an und hatten Erfolg: Im Juni 1603 verwarf Rom Suárez' Deutung des päpstlichen Dekrets unter Androhung der Exkommunikation und mit

[205] Vgl. SOLÁ (1948a) 62-69.

[206] So zitiert LEWALTER (1935) 17, Anm. 3 den protestantischen Theologen Daniel Hartnack († 1708).

[207] Zitat von Adriaan Heerebord († 1659), nach SIEGMUND (1928) 191, Anm. 3.

[208] KOBUSCH (1997) 55.

[209] Vgl. das Briefzitat bei SCORRAILLE (1912-13) II, 118.

[210] Vgl. zum folgenden ebd. II, 51-109.

[211] Exakter: Er lehnt die These ab, erkennt aber der Gegenthese eine gewisse Probabilität zu, weil ein Text Leos d. Gr. für sie zu sprechen scheint.

einer Vorladung vor die Inquisition. So mußte er 1604 aus Coimbra, wo er seit 1597 lehrte, nach Rom aufbrechen, um in seinem Fall persönlich vorzusprechen. Während dieser langwierigen Reise diktierte er nach den Informationen seiner Biographen weite Teile von „De Deo uno et trino“[212]. Als Grundlage dienten die Ausarbeitungen, die Suárez für frühere Vortragszyklen dieses Stoffes in Valladolid (1576-80) und dann vor allem in Coimbra erstellt hatte[213]. Die weiteren Verwicklungen der Beichtaffäre brauchen hier nicht im einzelnen referiert zu werden. Ohne sich in der Sache durchgesetzt zu haben, aber auch ohne bleibenden Schaden für seine innerkirchliche Reputation davonzutragen, kehrte Suárez 1606 nach Portugal zurück, um nach drei Jahren, die er durch die Kontroverse von seinen Vorlesungen abgehalten worden war, nun die letzte Periode seines Professorats in Coimbra zu beginnen (ab 1606). Die Gotteslehre muß er wesentlich vollendet mitgebracht haben, denn sie konnte, wie erwähnt, noch im gleichen Jahr zu Lissabon erscheinen[214]. Daß die Veröffentlichung verhältnismäßig wenig Aufsehen erregte, ist vor allem dadurch zu erklären, daß ihre zentralen Thesen schon aus früheren Publikationen, namentlich der Christologie und der Metaphysik, bekannt waren, auf die Suárez selbst in seinem Werk häufig verweist.

### *b) Theologische Themen in der neueren Suárez-Forschung*

(1) Dieses zunächst eher spärliche Echo bei den Zeitgenossen – trotz fünf Folgeauflagen bis 1620[215] gehört die Gotteslehre zu den vergleichsweise nicht allzu häufig gedruckten Werken des Suárez – hat sich vor allem in Bezug auf den Trinitätstraktat bis in die heutige Interpretation hinein fortgesetzt.

Der Schwerpunkt der aktuellen Forschungen zu Suárez liegt einerseits auf Problemen der praktischen Philosophie (aus der Lehre über das natürliche Gesetz, das Völkerrecht oder aus der politischen Theorie) und Theologie (Fragen der Moral, der konkreten Ekklesiologie und des Kirchenrechts), die in unserem Kontext unberücksichtigt bleiben können.

[212] Vgl. SCORRAILLE (1912-13) II, 81.

[213] Vgl. MAHIEU (1921) 68: „Dès son retour de Rome, en 1606, il avait fait paraître son *De Deo uno et trino* auquel l'avaient déjà preparé d'une part ses cours de 1598-99 et de 1600-01, d'autre part aussi ses études sur les questions *de Auxiliis*. Il l'avait composé, dicté même, sur les longs chemins qui en traversant la France menent de Coimbre à Rome"; ALMUZARA (1948) 257; LARRAINZAR (1977) 31ff.

[214] Vgl. SCORRAILLE (1912-13) II, 118.

[215] Vgl. SOLÁ (1948a) 37f.

Daneben ist es der suárezische Metaphysikentwurf[216], der gerade wegen seiner Brücken- und Mittlerstellung zwischen Mittelalter und Moderne ein ungebrochen lebhaftes Interesse der Interpreten hervorruft[217]. Neben die Diskussion der bereits in den klassischen Schulkontroversen präsenten Themen (z. B. Seinsverständnis, Verhältnis von Sein und Wesen, Analogieproblematik) ist zunehmend der Blick auf das suárezische Gesamtkonzept in historischer wie systematischer Perspektive getreten. Umstritten ist dabei nicht bloß das Verhältnis des Jesuiten zu den großen (thomistischen, scotistischen, nominalistischen) Entwürfen des Mittelalters, sondern auch die Frage, inwieweit in der suárezischen Seinslehre bereits die konsequente Wende zu einem modernen „transzendentalwissenschaftlichen" Verständnis und vielleicht auch schon eine Abwendung vom realistischen hin zum mentalistischen Verständnis der Metaphysik zu erkennen ist, sofern sein Objekt, das „ens inquantum ens", letztlich als das Möglich-Seiende, also das rein Denkbare als solches verstanden wird[218]. Mit derartigen Grundcharakterisierungen hängen wichtige Folgefragen wie die nach der Einheit der Metaphysik, speziell nach der Verbindung von transzendentaler Ontologie und natürlicher Theologie und damit nach der objekt- und begründungslogischen Relevanz des Gottesbegriffs in der Metaphysik, unmittelbar zusammen[219]. Wir werden an vielen Stel-

[216] Um nur einige der wichtigen Arbeiten aus den letzten Jahrzehnten zu nennen: SOLANA (1941) III, 453-513; GIACON (1947) 231-321; GOMEZ ARBOLEYA (1946) 107-171; ROIG GIRONELLA (1948); SOLANA (1948a); ITURRIOZ (1949); SANTOS (1949); SCHNEIDER, M. (1961); NEIDL (1966); GNEMMI (1969); SANZ (1989); COURTINE (1990); HONNEFELDER (1990); VOLPI (1993); ESPOSITO (1995); AUBENQUE (1999); BOULNOIS (1999), CANTENS (2002); COOMBS (2003); DARGE (2004a); FORLIVESI (2004). Verwiesen sei außerdem auf die im Literaturverzeichnis aufgenommenen Beiträge von J. P. Doyle, J. Gracia, J. Hellin und N. Wells.

[217] Auf die Gefahren einer allzu aktualitätsbezogenen und damit anachronistisch-verfremdenden Interpretation weist BLUM (1998) 146 hin.

[218] Vgl. zum letztgenannten Aspekt die Hinweise in Kap. 5, 4). Eine ähnliche Tendenz ist unter den Jesuiten vor Suárez vor allem bei Benito Pereira (1535-1610) konstatiert worden; vgl. GIACON (1947) 45f.; ausführlich: ROMPE (1968).

[219] Die Mehrzahl der Interpreten möchte die suárezische Trennung von Ontologie und natürlicher Gotteslehre in den größeren Rahmen der einen Wissenschaft vom transzendentalen Seinsbegriff einschreiben, sofern die Metaphysik „von allen Dingen, insofern sie *confuse* im Seinsbegriff enthalten sind" (LEINSLE [1985] 123) handelt, zu denen auch Gott gehört. Gott tritt somit in der irdisch-endlichen Perspektive der Metaphysik nicht als Ursache des Seienden (als Seiendes verstanden) auf, sondern ist selbst Objekt (wenn auch nicht eigentliches und adäquates) dieser Wissenschaft, deren autonomes Verständnis damit gestärkt wird; vgl. exemplarisch HONNEFELDER (1990) 205-214; AUBENQUE (1999) 17f. Wir werden in unserer Studie dieser Richtung folgen. Nach der Einschätzung anderer Forscher dagegen bleibt Suárez

len unserer Studie auf Themen und Ergebnisse dieser Forschungskontroversen zurückgreifen.

(2) Es ist erstaunlich, daß im Vergleich zur Fülle an Interpretationen zur suárezischen Metaphysik die thematisch oft engstens mit ihr verbundenen theologischen Traktate des Jesuiten in neuerer Zeit weithin unbeachtet geblieben sind[220]. In deutscher Sprache sind Arbeiten aus der dogmatischen Theologie, die sich eingehender mit Suárez befassen, in den letzten 30 bis 40 Jahren fast nicht mehr zu finden. Die letzte auf ihn fokussierte Monographie zu einem Thema der Dogmatik ist eine ungedruckte Münchener Dissertation des Jahres 1974 zu einem Aspekt der Ekklesiologie[221]. Auch international fällt das Fazit nicht viel besser aus. Als „standard source of Catholic theology"[222] fungieren die suárezischen Werke selbst in historischer Perspektive schon lange nicht mehr, und den Jesuiten, wie in einem Lexikonartikel von 1941 geschehen, im Blick auf sein systematisches Denken als einen „zweifellos modernen Autor"[223] zu bezeichnen, wird angesichts dessen, was gegenwärtig in der katholischen Theologie als „modern" gelten mag, ebenfalls kaum jemand mehr behaupten wollen. Spätestens seit der Debatte um das richtige Gnadenverständnis, wie sie in den 50er Jahren durch die Beiträge der sog. „Nouvelle

bei einer Ontologie, in welche die spezielle Metaphysik (namentlich die natürliche Gotteslehre) nur nominell vermittelbar ist (vgl. ROMPE [1968], z. B. 136f.) bzw. bei einer „unreinen" Ontologie (FORLIVESI [2004]: „ontologia impura"), die mit einer gewissen Inkonsequenz neben dem Blick auf das Seiende als Seiendes immer auch den Blick auf das unendliche Seiende in seiner Eigentümlichkeit erhalten möchte (ähnlich auch GOUDRIAAN [1999] 14-17). Von dieser Position aus, in der sich in Wahrheit doch Gott als „eigentlicher und erster Gegenstand" (DM 1.1.19 [XXV, 8b]) der Metaphysik erweist, kann man Suárez' transzendentale Methode geradezu der philosophischen Bemächtigung Gottes anklagen, wie es bei SIEWERTH (1987) 188ff. geschieht. Andere Interpreten schreiben Suárez von hier aus eine erhebliche Verantwortung für jene Trennung von Ontologie und natürlicher Theologie zu, wie sie in der nachfolgenden Entwicklung der frühen Neuzeit zu beobachten ist. Nach FRANK (2003) 337ff. ist die „Dissoziierung von Philosophie und Theologie" als Ergebnis der „neuscotistischen" Metaphysiktradition in ihrem Ausgang vom „ens ut ens" neben der lutherischen „duplex veritas"-Lehre und der erstarkenden neuplatonischen Geistphilosophie ein entscheidender Faktor in der Herausbildung dessen gewesen, was man später „(früh)neuzeitliche Religionsphilosophie" genannt hat.

220 Die wichtigste Sekundärliteratur zu Suárez läßt sich bequem erschließen über die Angaben bei POLGÁR III/3 (1990) 268-329 und die Online-Bibliographie von Jacob Schmutz und S. Castellote-Cubells:
http://www.ulb.ac.be/philo/scholasticon/bibsuarez.htm

221 YAMABE (1974).

222 So noch GRACIA (1991a) 261f.

223 DUMONT (1941) 2650: „Suarez est d'abord sans contredit un auteur moderne."

Théologie" entbrannte[224], ist deutlich geworden, daß Suárez als lebendige theologische Autorität weithin bedeutungslos geworden ist und am häufigsten dort Erwähnung findet, wo Thesen zu illustrieren sind, deren Verabschiedung ansteht.

Innerhalb des insgesamt mageren Bestands an neuerer dogmenhistorischer Forschungsliteratur zu Suárez gehört die Trinitätslehre noch einmal zu den besonders schwach repräsentierten Themenfeldern. Was bereits allgemein über das Interesse an diesem Traktat in seiner nachtridentinischen Ausformung festgestellt wurde, setzt sich im konkreten Blick auf Suárez fort. Die bis heute einzige Gesamtdarstellung des suárezischen Denkens in deutscher Sprache, nämlich Karl Werners zweibändige Arbeit aus dem Jahre 1889, bietet zugleich auf wenigen Seiten den einzigen geschlossenen Überblick über die Thesen des suárezischen Trinitätstraktats[225], den es auf deutsch gibt. Wie in vielen Werken Werners fehlt es auch hier an Exaktheit des Referats ebenso wie an geschichtlicher Einordnung der Lehrpositionen[226]. Die bis heute vielleicht noch immer besten[227] Ein- und Überblicke zum Trinitätsdenken unseres Jesuiten lassen sich aus den einschlägigen, oft in monographischer Ausführlichkeit angelegten Personen- und Sachartikeln des „Dictionnaire de Théologie Catholique" gewinnen[228], die mittlerweile ebenfalls 50 bis 80 Jahre alt sind. Monographische Beiträge, selbst in Artikelform, existieren darüber hinaus kaum[229], und nur selten findet man Hinweise auf die Trinitätslehre im Kontext der Bearbeitung anderer Fragestellungen aus dem Werk des Suárez[230]. Damit fehlt uns insgesamt eine umfassende und zuverlässige historische Erschließung dieser Texte.

[224] Vgl. BENAVENT VIDAL (1995) 14.

[225] Vgl. WERNER (1889) 179-187.

[226] Die Darlegungen sind oft wenig analytisch und unordentlich komponiert, klare Vergleiche und Schlußfolgerungen fehlen. Werners Bücher sind nicht zu Unrecht als „Riesenzettelkasten" bezeichnet worden (ESCHWEILER [1928] 271), in dem man eine Fülle seltener bibliographischer Informationen und interpretatorischer Anregungen erhält, dessen Inhalte jedoch den Kriterien neuerer historischer Scholastikforschung nicht genügen.

[227] Vgl. das ähnliche Urteil bei SCHMUTZ (2000) 271.

[228] Vgl. RICHARD (1913); MICHEL (1922); (1932); (1937); (1950); DUMONT (1941) 2652ff.

[229] Vgl. MARTIN, A. (1899); XIBERTA (1933); ELORDUY (1944). Eine Kurzcharakterisierung gibt BAYÓN (1987) 55f.

[230] Vgl. etwa KAISER (1968) 94-146 (zur suárezischen Lehre von der hypostatischen Union) oder BAERT (1997) 91-97, der die bei Suárez gegenüber Thomas verstärkte Vorordnung des Wesens vor die Personen in Gott feststellt. Nicht zur Trinitätslehre im engeren Sinn gehören die Lehre über die Gaben des Heiligen Geistes (zu Suárez hier: DALMAU [1949]) oder die in der ersten Hälfte des 20. Jahrhunderts durch

Berücksichtigung in systematischer Perspektive hat das suárezische Trinitätsdenken, wie bereits angedeutet, zuletzt in den neuscholastischen Schuldebatten während der ersten Hälfte des 20. Jahrhunderts gefunden. Allerdings wurde es dort unter den Vorzeichen der klassischen Kontroversen zwischen Thomisten und Suárezianern rezipiert, die damals zu einem letzten Höhepunkt fanden. Das Urteil über die Trinitätslehre des Suárez erfolgte meist in engem Verbund mit der jeweiligen Gesamtbeurteilung seiner philosophisch-theologischen Zentralprämissen bzw. seines Systems. In thomistischer Schulperspektive, ermutigt durch lehramtliche Stellungnahmen wie die klar antisuárezischen „24 Thesen“ der Studienkongregation vom 27.7.1914 oder die Empfehlung von Can. 1366 CIC/1917[231], erschien Suárez den Thomisten als Autor, der durch seine philosophischen Grundoptionen entscheidend von Thomas abgewichen, ja zum Zersetzer des wahren Thomismus geworden war. Diese heftige Ablehnung wirft auch nach Ende des geschlossenen Schulthomismus ihre Schatten. Bis in die Gegenwart trifft Suárez der vor allem auf die philosophiegeschichtlichen Darstellungen Gilsons[232] zurückgreifende Vorwurf, den scotischen Weg der „Essentialisierung“[233] in der Philosophie fortgeführt und die „Verbegrifflichung“ des thomanischen Seins[234] entscheidend vorangetrieben zu haben; durch sie sieht man das sich vom Christentum abwendende Denken der Moderne entscheidend vorbereitet. Die These, daß Suárez „viel näher bei Kant als bei Thomas“[235] stehe, ist durch

den Impuls Scheebens und der Römischen Schule häufiger behandelte Frage nach der Einwohnung des Heiligen Geistes in den Seelen der Gerechtfertigten, für die Suárez eine wichtige Quelle darstellt (vgl. etwa SCHAUF [1941]; TRÜTSCH [1949]; GONZÁLEZ RIVAS [1950]; BENAVENT VIDAL [1995] 302-322; STÖHR [1989]; BINNINGER [2003]). Ohne Bezug zur Trinitätstheologie bleiben in der Regel philosophische Beiträge zur suárezischen Gotteslehre; vgl. BREUER (1929); LEIWESEMEIER (1938); GOUDRIAAN (1999).

[231] Vgl. dazu BENDEL-MAIDL (2004) 79ff.

[232] Vgl. etwa GILSON (1948) 141-155.

[233] Vgl. etwa die Darstellung bei SWIEZAWSKY (1990), z. B. 220, dazu BOLLIGER (2003) 52ff.

[234] Vgl. CABADA CASTRO (1974). Charakteristisch für diese Interpretationsrichtung ist das Urteil von ROMPE (1968) 138f.: „Es scheint uns sicher, daß Gilson die Tendenz der suaresischen Metaphysik richtig erkannt hat. Das Seinsverständnis des doctor eximius ist statisch. Es zielt weniger auf den Seinsakt als auf den Seinsbestand und d. h. auf die Wesenheit. Das ens stellt sich Suarez nicht zuerst als individuelle und daher nicht völlig durchschaubare Wirklichkeit dar, sondern als große Gattung, deren inferiora übereinkommen als ‚habentes essentiam realem‘. Wesentlich am Seienden ist für Suarez, daß es Wesenheit hat und damit begrifflich erfaßbar und einordenbar ist.“

[235] CABADA CASTRO (1974) 337.

das Urteil Gustav Siewerths[236] und seine wenig originelle, aber dafür mit tiefen Ressentiments gegen die „Schulwissenschaft" aufgeladene Rezeption durch Hans Urs von Balthasar[237] im theologischen Bereich bis heute wirksam geblieben. So sehr sich allerdings die klassischen Schulthomisten mit ihren transzendentalthomistischen Nachfolgern in der Ablehnung des Suárez einig waren, so sehr bevorzugten sie statt des geistesgeschichtlichen Großentwurfs nach Art Siewerths oder von Balthasars die präzise Frage nach den Konsequenzen der Grundprinzipien des Suárez auf den verschiedenen Feldern des philosophischen und theologischen Wissens, darunter in der Trinitätslehre. Nach dem Beitrag von A. Martin[238] war es vor allem eine große fundamentalphilosophische Studie des Dominikaners Norberto del Prado, welche die Trinitätsthesen des Suárez als theologischen Ausfluß zweifelhafter philosophischer Prämissen kennzeichnete[239]. In exakt dieser Argumentationslinie stand wenig später die vielleicht wirkmächtigste Suárez-Kritik aus thomistischer Feder, die Darstellung bei

[236] Vgl. SIEWERTH (1987) 154-159.184-222.

[237] Vgl. VON BALTHASAR (1965) 385f.: „Was Suarez mit der vollendeten Naivität des Schulmanns betreibt, wird aber (wie Gustav Siewerth in grimmigen Analysen gezeigt hat), einmal aus der äußern theologischen Glaubens- und Schulzucht befreit, die unmittelbaren Grundlagen für die moderne Metaphysik von Descartes, Spinoza und Leibniz bis zu Kant und Hegel abgeben; es wird dazu gleichzeitig den klerikalen Schulbetrieb der philosophisch-theologischen Neuscholastik unverändert bis heute (also über Hegel und den Zusammenbrach des konstruktiven Idealismus hinaus) beherrschen, woran deutlich wird, daß das faktische Sichereignen der Schulscholastik die naive suarezianische Ausgangsposition immerfort bestätigt, man mag diese lehrhaft vortragen oder nicht." Suárez gilt dem Ex-Jesuiten Balthasar als exemplarischer Vertreter „der konsequenzlogisch-konzeptualistischen Kirchenmetaphysik" (387), sein Werk als Musterbeispiel für „die klerikalen neuscholastischen Lehrmittel mit ihrem apologetischen Bescheidwissen über Alles und Jedes" (ebd. 387) – die Grenze zwischen Interpretation und Abrechnung ist hier kaum mehr auszumachen. Von der „Verbegrifflichung des Seins bei Scotus-Suarez" ist bei Balthasar ebenso die Rede wie von der angeblichen Seinsvergessenheit dieser Schule. Vgl. ebd. 388: „... «real» heißt für Suarez wie für Scotus das Kompossible, Mögliche, nicht das Wirkliche, für das die bloße positio extra causas, die aber nicht mehr gedacht werden kann, übrigbleibt, weil ja die Essenz als «reale» innerhalb des umgreifenden Seins schon völlig durchindividuiert ist. Es sei denn, man faßt das umgreifende Sein (als Begriff!) als das Wirkliche, was aber zur Folge hat, daß alles Mögliche wirklich ist. Daß dies nicht gesagt sein soll, ist klar, somit bleibt die Wirklichkeit aus der «Realität» als das Ortlose, Undenkbare ausgeschlossen." Darum sei es „nur ein Schritt" vom Seinsbegriff des Suárez hin zu Descartes oder Kant gewesen (ebd.). Selbst einem strengen Thomisten wie MONDIN (1996) 304ff. sind derart negative Urteile nicht recht.

[238] Vgl. MARTIN (1899).

[239] Vgl. DEL PRADO (1911) 516-544.

Léon Mahieu[240]. Theologen wie Garrigou-Lagrange schlossen sich ihr an. Selbstverständlich ist in all diesen Debatten neben den theologischen Fragen als solchen immer auch ihre kirchenpolitische Dimension zu berücksichtigen – der Kampf gegen den im 19. und frühen 20. Jahrhundert teilweise erdrückenden innerkirchlichen und akademischen Einfluß der ultramontanen Gesellschaft Jesu entfaltete sich häufig in der Gestalt theologischer „Stellvertreterkriege", und hier bot Suárez als philosophisch-theologische Gallionsfigur der Jesuiten ein beliebtes Ziel.

Aus dem Jesuitenorden ist Suárez gegen die Vorwürfe der Thomisten immer wieder verteidigt worden. Allerdings trat auch hier lange die übermächtige Frage nach der Thomaskonformität vor die Herausarbeitung des philosophisch-theologischen Eigenprofils. Die Jesuiten versuchten entweder, die Treue ihres großen Ordensgenossen zum Aquinaten in den entscheidenden Punkten zu demonstrieren[241] oder – noch häufiger – seinen von Thomas abweichenden „Eklektizismus" zu rechtfertigen[242]. Konkrete Vorwürfe gegen die Trinitätslehre des Suárez wurden mit dem Argument zurückgewiesen, daß die Kirche sie niemals zensuriert habe und daß in ihr manche Probleme der thomistischen Auslegung vermieden seien. Für das Begreifen der Gesamtgestalt dieses theologischen Entwurfs war auch damit wenig gewonnen.

### *c) Das Interesse an einer Analyse der suárezischen Trinitätstheologie*

Man scheint nach dem bislang Gesagten kaum auf Rückenwind aus der neueren Forschung hoffen zu dürfen, wenn man sich entschließt, der suárezischen Trinitätslehre aus der Perspektive einer historisch ausgerichteten Scholastikforschung mit Distanz zu den alten Schuldebatten Interesse zu schenken.

[240] Vgl. die eher knappen Hinweise auf die Trinitätslehre bei MAHIEU (1921) 505f.; MAHIEU (1925) 284.

[241] Vgl. etwa PICARD (1949), der bezeichnenderweise auch Durandus als Thomisten führt (108). Erwähnt sei auch der oberflächlich-naive Rechenversuch von DALMAU (1953) 1456, nach dem Suárez angeblich nur in ca. 20 von 6000 Konklusionen seines Werkes von Thomas abweiche.

[242] Vgl. etwa DESCOQS (1924) 135ff., der betont, Thomas selbst sei ein „Eklektiker" wie Suárez gewesen. Es schließt sich eine Verteidigung der theologischen Orthodoxie des Jesuiten und der Verweis auf seine kirchliche Anerkennung und vorbildliche Frömmigkeit an. Ähnlich: DOMINGUEZ (1929-30) und die Arbeiten von Hellin. Ein Sich-Ergänzen von thomanischem und suárezischem Zugang vertritt JANSEN (1938) 8.

(1) Wer demgegenüber die prekäre Literaturlage vor allem als Anreiz versteht, zu diesem Lehrstück unseres Autors die Pionierarbeit einer monographischen Studie in Angriff zu nehmen, sieht sich rasch mit zwei weiteren möglichen Vorbehalten gegen seine Themenwahl konfrontiert. Erstens: Ist es tatsächlich Suárez, der sich für die Analyse des Trinitätstraktats in der frühneuzeitlichen katholischen Theologie, näherhin der Jesuitenschule, aufdrängt? Sind Autoren wie Gregor von Valencia oder Gabriel Vázquez tatsächlich nur zeitlich früher oder nicht auch sachlich mindestens gleichbedeutend? Finden sich unter den Suárez nachfolgenden Jesuiten – man denke an das bereits zitierte Urteil Grabmanns über Ruiz de Montoya – nicht sogar Autoren, die dieses Thema besser, umfassender, origineller bewältigt haben? Folgt man mit einer Entscheidung für Suárez nicht erneut der von Sven K. Knebel mit guten Gründen kritisierten Tradition, die große, spekulativ bedeutende Jesuitenschule des 17. und frühen 18. Jahrhunderts auf wenige „berühmte" Namen der Frühzeit zu reduzieren – unter ihnen Suárez? Und zweitens: Hat nicht der Blick in die Biographie des Suárez selbst, wie wir ihn unter a) vorgenommen haben, gezeigt, daß der Trinitätstraktat auch aus werkimmanenter Perspektive kaum behaupten darf, eine zentrale Stellung einzunehmen? Lohnt sich der detaillierte Blick auf einen Traktat, der im Schaffen unseres Theologen eher beiläufig ausgearbeitet worden ist? Hätten nicht andere Themen seines Œuvres viel eher die Aufmerksamkeit des Interpreten verdient? Auch zu diesen beiden Anfragen soll kurz Stellung genommen werden.

(2) Es kann zunächst problemlos zugegeben werden, daß die Trinitätslehre des Suárez weder die zeitlich erste Behandlung des Themas innerhalb der Jesuitenschule darstellte noch durch die Prominenz und Wirkmächtigkeit ihres Autors automatisch als der „beste" Beitrag zum Thema in seiner Epoche gelten muß. In ihrer theologischen Lehrtätigkeit widmeten sich hervorragende Jesuiten schon seit den 60er und 70er Jahren des 16. Jahrhunderts auch der Trinitätslehre als einem selbstverständlichen Teil des vorgegebenen Stoffkanons. Nur die wichtigsten Namen seien hier in Erinnerung gerufen.

Ein Trinitätstraktat wurde offenbar vom berühmten Trienter Konzilstheologen Diego Laynez (1512-1565) als Beginn einer von Ignatius selbst angeregten theologischen Summe verfaßt; er muß als verschollen gelten[243]. Bereits hingewiesen haben wir auf den ungedruckten Traktat des für seine Evangelienauslegungen berühmten Juan de Maldonado. Noch einige Jahre vor ihm, nämlich ab 1562, hielt der Soto-Schüler Francisco

[243] „De trinitate libri III"; vgl. SOMMERVOGEL IV, 1599; DUDON (1931) 369f.; ANDRES (1976) II, 458.

Toledo (1534-1596) am Collegio Romano seine Vorlesungen über die I[a] Pars der thomanischen Summa[244]. Da das Werk des 1593 zum Kardinal erhobenen Theologen erst im 19. Jahrhundert im Druck erschien, blieb es über den engsten Schülerkreis hinaus ohne Einfluß. Toledos Trinitätslehre ist stark von Cajetan beeinflußt, wenn er sich von ihm auch – wie es die frühen Jesuiten generell tun[245] – in einzelnen Punkten absetzt. Die thomistische Prägung ist insgesamt wohl stärker als bei Soto, wie beispielhaft in der für die Jesuitenschule seltenen Anerkennung der Realdistinktion von Sein und Wesenheit sichtbar wird. Die Trinitätsauffassungen des zweiten großen Gründungstheologen der Jesuitenschule, Robert Bellarmin, sind teilweise im Kapitel „de Christo" seines berühmten apologetischen Werkes „De Controversiis christianae fidei" greifbar. Dem Charakter dieser Schrift entsprechend, tritt die spekulative Erörterung zurück. Ungedruckte Summa-Kommentare des späteren Kardinals zur Gotteslehre existieren aus seiner frühen Vorlesungszeit in Löwen (1570-72)[246] und sind bislang unerforscht. Viele Fragestellungen aus der systematischen Trinitätstheologie, wenn auch nicht in abgeschlossener Traktatform, kommen in der Besprechung des Johannesprologs zur Sprache, die den ersten Hauptteil des zweiten Bandes von Alfonso Salmerons monumentalen, von Bellarmin korrigierten und erst postum veröffentlichten „Commentarii in Evangelicam Historiam"[247] bilden. Diese Ausführungen sind nicht nur ein schönes Beispiel dafür, wie die wegen ihrer stark philosophischen Prägung so oft kritisierten Trinitätserörterungen der dogmatischen Theologie in unserer Periode ihre Ergänzung durch die stärker heilsgeschichtlich, moralisch-aszetisch und „ad hominem" ausgerichteten Argumente des Schriftkommentators finden[248], sondern fallen des weiteren durch ihre starke apologetische Ausrichtung, häufig mit aktueller

[244] Vgl. die Vorbemerkungen von J. Paria im ersten Band der Edition des Summenkommentars von Toledo (Rom 1869, p. V-XXXI); ergänzend: GÓMEZ HELLÍN (1940); MOLINA (2003) 77f.

[245] Vgl. GIACON (1947) 29.

[246] Vgl. LE BACHELET (1910) 585f.; SOMMERVOGEL I, 1252f.

[247] EA Köln 1602. Vgl. MOLINA (2003) 84ff. (Lit.). Band zwei trägt den etwas merkwürdigen Untertitel „De Verbi ante incarnationem gestis". Dem Trinitätsgeheimnis für sich betrachtet sind die ersten 12 Traktate gewidmet (bis p. 126), wiewohl manches Zugehörige auch noch in den weiteren, auf das Inkarnationsereignis eingehenden Abschnitten folgt. Auch die Traktate 63-65 des neunten Bandes (474b-508b) beschäftigen sich eingehend mit trinitätstheologischen Fragen, u. a. dem Ausgang des Geistes von Vater und Sohn.

[248] Als weiteres Beispiel aus der Zeit des Suárez könnte man hierzu nennen: Didacus de Baeza S.J. (1582-1647), Commentaria moralia, l. 5, c. 9 (fol. 379b-385vb): „De manifestato a Domino mysterio Trinitatis".

Stoßrichtung gegen die Sozinianer, auf. Auch den 1586 gedruckten „Libri quinque de Trinitate“ des spanischen Jesuiten Gregor von Valencia merkt man in ihren apologetischen Partien die Erfahrungen an, die er seit 1573 als Professor in Deutschland, zuerst in Dillingen, ab 1575 in Ingolstadt, sammeln konnte[249]. Zur Aufnahme in den ersten Band seiner großen „Commentarii scholastici“ (gedruckt erstmals 1591) hat Gregor den zuvor gesondert erschienenen Trinitätstraktat noch einmal überarbeitet und an das neue Gesamtwerk angepaßt. Die Reihe der großen scholastischen Kommentare zum Trinitätstraktat des Aquinaten, wie sie in den folgenden Jahrzehnten noch häufig aus Jesuitenhand hervorgehen sollten, setzt sich 1592 mit dem Erscheinen der „Commentaria in primam divi Thomae partem“ des Kastilianers Luis de Molina (1536-1600) fort. Sie gründen auf den Vorlesungen, die Molina 1570-73 in Evora gehalten hat. Nachdem der Band bereits 1583 zur Drucklegung fertiggestellt war, brachte das Warten auf die kirchliche Druckerlaubnis eine jahrelange Verzögerung mit sich[250]. Obwohl mehrfach aufgelegt und in der nachfolgenden Trinitätstheologie regelmäßig zitiert, ist dieses Werk zur kompletten Gottes- und Schöpfungslehre hinter den epochemachenden Debatten um Molinas 1588 erschienene Gnadentheologie „Concordia liberi arbitrii cum gratiae donis“ weithin in Vergessenheit geraten. Noch vor 1600 datieren die ungedruckten „Disputationes in primam S. Thomae de Deo et Trinitate“ des Neapolitanischen Jesuiten Pietro Antonio Spinelli (1555-1615), der durch ein umfangreiches mariologisches Werk bekannt wurde[251]. Der wohl bedeutendste Trinitätstraktat eines Jesuitentheologen, der vor demjenigen des Suárez publiziert worden ist, findet sich im ersten Teil des großen Summenkommentars, den der Spanier Gabriel Vázquez hinterlassen hat. 1598 erschien er zu Alcalà, wo Vázquez seit 1593 wieder lehrte, im zweiten Teilband, der mit den qq. 27-65 der I[a] Pars neben der Trinitätslehre auch Schöpfungstheologie und Angelologie abdeckt[252]. Die Klarheit der Darstellung sowie die gleichermaßen beachtliche Ausgestaltung der spekulativen und positiven Teile haben dem Werk einen großen

[249] Vgl. ROMEYER (1950) 2472.2479-2480.

[250] Vgl. PORRO (1995) 353; SOLANA (1941) III, 418-422.

[251] Nach SOMMERVOGEL VII, 1445, entstanden die Disputationen 1596 und werden in der Dillinger Lycealbibliothek aufbewahrt. Von einem ebenfalls vor 1600 entstandenen Trinitätstraktat des in Padua und am Collegio Romano lehrenden Stefano Tucci SJ (1558-1597) ist bei SOMMERVOGEL VIII, 264, die Rede. Da Tucci die ersten Versionen der jesuitischen „Ratio Studiorum“ wesentlich mitgeprägt hat, wäre ein Vergleich zwischen deren Vorgaben und Tuccis Traktat reizvoll. Die Angaben Sommervogels geben keinen Hinweis darauf, ob und wo der Text erhalten ist.

[252] Vgl. HELLIN (1950b) 2603.2607; daneben auch die knappe Übersicht bei WERNER (1887b) 125-132.

Erfolg beschert. In der nachfolgenden Diskussion wurde Vázquez' Trinitätslehre nicht weniger beachtet als die seines Ordensbruders Suárez.

(3) Ohne auch noch einen Überblick über die nach Suárez erschienenen Trinitätsabhandlungen innerhalb der Jesuitenschule anzuschließen, der allein für die Zeit bis ca. 1700 rund 50 Autoren mit ihren gedruckten Werken zu berücksichtigen hätte (die Inedita und thematisch verwandten bzw. relevanten Texte außerhalb des eigentlichen Trinitätstraktats gar nicht eingeschlossen)[253] und der angesichts dieses Materialreichtums[254] allzu umfangreich ausfallen müßte, kann auf der Basis des Gesagten nochmals festgestellt werden: Wenn im folgenden das Œuvre des Suárez als Grundlage einer detaillierteren Analyse ausgewählt wird, ist diese Entscheidung nicht selbstverständlich oder alternativlos. Es lassen sich für sie aber Gründe benennen, die sich nicht bloß im Rekurs auf den allgemein hohen Rang unseres Gelehrten und die Qualität seiner Trinitätslehre, an der ebenfalls kein Zweifel besteht[255], erschöpfen, sondern mit der Verknüpfung interpretationsrelevanter Bedingungen zu tun haben, die bei Suárez eher als bei anderen Autoren der gleichen Zeit und Schule zu finden sind.

(a) Vor allem die außerordentliche Bedeutung der Metaphysik des Suárez verlangt darnach, die Beziehungen freizulegen, die sie mit dem wohl am meisten durch philosophische Reflexion und Begrifflichkeit geprägten Traktat innerhalb der scholastischen Theologie verbinden. Bekanntlich hatte Suárez für die Fertigstellung der „Disputationes Metaphysi-

[253] Ein Gesamtüberblick läßt sich aus der Liste im Indexband SOMMERVOGEL X, 152-158 gewinnen. Als gewisser Endpunkt (und quantitativ sogar als Spitzenpunkt) der jesuitischen Trinitätsspekulation kann ein sich auf über 1300 Folioseiten entfaltendes, durch seinen zugespitzten Rationalismus äußerst mühsam zu lesendes Werk des Kardinals Alvaro Cienfuegos († 1739) betrachtet werden: Aenigma theologicum (Wien 1717). Vgl. SÁNCHEZ GÍL (1987) 380f.

[254] Vgl. die selbstironische Notiz im Vorwort des Kommentars zur I[a] aus der Feder des Valentín de Herice SJ († 1626): „Ferax librorum haec aetas. Libido cudendi propria cogitata, atque nocturnas vigilias illustrandi foecunda mater pene infinitos parturit liberos, et libros".

[255] Vgl. MONDIN (1996) 294: „Suarez procede a un'importante riformulazione del mistero trinitario mediante una nuova semantizzazione dei termini sussistenza, sussistente, essistenza, sostanza, persona." Die Grabinschrift des Suárez, die seine Leistungen umfassend rühmt, vergleicht den Jesuiten ausgerechnet in der Trinitätslehre mit Thomas: „Hic est, dum Triadis tractat sublimia, Thomas; / Intima dum sophiae pandit, Aristoteles. / Haereseos dum monstra potens ferit, Augustinus; / Scriptura Hieronymus, eloquio Ambrosius; / Dum Fidei tractat causas, Athanasius hic est, / Dum pia Bernardus, dum sacra Gregorius" (SCORRAILLE [1912-13] II, 511, Append. IX; vgl. CICOGNANI [1948] 12). Auf die apologetische Verwertung suárezischer Argumente in der nachfolgenden Theologie weist MAHIEU (1921) 514 hin.

cae"[256] die Herausgabe seiner theologischen Werke unterbrochen, und zwar in theologischem Interesse: Er war von der Unabdingbarkeit solider Metaphysikkenntnisse für die Theologen überzeugt und wollte sich in künftigen theologischen Werken von der Notwendigkeit immer neuer langwieriger philosophischer Exkurse befreit wissen. Wenn ein Ergebnis der langen Schulkontroversen zwischen Thomisten und Suárezianern unbestritten ist, dann wohl jenes, daß es Grundentscheidungen in der Metaphysik sind, die für unseren Theologen auch das Verständnis der Trinität prägen[257]. Aber dieses Bedingungsverhältnis ist keineswegs einseitig. Die Präsenz trinitätstheologischer Fragen in den „Disputationes Metaphysicae" ist in der Forschung schon früher zur Kenntnis genommen worden[258]. Für die frühneuzeitliche Philosophie gilt allgemein, daß sie ohne die Beziehung zur „spekulativen Dogmatik", mit der sie Hand in Hand geht, weder in ihrem Anliegen noch in der Durchführung vollständig erfaßt werden kann[259]. Wie sehr dies für die suárezische Metaphysik zutrifft, läßt sich allein aus der Tatsache erschließen, daß an ihrer Wurzel ein Opusculum „De essentia, existentia et subsistentia" (also über jene metaphysischen Zentralbegriffe, die zugleich solche der Christologie wie der Trinitätslehre sind) stand, auf das der Autor selbst noch in der ersten Auflage von „De incarnatione" verwiesen hat[260]. Dies alles macht eine Lektüre des suárezischen Trinitätstraktats aus der gemeinsamen Perspektive beider Disziplinen, der Theologie wie der Philosophie, interessant. Sie verspricht, neue Einsichten für die der Forschung immer wieder aufgegebene Frage zu eröffnen, ob in dieser Zeit intensivsten theologischen Gebrauchs der Philosophie[261] zugleich ein entscheidender Schritt hin zu ihrem autonomen Verständnis im neuzeitlichen Sinne und ihrer begrün-

[256] Vgl. zur Entstehung des Werkes OLIVARES (1997).

[257] Ganz richtig formuliert DEL PRADO (1911) 543f.: „Diversitas inter Suarezium ac D. Thomam in declaratione mysterii ss. Trinitatis originem trahit ex diversitate doctrinae in Philosophia Prima."

[258] Vgl. CONZE (1928) 53f.; DALMAU (1948) 550: „El procedimiento racional o principio metódico con que resuelve Suárez en Metafísica la antinomia entre la unidad y la trascendencia del ser, es el mismo que en Teología trinitaria le da una solución al misterio de la alianza entre la realidad única de la esencia divina y la realidad triple de las relaciones o personalidades"; GRACIA (1991a) 264.

[259] Vgl. KNEBEL (2000) 19.

[260] Vgl. ITURRIOZ (1949) 23-27.

[261] Vgl. schon das Urteil bei SEEBERG (1953-54) IV/2, 714 über die nachtridentinische Scholastik: In ihren Werken habe man einen „philosophischen Apparat" vorgefunden, „der nicht nur das dogmatische Denken anregte, sondern auch in einer Zeit immer stärkerer Entkirchlichung der philosophischen Interessen ein überaus wertvolles Material der geistigen Selbstbehauptung darstellte."

dungslogischen Trennung von der Theologie gemacht wurde[262]. Da keiner der Suárez vorangehenden Jesuitenautoren neben einem kompletten Trinitätstraktat auch eine ausgearbeitete Metaphysik in Umfang und Bedeutung der DM hinterlassen hat – während wir etwa von Pedro da Fonseca (1528-1599) nur den Metaphysikkommentar besitzen, sind von Molina und Vázquez wie später auch von Ruiz allein die theologischen Erörterungen in gedruckter Form greifbar –, bietet sich aus dieser Perspektive der Blick auf Suárez besonders an.

(b) Nicht nur die Querbezüge zu der vor „De trinitate" erschienenen Metaphysik, sondern auch die Verbindungen zur ebenfalls zeitlich früher publizierten umfangreichen Christologie des Suárez dürfen zugunsten unserer Themenwahl geltend gemacht werden. „De incarnatione" war die erste Publikation unseres Autors überhaupt. Entstanden aus römischen Vorlesungen der Jahre 1584/85, die dann in Alcalá Fortsetzung fanden, wurden sie ab dem Jahr 1590 der Öffentlichkeit zugänglich. In den Folgeeditionen nahm der Autor selbst Erweiterungen vor, die u. a. die trinitätstheologisch maßgebliche Frage nach dem Subsistenzverständnis betreffen[263]. Viele weitere Probleme der Trinitätstheologie finden sich bereits in „De incarnatione" angeschnitten und legen die Lektüre der chri-

[262] Einer der wenigen zeitgenössischen Dogmatiker, der Suárez nicht ignoriert, ist in seiner Christologie Peter Hünermann (vgl. HÜNERMANN [1994] 253-266). Mit dem Aufweis eines gegenüber dem Mittelalter veränderten Ortes der Christologie in der frühen Neuzeit gelangt er zur These von einer zunehmenden Abhängigkeit der Theologie vom Interesse an philosophischem Wissen. Christus, so stellt er mit Blick auf den von ihm untersuchten Traktat fest, gilt zwar bei Suárez weiterhin als inhaltliche Mitte der Theologie, „die Form der theologischen Synthesis aber bildet die transzendentale metaphysische Reflexion" (ebd. 253). Was in der mittelalterlichen Theorie angelegt ist, nämlich die Bewußtwerdung menschlicher Subjekthaftigkeit und ihre Emanzipierungs- und Autonomisierungstendenz, wird nun zunehmend spürbar. Wenn Suárez auch noch nicht zur „cartesischen, durch die Idee Gottes gegründeten Autonomie der Vernunft" vorstoße, so komme er doch „dem Konzept der autonomen Rationalität bereits sehr nahe" (ebd.). Ähnlich urteilt GRACIA (1997) 25f.: „Finally, and perhaps most importantly, these Hispanic philosophers, despite a deep faith and a desire to preserve and support traditional Christian teaching, took bold and conscious steps to keep philosophy separate from theology. Perhaps the most stark example of this phenomenon is to be found in Suárez, who not only was a devout Christian, but saw his primary role as the understanding and defense of Christian doctrine. In spite of this, he consciously separated metaphysics from theology. (...) Occasionally, he does bring up a theological point, but in such cases the aim is to show the reader how to apply metaphysical principles to theology rather than to use theology to prove philosophy. This secular emphasis in metaphysics both sets Suárez apart from his medieval predecessors and situates him at the beginning of the modern tradition." Vgl. auch GOUDRIAAN (1999) 27.

[263] Vgl. ITURRIOZ (1949) 283f.

stologischen Erörterungen im Zusammenhang mit „De trinitate" nahe. Auch in weiteren der theologischen Traktate, wie sie Suárez in staunenswerter Vollständigkeit ausgearbeitet hat, klingen trinitätstheologische Themen an. Gerade für eine auf Kontextualisierung der Ergebnisse bedachte Analyse unseres Traktats ist darum der Ausgang von Suárez eine gute Wahl.

(c) Im Idealfall müßte der vergleichende Blick nicht nur werkimmanent und in die Vergangenheit, auf nähere und fernere scholastische Quellen unseres Autors gerichtet sein, sondern auch etwas vom Reichtum und der Lebendigkeit der nach Suárez folgenden spekulativen Theologie, gerade innerhalb der Jesuitenschule bis ca. 1750, vermitteln. Im Rahmen unserer Studie wäre dies nur um den Preis einer spürbaren thematischen Beschränkung möglich gewesen. In dieser Abwägungssituation fiel die Entscheidung, angesichts der fehlenden Vorarbeiten den Blick auf den kompletten suárezischen Trinitätstraktat vorzuziehen und auf eine Berücksichtigung der nachfolgenden Rezeptionsgeschichte im Gesamt der Jesuitenschule zu verzichten. Wenn wenigstens hier und dort Hinweise auf weitere Autoren und Debatten eingestreut sind, mag erkennbar werden, daß der Verfasser die Existenz der Schule nach Suárez nicht ignoriert hat und manchen Aspekt in ihr einer zukünftigen genaueren Analyse für wert erachtet.

## 4) Zielsetzung und Methode der vorliegenden Studie

(1) Um das methodische und inhaltliche Programm unserer Studie zusammenfassend bestimmen zu können, brauchen wir nur das Fazit aus den vorangegangenen Darlegungen zu ziehen.

An erster Stelle soll es in der vorliegenden Arbeit um eine präzise Rekonstruktion des spekulativen Trinitätsdenkens im Werk des Suárez gehen, wobei seine explizit diesem Thema gewidmete Schrift als Basistext dient; weitere Stücke der Opera, in denen trinitätstheologische Fragen präsent sind, werden nach Bedarf hinzugezogen.

Was „De trinitate" selbst angeht, vereinfacht sich der Quellenzugriff insoweit, als der Traktat in den verschiedenen Auflagen, die er nach 1606 erfahren hat, offenbar ohne nennenswerte Überarbeitung oder Ergänzung geblieben ist. Punktuelle Vergleiche zwischen der frühesten mir zugänglichen Auflage (Lyon 1607) und der Fassung im ersten Band der Vivès-Edition (von 1856) haben zwar die oft beklagte Existenz von Druckfehlern in letzterer[264], aber zugleich die prinzipielle Textidentität bestätigt. Da für alle von uns heranzuziehenden Suárez-Texte keine kritischen Editionen vorliegen, zitieren wir der besseren Nachprüfbarkeit und Einheitlichkeit wegen nach dem Vivès-Druck, nicht ohne offensichtliche Fehler (vor allem in Zitaten aus „De trinitate") mit Hilfe einer früheren Ausgabe korrigiert zu haben.

Zur Gotteslehre existiert nach heutigem Forschungsstand kein weiteres bislang nur handschriftlich zugängliches Material des Suárez[265]. Auch aus dieser Perspektive darf die im Druck erschienene Fassung als einzige und durch ihre zeitliche Posteriorität gegenüber Christologie und Metaphysik abschließend gültige Gestalt seiner Trinitätserörterung gelten[266]. An ihren Aufbau wird sich unsere Darstellung deswegen in ihren Grundzügen halten können, ihre Argumentationsstruktur als ganze wie in den wichtigen Teilpassagen wird im Zentrum der Analyse stehen. Wenn wir uns dabei auf den spekulativen Gedanken konzentrieren und die biblisch-historischen Ausführungen des Werkes nicht eingehend berücksichtigen, folgen wir der unverkennbaren Intention seines Autors selbst, wie sie sich im Verlauf der Interpretation immer wieder bestätigen wird.

(2) Form und Inhalt des suárezischen Trinitätstraktats werden nur dann korrekt verstanden werden können, wenn man auch die Frage nach seinen historischen Quellen und Einflüssen wie nach zeitgenössischen Parallelen und Querbezügen stellt.

Eine Rekonstruktion des scholastischen Hintergrundes, auf dem Suárez seine Thesen entfaltet, ist in einer Studie wie der vorliegenden prinzipiell unumgänglich. Wie wir bereits festgestellt haben, werden nur durch den Rückblick in diejenigen Quellen, welche Suárez meist explizit, in damals üblicher Form sogar unter Angabe recht genauer Zitatbelege, anführt, die Traditionen, aus denen er schöpft, erkennbar, seine eigenen Positionierungen verstehbar und seine Argumentationen auf ihre Schlüs-

[264] Vgl. etwa SOLÁ (1948a) 6f. Häufige Fehler sind auch in den Stellenzitaten zu bemerken.

[265] Zu diesem Material insgesamt im Kontext der reichen Handschriftenüberlieferung der nachtridentinischen Epoche vgl. RIVIÈRE / SCORRAILLE (1918) 21-35; STEGMÜLLER (1931a); ders. (1931b); ders. (1934); BATLLORI (1949); ELORDUY (1962); POZO (1966) 105-108; LARRAINZAR (1977) 53f., Anm. 38; CASTELLOTE CUBELLS (1980); MOORE (1983) 265; MOORE (1988) 162f.169; RODRÍGUEZ (1990) 1277f.; MOORE (1993) 135f.; CASTELLOTE CUBELLS (1994). Vgl. auch POLGÁR III/2 (1990) 275f.

[266] Die ca. 20 Folien umfassende Nachschrift einer „De trinitate"-Vorlesung aus Dillingen, Cod. 124, fol. 273v-291r, deren Zuschreibung an Suárez ÖRY (1959) 141 noch nicht hinreichend klären konnte, stammt nach RODRÍGUEZ (1980) 298 mit Sicherheit nicht von unserem Theologen.

sigkeit hin überprüfbar. Allerdings kann eine solche Kontextualisierung unmöglich umfassend ausfallen; sie muß sich durch die Bindung an die (gewiß selektive) Perspektive, aus der unser Autor selbst auf die Lehrtradition zurückblickt, eine klare Beschränkung auferlegen, auch wenn diese dem mit der historischen Scholastikforschung vertrauten Leser von heute zuweilen willkürlich oder unbefriedigend erscheinen muß. Daß ein besonderes Interesse unserer Studie dem Verhältnis des Suárez zu Thomas und Scotus zukommt, liegt auf der Hand. Es gehört zu den gängigen Perspektiven jeder modernen Suárez-Interpretation, die Selbstverständlichkeit der Thomas-Referenzen im Wissen um deren argumentationsstrategische Variabilität und Funktionalisierbarkeit niemals unkritisch zu übernehmen, ohne zugleich in das gegenteilige Extrem zu verfallen und Suárez generell und apriorisch „anti-thomistisch" lesen zu wollen. Die uns durch die neuere Forschung vermittelten Erkenntnisse über die starken scotischen Prägungen der Metaphysik unseres Autors[267] wie über den enormen Einfluß, den der Scotismus insgesamt in der Theologie des 17. Jahrhunderts, vor allem in der Jesuitenschule, auszuüben vermochte[268], aber gleichzeitig das Wissen um die multiplen sonstigen Einflüsse, die unser Autor zu eigenständigen doktrinellen Synthesen jenseits der vorgegebenen Schulpositionen zusammenzuführen wußte[269], unterstützen dieses Untersuchungsinteresse.

In der zweiten Hinsicht wird es darum gehen, Suárez im Kontext der großen Schulen nach ihrer frühneuzeitlichen Ausprägung ebenso zu begreifen wie innerhalb der Jesuitentheologie im speziellen. Ein besonderes Augenmerk gilt hier dem Verhältnis zu Gabriel Vázquez, der mittlerweile schon auf vielen Feldern des philosophisch-theologischen Denkens wie auch auf persönlicher Ebene als sein Rivale erwiesen werden konnte[270]. Da nach dem Brauch der Zeit lebende Autoren, vor allem wenn man sie kritisiert, nur selten in namentlicher Zitierung greifbar sind, wird nur exakter Textvergleich weiterhelfen, um solche verborgenen Polemiken

[267] Im Gesamtwerk des Suárez hat man mehr als 1900 explizite Scotus-Zitate gezählt; vgl. ELORDUY (1968) 307. Was speziell die Metaphysik angeht, ist die Einsicht nicht neu, daß Suárez hier oft dem Franziskaner folgt, „selbst da wo er ihn bekämpft" (MINGES [1919a] 340).

[268] Vgl. dazu mit zahlreichen Belegen SCHMUTZ (2002b).

[269] Dies wird sehr gut in Rolf Darges Studien zur suárezischen Transzendentalienlehre deutlich, vgl. vor allem DARGE (2004a).

[270] Vgl. zur allgemeinen Charakterisierung des Verhältnisses, das 1599 einen scharfen Tadel beider Patres durch Ordensgeneral Aquaviva provozierte, SCORRAILLE (1912-13) I, 283-314.

oder Übereinstimmungen herauszuarbeiten[271]. In ähnlicher Form werden wir uns bemühen, die übrigen bereits genannten Trinitätswerke der Jesuitenschule vor Suárez, soweit sie gedruckt vorliegen, vergleichend heranzuziehen.

Auch an dieser Stelle ist auf eine Beschränkung hinzuweisen, die sich unsere Studie auferlegt. Verzichtet werden muß auf die ausführliche Berücksichtung der bislang ungedruckten Trinitätstraktate, wie sie aus der ersten und zweiten Generation der Schule von Salamanca, zu deren Erben noch Suárez gezählt werden kann, überliefert sind. Diesbezügliche Texte, meist in der Form von Schülermitschriften, existieren von den drei großen salmanticensischen „Schulhäuptern" aus dem Dominikanerorden, Francisco de Vitoria, Domingo de Soto und Melchor Cano, aber auch von späteren Theologen der von Salamanca aus erneuerten Thomaskommentierung, wie etwa Juan Mancio de Corpus Christi O.P., dem Lehrer des Suárez[272]. Da Suárez keinen dieser Theologen in der Trinitätslehre namentlich zitiert und auch für die Vermutung, daß er unmittelbar auf ihre Lehrthesen zurückgegriffen haben könnte, kein Anlaß besteht, schien der Aufwand einer Besorgung und Analyse der zahlreichen Handschriften für die Bearbeitung unseres Themas nicht gerechtfertigt. Das entscheidende Bindeglied zur älteren salmanticensischen Tradition ist für Suárez ohne Zweifel der schon erwähnte, in seiner Bedeutung für die frühe Jesuitenschule kaum zu überschätzende Trinitätstraktat des Vitoria- und Soto-Schülers Bartholomé de Torres, dem wir darum intensive Beachtung zu schenken haben. Auch die vor der des Suárez publizierte Trinitätslehre

[271] Zu berücksichtigen ist der Hinweis von ELORDUY (1944) 192f., wonach zwischen den Autoren unserer Epoche zuweilen auch Lehren diskutiert werden, die noch nicht im Druck veröffentlicht sind, deren Kenntnis man aber durch gemeinsame Schüler oder Manuskripte erhalten hat. Vázquez konnte so durchaus in seinem Trinitätstraktat auf diesbezügliche Thesen des Suárez rekurrieren, die gedruckt erst einige Jahre später erschienen (sofern sie nicht sowieso schon in der bereits vorliegenden Christologie des Autors zu lesen waren). In gewissem Sinne relativieren solche Feststellungen den Vergleich von Positionen allein über die Ersterscheinungsjahre der Werke, in denen sie von ihren Verfassern publiziert wurden.

[272] Vgl. EHRLE (1930), bes. 83ff.87; BELTRÁN DE HEREDIA (1960) 108.546-588; ANDRES (1977) II, 381ff. 445-449 (Lit.); PIÑEROS (1983); mit vielen Literaturverweisen BELDA PLANS (2000) 202-205, zur literarischen Produktion des Francisco de Vitoria (u. a. auch mit Angabe der überlieferten Schülernachschriften seiner Vorlesungen zur I$^{a}$ in den Jahren 1531-33 und 1539-40) ebd. 334-341, zu den übrigen genannten Salmanticensern ebd. 418.590. Einen Eindruck von diesen Summenkommentaren vermitteln die (allerdings nicht aus der Trinitätstheologie stammenden) Texte, die bei ORREGO SÁNCHEZ (2004) 327-417 ediert sind. Einen Gesamtüberblick über die salmanticensische Thomistenschule aus philosophischer Sicht bietet SOLANA (1941) III, 43-307.

des Dominikaners Domingo Bañez und punktuell Bartholomé de Medinas Christologie werden wir heranziehen, da beide noch mehr als Torres trinitätstheologische Thesen von Vitoria und vor allem Cano referiert haben[273]. Vermittels ihrer werden die Namen der ersten großen Salmanticenser auch in unserer Studie wenigstens am Rande präsent sein.

(3) Trotz des Bemühens um einen Gesamtüberblick wird die nachfolgende Darstellung bei denjenigen Aspekten, die als besonders charakteristisch für die frühneuzeitliche Trinitätsdebatte und ihre spezielle Ausformung durch Suárez gelten dürfen, ausführlicher verweilen, während andere Traktatabteilungen, die der bloßen Tradierung von Schulwissen dienen, knapper skizziert sind. Als besonders interessante Einzelthemen werden sich, ohne daß dies hier bereits exakt begründet werden könnte, die ontologische Modus-Theorie als Hintergrund des trinitätstheologischen Personverständnisses, die daraus resultierende Distinktionsfrage, die Debatte um eine „absolute Subsistenz" in Gott oder die Konzeption des „Wortes" in den Kapiteln über den göttlichen Sohn und seinen innergöttlichen Hervorgang erweisen. Ob sich darin auch Impulse für die heutige Trinitätslehre finden können, wird wenigstens kurz im Gesamtfazit dieser Arbeit zu thematisieren sein.

[273] Medina hat selbst explizit auf seine Benutzung der hinterlassenen ungedruckten Kommentare der salmanticensischen Gründergeneration hingewiesen, und auch Bañez hat keinen Hehl daraus gemacht, daß das große Erbe von San Esteban in seine Texte eingeflossen ist; vgl., mit Rückgriff auf die Forschungen von Franz Ehrle, BELDA PLANS (2000) 773, m. Anm. 70; 788ff., m. Anm. 122; auch KAISER (1968) 63-79. Während Suárez Medina zitiert, finden sich für eine direkte Benutzung der Bañez-Disputationen durch Suárez in unserer Thematik keine Belege.

# Kapitel 2: Der erkenntnistheologische Rahmen der suárezischen Trinitätslehre

## 1) Grundlegende methodologische Vorbemerkungen zur Gotteslehre

Der Trinitätstraktat des Suárez beginnt in Buch I mit der Erörterung des Personbegriffs und seines Zusammenhangs mit den innergöttlichen Hervorgängen. Ihm vorangestellt ist allerdings ein „Prooemium“[1], in dem Suárez Hermeneutik und Methode seines Vorgehens von dem zu behandelnden Gegenstand her erläutert und zugleich auf wichtige Quellen des Traktats ebenso hinweist wie auf dessen Einordnung in das eigene theologische Werk. Zusammen mit den Prooemien zur gesamten Abhandlung über Gott und zu deren erstem Teil „über die göttliche Substanz und ihre Attribute“ steckt es den heuristischen Rahmen ab, innerhalb dessen die folgenden Erörterungen vorgenommen werden. Wir stellen diese Überlegungen daher an den Anfang unserer Darstellung der suárezischen Trinitätslehre und ergänzen sie anschließend durch zugehörige spätere Aussagen aus „De trinitate“ wie aus weiteren theologischen Traktaten.

(1) Die Erörterungen „De deo uno“ fallen besonders in ihrem erwähnten ersten Teil durch den vergleichsweise geringen Umfang und die Knappheit der Problementfaltung auf. Dies hat den eigenen Angaben des Suárez zufolge zunächst äußerlich-biographische Gründe. Die Gotteslehre, so gibt er seinen Lesern zu verstehen, wird in einer „gebündelteren Darstellungsweise“ als frühere der Kommentierungen zur thomanischen Summe vorgelegt, weil ihre Veröffentlichung mitten in die eigenen Arbeiten zur Sakramentenlehre und zum Religio-Traktat fällt und sich der Autor wegen seines fortschreitenden Alters zur Eile gedrängt sieht[2]. Daß Suárez in den Jahren zuvor konkret damit beschäftigt war, seine Lehre von der Möglichkeit einer schriftlichen Beichte in Rom gegen Irrtumsvorwürfe zu verteidigen, haben wir schon im vorangehenden Kapitel er-

[1] Suárez, De trin., Prooemium (I, 531f.).

[2] Vgl. Vorwort zur gesamten Gotteslehre (I, p. XV-XVI).

wähnt. Wichtiger für die Bewertung des suárezischen Vorgehens sind die sachlichen Gründe, die in den Prolegomena ebenfalls Erwähnung finden.

Als Suárez 1606 seine Traktate zur Gotteslehre publizierte, waren die entscheidenden Thesen zur Thematik durch seine zuvor veröffentlichten Werke bereits bekannt. Suárez macht sich vor allem das Vorliegen seiner Metaphysik mit ihren ausführlichen Kapiteln zur „natürlichen Theologie“[3] zunutze, wenn er sowohl im Vorwort zu „De Deo uno“ wie auch zu „De Deo trino“ darauf hinweist, daß aus diesem Grunde jetzt die Passagen über Gottes Einheit vergleichsweise kurz gehalten werden können und durch die früheren Ausführungen zu ergänzen sind. Grundlage für dieses Vorgehen ist die Trennung zwischen „natürlichen“ und „übernatürlichen“ Teilen der Gotteslehre, zu der sich Suárez unter dem Leitwort einer „duplex theologia (naturalis et supernaturalis)“ bekennt[4]. Die erste der beiden Erkenntnisarten gehört zu derjenigen Vervollkommnung des Verstehens, die der menschlichen Natur allein angemessen ist („perfectio naturae consentanea“), während die zweite in einem gnadenhaft „eingegossenen“ Wissen gründet. Die natürliche Theologie dient der „höheren Theologie“, die sie ihrerseits von Fehlern befreit und stärkt: Was schon durch die natürliche Vernunft erkannt wird, kann durch die Offenbarung „auf höhere und besonders sichere Weise“ („altiori, ac certiori modo“) begriffen werden. Es ist dieses Wechselverhältnis, das die gesamte Darstellung durchwirkt und ihr eigentümliches Gepräge ausmacht.

Daß die genannte Verhältnisbestimmung zwischen Offenbarungstheologie und Philosophie auch für letztere wichtige Konsequenzen hat, erwähnt Suárez schon in den Prolegomena seiner „Disputationes metaphysicae“[5]. Die Erstphilosophie als höchste aller natürlichen Wissenschaften leistet einen besonderen „Dienst“ an der übernatürlichen Glaubenswissenschaft, weil ihr Inhalt einerseits den Gegenständen der Theologie am nächsten kommt und weil sie andererseits die Grundlagen jeder, auch der theologischen Erkenntnis behandelt[6]. Eine zusammenhängende

[3] Zuweilen gebraucht Suárez ähnlich anderen Schulautoren der Zeit die Begriffe „metaphysica“ und „theologia naturalis“ geradezu synonym; vgl. De angelis, Prooem. (II, 12, n. 1): „Disputatio de spiritualibus creaturis per se spectata ad naturalem Theologiam, seu Metaphysicam pertinet, cujus proprium est de rebus, quae in suo esse abstrahunt a materia, disserere“.

[4] Vgl. Prooemium zum „Tractatus de divina substantia ejusque attributis“ (I, p. XXIII-XXIV).

[5] Zur Gesamtcharakterisierung dieses Werkes vgl. GALLEGO SALVADORES (1973) 125-243.

[6] Vgl. Suárez, DM Prooem. (XXV, 1a): „Inter omnes autem naturales scientias, ea, quae prima omnium est, et nomen primae philosophiae obtinuit, sacrae ac superna-

Darstellung der Metaphysik hat Suárez nach seinen eigenen Worten darum letztlich aus theologisch-propädeutischen Gründen verfaßt, nämlich um nicht fortgesetzt philosophische Inhalte (die „metaphysica dogmata") in die Darstellung der theologischen Mysterien einmischen oder aber diese ohne hinreichende Untermauerung durch die natürliche Vernunft stehen lassen zu müssen, so daß von den Lesern die „nuda fides" gefordert bliebe. Die theologische Motivation der suárezischen Metaphysikerörterung wird auch in deren Durchführung immer wieder deutlich. Die Kompatibilität philosophischer Aussagen mit den Wahrheiten des christlichen Glaubens sowie die Fähigkeit, diese in klar reflektierter Begrifflichkeit zu erläutern und zu verteidigen, sind als durchgehende Kriterien unverkennbar. Immer wieder weist Suárez in kleinen Exkursen auf theologische Probleme und Fragen hin, die mit der Erörterung eines philosophischen Themas verbunden sind, wenn er auch auf die methodisch scharfe Trennung beider Wissensbereiche großen Wert legt. Diese theologischen Ausblicke und Corollarien werden wir uns in der Trinitätstheologie häufiger nutzbar machen können.

Nach den grundsätzlichen Erwägungen zum Verhältnis philosophischen und theologischen Wissens erscheint die Stoffdarbietung im Traktat „De deo uno", für die sich Suárez entscheidet, durchaus konsequent. Dieser Traktat ist mehr als alle anderen als Gemisch aus natürlicher und übernatürlicher Theologie zu bestimmen – mit dem apologetischen Nebeneffekt, daß deren „Konsonanz" in besonderer Weise den Glauben zu stärken vermag[7]. Zugleich ermöglicht diese Tatsache, die der natürlichen Vernunft eröffneten Teile des Traktats von ihm getrennt („distincte ac separatim") in der Metaphysik abzuhandeln, wie es Suárez vor allem in der großen Disputatio 30 seines philosophischen Werkes („De primo ente")[8], aber auch an vielen anderen Stellen tatsächlich getan hat. In der

turali theologiae praecipue ministrat. Tum quia ad divinarum rerum cognitionem inter omnes proxime accedit, tum etiam quia ea naturalia principia explicat atque confirmat, quae res universas comprehendunt, omnemque doctrinam quodammodo fulciunt atque sustentant." Mit Recht bemerkt GALLEGO SALVADORES (1973) 140: „Suárez encarna perfectamente en toda su obra el espíritu que animó en la tradición escolástica a los grandes maestros de teología, que consideraban a la filosofía como sierva de la teología, en el buen sentido de la palabra. Este carácter de servicio presidió toda su labor intelectual, tanto en sus explicaciones magistrales en las aulas, como en sus publicaciones." Die Ausrichtung der suárezischen Metaphysik auf die Theologie ist in der Forschung schon lange regelmäßig hervorgehoben worden; vgl. etwa CONZE (1928) 51-56; ITURRIOZ (1949) 40-43; ELORDUY (1969), bes. 34f.; COURTINE (1990) 195-201.

7 Vgl. Prooemium zum „Tractatus de divina substantia" (I, p. XXIII-XXIV).

8 XXV, 60-224.

Gotteslehre selbst werden deren Ergebnisse oft nur noch zusammenfassend referiert, gegen mittlerweile vorgebrachte Einwände verteidigt und punktuell vertieft, namentlich im Blick auf die mit ihnen verbundenen übernatürlichen Aspekte. Unter den klassischerweise in „De deo uno" abzuhandelnden Themen gibt es nach Suárez nur ein einziges, das eine strikt übernatürliche Materie beinhaltet und darum nicht auch in der Metaphysik zur Sprache kommen kann, nämlich das Prädestinationsproblem. Es gründet wie die ganze Gnadenordnung in dem „höchsten Geheimnis" der Frage, in welcher Weise der vernünftigen Kreatur die natürlicherweise nicht erreichbare Schau Gottes möglich ist. Um ihr gerecht zu werden, räumt der Jesuit dem Prädestinationsthema in seiner Gotteslehre spürbar großen Raum ein[9].

(2) Neben die Erörterungen „de deo prout unus est" treten diejenigen „de deo prout trinus est". Erst beide gemeinsam bilden nach Suárez die vollständige Lehre über Gott als „den ersten und angemessenen Gegenstand der Theologie"[10], wie er am Beginn des Doppeltraktats umschrieben wird.

(a) Die erkenntnistheoretische Zuordnung der Trinitätslehre ist, verglichen mit den vorangehenden Teilen, einfacher vorzunehmen[11].

(aa) Die Trinität ist das höchste aller Glaubensgeheimnisse und zählt damit in jeder Hinsicht zu den Inhalten der übernatürlichen Theologie. Das Nachdenken über sie steht unter einer doppelten Beschränkung. Es vermag seinen Gegenstand einerseits nicht aus vorausliegenden Ursachen zu deduzieren, weil es solche für etwas, das die Subsistenz der Erstursache selbst betrifft, überhaupt nicht geben kann[12]. Verwehrt ist andererseits aber auch ein Existenzbeweis aus irgendwelchen der Sache nachfolgenden eigentümlichen Wirkungen, denn, so nennt Suárez gleich zu Beginn eine wichtige Grundüberzeugung aller scholastischen Trinitätstheologien, Gott bringt seine Wirkungen in formaler Hinsicht nur hervor, sofern er einer ist, nicht aber in seiner Dreifaltigkeit[13]. Ein auf die trinitarischen Proprietäten als solche zurückzuführendes Schöpfungswirken ist damit prinzipiell ausgeschlossen. Der schlußfolgernde Weg von den kreatürlichen Effekten hin zur göttlichen Ursache endet stets beim „deus ut unus". Da andere

[9] Der „Tractatus de divina praedestinatione et reprobatione" (I, 235-530) als zweiter Teil der Lehre über Gott, den einen, nach dem Traktat „de divina substantia" und zugleich als zweiter Hauptteil der suárezischen Gotteslehre umfaßt sechs Bücher und hat ungefähr den gleichen Umfang wie die nachfolgende Trinitätslehre (I, 531-822).

[10] Vgl. Prooemium zum „Tractatus de divina substantia ejusque attributis" (I, p. XXIV).

[11] Vgl. zum folgenden De trin., Prooemium (I, 531f.).

[12] Vgl. De trin. 1, Prooemium (I, 533a).

[13] Vgl. ebd.

natürliche Erkenntniswege über die zwei genannten hinaus nicht offen stehen, kann die Wahrheit der Trinität durch den Theologen folglich nicht vernünftig beweisen werden, sondern muß ihre Begründung allein in den Glaubensaussagen und in der sie legitimierenden Offenbarungsautorität Gottes finden. Die einzige „demonstratio“, die es hier geben kann, ist diejenige „per regulas fidei catholicae“[14]. Die exaktere Begründung dieser Thesen durch Suárez werden wir im folgenden Abschnitt darzustellen haben.

(bb) Erst in einem zweiten Schritt kann man für die Glaubenswahrheit „irgendeinen stimmigen Grund (congruentem rationem) oder besser eine Erläuterung“ suchen und auf Einwände antworten[15] – das apologetisch-responsive und deklarative Verfahren bildet in der Trinitätstheologie die Grundlage aller weiteren Spekulation.

(cc) Schließlich kann drittens wie in allen theologischen Traktaten eine spekulative Entfaltung des Geheimnisses, die Formulierung von Schlußfolgerungen aus den Glaubensprämissen, erfolgen. Man darf gewiß behaupten, daß der letztgenannte Aspekt bei Suárez wie den meisten systematischen Theologen des Barock der entscheidende ist und umfassendere Ausgestaltung als bei Autoren früherer und späterer Epochen erfahren hat. Damit ist insgesamt die Grundstruktur der theologischen Wissenschaftslehre des Aquinaten – Theologie als Konklusionswissenschaft, die ihre Prämissen nicht selbst zu begründen vermag – bei Suárez gewahrt.

(b) Was die Plazierung des Trinitätstraktates innerhalb des umfassenden theologischen Lehrordo angeht, plädiert Suárez mit „dem heiligen Thomas [sc. der theologischen Summe] und seinen Auslegern“, die er an das Ende einer längeren Reihe von Theologen aus der griechischen und lateinischen Kirche seit der frühen Väterzeit stellt, mit deren Namen die Tradition der Trinitätslehre abgesteckt werden kann, für die Anordnung der Fragen „über die Dreifaltigkeit“ im Anschluß an jene, „die sich auf die Einheit beziehen“. Diese Reihenfolge wird gegenüber der bekanntlich ineinander verschränkten und überzeugender Systematik entbehrenden Erörterung im Rahmen der ersten 35 Distinktionen des ersten Sentenzenbuches des Lombarden[16] als die „zweckmäßigere Ordnung“ qualifi-

[14] Vgl. ebd.

[15] Vgl. De trin., Prooemium (I, 531): „Qua stabilita, et confirmato mysterio, aliquam illius congruentem rationem, vel potius declarationem investigare conabimur, et obiectionibus infidelium pro viribus satisfacere.“

[16] Lombardus stimmt in der ungetrennten Darbietung beider Aspekte der Gotteslehre mit den großen Theologen der Viktorinerschule überein. Vgl. SCHNEIDER, J. (1961) 6-11; KNOCH (1985), bes. 226ff.

ziert. Zu ihrer Begründung führt der Jesuit die Tatsache an, daß die Aussagen über Gott als den einen von „allgemeinerer" Art und „leichter einzusehen" sind und ihre vorangehende Behandlung zudem die nachfolgende Trinitätslehre zu vereinfachen vermag.

(aa) Die Trennung der Traktate wird somit, unbeschadet der erwähnten Unterscheidung natürlichen und übernatürlichen Wissens, hier eher didaktisch-erkenntnislogisch als offenbarungslogisch gerechtfertigt, was man im Blick auf die heftige Kritik an dieser Traktatordnung durch heutige Interpreten unterstreichen darf. Damit ist wenigstens im Grundmotiv der originär thomanische Impuls bewahrt. In der theologischen Summe des Aquinaten sind die in der späteren Theologie mit „De deo uno" und „De deo trino" überschriebenen Erörterungsabschnitte zwar „secundum ordinem doctrinae"[17] voneinander geschieden, allerdings noch nicht als in sich abgeschlossene Traktate gestaltet. Ebenso fehlt eine explizite erkenntnistheologische Begründung der Trennung. Allerdings ist kaum zu übersehen, daß bei Thomas der erste Schritt in die Richtung jener Traktataufgliederung gemacht ist[18], die zur Zeit des Suárez vollständig ausgeführt vorliegt. Häufige Versuche in der neueren Thomasforschung, die positive Rolle des Aquinaten in dieser Entwicklung fast gänzlich in Abrede zu stellen, um die originär thomanische Trinitätstheologie strikt von neuthomistischen Verfremdungen abzuheben, die heilsökonomische Ausrichtung des Aquinaten zu betonen und den Unterschied zwischen „lateinischem" und „griechischem" Zugang zum Trinitätsgeheimnis (gemäß der Klassifizierung von de Régnon) im Blick auf seine Theologie zu minimalisieren, können nicht in jeder Hinsicht überzeugen[19]. So werden die

[17] Vgl. Thomas, S. th. I, 27, 1, Prooem.

[18] Vgl. die Bemerkung bei METZ (1998) 38: „Während bei Johannes von Gott und seinem Worte unmittelbar gesprochen wird, nämlich im Prolog des Evangeliums, kann Thomas nur mittelbar zur Trinitätslehre übergehen; der Traktat »Deus unus« muß ihr vorgebaut werden, damit der Deus trinus als die ebenso innere wie perfektionierende Spitze der spekulativen Gotteslehre für unser Denken soll hervortreten können." Konkret läßt sich für den Aquinaten der „Deus trinus" nur denken „aus dem Deus unus (...), nämlich in der gedachten (nicht erkennbaren) Vertiefung der actus intelligere und velle zu den innergöttlichen processiones": ebd. 239f. HANKEY (1987) 23.28.56 u. ö. erkennt eine Traktatscheidung ebenfalls an und verweist auf das wichtige Zwischengleid der Lehre von den „operationes divinae".

[19] Vgl. etwa STRÄTER (1962), bes. 73-76 (Beginn der Traktattrennung bei Cajetan und Johannes a S. Thoma); SCHMIDBAUR (1995) 37 („verhängnisvolle" Aufteilung); JORISSEN (1985); SCHULZ (1997) 477f.; SMITH (2003) 12-47; MÜLLER (2003) 59, Anm. 1: „Falsch wäre es, hierin [sc. in der Reihenfolge der Erörterung bei Thomas; Th. M.] die Ursachen für die spätere Trennung des Gottestraktates in De Deo uno et trino zu sehen, wie sie seit der Barockscholastik und in der Neuscholastik

Fragen über das Wesen Gottes in der Summa keineswegs ausdrücklich als Lehre über „das den Personen Gemeinsame" vorgestellt, wie Gilles Emery im Rückgriff auf einige Vätertexte interpretiert[20]. Ähnlich hatte es früher bereits Carlo Sträter vorgeschlagen[21]. Die Unterscheidung „commune" – „proprium" findet sich bei Thomas tatsächlich ausschließlich innerhalb der Fragen zur Trinität und ist ein erst aus dem Trinitätsmysterium her sinnvoll einzuführender Betrachtungsaspekt, während das göttliche Wesen zuvor stets abstrakt als solches, ohne Bezug auf die es tragenden Personen behandelt ist. Die einschlägigen Prooemien der Summa geben keinen Hinweis auf eine andere Deutung. Auch wenn also die in allen thomanischen Trinitätserörterungen gewahrte Abfolge „Wesen-Personentrinität" in der einen „consideratio de Deo" bei Thomas vorwiegend didaktisch-methodisch begründet ist, bedurfte es nur einer Interpretation mit Hilfe der bei Thomas erstmals konsequent angewandten Unterscheidung von Vernunft- und Glaubenswahrheiten[22] und der systematischen Orientierung am augustinischen Prinzip der Einheit aller göttlichen „opera ad extra"[23], um die Scheidung in einer prinzipielleren Weise zu

üblich war. Diese Trennung ist nur unter Voraussetzung der neuzeitlichen Spaltung in einen theistisch/deistischen Gottesbegriff der Philosophie einerseits und einer aus der informationstheoretisch gedachten übernatürlichen Offenbarung abgeleiteten Lehre über das innere Wesen Gottes andererseits möglich." Stark betont wird das Faktum auch bei EMERY (2004c) 52f., obwohl er selbst (59 mit Anm. 1) vor allzu generellen Urteilen über „die" Neuscholastik in der vorliegenden Frage warnt.

20 Vgl. EMERY (2004a) 50f.; EMERY (2004c) 58-63.

21 Vgl. STRÄTER (1962) 19f.

22 Sehr deutlich wird diese Scheidung etwa auch im Aufbauplan der „Summa contra gentiles". Für die S. th. formuliert JORISSEN (1985) 249 ganz korrekt, daß es sich in den qq. 2-26 der I[a] Pars um „eine natürliche Theologie in der Klammer oder unter Führung der Offenbarung" handelt. Nichts anderes gilt im Prinzip noch für Suárez, wenn er auch anders als Thomas die „rein natürlichen" Elemente der Gotteslehre von den „übernatürlichen" klarer und expliziter zu unterscheiden sucht. Um einen „einpersönlichen" Gott geht es in der suárezischen Gotteslehre ebensowenig wie in der thomanischen; beide Autoren gehen aber letztlich davon aus, daß alles, was von Gott „secundum essentiam" ausgesagt werden kann, keine notwendige Determination auf eine göttliche *Drei*persönlichkeit impliziert, wie sie der Glaube faktisch lehrt.

23 Dieses Prinzip steht nach HORST (1964) 199-203 bereits an der Wurzel der späteren Traktatunterscheidung, wie sie in der Frühscholastik erstmals bei Abaelard, dann verstärkt bei Robert von Melun, Magister Hubertus, in der Schule des Petrus von Poitiers oder bei Praepositinus (vgl. GRABMANN [1909-11] II, 530f. 555) erkennbar wird. Gegensätzliche Impulse, wie sie im Abendland etwa bei Eriugena zu finden waren – vgl. SCHEFFCZYK (1957) 515 – konnten sich nicht durchsetzen. Vgl. (mit kritischer Stellungnahme) JORISSEN (1985) 235ff.; METZ (1998) 175 und PESCH (2001) 174f., der ganz richtig „die Makrostruktur der Summa Theologiae

verstehen. Die Bedürfnisse der praktischen akademischen Lehre nach abgrenzbaren Kursinhalten und ihre Umsetzung in den literarischen Darstellungsformen haben ein übriges getan, um die Trennung fest zu institutionalisieren, obgleich es innerhalb der reichen trinitätstheologischen Literatur des 17. Jahrhunderts auch noch manche Beispiele für eine Vermeidung allzu strikter Trennung der Themen gibt. Im Ergebnis aber sollte man den Aufbau der Gotteslehre nicht zu einem Element erklären, das einen grundsätzlichen Bruch zwischen Thomas und seinen Kommentatoren markiert; die Kontinuität scheint hier größer als das Unterscheidende zu sein.

(bb) Während Suárez also in der Frage der prinzipiellen Darstellungsordnung einen thomanischen Impuls aufgreift und verstärkt, kündigt er bereits im Vorwort zur Trinitätslehre an, daß seine Anordnung des Stoffes innerhalb des Traktates nicht streng den Vorgaben des Aquinaten folgen wird. Da er in seinen Erörterungen nicht das „Amt des Kommentators" erfüllen muß, dafür aber erneut auf eine gewisse Kürze der Darstellung achten will, hält er diese Freiheit gegenüber der autoritativen Vorlage, die selbstverständlich auch in seinem Entwurf die thomanische Lehre bleibt, für gerechtfertigt – und stört sich offenbar nicht an der Kritik eines strengen Thomisten wie Bañez, der zu Beginn seines Trinitätskommentars anklagend auf die „ungetreuen Sachwalter" („praevaricatores") unter den neueren Thomasauslegern hingewiesen hatte, welche der sinnreichen Ordnung des Aquinaten nicht folgen wollten[24]. Wir werden auf wichtige Abweichungen zum Plan der „Summa theologiae" bei unserem Jesuiten im Zusammenhang mit den einzelnen Erörterungsschritten hinweisen. Sie relativieren sich nicht nur durch das in der Bañez-Kritik bereits anklingende parallele Vorgehen zahlreicher Zeitgenossen außerhalb der Thomistenschule, sondern auch durch die Tatsache, daß Thomas selbst in seinen verschiedenen Äußerungen zur Trinitätslehre bei aller Kontinuität der zentralen Themen ebenfalls eine beachtliche Vielfalt in der Darbietung seines Stoffes erkennen läßt[25]. Eine einschränkungslose Verabsolutierung des trinitätstheologischen Lehrordo, wie ihn die „Summa theologiae" verfolgt, läßt sich damit leicht in Frage stellen.

(...) ein Erfordernis der Trinitätslehre augustinischer Prägung" nennt (175). Zur Geschichte auch: GRESHAKE (2001) 33-40.

24 Vgl. Bañez, Comm. in I$^{am}$ q. 27 (710A).

25 Vgl. neben Bemerkungen bei METZ (1998) 160 die Übersicht bei EMERY (2004c) 49-54. So folgen etwa die drei den Trinitätsfragen gewidmeten Quästionen (8-10) in „De potentia" mit der Reihenfolge „Relationen-Personen-Hervorgänge" einer gegenüber der Erörterung in der nur wenig später entstandenen Summa umgekehrten Blickrichtung.

(c) Mit einem weiteren methodischen Hinweis schließt Suárez sein Prooemium zum Traktat „De deo trino".

(aa) Trinitätstheologie ist in seiner Sicht vor allem theologische Sprach-, näherhin Begriffslehre. Mahnende Zitate aus Augustinus und Hieronymus geben die Richtung vor: Während den Philosophen die Worte und ihre Verwendung frei stehen, ist die Sprache der Theologie einer verbindlichen Normierung unterworfen, da hier Irrtum heilsrelevant ist. Unordnung des Ausdrucks führt in die Häresie – „Ex verbis inordinate prolatis incurritur haeresis": Dieses bereits vom Lombarden aufgegriffene, dann vom hl. Thomas mehrfach an hervorgehobener Stelle zitierte[26] und bei vielen scholastischen Autoren wiederholte Wort dient auch Suárez als Motto für seine als theologische Grammatik und Semantik konzipierte Trinitätslehre. Er sieht sich damit zurecht in einer langen Tradition von den Kirchenvätern bis zu den Scholastikern. Allerdings ist Suárez bewußt, daß sich zu seiner Zeit Kontext und Anliegen dieser trinitarischen Sprachlehre im Vergleich zu jener Frühzeit der Theologie verändert haben, in der das Ringen um die einzelnen Begriffe in unmittelbarer Auseinandersetzung mit heterodoxen Infragestellungen ganz im Vordergrund stand. Damals war das Glaubensgeheimnis noch wenig reflektiert, mußte eine für die Trinitätstheologie taugliche Terminologie überhaupt erst geschaffen werden und bestand die unmittelbare Gefahr häretischer Umdeutungsversuche gerade vermittels unklarer Worte[27]. Demgegenüber kann Suárez in seiner Zeit auf ein sicheres und in den Schulen jahrhundertelang bewährtes Arsenal trinitätstheologischer Systemtermini zurückgreifen, die er in zwei Klassen einteilt. Neben solchen, die der theologischen Trinitätslehre eigentümlich sind, stehen allgemeine philosophische Begriffe (wie „persona", „suppositum", „subsistentia", „relatio"), die auf der Grundlage ihrer in der Metaphysik allgemein erläuterten Bedeutungen in jeweils zu klärender Weise (univok oder analog) für die theologische Problematik nutzbar gemacht werden können.

[26] Vgl. Thomas, 4 Sent. d. 13 q. 2 a. 1 ad 5; De pot. q. 9, a. 8 c.; S. th. I, 31, 2 c.; I, 39, 7 arg. 1. Zitiert wird der Satz vom Lombarden in Sent. l. 4, c. 7 (Ed. Quaracchi II, 314). Die Herausgeber der kritischen Lombardus-Edition verweisen auf Hieronymus, Comm. in Osee, I, 2 (CCL 76, 28f. / PL 25, 838D-839A), wo sich aber bestenfalls ein vager Anklang an den Inhalt des Satzes findet.

[27] Vgl. Suárez, De trin., Prooemium (I, 532): „Et ideo tam a sanctis Patribus, quam a Scholasticis non magis in explicando mysterio, quam in docendis loquendi modis elaboratum est, et unumquodque verbum, in hoc mysterio usurpandum, diligenter examinatum. Quod olim fuit necessarium, tum, quia nec mysterium, nec significationes vocum ita declaratae erant: tum etiam, quia haeretici sub verbis ambiguis errores suos introducere curabant."

(bb) Es ist nicht möglich, aus dieser Unterscheidung ein unmittelbares Gliederungsprinzip des suárezischen Traktats abzuleiten. Wenn man jedoch die Bemerkungen des Jesuiten zu Beginn von „De trinitate", l. 5, berücksichtigt[28], wird man den ersten vier Büchern neben der Feststellung des Glaubensgeheimnisses aus den Offenbarungsurkunden schwerpunktmäßig eine noch nicht vertiefte, eher begriffsanalytisch verfahrende Erläuterung im Rückgriff auf die oben erwähnten ursprünglich philosophischen Termini zuschreiben dürfen, mit der zugleich die entscheidende Frage einer Vereinbarkeit des Trinitätsglaubens mit der göttlichen Wesenseinheit verbunden ist[29]. Dafür hat Suárez die bei Thomas erst im letzten Drittel seiner Trinitätsquästionen, nach der Behandlung der Personen im einzelnen plazierten[30] Fragen über das Verhältnis der Personen zur göttlichen Wesenheit und untereinander in den ersten Teil, die fundamentale und allgemeine Trinitätstheologie, vorgezogen (l. 4). Erst ab Buch 5 geht Suárez seinen eigenen Worten gemäß zur ausdrücklichen Erörterung des Mysteriums über, die vor allem in der Analyse der personalen Proprietäten, ihrer Funktion und Konstitution besteht[31]. Folglich kommen hier erst diejenigen Begrifflichkeiten zur systematischen Anwendung, die zum Eigenbestand der Trinitätstheologie gehören („origo", „notio" u. ä.). Die Behandlung der göttlichen Personen im einzelnen, die in der thomanischen Summe in der Mitte der Trinitätskapitel zu finden ist, wird bei Suárez konsequent an das Ende gestellt, nur noch gefolgt vom Abschnitt über die „Sendungen", der (wie bei Thomas) seine Schlußstellung durch den in die Schöpfungs- und Erlösungslehre weisenden Brückencharakter leicht zu rechtfertigen vermag.

[28] Vgl. De trin. 5, Prooem. (I, 652).

[29] Vgl. ebd.: „Hactenus explicuimus mysterium Trinitatis, solum confusam quamdam notitiam tradendo, quae vix transcendit declarationem quid nominis et ostensionem, quod tale mysterium in Deo et intra Deum sit, salva Dei simplicitate et unitate".

[30] Vgl. Thomas, S. th. I, 39-42. Vgl. STOLZ (1939) 466 (zu S. th. I, 39): „Mit dieser Frage beginnt der letzte größere Abschnitt der Trinitätslehre des hl. Thomas. (...) Jetzt werden die Personen betrachtet in ihren verschiedenen Beziehungen: zur Wesenheit, zu den Ursprungsbeziehungen, zu den das Kennmal bestimmenden Tätigkeiten und zueinander."

[31] Vgl. Suárez, De trin. 5, Prooem. (I, 652): „nunc ad investigandam ejusdem mysterii distinctam et explicatam cognitionem, quantum caligo viae patitur, necessarium est proprietates omnes personarum formaliter investigare, earum proprias rationes praecise, ac distincte explicando."

## 2) Die übernatürliche Offenbarung als einziger Weg zur Erkenntnis der göttlichen Trinität

Was Suárez den Grundlinien nach bereits in den soeben referierten Prooemien seiner Trinitätslehre thesenhaft vorangestellt hat, expliziert und bekräftigt er an mehreren Stellen ihrer Durchführung. Vor allem in den letzten Kapiteln des ersten Buches kommt Suárez, nachdem er auf der Basis der Glaubenslehre die Existenz von Personen und Hervorgängen in Gott konstatiert hat, ausführlicher auf die erkenntnistheoretische Seite der Trinitätsaussagen zu sprechen, und zwar in negativ-abweisendem wie positiv-thetischem Zugriff. Es geht um die Möglichkeit des intellektuellen Zugangs zur Trinität, und zwar nicht nur für den Menschen, sondern in allgemeinerer Form für jeden geschaffenen Geist[32].

(1) Das katholische Verständnis der Trinitätserkenntnis muß sich, so stellt der Jesuit in einem ersten Argumentationsschritt fest, zwischen zwei fehlerhaften Extremansichten positionieren.

(a) Die erste These ist diejenige des expliziten Fideismus, der die Glaubensaussagen über die Trinität als unmittelbar gegen die Vernunft („contra rationem") stehend betrachtet. Suárez weiß, daß eine solche Lehrmeinung eigentlich von keinem anerkannten Theologen vertreten wird. Der gewöhnlich allein angeführte Dominikaner Robert Holkot († 1349) wird von ihm ausdrücklich gegen diesen Vorwurf in Schutz genommen[33]. Damit wird die These an sich jedoch nicht bedeutungslos. Die sachliche Explikation, die Suárez anbietet, erinnert daran, daß entscheidende trinitarische Häresien des Altertums deswegen so große Anziehungskraft besaßen, weil sie die scheinbar „vernunftgemäßeren" Konzeptionen der Gotteslehre anboten. So könnte eine Unvereinbarkeit des Trinitätsdogmas mit der Vernunft damit begründet werden, daß eine essentiale Gleichordnung der Personen entweder auf einen unhaltbaren Tritheismus hinausläuft oder (in subordinatianistischer ebenso wie monarchianistischer Deutung) zum strengen Monotheismus zurückführt. Die gleiche Einschätzung resultiert, wenn man das Verhältnis zwischen Personen und Wesen allein unter der strikten Alternative „Identität oder Nichtidentität" betrachtet. Suárez weist hier bereits auf das logische Axiom hin, wonach zwei mit einem Dritten identische Größen auch untereinander notwendig identisch sein müssen. Die Verhältnisbestimmung zwischen der so begründeten natürlichen Logik und den Behauptungen der Trinitätstheologie gehört zu den wichtigsten Herausforderungen der spätscho-

[32] Vgl. De trin. 1.11.1 (565a).
[33] Vgl. ebd. 2 (565a).

lastischen Glaubenswissenschaft und wird auch im suárezischen Traktat eine zentrale Rolle spielen.

(b) Im Gegensatz zur ersten steht die zweite These als Ausdruck eines rationalistischen Standpunkts, in dessen Sicht das Trinitätsmysterium auch ohne besondere Offenbarung von der natürlichen Vernunft erfaßt werden kann. Angesichts der ihm bekannten Theologen, die in diese Richtung tendieren, ist Suárez vorsichtig bei der Übernahme häufig anzutreffender Zuordnungen[34].

(aa) Weder Richard von St. Viktor[35] noch Heinrich von Gent[36] müssen sich seinem Urteil nach diese falsche Lehre addizieren lassen. Eher ist an Raymundus Lullus mit seinem Versuch zu denken, im Ausgang vom Begriff der göttlichen „bonitas" auf dem Weg natürlicher Argumentation auch die Heiden von der Wahrheit des Trinitätsglaubens zu überzeugen[37].

Allerdings gibt Suárez zu, die Lehre des mallorcinischen Apologeten nicht aus dessen eigenen Schriften, sondern allein aus dem ausführlichen

[34] Vergessen sind bei Suárez die Spekulationen des Nikolaus von Kues, die mit ihrer Betonung einer geschöpflichen „analogia trinitatis" nicht nur von Augustinus, Dionysius und Eriugena, sondern auch deutlich von Lullus geprägt waren (vgl. HAUBST [1952] 60-83; MEIER-OESER [2001] 244-247; mit negativer Beurteilung: SCHUMACHER [1997] 223ff.). Gleiches gilt für andere von Lullus beeinflußte Autoren wie Heymericus de Campo (vgl. HOENEN [1998]) oder Johannes von Segovia (vgl. HAUBST [1951]).

[35] Zu seinen „rationes necessariae" vgl. etwa SIMONIS (1972) 101-114; DEN BOK (1996) 171-201.

[36] Die umstrittene Stelle ist Qdl. 8, q. 14, wo Heinrich davon spricht, daß der Mensch nach langem Nachdenken notwendige und einsichtige Gründe für die Glaubensinhalte und darunter auch für die Trinität zu finden vermag: „Erit itaque intentionis nostrae in hoc opere ad ea quae credimus inquantum dominus dederit non modo probabiles, verumetiam necessarias rationes adducere" (Ed. Badius, fol. 324v). Konkret auf das Trinitätsmysterium bezogen, wird aber wenig später einschränkend die Unterscheidung eines ewigen, notwendigen Wahrheitsgehaltes und seiner eingeschränkten Zugänglichkeit für die menschliche Erkenntnis eingeführt: „Unde quod supra dictum est secundum Richardum quod in eis quae sunt fidei non desunt necessariae rationes: intelligendum est quod aliqua sunt fidei quae aeterna sunt et absolute necessaria: et impossibilia aliter se habere vel habuisse: ut sunt omnia credenda circa trinitatem: et quae pertinent ad interiora deitatis, et de talibus dicit Richardus quod impossibile est ea necessaria ratione carere. Quod bene verum est: sed soli deo cognita: et nulli pura rationali ratione investiganda absque fidei suppositione" (ebd. fol. 325r). Suárez hat demnach korrekt gesehen, daß es in diesem Seins- und Erkenntnisebene unterscheidenden Modell wie bei Richard klar um eine vom Glaubenslicht geleitete Suche nach „rationes" geht, die nicht den rationalistischen Anspruch apriorischer Konstruktion verfolgt. Dies wird von der heutigen Heinrich-Forschung nur bestätigt; vgl. FLORES (2006) 13-35.

[37] Vgl. Suárez, De trin. 1.11.3 (I, 565b).

Referat bei Vázquez[38] zu kennen[39], der an dieser Stelle (wie meistens) historisch besser informiert ist als Suárez. Vázquez nimmt Lullus klar gegen den Vorwurf der Heterodoxie[40] in Schutz, indem er seine „Trinitätsbeweise" nicht als Leugnung der Glaubensgnade versteht und in ihnen nur eine Explikation des bereits vorausgesetzten Trinitätsglaubens sehen möchte. Das Urteil des Vázquez mag hier bereits durch die Hochachtung beeinflußt sein, mit der Lullus und seine Grundidee einer kombinatorisch verfahrenden Universalwissenschaft von manchen späteren Spaniern des 17. Jahrhunderts, nicht zuletzt aus der Gesellschaft Jesu, rezipiert wurden[41]. Die Kritik des Suárez, so werden wir sehen, fällt demgegenüber weit eindeutiger aus.

(bb) Zuvor weist unser Autor aber noch auf eine gemäßigtere Variante des trinitätstheologischen Rationalismus hin, welche er in der schon in „De deo uno" zitierten[42] Lehre des Scotus ausmacht, wonach wenigstens ein Engel irgendwie natürlicherweise die Dreiheit der Personen erkennen könnte, und zwar durch ein nur von Gott frei einzugießendes, in sich aber natürliches Erkenntnisbild („species intelligibilis"), das dem Engel als solches angemessen und zugänglich ist[43]. Die mit seiner Hilfe mögliche

38 Vgl. Vázquez, In I^am disp. 133, c. 1-4 (II, 149b-153a). Allerdings findet sich auch hier keine Analyse der Werke des Lullus, sondern eher eine detailliertere Darstellung der kirchlichen Lullus-Rezeption.

39 Schon MAHIEU (1921) 29, Anm. 1 weist auf diese Stelle hin.

40 Sehr scharf gegen Lullus schreibt vor Suárez und Vázquez etwa Genebrard, De s. trinitate, l. 1 (21), der ihn neben Pythagoräer, Platoniker „et caeteras humani generis pestes" stellt und zum Vorbereiter der neueren trinitarischen Häresien erklärt. Milder, wenn auch nicht gerade schmeichelhaft fällt in der Generation nach Suárez das Urteil bei Ruiz, De trin. 19.7.3 (176a) aus, der angesichts arianisch klingender Passagen bei Lullus feststellt: „Eorum author propter extremam stultitiam excusari potest ab haeresi, non a temeritate".

41 Auch andere Jesuitenautoren verbinden die trinitätstheologische Kritik an Lullus mit anerkennenden Aussagen; vgl. etwa J. de Marin († 1725), Theologia speculativa, t. 1, tr. 2, disp. 1, s. 3, n. 11-14 (118f.); J. de Ulloa († 1723), Theologia scholastica, t. 1, disp. 2, c. 1, n. 1 (39a).

42 Vgl. Suárez, De deo uno 2.8.3 (I, 70a-b).

43 Scotus lehrt die Möglichkeit einer „cognitio abstractiva" der göttlichen Wesenheit für den Engel vermittels einer ihm von Gott eingegossenen „species" in Ord. II, d. 3, p. 2, q. 2, nn. 324-345 (Ed. Vat. VII, 554-569). Diese Erkenntnis ist (nur) insofern „übernatürlich" zu nennen, als der Engel sich die dafür notwendige „species" nicht aus eigenen Kräften verschaffen kann (ebd. n. 325, 555f.). Auf den Einwand, daß eine „distinkte" Erkenntnis der göttlichen Wesenheit notwendig die Erkenntnis der „supposita" einschließe, antwortet Scotus zunächst, daß beide Aspekte nicht notwendig miteinander verknüpft sein müssen (n. 342, 565f.). Allerdings gibt er selbst zu, daß der naturnotwendige Zusammenhang der Supposita mit der Wesenheit durch-

Trinitätserkenntnis wäre nach Suárez eine „einfache", weil sie einerseits nicht-diskursiv und andererseits ohne äußere Vermittlung, „durch die unmittelbare Darstellung des Geheimnisses in sich selbst" erfolgen würde[44]. Scotus hat mit dieser Behauptung einer nicht eindeutig dem natürlichen oder übernatürlichen Bereich zuzuweisenden Erfassung der Dreifaltigkeit eine Diskussion begonnen, die in der thomanischen Summa noch unbekannt war[45].

(c) Die Widerlegung aller zuvor referierten Positionen verbindet Suárez mit der Formulierung dreier eigener Thesen zur Frage.

(aa) Mit Thomas[46] und allen Theologen wird erstens als Grundaussage formuliert, daß die Trinität ohne göttliche Offenbarung durch keinerlei evidente Demonstration zu erweisen ist. Als höchstes aller Geheimnisse zählt sie besonders unter jene „nicht erscheinenden" Dinge, die nach der schon von der Hochscholastik „definitorisch" gelesenen Schriftvorgabe Hebr 11,1 Gegenstand des Glaubens sind. Suárez wiederholt die doppelte Unmöglichkeit eines Trinitätsbeweises („propter quid" / „quia"), wie sie bereits im Vorwort zur Sprache kam, und schließt kritische Bemerkungen

aus die Identität des Erkenntnisgrundes für beide Größen nahelegt. Es bleibt dann wiederum nur der Verweis auf den übernatürlichen Ursprung der solchermaßen natürlich erkennbaren „species": „Et si obiciatur contra istud, quod quando supposita sunt in natura ex naturali necessitate intrinseca, quod est ratio distincte cognoscendi naturam, erit ratio distincte cognoscendi supposita illa in natura, et tunc videtur quod angelus posset naturaliter cognoscere essentiam divinam in tribus suppositis (…), – posset dici quod illa cognitio non esset mere naturalis, quia ad eam non posset angelus naturaliter pertingere ex naturalibus suis, neque ex causis necessariis alicuius naturaliter agentis; ita quod licet angelus, habens speciem essentiae divinae, posset naturaliter uti ea, tamen ipsa species est a causa supernaturali et supernaturaliter agente" (n. 343, 566). Suárez hatte als Beleg für die These (wie auch andere Zeitgenossen, vgl. Vázquez, Comm. in I[am] 134.2.3 [II, 154a]) auf Scotus, Ord. 4, d. 49, q. 11, verwiesen. In der Wadding-Ausgabe ebensowenig wie in einem Inkunabeldruck der Scotus-Sentenzen (Venedig 1481) habe ich in der genannten Quästion, die nach der Erreichbarkeit der Glückseligkeit „ex puris naturalibus" fragt, eine derartige Ansicht finden können. Vgl. die Anmerkung 2 in der Ed. Vat. VII, 554. Den korrekten Verweis bietet etwa De Bugis, De trinitatis mysterio 2.1.6 (77a-b).

44 Vgl. Suárez, De trin. 1.11.4 (I, 566a).

45 Bei Thomas wird zwar in S. th. I, 56, 3 die Frage nach der natürlichen Gotteserkenntnis der Engel gestellt, allerdings als Wesenserkenntnis ohne Bezug zum Trinitätsgeheimnis.

46 Vgl. Thomas, S. th. I, 32, 1 c.; 1 Sent. d. 3, q. 1, a. 4; De ver. q. 10, a. 13; ScG I, 3. Die Argumentation ist im Kern immer identisch: Weil wir Gott nur aus der Schöpfung erkennen können, die Schöpfung aber nicht weiter als bis zur Erkenntnis der einen göttlichen Wesenheit führt (was vom Standpunkt der Trinitätslehre her an der Ungeteiltheit des dreipersonalen Schöpfungswirkens liegt), bleibt die Trinität für die natürliche Vernunft gänzlich unerkennbar.

gegen Raymundus Lullus an[47], die man auch als indirekte Kritik an dessen Verteidiger Vázquez lesen darf. Lulls Grundfehler liegt in der Nichtbeachtung der (vom 4. Laterankonzil in klassischer Form definierten[48]) Analogieregel bei allen Aussagen über Gott: Viele angebliche Ähnlichkeiten zwischen Gott und Geschöpf sind in Wahrheit Äquivokationen, weil die Unähnlichkeit alle Ähnlichkeit überwiegt. Aber auch im Detail erfährt der Gedankengang Lulls, sofern er Suárez bekannt ist, Kritik. Darnach mag man Gottes Güte in höchster Proportionalität mit dem Begreifen seines Wesens verbinden; aus ihrem Vollzug jedoch personale Hervorgänge erschließen zu wollen, hält Suárez für unmöglich. Bestenfalls gelangt man von der Idee des sich verströmenden Guten zum Erweis einer Dualität von kommunizierender „persona bonificans“ und „persona bonificata“. Den Akt der Kommunikation bzw. die durch ihn beiden Personen gemeinsame Güte selbst noch einmal personal verstehen zu wollen, lehnt der Jesuit ab. Daß damit implizit auch das berühmte Trinitätsargument Richards von St. Viktor abgewiesen ist, liegt auf der Hand.

(bb) Eine zweite These geht in der Behauptung des übernatürlichen Charakters der Trinitätserkenntnis noch einen Schritt weiter: Ohne göttliche Offenbarung kann die Dreifaltigkeit nicht nur nicht bewiesen, sondern nicht einmal als möglich oder vermutbar erfaßt werden, weil es für ein solches Verständnis keinerlei natürlichen Anknüpfungspunkt gibt[49]. „Trinität“ ist nach dem Urteil des Suárez grundsätzlich keine Idee, die dem Menschen als mögliche Alternative zu einem (unvernünftigen) Mehrgötterglauben und der Überzeugung vom Zusammenfall von Wesenheit und Person im strikten Monotheismus zur Verfügung steht[50]. Die

[47] Vgl. Suárez, De trin. 1.11.7-9 (I, 566b-567a).

[48] Vgl. DH 806: „inter creatorem et creaturam non potest tanta similitudo notari, quin inter eos maior sit dissimilitudo notanda.“

[49] Vgl. Suárez, De trin.1.11.10 (I, 567a): „Dico secundo, absque revelatione divina non solum demonstrari non potest Trinitatis mysterium, verum nec cogitari potest tanquam possibile, cum aliquo assensu probabili vel opinativo aut formidoloso. (...) Ratio autem est, quia nullum est in natura principium, ex quo possimus in tanti mysterii suspicionem, nedum probabilem assensionem pervenire.“

[50] „At vero de inquisitione, vel apprehensione non est res adeo clara: crediderim tamen, seclusa revelatione, nunquam potuisse hoc mysterium ascendere in cor hominis, non solum ad apprehendendum illud, ut possibile, verum etiam nec ad revocandum id in dubium aut ad investigandum vel inquirendum, an fortasse possibile, aut verum sit. Quia vel nullum est naturale obiectum, quod talem cognitionem vel inquisitionem in homine excitare possit, vel certe si dubitare inciperet de pluralitate personarum, statim crederet perinde id esse ac cogitare de pluralitate Deorum, vel e converso, si certus existeret de unitate Dei, nunquam dubitaret de pluralitate personarum“ (ebd. 11, 568a).

autonome Vernunft kann nach dieser – wenn auch bei unserem Autor mit einer gewissen Vorsicht formulierten – These nicht einmal auf der Ebene reiner Possibilitätserwägungen in die Nähe des Glaubensgeheimnisses gelangen. Selbst das negative Kriterium der Nicht-Repugnanz, das für unser menschliches Nachdenken über „Möglichkeiten" Gottes am angemessensten erscheint, versagt im Blick auf die höchsten Glaubensgeheimnisse, so daß hier unser Verstand ganz grundsätzlich nicht beanspruchen darf, die „regula obiecti possibilis" zur Verfügung zu stellen[51]. Damit steht fest, daß Suárez alle philosophischen Trinitätsspekulationen letztlich auf Impulse der positiven Offenbarung zurückführen muß. Dies versucht er tatsächlich nachfolgend im Blick auf die bei manchen Kirchenvätern erwähnten Zeugnisse vorchristlicher griechischer Philosophen, die schon in der Patristik als durch das Alte Testament beeinflußt galten, oder die sibyllinischen Weissagungen, denen man zur Zeit des Suárez noch echte Inspiration zuerkannte[52], ohne um ihre historische Problematik zu wissen.

(cc) Durch die zuvor erwähnte These des Scotus hatte die Frage nach der Trinitätserkenntnis der Engel in unserem Kontext besonderes Eigengewicht erhalten. Anders als der Franziskaner, der hier wie auch an anderen Stellen seiner Theologie eine gewisse Durchlässigkeit der Grenze zwischen natürlicher und übernatürlicher Ordnung zu konzedieren scheint, möchte Suárez die Trennung sehr strikt halten und darum auch den reinen Geistgeschöpfen keinen grundsätzlich privilegierten Zugang der Gotteserkenntnis jenseits des aus den kreatürlichen Wirkungen auf

[51] Vgl. DM 30.17.13 (XXVI, 210a): „Quid enim majorem speciem repugnantiae prae se fert, solo lumine naturali spectatum, quam quod tres res sint una et eadem simplicissima res, et quod Pater Deus generet Filium Deum realiter a se distinctum, qui tamen sint unus numero, et simplicissimus Deus; idem est de mysterio Incarnationis et Eucharistiae…".

[52] Vgl. De trin. 1.11.12 (I, 568a-b). Dazu auch SCHMAUS (1974) 278 mit Verweis auf Augustinus; SCHMAUS (1975) 254. Zur Deutung „heidnischer Trinitätszeugnisse" bei Autoren des 16. und 17. Jahrhunderts vgl. auch die Bemerkungen bei GRABMANN (1909-11) II, 198f.; HÄFNER (2003) 77ff.180f.385f.; FRANK (2006) 260-268. Von den Sibyllen sagt noch Bellarmin, sie hätten „manches deutlicher vorhergesagt als die Propheten": Controv. de Christo l. 1, c. 11 (Op. I, 296a). Sehr ausführlich macht sie für die Trinitätslehre und Christologie Salmeron, Commentarii, Bd. 2, tract. 19 (156b-166a) nutzbar. Natalis Alexander O.P. (1639-1728) konnte die christliche Beeinflussung der sibyllinischen Bücher als ganzer nicht mehr abstreiten, versuchte aber, wenigstens die eigentlichen „oracula" vom Vorwurf christlicher Urheberschaft freizusprechen. Vgl. sein diesbezügliches Opusculum mit weiteren historischen Anmerkungen von F. A. Zaccaria S.J. (1714-1795) in: Thesaurus theologicus, Bd. 9 (Venedig 1762) 45-55. Zum aktuellen Forschungsstand vgl. WOSCHITZ (2005) 834-887.

die Ursache zurückschließenden Demonstrationsverfahrens zubilligen[53]. Eine natürliche intuitive Gotteserkenntnis ist auch für sie unmöglich, und da es keine geschöpflichen Effekte gibt, die sicher auf eine trinitarische göttliche Ursache schließen lassen, bleibt den Engeln auf diesem Wege die rationale Erschließung dreier relativer Personalitäten in Gott verwehrt[54]. Unterstützung findet dieses Argument nach Suárez in der Tatsache, daß Gottes Subsistenz natürlicherweise allein als selbstbezüglich (absolut) gedacht wird, während der Begriff der Relation für die natürliche Vernunft eine notwendige Vorordnung der absoluten Beziehungsglieder vor deren Verhältnis untereinander voraussetzt. Folglich vermag auch beim Engel die aposteriorische Gotteserkenntnis zwar zu dem Gedanken einer „personalitas absoluta", nicht aber von Personen als subsistenten Relationen zu gelangen[55]. Darum, so lautet Suárez' dritte These, ist auch die scotische Behauptung, wonach irgendein Geistwesen, der reine Geist nicht ausgenommen, die Trinität durch eine besondere „species intelligibilis" schauen könnte, zurückzuweisen[56]. Neben der generellen natürlichen Unfähigkeit des Engels zur Gottesschau spricht dagegen, daß sich der für sie notwendige Erkenntnismodus im einzelnen als nicht möglich erweist. Suárez begründet dies so: Kein geschaffenes Erkenntnisbild kann unmittelbar zur Erkenntnis Gottes führen, wenn es nicht evident und klar Gott abbildet. Diese Erkenntnisweise aber wäre keine andere als die der intuitiven Schau, die im Falle Gottes die Erfassung der Existenz und aller Existenzbedingungen einschließen müßte, weil beides vom göttlichen Wesen und also von Gott, wie er „in sich ist" (und geschaut werden soll), nicht getrennt zu werden vermag[57]. Diese Schau aber kann dem Engel

[53] Vgl. Suárez, De trin. 1.11.13 (I, 568b-569a).

[54] Vgl. Suárez, De angelis 2.29.1 (II, 281b-282a): „Et ita mysterium Trinitatis, licet Deo ipsi connaturale sit, respectu creaturarum supernaturale omnino est, et de illo supponimus, non posse ullo modo cognosci ab Angelo naturaliter, id est, nec intuitive, quia Deus ipse non potest naturaliter intuitive videri, ut ex materia de visione Dei supponimus, nec abstractive, quia non habet connexionem cum aliquo effectu naturali, ut in materia de Trinitate latius demonstratur." Aus demselben Grund lehnt Suárez auch die scotische These von einer natürlichen Erkenntnis der hypostatischen Union durch die Engel ab (vgl. ebd. 15, 285b-286a).

[55] Vgl. De trin. 1.11.13 (I, 569a): „quia ratio subsistendi tota videtur esse ad se, et relatio quatenus naturaliter concipi, aut inveniri potest, solum est quid resultans ex absolutis, supponitque illa in se prius existentia, quam alia respiciant".

[56] Vgl. zum folgenden ebd. 14-17 (569a-b). Diese These wurde von Ockham vertreten; vgl. ADAMS (1987) 934-941.

[57] Daß die göttliche Existenz „proprie et formaliter" zum Wesen Gottes gehört und kein gleichsam von außen zu ihm hinzutretender Akt ist, erläutert Suárez ausführli-

nicht natürlich sein. Da nun, wie gezeigt, eine Trinitätserkenntnis „per speciem intelligibilem" nicht anders als „clare et evidenter" verlaufen kann, ist mit ihrer Möglichkeit zugleich die Annahme eines solchen Erkenntnisbildes als Medium verworfen. Ob aber diese „species" dem Ursprung nach natürlicherweise (also von Anfang an mit allen übrigen „species") von Gott eingegeben ist oder nicht, spielt insofern keine Rolle, als auf jeden Fall ihr Gebrauch allein auf übernatürliche Weise möglich ist und somit die entscheidende Behauptung des Scotus nicht aufrechterhalten werden kann[58]. Suárez trifft sich in dieser Kritik mit Vázquez, da dieser ebenfalls gegen Scotus die kreatürliche Möglichkeit einer reinen „notitia abstractiva Dei" ablehnt und sie auf die „notitia intuitiva" zurückführt[59], die ohne unmittelbare Präsenz des Erkenntnisobjekts niemals zustandekommt. Strikter als sein Ordensbruder ist Suárez jedoch insofern, als er auch die von diesem hypothetisch erwogene Möglichkeit ablehnt, daß der geschaffene Geist über die intuitive Schau anderer Kreaturen deren faktische Ursprungsbeziehung zu Gott als dreifaltigem erkennen und somit eine sichere Antwort auf die Frage nach der Existenz (das „an est") der Trinität erhalten könnte[60]. Auch diese bei Vázquez nur ganz zaghaft auszumachende Tendenz hin zur Annahme eines Eröffnetseins des Trinitätsgeheimnisses für die natürliche Vernunft, für das bezeichnenderweise Nikolaus von Kues als Zeuge auftritt, verfällt bei Suárez angesichts der prinzipiellen Abweisung jeder kreatürlich vermittelten Trinitätserkenntnis der Kritik.

(dd) Mit seiner vierten These wendet sich Suárez schließlich gegen die fideistische Herausforderung in der Trinitätstheologie. Aus dem bislang Gesagten darf nicht geschlossen werden, daß die Trinität „gegen die Vernunft" steht, so daß man zur Lehre von einer doppelten Wahrheit gelange[61]. Denn ebensowenig sicher wie die Personentrinität kann die Vernunft

cher in De deo uno, 1.2.5-7 (I, 6b-7b) und vor allem De incarnatione 11.1 (XVII, 431a-434a); wir kommen auf diese Texte später zurück.

58 Vgl. auch De trin. 1.11.21 (I, 570a).

59 Vgl. Vázquez, Comm. in I$^{am}$ 134.2 (II, 154a-b).

60 Vgl. ebd. 135.1.3 (II, 156a): „…dari potest notitia intuitiva creaturarum; in quacunque autem creatura est relatio quaedam ad Deum unum, et trinum, quia quamvis per se primo terminetur ad Deum unum nostro modo intelligendi, tamen re ipsa ad Deum trinum, et unum terminatur: quia tres sunt, qui creant, et idem omnino sunt cum essentia, quae est principium creandi. Et forsan hoc putavit esse vestigium Trinitatis in creaturis Nicolaus de Cusa locis citatis [De pace fidei c. 8; Cribratio Alcorani c. 5], ex quo dixit deduci posse notitiam evidentem Trinitatis." Trotz dieser Darstellung erklärt auch Vázquez im anschließenden Kapitel, daß die entgegengesetzte Sentenz als „multo verior" anzusehen sei.

61 Vgl. Suárez, De trin. 1.11.18 (I, 569b).

andererseits eine notwendige Einpersönlichkeit Gottes erweisen. Als einer gegenüber der Vernunft Gottes inferioren Ordnung angehörig, vermag das menschliche Verstehen grundsätzlich zu dieser nicht in einen Widerspruch zu treten[62]. Wo immer sie einen solchen zu sehen vermeint, bleibt sie ihren geschöpflichen Prinzipien verhaftet. Eigentlich jedoch hätte sie zu begreifen, daß es etwas den geschöpflichen Bereich Überschreitendes zu geben vermag, wenn ihr dessen Bestimmung im einzelnen auch entzogen bleibt. Diese für Suárez eigentümliche Lehre von der klaren Trennung der beiden Vernunftordnungen, die durch die Lehre von einer natürlich erkennbaren Möglichkeit göttlicher Offenbarung nicht vermittelt, sondern eher verstärkt ist, wird uns später bei der näheren Erläuterung des hier explizit schon erwähnten[63] Axioms der syllogistischen Logik („Quae sunt eadem uni tertio, eadem sunt inter se") in seiner Anwendung auf die „res infinita" Gottes erneut begegnen[64].

(2) Neben die bisher geleistete negative Bestimmung, wie die kreatürliche Erkenntnis der Trinität nicht aussehen kann, stellt Suárez im zwölften Kapitel des ersten Buches seiner Trinitätslehre die korrespondierenden positiven Leitsätze, mit denen die Möglichkeiten des geschaffenen Geistes beschrieben werden, die Trinität unter Voraussetzung der Offenbarung Gottes zu erfassen. Die prinzipielle Möglichkeit einer Trinitätsoffenbarung steht (durch ihr faktisches Ergangensein) für den Glaubenden ebenso fest wie die Erwartung vollkommener Gottesschau im Himmel, in der die trinitarischen Personen eingeschlossen sein werden.

(a) Aus den vorangegangenen Erörterungen gegen Scotus kann der Jesuit in De trin. l. 1, c. 12 voraussetzen, daß dem Menschen neben der „dunklen", durch die Vermittlung eines autoritativen Zeugnisses erfolgenden Kundgabe auf Erden keine evidente, aber gleichzeitig nicht-intuitive Offenbarung möglich ist[65]. Die einzige Alternative zur unmittelbaren Schau, also der „visio beatifica", ist somit das Hören des bezeugenden Wortes und seine Annahme im Glauben.

(b) In diesem Glauben braucht eine Unterscheidung zwischen Evidenz und Nicht-Evidenz bezüglich des Glaubensgegenstandes nicht in Erwägung gezogen zu werden, denn dessen „obscuritas" ist vorauszusetzen. Sinnvoll ist sie dagegen im Blick auf das den Glauben begründende Of-

[62] Vgl. ebd. (570a): „Et ratio est, quia ratio naturalis est inferioris ordinis comparatione Dei, et ideo licet sit infra Deum et Deus supra illam, non tamen habent contrarietatem, quae proprie est inter res ejusdem ordinis."

[63] Vgl. ebd. 20 (570a).

[64] Vgl. dazu Kap. 6, 2), (3).

[65] Vgl. De trin. 1.12.3 (570b).

fenbarungszeugnis, hinsichtlich dessen beide Formen prinzipiell möglich sind[66]. Obwohl Suárez die nähere Explikation dieser Thematik in die Erörterungen „De fide" verweist, machen bereits die kurzen Aussagen im Trinitätstraktat deutlich, daß wir hier an der sachlichen Wurzel des in neuerer Zeit meist als „extrinsezistisch" qualifizierten Offenbarungsverständnisses stehen, für das die grundsätzliche Trennung zwischen Inhalt und Medium bzw. Vermittler der Offenbarung charakteristisch ist.

(c) Die Beschaffenheit derjenigen Erkenntnis, mit welcher der Mensch der von außen an ihn herangetragenen Offenbarungswahrheit antwortet, bemißt sich an erster Stelle „ex obiecto". Weil das Offenbarte in sich nicht „natürlich", sondern „übernatürlich" ist, erfordert es auf Seiten des Menschen eine Zustimmung, die dem Gegenstand entspricht, also ebenfalls nicht aus den natürlichen Erkenntniskräften erwächst, sondern unter dem (inneren) Beistand der Gnade Gottes erfolgt[67]. Folglich muß die Vorlage des Glaubensgeheimnisses für den, der zum Glauben kommen soll, mit der gleichzeitigen Gabe einer besonderen Hilfe verbunden sein, die für ihn übernatürliches Prinzip der Glaubenszustimmung ist[68]. Die sich dadurch ergebende „cognitio" verteidigt Suárez gegen Vorbehalte seitens einer extremen negativen Theologie in ihrer echten, positiven Inhaltlichkeit. Indem der Glaube seinem materialen Gehalt nach in der „fides infusa", dem Glauben als gnadenhaft eingegossener Tugend, grundgelegt und abgesichert ist, gewinnt er eine einzigartige Erkenntnisqualität. Der übernatürliche Glaube an die Trinität (als Erkenntnisvollzug) unterscheidet sich so von allen Aussagen über denselben Gegenstand, die allein auf einem natürlichen und damit letztlich unzulänglichen Urteilsspruch („assensus naturalis") fußen. Denn solche sind niemals mit Gewißheit in der Zustimmung verbunden[69]. Beispielhaft für derartig falsch begründete und darum notwendig unsichere Aussagen über die Trinität führt Suárez die Urteile des Häretikers an. Da dieser sich der Unzulänglichkeit seiner Erkenntnisquellen nicht bewußt ist, bleibt ihm verborgen, daß der Inhalt

[66] Vgl. ebd. (571a): „Haec autem [sc. testificatio revelationis] ulterius distingui solet duplex, una cum evidentia testificationis: alia cum obscuritate tam revelantis, quam rei revelatae: et ergo, ut mihi certum, suppono utramque esse possibilem."

[67] Vgl. ebd. 4 (571a): „dicendum est illam revelationem, quantum est ex se, conferre homini cognitionem aliquam hujus mysterii, illam vero, si proportionata sit revelationi, non esse naturalem, sed supernaturalem, atque adeo non esse ex naturalibus viribus intellectus, sed ex gratia."

[68] Vgl. ebd. 5 (571b): „Haec enim revelatio non solum ex parte obiecti, sed etiam ex parte potentiae fit, et ideo obiecti propositionem et inspirationem, ac adjutorium ad credendum includit."

[69] Vgl. ebd. 7 (571b-572a).

seiner Lehren im letzten gerade nicht rational, sondern irrational, nämlich willkürlich und dezisionistisch begründet ist[70]. Er ist von der falschen Überzeugung bestimmt, mit der bloß natürlichen Vernunft sichere Urteile über den supranaturalen Gegenstand fällen zu können. Mit der Zurückweisung dieses Standpunktes schließt Suárez erneut jede adäquate Trinitätserkenntnis außerhalb der streng theologischen (also den übernatürlichen Glauben für die rationale Reflexion voraussetzenden) prinzipiell aus. Er steht damit in der Argumentationslinie des hl. Thomas, der sich in der Trinitätstheologie wie in vielen anderen Feldern des theologischen Denkens gegen einen falschen Rationalismus in der Glaubensbegründung gewandt hat, indem er den Schriftbeweis vor jede spekulative Erörterung gestellt[71], die „virtus fidei" als einzig tragfähigen Grund des übernatürlichen Glaubensassenses betont und überschwengliche apologetische Argumentationsversuche bei seinen Zeitgenossen zurückgewiesen hat[72].

(d) Unter der so sichergestellten Voraussetzung, daß der Grund aller glaubenden Einsicht in das Trinitätsmysterium der von der Gnade getra-

[70] Vgl. ebd. (572a).

[71] Was der Thomas-Kommentator B. Torres zur Eröffnungsquästion der thomanischen Trinitätslehre in der Summa betont, darf als generelle Charakterisierung gelten: „...sanctum Thomam in praesentia observasse methodum disserendi, quam docet Augustinus 1. de Trini. cap. 2. videlicet quod in pertractatione de fide, praesertim de occultissimo trinitatis arcano, potissimum agendum sit sacrarum litterarum testimoniis: deinde similitudinibus congruis utendum, ad explanationem eorum quae fide tenentur": In I$^{am}$ q. 27, a. 1, disp. 1 (2a).

[72] Vgl. etwa bezüglich der Trinitätslehre Thomas, S. th. I, 31, 1. Dies ist in vielen Forschungsbeiträgen überzeugend herausgestellt worden; vgl. etwa STOHR (1925b) 119; DONDAINE (1943) I, 201f.245-258; RICHARD (1963); LONERGAN (1968) 191-196; SCHEFFCZYK (1995) 218ff.; HANKEY (1987) 133f.; SACCHI (1995); SCHMIDBAUR (1995) 113-124; EMERY (2003b) 23ff.124-138; EMERY (2004c) 37ff.44.489: „Une approche rationaliste dénature la pensée de saint Thomas. C'est par une grave erreur de lecture que l'on penserait trouver chez lui une démonstration de la Trinité"; ELDERS (2005). Vgl. auch die Aussagen zum Verhältnis von Offenbarungstheologie und Metaphysik in der thomanischen Trinitätslehre bei HIBBERT (1964) und die Verweise bei LAARMANN (1999) 170, Anm. 285. Versuche, in bestimmten thomanischen Gedankengängen aus der Lehre von den Hervorgängen dennoch so etwas wie philosophische Trinitätsbeweise zu erkennen – vgl. etwa VAGAGGINI (1959) (betont den Einfluß Anselms auf Thomas); MACKEY (1983) 183; OEING-HANHOFF (1988), bes. 155-158; COMOTH (1992) 41f. – müssen von diesem thomanischen Grundverständnis her kritisiert werden. Mit Recht verweist VAN GUNTEN (1993) 135 auf die in S. th. I, 32, 1 ad 2 ausgedrückte Grundregel: „Similitudo (...) intellectus nostri non sufficienter probat aliquid de Deo, propter hoc quod intellectus non univoce invenitur in Deo et in nobis." Die zwischen Suárez und Thomas durchaus bestehenden Unterschiede in der Verhältnisbestimmung von Natur und Gnade betreffen diese fundamentale Prämisse nicht.

gene Assens zu einem nicht-evidenten, autoritativ vorgelegten Inhalt ist, kann Suárez sich noch einmal den verschiedenen Vernunftgründen und Argumenten (bis hin zu den in der Frühscholastik anzutreffenden „rationes necessariae") zuwenden, die im Laufe der Theologiegeschichte für diese Glaubenswahrheit vorgelegt worden sind[73]. Seiner Einschätzung nach sind sie generell nur als Konvenienzargumente zu billigen, die auch nach erfolgter Offenbarung deren Inhalt nicht beweisen, wohl aber dem durch die Glaubenstugend geformten Intellekt die Zustimmung des Willens in verschiedener Hinsicht als angemessen erscheinen lassen und so eine gewisse Wahrscheinlichkeit nahelegen[74]. Wo Theologen den Argumenten größere Kraft zuzuschreiben scheinen, soll man nach Suárez wohlwollend eine gewisse „Übertreibung" des Ausdrucks annehmen. Unter die bedeutsamen Konvenienzargumente rechnet der Jesuit die vier Haupttypen der vom Geschöpflichen her entwickelten Trinitätsanalogien[75]: (1.) die Bezeugung von „Trinitätsspuren" in der Schöpfung, die auf ihren göttlichen Ursprung zurückweisen; (2.) die Gottebenbildlichkeit des Menschen als intensivste Form solcher wirk- und exemplarursächlich begründeten Ähnlichkeit; (3.) die „psychologische Trinitätslehre"[76] mit ihrer Übertragung der als Vollkommenheiten anzusehenden geistigen

[73] Einen Überblick zu diesem Thema bietet GONZÁLEZ (1966) 101-412; exemplarisch: SIMONIS (1972), u. a. zu Anselm, Abaelard, Hugo und Richard v. St. Viktor.

[74] Vgl. auch die Bemerkungen des Suárez in De incarnatione 3.1.7 (XVII, 40a-b).

[75] Vgl. De trin. 1.12.9 (I, 572b).

[76] Dieser durch Michael Schmaus' Interpretation der augustinischen Trinitätslehre (vgl. SCHMAUS [1927], bes. ab 195) bekannt gewordene Begriff, den schon sein Lehrer GRABMANN (1909-11) I, 286 gebrauchte, ist in der neueren Augustinusforschung immer wieder kritisiert worden. Roland Kany etwa sieht ihn als zentralen Teil eines insgesamt verfehlten „neuscholastischen" Interpretationsparadigmas, dem sich Schmaus wie Grabmann verhaftet zeigten; vgl. KANY (2000) 15ff.; STUDER (2005) 28. Zweifelhaft erscheint vor allem, daß der Bischof von Hippo ein Modell der menschlichen Seele zum Ausgang der Trinitätserklärung genommen haben soll; vgl. DRECOLL (2000) 137f. Bestenfalls decke die Charakterisierung „psychologisch" einen Teilaspekt seiner Trinitätstheologie ab; vgl. OBERDORFER (2001) 125. In der Literatur zur mittelalterlichen Trinitätstheologie wird allerdings weiterhin regelmäßig vom „psychologischen Modell" in der augustinischen Trinitätstheologie gesprochen; vgl. etwa FRIEDMAN (1999a) 13. Wenn wir den Begriff in unserer Arbeit ebenfalls verwenden, dann nicht, um uns im Interpretationsstreit der Augustinusforschung zu positionieren, sondern weil sich der Terminus in der Forschung zur umgreifenden Charakterisierung für all jene Erklärungsversuche eingebürgert hat, welche die innergöttlichen Hervorgänge im Rückgriff auf die immanenten Geistvollzüge „Erkennen" und „Wollen" zu beschreiben suchen, die dem Menschen primär introspektiv, im Blick auf das eigene Seelenleben, bekannt sind. In dieser eingegrenzten Fassung sollte er für die scholastischen Autoren verwendbar bleiben.

Hervorgänge von Intellekt und Wille auf die Beschreibung des inneren Lebens Gottes; (4.) die Nutzbarmachung des Begriffs der Zeugung als Hervorbringung eines Ähnlichen aus dem menschlichen Bereich für das Ursprungsverhältnis der ersten beiden Personen in Gott. Da in all diesen Analogien neben dem Vergleichbaren manche Unähnlichkeit berücksichtigt werden muß, können sie die Vernunft bei der Reflexion der Offenbarungswahrheit zwar unterstützen, wenn sie zur besseren Erklärung des Geheimnisses herangezogen werden, aber niemals sichere Beweise bieten. Alle trinitarischen Strukturen der Schöpfung sind nur im Licht des Glaubens vorgenommene Appropriationen absoluter Vollkommenheiten an einzelne göttliche Personen – in Wahrheit aber ist die Schöpfung nur auf Gott als den einen bezogen und bleiben ihre Vollkommenheiten in den Vollkommenheiten Gottes, wie sie seinem ungeteilten Wesen zuzuordnen sind, gegründet, ohne daß in der Kreatur irgendeine Relation zu den Personen in ihrer Unterschiedenheit bestünde[77]. Konsequenterweise hat Suárez in seiner Schöpfungslehre die Frage nach dem Bezug der Welt zu Gott als dreifaltigem, wie sie von den Thomaskommentatoren im Blick auf S. th. I, 45, 6-7 gerne gestellt wurde, gar nicht mehr eigens behandelt. Unterstrichen wird allein, daß selbst der Mensch im eigentlichen Sinn nicht „Bild (imago) Gottes" ist – das ist allein der dem Vater wesensgleiche Sohn –, sondern nur „*nach* seinem Bild (*ad* imaginem)" geschaffen, so daß weder sein Seelenleben noch seine Zeugungstätigkeit zum Ausgangspunkt echter Trinitätserweise taugen. Auch die „Imago Dei"-Lehre, die Suárez in seiner theologischen Anthropologie mit der Tradition anerkannt und in der Linie Augustins durchaus trinitarisch expliziert hat[78],

[77] Vgl. Suárez, De trin. 1.12.10 (I, 572a): „Quocirca, creatura, ut sic non dicit relationem ad tres personas, quatenus distinctae sunt, sed solum, quatenus unum sunt in omnibus illis attributis". Vgl. Scotus, Ord. I, d. 1, p. 1, q. 1, n. 13 (Ed. Vat. II, 8): „ratio enim imaginis quam nos concipimus est tantum credita, non autem naturaliter cognita ratione, quia ratio imaginis quam nos concipimus fundatur in anima ad Deum ut trinus est, et ideo non cognoscitur naturaliter, quia nec extremum ad quod est cognoscitur a nobis naturaliter."

[78] Vgl. dazu Suárez, De opere sex dierum 3.8 (III, 215b-228a). Der Abschnitt ist als Auslegung des einschlägigen Schriftwortes Gen 1, 26f. gestaltet. Suárez lehnt zunächst die bereits in der Patristik zu findende Deutung ab, daß die Schöpfung des Menschen „ad imaginem" als „Ähnlichkeit zum Abbild" (d. h. zum göttlichen Sohn) verstanden werden müsse. Vielmehr bezeichnet sie die Würde und Vollkommenheit begründende Bildhaftigkeit des Menschen selbst, wenn auch in der erwähnten Unvollkommenheit gegenüber dem personalen Bild des Sohnes. Es werden zwei Auslegungsalternativen genannt: Der Mensch könnte als „imago Dei ut Deus est" oder als „imago Trinitatis" verstanden werden (3.8.5, 217a). Der Jesuit räumt der ersten von ihnen einen spürbaren Vorzug ein: „Primo ergo certum est, hominem esse factum

erweist sich damit für einen natürlichen Zugang zum Trinitätsdogma als wirkungslos.

Den umgekehrt, nämlich bei Tatsachen aus der Gotteslehre („ex parte Dei") anknüpfenden und von dort aus Argumente für die Trinität entwickelnden Gedanken gesteht Suárez zwar im Vergleich mit den kreatürlich ansetzenden Analogien einen relativ größeren Wert zu, lehnt jedoch auch hier die Behauptung streng demonstrativer Kraft ab[79]. Die traditionell beliebtesten Motive in dieser Linie, nämlich die schon im Zusammenhang mit Lulls Argument erwähnten Verweise auf Gottes sich selbst verströmende und kommunizierende Güte sowie auf die vollkommene Seligkeit Gottes, die innerhalb seiner die Forderung nach Freundschaft und Gemeinschaft mit sich bringt, können ebenfalls nur zur nachträglichen Erläuterung des Trinitätsglaubens dienen, dessen tatsächliche Begründung von ganz anderer Art ist. In diesem Punkt ist erneut die Übereinstimmung mit Thomas unübersehbar, der eine Ableitbarkeit der Personendreiheit aus der Wesenseinheit Gottes strikt zurückweist[80].

ad imaginem Dei, ut unus est, ac subinde Deum, ut unum, esse terminum relationis hujus imaginis" (ebd. 34, 227b). Mit der Mehrheit der Tradition lokalisiert Suárez die Abbildhaftigkeit des Menschen allein in seiner Seele, namentlich in deren natürlicher Geistigkeit, dem „gradus vitae intellectualis" (ebd. 14, 220a-b). Dieser aber kommt Gott als dem einen zu (ebd. 34, 227b). Freilich kennt Suárez auch Vätertexte, die von einer auf Gottes Trinität gerichteten Abbildhaftigkeit des Menschen sprechen und dazu entweder auf die drei Potenzen „memoria", „intellectus" und „voluntas" in der einen Seele als Abbild der drei Personen im göttlichen Wesen oder die diesen Potenzen entströmenden Vollzüge in Entsprechung zu den innergöttlichen Hervorgängen verweisen: ebd. 35 (227b-228a). Auch diese Bildhaftigkeit wird von Suárez anerkannt und, wie wir später sehen werden, in augustinisch-thomanischer Tradition bei der Erklärung der innergöttlichen Hervorgänge fruchtbar gemacht: „Breviter tamen dicendum est, in omni cognitione, et amore inveniri aliquo modo hanc imaginem, cum majori vero proprietate in amore et cognitione Dei, et tanto perfectiorem, quanto praedicti actus perfectiores fuerint" (ebd. 228a). Abschließend wird von Suárez nochmals ausdrücklich der Versuch abgelehnt, die menschliche „imago Dei" in exklusive Beziehung zu einer der göttlichen Personen zu setzen (ebd. 35, 228a). Insgesamt hätte Suárez sicher bejaht, was bereits Scotus geäußert hatte: „Sed cum arguis quod ‚si esset imago, posset Trinitas cognosci per cognitionem mentis', – respondeo: illa concurrentia in mente valent credenti Trinitatem ad persuadendum quomodo possit esse, non autem non credenti concludunt eam esse, quia tota illa congregatio plurium in mente, in quibus consistit imago, posset esse et est ab una persona; et ideo ex ipsa, demonstratione ‚quia', non potest ostendi ipsam esse imaginem Trinitatis": Ord. I, dist. 3, p. 3, q. 4, n. 597 (Ed. Vat. III, 352). Die thomanische Lehre zum Thema findet sich ausführlich erschlossen bei KRÄMER (2000). Vgl. auch die wortstatistische Analyse von IMBACH-PUTALLAZ (1997).

79 Vgl. Suárez, De trin. 1.12.11 (I, 573a-b).

80 Vgl. dazu EMERY (2000) = EMERY (2003b) 165-208.

### 3) Das Problem der Trinitätserkenntnis an verschiedenen Orten des dogmatischen Systementwurfs (Angelologie – Urstandslehre – Christologie – Mariologie)

Die in aller Klarheit und Strenge vorgetragene Position über Möglichkeit und Beschaffenheit der übernatürlichen Trinitätserkenntnis im Glauben wird von Suárez in mehreren Traktaten seiner Dogmatik spezifiziert und appliziert. Die Schöpfungslehre mit ihren Überlegungen zur Erkenntnisausstattung von Engeln und Menschen, aber auch die Passagen zur Gotteserkenntnis in Christologie und Mariologie bieten Anlaß, die allgemeinen Thesen über die Grenzen kreatürlicher Trinitätserfassung einer Prüfung am konkreten Fall zu unterziehen. Diese Ausführungen sollen in der folgenden knappen Synopse präsentiert werden.

(1) Nachdem Suárez in seinem Engeltraktat gegen Scotus ein prinzipiell einzigartiges natürliches Trinitätswissen der reinen Geistgeschöpfe abgelehnt hat, bleibt die Frage offen, wie die übernatürliche Erfassung dieses Mysteriums durch die Engel aussah, bevor sie in die Gottesschau mündete. Dieses Thema der Glaubenserkenntnis beim Engel ist deswegen von besonderer spekulativer Schwierigkeit, weil für ihn das Dasein „in via", also jener Status, da sich der freie Wille für oder gegen Gott entscheiden konnte und das Geschöpf seine letzte Vollendung noch nicht erreicht hatte, auf eine kurze Weile (wenn auch nach Suárez nicht bloß auf den „ersten Schöpfungsaugenblick") beschränkt war[81]. Diese Zeit allein war für den Engel die Zeit des Glaubens und somit vergleichbar der menschlichen Bewährungszeit im Erdendasein. Für unseren Autor besteht kein Zweifel daran, daß die Engel gleich den Menschen übernatürliches Glaubenswissen über Gott besessen haben müssen, damit sie Gott als Ziel ihrer ewigen Seligkeit erkennen und lieben konnten. Zu dieser Erkenntnis über Gott gehörte die Einsicht in das Trinitätsmysterium, die nach allgemeiner Ansicht der Scholastiker sogar in einer expliziten und noch klareren Weise erfolgte als im Glauben der Menschen[82]. Die Nezessität dieser Kundgabe läßt sich nach Suárez sowohl von Seiten Gottes wie von Seiten des Engels einsichtig machen[83]. Wegen der Tiefe des Geheimnisses

[81] Vgl. Suárez, De angelis 5.6.1 (II, 590a-b). Daß der „instans post creationem", in welchem die Engel die „fides trinitatis" besaßen, auch für diejenigen von ihnen, welche sich dann gegen Gott entschieden, gemessen an unserer Zeit „eine gewisse Weile" gedauert haben muß, hält Suárez laut De angelis 7.21.3-4 (II, 954a-b) zumindest für wahrscheinlich.

[82] Vgl. De angelis 5.6.4 (591a). Ähnlich De fide 2.6.6 (XII, 33a).

[83] Vgl. De angelis 5.6.5 (II, 591a-b).

konnten durch Gott Glaube und Gehorsam des Engels in besonderer Weise erprobt werden. Aus der Sicht der Engel war andererseits die Trinitätsoffenbarung „in via" deswegen notwendig, weil die Schau Gottes auch in seiner Dreifaltigkeit zum Wesen ihrer Beseligung zählte, der sie glaubend entgegenstrebten. Diesem Ziel mußte der explizite Glaube als Weg dorthin entsprechen. Insgesamt bleiben diese Thesen im Rahmen der auch für den Menschen geltenden Ordnungseinheit der Größen „Glaube und Glorie": Im Glauben muß mit Hilfe des Gnadenlichtes anfanghaft und „dunkel" erkennbar sein, was in der als Frucht des Glaubens zu verstehenden Glorie zur unverhüllten Anschauung gelangen soll. Eine zwischen Glauben und Schau anzusiedelnde und von ihnen grundsätzlich verschiedene Weise der Trinitätserkenntnis ist somit auch aus dem Blickwinkel der Engellehre nicht anzusetzen.

(2) Im Falle der Menschen sind Notwendigkeit und Modus übernatürlicher Trinitätsoffenbarung differenziert nach der Stufung der großen heilsgeschichtlichen Epochen zu betrachten. Mit dem Verhältnis zu Gott im allgemeinen hat nämlich auch die religiöse Erkenntniskraft der Menschen eine diachrone Entwicklung durchlaufen, geleitet von der sich sukzessive entfaltenden göttlichen Heilspädagogik. Suárez äußert sich dazu in seiner Schöpfungslehre wie auch im Traktat „De fide".

(a) Schon im Blick auf Adam vor dem Sündenfall kann nach dem Jesuiten die Frage gestellt werden, welche übernatürlichen Kenntnisse dem Stammvater von Gott geschenkt wurden. Der Glaube Adams steht für Suárez in enger Verbindung mit der Urstandsgnade, die dem ersten Menschen zuteil wurde, ohne daß sie seinem Stand irdischer Pilgerschaft (mit der Möglichkeit zur Sünde!) widersprochen hätte[84]. Der Adam geschenkte übernatürliche Glaube konnte nicht ohne Inhalt sein. Darum erkannte er Gott nicht bloß mit der natürlichen Vernunft, sondern auch schon als Gegenstand der übernatürlichen Beseligung und unter weiteren übernatürlichen Hinsichten. Für zumindest „sehr glaubwürdig und in höchstem Maße wahrscheinlich" hält es Suárez in diesem Kontext, daß dem ersten Menschen vor seiner Sünde bereits das Geheimnis der Trinität offenbart wurde[85]. Eine Bestätigung dieser Annahme und zugleich den Versuch, sie wenigstens ansatzweise in der Schrift zu begründen, entdeckt unser Autor beim Mönchstheologen und Bischof Epiphanius von Salamis († 403), nach dessen Auslegung der Urgeschichte Adam den Plural „Faciamus hominem" in Gottes Worten als Anrede des Vaters an den Sohn zu

[84] Vgl. De opere sex dierum 3.18.1-3 (III, 290a-291b).

[85] Vgl. ebd. 5 (291b): „Deinde valde credibile, et probabilissimum est etiam mysterium Trinitatis fuisse Adamo revelatum antequam peccaret." Dazu: KÖSTER (1982) 64f.

deuten wußte[86]. Daß diese Erkenntnis bereits vor der Sünde vorhanden gewesen sein muß, legt sich für Suárez durch die Tatsache nahe, daß es sich bei solchem Wissen um eine schlechthinnige Vollkommenheit handelt, deren Besitz für die Erlangung der Glückseligkeit in der Schau des dreifaltigen Gottes unumgänglich ist, ohne daß der Sündenfall als ihre Bedingung in Erwägung gezogen werden müßte[87]. Offenbar sieht Suárez den Glauben an die Trinität vor allem als Voraussetzung dafür an, daß Adam auch schon den Glauben an die zukünftige Inkarnation Christi besitzen konnte. Diese Forderung hat nicht nur soteriologische Gründe, sondern erwächst vor allem aus einem bestimmten Verständnis der universalen Zentralstellung und Mittlerschaft Christi: Zu seiner Ehre gehört es, zu jeder Zeit der Heilsgeschichte (also auch „ante peccatum") von den Menschen als Haupt und Urheber des Heiles anerkannt zu werden[88]. Man darf hier an die Sympathie denken, die Suárez stets dem Gedanken einer absoluten Prädestination Christi und damit eines Inkarnationsratschlusses auch unabhängig vom Sündenfall entgegengebracht hat und für den er neben vielem anderen ausdrücklich die an Adam „in statu innocentiae" ergangene Offenbarung als Beleg anführt[89].

Trotz der sehr weitreichenden übernatürlichen Offenbarung, die Gott dem Adam schenkte und die der ihm als Stammvater ebenfalls zuzuerkennenden besonderen Geisteskraft[90] korrespondierte, unterstreicht Suárez gegen die Urstandstheorien des Hugo von Sankt Viktor und mancher ihm folgenden Franziskanertheologen, daß die dadurch vermittelte Gotteserkenntnis grundsätzlich dieselbe war, wie sie auch uns im Glauben

[86] Vgl. Epiphanius, Panarion, Anacephal. I, s. 1, n. 2, 5 (Ed. Holl = GCS 25, 175 / transl. Williams, I, 15).

[87] Vgl. Suárez, De opere sex dierum 3.18.6 (III, 292a).

[88] Vgl. ebd. 9 (292b-293a).

[89] Vgl. dazu ausführlich De incarnatione 5.4 (XVII, 239a-251b), hier speziell n. 11 (243a): „ergo ratio praedestinandi Christum in hunc finem necessario debet esse alia a redemptione, et universalior illa, quae non incommode explicatur ex supra dicta revelatione hujus mysterii, quae in statu innocentiae facta est Adamo; illi enim simul cum mysterio aliqua ratio ejus revelata est, quae ad ipsum pertineret; non est autem revelata ratio redemptionis, quia non oportuit illum esse sui peccati praescium (...); ergo fuit ei revelata alia ratio prior redemptione, et independens a morte Christi, qua ipse Adam tunc non indigebat...". Verbunden sind Belege aus Augustinus. In De sacramentis 3.2.2 (XX, 58a-b) deutet Suárez an, daß der Mensch in der Urstandsgnade das künftige Geheimnis der Inkarnation vielleicht sogar in einer „significatio mystica" sichtbar zum Ausdruck gebracht hat (gedacht ist an einen Opfervollzug). Erst durch die Offenbarung der Inkarnation habe Adam auch seine Ehe mit Eva in ihrer sakramentalen Dimension verstehen können (ebd. 3.3.7, 61b).

[90] Vgl. De incarnatione 24.1.3 (XVII, 657b).

zugänglich wird. Bestenfalls mag sie eine graduelle Superiorität aufgewiesen haben[91]. Weder erfreute sich Adam bereits der seligen Schau des dreifaltigen Gottes (oder der wesenhaften Schau der zu ihm sprechenden göttlichen Person[92]) noch stand ihm jene evidente Abstraktionserkenntnis (d. h. die nicht intuitive Erkenntnis Gottes durch irgendein Erkenntnisbild) zur Verfügung, die unser Autor bereits im Falle der Engel als für die noch nicht vollendeten Geschöpfe unmöglich abgewiesen hatte[93].

(b) Suárez folgt einer breiten theologischen Tradition seit der Väterzeit, wenn er die These vertritt, daß angefangen mit der Offenbarung an Adam der Glaube an die Trinität in der Geschichte der Menschheit stets in irgendeiner Weise erhalten geblieben ist. Der Stammvater hat den Glauben an die Inkarnation (und damit wohl auch an die Trinität) seinen Kindern tradiert. Nach der Verdunkelung durch die Sünde wurde dieses Glaubenswissen in Abraham erneuert und gelangte, gestützt durch weitere Offenbarungen, über die Stammväter Israels bis zu Mose, David und den anderen Propheten, schließlich zu den alttestamentlichen Gestalten auf der Schwelle zum Neuen Bund (wie Simeon), die den Messias erwarteten[94]. Da vor der Ankunft Christi keine Trinitätsoffenbarung an alle Menschen erfolgte, so lautet eine wichtige Einschränkung dieses „Traditionalismus“, war der diesbezügliche Glaube damals niemals als expliziter geboten[95]. Wenn Gott ihn dennoch wenigstens in den „Häuptern oder Führern“[96] der durch alle Geschichtszeiten existenten „ecclesia fidelium“ lebendig erhielt, geschah dies an erster Stelle zu seiner eigenen Ehre und zur Ehre Christi, aber auch, um den Menschen Glaube und Liebe zu ihm zu ermöglichen und mit der Offenbarung der wichtigsten Heilsmysterien die unverzichtbare Bedingung dafür zu schaffen, daß die Gläubigen das Geglaubte einmal in der himmlischen Glorie schauen dürfen[97]. Damit

[91] Vgl. De opere sex dierum 3.18.11 (III, 293b).

[92] Vgl. ebd. 16 (294b). Daraus folgert Suárez, daß Adam keine Evidenz bezüglich dessen hatte, der ihm den Glauben bezeugte (Gott oder ein Engel). Folglich mußte in seinem Fall der Glaube von Gott „per internam inspirationem / locutionem“ erzeugt werden.

[93] Vgl. ebd. 15 (294b): „Tandem ratione probatur, quia illa cognitio Adae erat supernaturalis, et non erat visio Trinitatis, verbi gratia, in seipsa, ut jam supposuimus, nec etiam erat evidens cognitio abstractiva, quia haec vel possibilis non est, praesertim de mysterio Trinitatis et incarnationis, vel si aliquo modo est possibilis, secundum legem ordinariam non datur viatoribus, ut supra de Angelis dictum est.“

[94] Vgl. De fide 2.6.4 [falsche Zählung in der Vivès-Ausgabe] (XII, 33a-b).

[95] Vgl. ebd. 12.3.10 (347a-b).

[96] Vgl. ebd. 2.6.5 (34a).

[97] Vgl. ebd. 4 (33b-34a): „Ratio vero non est alia, nisi quia ita ordinatum et provisum est a Deo in gloriam suam et Christi, ut perfectius ab Ecclesia fideli credi et amari

wiederholt Suárez dasselbe theologisch-soteriologische Grundprinzip, das er schon zur Begründung seiner Lehre über den Glauben Adams angeführt hatte. Die damit verbundene Konzeption der Heilsgeschichte ist bezogen auf die diachrone Sicht der Glaubensinhalte keineswegs ein Verfallsmodell. Im Gegenteil geht sie von einer immer stärkeren ausdrücklichen Kenntnis der göttlichen Geheimnisse (einschließlich der Trinität) vom Sündenfall über die Zeit des Naturgesetzes und die Epoche des geschriebenen Gesetzes aus, bis dann im „status gratiae" die Hauptmysterien[98] Trinität und Inkarnation in besonderer Klarheit zur Kundgabe gelangten[99]. Innerhalb der einzelnen Epochen setzt Suárez noch einmal Differenzen und Veränderungen in der Ausdrücklichkeit der Glaubenserkenntnis an, die erst in der Zeit der Kirche nicht mehr die Glaubenssubstanz, sondern nurmehr die räumliche Verbreitung des Glaubens auf der Erde betreffen: „Denn diese Kirche ist Christus immer in gleicher Weise nahe"[100], weil sie sich auf die Verheißung seiner Gegenwart wie auf den Beistand des Heiligen Geistes verlassen darf. Veränderungen kann es freilich auch hier bezüglich der Durchdringung und Erfassung der offenbarten Geheimnisse geben. Suárez folgt damit der im ganzen Mittelalter lebendigen Überzeugung, wonach die Glaubenseinsicht in der frühen Kirche besonders tief war, weil Gott ihr in seiner Vorsehung außergewöhnliche Lehrer schenkte.

(c) Keine Unterschiede mehr gibt es nach der expliziten Trinitätsoffenbarung durch Christus im Blick auf die Heilsnotwendigkeit des Glaubens an dieses Mysterium[101]. Neben den Verweis auf die Herrenworte im Zusammenhang mit dem Taufbefehl Mt 28,19f.[102], der Suárez an anderer

posset; item quia oportuit ut praecipua Dei mysteria, quae in patria videnda sunt, semper in via essent ab hominibus explicite credita."

[98] Wie schon Thomas betont auch Suárez ausdrücklich, daß es diese beiden Geheimnisse sind, die im Zentrum des christlichen Glaubens stehen; vgl. etwa De incarnatione, Praefatio (XVII, 1b): „Quam ego rem [sc. incarnationem], sicuti gravibus ac perobscuris difficultatibus involutam esse non diffiteor, ita nobilitate ac splendore (augustissimae Trinitatis mysterium semper excipio) caeteris totius Theologiae quaestionibus antecellere judico."

[99] Vgl. De fide 2.6.12 (XII, 36a): „nam in lege naturae, magis obscura vel implicita fuit fides quam sub lege Moysis; et in lege gratiae multo magis fuit explicata, tam circa mysterium Trinitatis (...) quam circa mysterium Incarnationis".

[100] Ebd. (36b): „nam haec Ecclesia semper est aeque propinqua Christo".

[101] Vgl. De fide 12.4.2 (XII, 351a) und ebd. 25 (360a).

[102] Hinzuweisen ist auf die ausdrückliche Klarstellung des Suárez in De mysteriis vitae Christi 25.1.5 (XIX, 372b-373a), daß Johannes der Täufer noch nicht mit der trinitarischen Formel getauft hat, sondern diese erst durch Christus eingesetzt wurde. Erst der Herr selbst und die Apostel haben die Trinität offen gepredigt.

Stelle auch das entscheidende Argument für die Unabdingbarkeit der trinitarischen Taufformel bereitstellt[103], tritt wiederum die Argumentation im Ausgang vom übernatürlichen Ziel des Menschen: Zur Erreichung der himmlischen Gottesschau ist das Bekenntnis der Dreifaltigkeit – die Erkenntnis Gottes, „wie er ist" und einmal geschaut werden soll – ebenso unverzichtbar wie der Glaube an die Inkarnation Christi. Beide Geheimnisse sind engstens miteinander verbunden, weil die Menschwerdung nur dann recht zu verstehen ist, wenn man zuvor Christus als zweite Person der Dreifaltigkeit begreift. Allerdings faßt Suárez für beide Artikel die Glaubensnotwendigkeit nicht derart streng, daß nicht die Ausnahme eines impliziten Glaubens und des Bekenntnisses „in voto" (also eines rechtfertigenden Glaubenswillens in Vorordnung zur Glaubenserkenntnis) möglich bliebe[104]. Was den Inhalt des Trinitätsglaubens anbetrifft, so reicht es für den einfachen Gläubigen, wenn er drei voneinander unterschiedene Personen bekennt, die zusammen und je für sich der eine Gott sind. Weitere Explikationen, etwa betreffend die innergöttlichen Hervorgänge, übersteigen in der Regel das Erfassungsvermögen der Gläubigen und sind für ihr religiöses Leben auch nicht notwendig[105]. Die spekulative Trinitätslehre bleibt das Metier der Fachtheologen.

(3) Mit eigenen Problemen verbunden ist die Frage nach der menschlichen Trinitätserkenntnis Christi während seines Erdenlebens, wie sie im Traktat „De incarnatione" zur Sprache kommt. Die Schwierigkeiten ergeben sich aus der besonderen Begnadung bzw. Gottesbeziehung Christi in seiner wahren Menschheit und aus der ihr nachfolgenden Differenzierung, welche die scholastischen Autoren bei der Beschreibung des Wissens seiner Seele vornehmen.

[103] Vgl. De sacramentis 21.1.3-4 (XX, 349b-351a.353b-363a). Suárez hebt in diesem Zusammenhang die Zentralstellung des Trinitätsbekenntnisses für den Christen klar hervor: „…quia sicut est [sc. baptismus] janua Ecclesiae, ita in eo fit expressa professio Evangelicae fidei; et ideo oportuit, ut in eo tradendo fieret expressa invocatio Trinitatis, quae est primarium obiectum et fundamentum totius fidei, et principalis causa tam ipsius baptismi, quam omnium mysteriorum novae legis": ebd. 5 (356a). Suárez kann sich eine Dispens von dieser entscheidenden Bekenntnisformel nicht vorstellen, so daß er die von vielen Scholastikern vertretene These für die Auslegung von Apg 19, 5 verwirft, in der frühen Kirche sei eine Zeitlang die Taufe allein auf den Namen Jesu erlaubt gewesen (vgl. ebd. 11-13, 358a-361a).

[104] Vgl. De fide 12.4 25 (XII, 360a).

[105] Vgl. De fide 13.4.6 (372b): „…mysterium Trinitatis, de quo jam diximus esse distincte credendum ex necessitate; sufficit autem communi plebi credere in hoc augustissimo mysterio tres personas, quarum una non sit alia, et ita inter se distinctas credere, ut omnes sint unus Deus, et singulae sint Deus; major autem explicatio non est illis necessaria simpliciter."

(a) Zur vollständigen Menschheit, wie sie Christus annahm, gehörte ohne Zweifel der geschaffene Intellekt als Potenz seiner Seele[106], der sich in die ihm entsprechenden Akte auszufalten vermochte[107]. Er war von prinzipiell gleicher Art wie jeder menschliche Intellekt, bestenfalls durch relativen Vorrang gegenüber den anderen ausgezeichnet[108]. Christus hat also echte geschöpfliche Erkenntnisakte ausgeübt[109], ja es ist von seiner menschlichen Seele explizit auszuschließen, daß das ungeschaffene göttliche Wissen Formalprinzip ihrer Erkenntnis (Gottes oder eines geschaffenen Gegenstandes) gewesen sein könnte[110]. Es ist dies eine Konsequenz aus der im Credo festgeschriebenen Unvermischtheit der beiden Naturen Christi, die sich auch in den durch sie vollzogenen Handlungen durchhalten muß. Nach Suárez kann das ungeschaffene Erkennen, das in seiner Substantialität identisch ist mit dem Wesen Gottes, prinzipiell weder Form eines geschaffenen Intellektes werden noch als Wirkung aus ihm hervorgehen. Die ontologische Inkompatibilität des Unendlichen mit dem Endlichen macht die zum Monophysitismus tendierenden Erklärungsmodelle für das Erkennen Christi unmöglich – es ist die antiapollinaristische Überzeugung des chalcedonensischen Dogmas, die Suárez in solchen Aussagen expliziert. Die einzige Vollkommenheit Gottes, die überhaupt einer Kreatur geeint bzw. mitgeteilt werden kann, ist seine Subsistenz, denn diese, so wird im folgenden Kapitel über den Personbegriff näher auszuführen sein, ist nicht als „Konstitutionselement" der göttlichen Natur anzusehen, sondern von ihr wenigstens gedanklich zu unterscheiden[111]. Die Konsequenz dieser Feststellungen für die Gotteserkenntnis Christi spiegelt sich in der Zurückweisung der vom Franziskanertheologen Johannes a Ripa († nach 1368) vertretenen These wider, wonach Christus Gott mit derselben Schau erblickt habe, mit der dieser

[106] Suárez beweist dies in De incarnatione 24.1 (XVII, 656b-659a).

[107] Vgl. De incarnatione 24.2 (658a-661b).

[108] Vgl. ebd. 24.1.3 (657b). Dort lehnt es Suárez ab, daß Christus den vollkommensten aller möglichen menschlichen Intellekte besessen haben müßte, da ein solcher Begriff (wohl ähnlich wie der einer besten aller möglichen Welten) sinnlos ist: Gott könnte aufgrund seiner Allmacht in der vorliegenden Spezies „in infinitum procedens" je vollkommenere Exemplare als den gerade als vollkommensten existierenden Intellekt schaffen.

[109] Vgl. ebd. 24.2.4-5 (658b-659a).

[110] Vgl. ebd. 6 (659a).

[111] Vgl. ebd. 10 (660b): „Ex quibus exemplis licet intelligere, nullam perfectionem formaliter existentem in Deo, posse per seipsam formaliter communicari seu uniri creaturae, praeter subsistentiam, quia omnis alia perfectio, ut est in Deo, pertinet ad ipsius naturae (ut ita dicam) constitutionem; Deus autem non potest uniri creaturae in natura, ut supra ostensum est."

sich selbst schaut[112]. Falls jemand mit einer solchen Erklärung jeden geschöpflichen Akt des Erkennens in Christus ausschlösse, würde seine Lehre nach Suárez häretisch. Die nähere Qualifizierung der menschlichen Erkenntnisakte des Herrn erfolgt beim Jesuiten nach dem gängigen scholastischen Axiom „actus specificantur per obiecta“: Wie in jedem geschaffenen Intellekt sind auch in der Seele Jesu in Entsprechung zu den zu erfassenden Gegenständen sowohl natürlich als auch übernatürlich ermöglichte Erkenntnisakte anzunehmen[113]. Näherhin unterscheidet Suárez mit Thomas ein dreifaches Wissen in der Seele Christi. An erster Stelle steht die „scientia beata“, das Wissen der Seligen in der vollendeten Gottesschau, die Christus bereits auf Erden zukam und von Suárez als notwendige Bedingung dafür angesehen wird, daß er Gott überhaupt so offenbaren konnte, „wie er ist“, und daß er Menschen (wie dem guten Schächer am Kreuz) die Gottesschau sicher zu versprechen vermochte[114] – denn niemand könnte etwas zusagen und geben, was er selbst nicht besitzt. Zweitens besaß Christus „erworbene Erkenntnis“, wie sie der menschlichen Seele an sich konnatural ist und eine ihrer wichtigsten Vollkommenheiten bezeichnet[115]. Darin ist sowohl Erfahrungserkenntnis wie auch aus dieser durch Konklusion erworbenes Wissen zu fassen. Schließlich schreiben die Theologen Christus drittens ein übernatürliches und eingegossenes Wissen („scientia infusa“) zu, das nicht mit der vollendeten „scientia beata“ gleichzusetzen ist. Suárez weiß um die Schwierigkeit, diesem übernatürlichen Wissen neben den beiden anderen Erkenntnisarten eine Funktion zuzuordnen[116]. Wenn er dennoch mit der Thomistenschule an seiner Existenz festhält, gesteht er zu, nur eine Wahrscheinlichkeitsargumentation präsentieren zu können, wie sie auch schon Thomas vorgelegt hat: Keine Potenz der menschlichen Seele Christi, auch nicht die oboedentielle Potenz für die Aufnahme übernatürlicher Offenbarungserkenntnis, durfte ungenutzt bleiben, damit dieser Seele höchste Vollkommenheit zugesprochen werden kann[117]. Suárez verstärkt dieses

[112] Vgl. ebd. 11-12 (660b-661a).
[113] Vgl. ebd. 24.3.2-3 (661b-662a).
[114] Vgl. ebd. 25.1.1-2 (670a-671a).
[115] Vgl. ebd. 25.2 (672b-673b).
[116] Vgl. ebd. 25.3.1 (673b-674a).
[117] Vgl. Thomas, S. th. III, 11, 1 c.: „Respondeo dicendum quod, sicut prius dictum est, conveniens fuit ut anima Christi per omnia esset perfecta, per hoc quod omnis eius potentialitas sit reducta ad actum. Est autem considerandum quod in anima humana, sicut in qualibet creatura, consideratur duplex potentia passiva, una quidem per comparationem ad agens naturale; alia vero per comparationem ad agens primum, qui potest quamlibet creaturam reducere in actum aliquem altiorem, in quem

Argument, wenn er auf die mit der „scientia infusa“ gegebene weitere Gemeinsamkeit Christi mit den übrigen in der Gnade Gottes stehenden Erdenmenschen hinweist, die ihn als wahren „viator“ bezeugt, während ihn die „scientia beata“ bereits zum „comprehensor“ macht[118].

(b) Fragt man nun nach der Gottes- und näherhin der Trinitätserkenntnis des Menschen Jesus Christus, ist exakt nach den drei genannten Erkenntnisweisen zu differenzieren.

(aa) Die „scientia acquisita“ Christi wird von Suárez nicht eigens im Hinblick auf die Gotteserkenntnis befragt. Dies ist nicht überraschend, da sie als rein natürliche Erkenntnisart auch im Falle Christi weder eine Wesenserkenntnis Gottes noch die Erfassung der trinitarischen Personen ermöglichen konnte. Denn während seines Erdenlebens umfaßte die erworbene Erkenntnis Christi nur Wissen, das in dem für alle Menschen üblichen Ausgang von sinnlichen Objekten durch die Abstraktion des tätigen Intellekts zu gewinnen ist[119]. Dazu zählte die Kenntnis der natürlichen (materiellen und immateriellen) Substanzen in einer besonderen Vollkommenheit, nicht aber eine prinzipiell außergewöhnliche natürliche Gotteserkenntnis.

(bb) Recht einfach fällt ebenfalls die Antwort zur „scientia beata“ aus. Vermittels ihrer schaute Christus Gott so wie alle Seligen des Himmels, graduell sogar intensiver als alle Engel und Heiligen[120]. Eine „comprehensio“ Gottes, die allseitige Erfassung seines Wesens nach jeder möglichen Hinsicht[121], die von der nicht notwendig erschöpfenden „visio quid-

non reducitur per agens naturale; et haec consuevit vocari potentia obedientiae in creatura. Utraque autem potentia animae Christi fuit reducta in actum secundum hanc scientiam divinitus inditam.“

118 Vgl. Suárez, De incarnatione 25.3.3 (XVII, 674b).

119 Vgl. De incarnatione 30.1.1 (XVIII, 76b): „De statu autem viae est clara sententia D. Thomae in his articulis, Christum solum cognovisse per hanc scientiam ea quae ex sensibilibus obiectis per abstractionem et efficientiam intellectus agentis cognosci possunt“.

120 Vgl. ebd. 26, praef. 1-3 (XVIII, 11a-12a). Die Maßstäblichkeit der „visio beata“ Christi und des in ihr Anzunehmenden für die Bestimmung geschöpflicher Schau Gottes und seiner Inhalte insgesamt wird schön deutlich in Suárez diesbezüglichen Kapiteln in De deo uno 2.27, bes. 10-11.18 (I, 168a-b.170a).

121 Vgl. die Thesen des Suárez zur Bestimmung des Begriffs in De incarnatione 26.1.8 (XVIII, 14a), 9 (15a) und 11 (15b): „Dico primo, ad comprehensionem intellectualem necessarium esse ut cognitio sit clara, evidens et certa, cum debita proportione ad obiectum cognitum.“ „Dico secundo: de ratione comprehensionis est ut sit cognitio tam clara et intensa, quantum necesse est ad exacte cognoscendas et penetrandas in obiecto cognito omnes habitudines et connexiones quas ex natura sua habet, et habere potest, cum omnibus rebus a quibus ipsum pendet, et quae ab ipso pendere

ditativa et intuitiva" als solcher unterschieden werden muß[122], blieb der Seele Christi dabei allerdings ebenso verwehrt wie jeder anderen Kreatur[123], denn Gott ist in seiner Unendlichkeit und Unermeßlichkeit für das endliche Verstehen prinzipiell unbegreiflich[124]. Auch die Erfassung der möglichen Geschöpfe im göttlichen Wort ist der Seele Christi aus diesem Grunde nicht in einem erschöpfenden Sinne möglich gewesen[125]. Aus der Tatsache, daß hier durchweg von demjenigen Objektgehalt die Rede ist, den Christus „in Verbo" schaut, ergibt sich bereits, daß Suárez es offenbar für selbstverständlich hält, die Wesensschau Gottes durch Christus mit der Schau der göttlichen Personen verbunden zu sehen. Daß dies tatsächlich ein durchgängiges Element in seiner Lehre über die Gottesschau ist, werden wir sinnvollerweise an späterer Stelle in dieser Studie zur Darstellung bringen, wo es um das Verhältnis von Wesen und Relationen im Spiegel der beatitudo-Lehre geht[126].

(cc) Schwieriger ist die Erörterung für die „scientia infusa". Sie ist Christus dazu gegeben, daß er die „geschaffenen übernatürlichen Dinge" wesenhaft und in sich zu schauen vermag[127]. Da diese von endlicher Voll-

possunt." „Dico tertio: si cognitio habet eam perfectionem et claritatem quae sufficit ad cognoscendum obiectum ex parte ejus exacte et perfecte, id est, ad cognoscendum quidquid in eo est formaliter vel eminenter, et ad penetrandam omnem rationem formalem ejus, et omnem habitudinem distinctissime, talis cognitio est vera comprehensio."

[122] Vgl. zu dieser Unterscheidung De deo uno 2.18.4 (I, 114a). Eine ausführliche Abgrenzung der „visio beatifica" Gottes in seiner Ganzheit (als „totum") von einer erschöpfenden „comprehensio" („totaliter") legt Suárez im gleichen Traktat unter 2.29 (I, 175a-178a) vor. Einen spezifisch trinitätstheologischen Aspekt gibt es in der nachfolgenden Begründung nicht.

[123] Vgl. De incarnatione 26.2.2 (XVIII, 19a).

[124] Vgl. ebd. 4 (21a). In den nn. 1-3 hat Suárez generelle Aussagen zur Inkomprehensibilität Gottes (mit zahlreichen Traditionsargumenten) vorgeschaltet, die durch verschiedene Passagen der Gotteslehre ergänzt werden können; vgl. bes. De deo uno 2.5 (I, 58b-61a). Die Grundthese lautet auch hier: „Ego vero existimo dogma fidei esse aliquem modum incomprehensibilitatis convenire Deo in ordine ad omnem intellectum creatum, quantumcumque elevatum per gratiam ad cognoscendum Deum, et in ordine ad omnem actum intelligendi creatum quantumcumque perfectum." In der Lehre über die selige Gottesschau grenzt Suárez ebenfalls die zu erwartende „visio clara Dei" ab von der nicht möglichen „comprehensio": De deo uno 2.29 (175a-178a).

[125] Die ausführliche Bestimmung dieses Aspekts nimmt Suárez in der dritten und vierten Sektion von De incarnatione, disp. 26, vor (XVIII, 22a-38a).

[126] Vgl. dazu Kap. 6, 3), c).

[127] Vgl. De incarnatione 27.3.1 (XVIII, 47b): „Dicendum est ergo cognovisse animam Christi per hanc scientiam quidditative et intuitive, res creatas supernaturales in substantia aut modo suo, per proprias earum species, et in proprio genere."

kommenheit sind, müssen sie auch in einem endlichen, von Gott eingegossenen Erkenntnisbild erfaßt werden können, und ebendies ist geziemenderweise dem Menschen Christus von Gott ermöglicht worden. Die Unterscheidung solchen übernatürlichen Wissens von demjenigen in der „scientia beata" markiert den für Suárez wichtigen Unterschied zwischen ungeschaffener und geschaffener Gnade. Gefragt werden kann nun, ob neben anderen „übernatürlichen Objekten" auch Gott in seiner Einheit und Dreifaltigkeit von Christus vermittels der „scientia infusa" erfaßt wurde[128]. Die schon erwähnte Abgrenzung vom „Wissen der Seligen" impliziert notwendig, daß diese Weise der Erkenntnis nicht mit der Wesensschau Gottes gleichzusetzen ist. Gottes Wesen (also Gott in seiner Einheit mit den essentialen Attributen) erkannte Christus durch das eingegossene Wissen allein der Existenz nach („scientia quia"), näherhin in derjenigen Weise, die sich auf aposteriorischem Wege von den kreatürlichen Wirkungen her eröffnet. Es handelt sich also, was den Erkenntnisinhalt anbelangt, nur um die Höchstform desjenigen Wissens, wie es natürlicherweise jedem Menschen auf Erden über Gott möglich ist. Der Unterschied zur natürlichen Gotteserkenntnis „von den Wirkungen zur Ursache" besteht darin, daß die Seele Christi im eingegossenen Wissen nicht bloß von den natürlichen (Schöpfungs-)Wirkungen ausgehen mußte, sondern auch die übernatürlichen Wirkungen Gottes vor ihr geistiges Auge gestellt bekam, um aus ihnen auf Gott als „auctor gratiae" schließen und ihn aufgrund dieser Kenntnis mit übernatürlicher Liebe lieben zu können[129]. Mit dieser Prämisse deutet sich bereits an, weshalb Suárez sogar die Erkenntnis eines streng übernatürlichen Gehaltes wie der göttlichen Dreifaltigkeit mit der „scientia infusa" zu verbinden vermag, wenn er sein Urteil als Wahrscheinlichkeitsaussage auch mit einer gewissen Einschränkung versieht. Wieder handelt es sich nicht um eine Schau des Mysteriums in sich, sondern nur um eine Erkenntnis seiner Existenz. Wir haben in der christologischen Theorie des Suárez damit jene Weise der Gotteserkenntnis des Menschen Christus vor uns, die an der Stelle steht, die für den gewöhnlichen Begnadeten der Glaube einnimmt. Ein „Glauben" im Sinne der theologischen Tugend, so ist sich der Jesuit mit Thomas und der scholastischen Tradition einig, ist für Christus abzulehnen, weil er wegen der ihm schon auf Erden geschenkten Gottesschau nicht wie die übrigen Menschen auf eine „revelatio obscura" der göttlichen Mysterien angewiesen war, über die sich der Intellekt allein vermittels eines gnadenhaft

[128] Vgl. dazu ebd. 27.5 (50a-52a).
[129] Vgl. ebd. 27.5.2 (50b).

ermöglichten Willensassenses gewiß wird[130]. Das stattdessen Christus über die „scientia infusa" zukommende Wissen von der Dreifaltigkeit war vollkommener als solche Glaubenserkenntnis, aber blieb dennoch seinem Modus nach mit dem „status viatoris" vereinbar. Wollte man auf seine Annahme verzichten, hätte Christus keine andere Kenntnis der Dreifaltigkeit gehabt als jene der seligen Gottesschau, und es wäre unmöglich zu erklären, wie er als Erdenpilger, ohne Rückgriff auf die „scientia beata", zum Vater beten, die drei göttlichen Personen in ihrer Sonderheit lieben und schließlich über das Geheimnis der Dreifaltigkeit zu den Menschen hätte sprechen können[131]. Was Suárez mit Thomas zuvor als zentrales Argument für die Annahme einer „scientia infusa" in grundlegender Perspektive vorgelegt hatte, wird hier also mit speziell trinitätstheologischer Aussagerichtung wiederholt. Auch in diesem Kontext ist sich Suárez durchaus des Problems bewußt, die Art der durch „Eingießung" vermittelten Erkenntnis, die einerseits in Abgrenzung vom Glauben „evident und deutlich" (also nicht bloß vom Assens des Willens getragen) ist, sich andererseits aber in Abgrenzung von der seligen Schau nicht „intuitiv" (also infolge unmittelbarer Präsenz des erkannten Gegenstandes) verwirklicht, exakt anzugeben[132]. Dazu kommt als besondere objektbedingte Schwierigkeit im Vergleich zu anderen Gegenständen der „scientia infusa" bei der Trinitätserkenntnis die uns schon bekannte Tatsache, daß auch die Möglichkeiten abstraktiven Erkennens auszuscheiden scheinen, da es keine Ursache gibt, als deren Wirkung die Trinität erschlossen werden könnte, noch (gemäß dem Axiom von den „opera dei indivisa ad extra") Wirkungen existieren, die ihrerseits sicher auf die Trinität (bzw. die innergöttlichen Hervorgänge) als Ursache schließen lassen[133]. Suárez diskutiert drei alternative Ansichten zur Lösung dieser subtilen Problematik.

[130] Vgl. De incarnatione, ad q. 7, a. 3, Comm., n. 3 (XVII, 595b-596a): „Advertendum deinde est, in intellectu Christi nunquam fuisse assensum fidei divinae, quia nunquam habuit revelationem obscuram, sed semper visionem claram; ex quo fit, in voluntate etiam non habuisse voluntatem illam efficacem, quae est per modum usus seu executionis, qua intellectus movetur seu applicatur ad credendum".

[131] Vgl. De incarnatione 27.5.3 (XVIII, 50b-51a).

[132] Vgl. ebd. 4 (51a).

[133] Sehr klar drückt Suárez dies zu Beginn seiner philosophischen Erörterung über die natürliche Erkennbarkeit der „potentia Dei" aus, DM 30.17.1 (XXVI, 206b-207a): „Suppono sermonem esse de potentia operandi ad extra; nam ea quae est generandi, vel spirandi ad intra, sub naturalem cognitionem non cadit, ut certa habet Theologorum doctrina, et est per se evidens. Nam effectus quos Deus extra se producit, praesertim illi qui ad ordinem naturae pertinent, non manifestant illum ut trinum, sed ut unum tantum, quia non habent ex se connexionem necessariam cum divinis relationibus, sed cum divina essentia ac virtute; potentia autem generandi vel

Eine erste gründet in der These, daß Christus Einheit und Dreifaltigkeit Gottes allein kraft des Verstandeslichtes und eines den genannten Inhalt repräsentierenden Erkenntnisbildes („species") auf dem Wege einfacher Erfassung („per modum simplicis cognitionis") erkannt hat, und zwar in Form der wahren Aussage über die bloße Existenz des Geheimnisses ohne Erfassung seines Inhalts (der „res ipsa")[134]. Für Suárez ist diese Erklärung deswegen nur schwer akzeptabel, da die evidente Erkenntnis der Wahrheit einer Aussage nur möglich ist entweder durch die Vermittlung über irgendwelche anderen Erkenntnisgehalte (also etwa Ursachen oder Wirkungen, aus denen man schlußfolgern könnte) oder aber durch eine Einsicht in die mit der Aussage bezeichneten Gegenstände selbst, aus der auch der im Urteil bejahte Zusammenhang zwischen ihnen deutlich wird. Beides wird in der vorliegenden Erklärung jedoch nicht zugestanden. Suárez kommt damit auf seine schon bei der Erörterung der Gotteserkenntnis Adams oder der Engel vertretene These zurück, wonach eine evidente und einfache quidditative Gotteserkenntnis, die zugleich abstraktiv und nicht intuitiv sein soll, schwer vorstellbar erscheint.

Ein zweiter Lösungsversuch bemüht sich, Christi Erkenntnis der Trinität trotz des oben erwähnten Einwands[135] und gegen den aus ihm folgenden Theologenkonsens irgendwie als Erschließung der göttlichen Ursache aus ihren Wirkungen („ex effectibus") verständlich zu machen. So hat man sich etwa auf die Beziehung der Kreatur zu Gott berufen, die diesen als Schöpfer betrifft und folglich seine reale Subsistenz in drei Personen einschließen soll, in denen Gott faktisch seine schöpferische Allmacht vollzieht – die bereits besprochene These von Vázquez bzw. Cusanus. Dagegen verweist Suárez zum einen auf die absolute, durch die Wesenheit als solche konstituierte Subsistenz Gottes, über deren Bedeutung für sein Denken wir an späterer Stelle noch ausführlich zu sprechen haben, andererseits darauf, daß auch die Annahme, Gott subsistiere allein durch die Relationen, nichts daran ändert, daß die Beziehung der Kreatur nicht formell auf die Relationen als solche zielt, sondern nur, sofern sie eins in

spirandi includit aliquo modo has relationes, et ideo metaphysica consideratio ad illam non extenditur, sed ad illam quae absolute et essentialiter Deo tribuitur." Vgl. auch GOMEZ ARBOLEYA (1946) 302-311; ÁLVAREZ (2000) 179.

[134] Vgl. Suárez, De incarnatione 27.5.5 (XVIII, 51a): „Primus modus dicendi esse potest, cognosci hanc veritatem, *Deus est trinus et unus*, solum ex vi luminis et alicujus speciei, quibus evidenter per modum simplicis cognitionis, qua cognoscatur veritas, licet non videatur res ipsa in se."

[135] In der an der vorliegenden Stelle (ebd. 6, 51b) präsentierten Form lautet er: „opera Trinitatis ad extra sunt indivisa: unde procedunt a Deo ut unus est, et Trinitas personarum, quoad illos efficiendos, se habet quasi per se accidens".

der Wesenheit und in der Vollmacht zur Schöpfung sind bzw. in der „ratio subsistendi“[136] übereinstimmen. Eine Beziehung, wie im vorliegenden Fall diejenige der Kreatur zu Gott, läßt als solche niemals den in ihr vorhandenen Zielpunkt in der gewünschten Weise evident werden, sondern setzt im Gegenteil seine Kenntnis voraus, um selbst in adäquater Form begriffen werden zu können. Während somit die Schöpfung, sofern sie natürliche Wirkung Gottes ist, als Medium der Trinitätserkenntnis ausscheidet, bleibt zu fragen, ob nicht wenigstens übernatürliche Wirkungen, allen voran Menschwerdung und selige Gottesschau, als Ausgangspunkt solcher Erkenntnis dienen können und ob auf diesem Wege nicht sogar für alle übernatürlichen Wirkungen (wie etwa diejenige der Gnade oder der Liebe zu Gott) behauptet werden darf, daß sie Gott als dreifaltigen aufscheinen lassen. Suárez bleibt selbst gegenüber dieser schon das Gebiet der gnadenhaften Offenbarung betretenden Erkenntnis der Trinität aus Kreatürlichem zurückhaltender als andere Autoren seiner Zeit. Für die selige Gottesschau leugnet er nicht, daß in ihr (sogar notwendig) auch die Personen erfaßt werden. Ihr erstes und unmittelbares Objekt stellt jedoch das Wesen Gottes dar, dem die Personenerkenntnis nachgeordnet ist[137]. Darum ist Terminus der Relation „Gottesschau“ Gott als solcher, ohne daß aus dem (unserem Durchdringen sowieso nur begrenzt zugänglichen) Begriff bereits das „Wie“ abgeleitet werden könnte[138]. Ähnliches gilt für das Beispiel der Inkarnation. Zwar ist faktisch die Subsistenz, die in der hypostatischen Union die menschliche Natur Christi bestimmt, keine andere als diejenige des göttlichen Wortes, also des Sohnes als der zweiten göttlichen Person. Dennoch hält auch hier Suárez den Begriff der „unio“ als solcher, wie er in diesem Fall die Beziehung der geschöpflichen

[136] „Ratio“ bezeichnet hier wie an vielen weiteren Stellen, die wir in dieser Arbeit zitieren werden, eine bestimmte Hinsicht, unter der wir eine Sache begreifen, die mit ihrem Wesens-Was nicht identisch sein muß. Vgl. LOMBARDO (1995) 40: „La parola ‚ratio', com'è usata nella metafisica moderna, ha due significati principali. Accanto al significato di ‚causa' conserva anche quello di ‚principio', che è più ampio del primo, potendo significare sia l'incominciamento di una cosa e quindi la relazione alla causa che l'ha portata all'esistenza, sia il modo di concepire la cosa, ossia la relazione della cosa all'intelligenza che se ne fa un concetto. Nel primo senso il principio-causa concerne l'esserci ontico delle cose; nel secondo il principio dell'intelligibilità delle cose concerne il loro essere ontologico.“

[137] Vgl. dazu unten Kap. 6, 3), c).

[138] Vgl. Suárez, De incarnatione 27.5.6 (XVIII, 51b): „Dicendum est ergo visionem beatam per se primo terminari ad Deum, ut sic, et consequenter ad personas, et ita, cognita ipsa visione, solum cognosci illam esse visionem Dei, prout in se est, non tamen cognosci quomodo Deus in se ipso sit et videatur, praesertim quia dictum est, illam visionem non perfecte comprehendi extra visionem Dei“.

Realität zu Gott beschreibt, in erkenntnislogischer Hinsicht für nicht ausreichend, um sicher Gottes Trinität zu erschließen. Denn notwendig gefordert ist von ihm her allein, daß es in Gott eine inkommunikable Subsistenz als Terminus[139] der Einung gibt. Mit dieser Einsicht für sich genommen ist aber keineswegs ein Wissen darüber verbunden, welcher Art diese terminierende personale Subsistenz in Gott ist. Vor allem die Alternative „absolut oder relativ" bleibt offen und kann aus dem Inkarnationsfaktum an sich folglich nicht sicher geklärt werden[140]. Um zu dem sicheren Urteil zu gelangen, daß die Menschwerdung Gottes konkret die Menschwerdung *des Sohnes* ist, brauchen wir eine Information, die über den Begriff der hypostatischen Union als solchen hinausreicht.

Auf ebendieser Annahme beruht die dritte der von Suárez diskutierten Optionen. Sie sichert die Erkenntnis der Trinität im eingegossenen Wissen Christi dadurch ab, daß sie sie auf das evidente Offenbarungszeugnis Gottes selbst zurückführt[141]. Das könnte einerseits bedeuten: Christus erwirbt solcherart sicheres Wissen indirekt vermittels derjenigen Offenbarung, die anderen Menschen durch Gott zuteil wird. Christus besäße dann klare Kenntnis von demjenigen Akt, durch den ein anderer Mensch, vom „lumen fidei" erleuchtet, das Geheimnis der Trinität glaubt. Mit der von Gott in seiner Gnade bewirkten Unfehlbarkeit dieses Glaubens sähe

[139] Die bei Suárez regelmäßige Rede von der „Bestimmung" („terminatio") einer Wesensnatur durch die Subsistenz ist ein typisch scotisches Erbe in seiner Trinitätslehre und Christologie. Thomas von Aquin, der „terminare" gewöhnlich als „beenden" oder auch „vollenden" versteht, spricht häufiger von „terminatio" einer Bewegung oder eines Begehrens, benutzt den Begriff in dem uns interessierenden Kontext aber kaum. Vgl. am ehesten Thomas, 1 Sent. d. 30 q. 1, a. 2 c., wo von der Annahme der Menschennatur als einer „terminatio secundum esse" die Rede ist, weil daraus eine „relatio qua creatura refertur in Deum ut ad terminum" resultiert. Dieser Begriff des „Sich-zum-Beziehungsterminus-Machens" der göttlichen Person, bzw. des „In-die Beziehung-gesetzt-Werdens" der angenommenen Natur, das für diese selbst ontische Fortbestimmung (zum Für-sich-Existieren) und damit auch Vollendung ist, wird bei Scotus sehr geläufig..

[140] Vgl. Suárez, De incarnatione 27.5.6 (XVIII, 51b-52a): „Et idem dicendum est de modo unionis; nam, licet in re terminetur ad solam personam Verbi, tamen, quantum est ex ratione sua, solum requirit terminum qui sit subsistentia incommunicabilis; et ita ex vi cognitionis illius unionis solum confuse cognoscitur esse in Deo subsistentia quae possit terminare illam unionem, non tamen videtur qualis sit in se, neque an sit relativa vel absoluta." Dieses Argument wird durch die von uns an späterer Stelle noch zu erläuternde Überzeugung des Suárez verstärkt, daß auch eine Inkarnation Gottes nach seiner absoluten Subsistenz wenigstens denkbar ist.

[141] Vgl. ebd. 7 (52a): „Tertius ergo modus est, hanc cognitionem esse evidentem in testificante ex vi proprii luminis et revelationis supernaturalis, sicut diximus de futuris contingentibus."

Christus auch die Wahrheit des darin kundgegebenen Inhalts, der somit nicht durch sich selbst begründet würde. Die Evidenz dieses reflexen Wissens wäre dann im letzten ganz auf den zurückzuführen, der es bezeugt, nämlich den sich in der Glaubensgewißheit der anderen Menschen offenbarenden Gott. Es wird nicht klar, ob Suárez die mit dieser Lösung verbundene Schwierigkeit erkannt hat, daß die gegenüber jeder Glaubenserkenntnis als höherwertiger und sicherer einzustufende „scientia infusa" Christi damit in Abhängigkeit von ebendieser Glaubenserkenntnis in anderen Menschen geriete, was in der üblichen Ordnung von Ursache und Wirkung kaum vorstellbar erscheint. Jedenfalls nennt der Jesuit noch eine zweite alternative Erklärungsmöglichkeit für unser Problem, die ebenfalls dem Prinzip einer vermittelten Erkenntnisgewißheit in der „scientia infusa" folgt: Christus könnte selbst eine besondere Offenbarung erhalten haben, durch die er das sichere Wissen um Gottes Dreifaltigkeit ohne Erfassung des Erkenntnisgegenstandes selbst zu erwerben vermochte. Er würde dann die Einheit und Dreifaltigkeit Gottes in einem eingegossenen Erkenntnisbild, das Suárez nach Art eines „Begriffs" oder einer „Anrede" Gottes faßt, als wahr erkennen, und zwar auf vollkommenere Weise, als es irgendeinem Geschöpf durch seine natürlichen Kräfte möglich ist, aber doch weniger vollkommen als in der unmittelbaren Schau. Man müßte sich dieses eingegossene Wissen als intellektuell völlig einsichtig denken, sofern es *als durch Gott bezeugt* im Intellekt erscheint – man stünde vor einer Art „trinitarischer Privatoffenbarung" an Christus, der volle Erkenntnisgewißheit zukäme. Damit bliebe es bei aller Deutlichkeit des Erfassens („distincte et clare") bei einer Erkenntnis „in imagine", näherhin einem begrifflichen Erkennen, das durch die Schau übertroffen werden könnte[142]. Leider diskutiert Suárez nicht mehr, wie dieses Begreifen im einzelnen von der gewöhnlichen Glaubenserkenntnis unterschieden werden soll. Die Differenz liegt wohl darin, daß die Evidenz der Erkenntnis hier stärker intellektiv abgesichert ist, aber nicht so, daß der offenbarte Gegenstand als solcher evident wird, sondern daß Gott als ihn bezeugender in einer Weise präsent und gewiß ist, die das gewöhnliche Zusammenspiel von Glaubwürdigkeitsgründen und „gratia interna" im

[142] Vgl. ebd.: „Secundo intelligi potest haec evidentia per revelationem propriam, factam ipsi animae Christi. Nam per species infusas concipere potest Deum trinum et unum, imperfecto quidem modo, si cum re ipsa conferatur, perfectiori tamen quam possit per naturales vires alicujus intellectus creati concipi; quam conceptionem seu Dei locutionem distincte et evidenter intuetur, et ita evidenter videt esse a solo Deo, quae cognitio non excludit altiorem cognitionem per visionem claram; quia, licet aliqua res in se videatur, potest simul videri in imagine, et uterque modus perfectionem aliquam affert; et ideo utrumque habuit anima Christi, ut dictum est."

Glaubensakt übersteigt. Gleichzeitig bleibt die „scientia infusa" über die Trinität insofern ganz auf der Seite des Glaubens, als sie keine Einsicht in das Geheimnis als solches schenkt und folglich einer extrinsezistischen (d. h. nicht aus unmittelbarer Evidenz des Gegenstandes selbst resultierenden) Absicherung bedarf, wenn diese hier auch in einer unmittelbaren Eingießung durch Gott erfolgt, die ihren Urheber zweifelsfrei zu erkennen gibt und den mitgeteilten Inhalt unmittelbar legitimiert, so daß das im Glauben übliche Zusammenspiel von äußerer Wortoffenbarung und innerem Glaubenslicht mit seinem diskursiven Charakter gleichsam verinnerlicht und punktualisert wird.

(4) Gewissermaßen als Korollar zum Problem der Trinitätserkenntnis Christi während seiner Erdenpilgerschaft dürfen wir die im Traktat über die Lebensmysterien des Herrn von Suárez angesprochene Frage nach der irdischen Trinitätserkenntnis Mariens ansehen. Im Gegensatz zu ihrem Sohn besaß Maria keine irdische Gottesschau, wohl aber einen Glauben, der nach seiner subjektiven und objektiven Vollkommenheit, die ihrerseits in der Vollkommenheit der heiligmachenden Gnade Mariens wurzelte[143], denjenigen der übrigen Menschen übertraf. Zu seinem Inhalt gehörte die aufs deutlichste vollzogene und von keiner Unsicherheit getrübte Bejahung der Mysterien von Inkarnation und Trinität. Suárez verteidigt diese mariologischen Spitzenaussagen gegen die Infragestellungen des Reformators Luther, der den Glauben des Hauptmanns in Mt 8 demjenigen Mariens voranstellt, ebenso wie gegen den Einwand des Humanisten Erasmus, der Zweifel an der scholastischen These hegt, wonach der Glaube Mariens ebenso ursprünglich sein mußte wie ihre Begnadung, also wegen ihrer ursprünglichen Heiligung „ab initio" vorhanden war. Wenn Erasmus lehrt, Maria habe Christus nicht sofort nach der Geburt angebetet, weil sie um sein Gottsein noch nicht wußte, ist dies in der scharfen Bewertung des Suárez eine „impia et haeretica sententia"[144]. In Wahrheit kam der Gottesmutter „vom Beginn ihrer Heiligung an" der ausdrückliche Glaube an den dreifaltigen Gott zu, da der so begriffene Gott wichtigster Gegenstand des Glaubens ist und zu dessen Vollkommenheit nicht fehlen darf. Diese Einsicht in Gottes Dreifaltigkeit mußte Maria um so mehr haben, als auch die Engel und der Stammvater Adam sie, wie gezeigt, sofort mit ihrer jeweiligen Begnadung besaßen; dasselbe

[143] Vgl. De mysteriis vitae Christi 19.1.3 (XIX, 297b).

[144] Ebd. 4 (298a). Die Behauptung bei NOREÑA (1991) 279, Erasmus werde in Suárez' Werken nie erwähnt, ist schlichtweg falsch, wie wir auch an späterer Stelle dieser Arbeit erneut sehen werden.

gilt für den Glauben an die zukünftige Menschwerdung[145]. Selbstverständlich ist darin die These impliziert, daß Maria bereits seit ihrer Empfängnis (und damit auch Heiligung) der aktuelle Vollzug des Vernunftvermögens zur Verfügung stand, was Suárez im übrigen (mit Berufung auf Lk 1,44) auch von Johannes dem Täufer lehrt[146]. Mit deutlichen antireformatorischen Seitenhieben[147] hat der Jesuit eine ganze Disputation seines Mysterientraktats der Beschreibung der Gnadenprivilegien und der Heiligkeit des Täufers gewidmet (disp. 24). Was er zuvor schon über die ursprunghafte Gotteserkenntnis Mariens lehrt, darf darum unter Beachtung der höheren Gnade der Gottesmutter[148] auch auf Johannes bezogen werden[149].

Fraglich bleibt in dieser Erklärung vor allem, wie der vollkommene Glaubensakt, in dem sich Mariens Erkenntnis von Anfang an wahrscheinlich vollzog[150], zustandekommen konnte, da Maria im ersten Augenblick ihrer Empfängnis doch noch zu keinerlei Sinneswahrnehmung fähig war, vermittels derer normalerweise jede Vernunfterkenntnis des Menschen anhebt[151]. In seiner Antwort greift Suárez wiederum auf die Hypothese eines eingegossenen übernatürlichen Wissens zurück, durch welches Maria „nach Art der Engel" („modo angelico") die Glaubensobjekte ohne Zuhilfenahme von Sinnesbildern zu erfassen vermochte[152]. Als Quellen für eine derartige Vorstellung werden Dionysius der Karthäuser, Antoninus von Florenz und (Ps.-)Albertus Magnus zitiert, in dessen mariologischen

145 Vgl. Suárez, De mysteriis vitae Christi 19.1.4 (XIX, 298a-b): „Dicendum est igitur B. Virginem a principio suae sanctificationis habuisse fidem explicitam Trinitatis, quia hujus obiecti cognitio maxime spectat ad primariam fidei perfectionem, quam Angeli et Adam habuerunt in sua prima sanctificatione; ergo multo magis B. Virgo. Deinde cognovit explicite mysterium incarnationis, quoad substantiam illius, id est Verbum divinum secundam Trinitatis personam carnem fuisse assumpturum."

146 Vgl. De mysteriis vitae Christi 4.7.2 (XIX, 70a-b). Christologisch wird diese Ansicht vom pränatalen Intellektvollzug schon im Hochmittelalter regelmäßig vertreten; vgl. MARSCHLER (2003) I, 264f., Anm. 178.

147 Vgl. Suárez, De mysteriis vitae Christi 24.3.3 (XIX, 343b).

148 Vgl. ebd. 5 (345a-b).

149 Vgl. den ausdrücklichen Verweis auf die mariologischen Parallelerörterungen ebd. 14 (346b).

150 Vgl. De mysteriis 4.7.5 (XIX, 71b). Die einschränkende Qualifizierung bezieht sich auf die mögliche Alternative eines ursprunghaften eingegossenen Wissens, die Suárez zumindest nicht ausdrücklich ausschließen will, wenn er auch wegen der ausdrücklichen Bezeugung eines späteren Glaubens Mariens in der Schrift eher geneigt ist, ebendiesen von Anfang an anzunehmen.

151 Suárez formuliert den Einwand selbst ebd. 6 (71b).

152 Vgl. ebd. 19.3.3 (302b).

Schriften Suárez deutlich von einer irdischen Trinitätserkenntnis der Gottesmutter „ohne Vermittlung, durch eine ganz besondere Gnade" lesen konnte[153]. Sie bejaht auch der Jesuit mit einer typischen Konvenienzargumentation[154]. Um trotz der großen Annäherung an Christus im Blick auf dieses eingegossene Wissen doch eine Abgrenzung zu markieren, betont Suárez, daß Maria möglicherweise eine schrittweise Vertiefung der Einsicht in bestimmte göttliche Mysterien erfuhr[155]. Zudem wurde ihr in der so vermittelten Einsicht nicht die Christus eigene Evidenz zuteil, wie sie mit dem echt menschlichen Glauben Mariens auch nur schwerlich vereinbart werden könnte[156].

### 4) ZUSAMMENFASSUNG

Als Zwischenfazit der Grundaussagen unseres Erörterungsabschnittes läßt sich festhalten:

(1) Entscheidender Maßstab für die erkenntnistheologische Einordnung der Trinitätslehre ist bei Suárez die Unterscheidung von natürlichem und übernatürlichem Wissen. Da der menschliche Verstand die Dreipersönlichkeit Gottes weder apriorisch-deduktiv (von einem sie begründenden Prinzip her) noch aposteriorisch-demonstrativ (als Ursache kreatürlicher Wirkungen) zu beweisen vermag, beruht seine Kenntnis von ihr allein auf einer freien Offenbarung Gottes, mag diese (wie im irdischen Leben) über den eingegossenen Glaubenshabitus vermittelt oder wie in der seligen Schau durch die unmittelbare, intuitiv zu erfassende Präsenz geschehen. Für den Glaubenden auf Erden hat diese Offenbarung insoweit extrinsezistischen Charakter, als in ihr Offenbarungsinhalt einerseits und Glaubwürdigkeitsmotive bzw. Formalkonstitutiv des Glaubensassenses andererseits getrennt sind.

153 Vgl. ebd. 1 (302a).

154 Vgl. ebd. 6 (303a-b): „Itaque in principio existimo habuisse (sc. Mariam) perfectam scientiam theologicam earum rerum, quae ad cognitionem divinitatis et Trinitatis spectant, quia haec cognitio per se est valde expetenda, et quasi necessaria ad perfectionem viatoris."

155 Vgl. ebd. (303b).

156 Vgl. ebd. 8 (304a).

Auch unter der Bedingung solcher Offenbarung bleibt es dem geschöpflichen Intellekt verwehrt, evidente Einsicht in die Wahrheit des Geheimnisses (und sei es nur auf der Ebene eines Möglichkeitserweises) aus diesem selbst zu gewinnen. In apologetischer Perspektive müssen zwar aufgrund des generellen Postulats einer Nichtwidersprüchlichkeit von natürlicher und übernatürlicher Ordnung alle Einwände gegen die Trinität als prinzipiell widerlegbare Argumente gelten, doch fehlt dem Menschen ein positives Kriterium, um in grundsätzlicher Weise die rationale Unangreifbarkeit des Mysteriums nachzuweisen. Damit grenzt sich Suárez gegen einen trinitätstheologischen „Fideismus", noch klarer und entschiedener aber gegen alle „rationalistischen" Zugänge zum Trinitätsdogma ab. Die in der theologischen Tradition vorgebrachten Argumente zugunsten seiner Wahrheit beruhen auf Analogien oder Appropriationen, die bereits die Offenbarung voraussetzen und die der Theologie eröffneten Möglichkeiten der Explikation und schlußfolgernden Reflexion des Geheimnisses nicht übersteigen. Wie damit auf der einen Seite die Differenz der suárezischen Trinitätslehre zu modernen Forderungen nach einer transzendental-anthropologischen Vermittlung der Glaubensinhalte aufscheint, so zeigt sich zugleich ihre Anknüpfung an die thomanische Offenbarungstheologie, wie sie beispielsweise in ScG I, 9 zur Darstellung gekommen ist. Elemente der scotischen Lehre (betreffend die Möglichkeit einer „notitia abstractiva Dei"), in denen die Unterscheidung natürlichen und übernatürlichen Gotterkennens undeutlicher ausfällt, werden zurückgewiesen. Eine umfassende Erhebung der Stellung des Suárez zur Frage nach „Natur und Gnade", wie sie gegenüber Thomas auch manches Unterscheidende erkennen lassen würde, ist aus den diesbezüglichen trinitätstheologischen Aussagen allein eben nicht zu leisten.

(2) Die Differenzierung natürlicher und übernatürlicher Momente der Gotteslehre prägt auch die suárezische Charakterisierung der traktathaft unterschiedenen Erörterungen „de deo uno" und „de deo trino". Damit ist wiederum ein thomanischer Impuls aufgegriffen und systematisiert worden. Vor allem die Abhandlung über Gott als den Einen läuft nach Suárez in weiten Strecken parallel zu einer rein philosophisch erhebbaren Theologie. Dennoch bleibt die Traktatanordnung primär didaktisch und erkenntnislogisch begründet und markiert in kriteriologischer Hinsicht keine absolute Scheidung: Mit der Prädestinationsthematik ist auch in der Erörterung Gottes „in seiner Einheit" ein strikt übernatürliches Moment enthalten, und die Trinitätstheologie kommt nicht ohne Rückgriff auf philosophisch erarbeitete Grundbegriffe aus. Erst beide Teile gemeinsam konstituieren nach Suárez das adäquate Objekt der umfassenden *theologischen* Gotteslehre.

(3) Seine erkenntnistheologischen Grundpositionen hinsichtlich der Trinitätsoffenbarung hat Suárez in unterschiedlichen theologischen Traktaten konsequent zur Anwendung gebracht. Die durchgängige Berücksichtigung unseres Themas in Angelologie, Urstandslehre, Christologie, Mariologie und auch im Glaubenstraktat läßt es schon hier geboten erscheinen, nicht allzu leichtfertig von einer „Isolierung“ des Trinitätstraktates im dogmatischen Gesamtentwurf zu sprechen.

Für Suárez jedenfalls steht fest, daß überall dort, wo von einer übernatürlichen Erkenntnis Gottes die Rede ist, der Bezug zur Trinität notwendig vorliegt. Wir werden später in dieser Arbeit exaktere Gründe dafür erfahren. Der innere Zusammenhang zwischen gnadenhaftem Glauben und glaubensvollendender Glorie, so wird jedoch schon jetzt klar, bringt es mit sich, daß alle Epochen der Heilsgeschichte mit der Ausrichtung auf das Vollendungsziel durch die prinzipielle Präsenz von Trinitätsoffenbarung bestimmt sein mußten – bei allen Schwierigkeiten in der konkreten Benennung ihrer historischen Vermittlungsvollzüge. Festzuhalten ist aus den suárezischen Darlegungen des weiteren, daß die übernatürliche geschöpfliche Erkenntnis des trinitarischen Gottes grundsätzlich nur auf zwei Wegen erfolgen kann: entweder in der intuitiven Schau, aus der Glorie und Beseligung des Geschöpfes erwachsen, oder aber in der die viatorische Verfaßtheit nicht aufhebenden autoritativen Kundgabe des Geheimnisses ohne dessen innerliches Begreifen, wie sie mit Unterschieden im Offenbarungsmodus sowohl den Glauben der Engel und Menschen als auch die christologisch anzusetzende „scientia infusa“ bestimmt. Als Nebenergebnis darf die bei der Begründung der zuletzt genannten Erkenntnisform aufscheinende Entschiedenheit notiert werden, mit der Suárez innerhalb des thomanischen Rahmens der dreifachen „scientia Christi“ gegen jede Monophysitismustendenz die ungeschmälerte Integrität des menschlichen Gotterkennens Jesu herausstreicht. Daß damit ein grundsätzliches christologisches Anliegen unseres Theologen markiert ist, werden wir im folgenden Kapitel aus der Perspektive der Inkarnationsspekulation exakter belegen können.

# Kapitel 3: Der Begriff von Personalität und seine Verwendung in der Gotteslehre

## 1) Das philosophische Grundkonzept von Personalität bei Suárez

Der suárezische Trinitätstraktat, in dessen inhaltliche Analyse wir nach den erkenntnistheologischen Prolegomena eintreten, geht aus von der Feststellung, daß es in Gott echte Personalität gibt (l. 1, c. 1-3). Erst in einem zweiten Schritt (c. 4-10) widmet sich unser Autor den zwischen den Personen obwaltenden Ursprungsbeziehungen, den innergöttlichen Hervorgängen, mit deren Hilfe die Dreizahl der göttlichen Personen expliziert werden kann.

Gott als dreifaltiger ist das „subiectum" der Trinitätslehre, dessen materiale Grundbestimmung im strengen „ordo doctrinae", den Suárez einhalten will, an den Anfang gehört. Damit ist ein Abweichen vom Aufbauplan der thomanischen Trinitätslehre[1] verbunden, die von den dynamischen Momenten der trinitarischen Personalität, nämlich den Hervorgängen, ausgeht, um über die durch diese konstituierten Relationen zum Begriff der Personen (als subsistenter Relationen) zu gelangen, auf den der ganze Traktat ausgerichtet ist. Suárez stellt vor die spekulative „Herleitung" der Personen aus den Hervorgängen und Relationen die Existenz der Personen als Glaubensfaktum. Bei der Wahl seines Ausgangspunktes bringt er noch stärker als Thomas in der Summa die gnoseologische Grundvoraussetzung der gesamten Trinitätslehre zur Geltung: die übernatürliche Offenbarungstatsache der Dreipersonalität als unhintergehbare Voraussetzung ihrer theologischen Durchdringung. Damit ist zugleich der wissenschaftsmethodischen Notwendigkeit einer klaren epistemischen Vergewisserung über das zu behandelnde Objekt am Anfang aller Erörterungen deutlicher Rechnung getragen. Wie allgemein in der frühneuzeitlichen Theologie im Vergleich mit ihren mittelalterlichen

[1] Vgl. Thomas, S. th. I, 27 prooem. Der Übergang von den das Wesen betreffenden Erörterungen zu den die Dreiheit der Personen betreffenden ist bei Thomas fließend und unspektakulär.

Vorgängergestalten tritt das positiv-theologisch aufzuweisende Faktum einer Glaubenswahrheit unmißverständlich vor die spekulative Durchdringung[2] – eine Vorgehensweise, die in der neuscholastischen „Thesendogmatik" des 19. und 20. Jahrhunderts eine weitere Zuspitzung finden wird. Zwar bemerkt der Jesuit gleich zu Beginn seines ersten Buches einschränkend, daß die Existenz des eigenen Gegenstandes nach den Regeln der aristotelischen Wissenschaftstheorie eigentlich zu den Voraussetzungen und nicht zu den Inhalten einer Wissenschaft gehört, was den Beginn des Traktats bei der Frage nach der Existenz der drei Personen in Gott problematisch erscheinen lassen könnte. Dennoch hält der Jesuit im Fall der göttlichen Trinität eine „demonstratio" des Gegenstandes wegen der häufigen Bestreitung des der Theologie vorausliegenden Glaubensfundaments für angezeigt. Daß damit nicht eine Beweisführung auf dem Wege der natürlichen Vernunft, sondern allein „aus den offenbarten Prinzipien" gemeint sein kann, steht nach unseren Ausführungen zur suárezischen Erkenntnistheorie, in denen wir die drei Schlußkapitel von De trin., l. 1, bereits vorausgreifend behandelt haben, außer Frage.

Um zu verstehen, wie Suárez den Personbegriff in trinitätstheologischer Hinsicht begründet und verwendet, ist es hilfreich, zunächst seine Theorie der metaphysischen Konstitution endlicher Personalität nachzuzeichnen, die dabei vorausgesetzt ist und auf die im Trinitätstraktat ausdrücklich verwiesen wird. Da entscheidende Aussagen dazu der Inkarnationstraktat unseres Autors liefert, haben wir hier ein erstes Beispiel für die noch häufiger zu berücksichtigende Tatsache vor uns, daß ein Glaubensgeheimnis von einem anderen her dogmatisch tiefer verstanden werden kann[3]. Vor allem aber gehören „Subsistenz" und „Person" ebenso wie „Suppositum" zu derjenigen Klasse von Begriffen, die nach den Feststellungen des Prooemiums von „De trinitate" im allgemeinen philosophischen Gebrauch stehen und deshalb von Suárez gar nicht ausführlich im Trinitätskontext entwickelt, sondern „aus der Metaphysik vorausgesetzt" werden[4], wo wir sie folglich in ihren Ursprungsbedeutungen aufzusuchen haben. Der diesbezügliche Schlüsseltext ist DM 34 („De prima substantia, seu supposito ejusque a natura distinctione"), auf dessen hohe

[2] Vgl. ähnliche Bemerkungen mit Blick auf die suárezische Christologie bei HÜNERMANN (1994) 258f.

[3] Vgl. Suárez, De incarnatione 3.1.7 (XVII, 40a-b).

[4] Vgl. De trin. Prooem. (I, 532): „Aliae vero, quae sunt communes Philosophis, ut persona, suppositum, subsistentia, relatio, et similes supponuntur a nobis ex metaphysica. Quomodo vero ad hoc mysterium applicentur, explicabimus."

theologische Relevanz der Autor zu Beginn selbst hinweist[5] und den wir deswegen ebenfalls heranzuziehen haben. Dagegen sind andere Passagen der suárezischen Philosophie, in denen es um die Rolle der Personalität in ethischer oder handlungstheoretischer Perspektive unter dem Leitbegriff des „ens morale“ geht und denen in genereller philosophiehistorischer Betrachtung hohe Bedeutsamkeit zugesprochen werden kann[6], trinitätstheologisch ohne Relevanz.

### *a) Das Grundproblem einer Metaphysik der Person*

Das Kernthema der metaphysischen Personbestimmung ist die Frage nach dem Formalkonstitutiv von Personalität: Was macht eine Person zur Person und unterscheidet sie von der Artnatur?

(1) Wie alle Autoren der Scholastik nimmt Suárez den Ausgangspunkt seiner Überlegungen bei der berühmten Persondefinition des Boethius: „Persona est naturae rationa(bi)lis individua substantia“[7]. Die darin aufscheinende Dualität von allgemeiner und individuierter Wesensnatur[8] erweitert sich unter den Anforderungen des christologischen Dogmas: Wenn Christus, wie schon die Väter lehren, die menschliche Natur als individuelle („in atomo“, wie es häufig heißt) in die Einheit seiner göttli-

[5] In den Vorbemerkungen zu DM 34 spricht Suárez von einer Disputation, die „für viele theologische Geheimnisse besonders notwendig ist“ ([disputatio] „ad plura Theologiae mysteria imprimis necessaria“): XXVI, 348a. Diese Erörterung gehört auch in philosophischer Hinsicht zu den wichtigsten Stücken der suárezischen Metaphysik; SOLANA (1948b) 72 urteilt: „Esta doctrina suareciana sobre el supuesto y la hipóstasis en las criaturas es, en mi entender, de lo mejor que escribió el Eximio Doctor.“

[6] Vgl. dazu GEMMEKE (1965) 84-93; CASTELLOTE CUBELLS (1976); OEING-HANHOFF (1988) 135; KOBUSCH (1987) 8: „Im Mittelalter wurde eine neue Seinsart neben ens naturae und ens rationis ontologisch entdeckt, die Seinsart des Moralischen (esse bzw. ens morale). Das moralische Sein ist das Sein der Freiheit oder der Sittlichkeit des Menschen. Im Mittelalter wurde das aufgrund der Freiheit Konstituierte ein »ens morale« genannt. Besonders F. Suarez hat den eigenen Seinscharakter dieser Seinsart gegenüber M. Cano und G. Vázquez herausgestellt, die sie als ein Gedankending cum fundamento in re behandelt hatten“; dazu auch ebd. 473ff. und KOBUSCH (1997) 55-66.

[7] Vgl. Boethius, Contra Eutychen III (Ed. Elsässer, 84). Zum boethianischen Personbegriff und seiner theologischen Verwendung vgl. mit weiterer Lit. BERGERON (1932) 126-141; SCHURR (1935) 14-74; HILBERATH (1986) 104-115; SCHLAPKOHL (1999) 63-106.

[8] Zum Verhältnis von Erst- und Zweitsubstanz vgl. auch Suárez, DM 33.1.1 (XXVI, 330a-b).

chen Person aufgenommen hat, kann Personalität nicht mit (abstrakt gefaßter) Individualität bzw. Singularität[9] und erst recht nicht mit der allgemeinen Wesensnatur als solcher zusammenfallen, sondern muß so gefaßt werden, daß die Annahme der individuierten Menschheit in die hypostatische Union als ein weiteres, nämlich als personales Bestimmungs- bzw. Vollendungsgeschehen verstehbar wird. Die Unterscheidung von Person und als solcher nicht subsistierender „natura substantialis (singularis)", die einer Letztdetermination durch eigene oder fremde Personalität bedürftig ist, gilt Suárez als sicheres Implikat der christlichen Inkarnationsoffenbarung, von dem er zugibt, daß die Vernunft allein seinen Inhalt vielleicht nicht hinreichend einzusehen vermag[10]. So formuliert der Theologe die Frage nach dem Unterschied zwischen „natura" und „suppositum" exakt nicht nur als Frage nach der Differenz zwischen Abstraktem und Konkretem bei der Bestimmung des Menschen im allgemeinen („homo" vs. „humanitas"), sondern auch als Frage nach dem Verhältnis des Abstrakten zum Konkreten „in singulari et particulari" („hic homo Petrus" vs. „haec humanitas" / „haec Petreitas")[11]. Das Wesen im Status der Individuierung[12] wird „Suppositum" bzw. „Person"[13], indem es auch noch die letzte ontologische Bestimmung, nämlich die der realen Existenz, erfährt: „Suppositum enim absolute dictum significat substanti-

[9] Dieses Argument verwendet Scotus in Ord. I, d. 2. p. 2, q. 1-4, n. 378 (Ed. Vat. II, 344f.).

[10] Vgl. Suárez, DM 34.1.7-8 (XXVI, 350a-b). Noch deutlicher formuliert zuvor Fonseca, Comm. in Met. l. 5, c. 13, q. 2, s. 2 (647E): „Ut enim incarnatio divini verbi certam nobis attulit cognitionem distinctionis suppositi a natura in praedicamento substantiae, quam nemo Philosophorum praesenserat...".

[11] Vgl. Suárez, DM 34.2.2 (XXVI, 353a-b).

[12] Vgl. ebd. als Bestimmung der „forma totius" (e. g. „haec humanitas"): „substantia singularis continens integram et completam essentiam individui seu suppositi in abstracto sumptam". „L'individuation apparaît donc comme le fait de l'essence se différenciant et se contractant d'elle-même et en elle-même jusqu'à accoucher de l'individualité. Ainsi que l'écrit J.-F. Courtine, «l'individuation ne survient pas à l'essence, elle contribue au contraire à la constituer»": OLIVO (1995) 163 mit Zitat aus COURTINE (1990) 517.

[13] Suárez faßt das Verhältnis dieser beiden Begriffe in der üblichen Weise und sieht sie nicht formal, sondern gleichsam nur material unterschieden; vgl. DM 34.1.13 (XXVI, 351b-352a): „persona idem est quod prima substantia vel suppositum, solumque determinat illam rationem ad naturam intellectualem seu rationalem." Wichtig ist aber der Hinweis ebd., daß die Geistnatur ein ihr entsprechendes und damit höherstehendes Subsistenzprinzip besitzt als nicht-geistige Supposita („subsistentiam habet sibi proportionatam et altioris rationis ab inferioribus naturis"). Personales Sein wird also bei Suárez auch ontologisch keineswegs einfachhin „naturdinghaft" verstanden.

am completam et totalem, atque omnino determinatam in genere substantiae"[14].

(2) In dem dreistufigen Bestimmungsverhältnis von allgemeiner Wesensnatur, individueller Natur und Person braucht auf die Beziehung der ersten beiden Glieder zueinander für unsere Thematik nicht ausführlich eingegangen zu werden. Wir belassen es darum bei einer knappen Skizze.

Daß die „zu personalisierende" Natur aus christologischen Gründen als bereits individuelle gedacht werden muß, hatte schon Scotus betont[15]. Suárez erklärt sich an früherer Stelle seiner Metaphysik, bei der Erörterung des Individuationsprinzips[16], mit Scotus darin einig, daß das Individuum der allgemeinen Natur eine positive Bestimmung hinzufügt[17]. Diese will er in Unterscheidung von der scotischen „haecceitas" jedoch nicht als eine reale verstehen, die eine „compositio ex natura rei" zur Folge hätte[18]. Die Unterscheidung zwischen Natur und Individuum resultiert vielmehr aus der Weise unseres Begreifens jenes Unterschieds, der zwischen Individuen als solchen besteht[19]. Individualität und Wesenheit sind

[14] Vgl. DM 34.5.58 (398b); dazu RUBIANES (1952) 3-8. In ähnlicher Weise erläutert auch Pedro da Fonseca, mit dessen großem Metaphysikkommentar die „Disputationes metaphysicae" des Suárez in dauerndem Dialog stehen, den Personbegriff (Comm. in Met. l. 5, c. 8, q. 5, s. 3 [II, 519D-E]): „Potest enim suppositum definiri substantia completa omnino determinata in suo genere. Nam, etsi omnis substantia singularis determinata est ad singularitatem, vel ex ipsa sua natura, ut essentia divina, vel per differentiam aliquam contrahentem et individuantem, ut quaelibet natura creata sub specie infima contenta: est tamen adhuc, sive creata illa sit, sive increata, determinabilis ad plura, in quibus sit, aut esse possit (quae supposita vocamus), ipsa autem in quibus est aut esse potest, ulteriorem determinationem in suo genere accipere non possunt". Dem entspricht die logische Variante der Suppositum-Definition: „Suppositum est omnino ultimum praedicationis subiectum, hoc est, quod nullo modo de pluribus naturali praedicatione dici potest" (ebd. [520A]).

[15] Vgl. WETTER (1967) 53.

[16] Vgl. Suárez, DM 5, bes. sect. 2 (XXV, 148a-161b). Dazu: MAHIEU (1921) 111-122; SIEGMUND (1928), bes. 172-179; FUETSCHER (1933) 185-280; MANSER (1949) 670f.; GRACIA (1979).

[17] Vgl. Suárez, DM 5.2.8 (XXV, 150a-b): „Dico primo: individuum aliquid reale addit praeter naturam communem, ratione cujus tale individuum est, et ei convenit illa negatio divisibilitatis in plura similia."

[18] Vgl. ebd. 9 (150b-151a) „Dico secundo: individuum, ut sic, non addit aliquid ex natura rei distinctum a natura specifica, ita ut in ipso individuo, Petro, verbi gratia, humanitas, ut sic, et haec humanitas, vel potius id, quod additur humanitati, ut fiat haec (quod solet vocari haecceitas, vel differentia individualis), ex natura rei distinguantur, et consequenter faciant veram compositionem in ipsa re. In hac assertione convenire debent omnes, qui opinionem Scoti impugnant...".

[19] Vgl. ebd. 14 (153a).

nur gedanklich voneinander unterschieden[20], weil die allgemeine Wesenheit (im Unterschied zu den realen Individuen) als solche überhaupt nur in unserem Denken real ist. Die gedankliche „Hinzufügung", mit der wir die „contractio" des allgemeinen Artbegriffs hin zum Individuum beschreiben, besagt letztlich nichts anderes, als daß das Individuum eine Entität ist, die jene beiden Hinsichten (des Allgemeinen und Individuellen) aus sich selbst heraus real besitzt, welche wir gedanklich in einem Additionsmodell einander zuordnen. Hier liegt die unübersehbare Wende zur Individualität, wie sie Suárez bei der Bestimmung endlicher Substanzen metaphysisch (und, wie leicht zu zeigen wäre, auch erkenntnislogisch) vornimmt. Der Wesensbegriff *als realer* ist darum für Suárez stets individuell und konkret. Der „Mensch" existiert real nur in Petrus oder Paulus, und in einem solchen Individuum ist die „differentia individualis" Teil des Wesens. Petrus und Paulus haben folglich nicht real, aber gedanklich dieselbe Wesenheit – was zugleich heißt: Sie haben real eine ähnliche Wesenheit. Von der Wirklichkeit her gibt es keine Konstitution des Menschen als Menschen im präzisen Sinne und für sich genommen, sondern stets nur als Petrus oder Paulus[21]. Es besteht in der Wirklichkeit kein eines und einziges Konstitutivum von Menschsein, das in Wirklichkeit bei allen Menschen gleich wäre, sondern es gibt nur viele verschiedene Konstitutiva der einzelnen Menschen, in denen „fundamentaliter" eine gleiche „ratio communis" angenommen wird „wegen der Übereinkunft und Ähnlichkeit", welche die Individuen untereinander haben. Es ist wiederum eine nur gedankliche Abstraktion, wenn wir diese ontologische Ähnlichkeit in einen einheitlichen allgemeinen Konstitutivbegriff „Menschsein" zu fassen suchen[22].

Damit ist jene Bestimmung von „substantia singularis" in Erinnerung gerufen, die Suárez voraussetzt, wenn er in DM 34, s. 2 die Frage stellt, was in formaler Hinsicht eine solche subsistieren läßt und damit im Falle der Geistnatur „Personalität" konstituiert[23]. Seine These entwickelt Suárez, indem er nicht weniger als sechs fremde Positionen diskutiert und abweist, die zu seinem eigenen Lösungsansatz wie untereinander in un-

[20] Vgl. ebd. 16 (153b): „Dico tertio, individuum addere supra naturam communem aliquid ratione distinctum ab illa, ad idem praedicamentum pertinens, et individuum componens metaphysice, tanquam differentia individualis contrahens speciem, et individuum constituens."

[21] Vgl. ebd. 32 (158b-159a).

[22] Vgl. ebd. 2.33 (159a).

[23] Zum allgemeinen Verständnis von „Subsistenz" bei Suárez vgl. DM 33.1.3 (XXVI, 331a). Als „ratio propria" des Begriffes hält Suárez in Abgrenzung zu anderen, teils etymologisch zu erklärenden Bedeutungsnuancen fest: „in se ac per se existere".

terschiedlicher Distanz stehen[24]. Durchgehendes Kriterium der Zuordnung ist die Frage, ob es etwas „Positives" ist, das die Natur hin zum Suppositum bzw. zur Person letztbestimmt und so das entscheidende Merkmal des Personalen, als das sich die Inkommunikabilität erweisen wird, bewirkt.

### *b) Die Abweisung eines rein gedanklich oder negativ gefaßten Personkonstitutivs (gegen Heinrich von Gent und Scotus)*

Daß allein diese Aufgabenstellung erneut auf den theologischen (näherhin christologischen) Kontext des ganzen Problems hindeutet, wird in der Kritik der ersten Position deutlich, die Suárez bei Aristoteles und vielen heidnischen Philosophen, aber auch einigen wenigen christlichen Denkern (wie Heinrich von Gent und Durandus[25]) vorfinden will. Nach ihr unterscheiden sich Natur (verstanden als „natura singularis") und Suppositum (d. h. diese Natur als subsistierende) sowohl abstrakt wie konkret gefaßt nur gedanklich, „ex modo concipiendi nostro"[26]. Für beide scholastischen Autoren ist dieses Referat zutreffend[27], wenn auch festgehalten werden muß, daß Durandus einer Modus-Theorie, die, wie noch

[24] Vgl. MAHIEU (1921) 249-264; RUBIANES (1952) 12-33; CASTELLOTE (1976) 191-201. Aufschlußreich ist der Blick in die parallele Diskussion von vier Lösungsansätzen bei Fonseca, Comm. in Met., l. 5, c. 8, q. 6 (II, 540B-556C).

[25] Vgl. Heinrich von Gent, Quodl. 4, q. 4 (Ed. Badius, fol. XCv-XCIv): „Utrum sint idem re natura et suppositum"; Durandus, 1 Sent. d. 34, q. 1: „Utrum suppositum et natura differant realiter in creaturis" (91vb-93ra).

[26] Vgl. Suárez, DM 34.2.4 (XXVI, 354a).

[27] Vgl. Heinrich, Quodl. 4, q. 4 (Ed. Badius, fol. XCIv): „Et patet ex iam dictis, quod essentiae sive naturae est identitas secundum rem cum eo, cuius est; et cum eo quod quid est de eo, secundum metaphysici considerationem. Quoniam solummodo differunt secundum rationem significandi et intelligendi modo abstracto, et concreto. (…) Idem enim re sunt humanitas et homo, sive ut considerantur a metaphysico, sive a physico". Diese Identität wird anschließend für die materiellen und immateriellen Substanzen im einzelnen begründet. Bezüglich Durandus vgl. 1 Sent. d. 34, q. 1 c., n. 15 (fol. 92rb): „Nihilominus alius modus dicendi quem credo veriorem, scilicet quod suppositum, et natura (hoc est concretum, et abstractum) sive accepta in universali ut homo, et humanitas, sive in singulari ut hic homo vel haec humanitas non important aliud de principali significato sed idem penitus, ex modo tamen significandi suppositum seu concretum aliquid connotat quod non connotat natura". Vgl. GOMEZ CAFFARENA (1958) 94-101; FLORES (2006) 150-153; hier 152: „Individuality is not something positive added to the essence; it is simply the way in which the essence exists actually, for what exists is the singular. Individuation is understood as a *division or negation* of the essence whereby it becomes indivisible in itself, yet divisible from others of its species."

zu zeigen ist, der suárezischen Lösung äußerst nahe kommt, ebenfalls eine hohe Wahrscheinlichkeit zuspricht. Auf jeden Fall scheidet eine formale Verschiedenheit zwischen Natur und Suppositum für Durandus aus[28].

(1) Suárez gesteht der These von der bloß gedanklich-modalen Differenz zwischen Suppositum und Natur eine gewisse Überzeugungskraft für die natürliche Vernunft zu, weist sie jedoch wie vor ihm schon Fonseca[29] aus theologischer Perspektive klar zurück, da sie jenen Unterschied zwischen Formbestimmung und Person verkennt, der den begrifflichen Kern des chalcedonensischen Dogmas ausmacht und dessen Mißachtung die Wurzel aller christologischen bzw. trinitarischen Häresien ist. Mit dem von Durandus angeführten Verweis auf einen bloß unterschiedlichen „modus significandi" im Vergleich zwischen der „menschlichen Natur" Christi und dem „Menschen Christus"[30] gibt sich der Jesuit demnach nicht zufrieden. Tatsächlich ist die Suárez eigentlich interessierende Frage nach dem Formaleigentümlichen des *subsistierenden* Konkreten nicht beantwortet, wenn Durandus das Suppositum schlichtweg mit dem „concretum" identifiziert, ohne dessen Unterschied zu der ebenfalls schon „in atomo" angenommenen Menschennatur Christi in der Union zu reflektieren, der letztlich nicht bloß zu einem eigenen „modus significandi", sondern zu einem besonderen „modus existendi" als Auszeichnung des Suppositum führen müßte. Für Suárez wird ebendieser in der Christologie sichtbar werdende Unterschied zum generellen Paradigma für die Suppositalitätsbestimmung. Die übernatürliche Gewißheit bei der Betrachtung des Glaubensmysteriums erlaubt eine verallgemeinernde Übertragung in die Metaphysik aller endlichen Substanzen hinein: Weil vom göttlichen Wort eine individuelle Menschennatur („humanitas singularis") angenommen wurde, die nicht zugleich ein endliches Suppositum („suppositum creatum") war, deutet dies auf einen prinzipiellen Unterschied zwischen Natur und Person im geschöpflichen Bereich hin, der die Kreaturen vom wesenhaft subsistierenden Gott, in dem die beiden Bestim-

[28] Vgl. zum durandischen Verständnis von Suppositum IRIBARREN (2005) 136-141.

[29] Vgl. Fonseca, Comm. in Met., l. 5, c. 8, q. 6, s. 1 (II, 540E). Zum Einfluß des Fonseca auf Suárez vgl. MAHIEU (1921) 41f.; ELORDUY (1955) (greift vor allem Beispiele aus den ersten Disputationes Metaphysicae auf), zur Metaphysikkonzeption insgesamt GIACON (1947) 49ff.; LEINSLE (1985) 97-110.

[30] Vgl. Durandus, 1 Sent. d. 34, q. 1 c., n. 26 (92vb): „Ad secundum dicendum quod natura humana in Christo est natura, et non suppositum non propter hoc quod natura et suppositum vel concretum, et abstractum important diversa de principali significato, sed quia concretum ex modo significandi intelligitur ut habens, quod autem innititur alteri non est habens ut sic, sed potius habitum, propter quod natura humana in Christo non dicitur homo sed humanitas."

mungsgrößen niemals trennbar sind, unterscheidet[31]. In seiner Christologie ist Suárez bemüht, die Annahme, daß der geschaffene Geist im geschöpflichen Suppositum generell „Natur“ und „eigene Subsistenz“ (in dem im folgenden noch näher zu erläuternden Verständnis als „modus intrinsecus“) zu unterscheiden vermag, gegen den Verdacht zu verteidigen, daß damit eine Art rationalen Beweises für das Inkarnationsdogma geliefert würde[32]. Die Unterscheidbarkeit in konstitutionslogischer Hinsicht ist nämlich seiner Ansicht nach nicht gleichbedeutend mit einer Erkenntnis der realen Trennbarkeit bzw. konkret: der Möglichkeit, eigene durch fremde Subsistenz zu ersetzen. In diesem Geschehen aber liegt das Wunderbare der hypostatischen Union, und in seinem Begreifen stößt die Fähigkeit des kreatürlichen Verstandes, die diesbezügliche Allmacht Gottes und die „capacitas oboedentialis“ der Geschöpfe miteinander zu verbinden, an eine Grenze.

(2) Wesentlich ausführlicher ist die Widerlegung, die Suárez dem zweiten Vorschlag zu einer metaphysischen Bestimmung von Personalität zuteil werden läßt, wie er von Johannes Duns Scotus vorgelegt wurde und vor allem unter den Nominalisten zahlreiche Anhänger gefunden hat (u. a. Aureoli, Gabriel Biel[33]), aber auch in der Jesuitenschule der nachtridentinischen Zeit nicht ohne Einfluß geblieben ist[34].

[31] Vgl. Suárez, DM 34.2.5-6 (XXVI, 354a-b).

[32] Vgl. De incarnatione, 3.1.4 (XVII, 39a-b), mit dem Fazit: „Nullum ergo est principium in assumpta natura, quo evidenter constet hoc mysterium esse possibile“.

[33] Ich übernehme mit dem Nominalismus-Begriff die Klassifizierung, die Suárez selbst benutzt. Heutige Interpreten bevorzugen mit Blick auf Biels Theologie eher Charakterisierungen wie „ockhamistisch“ oder „spätfranziskanisch“; vgl. WERBECK (1998) 30.

[34] Vgl. vor allem Molina, Comm. in I$^{am}$ q. 29, disp. 2 (450C): „Est ergo tertia opinio Scoti 1 d. 23 et 25, quam amplectendam censeo, asserentis, vocabulum *persona*, de formali significare in concreto incommunicabile naturae rationalis: supponere vero pro rebus realibus, quibus convenit huiusmodi incommunicabilitas. Porro incommunicabilitas negatio quaedam est, aut si mavis (atque hoc censeo probabilius) dic, sicut unum de formali dicit indivisionem in ente, eaque de causa includit ens, et addit indivisionem, et ob id unum numero est ens indivisum in se, et divisum a quocunque alio: ita suppositum dicere individuam seu incommunicabilem substantiam in suo significato formali, et addere incommunicabilitatem, per quam contrahitur ad esse suppositum. Personam vero addere supra suppositum, quod sit naturae rationalis.“ Auch das Personalitätsmodell des Jesuiten Claude Tiphaine († 1641), der einen eigenen ausführlichen Traktat „De hypostasi“ veröffentlicht hat, in dem er vor allem gegen die Modus-Theorie der Subsistenz, wie wir sie bei Suárez kennenlernen werden, polemisiert, kann als eine Rückkehr zur scotischen Grundkonzeption verstanden werden. Vgl. PARENTE (1938) 88; CAROSI (1940) 401f.; KAISER (1968) 188-202; PIOLANTI (1995) 143-151.

(a) Seine Grundthese lautet nach Suárez: Das geschaffene Suppositum fügt der singulären Natur nichts Positives hinzu, sondern bloß die doppelte Negation aktueller und möglicher (aptitudinaler) Abhängigkeit von einem (anderen) Suppositum[35]. Leitend ist dabei die Persondefinition Richards von St. Viktor (Person als „incommunicabilis existentia")[36], die allerdings von den Scholastikern durchweg nicht als Gegensatz, sondern als Ergänzung bzw. Verdeutlichung der boethianischen Definition angesehen wurde[37], da man die „individua substantia" des Boethius im Sinne der aristotelischen „substantia prima" deutete, die selbstverständlich inkommunikabel ist[38]. Indem man also die boethianische „substantia individua" als „individuum *subsistens*" verstand, hatte man die bei Richard und auch bei Scotus geäußerte Kritik an der Boethius-Definition – weil in Gott alles „substantiell" ist, kann Substantialität niemals personales Unterscheidungskriterium sein – so in diese selbst integriert, daß die Formel problemlos beibehalten werden konnte. Nicht die Individualität oder Singularität einer Substanz, so macht Scotus klar, kann bereits das Merkmal von Personalität sein, sondern nur deren subsistenzbedingte Inkom-

[35] Vgl. Suárez, DM 34.2.8 (XXVI, 355a): „negationem dependentiae actualis et aptitudinalis ad aliquod suppositum". Die von Scotus in Ord. I, dist. 2, q. 2, a. 1-4, nn. 380f. (Ed. Vat. II, 345f.) vorgenommene Differenzierung möglicher Kommunikabilität nach „ut quod" und „ut quo" wird bei Suárez nicht eigens aufgegriffen; daß faktische Inkommunikabilität für göttliche wie kreatürliche Personen in beiden Hinsichten zu verstehen ist, steht freilich fest. Suárez nimmt seine Belegstellen hier einzig aus der scotischen Inkarnationslehre.

[36] BURGER (1996) 320 faßt zusammen: „Ausgehend von der Persondefinition des Richard von St. Viktor bestimmt Scotus Personalität in der Trinitätslehre durch zweifache Unmitteilbarkeit. Zum einen ist es die Unmitteilbarkeit ‚ut quod'. die bereits dem Singulare zukommt; zum anderen ist es die Unmitteilbarkeit ‚ut quo', als Form, die als solche Letztbestimmung ist. Erst die Kombination beider Formen der Negativbestimmung erlaubt eine hinreichende Definition der Person." Vgl. auch WETTER (1967) 272f.; LAURIOLA (1999); CROSS (2005) 158-163. Zur Definitionsformel Richards vgl. aus der reichen Literatur: WIPFLER (1965) 53-101; DEN BOK (1996) 203-282; SCHNIERTSHAUER (1996) 147-177; CACCIAPUOTI (1998) 220-224; MÜHLING (2005) 162-167.

[37] Vgl. Molina, In I$^{am}$ q. 29, disp. 1 (448a): „Utraque definitio eumdem sensum habet". Vgl. die gegenüber der Richardischen Definition nicht ablehnenden, aber etwas vorsichtigeren Bemerkungen bei Thomas, S. th. I, 29, 4 ad 4; dazu: EMERY (2004c) 137f. Zum Verhältnis von richardischer und boethianischer Bestimmung siehe auch MICHEL (1922) 409; BALTHASAR (1985) 123-130; MÜHLEN (1988) 33-44; GRESHAKE (2001) 101-111.

[38] Vgl. etwa die thomanische Zitierung Richards in S. th. III, 29, 3 ad 4. Eine nachdrückliche Bestätigung und Aufwertung erfuhr die Persondefinition Richards durch ihre Verwendung auf dem Konzil von Florenz (vgl. Johannes a S. Thoma, Cursus theol., Disp. 14, a. 1, n. 3 [IV, 237b]).

munikabilität[39]. Die im ursprünglichen Wortlaut des Boethius nicht auszuschließende Möglichkeit, Personalität auch solchen Entitäten wie der vom Leib getrennten Seele, der menschlichen Natur Christi oder dem göttlichen Wesen unter Absehung von den drei Supposita zuzuschreiben, ist folglich schon bei Scotus mit der von Richard her gewonnenen präzisierenden Korrektur abgewiesen[40].

Es fällt auf, daß Suárez in seinem Referat Unsicherheiten der scotischen Personbestimmung, wie sie daraus erwachsen, daß der Franziskaner neben dem negativen Bestimmungsmoment „Inkommunikabilität" auch das positive der personalen „Würde" kennt, unerwähnt läßt[41]. Dieses Kriterium spielt für den Jesuiten im Kontext der metaphysischen Personbestimmung keine erkennbare Rolle. Den argumentativen Ausgang der scotischen These in der Christologie weiß Suárez dagegen klar herauszuarbeiten[42]. Daß die Menschheit Christi mit dem göttlichen Wort verbunden ist, beweist nach Scotus, daß sie für sich genommen kein Suppositum sein kann – mehr als diese Negativbestimmung scheint folglich nicht erforderlich zu sein, um das Inkarnationsmysterium zu erklären. Wenn Scotus neben dem Ausschluß der aktuellen auch die Negation der bloß möglichen Abhängigkeit von einem Suppositum in die Personbestimmung aufnimmt, geschieht dies nach Suárez mit Blick auf die menschliche Seele, die nach der Trennung vom Leib deswegen nicht zum Suppositum wird, da ihr die Möglichkeit einer erneuten Aufnahme in die Personeinheit als naturentsprechende Möglichkeit erhalten bleibt („quia apta est pendere a supposito"). Auf den Einwand, daß mit dieser Bestimmung ausgeschlossen werde müßte, daß die in eigener Personalität subsistierende Menschheit in die Einheit mit einer göttlichen Person aufgenommen werden könnte, weil die menschliche Natur als menschlich personale die definitorisch abgesicherte „negatio dependentiae aptitudinalis" auch gegenüber Gott besitzt, kann Scotus nach Suárez mit einer begrifflichen Distinktion antworten: Tatsächlich ist die genannte Möglichkeit, in eine göttliche Person aufgenommen zu werden, für die geschöpfliche Natur nichts Natürliches, sondern sie ist ihr nur im Sinne der reinen „potentia

[39] Vgl. auch die Bemerkungen zum Verständnis der boethianischen Definitionsformel bei Fonseca, Comm. in Met. l. 5, c. 8, q. 5, s. 3 (II, 519C): „Nam, cum persona minus late pateat, quam suppositum, sane detractis illis verbis: *Rationalis naturae*, remanet definitio propria suppositi (...): ita tamen, ut verbum *individua*, non idem valeat, quod *singularis*: sed idem, quod *incommunicabilis*, ut ab omnibus exponitur."

[40] Vgl. Scotus, Ord. I, d. 23, q. un., n. 15 (Ed. Vat. V, 355f.). Dazu: SCHLAPKOHL (1999) 162-169; SCHMIDT (2003) 273-282.

[41] Vgl. BURGER (1994) 79f.

[42] Für Scotus bestand kein Zweifel an der Univozität des Personbegriffs in Christologie und Trinitätslehre; vgl. BURGER (1996) 320.

(oboedentialis)", einer Nicht-Repugnanz gegenüber dem Wirken Gottes zueigen. Selbst nach vollzogener Union muß man im Blick auf die angenommene Natur weiterhin von einer „negatio aptitudinis naturalis" sprechen, die jedoch den Verlust der eigenen Personalität im übernatürlichen Geschehen nicht ausschließt. So ist der Einwand nicht geeignet, die zweifache Negation von Kommunikabilität, betreffend die „communicatio actualis" und „aptitudinalis", als entscheidendes Kriterium eines für Gott und Geschöpfe univoken Personbegriffs zu erschüttern[43]. Mit dieser Wiedergabe hat Suárez die scotische Verhältnisbestimmung der drei prinzipiell möglichen Abhängigkeitsformen („dependentia actualis, aptitudinalis, potentialis") gut getroffen.

Ihr Votum für das Hinreichen einer im dargestellten Sinn negativen Bestimmung von Personalität begründen die an Scotus anknüpfenden Theologen vor allem mit dem Hinweis auf Schwierigkeiten, mit denen alle Gegenthesen zu kämpfen haben, wenn sie ein positives Konstitutionselement behaupten. Nicht nur ist dessen Bestimmung gegenüber der Wesenheit generell problematisch, sondern es ergibt sich im besonderen das christologische Problem, daß Christus unter dieser Voraussetzung offenbar in der Inkarnation nicht alles angenommen hat, was zum Menschen gehört: Die höchste Perfektion des Menschseins, die mit diesem normalerweise untrennbar verbunden ist, nämlich eigene Subsistenz, scheint Christus zu fehlen. Die menschliche Natur Christi bestünde geradezu „gewaltsam" in der Einheit mit dem göttlichen Wort, weil ihr etwas vorenthalten wäre, das als „positiva perfectio connaturalis" zu qualifizieren ist[44]. Dies wird auch daran erkennbar, daß man im Falle einer Loslösung der göttlichen Person von der menschlichen Natur – ein in der nachtridentinischen Theologie regelmäßig durchgespieltes Gedankenexperiment – die Hinzufügung ebendieses fehlenden Elements ansetzen müßte, damit das Fortbestehen des Menschen außerhalb der Union möglich wäre. Beide Schwierigkeiten wären vermieden, wenn man mit Scotus Personalität bloß negativ als Nicht-Einung bzw. Nicht-Einbarkeit einer Natur mit einem weiteren Suppositum verstünde.

(b) Suárez unternimmt eine Widerlegung dieser Ansicht in fünf Schritten, wobei die theologische Argumentation der philosophischen deutlich vorgeordnet ist.

[43] Vgl. Scotus, Ord. III, d. 1. p. 1, q. 1, n. 50 (Ed. Vat. IX, 22f.); MINGES (1930) II, 219-231; HAYEN (1955); WÖLFEL (1965) 70-80; WETTER (1967) 53f.; BURGER (1994) 84ff.; BURGER (1996) 320ff.; WALD (1996) 171ff.; CROSS (2005) 160-163.

[44] Vgl. Suárez, DM 34.2.9 (XXVI, 355a-b): „Sequitur deinde humanitatem Christi carere aliqua perfectione maxima, connaturali homini, quod etiam videtur inconveniens."

(aa) Wenn die „ratio formalis" des Suppositum in einer Negation besteht, kann das Geheimnis der Trinität nicht verstanden werden. Diese Tatsache sieht Suárez letztlich auch in der scotischen Trinitätslehre anerkannt – mit Recht, wie wir später noch zu zeigen haben. Denn daß die drei göttlichen Personen bloß durch drei Negationen konstituiert werden, hält der Doctor Subtilis selbst für so unwahrscheinlich, daß er zur Annahme von absoluten Personkonstitutiva neigt. Nach Suárez muß Entsprechendes aber auch im geschöpflichen Bereich gelten. Hier fällt erstes Licht auf seinen eigenen Personbegriff und dessen Nutzbarmachung für die Trinitätstheologie: Eine jede göttliche Person fügt der (göttlichen) Natur trotz deren absoluter Subsistenz etwas Positives hinzu; dieses kann freilich wegen der Vollkommenheit Gottes nur etwas Relatives sein, weil in Gott nichts Absolutes gänzlich inkommunikabel sein kann[45]. Damit ist – unter ausdrücklicher Beibehaltung des scotischen Inkommunikabilitätskriteriums – ein Verständnis der göttlichen Personen als voneinander positiv, vom Wesen jedoch nur gedanklich unterschiedener subsistenter Relationen vorbereitet, das im Trinitätstraktat näher auszufalten sein wird. Das vorerst Entscheidende ist – nun gegen Scotus – der trinitätstheologisch unbezweifelbare Charakter des Personkonstitutivs als einer die suppositale Inkommunikabilität erst begründenden *positiven* Entität, die so auch, ja erst recht im kreatürlichen Bereich anzusetzen ist[46]. Dort ist sie allerdings – wegen der geschöpflichen Unvollkommenheit – anders als in Gott ein Absolutum, das zudem als Folge der Nicht-Subsistenz geschöpflicher Naturen als solcher vom Wesen real unterschieden sein muß[47]. Für eine spätere Explikation ist zu notieren: In Gott ist alles Absolute kommunikabel wegen Gottes unendlicher Vollkommenheit, weshalb Personalität nur *via relationis* konstituiert werden kann; im Geschöpf dagegen, so wird ebenfalls in der Bestimmung von Personalität klar, gibt es wegen der kreatürlichen Unvollkommenheit Absolutes als Inkommuni-

[45] Vgl. dazu auch DM 30.5.6 (XXVI, 88a): „Est enim tanta perfectio et eminentia illius naturae [sc. divinae], ut nulla perfectio absoluta potuerit in ea esse omnino incommunicabilis; ut ergo quasi determinaretur ad incommunicabile suppositum, necessaria fuit relatio. Atque etiam ut in illa natura esse posset suppositorum distinctio, et interna processio unius ab alio, quod ad foecunditatem, et infinitatem illius naturae pertinebat."

[46] Vgl. dazu auch die ausführliche Beschreibung personaler Inkommunikabilität und ihrer Funktion in verschiedenen Formen der „communicatio" in De incarnatione 11.3.8-9 (XVII, 443a-b). Zum suárezischen Verständnis von Kommunikabilität und Inkommunikabilität in ontologischer Hinsicht: ITURRIOZ (1949) 307-315.

[47] Vgl. Suárez, DM 34.2.10 (XXVI, 355b-356a): „si ergo in divinis persona addit naturae aliquid positivum, quamvis ratione tantum distinctum, ergo etiam in creatura addit aliquid positivum, in re tamen distinctum, propter imperfectionem creaturae."

kables. Der Effekt der „Personalisierung“ der Natur ist jedoch im Falle Gottes wie des Geschöpfs derselbe und deutet auf die Bedeutungskonstante von Personalität hin: durch ihre Hinzufügung wird ein Wesen inkommunikabel. Das Suppositum kann vermittels ihrer definiert werden als „res incommunicabiliter subsistens“. Daß die Übertragung von Gott auf die Kreatur letztlich auf dem Hintergrund der Schöpfungstheologie geschieht, in der die geschaffene Person als „quaedam participatio increatae personae“ konzipiert werden darf, ist dabei für Suárez auch im philosophischen Kontext offensichtlich kein besonderes Problem.

(bb) Sein zweites Argument gegen Scotus bezieht Suárez aus der Betrachtung der Inkarnation, näherhin „ex parte Verbi“[48]. Wenn das göttliche Wort nicht durch eine positive Personalität bzw. Subsistenz konstituiert würde, wäre nicht zu verstehen, daß es eine ihm fremde Natur annähme. Eine Natur könnte nämlich keiner Negation verbunden werden, da diese als solche nicht formaler Terminus einer realen Union sein kann. Wiederum schließt Suárez von der göttlichen Person auf die entsprechende Konstitution geschöpflicher Personalität. Mit Blick auf die Nominalisten verstärkt sich das Argument: Wenn diese annehmen, daß sogar ein geschaffenes Suppositum durch ein Wunder Gottes in der Lage wäre, eine fremde geschöpfliche Natur zu terminieren[49], müßte dabei erst recht geschöpfliche Subsistenz als etwas Positives vorausgesetzt werden, damit eine derartige „assumptio“ vorstellbar würde. Suárez macht aus der These einer möglichen hypostatischen Union im Bereich des rein Geschöpflichen durch die Wendung ins Christologische ein weiteres Argument für seine Kritik an Scotus. Es kann nämlich gefragt werden, ob in der Menschheit Christi (sofern sie in der Einung mit dem Wort steht) jenes Positive vorhanden ist, wodurch eine geschaffene Person nach Meinung der genannten Autoren in der Lage sein soll, eine fremde geschaffene Natur zu terminieren. Ist dies nicht der Fall, so ist bewiesen, daß die geschaffene Personalität etwas Positives über die Natur hinaus hinzufügt. Trifft aber das Gegenteil zu, dann müßte in der Menschheit Christi eine geschaffene Subsistenz vorhanden sein oder aber die hypostatische Union nicht „ad subsistentiam“ zielen. Beides ist absurd. Damit zeigt sich erneut,

[48] Vgl. ebd. 11 (356 a-b).

[49] Vgl. etwa Ockham, Rep. IV, q. 8 (OTh VII, 138); ADAMS (1987) 982f. Suárez stellt diese These ausführlicher dar in De incarnatione, 13.4.1 (XVII, 490b) und unterzieht sie anschließend einer Kritik auf der Grundlage seiner eigenen Subsistenztheorie. An anderer Stelle vergleicht der Jesuit die Unmöglichkeit, daß eine Kreatur eine andere durch ihre Subsistenz terminiert, mit der geschöpflichen Unfähigkeit, ursächlich in der Inkarnation beteiligt zu sein (De incarnatione 10.1.2-3, XVII, 387b-388a).

daß eine ontologische Letztbestimmung der Natur („terminatio") zur inkommunikablen Subsistenz nicht durch eine Negation, sondern nur „per positivum" möglich ist. Es ist dieses Positive, das in der hypostatischen Union der Menschheit Christi (für sich allein betrachtet) fehlt.

(cc) Auch drittens argumentiert Suárez christologisch, diesmal aber „ex parte humanitatis assumptae"[50]. Nach der Lehre der Väter und Konzilien hat das göttliche Wort die Menschheit, nicht einen Menschen im Sinne einer geschaffenen Person angenommen. Dies ist nur zu verstehen, wenn man im Menschen außer der menschlichen Natur etwas Reales annimmt, welches das Personsein konstituiert und durch die Einung mit dem Wort in der Menschheit Christi nicht zur Ausbildung kommt, weil in seinem Falle das göttliche Wort die menschliche Personalität ersetzt. Die Aussage „Christus hat keine Person angenommen" ist eben nicht gleichbedeutend mit der Aussage „Christus hat keine Natur ‚sine unione' angenommen", wie es der Scotus-These entspräche. Diese steht nach Suárez sogar in einer unmittelbaren Häresiegefahr: Indem sie lehrt, daß die natürlicherweise ohne weitere positive Bestimmung als personal zu verstehende Menschennatur in der Einung mit dem Wort ihre Personalität verliert, legt sie zugleich nahe, daß auch das Wort (ebenfalls ohne Verlust irgendeiner positiven Eigentümlichkeit) in der Einung nicht mehr als solches personal ist, sondern allein unter der Bedingung der Einung. Person wäre dann eben nicht mehr das Wort als solches, sondern das „compositum ex humana natura et Verbo". Damit aber geriete die göttliche Person in eine inakzeptable Seinsabhängigkeit von der Union und damit von der geschöpflichen Natur[51]. Dasselbe versucht Suárez nochmals von einem anderen Blickwinkel aus zu zeigen. Für die Menschheit bedeutet die bloß negative Persondefinition, daß sie in ihrer Existenz nicht unmittelbar vom Wort abhängig sein kann; denn sie besitzt ja weiterhin alle positiven Konstituentien, um selbst Person zu sein, was sich darin zeigt, daß sie unter der Annahme einer Auflösung der Union in scotischer Sicht keiner weite-

[50] Vgl. Suárez, DM 34.2.13 (XXVI, 356b-357a). Das Argument findet sich auch bei Fonseca, Comm. in Met., l. 5, c. 8, q. 6, s. 2 (II, 542C).

[51] Vgl. Suárez, DM 34.2.13 (XXVI, 357a): „Confirmo vim hujus rationis, nam sequitur ex opinione Scoti, etiam Verbum ipsum ut sic, post unionem, non esse personam, sed solum compositum ex natura humana et Verbo, quod est aperte haereticum. Sequelam probo, quia in humana natura manet omnis res, et omnis modus realis, qui est in creata persona, et tamen desinit esse persona solum quia unitur; ergo, e contrario, Verbum quia unitur, non erit persona, etiamsi nulla re vel modo reali privetur." Dieser Gedanke bleibt unbeachtet, wenn OLIVO (1993) 88 feststellt, bei Suárez werde durch den Subsistenzbegriff die Zusammensetzung der hypostatischen Union letztlich auf eine Stufe mit der kompositorischen Konstitution aller Hypostasen aus ihren Teilsubsistenzen gestellt.

ren Kausalität oder Realität bedürfte, um ihr Sein zu bewahren, vielmehr durch das bloße Fehlen der Einung alles besäße, was ihr zur Subsistenz in eigenem Sein notwendig ist. Wenn folglich die Abhängigkeit vom Wort in der Union nicht unmittelbar die Menschheit *als solche*, sondern die *Einung* von Menschheit und Wort betrifft, folgt indirekt wiederum eine Abhängigkeit des Wortes von der Menschheit, da der Begriff von Personalität an die Einung der beiden Naturen gebunden wird[52]. Bestätigung schafft dem Jesuiten ein nach Nominalistenart konstruiertes Gedankenexperiment im Ausgang von der Prämisse, daß eine geschaffene Person, etwa Petrus, die Natur einer anderen geschaffenen Person, etwa Paulus, zur Subsistenz terminieren könnte. Dann nämlich würden in der Einung beide Naturen gleichermaßen voneinander abhängen. Von beiden würde, setzt man die scotische Definition voraus, in der Einung das die Personalität ausmachende Kriterium in Form der „negatio dependentiae" fortgenommen, und man könnte genauso gut sagen, daß Petrus die Natur des Paulus annimmt wie umgekehrt. Da diese Bestimmung im Fall der hypostatischen Union Christi für das göttliche Wort nicht zutreffend sein kann, ist auch das bloß negative Bestimmungskriterium für Personalität insgesamt als unzureichend erwiesen.

(dd) Ein viertes Argument beruft sich auf die Exzellenz der Menschheit Christi gegenüber jeder in menschlicher Personalität subsistierenden Menschennatur. Unter dem Negativkriterium des Scotus, so lautet der Vorwurf des Jesuiten, wäre ein solcher Unterschied in puncto Substantialität nicht mehr auszumachen[53]. Es ergäbe sich, daß die Menschheit Christi ebenso vollständige Substanz wäre, wie es die Person des Paulus oder Johannes ist. Wieder steht im Hintergrund die Intention aufzuzeigen, daß es absurd ist, eine Negation zur Konstitutionsbedingung vollständiger Substanzen zu erklären: „quia negatio ut negatio nihil est". Stattdessen muß das, was das geschaffene Suppositum der individuellen geschaffenen Natur hinzufügt, für die geschaffene Substanz ein positives Element der Vervollständigung und Vervollkommnung sein. Es hat sogar als „magna perfectio" zu gelten, damit eine Natur so „ad subsistendum" angenommen werden kann, daß ihre eigene Subsistenz durch eine fremde ersetzt wird, die dann notwendig der unterdrückten eigenen Personalität gegenüber eine „edlere" ist. Der Unterschied des Menschen Christus ist aufgrund dieser einzigartigen Subsistenz gegenüber allen anderen menschlichen Personen leicht zu bestimmen.

(ee) In einem fünften und letzten Schritt verweist Suárez auf die generelle metaphysische These, daß eine Negation, die einem Ding innerlich

[52] Vgl. Suárez, DM 34.2.14 (XXVI, 357a-b).
[53] Vgl. ebd. 15 (357b).

ist, immer in einer „ratio positiva" wurzeln muß[54]. Dabei beruft er sich auf Scotus selbst, der lehrt, daß das Individuum dem Artbegriff eine positive Differenz hinzufügt, weil die resultierende Singularität einen positiven Grund haben muß. Angespielt ist hier auf die scotische Lehre von der „haecceitas" als dem positiven Formalkonstitutiv in der Individuierung einer Natur. Gleiches hat dann auch für die Inkommunikabilität zu gelten, wie sie zum Wesen des Suppositum gehört und das Individuum nach Suárez in weiterer und letzter Hinsicht ontologisch bestimmt.

(3) Am Ende dieser gegen Heinrich bzw. Durandus einerseits und Scotus andererseits geführten Doppelkritik steht fest: Das Suppositum bezeichnet in formaler Hinsicht nicht eine Negation (ähnlich Begriffen wie „separatum" oder „tenebrosum"), sondern etwas Positives, das ebenjene in der Inkommunikabilität bestehende Negation begründet, deretwegen das Suppositum „inassumptibile" genannt wird. Während sich Suárez mit Scotus über das entscheidende Kennzeichen von Personalität einig ist, hält er die definitorische Bestimmung des Franziskaners in konstitutionslogischer Hinsicht für defizient. Wenn Suárez gegen Scotus ein positives Konstitutivum der Suppositalität fordert, hat dies aber auch inkarnationstheologisch Konsequenzen: Es bedeutet, daß eine Natur exakt nur ohne jenes „positivum" angenommen werden kann, das sie zum Suppositum macht. Da die geschaffene Natur selbst aus Materie und Form zusammengesetzt ist, muß es sich bei dem Formalkonstitutiv um eine Entität handeln, die dem schon vorausgesetzten Kompositum hinzugefügt ist[55]. Von der Christologie her ist weiterhin zu postulieren, daß das Fehlen dieser Entität die menschliche Natur als solche nicht unvollkommen machen darf, damit die angenommene Menschheit Christi keiner naturalen Perfektion entbehrt und das „wahre Menschsein" unangetastet bleibt. Ein christologisches Problem ergibt sich so lange nicht, wie man bei der Menschheit des Herrn nach der Einung nur das Fehlen ihres konnaturalen (geschöpflichen) Subsistenzmodus zu konstatieren hat und man bei der Annahme einer Loslösung der Menschheit Christi aus der Einheit mit dem göttlichen Wort konsequenterweise die Hinzufügung ebendieser in der hypostatischen Union fehlenden geschöpflichen Subsistenz verlangen müßte. Denn durch die Subsistenz des Wortes wird die Menschheit auf edlere Weise („nobiliori modo") in die personale Existenz geführt, als sie es von sich aus vermöchte[56], ja sie erfährt die höchste Form göttlicher Beschenkung („communicatio bonitatis"), die außerhalb Gottes und der

[54] Vgl. ebd. 17 (358a-b).
[55] Vgl. Suárez, DM 34.2.19 (XXVI, 358 b-359a).
[56] Vgl. ebd.

„communicatio divinitatis" in den innergöttlichen Hervorgängen überhaupt denkbar ist[57].

Doch ist mit diesen Feststellungen nur eine erste Stufe der Personbestimmung erreicht. Im Ausschlußverfahren ist durch Zurückweisung einer bloß negativen ontologischen Personbestimmung die Unumgänglichkeit eines positiven Modells erwiesen worden. Ungeklärt bleibt jedoch die Frage, welcher ontologische Status der von Suárez postulierten positiven, realen Entität zukommen soll, die als Letztbestimmung die Natur formal einschließt, folglich nicht ohne die Natur gedacht werden kann, von ihr jedoch (im geschöpflichen Bereich) zugleich real verschieden ist[58]. Die für dieses Formalkonstitutiv gebräuchlichen Namen – „personalitas", „suppositalitas" oder „subsistentia creata"[59] – beschreiben zwar ihre positive Funktion, aber noch nicht den gesuchten Status. Seiner Bestimmung und Erläuterung widmet Suárez die folgenden Sektionen der 34. metaphysischen Disputation.

[57] Vgl. etwa auch De incarnatione, q. 1, n. 7 (XVII, 35a): „Nam in hoc mysterio [sc. Incarnationis] communicat Deus naturae creatae ipsammet increatam et infinitam perfectionem quam in se habet; communicando illi divinam personam substantiali et personali communicatione, qua nulla major excogitari potest, quia essentialis communicatio divinitatis extra divinas personas fieri nullo modo potest...".

[58] Vgl. Suárez, DM 34.2.20 (XXVI, 359a).

[59] Der bei RAHNER (1967) 391f. in diesem Zusammenhang erwogene Begriff „subsistentialitas" kommt in der scholastischen Debatte nirgends vor. Da „subsistentia", wie Rahner selbst weiß, anders als oft noch bei Thomas (vgl. Thomas, S. th. III, q. 2, a. 3: „Subsistentia autem idem est quod res subsistens") spätestens seit Cajetan gewöhnlich als Abstraktum gebraucht wird (vgl. FRANZELIN [1874] 378, mit Anm. 1; der abstrakte Gebrauch setzt sich seit dem 13. Jahrhundert zunehmend durch: MICHEL [1922] 408), nämlich als Begriff für die Daseinsweise des (konkreten) Suppositum, hat man in der Scholastik vor Rahner an einer solchen Begriffsbildung kein Interesse gezeigt. Als eigenes Konkretum kommt „Subsistenz" für Suárez wegen ihres rein modalen Charakters gar nicht in Frage. In Rahners Verwendung, nämlich als Explikationshilfe seiner trinitarischen Personbestimmung („distinkte Subsistenzweise"), braucht man sich an dem neoterischen Wort „subsistentialitas" allerdings nicht weiter zu stören. Daß sich die Scholastiker zur Zeit des Suárez der Differenz zwischen ihrer (abstrakten) Verwendung von „subsistentia" gegenüber dem Wortgebrauch der Väter durchaus bewußt waren, beweist die einleitende Bemerkung des Vázquez in Comm. in I$^{am}$ 125.1.1 (II, 135b): „Nomen subsistentia alio modo usurpatur a Theologis Scholasticis, ut infra dicemus, quam a Conciliis, et sanctis Patribus. Nam subsistentia apud Patres, et Concilia accipitur pro ipso supposito, quod subsistit: at Scholastici nomine subsistentiae significarunt, non id, quod subsistit, sed rationem ipsam, et actum subsistendi".

## 2) Die positive Bestimmung von Personalität als letztem Existenzmodus einer Wesensnatur

### *a) Personalisation durch Individuation? Die These des Thomas von Aquin in der Sicht des Suárez*

Am Anfang der näheren Bestimmung jener Entität, die das spezifisch Personale konstituieren soll, sucht Suárez die Auseinandersetzung mit Thomas von Aquin. Bekanntlich hat der Aquinate die Frage nach dem Konstitutivum von Suppositalität in der zur Zeit des Suárez diskutierten Form noch nicht explizit gestellt[60]; die Interpreten sind deswegen darauf angewiesen, seine Position aus Äußerungen in verschiedenen anderen Kontexten zu rekonstruieren. Hier liegt die Wurzel für die unterschiedlichen Subsistenzmodelle[61], wie sie mit Berufung auf Texte des Thomas selbst innerhalb der engeren thomistischen Schule entwickelt worden sind und hier bis in die Neuscholastik des 20. Jahrhunderts hinein zu heftigsten Kontroversen geführt haben[62].

Nach Suárez, der vor allem auf S. th. III, 2, 2 rekurrieren dürfte, scheint Thomas das Prinzip der Individuation als einzigen Unterschied zwischen Natur und Suppositum geltend zu machen. Da dieses Prinzip seiner Lehre gemäß die Materie ist, folgt daraus für die Unterscheidbarkeit nichtmaterieller Geschöpfe die bekannte These von der Verwirklichung jeder Art in einem einzigen Individuum und Suppositum[63]: Der Engel Gabriel ist identisch mit seiner „Gabrielitas"[64] und bildet damit eine eigene Species in der Gattung der reinen geschaffenen Geister. Sein Unterschied zu Gott ist – anders als im Falle der zusammengesetzten Naturen – nicht auf der Ebene der individuellen Wesenheit, sondern allein auf der Ebene der Nicht-Identität von Wesen und Sein erkennbar.

[60] Dies betont mit Recht CAROSI (1940) 398.

[61] Gute Überblicke zum Thema sind noch immer die Darstellungen von MICHEL (1922), bes. 411-426, und PARENTE (1938) 84-100.

[62] Die Interpretationen, vor allem Capreolus und Cajetan betreffend, gehen sehr weit auseinander. Es sei ausdrücklich darauf hingewiesen, daß wir uns in unserem Rahmen vornehmlich mit der Betrachtung der Positionen im Licht ihrer suárezischen Deutung zufriedengeben müssen. Die hier und da aufscheinende eigene Beurteilung kann nicht eingehender begründet werden und tritt darum nicht mit dem Anspruch der Letztgültigkeit auf.

[63] Vgl. Suárez, DM 34.3.1 (XXVI, 359b) und ausführlich zur ganzen Frage De angelis 1.15 (II, 67b-75b).

[64] Vgl. DM 34.3.7 (XXVI, 361a-b).

Damit stehen wir am tatsächlichen Kern der thomanischen Unterscheidung von Suppositum und Natur: Es ist das Sein als letzte Vollkommenheit und Aktualität, welches das real-konkrete Individuum von der in der Artdefinition erfaßten Natur unterscheidet. Suárez scheint diesen Punkt nicht sofort im Blick zu haben, wenn er seine Kritik zunächst ganz auf die Unterscheidung von Individuum und Suppositum fokussiert[65]. Er denkt, wie wir wissen, die zu personalisierende Natur – aus den bekannten christologischen Gründen – bereits als individuelle und muß folglich Individualität und Subsistenz generell auf verschiedene Formalursachen zurückführen. Individualität ist dabei gänzlich in der naturalen Dimension des Seienden zu verorten, während Subsistenz etwas der Natur Hinzugefügtes bezeichnet. Die von den Thomisten vertretene reale Gleichsetzung von Natur und Suppositum bei den Engeln unter nur gedanklicher Unterscheidung hat Suárez deshalb immer wieder bekämpft[66], und den mit dem Namen Heinrichs von Gent verbundenen Versuch, die Subsistenz (bzw. das sie Konstituierende) auch zum Individuationsprinzip zu erklären, weist er explizit zurück[67]. So sehr Suárez im letztgenannten Kontext (Christus ist ein menschliches Individuum aufgrund seiner individuellen menschlichen Natur, nicht seiner göttlichen Subsistenz) und auch sonst wiederholt zu verstehen gegeben hat, daß die Philosophie erst von der Vorgabe der Inkarnation aus die Unterscheidung der beiden metaphysischen Größen Individualität und Subsistenz sicher vorzunehmen befähigt worden ist[68] und ihr Zusammenfall wegen der Nicht-Repugnanz für unser Verstehen „de potentia absoluta" durch göttlichen

[65] Vor Suárez findet sich eine ähnliche Argumentation bei Toledus, Comm. in I$^{am}$ q. 29, a. 2 (Ed. Paria, I, 349b): „Unde verum est, suppositum addere supra naturam specificam individuantia principia, sed non tantum; sed ultra etiam addit subsistentiam, quidquid ipsa sit."

[66] Vgl. im folgenden Suárez, DM 34.3.7-9 (XXVI, 361a-362b); für die eigene These schwierige Thomasstellen erörtert Suárez ebd. 16-17 (364b-365b). Auf diese ausführliche Abhandlung verweist Suárez im später verfaßten Traktat De Angelis 1.7.7 (II, 33a-b), ohne neue Argumente anzufügen. Die These bleibt identisch: „si loquamur de Angelo, qui est intellectualis persona, dicendum est, esse quid compositum ex natura substantiali et ejus termino, qui suppositalitas, vel personalitas dicitur, estque positivus modus naturae ab illa ex natura rei distinctus, ac proinde realem aliquam compositionem in illo faciens" (ebd.).

[67] Vgl. DM 5.5.6-7 (XXV, 178b-179a).

[68] Vgl. auch DM 34.3.18-22 (XXVI, 365b-367b): Aristoteles unterscheidet ähnlich wie Avicenna nie klar zwischen „natura individua" und „suppositum", weil er nicht wie wir dazu durch die Glaubensgeheimnisse aufgefordert ist. Die Unzugänglichkeit des exakten Suppositum-Begriffes für denjenigen, der nicht die christlichen Glaubensgeheimnisse kennt, lehrt auch schon Fonseca, Comm. in Met., l. 5, c. 8, q. 5, s. 10 (II, 535A).

Entschluß auch jetzt wenigstens denkmöglich bleibt[69], möchte der Jesuit die Distinktion auf der philosophisch explizierten inkarnationstheologischen Grundlage generell für alle geschöpflichen Substanzen ansetzen[70]. Wie jedes Geschöpf prinzipiell einer göttlichen Person hypostatisch geeint werden könnte, so muß folglich auch in jedem Geschöpf das Wesen von der natural-eigenen Subsistenz trennbar sein und kann die „ratio essentialis“ der geschaffenen Substanz nicht im Subsistenzakt, sondern nur in der Befähigung („aptitudo“) zum Subsistieren bestehen[71]. Freilich wird nicht allein die Christologie, sondern auch die Gotteslehre von unserem Theologen für die Richtigkeit dieser These ins Feld geführt. Gottes Wesen müssen wir als solches notwendig als singuläres und individuelles denken, und zwar bevor wir die davon gedanklich verschiedene (Drei-) Persönlichkeit Gottes reflektieren[72]. Während dieser Gedankengang an späterer Stelle im Zusammenhang mit der These von der absoluten Subsistenz Gottes genauer zu erläutern sein wird, reicht seine Erwähnung hier schon aus, um Suárez' Forderung nach einem wie in Gott so erst recht in den Geschöpfen vorhandenen Formalkonstitutiv der Personalität zu illustrieren, das von dem der Individualität verschieden sein muß.

### *b) Kritik an Personalitätskonzepten unter dem Vorzeichen der thomistischen Realdistinktion von Sein und Wesen*

Als unterschiedliche Spielarten einer thomistischen Bestimmung von Personalität, wie sie der nicht vollends klare Befund beim Aquinaten unter seinen Auslegern evoziert hat, diskutiert Suárez drei Lösungsversuche, die zwar jeweils das von ihm gewünschte positive Bestimmungselement

[69] Vgl. Suárez, DM 34.3.8 (XXVI, 361b-362a). Zur Unterscheidung von „potentia absoluta“ und „potentia ordinata“ in der nachtridentinischen Scholastik vgl. FERRARO (2000); zur früheren Geschichte des Begriffspaares BORCHERT (1940) 46-74; FUNKENSTEIN (1986) 124-152; COURTENAY (1989).

[70] Vgl. Suárez, DM 34.3.10 (XXVI, 362b-363a). Ebd. 12 (363a-b) folgert Suárez, daß keine Substanz geschaffen werden kann, in der das Suppositum von der Natur nicht unterschieden wird; den Grund benennt er nach Thomas, S. th. III, 2: „quia nulla est possibilis substantia creata, in qua non sit aliquid extra essentiam speciei“ (näherhin die „accidentia“ und das „esse existentiae“).

[71] Vgl. Suárez, DM 34.3.15 (XXVI, 364a-b). Auf den scotischen Hintergrund des Begriffs „aptitudo“ in ontologischen Zusammenhängen weist SCHMUTZ (2004) 361ff. hin.

[72] Vgl. Suárez, DM 34.3.4 (XXVI, 356a-b): „Denique etiam in Deo, cujus natura per se et essentialiter maxime est singularis et individua, distinguitur saltem ratione id quod suppositum addit supra naturam singularem et individuam; ergo multo magis in creaturis sunt haec distincta.“

kennen, allerdings in einer Weise, die nicht die Zustimmung des Jesuiten findet. Auch sie müssen wir uns samt der dazugehörigen Kritik jeweils kurz vor Augen führen, da mit ihnen ebenso wie mit der abgewiesenen scotischen These der Rahmen abgesteckt wird, innerhalb dessen Suárez seine eigene Lehre positioniert, wie sie nicht nur den Personbegriff im speziellen, sondern letztlich viele der wichtigen trinitätstheologischen Probleme betrifft.

(1) Erstens verwirft Suárez die Ansicht, daß es sich beim personalisierenden Moment um ein Akzidens handeln könnte[73]. Christologisch würde daraus nämlich folgen, daß die Einung des Wortes mit der Menschheit, die an die Stelle der geschöpflichen Subsistenz tritt, ebenfalls nur ein Akzidens sein müßte. Das Wort selbst würde damit in der Einung seines substantiellen Charakters beraubt. Doch auch in philosophischer Hinsicht hält es Suárez für absurd, daß dasjenige, was die Natur „in genere substantiae" vervollkommnet, selbst akzidentell sein soll. Konkret betroffen ist von dieser Kritik die bei Cajetan referierte These, wonach die Subsistenz der Natur eine „affectio" hinzufügt, durch welche die Substanz Trägerin aller Akzidentien wird[74]. Da eine solche auch in der Menschheit Christi vorliegt, ist auf sie der zuvor allgemein formulierte Einwand anzuwenden, daß diese Hinzufügung zum Wesen ebenso akzidentell bliebe wie ihr formaler Effekt. Während Suárez den unmittelbaren Zusammenhang zwischen Akzidentienbesitz und Subsistenz für nicht erweisbar hält[75], möchte er bestenfalls den indirekten Beweis anerkennen, den die „niedrigere" Zusammensetzung einer Substanz mit ihren Akzidentien für die

[73] Vgl. ebd. 5 (360b-361a). In diese Richtung scheint unter den neueren Interpreten wiederum WALD (2005) 150 zu tendieren, wenn er sich dafür ausspricht, daß die „Einheit [sc. von Natur und Person] zumindest für menschliche Personen neben der substantiellen Zusammensetzung von Leib und Seele auch als akzidentelle Zusammensetzung zu denken ist. Der Person als dem *ens completissimum* kommen weitere Eigenschaften zu, die nicht notwendig im Begriff der menschlichen Natur enthalten sind." Vgl. zur thomanischen Personontologie insgesamt ebd. 133-175.

[74] Vgl. Suárez, DM 34.3.6 (XXVI, 361a): „affectionem qua subest accidentibus". Vázquez, In III$^{am}$ 31.3.14 (I, 237a-239a) verbindet die These, daß das Suppositum sich von der Natur allein durch determinierende bzw. „kontrahierende" Akzidentien unterscheide, mit den Namen des Hervaeus Natalis und Chrysostomus Javelli. Zu Hervaeus ist dabei zu bemerken, daß er den mit Verweis auf ein Akzidens zu kennzeichnenden Unterschied zwischen Natur und Suppositum allein in einem unterschiedlichen „modus significandi" begründet sieht: 1 Sent. d. 4, q. 2 (44b-47b). Bei Javelli vgl. Quaestiones in Metaphys. l. 7, q. 17 (fol. 171r-173r).

[75] Vgl. Suárez, DM 34.3.13 (XXVI, 363b-364a): „Hoc ergo indicium vel argumentum ab accidentibus sumptum, est certe valde obscurum."

Möglichkeit einer entsprechend „höherwertigen", da realen und substantialen, zwischen Natur und Subsistenz liefert[76].

In das Umfeld der These einer bloß akzidentellen Fortbestimmung der Natur zur Person stellt Suárez auch die Ansicht, wonach die Existenz der Natur Grundlage der Personalität sein soll. Weshalb sie dem Jesuiten „noch dunkler" als der zuvor abgewiesene Lösungsansatz erscheint, wird leicht ersichtlich, wenn man sie auf dem Hintergrund der bekannten suárezischen These von der Nichtunterschiedenheit (aktualer) Wesenheit und Existenz im geschöpflichen Bereich betrachtet[77], wie sie ausführlich in DM 31 begründet wird[78]. Sie setzt den radikalen Verständniswandel weg vom ursprünglichen thomanischen Seinsverständnis („esse" als letzte Vollkommenheit eines Dings) hin zu einem scotisch geprägten Seinsbegriff („esse" als aktuale „existentia" des Wesens) voraus[79], wie er auch die

[76] Vgl. ebd. 14 (364a): „hinc potest sumere robur argumentum illud, quia si in omni substantia reperitur inferior compositio, quae est cum accidentibus, multo magis reperietur aliqua realis, quae substantialis etiam sit."

[77] Vgl. ebd. 10 (362b-363a): „Multo vero obscurius argumentum est, quod ab existentia sumitur, cum haec non sit aliquid additum, ac supra essentiam actualem, ut supra tractatum est...".

[78] Vgl. die thesenartige Begründung in DM 31.1.13 (XXVI, 228b): „quia non potest res aliqua intrinsece ac formaliter constitui in ratione entis realis et actualis, per aliud distinctum ab ipsa, quia, hoc ipso quod distinguitur unum ab alio, tanquam ens ab ente, utrumque habet quod sit ens, ut condistinctum ab alio, et consequenter non per illud formaliter et intrinsece." Eine ausführlichere Argumentation zugunsten der These folgt in den sectiones 6-7 (ebd. 241b-253a). Zur Definition von „Existenz" im Sinne des Suárez vgl. auch De incarnatione 36.1.3 (XVIII, 261a-b): „Ego enim per existentiam intelligo id, quo unaquaeque res formaliter habet, ut sit actualis entitas in rerum natura, et extra nihil, seu extra causas suas; ut, verbi gratia, anima Christi, vel humanitas priusquam crearetur, actu nihil erat, sed solum in potentia; cum primum ergo intelligitur exire ex illa potentia in actum, et desinere esse nihil, intelligitur actu existens; et existentia illius erit ille modus, vel illa actualitas quo intrinsece et formaliter constituitur extra nihil."

[79] Zur suárezischen Lehre vom Verhältnis Wesen-Existenz und ihrer von der schulthomistischen Position eindeutig differierenden scotischen Prägung vgl. SANTAMARIA PEÑA (1917) 63-143; MAHIEU (1921) 164-188; GIACON (1947) 250-255; HELLIN (1948a) 140*f.; DI VONA (1968) 47-65 (die Arbeit gibt einen klaren, umfassenden Überblick zur Entfaltung des Problems in der gesamten nachtridentinischen Theologie); KAINZ (1970); HELLIN (1980); LEINSLE (1985) 132ff.; COURTINE (1990) 182-195; HONNEFELDER (1990) 272-282 (mit weiteren Literaturverweisen ebd. 272, Anm. 126); ESPOSITO (1995); GROSSO (1995); PORRO (1995) 397-407; DANIEL (2000); PEREIRA (2004). Vor allem seit Gilson wird Suárez immer wieder als Vermittler des avicennisch-scotischen Essentialismus an die Moderne kritisiert. Dabei wird ihm nicht bloß der Vorwurf gemacht, durch Distanzierung vom thomanischen Seinsbegriff die „Seinsvergessenheit" der modernen Philosophie entscheidend vorbereitet zu haben. Indem bei Suárez die Realidentität von Wesen und Existenz

Thomistenschule im engeren Sinne spätestens seit Cajetan[80] nicht unberührt gelassen hat und bis weit in die Neuscholastik hinein einflußreich bleibt. Mündet diese These wie bei Suárez in der vollständigen Ablehnung der esse-essentia-Differenz, wird die Verschiedenheit von Natur und Suppositum geradezu die Bedingung einer Unterscheidbarkeit der ge-

aufhöre, ein Proprium Gottes zu sein, werde in seinem Denken auch die Unterscheidung von Schöpfer und Geschöpf verunklart. Auch wenn dieser Vorwurf durch den Hinweis darauf entkräftet werden kann, daß Suárez ausdrücklich das „esse per essentiam" als den fundamentalen Unterschied zwischen Gott und Geschöpf betont hat, bleibt der fundamentale Unterschied zwischen thomistischem und scotistischem Verständnis von „ens" unbestreitbar. Thomisten haben sich immer gegen die These gewehrt, die Realdistinktion sei erst im späteren Verlauf der Schule (vor allem durch Aegidius Romanus) entwickelt worden und bei Thomas selbst noch nicht zu finden; vgl. etwa die gegen Aussagen von P. Descoqs gerichteten Ausführungen von FABRO (1941). Stattdessen betonten die Thomisten die scotischen Ursprünge des suárezischen Seinsdenkens. So hat Fabro unterstrichen, daß Suárez seine Lehre von der bloß gedanklichen Unterscheidung von Sein und Wesen nicht zuletzt im Metaphysikkommentar des antithomistischen Franziskanertheologen und Scotus-Nachfolgers an der Pariser Universität Alexander Bonini von Alessandria († 1314) bestätigt fand, den er selbst fälschlicherweise mit Alexander von Hales identifizierte: FABRO (1947), bes. 62-67. Dieser Hinweis findet sich schon früher bei MASNOVO (1910) 533, Anm. 2 und GRABMANN (1926) 529; vgl. auch CEÑAL (1948); GROSSO (1995) 425. Einige Mitteilungen über Alexanders Trinitätslehre macht FRIEDMAN (1997b) 173-177. Zum Verständnis der suárezischen Position ist es allerdings wichtig zu wissen, daß in der gesamten Schule von Salamanca, gerade auch unter den thomistischen Autoren, keine Unterscheidung von Wesen und Sein „sicut res a re" (nach Art der Thomas-Interpretation in der Linie von Aegidius Romanus, Capreolus, Cajetan, Ferrariensis, Soncinas oder Javelli) gelehrt wurde. Weit verbreitet ist stattdessen ein durch Domingo de Soto begründetes Modal-Modell mit eindeutig scotischer Färbung; vgl. KENNEDY (1972); BEUCHOT (1992); OREGO SÁNCHEZ (2004). Es hat in der Metaphysik der Jesuitenschule schon bei deren Gründungsvätern Pereira und Fonseca Aufnahme gefunden, bevor Suárez oder Vázquez es durch Zurückführung auf die rein gedankliche Verschiedenheit radikalisiert und zugleich vereinfacht haben; vgl. DI VONA (1968) 13-20. Aber selbst ein strenger salmanticensischer Thomist wie Bañez zeigte sich der Lösung von Scotus-Soto nicht gänzlich verschlossen (Nachweis ebd. 20-24). Die Frage ist demnach historisch viel differenzierter zu betrachten, als dies viele neuscholastische Autoren zu tun pflegten. Suárez ist keineswegs der „Alleinschuldige" für die Essentialisierung des thomanischen Seinsbegriffes, sondern Teil eines allgemeinen, durchaus schulübergreifenden Trends (vgl. DI VONA [1968] 68ff., kritisch gegen Gilson; SCHÖNBERGER [1986] 350ff.).

80 Wie weit Cajetan dem thomanischen Seinsbegriff verbunden geblieben ist, wird unter den Interpreten kontrovers diskutiert. In Anknüpfung an Gilson urteilt KOSTER (1960) 538: „Der Seinsakt interessiert Cajetan kaum" (insgesamt zur Differenz Sein-Wesen bei Cajetan hier 538-543). Ein positives Antwortplädoyer zusammen mit einem Überblick über die Debatte hat dagegen REILLY (1971) vorgelegt. Zumindest scotistische Einflüsse wird man zugestehen dürfen (vgl. GIACON [1947] 23).

schaffenen Substanz von der substantialen Einfachheit Gottes. Die Differenz zwischen Wesensnatur und Subsistenz tritt an diejenige Stelle, die im thomistischen Denken die Realdistinktion zwischen Wesen und Sein einnimmt[81], indem sie das Geschöpf von dem durch sich selbst (durch sein Wesen) subsistierenden Gott trennt[82]. Die durch die Unterscheidung und damit prinzipielle Trennbarkeit von Wesen und Subsistenz eröffnete Möglichkeit, daß jede geschaffene Natur (anders als die für sich subsistierende göttliche) von einem fremden Suppositum getragen werden könnte, unterstreicht zusätzlich die kreatürliche Abhängigkeit von Gott und die Differenz zwischen Schöpfer und Geschöpf.

Doch bevor Suárez das Natur-Suppositum-Verhältnis in eigener Sicht expliziert, bleibt sein Blick bei den Thomisten, welche an der Realdistinktion von Wesen und Sein / Existenz stets festgehalten haben und sie auch für die Bestimmung des Personkonstitutivs nutzbar zu machen versuchen. Die Gleichsetzung von substantialer Existenz einer geschaffenen, vollständigen Wesenheit mit ihrer Subsistenz und Personalität und die damit verbundene These von der Überflüssigkeit, eine weitere Entität in Unterscheidung vom Sein als deren Formalkonstitutiv anzunehmen[83], sieht Suárez im thomistischen Raum in einer zweifachen Variante vertreten.

Die einen (unser Autor nennt hier u. a. den „Princeps Thomistarum" Capreolus[84]) sehen im Suppositum die Existenz nur „äußerlich" der Natur

[81] Dies betont DEL PRADO (1911) 570: „Suarez vero hanc D. Thomae rejiciens doctrinam, dum negat realem compositionem essentiae et *esse*, ipsam tamen quodammodo desiderat exprimere ac imitari, introducens compositionem existentiae et subsistentiae, quam nominat *complementum naturae in ratione existendi*." Ähnlich ALCORTA (1949) 214f. und MARION (1996) 95, nach dem wir hier „un souvenir pour une fois fidèle de la compositio realis de l'essence avec l'esse selon saint Thomas" vor uns haben.

[82] Daß diese Intention auch schon beim Thomisten Cajetan nachzuweisen ist, wird uns endgültig seine Lehre von der absoluten Subsistenz Gottes zeigen, die Suárez von ihm übernommen hat. Vgl. hier schon die bezeichnende Aussage In III$^{am}$ q. 3, a. 2 (Ed. Leon. XI, 58a): „Et secundum hoc salvatur differentia inter Deum et creaturas, quod in creaturis natura mendicat subsistere ab hypostasi, in divinis vero deitas seipsa subsistit."

[83] Vgl. Suárez, DM 34.4.2 (XXVI, 367a): „supervacaneum est alias entitates multiplicare".

[84] Vgl. auch Fonseca, Comm. in Met., l. 5, c. 8, q. 6, s. 3 (II, 544E), wo von einer Hinzufügung der Subsistenz „per modum connotantis" gesprochen wird. Man könnte dabei an Aussagen denken wie Capreolus, Defensiones, l. 1, d. 4, q. 2 (I, 238b): „non plus esse est de ratione suppositi quam naturae". Von den bei Suárez häufiger zitierten Thomisten folgen etwa Medina und Zumel der Capreolus-Theorie. Das breite Spektrum neuerer Capreolus-Deutungen kann hier nur mit dem Verweis auf einige der wichtigsten Beiträge angedeutet werden: WINANDY (1934); MUÑIZ (1945) 8-

hinzugefügt. Es tritt zu ihm gleichsam in eine extrinsische Beziehung, so daß die Trennung von Wesen und Sein in besonderer Schärfe gewahrt ist[85]. Da allerdings auf diesem Wege die Unterscheidung zwischen Suppositum und Natur verwischt und die Existenz erneut zum Quasi-Akzidens wird, dessen Konstitutionsfunktion für das Suppositum nicht mehr verständlich ist, findet nach Suárez dieser Erklärungsversuch auch unter den Thomisten nur wenige Anhänger[86].

Weit häufiger trifft dagegen die zweite Variante der thomistischen These auf Zustimmung, nach welcher die Existenz „intrinsece ac formaliter" das Suppositum konstituiert[87], indem sie der Wesenheit als aufnehmendem Subjekt wie ein unmittelbar bestimmender Akt hinzugefügt wird, so daß aus der Verbindung von beidem (von Sein und Wesen) die Subsistenz resultiert. Das Suppositum ist dann nichts anderes als die in die Existenz gesetzte Natur. Der Seinsakt kann Formalkonstitutiv endlicher Personalität sein, weil er, durch die besondere Potentialität der geschöpflichen „natura rationalis" begrenzt, selbst verendlicht ist – eine Lösung, deren ökonomische Prägnanz (durch Vermeidung überflüssiger Entitäten) Suárez anerkennt und die er unter der Voraussetzung einer Realdistinktion von Sein und Wesenheit für durchaus wahrscheinlich erachtet[88]. Wie bereits erwähnt wurde, stehen wir – das ursprüngliche thomanische Seinsverständnis vorausgesetzt – hier am ehesten vor der originären Lösungsidee des Aquinaten[89]. Alle Wesensbestimmungen einer

19; CAROSI (1940) 398f.; QUARELLO (1952) 34-46; HEGYI (1959); REICHMANN (1959) 7-31; DEGL'INNOCENTI (1967) 26-42.58-87; SEIDL (1987), bes. 441-449.

85 Offenbar ist schon vor Cajetan in der Thomistenschule diese Capreolus-Deutung verbreitet, wonach das Sein nur eine äußere Rolle in der Personkonstituierung spielt; vgl. die umfassende historische Sichtung bei MUÑIZ (1945/46). HEGYI (1959) 38-51 hat diese bis in die neuere Zeit hinein wiederholte Interpretation mit guten Argumenten in Zweifel gezogen und mit Berufung auf Capreolus' Persondefinition („...quasi dicatur suppositum esse idem quod individuum substantiae habens per se esse": Defensiones, l. 3, d. 5, q. 3, § 2 [V, 105a]) gefolgert, daß Capreolus durchaus das Sein als *positives* Konstitutivum der Subsistenz kenne. Capreolus stimme in der hauptsächlichen Annahme von Sein als Wirklichsein / Aktualität „mit der Grundintuition des hl. Thomas völlig überein" (HEGYI [1959] 52).

86 Vgl. Suárez, DM 34.4.4-7 (XXVI, 367b-369a). Diese Einschätzung ist – zumal mit Blick auf das in der vorangehenden Fußnote Ausgeführte – korrekt.

87 Vgl. ebd. 8. (369a-b): „existentiam substantialem intrinsece ac formaliter constituere suppositum, et consequenter suppositum nihil aliud addere naturae praeter hujusmodi existentiam."

88 Vgl. ebd. 11 (370a): „Igitur, si substantialis existentia distincta est realiter a substantiali natura, longe probabilius videtur, ipsammet esse subsistentiam seu proximam rationem intrinsece constituentem suppositum, aut personam."

89 Vgl. u. a. WINANDY (1934); PARENTE (1938) 92-100; CAROSI (1940) 402-420 und die Fortsetzung in CAROSI (1941); GAZZANA (1946); REICHMANN (1959)

Substanz, inklusive der Individuierung, sind darin konsequent vorgängig zu jener substantiellen Aktuierung (und Vervollkommnung) gedacht, die am Ende gleichbedeutend mit Subsistenz ist. Der „actus" des Seins und die „potentia" der Natur stehen sich hier ohne weitere Vermittlung gegenüber. Suárez erläutert die Konsequenzen dieses Modell auch an theologischen Beispielen. Zwar ist das Sein des Menschen Christus in diesem Verständnis kein anderes als das Sein des ewigen Wortes. Doch könnte Christus derselbe Mensch bleiben, wenn seine Natur anstatt des Sohnes der Vater oder der Heilige Geist annähmen, denn die naturale Ebene wird durch die vom Sein der „persona assumens" bewirkte Aktuierung nicht betroffen. Er wäre dann zwar eine andere Person, aber immer noch „dieser Mensch", durch „diese Menschheit" konstituiert[90]. Die These macht radikal ernst mit der christologischen Überzeugung, daß die menschliche Wesenheit Christi durch die Einung mit dem göttlichen Wort als solche keinerlei Veränderung erfährt. Insofern kann sie Suárez durchaus mit dem „trennungschristologischen" Anliegen verbinden, das seine eigene Inkarnationslehre spürbar durchzieht[91]. Das Menschsein

228f.; DEGL'INNOCENTI (1967); PIOLANTI (1995) 160-200.218-237. Diese Arbeiten sehen wie die bereits genannte von HEGYI (1959) in der (recht verstandenen) Deutung des Capreolus das eigentlich thomanische Anliegen am besten gewahrt.

[90] Vgl. Suárez, DM 34.4.12 (XXVI, 370a-b): „Et Christus Dominus, licet sit hoc suppositum ut constituitur filiatione divina, tamen est hic homo ut constituitur hac humanitate. Et si Pater, vel Spiritus sanctus illam humanitatem assumeret, esset semper idem homo, quamvis non esset eadem persona. Et hac ratione Christus est univoce homo nobiscum, licet non sit univoce persona nobiscum; nam cum sit persona increata, et admirabili modo ex duplici natura composita, non potest habere nobiscum univocam convenientiam in ratione personae, quidquid alii dixerint [Zumel, I, q. 3, a. 3 concl.]; tamen quia personalitas non pertinet ad formalem et intrinsecam constitutionem hominis ut homo est, vel ut hic homo est, ideo cum illa diversitate in ratione personae stat univocatio in ratione hominis. Denique ob hanc causam merito dixit D. Thom., Quodlib. 2, art. 4, ad 1 et 2, subsistentiam non esse determinativam essentiae ad rationem individui, neque poni in definitione vel ratione hujus hominis, etiamsi ut talis est definiretur." Suárez lehrt auch, daß bei der Annahme einer Menschheit durch mehrere göttliche Personen wegen der „unitas naturae" nur ein einziger Mensch entstünde; vgl. De incarnatione 13.3.5 (XVII, 490a-b); De trin. 4.12.4 (I642b-643a).

[91] Inwieweit Suárez damit in scotisch-spätfranziskanischer Tradition steht, für die in der Forschung von der „Vermittlungsfunktion der formalen Nichtidentität zwischen Wesen und Person Gottes" her die „Grundtendenz (...) zu einer schärferen Trennung der Naturen mit größerer Autonomie und Relevanz des Menschseins Christi" konstatiert worden ist (BOLLIGER [2003] 232), kann hier nicht umfassend erörtert werden und wäre eingehenderer Untersuchung wert. Das Urteil von Philipp Kaiser, dem bislang gründlichsten Interpreten von Suárez' Inkarnationstheorie, weist durchaus in diese Richtung: „Betrachtet man diese ganze Lehre, so ist die Einheit

Christi ist in keiner Weise als Ausgangspunkt für Aussagen über seine göttliche Person geeignet; Menschsein als solches und Sohnsein stehen in keinem inneren Bedingungsverhältnis. Die radikale Verschiedenheit von Wesens- und Personkonstitutiv ist gleichermaßen bedeutsam für die Trinitätslehre, denn erst so werden verschiedene Subsistenzen derselben Natur denkbar. Suárez stimmt mit diesen Folgerungen fraglos überein und hält sie in jeder Konzeption von Personalität, auch der angezielten eigenen, für unverzichtbar. Dennoch lehnt er die thomistische „Existenz-Theorie" ab. Sein zentrales Argument lautet: Im Begriff des Suppositum wird nicht weniger von der „existentia actualis" abgesehen als in dem der Natur. Also kommt wie für die Natur auch für das Suppositum „Existenz" als Formalkonstitutiv nicht in Frage[92]. Hinter dem Hinweis darauf, daß ein aktuelles Suppositum nicht anders durch die Existenz konstituiert ist als die aktuelle Wesenheit, verbirgt sich die Fundamentalüberzeugung des Suárez, daß die „natura actualis" bereits die Existenz beinhaltet und es folglich keinen realen Unterschied zwischen Wesen und Existenz gibt[93]. Dagegen ist ein Unterschied der Subsistenz zu Wesen und Existenz anzunehmen, und zwar in identischer Weise[94], was indirekt die Identität der beiden letztgenannten beweist. Die Subsistenz ist von der Natur trennbar, nicht aber die Existenz, und der Formaleffekt der Subsistenz ist folglich ein anderer als derjenige, den die Existenz ausübt: Während diese eine Wesenheit aktuell existieren läßt und nichts anderes ist als das Wesen selbst als verwirklichtes, bewirkt jene das Für-sich-Sein eines Seienden und damit (nur) eine Modifizierung des bereits als existierend gedachten Wesens[95].

immer als geeinte zu erfassen, die erst durch eine Zusammensetzung zustande kommt. Letztlich bleibt das Wort Gottes bis hinein in sein Sein für sich. Zwar verbindet es sich mit der menschlichen Natur, besteht zwischen ihnen eine unmittelbare Union, aber Göttliches und Menschliches bleiben einander irgendwie fremd und in sich abgeschlossen. Der Einfluß der franziskanischen Schule ist hier unverkennbar. Es erfolgt zwar eine Vereinigung, aber es ist doch kein so intensives Eingehen in das Kreatürliche, wie es namentlich in der thomistischen Schule gelehrt wird" (KAISER [1968] 156). Vgl. auch HÜNERMANN (1994) 252-266; SCHULZ (1997) 109; CASTELLOTE CUBELLS (2003) (zur Frage nach dem Inkarnationsmotiv). Gegen die Charakterisierung des Scotus als „Trennungschristologen" wendet sich SCHMIDT (2003) 278, Anm. 125.

92 Vgl. Suárez, DM 34.4.13 (XXVI, 370b-371a).

93 Vgl. dazu auch De incarnatione 8.4.3 (XVII, 361a, „prima quaestio").

94 Vgl. DM 34.4.15 (XXVI, 371b): „Existentia non distinguitur ex natura rei ab essentia actuali; subsistentia autem distinguitur ex natura rei ab essentia actuali; ergo non potest esse omnino idem cum existentia."

95 Vgl. ebd.: „nam ratio existentiae est constituere id, cujus est existentia, in ratione entis in actu; subsistentia vero habet constituere ens per se independens ab omni su-

(2) Eine letzte von Suárez diskutierte Lösungsoption stammt erneut aus dem Umfeld der strengeren Thomistenschule; der Jesuit ordnet sie vor allem Cajetan und Ferrariensis zu[96]. Sie will die Realdistinktion zwischen Sein und Wesen, die Funktion des Seins als entscheidender Aktuierung der geschaffenen Substanz, aber auch die in der Kritik an den eben referierten Thesen als notwendig erwiesene Unterscheidung der Subsistenz vom Wesen und von der Existenz berücksichtigen[97]. Dieser Auffassung zufolge ist die geschaffene Subsistenz eine von Wesen und Sein der geschaffenen Substanz gänzlich verschiedene Entität. Ihr Formaleffekt besteht darin, eine Wesenheit so vorzubereiten, daß sie zur Aufnahme des substantiellen Seinsaktes befähigt wird und Träger personaler Eigenschaften werden kann[98]. Was Suárez hier referiert, ist nichts anderes als der beim späten Cajetan, tatsächlich wohl in Anknüpfung an Ferrariensis, zu beobachtende Versuch, das Formalkonstitutiv von Suppositalität in einer eigenen, als „superadditio“ verstandenen „realitas“[99] zu fassen, die eine Art ontisches Zwischenglied zwischen zweiter und erster Substanz darstellt[100]. Personalität geht in diesem Konzept gedanklich der realisierten

stentante; et ideo existentia dicit modum sola ratione distinctum ab entitate actuali, et non potest facere compositionem realem cum illa, quia oporteret supponere in alio extremo actualem entitatem, quod repugnat existentiae; subsistentia vero supponit entitatem actualem naturae, quam modificat, et ita potest optime ab illa ex natura rei distingui, et cum illa compositionem facere; ergo ratio subsistentiae ex natura rei distincta est a ratione existentiae.“

96 Vgl. zu diesem Standpunkt SANTAMARIA PEÑA (1917) 33-45; PARENTE (1938) 89-92; CAROSI (1940) 400; GAZZANA (1946); GIACON (1947) 21ff.; MUÑIZ (1945), bes. 57-79; QUARELLO (1952), bes. 47-63; REICHMANN (1959) 202-225; DEGL'INNOCENTI (1967), bes. 43-57; PIOLANTI (1995) 156-160.216ff.; NIEDEN (1997) 16-26 (auch mit Hinweisen zum historischen Kontext der Modustheorie, zu ihrer exakteren Begründung bei Cajetan und zur Rezeptionsgeschichte). Cajetans These galt Neuthomisten lange als die dem Aquinaten am besten entsprechende Lösung; vgl. noch SANTAMARIA PEÑA (1917) 58. „En tal concepto la doctrina de Capreolo y de Billot parecen una desviación de la doctrina tradicional del tomismo“ (ebd. 48f.); GARRIGOU-LAGRANGE (1934). Diese Einschätzung ist kaum haltbar.

97 Vgl. zur Abgrenzung von Natur und Subsistenz (wie „quo“ und „quod“) bei Cajetan: Comm. in III$^{am}$ q. 3, a. 2, n. 6 (Ed. Leon. XI, 57a).

98 Vgl. Suárez, DM 34.4.17-18 (XXVI, 372a-b).

99 Dieser Begriff ist bei Thomas noch gar nicht in Gebrauch; vgl. SCHÖNBERGER (1990) 118, Anm. 66.

100 Dies unterstreicht schon MAHIEU (1921) 23. Vgl. etwa Cajetan, In III$^{am}$ q. 4, a. 2 n. X (Ed. Leon. XI, 76a): „Est igitur personalitas realitas constitutiva personae ut sic (...). Est autem huiusmodi realitas in genere substantiae reductive, sicut reliquae realitates constitutivae substantiarum, ut rationale et huiusmodi: quamvis non sic differentia proprie loquendo; sed est terminus ultimus, ac ut sic purus, naturae substantiae“. Weitere Stellen sind genannt bei HEGYI (1959) 141, Anm. 99, und bei REILLY

Existenz voraus, ja sie schließt das Sein in ihrer rein vom Wesen ausgehenden modalen Formalbestimmung aus und ist mit der Wesenheit enger verbunden als die Existenz. Allerdings vervollkommnet und terminiert der Subsistenzmodus die Natur, ohne mit ihr eine Verbindung einzugehen, so daß aus der Personalisierung keine neue Zusammengesetztheit des Wesens (über diejenige aus Materie und Form hinaus) erwächst[101].

Suárez kritisiert an diesem Modell vor allem die letztgenannte Aussage als selbstwidersprüchlich. Es bleibt ihm unverständlich, wie trotz der Unterscheidung von Natur und hinzutretender personalisierender Entität eine echte Zusammensetzung der geschaffenen Supposita als Konsequenz abgelehnt wird. Tatsächlich ist es nach Suárez hier ebenso unvermeidlich, von einer „compositio" zu sprechen, wie sie anerkanntermaßen für die Thomisten aus der Unterscheidung von Wesen und Sein folgt. Wenn Cajetan durch seine verneinende These mit Blick auf die Inkarnationstheologie vermeiden will[102], in Christus eine „compositio" zwischen göttlicher Subsistenz und geschaffener Natur behaupten zu müssen, läßt er sich nach Suárez von einer unbegründeten Sorge leiten. Denn in der „wunderbaren" Zusammensetzung der hypostatischen Union ist das göttliche Wort weder Form noch Akzidens, sondern allein Terminus der angenommenen Natur[103]. Falsch ist nach Ansicht des Suárez auch die Behauptung, wonach die Personalität, indem sie als vorgängig zum Sein anzusetzende Bestimmung verstanden wird, früher existieren soll als die im kon-

(1971) 73-80, der darauf hinweist, daß Cajetan noch nicht den Begriff „modus substantialis" (wohl aber „modus subsistendi") gebraucht; vgl. HALLENSLEBEN (1985) 208-214. Zum Vergleich damit sei Ferrariensis, Comm. in CG IV, 43 (IV, 250) zitiert: „Ubi advertendum est, praetermissis multorum opinionibus, et Capreoli positione, quod persona supra hanc humanitatem singularem, aliquid positivum addit de genere substantiae, quod est ultimus terminus ultimumque complementum naturae, quod hoc nomine *personalitas* significatur, et est intrinsece constitutivum formaliter personae in esse personali: sicut punctus est ultimus terminus ultimumque complementum lineae finitae. Ideo licet concedatur quod humanitas in Christo sit singularis, non conceditur tamen quod sit persona: quia non habet illum ultimum terminum, eo quod a Verbo divino illam assumente sit impedita." Vgl. HEGYI (1959) 96-99. Daß die Thesen von Cajetan und Ferrariensis identisch sind, wird im Gegensatz zu Suárez bei Vázquez, In III$^{am}$ 31.5.28 (I, 240a) bezweifelt.

101 Wie Ugo Degl'Innocenti gezeigt hat, ist die Modus-These von Cajetan erst in seiner späten Lehre vertreten worden (Kommentar zur III$^{a}$ Pars), während er in früherer Zeit eher eine mit Capreolus übereinstimmende Theorie vertritt; vgl. DEGL'INNOCENTI (1967) 43-57; HEGYI (1959) 141-148. Die Lektüre des Ferrariensis, der ebenfalls die Idee eines „complementum substantiale" verfolgt, könnte in diesem Wechsel des Standpunktes für Cajetan ein wichtiger Faktor gewesen sein (ebd. 147).

102 Vgl. zur christologischen Einungstheorie bei Cajetan: NIEDEN (1997) 61-88.

103 Vgl. Suárez, DM 34.4.19 (XXVI, 372b-373a).

kreten Ding verwirklichte, existenzbestimmte Natur. In diesem Falle nämlich könnte sie mit dieser Natur gar keine reale Zusammensetzung eingehen. Das Argument ist dasselbe, wie es früher schon gegen eine Priorität des Wesens vor der Existenz geltend gemacht wurde: Eine wirkliche Zusammensetzung setzt in den Komponenten jeweils schon eine „entitas *actualis*" voraus, die keines der Glieder formaliter von dem jeweils anderen beziehen kann. Wenn man nun aber Wesen und Existenz unterscheidet, bedeutet dies, daß es per definitionem vor der Existenz keine „entitas actualis" zu geben vermag. Dann aber gibt es ebensowenig eine in diesem Sinne aktuierte Wesenheit, die vorgängig zur „existentia rei" von der Subsistenz terminiert bzw. mit dieser verbunden werden könnte[104] – eine Feststellung, die Suárez auch in seiner Christologie wiederholt mit Blick auf Cajetan und andere Thomisten unterstreicht[105]. Würde man jedoch der Einung mit der Personalität / Subsistenz eine Aktuierung der Natur voranstellen, so wäre mit dieser die nachfolgende Einung mit der Subsistenz überflüssig, da eine „durch sich" aktuierte Natur im thomistischen Sinne zugleich subsistierend sein müßte. Suárez hat damit in einer durchaus überzeugenden Weise die Aporien aufgezeigt, vor die sich in diesem Punkt der Thomismus Cajetans gestellt sieht, der sein Doppelverständnis von Sein als Letztvollkommenheit der Dinge und als Wesensexistenz nicht überzeugend zu integrieren weiß.

Auch die Bestimmung des Formaleffekts der Personalität durch Cajetan hält Suárez auf der Grundlage seines Verständnisses von „existentia" für falsch. Es bedarf keiner Konstitution des Wesens als des unmittelbaren Subjekts der Existenz, da es in der metaphysischen Konstitution prinzipiell gar keine in eigentlicher Weise aufnehmende Potenz für die je eigene Existenz gibt und folglich auch keine sie herstellende Entität. Jede geschaffene Wesenheit ist vielmehr aus sich heraus zu der ihr eigenen und angemessenen Existenz befähigt („capax propriae et proportionatae existentiae")[106].

Schließlich erachtet Suárez die These Cajetans im Licht der Inkarnationstheologie für unbefriedigend. Da in der Theorie des Dominikaners der Menschheit Christi die beiden Entitäten „Personalität" und „Existenz", wie sie in anderen menschlichen Personen als eigene vorliegen, fehlen, müßte seitens der menschlichen Natur Christi eine doppelte Einung mit Gott vorliegen. Sie hätte einerseits auf die Konstitution der Person als Träger der angenommenen Natur, andererseits auf die Konsti-

[104] Vgl. ebd. 20 (373a-b). Vgl. auch die ähnliche Kritik an Cajetan bei Vázquez, In III$^{am}$ 31.5.30 (I, 240a).

[105] Vgl. etwa Suárez, De incarnatione 8.1.11 (XVII, 333b).

[106] Vgl. DM 34.4.21 (XXVI, 373 b).

tution der Existenz des Menschseins in der Union abzuzielen. Die erste Einung, die hypostatische Union im eigentlichen Sinne, müßte mit dem göttlichen Wort gemäß seiner personalen Eigentümlichkeit erfolgen, die zweite dagegen verbände die Menschheit mit Gott im Blick auf die Existenz, die, da allen göttlichen Personen gemeinsam zukommend, eine Wesenseigentümlichkeit darstellt („ad proprietatem essentialem, quae est existere"). Während also die erste Einung dem Wort allein eigentümlich wäre, stellte sich die zweite als eine solche dar, die faktisch mit allen Personen der Trinität vollzogen würde. Unter den thomistisch-cajetanischen Annahmen, daß Wesen und Existenz der angenommenen Menschennatur voneinander verschieden sind, die drei göttlichen Personen dagegen nur ein einziges „esse existentiae" besitzen, ergäbe sich folglich die Konsequenz, daß die Inkarnation hinsichtlich der Existenz der Menschennatur als eine Verbindung mit dem einen und einzigen göttlichen Sein anzusehen wäre und so in Unterscheidung zur personalen Einung stünde, die allein mit dem Sohn erfolgte[107]. Daß eine solche Annahme falsch ist, wird nach Suárez gewöhnlich gegen Durandus gelehrt, der in ähnlicher Weise zwei Einungen seitens der menschlichen Natur behauptet hat, allerdings in umgekehrter Ordnung: Nach ihm gibt es zunächst eine Einung der Menschheit mit der göttlichen Existenz bzw. der wesenhaften Subsistenz Gottes, anschließend mit der Eigentümlichkeit des Wortes[108]. Durandus begründet dies mit der Nicht-Identität der Aussagen „Deus est homo" und „Filius est homo". Da die zweite der ersten eine genauere Bestimmung hinzufügt, ist die zweite nicht ohne weiteres als mit der ersten gegeben anzusehen. Daraus folgert Durandus die prinzipielle Trennbarkeit beider Einungsschritte: Die geschöpfliche Natur könnte mit „Gott" dem bloßen Sein nach („secundum esse existentiae") geeint werden, ohne daß auch eine personale Einung erfolgen müßte[109]. Letztere erscheint also wie eine Fortbestimmung der basalen Einung dem allgemeinen Existenzakt nach. Für die hypostatische Union ergibt sich daraus ebenfalls eine

[107] Vgl. denselben Vorwurf in De incarnatione 36.1.16 (XVIII, 265b-266b).

[108] Vgl. Durandus, 1 Sent. d. 1, q. 4 (213ra-214ra). Siehe bei Suárez auch die Darstellung in De incarnatione 12.2.1 (XVII, 466a-b).

[109] Vgl. Durandus, 1 Sent. d. 1, q. 4, n. 9 (213va): „Et sic patet primum, scilicet quod natura humana potest uniri cum divina quoad existentiam, quanvis non uniatur cum proprietate relativa secundum personam. Dico autem quoad personam, quia inquantum proprietas fundatur in essentia, impossibile est aliquid uniri essentiae, quin uniatur proprietati relativae mediante essentia, sed haec unio non terminatur ad unum secundum esse personale, sed solum secundum esse existentiae quod est omnibus commune. Ad unitatem autem personalem requiritur propria unio naturae assumptae cum proprietate relativa secundum seipsam et non solum secundum essentiam."

Zweischrittigkeit: Der Einung der Menschennatur mit dem der Person Eigentümlichen muß eine Einung mit der göttlichen Wesenheit vorausgehen[110]. Wenn Cajetan diese Reihenfolge umkehrt und eine personale Einung der Menschheit mit dem göttlichen Wort der durch sie ermöglichten „Existenzeinung" mit dem dreifaltigen Gott als ganzem voraussstellt[111], bleibt das Trennungsproblem das gleiche, obgleich Suárez bereit ist, die Differenzierung der Einungen, wie sie Cajetan vollzieht, „de potentia absoluta" für möglich zu halten. Nicht minder kritisch referiert Suárez die Lösung des Capreolus, der ebenfalls ein doppeltes Abhängigkeitsmoment der Menschheit gegenüber dem göttlichen Wort (nach Subsistenz und Existenz) nicht zu überwinden vermag, obwohl auch er Durandus heftig kritisiert[112]. Für den Jesuiten ist dieses Problem der Thomisten nur allzu verständlich, gründet es doch in ihren beiden Fundamentalüberzeugungen, daß die drei göttlichen Personen nur ein einziges Sein besitzen und daß der menschlichen Natur in Christus kein eigenes geschaffenes Sein zugesprochen werden darf. Wenn dann das Sein der Menschheit in der Union nicht einfachhin das göttliche sein soll, was die personale Zuschreibbarkeit der Union an die Person des Sohnes aufheben müßte, ist der personale Aspekt in einer wenigstens gedanklichen Trennung davon einzubringen. Den Unterschied der thomistischen Erklärungen zur These des Durandus erachtet Suárez darum (wie in ähnlicher Form auch Vázquez[113]) insgesamt für einen nur nominellen, so daß die Duranduskri-

[110] Vgl. Durandus, 3 Sent. d. 1, q. 2, n. 6 (211rb): „Primum est quod ad unionem personalem humanae naturae cum divina persona praeexigitur unio eiusdem naturae humanae cum essentia divina. Secundum est quod unio naturae cum natura non sufficit ad unionem personalem naturae cum persona: sed ulterius requiritur unio cum his quae sunt propria personae inquantum persona."

[111] Vgl. Suárez, DM 34.4.22 (XXVI, 374a): „juxta opinionem vero Cajetani e contrario sequitur, prius esse unitam humanitatem personalitati Verbi, ut in illa et per illam fiat capax existentiae; deinde vero esse unitam existentiae, qua essentia divina, et omnes relationes existunt." Vgl. ALCORTA (1949) 219-222.

[112] Vgl. Suárez, De incarnatione 12.2.2 (XVII, 466b); Referenztext ist wohl Capreolus, Defensiones, l. 3, d. 1, q. 1, a. 2, § 3, n. II (V, 5a): „Quod enim unio naturae divinae cum creata in eodem supposito secundum exsistentiam, non supponat, tanquam priorem, unionem quae est secundum proprietatem relativam, probatur: quia unio naturae assumptae cum persona, supponit unionem ejus cum essentia divina." Vgl. auch ALCORTA (1949) 216f.

[113] Vgl. Vázquez, Comm. in III$^{am}$ 25.2.4 (I, 214b); 25.3.8-16 (215b-217b); 71.2.16 (479a), der den Vorwurf auch gegenüber Vitoria und Soto erhebt. Da Vázquez, wie noch zu zeigen sein wird, die cajetanische Annahme einer absoluten Subsistenz ablehnt, fällt ihm eine Entgegnung noch leichter als Suárez: Die hypostatische Union kann allein „ratione proprietatis relativae personalis" stattfinden.

tik der Thomisten ihre Wirkung verliert[114]. Beide Fraktionen trifft der Vorwurf, in ihrer Explikation der Inkarnation des Wortes letztlich in ein Verständnis abzugleiten, das auf die Inkarnation der ganzen Trinität vermittels gott-menschlicher Seinseinheit hinausläuft[115]. Um einer solchen Gefahr zu entgehen, besteht Suárez auf der eigenen Existenz der Menschheit Jesu ebenso wie auf der relativen Existenz und Subsistenz jeder der drei Personen in Gott, wie wir sie später noch ausführlich begründet sehen werden.

Zusammengefaßt läßt sich sagen, daß die antithomistische Polemik des Suárez in der Frage der Personkonstitution ein hervorragendes Beispiel dafür ist, wie Unterschiede in den ontologischen Grundthesen sich in unterschiedlichen christologischen und trinitätstheologischen Explikationsmodellen niederschlagen. Die Fragen nach der Einheit des Seinsaktes (vor allem in Gott) und der Realdistinktion zwischen Sein und Wesen im Geschöpflichen offenbaren erst in dieser Anwendung ihre vollständige Relevanz und belegen erneut die enge Verzahnung der Traktate „De incarnatione" und „De trinitate" mit den „Disputationes metaphysicae" im Denken unseres Autors.

### *c) Das suárezische Verständnis von der Konstitution endlicher Personalität*

Seine eigene Bestimmung der Personalität „per modum actus et formae"[116], wie sie Suárez im Anschluß an die Zurückweisung der Alternativmodelle mit Hilfe dreier Thesen expliziert, vermeidet die thomistische Unterscheidung von Wesen und Existenz ebenso wie die Vorordnung der Subsistenz vor die Existenz in konstitutionslogischer Hinsicht. Sie ist allerdings der von Ferrariensis und Cajetan erarbeiteten Lösung insoweit verpflichtet, als sie deren Idee von der Subsistenz als positiver entitativer Hinzufügung zur Wesenheit modifizierend aufgreift[117]. In der Jesuitenschule findet sie schon vor 1600 vielfältige Anknüpfungspunkte[118].

[114] Vgl. Suárez, De incarnatione 12.2.2 (XVII, 466b).

[115] Vgl. auch ebd. 10 (468b-469a).

[116] Vgl. DM 34.4.23 (XXVI, 474a). Ähnlich ebd. 34 (378a): „Rursus quaeri solet in quo genere causae subsistentia afficiat naturam. Et respondemus facile, affectionem modi non semper includere propriam causalitatem, quamvis ad aliquam reduci possit (...); sic ergo dicimus, subsistentiam reduci quidem posse ad rationem formae, nam est veluti ultimus actus naturae, proprie tamen non esse causam formalem."

[117] Vgl. mit demselben Tenor auch die Aussage bei Fonseca, Comm. in Met., l. 5, c. 8, q. 6, s. 4 (II, 548B): „Quatenus vero Caietanus sentit suppositalitates esse positiva quaedam sub existentia suppositorum latentia, quae sint puri termini naturarum, quae

(1) Personalität, so lautet die erste These, ist als eine ontische Größe zu bestimmen, die zur (rationalen) Natur hinzutritt, um ihr die letzte formale Bestimmung in der Existenz zu vermitteln, indem sie sie subsistierend macht[119]. Personalität ist folglich nach Suárez keine „Eigenschaft“ eines Dinges, kein „naturales“ bzw. essentiales Prädikat, sondern die vollendete Weise, wie eine Natur „für sich seiend“ existiert. Der Gelehrte vergleicht sie gelegentlich mit dem wirklichen Inhärieren eines Akzidens in einer Substanz im Unterschied zur bloßen, für sich betrachteten Entität der akzidentellen Form[120]. Da eine reale Existenz, das Dasein eines Dinges außerhalb seiner Ursachen, für sich genommen gegenüber den Modi des „In-einem-anderen-Seins“ („innitendo altero ut sustentanti“) einerseits oder des „Durch-sich-selbst-Seins“ andererseits („[esse] per se sine dependentia a sustentante“) indifferent ist, bedarf es der Personalität (oder allgemeiner, d. h. auch die nicht-rationalen Seienden einschließend, der Suppositalität) als letztmodifizierender Größe, um die Existenz der *substantialen* Natur vollständig zu bestimmen[121]. Die Subsistenz „kontrahiert“ die Existenz, indem sie als etwas zu ihr Hinzugefügtes (und folglich auch Trennbares) die genannte indifferente Allgemeinheit in nicht weiter bestimmbarer Weise beseitigt[122]. „Personalitas“ / „suppositalitas“ ist damit

suppositatae sunt, sine quibus illae saltem naturaliter existere non possint, eius sententia et vera nobis videtur, et omnino probanda.“

[118] Vgl. neben den Bemerkungen zu Fonseca in unserem Exkurs zu den historischen Hintergründen der Modus-Lehre (Kap. 6) die Hinweise bei LEINSLE (2006) 514-517.

[119] Vgl. Suárez, DM 34.4.22 (XXVI, 374a): „Dico ergo primo, personalitatem ad hoc dari naturae, ut illi det ultimum complementum in ratione existendi, vel (ut ita dicam) ut existentiam ejus compleat in ratione subsistentiae, ita ut personalitas non sit proprie terminus aut modus naturae secundum esse essentiae, sed secundum esse existentiae ipsius naturae.“ Ähnlich 34.5.1 (379b): „[Dicendum subsistentiam] esse modum substantialem ultimo terminantem substantialem naturam constituentemque rem per se subsistentem et incommunicabilem.“ Zur ganzen Frage: PARENTE (1938) 88f.; GIACON (1947) 259ff.; ALCORTA (1949) 209-225; ITURRIOZ (1949) 280-321; ITURRIOZ (1950); GEMMEKE (1965) 27-30; KAISER (1968) 112-115; ZUBIMENDI MARTÍNEZ (1984) 179-188; NOREÑA (1985) 163-171 (hebt Bedeutung der scholastischen Modi-Lehre für die Philosophie Spinozas hervor); SANZ (1989) 108-113; OLIVO (1993) 84-88.

[120] Vgl. Suárez, De incarnatione 8.4.3 (XVII, 361a).

[121] In diesem (aber auch nur in diesem) Sinne ist es richtig, wenn GARCÍA LÓPEZ (1969) 162 von einem solchen Modus als „la vertiente existencial de las cosas“ spricht.

[122] Vgl. Suárez, DM 31.1.2 (XXVI, 225a): „Esse autem subsistentiae, et contractius est quam esse existentiae; hoc enim substantiae et accidentibus commune est, illud vero est substantiae proprium; et praeterea esse subsistentiae (ut suppono ex infra probandis) distinctum quid est ab esse existentiae substantialis naturae creatae, et sepa-

das formale Moment, das ein Suppositum als solches (also als das ohne jede Abhängigkeit von einem ontologischen Träger Existierende) konstituiert. Dieser „terminus, aut modus naturae secundum esse existentiae" tangiert die Natur im Hinblick auf ihr „esse essentiae" nicht, denn in diesem ist sie auch vorher schon vollständig bestimmt, sogar, wie wir wissen, bis hin zur Individuation und Singularität[123]. Was ihr nur fehlt, ist die formale Konstitution im Modus des „Für-sich-Seins", welche exakt die Subsistenz leistet[124].

Schon hier darf, wie Suárez in seiner Antwort auf einen Einwand klarstellt, die Existenzweise des Subsistierens nicht bloß in Abgrenzung zur In-Existenz der Akzidentien verstanden werden, hinsichtlich derer man mit Recht einwenden könnte, daß sie für eine substantiale Existenz (wie etwa die des Menschseins) prinzipiell nicht in Frage kommt. Vielmehr verhält sich das „inesse" in einem weiteren Sinne als Gegensatzbegriff zum Subsistieren, sofern es auch das Getragenwerden einer Natur durch eine fremde Subsistenz umfaßt[125]. Suárez bestätigt damit ausdrücklich, daß die oben genannte Indifferenz dem Modus des Subsistierens gegenüber im Falle einer substantialen Wesenheit wie derjenigen des Menschseins keineswegs als rein neutrale zu betrachten ist, sondern daß die Menschennatur eine physische und reale Potenz zur Ausbildung dieses Existenzmodus besitzt und mit ihm sogar in einer „natürlichen" Verbindung steht. Das heißt: In der gewöhnlichen Schöpfungsordnung gibt es Menschsein nur in der Gestalt subsistierender menschlicher Individuen. Dennoch bleibt die Trennung von Natur und Subsistenzmodus wenigstens „de potentia absoluta" möglich, da eben die Natur als solche nicht Formalkonstitutiv des „esse per se" ist[126]. Suárez kann darum von einer „indifferentia praecisiva" bzw. „oboedentialis" der Natur gegenüber der Subsistenz sprechen, die ihrer als einer sie komplettierenden positiven Entität bedarf, wie später gegen Scotus nochmals eigens hervorgehoben wird[127]. Jede bloß negative Definition von Personalität (etwa im Sinne der scotischen „Inkommunikabilität") ist angesichts dieser positiven Konstitu-

rabile ab ipso quia non constituit naturam in ratione actualis entitatis, quod pertinet ad existentiam."

[123] Vgl. DM 34.4.23 (XXVI, 374a).

[124] Vgl. De incarnatione 8.4.3 (XVII, 361a-b).

[125] Vgl. DM 34.4.27 (XXVI, 375a-b).

[126] Vgl. dazu auch De incarnatione 8.3.28 (XVII, 359a -360a).

[127] Vgl. DM 34.4.29 (XXVI, 376a-b).

tionsleitung bestenfalls eine nachgeordnete, aposteriorische Bestimmung[128].

In diesen Ausführungen ist erneut evident, daß die theologische Notwendigkeit, die hypostatische Union ontologisch zu erklären, als entscheidendes Movens hinter der suárezischen Personalitätsbestimmung steht. Der Menschheit Christi, so lehrt das christologische Dogma, fehlt allein eigene Personalität im Sinne eigener Subsistenz, während sie ansonsten alles zum Menschsein Gehörige besitzt: die wirkliche geschöpfliche Natur einschließlich ihrer „substantialen“ Existenz. Es ist der „modus existendi per se“, den (allein) die Menschheit vom göttlichen Wort empfängt und durch dessen Fehlen sie für sich betrachtet keine geschaffene Person ist[129]. In der hypostatischen Union ist nicht das Wesen des Menschen Christus gegenüber anderen Menschen verändert und damit auch nicht die mit dem Wesen notwendig verknüpfte eigene Existenz[130], sondern allein der Existenz*modus*[131]. Die Konstitution der Existenz des Menschen Christus fällt in diesem Modell nicht mit deren Aufnahme in die hypostatische Union zusammen, sondern wird ihr logisch vorangestellt: Die „humanitas Christi“ *muß* sogar als existierend gedacht werden, damit sie dem göttlichen Wort geeint, d. h. durch seine Subsistenz terminiert werden kann. Wenn Subsistenz als Modus des inkommunikablen Existierens begriffen werden soll, muß die zu modifizierende Existenz vorgängig zur Modifizierung stehen[132]. Anders als in der sonstigen Verwendung des Begriffs „Subsistenz“, die darin oft das Existieren als solches eingeschlos-

[128] Vgl. ebd. 31 (376b): „Unde de ratione personae est non solum ut negative non existat in alio, sed etiam ut contrarie (ut sic dicam) seu repugnanter positive ita existat, ut omnino ei repugnet esse in alio.“

[129] Vgl. Suárez, DM 34.4.25 (XXVI, 375a). Zu diesem christologischen Personbegriff: KAISER (1968) 111-120.

[130] So weist Suárez etwa in De incarnatione 31.1.5 (XVIII, 93a) gegen Richard von Mediavilla ausdrücklich darauf hin, daß die hypostatische Union für Christus als Mensch keine vollkommenere Existenz, sondern nur die besondere Subsistenz im Gefolge hat. Ausführlich argumentiert Suárez gegen die von vielen Thomisten vertretene These, daß die Menschheit Christi nicht durch eine eigene geschöpfliche, sondern durch die göttliche Existenz des Wortes existiert, in De incarnatione 36.1 (260b-270a); vgl. KAISER (1968) 95-102. In der anschließenden Sektion von De incarnatione, disp. 36 (270a-272b) wird der Versuch unternommen, die These von den getrennten Existenzen dennoch mit der thomanischen Rede vom „unum esse“ in Christus zu harmonisieren; vgl. dazu KAISER (1968) 108f. In dieser Frage kann sich Suárez mit Vázquez einig wissen; vgl. Vázquez, Comm. in III$^{am}$ 71.2.4 (I, 476b).

[131] Vgl. Suárez, DM 34.4.40 (XXVI, 379b): „Nam hoc ipso quod humanitas non fuit sibi relicta, ut in se subsisteret, sed insita Verbo, necesse est ut modum essendi mutaverit, non tamen quod entitatem amiserit.“

[132] Sehr klar ausgeführt ist dies bei Vázquez, Comm. in III$^{am}$ 71.2.11 (I, 478a).

sen sieht (eben als „per se *existere*“ eines Suppositum), ist im Falle der hypostatischen Union die Subsistenz des göttlichen Wortes, durch welche die Menschheit subsistiert, im strikten Sinne als eine solche zu bestimmen, die nicht auch die geschaffene Existenz dieser Menschheit einschließt[133]. Suárez verweist auf die Parallele in der göttlichen Trinität, wo die Relationen identisch mit den personalen Subsistenzgründen (also den Proprietäten) sind, ohne daß sie jedoch Existenzgrund der allen gemeinsamen göttlichen Natur wären[134]. Damit wird schon der Blick auf die später von uns ausdrücklich zu thematisierende Übertragung des zunächst für den kreatürlichen Bereich entwickelten Personbegriffs auf die innergöttliche Realität gerichtet. Vorerst erwächst daraus nur ein Argument für die prinzipielle logische Vorordnung der Existenzbestimmung vor ihren Modus (des Subsistierens), sofern beide Begriffe in einem „präzisen“ Sinn[135] verstanden werden. Daß aktuelle Subsistenzen (also Supposita, sofern sie subsistieren) selbstverständlich immer auch die Existenz implizieren[136], gilt, wie Suárez der Deutlichkeit halber betont, für geschöpfliche wie göttliche Supposita gleichermaßen, kann aber keineswegs als Argument für einen gemeinsamen Formalgrund beider Bestimmungen herangezogen werden.

(2) In seiner zweiten These zur Bestimmung kreatürlicher Personalität bzw. Suppositalität wendet Suárez den Blick exakter auf die Seinsqualität der postulierten Entität, wie er sich oben bereits andeutete: Sie soll von der Natur wirklich („in re“) verschieden sein, allerdings nicht wie ein eigenständiges Seiendes vom anderen („tamquam res a re“), sondern modal, als eine die Realität bestimmende Seinsweise[137]. Wir werden im

[133] Vgl. Suárez, DM 34.4.28 (XXVI, 375b-376a).

[134] Vgl. ebd. (376a): „Et simile argumentum sumi potest ex mysterio Trinitatis; nam relationes sunt vere subsistentiae personales, etiamsi, proprie loquendo, non sint rationes existendi ipsi naturae divinae.“

[135] Vgl. KOBUSCH (1987) 206: „Mit »Präzision« ist bei Suarez, der damit auf eine schon ältere scotistische Tradition zurückgreift, das Ausklammern anderer Momente einer Sache gemeint, ohne diese damit hinsichtlich ihrer Existenz negieren oder ausschließen zu wollen. In Suarez' Begriff des Seienden oder der »Entität«, verstanden als realer Wesenheit, ist z. B. eine solche Präzision zur Geltung gekommen, indem die aktuelle Existenz ganz ausgeklammert wird, weil sie nicht unmittelbar zur Wesensbestimmung des Seienden gehört.“

[136] Von daher erklärt sich die Aussage des Suárez in De incarnatione 36.1.18 (XVIII, 266b): „Unde fit ut personalitas creata, eo modo quo est aliquid distinctum a natura, ita suo modo habeat propriam existentiam.“

[137] Vgl. DM 34.4.32 (XXVI, 377a): „Dico secundo: id, quod suppositum creatum addit supra naturam, distinguitur quidem in re ab ipsa natura, non tamen omnino realiter, tanquam res a re, sed modaliter, ut modus rei a re.“ Wohl wegen dieses ge-

späteren Verlauf unserer Arbeit, bei der Bestimmung der „distinctio modalis", näher auf die suárezische Moduslehre und ihre historischen Wurzeln eingehen und verzichten vorerst auf ihre exaktere Explikation.

Erwähnt sei jedoch, daß Suárez auch den Inhalt seiner zweiten These für die Klärung weiterer Probleme aus der Inkarnationstheologie nutzbar macht[138], wie sie im eigentlichen Traktat „De incarnatione" mit Hilfe der Modalbestimmung noch eingehender diskutiert werden.

Auf die Frage, ob eine Menschheit, die durch eigene Personalität terminiert ist, auch durch fremde terminiert werden kann (konkret: ob ein bereits als Person existierender Mensch in eine Union mit einer göttlichen Person aufgenommen werden könnte), wird gewöhnlich von den Theologen verneinend geantwortet. Nach Suárez ist ein Grund dafür kaum anzugeben, solange man die „personalitas propria" als eine „res omnino distincta" versteht. Wenn nämlich dieselbe menschliche Natur zugleich mehreren göttlichen Personen geeint werden könnte[139], wie von gewichtigen Theologen u. a. mit Verweis auf die innertrinitarische Kommunikation der einen göttlichen Natur an mehrere Supposita gelehrt wird, müßte man ebenfalls bejahen, daß sie sowohl der eigenen (menschlichen) Subsistenz und der Personalität des göttlichen Sohnes geeint werden könnte; denn zwischen zwei solchen Einungen besteht in formaler Betrachtung kein Widerspruch. Wenn dagegen die Subsistenz nur ein innerlicher Modus (des aktuellen Durch-sich-Seins) ist, wie Suárez es lehrt, dann wird klar, weshalb die durch eigene Subsistenz terminierte menschliche Natur nicht auch noch den „modus essendi in alio ut in supposito" erhalten kann[140].

Einsichtig wird ebenso, weshalb eine geschaffene Person, wie von den Theologen gemeinhin angenommen wird, anders als die (relative) göttliche Personalität keine andere kreatürliche Natur über die eigene hinaus terminieren (d. h. in eine hypostatische Union aufnehmen) kann[141]. Auch

ringstmöglichen realen Unterschieds zwischen Wesen und Modus möchte NEIDL (1966) 215 hier von einer „Fundamentalrealdistinktion" sprechen.

[138] Vgl. Suárez, DM 34.4.35 (XXVI, 378 a-b).

[139] Vgl. dazu Suárez' Erläuterungen in De incarnatione, Comm. ad q. 3, a. 6 (XVII, 476b-478a) und ebd. disp. 13.2 (486a-488b).

[140] Eine ausführlichere Begründung liefert Suárez in De incarnatione, 14.1-17 (XVII, 504b-509a), wobei einzig überzeugend für ihn auch hier der Verweis auf den modalen Charakter der Subsistenz ist, der in formaler und unmittelbarer Repugnanz zu jenem Modus der Einung steht, den die Natur als aufgenommen in einem fremden Suppositum haben müßte: „Durch-sich-sein" und „In-einem-anderen-Sein" sind Modi, die einander so entgegenstehen, daß der eine unmittelbar die Negation des anderen impliziert (ebd. 15, 508b).

[141] Vgl. DM 34.4.36 (XXVI, 378 b).

dies bleibt nach Suárez unverständlich, wenn Personalität als von der Natur unterschiedene Entität gefaßt wird. Denn in diesem Fall wäre anzunehmen, daß Gott diese Personalität in zwei Naturen real sein lassen könnte, so wie er einen Körper an zwei Orten gegenwärtig sein lassen kann oder eine Farbe in zwei Gegenständen. Personalität wäre im Grundsatz „dinghaft" von der Natur trennbar, die durch sie bestimmt wird. Wenn dagegen die Personalität nur ein Modus der Natur ist, dann ist sie wesenhaft auf diejenige Sache beschränkt, deren Modus sie ist, und kann kein anderes Seiendes außerhalb ihrer bestimmen. Ihr „effectus formalis" ist ganz prinzipiell auf einen einzigen Gegenstand begrenzt, so wie etwa auch eine (figürliche) Gestalt nur ihre eigene Quantität zu affizieren vermag oder das Lage-Akzidens des Sitzens nur einen Sitzenden[142]. Daß diese Unfähigkeit zur hypostatischen Union bloß eine endliche Subsistenz, nicht aber eine göttliche Personalität betrifft und folglich auf eine kreatürliche Unvollkommenheit hindeutet[143], begründet Suárez in seiner Christologie mit einer Unterscheidung zwischen beiden, auf die wir später näher einzugehen haben.

Eine weitere Frage aus dem Umkreis der christologischen Spekulation betrifft das Problem, warum eine geschaffene Personalität nicht ohne ihre eigene Natur im Dasein erhalten werden kann, umgekehrt aber eine Natur ohne eigene Personalität. Auch dies wäre nicht erklärlich, wenn die Personalität eine von der Natur völlig verschiedene „res" wäre, denn so könnte Gott der einen ohne die andere problemlos die Existenz sichern. Es gäbe keine wesenhafte Abhängigkeit beider voneinander, was die Möglichkeit seinshafter Independenz im Gefolge hätte. Dagegen ist die ontische Bindung eines Modus an diejenige Sache, die er modifiziert, unmittelbar einleuchtend. Er kann von ihr nicht getrennt werden, ohne daß seine „ratio formalis" zerstört würde[144]. Diese gänzliche Untrennbarkeit der geschaffenen Subsistenz von der Natur, welche sie modifiziert, und ihre Inkommunikabilität „ut quo"[145], also die Unmöglichkeit, daß sie als Formalkonstitutiv in anderen substantialen Naturen auftritt, wird von

[142] Vgl. De incarnatione 13.4.5 (XVII, 492a).

[143] Vgl. auch DM 34.4.56 (XXVI, 398a): „subsistentia enim creata ita est alligata (ut sic dicam) propriae naturae, quam terminat, ut nulli alteri communicari possit, quod aliis verbis dici solet, suppositum creatum ita esse imperfectum, ut non possit alienam naturam assumere aut terminare. Quam incommunicabilitatem non habet divina persona, aut subsistentia; potest enim pluribus naturis communicari per hypostaticam unionem, saltem supernaturaliter...". Dagegen kommt in passiver Hinsicht auch der göttlichen Person absolute Inkommunikabilität zu, d. h. sie kann selbst von keiner fremden Subsistenz terminiert werden: vgl. ebd. 58 (399a).

[144] Vgl. DM 34.4.37 (XXVI, 378b-379a).

[145] Vgl. ebd. 5.61 (400a).

Suárez in der nachfolgenden Sektion (s. 5) von d. 34 ausführlich begründet[146]. Die Inkommunikabilität der geschaffenen Subsistenz, so wird dabei klar, fällt mit derjenigen des konkreten, endlichen Suppositum (der „individua substantia“ der boethianischen Definition in ihrer gemeinscholastischen Deutung) zusammen[147], das „in genere substantiae“ nicht weiter determiniert oder „kontrahiert“ werden kann[148] und dessen letzte formale Bestimmung die Subsistenz ist. Da die Kommunikabilität der (absoluten) göttlichen Subsistenz dadurch jedoch nicht tangiert wird[149], lehnt es Suárez ab, „Inkommunikabilität“, wie sie dem Suppositum zuzuweisen ist, uneingeschränkt in die Definition von Subsistenz als solcher einzuschreiben, wiewohl dies für den Bereich alles Endlichen möglich wäre.

(3) Schließlich wird in einer dritten These die Weise des Hinzukommens der geschaffenen Personalität zur Natur als eine „Zusammensetzung“, näherhin als eine solche zwischen Modus und modifiziertem Seienden beschrieben[150]. Sie braucht nach dem Vorangegangenen nicht mehr eingehender erläutert zu werden. Daß Suárez sich auch in diesem Punkt von Cajetan abgrenzt, haben wir erwähnt.

### *d) Aspekte der philosophischen und inkarnationstheologischen Explikation des suárezischen Subsistenzverständnisses*

(1) In s. 6 von DM 34 wird Suárez den Nachweis führen, daß, wie sich in der Rede von der natürlichen „aptitudo“ einer substantialen Natur für ihre Vollendung in der Subsistenz bereits andeutete, die „Zusammensetzung“ beider nicht als ein rein äußerliches Geschehen gedacht werden darf. Die Subsistenz geht vielmehr aus dem Wesen „per resultantiam

[146] Vgl. 389b-400b.

[147] Vgl. ebd. 53 (397a).

[148] Vgl. ebd. 58 (398b-399a).

[149] Vgl. ebd., s. 5, n. 1 (379a); n. 60 (399b): „Quocirca, loquendo de subsistente ut sic, non includit eam omnimodam incommunicabilitatem, quam includit suppositum. Nam in divinis natura subsistens, etiamsi sit perfectum et completum ens, communicabilis est tribus suppositis, non ut ab eis pendeat, nec quia illis indigeat ut subsistat, sed propter suam infinitatem, ratione cujus communicatur multis suppositis ineffabili quodam modo, per summam identitatem et simplicitatem. In creaturis autem non habet locum ille modus communicationis, et ideo si res subsistens sit etiam completa, est omnino incommunicabilis, ac suppositum.“ Die Kommunikabilität kommt der Gottheit „ratione sui“ zu, näherhin „ratione infinitatis“, und gehört damit unter die absoluten Wesensprädikate; vgl. De trin. 4.8.3-5 (I, 635a-b).

[150] Vgl. DM 34.4.38 (XXVI, 379a): „Dico tertio: personalitas creata veram facit compositionem cum creata natura, tanquam modus cum re modificata, seu tanquam terminus cum re terminabili.“

naturalem"[151] hervor, also aus den inneren Gründen der zur Subsistenz strebenden existierenden Wesenheit selbst, die für eine solche aktive Hervorbringung die „hinreichenden Prinzipien" bereitzustellen vermag; sie ist folglich nicht von einer rein äußeren Wirkursache bedingt[152] und unterscheidet sich als Teil der inneren Dingkonstitution von allen diese bereits voraussetzenden, nachgeordneten Handlungsvollzügen[153]. Die Subsistenz ist, wie es anderswo heißt, gegenüber der Natur als „mitgeschaffen" anzusehen, ähnlich wie es etwa bei den eigentümlichen Eigenschaften („passiones") einer Natur der Fall ist[154]. Dies unterstreicht einerseits die enge Verbindung zwischen der Natur und der sie modal terminierenden, ihr „innigst anhängenden" Subsistenz[155] und die hohe Wertschätzung des selbständigen zweitursächlichen Tuns bei Suárez, in dem nach Möglichkeit unmittelbare Eingriffe der „causa prima" ausgeschlossen werden[156]. Es bringt aber andererseits das bereits erwähnte Problem mit sich, daß die Unterbindung eigener Personalität im Sinne der „resul-

[151] Zur Erläuterung dieses Begriffs vgl. ELORDUY (1963) 49-67. „Natürliche Resultanz" liegt nach Suárez etwa auch bei den Seelenvermögen im Vergleich zur Seelensubstanz oder im Fall einer Relation vor, sobald Fundament und Terminus gesetzt sind. Die Resultanz der Subsistenz ist insofern einzigartig, als sie allein unmittelbar aus der Natur als solcher erfolgt (vgl. DM 34.7.17, XXVI, 417b-418a; zum ganzen Kontext auch: DM 18.3.3-14, XXV, 615b-619b).

[152] Vgl. Suárez, DM 34.6.8-9 (XXVI, 402b-404a). „Ratio vero est, quia ex parte naturae sunt omnia principia sufficientia, ut ab ea active resultet subsistentia ejus; ergo non est negandum, quin inter illa talis activa connexio intercedat" (403b). Zur Resultanzlehre vgl. RANGEL RIOS (1991) 138, zur Lehre von der Wirkursächlichkeit bei Suárez BURNS (1964).

[153] Vgl. Suárez, DM 18.3.14 (XXV, 619b).

[154] Vgl. Suárez, De incarnatione 8.1.14 (XVII, 334b): „probabilissimum mihi est, ut infra dicam, subsistentiam non immediate attingi ab extrinseco agente influxu creativo, vel generativo, sed resultare ex natura terminante formaliter creationem, vel generationem, ex vi intrinseca ejus, et ideo dici concreari, sicut propriae passiones concreari dicuntur, quod magis proprie convenit subsistentiae, quia est de consummatione substantiali ipsius naturae; et eodem modo dicitur creatio tendere seu terminari ad rem subsistentem, quia vi sua facit rem independentem a subjecto, et ideo ex natura rei attingit rem, quae necessario per subsistentiam completur, necessario resultantem ex esse per creationem communicato".

[155] Die Subsistenz ist „intime adhaerens naturae quam terminat" (DM 34.6.20, XXVI, 407b), wobei Suárez zur Vermeidung eines falschen Materie-Form- bzw. Substanz-Akzidens-Modells bei der Inbeziehungsetzung von Natur und Subsistenz die Rede von einer *In*härenz der Subsistenz ausdrücklich vermeiden will (ebd. 22-23, 408a-b).

[156] Vgl. ebd. 9: „quando effectus vel aliquis modus rei potest convenienter reduci in causam secundam, non est soli primae attribuendus; et similiter quando revocari potest in internum principium, non est ad solam extrinsecam causam referendus, et praecipue quando talis modus habet intrinsecam, et inseparabilem connexionem naturalem cum re, cujus est modus" (403b-404a).

tantia naturalis“ im Falle der Menschheit Christi den Anschein der „gewaltsamen“ (da widernatürlichen) Unterdrückung solcher Personalität erweckt. Diesen Einwand muß Suárez mit Verweis auf den höheren „status“, in den die Menschheit in der hypostatischen Union erhoben wird, einer eigenen Widerlegung unterziehen[157]. Positive Berücksichtigung findet er im suárezischen Modell jedoch insoweit, als die von Scotus und Cajetan erwogene Möglichkeit eines von Gott ermöglichten Daseins einer Natur ohne jegliche (eigene wie fremde) Subsistenz als unwahrscheinlich zurückgewiesen und stattdessen die These affirmiert wird, daß trotz der auch vom Jesuiten anerkannten Vorordnung von Wesen und Existenz vor die Subsistenz der letztgenannte „terminus intrinsecus“, wie er als dem Wesen eigentümlicher natürlicherweise resultiert, allein im Falle der Ersetzung durch eine fremde Subsistenz in einer hypostatischen Union fehlen kann[158]. Nur hier wird auf wunderbare Weise die „wirkliche Entität“ der geschöpflichen Natur ohne eigene „wirkliche Subsistenz“ bewahrt, was Suárez ausdrücklich in Analogie zur wunderbaren Erhaltung der akzidentellen Existenz ohne Inhärenz im eigenen Träger stellt[159], wie sie durch Gottes Macht in der eucharistischen Verwandlung bewirkt wird. Der vermittels der Bezugnahme auf ein göttliches Wunder nur unterstrichene Konnex zwischen Existenz und Subsistenz hebt die durch Suárez von Durandus übernommene[160] und im Beispiel gleichermaßen bestätigte wirkungslogische Differenzierung zwischen dem Akt der Erzeugung der Existenz einer endlichen Natur (der eigentlichen gottgewirkten „creatio rei“) einerseits und der Hervorbringung ihrer Subsistenz (im Sinne der normalerweise natural resultierenden „modificatio“ des Erschaffenen)

[157] Vgl. ebd. 17 (406a-b) und De incarnatione 8.4.11-16 (XVII, 364b-367a): Die Menschheit Christi behält in der Union die „capacitas“ zu eigener Personalität, auf keinen Fall aber ein Verlangen („appetitus“) nach dieser geringeren Vollkommenheit „per modum desiderii“. Vgl. ELORDUY (1963) 53f.

[158] Vgl. Suárez, DM 34.6.25-29 (XXVI, 409a-410b). Zu beachten sind besonders die Aussagen in n. 29 (410a-b), wo die Substitution der eigenen Personalität in der hypostatischen Union mit dem Ersatz eines „intrinsecus terminus“ für die des eigenen Trägers beraubten Akzidentien in der Eucharistie verglichen wird: „...ita ut natura non privetur subsistentia nisi per unionem hypostaticam; et e converso, ut accidens, quando privatur inhaerentia, accipiat aliquem modum positivum per se essendi, inhaerentiae oppositum, ut probabilius indicavimus in materia de Eucharistia, quia valde alienum est a natura, manere sine aliquo intrinseco termino.“

[159] Vgl. De incarnatione 8.4.4 (XVII, 361b): „Et hinc fit ut, sicut in accidente potest conservari existentia accidentalis sine modo actualiter inhaerendi, ita in natura substantiali possit conservari actualis entitas ipsius naturae, seu (quod idem est) existentia substantialis ipsius naturae sine subsistentia actuali, et ita factum est in hoc mysterio [sc. incarnationis]“.

[160] Vgl. die Belege bei KAISER (1968) 80.

andererseits nicht auf[161]. Dies kann auch christologisch begründet werden: Würde der Sohn Gottes *per impossibile* die von ihm angenommene Menschheit, die in der Union eigener Subsistenz entbehrt, ablegen, würde ein neuer wirkursächlicher Akt notwendig, damit diese Natur ihre eigene Subsistenz erhielte und als menschliche Person fortbestehen könnte[162]. Damit ist ein weiteres Argument gefunden, das die formale Unterschiedenheit der Subsistenz gegenüber der Existenz unbeschadet ihrer gewöhnlichen naturalen Verknüpfung in endlichen Supposita unterstreicht.

(2) Nicht nur christologisch, sondern auch trinitätstheologisch von höchster Bedeutung ist eine weitere Reflexion über die Subsistenz, die Suárez in s. 7 von DM 34 anschließt, indem er nach der Kausalität der Subsistenz im Wirken des Suppositum fragt. Konkret lautet das sich dabei stellende Problem, ob suppositale „causalitas effectiva" nach innen („actio immanens") und außen („actio transiens") in formaler Hinsicht durch die Subsistenz oder durch die Natur oder durch beide zugleich (und dann in einer bestimmten logischen Zuordnung) konstituiert ist[163].

(a) Suárez beschränkt seinen Blick zunächst auf die nach außen gerichteten Handlungen. Seine als „Mittelweg" gekennzeichnete These entwickelt er in Abgrenzung von zwei extremen Ansichten.

(aa) Deren erste erklärt die Subsistenz per se zugleich neben der Natur zum Formalkonstitutiv der Akte, nicht zuletzt um die menschlichen Handlungen Christi auf diesem Wege als göttliche qualifizieren zu können. Die vor allem von Nominalisten vertretene Gegenthese dazu betrachtet die Subsistenz nur mitlaufend („concomitanter") als Handlungsprinzip, da die Natur auch ohne Subsistenz als individuell existierend angesehen wird. Sie kann sich auf das mit Berufung auf Anselm in der westlichen Trinitätslehre unumstrittene Grundaxiom stützen, wonach alle Handlungen Gottes „ad extra" den göttlichen Personen nur appropriiert werden, in eigentümlicher Weise jedoch der ganzen Dreifaltigkeit bzw. Gott in seiner wesenhaften Einheit zuzuschreiben sind[164].

[161] Vgl. Suárez, De incarnatione 8.4.30 (XVII, 410b-411a). Die Unterscheidung der Erschaffung der menschlichen Natur Christi und der Hervorbringung der hypostatischen Union wird ebenfalls ausgeführt in De incarnatione 8.1.21-26 (337a-340a).

[162] Vgl. DM 34.6.30 (XXVI, 410b-411a); De incarnatione 8.1.26 (XVII, 339b-340a); 8.3.8 (347b-348a); besonders ausführlich: 8.4.6-10 (362a-364b).

[163] Vgl. DM 34.7.3 (XXVI, 412a).

[164] Vgl. ebd. 5 (413a): „Potestque egregie declarari exemplo Trinitatis; nam, licet actiones ad extra, ut sunt creatio, etc., denominative tribuantur Patri et Filio, et Spiritui Sancto, tamen, quia illae relationes et subsistentiae personales non erant per se necessariae ad talem actionem creandi, et similes, sed ipsa natura divina erat per se sufficiens, ideo tam proprie tribuitur creatio divinitati, sicut ipsis personis, et ipsae

(bb) Die vermittelnde Antwort des Suárez greift das letztgenannte Argument positiv auf[165].

(aaa) Tatsächlich läßt sich aus dem Axiom der Gotteslehre, das auch der Jesuit nicht bestreitet, ableiten, daß wie die göttliche so auch die geschaffene personale Subsistenz keinen eigentümlichen und unmittelbaren Einfluß auf die Handlungen des Suppositum auszuüben vermag. Der Sohn als solcher „bewirkt“ selbst in der Inkarnation im strengen Sinne nichts, was nicht auch Vater und Geist täten[166]. Dem entspricht die trinitätstheologische Einsicht, die Suárez selbst mit vielen Theologen unterstützt[167], daß sogar die innergöttlichen Hervorbringungen (die „productiones ad intra“) ihr jeweiliges Prinzip nicht in der Relation der jeweils hervorbringenden Person, sondern in der göttlichen Natur besitzen, zu der die Personalität nur als notwendige Bedingung tritt[168].

(bbb) Hinzu kommt zweitens als Begründung aus der Christologie die These, daß nur die prinzipielle Bindung der Handlung an die Natur ein unverkürztes Prinzip menschlichen Tuns in Christus abzusichern und eine Vermischung der Naturen fernzuhalten vermag[169]. Der inkarnierte Gottessohn ist nur dann in der Lage, wahrhaft menschlich zu handeln, wenn die Natur und nicht die Personalität als Formalprinzip dieses Handelns zu betrachten ist.

(b) Im folgenden seien diese beiden Zentralargumente, die Suárez anführt, wenn er die Funktion der personalen Subsistenz des Wortes im

relationes ut sic non sunt principia per se et immediate influentia in tales actiones; ita ergo comparatur omnis subsistentia creata ad actiones suae naturae.“

165 Vgl. zum folgenden DM 34.7.6 (413a-b): „dicendumque est primo, subsistentiam creatam non habere proprium et immediatum influxum in actiones suppositi“ (ebd. 413a).

166 Vgl. DM 12.2.11 (XXV, 386b-387a), wo auch noch das „Terminieren“ der menschlichen Natur durch die Person des Sohnes von der Wirkursächlichkeit abgehoben wird. Daß die Inkarnation Werk der ganze Trinität ist, wurde auf dem 11. Konzil von Toledo (675) und dem 4. Laterankonzil (1215) auch lehramtlich festgestellt. Vgl. DH 535; 801.

167 Vgl. dazu in unserer Studie Kap. 8, 2), (2).

168 „Et (quod maxime urget) etiam in productionibus ad intra. ut sunt generatio et spiratio, aiunt graviores Theologi formale principium earum esse naturam, vel intellectum, vel voluntatem; relationem vero personae producentis esse tantum necessariam conditionem; idque satis esse ut solum talis persona dici possit generare aut spirare, et non divina natura“ (DM 34.7.6 [XXVI, 413a]). Ein moderner Interpret der scholastischen Debatte über den Formalgrund der Fähigkeit einer göttlichen Person zur Terminierung einer geschöpflichen Natur (also der Begründung einer hypostatischen Union) hat jüngst ebenfalls auf diese schon von Suárez erkannte Parallele zur trinitätstheologischen Frage nach dem Formalprinzip der innergöttlichen Hervorbringungen hingewiesen: CROSS (2003) 273.

169 Vgl. Suárez, DM 34.7.7 (XXVI, 413b-414a).

Geschehen der hypostatischen Union beschreibt, mit Hilfe weiterer Texte aus Metaphysik und Inkarnationstraktat in umgekehrter Reihenfolge noch etwas eingehender erläutert.

(aa) Die Erörterungen des Suárez „De incarnatione" haben ganz generell im Prinzip der strikten Naturenscheidung und der damit verbundenen Wahrung der Eigenständigkeit des menschlichen Seins- und Wirkprinzips gegenüber dem Einfluß des Logos ihr unverkennbares Zentrum. So ist der Jesuit bei der Diskussion des Verdienstes Christi noch vehementer als in DM 34 bemüht, eine Zuschreibung der menschlichen Handlungen Jesu an den göttlichen Willen des Logos (zur Absicherung ihres unendlichen Wertes) zurückzuweisen[170]. Die Leitung des menschlichen Willens Jesu durch Gott darf dessen Eigenständigkeit nicht schmälern. Sie geschieht folglich nicht als unmittelbare (kausale) Bewegung, sondern nur „per concursum" und ist vor allem im strengen Sinne kein dem göttlichen Sohn als solchem eigentümlicher Einfluß auf die von ihm angenommene Menschheit. Wie das göttliche Wort, sofern es die Menschheit terminiert, ganz generell kein „seinsgebendes" Prinzip ist, sondern nur notwendige Bedingung dafür, daß die Menschheit zu subsistieren vermag[171], wird die göttliche Personalität im Blick auf den Wert einer menschlichen Handlung Christi ebenfalls zur bloßen „circumstantia moralis" erklärt, von der kein „proprius et physicus influxus" ausgeht[172], sondern nur ein (gleichwohl substantialer) „influxus terminativus et sustentativus"[173]. Für die Christologie lautet die Konsequenz: Wie alles Handeln Gottes in der Welt ist auch die Begnadung des Menschen Jesus ein ungeteiltes Werk Gottes und wird dem Sohn nur „per convenientiam in eodem supposito" besonders *zugeeignet*. Die Menschheit Christi ist uneingeschränkt eigenes Prinzip seines moralischen Handelns als Mensch[174], ihre Einheit mit der göttlichen Natur in der Person des Wortes im Sinne der „dependentia suppositalis"[175] dieser Menschheit ist nur als Handlungsumstand zu werten, der den menschlichen Taten eine besondere Würde (und vermittels ihrer einzigartige satisfaktorische Kraft) verleiht[176]. Sie ist jedoch nicht zu

[170] Vgl. Suárez, De incarnatione 4.4.7-11 (XVII, 64b-66b).

[171] Vgl. dazu auch DM 12.2.11 (XXV, 386b-387a).

[172] Vgl. De incarnatione 4.4.13 (XVII, 67b). Identische Aussagen finden sich ebd. 31.1.4 (XVIII, 92a-b).

[173] So De incarnatione 8.3.27 (XVII, 358b).

[174] Vgl. ebd. 4.4.11 (66b): „proprium principium operationis moralis".

[175] De incarnatione 8.1.14 (XVII, 334b).

[176] Suárez spricht von der Personalität als einer „conditio dignificans personam operantem", die als solche aber nicht unmittelbar über den Wert einer Handlung entscheidet: De incarnatione, 4.4.15 (XVII, 68a). Dennoch ergibt sich aus der ontologisch der Natureneinung in der einen Person folgenden Zuschreibbarkeit der menschli-

verstehen als unmittelbare Einung des göttlichen Wortes mit allen Taten der Menschheit, die nach Suárez geradezu ein eigenes Wunder über die hypostatische Union hinaus darstellen müßte[177].

Für die Frage nach der konstitutiven Leistung der Subsistenz für das Suppositum und sein Handeln bedeutet dies: Man entgeht nach Suárez dem Monergismus wie dem Monotheletismus als subtileren Varianten des Monophysitismus nur, wenn man begreift, daß die göttliche Subsistenz die geschaffene nicht im Blick auf deren Handlungen ersetzt, sondern nur im streng ontologischen Sinn der letzten Existenzmodifikation („quoad terminationem assumptae naturae“)[178]. Wenn die Menschheit dem Wort geeint wird, entsteht in ihr zwar ein gewisser Modus der Einung oder der In-Existenz im Wort, der substantiale, übernatürliche Modus der hypostatischen Union, welcher den substantialen Modus der geschaffenen Subsistenz ausschließt und mit ihm „inkompossibel“ ist[179]. Dieser übernatürliche Modus der Union, dessen ontologische Qualifizierung von Suárez in Entsprechung zum natürlichen Modus der Subsistenz konzipiert ist, terminiert jedoch nicht auf eine letzte Weise die Natur in sich, sondern bewirkt einzig, daß sie im göttlichen Wort terminiert wird, also seinshaften Selbststand erhält. Diese durch die Union ermöglichte einzigartige Subsistenz des Menschen Christus ist nicht unmittelbares Prinzip personaler Handlungen, sondern als Existenzmodus notwendiger, abschließender „ontologischer Baustein“ („complementum ad operandum requisitum“[180]) in der Konstitution des Suppositum, das als solches Subjekt des Handelns ist („principium quod“), aber stets vermittels der Natur (als „principium quo“)[181]. Suárez geht sogar so weit zu behaupten, daß deswe-

chen Handlungen Christi an die göttliche Person der unendliche satisfaktorische Wert dieser Taten Christi, deren endliches „esse entis“ somit streng vom unendlichen „valor moralis“ wie die Materie von der Form abzugrenzen ist; vgl. ebd. 22 (70b-71b). „Unde haec unio nullum realem modum ponit in ipso actu, respectu Verbi praeter modum unionis ipsius humanitatis; ab illo tamen participat moralem valorem et aestimationem...“ (71b).

177 Vgl. ebd. 16 (68b): „Falsum est enim divinum Verbum fuisse immediate unitum omnibus actibus et operationibus Christi (...), quia Verbum solum fuit unitum humanitati substantiali unione, et ad supplendam subsistentiam humanae naturae. Unde solum ea sibi immediate univit, quae subsistentiae creatae immediate uniuntur“.

178 Vgl. DM 34.7.7 (XXVI, 413b-414a).

179 Vgl. De incarnatione 8.3.8 (XVII, 347b-348a).

180 De incarnatione 4.5.14 (96a).

181 Vgl. De incarnatione, 4.4.12 (67a): Suárez führt gegen die These von einem unmittelbaren Einfluß des göttlichen Wortes auf die menschlichen Handlungen Christi aus: „Primum patet ex generali ratione subsistentiae quae praecise et secundum suam rationem formalem non est proximum principium operandi, sed est tantum

gen, weil göttliche und menschliche Natur in Christus in je verschiedener Weise „ratio subsistendi" für das göttliche und menschliche Sein Christi sind, wie im natural zu differenzierenden Handeln deutlich wird, die eine, beide Naturen bestimmende Subsistenz des Wortes auch „*menschliche* Personalität" genannt werden kann, sofern sie die menschliche Natur terminiert[182].

Die für die Christologie des Thomas von Aquin so zentrale Lehre von der Menschheit Christi als Instrument bzw. Heilsorgan seiner Gottheit kann Suárez auf dem Hintergrund der dargestellten Überzeugungen nur in abgeschwächter und interpretatorisch entschärfter Form anerkennen[183]. Denn die beiden Naturen in Christus stehen für ihn nicht in einer

quidam naturae terminus constituens suppositum, quod est principium per se operationum, tanquam id quod operatur; formale autem principium *quo* est natura per se aut per potentias suas; sed personalitas Verbi unita est humanitati solum in ratione subsistentiae, ut infra videbimus; ergo non unitur ut sit principium per se et proximum operationum, ita ut ipsa sit proxima ratio agendi, vel totalis vel partialis." Ähnlich ebd. 14 (67b): „Actiones enim dicuntur esse suppositi, tanquam ejus quod operatur, quia ipsum est quod proprie et complete existit; operatio autem sequitur esse; et ideo simpliciter tribuitur ei quod per se existit, scilicet supposito (...); ad hoc autem necesse non est ut suppositum operetur per ipsam subsistentiam tanquam per rationem operandi, sed satis est ut per naturam operetur tanquam per principium quo; subsistentia vero sit conditio per se necessaria ex parte operantis, ut complete sit; et ita operari possit."

182 Vgl. Suárez, De incarnatione q. 2, a. 4, Comm., n. 5 (XVII, 293a): „in quantum vero terminat [naturam] humanam [sc. subsistentia Christi], potest dici personalitas humana, ut loquuntur multi Theologi, Marsilius, in 3, q. 6, art. 3, dub. 3; Cajetanus, art. sequenti; Palac., in 3, d. 6, q. 1". Vgl. unter den Zeitgenossen des Suárez auch Vázquez, In III^am^ 69.2.7 (I, 471b) mit seiner Verteidigung des Satzes „Christus secundum quod homo est persona". Tatsächlich findet sich eine solche Ausdrucksweise schon an den Wurzeln der christologischen Subsistenztheorie; vgl. Petrus Lombardus, Sent. l. 3, dist. 6, c. 3 (Ed. Quaracchi II, 53), wo es heißt, daß die göttliche Person nach Aufnahme der Menschheit auch „persona hominis" genannt werden kann. In der Jesuitenschule nach Suárez wird Card. de Lugo diesen Formalprimat der Natur in den Subsistenzbestimmungen noch deutlicher lehren, wenn er die These vertritt, daß im hypothetischen Fall der Terminierung einer menschlichen Natur durch die Subsistenz eines irrationalen Suppositum eine menschliche Person resultieren müßte – ebenso wie aus der Terminierung einer nicht-vernunftbegabten Natur durch menschliche Personalität ein non-personales Suppositum hervorginge; vgl. Juan de Lugo, De Anima, BN Madrid, Ms. 6.821, fol. 19v, zit. nach BACIERO (1968) 25: „Quare si per impossibile natura humana terminaretur per subsistentiam alicuius suppositi irrationalis, adhuc cum illa subsistentia constitueret personam. Atque etiam e contra, si per subsistentiam humanam terminaretur natura bruti, non resultaret persona, sed suppositum".

183 Vgl. Suárez, De incarnatione 4.4.15 (XVII, 68a): „Quod si respectu Verbi dicatur instrumentum, solum est, vel ut denotetur non esse propriam Verbi naturam, sed

unmittelbaren realen Relation, wie sie das Instrumentalmodell nahezulegen scheint, sondern nur in einer gedanklichen, die tatsächlich in nichts anderem besteht als dem Verhältnis beider Naturen zur selben Subsistenz[184]. Auch für eine Erläuterung der Idiomenkommunikation in Christus betrachtet Suárez die Instrumentalidee als völlig ungeeignet[185]. Denn deren Sinn kann nicht darin liegen, daß die Gottheit mit ihren Attributen sich der Menschheit als eines Werkzeugs bedient, da auf diese Weise der Irrtum des Nestorius, die Annahme einer bloß akzidentellen Verknüpfung von Göttlichem und Menschlichem in Christus, nicht überwunden wäre: Eine „in der Kraft" der Gottheit wirkende Menschheit macht den Menschen selbst noch nicht göttlich. Würde man dagegen die göttlichen Attribute (der Weisheit, Allmacht etc.) zum Formalkonstitutiv der entsprechenden menschlichen erklären, würde man dem Monophysitismus verfallen, da dann eine Einung in der Natur („per modum formae") bestünde[186]. Eine göttliche Vollkommenheit als solche aber kann niemals Form einer geschaffenen Natur werden, zumal gewisse göttliche Attribute der Menschheit überhaupt nicht mitteilbar sind (beispielsweise die Seinsform als „actus purus") und andere Attribute ihr zumindest während einer gewissen Zeit des irdischen Lebens Jesu nicht mitgeteilt wurden (etwa die Leidensunfähigkeit), was bei einem Modell der Formalbestimmung der Menschheit einen Widerspruch zur Unteilbarkeit der göttlichen Attribute im Gefolge hätte. Außerdem würde aus der These einer unmittelbaren werkzeuglichen Indienstnahme der Menschheit durch die Gottheit folgen, daß wegen der Gemeinsamkeit der Attribute in allen göttlichen Personen auch alle göttlichen Personen Mensch geworden sein müßten – noch einmal wird der Thomismus hier in die Nähe einer gleichsam modalistischen Inkarnationsauffassung gestellt. Wegen der Reziprozität der Idiomenkommunikation in Christus wäre als weitere absurde Folge zu notieren, daß auch die Gottheit formaliter die Eigentümlichkeiten der menschlichen Natur annehmen müßte, so daß sie durch die Einung veränderlich, sterblich, endlich etc. würde. Dies aber, so äußert Suárez mit einem Augustinuszitat, würde eine Häresie solchen Ausmaßes darstellen, daß sie in der an Heterodoxien reichen Theologiegeschichte ohne Vor-

quasi alienam, quamvis per se et substantialiter conjunctam, vel magis proprie in ordine ad actiones supernaturales et miraculosas..."; De incarnatione 31.6.17 (XVIII, 113b-114b). Vgl. BASABE (1960), bes. 31-35.191f.

[184] Vgl. Suárez, De incarnatione 8.3.23 (XVII, 355a-b).

[185] Vgl. ebd. 35.1.4-5 (XVIII, 218b-219b).

[186] So der Vorwurf auch ebd. 36.1.16 (265b-266b).

bild wäre[187]. Die wahre Idiomenkommunikation besteht folglich allein darin, daß aufgrund der Einung in der Subsistenz die für sich unvereinbaren göttlichen und menschlichen Prädikate von ein und derselben Person in wahrer Weise ausgesagt werden. Wenn der göttliche Sohn personal die angenommene Menschheit terminiert, läßt er sie nicht quasiformal an seiner Gottheit teilhaben, ja stellt sie als solche im strengen Sinne nicht einmal in eine besondere Relation zu den übrigen göttlichen Personen, mit denen er selbst relational verbunden ist[188]. Hypostatische Union und Begnadung des Menschen Christus fallen formal nicht in eins.

Für die christologische Handlungstheorie bedeutet das: Alle Akte des Menschen Christus, auch die „göttlichen", wie etwa seine Wunder, gehen einzig und ungeteilt aus seiner Menschheit hervor, die freilich unter der übernatürlichen Hilfe Gottes steht, welche sich *prinzipiell* nicht von derjenigen Begnadung unterscheidet, wie sie jeder gerechtfertigte Mensch von Gott erhält bzw. wie sie Jesus auch hätte beziehen können, wenn er in eigener (menschlicher) Subsistenz existiert hätte[189]. Die besondere Begnadung des Menschen Christus, sein einzigartiges Gottesverhältnis, auch seine Sündenlosigkeit[190] werden in strikt formaler Betrachtung vom Konstitutivum der hypostatischen Union getrennt[191]. In der doppelten, temporal nicht auseinanderzureißenden Begnadung Christi ist zwar die Unionsgnade der habituellen Gnade insofern vorausgesetzt, als sie der Natur nach früher steht[192] und als die Würde der göttlichen Person auch eine Heiligung der Menschheit Christi „konnatural" zuhöchst angemessen, ja innerlich („ab intrinseco"[193]) geschuldet sein läßt. Die habituelle Gnade ist

[187] Vgl. ebd. 35.1.4 (219a): „Quae etiam haeretica sunt; unde August., serm. 195 de tempore, dicit nunquam haeresim ausam esse dicere, omnia, quae erant divinitatis, in humanitatem, et quae humanitatis erant, in divinitatem esse transfusa; nam hoc modo exinanita esset utraque substantia, et in aliud esset mutata."

[188] Dies wird eindeutig ausgesagt in De incarnatione 12.2.13 (XVII, 470a): „Respondetur, Christum ut subsistentem in humanitate esse personam relativam, formaliter loquendo de ratione personae, quanquam ut est individuum quoddam humanae naturae, sit aliquid absolutum; et ideo ex hac unione non sequitur humanitatem, vel hunc hominem referri ad Patrem, sed solum id sequitur de hac persona...".

[189] Vgl. ebd. 4.5.25 (XVII, 99b-100b), bes. 100a: „igitur humanitas Christi per se et in proprio supposito existens esset capax omnium infusarum virtutum quas habet unita Verbo; et eadem ratione caeteri homines eamdem capacitatem habent, neque est ulla virtus, quae in solo Christo Deo homine esse possit."

[190] Vgl. dazu eigens De incarnatione 18.4.5 (592b-593a).

[191] Vgl. zur These und der darin liegenden Kritik an Vázquez GUMMERSBACH (1933) 58-61.

[192] Vgl. Suárez, De incarnatione 18.3.1-2 (XVII, 584b-586a).

[193] Vgl. De incarnatione 18.4.5 (593a): „Quocirca inter Christum et purum hominem non est differentia in necessitate auxilii, neque in substantia ejus, si caetera sint paria

aber in keiner Weise als Wirkung oder Ausfluß der Unionsgnade als solcher anzusehen, sondern wird parallel zu ihr unmittelbar eigenständig von Gott geschenkt[194]. Suárez reduziert das eigentliche Inkarnationsgeschehen auf das höchst formale Moment der Ersetzung menschlicher Subsistenz durch diejenige des göttlichen Wortes, auf die Vermittlung personalen Seins. Dadurch wird in der Menschheit in essentialer Hinsicht nichts bewirkt oder konstituiert[195] – alle gnadenhaften Auszeichnungen der Menschheit Christi haben einen von der Unionsgnade formal verschiedenen Ursprung[196] und sind nicht automatisch mit dieser gegeben[197].

et solum sit diversitas in unione; tamen est differentia in hoc, quod respectu puri hominis tale auxilium est quasi extrinsecum, et supra debitum tam naturae quam personae additum; unde fit ut negari illi possit, vel de potentia ordinaria, vel de absoluta; at vero respectu Christi, hoc auxilium est quasi ab intrinseco, et ita debitum ratione unionis, ut negari non possit, etiam de potentia absoluta." Der unterschiedliche Gebrauch der Vokabeln „differentia" und „diversitas" in diesem Zitat durch Suárez ist wohlbedacht. Nach DM 7.3.6 (XXV, 273b) bezeichnet man mit „differre" eine Unterschiedenheit zweier Größen in Bezug auf eine Gemeinsamkeit (im vorliegenden Fall z. B.: die übernatürliche Gnadenhilfe, wie sie Christus und den übrigen Menschen in prinzipiell gleicher Weise gegeben ist). Die Vokabel „diversitas" dagegen deutet auf eine Unterschiedenheit hin, bei der keine Gemeinsamkeit vorliegen muß (hier: „diversitas in unione" – nur der Mensch Jesus steht in der hypostatischen Union mit einer göttlichen Person). Davon nochmals zu unterscheiden ist nach Suárez der (im vorliegenden Text nicht gebrauchte) Terminus „esse distinctum", welcher nur das Nicht-Vorliegen einer „identitas realis" meint, aber dabei eine Ähnlichkeit zweier Größen nicht (wie die „diversitas") ausschließt (was für Suárez bei der Rede über „formale" oder „modale" Unterschiede bedeutsam wird).

[194] Vgl. De incarnatione 18.4.3 (XVII, 586b): „Dicendum ergo tertio est, gratiam habitualem non manare a Verbo, aut ab unione hypostatica, physica dimanatione, aut per aliquam veram efficientiam, sed immediate dari a Deo per suam voluntatem et potentiam." Die These wird im Anschluß ausführlich begründet und gegen Einwände abgesichert.

[195] Vgl. ebd. 7 (587a): „Probatur ergo prior pars de modo unionis, primo, quia ille modus natura sua non est activus, nec principium efficiendi aliquid, magis quam modus subsistentiae, et alii similes, sed solum formaliter conjungit humanitatem Verbo, et ad hoc solum natura sua institutus est, et in hoc quasi absolvitur virtus ejus. Secundo, quia illa unio non se habet ad modum actus primi respectu alicujus actionis vitalis; nulla est enim quae ab illa unione physice ac per se procedat, ut a formali principio agendi; ergo neque habitus infusi, qui sunt proxima principia actionum vitalium supernaturalium, procedunt ab illa unione; ergo neque gratia sanctificans...". „Tertio, ille modus unionis et gratia sanctificans sunt res omnino diversorum ordinum, nec per se una ordinatur ad aliam, physice loquendo".

[196] Vgl. erneut ebd. 9-10 (588a-b).

[197] Das gilt nicht nur für die habituelle, sondern auch für die aktuelle (helfende, antreibende) Gnade, der Christus zur Vollbringung übernatürlicher Handlungen grundsätzlich ebenso bedurfte wie jeder andere Mensch; vgl. De incarnatione 18.4.2 (XVII, 590b-591a). Schließlich ist auch die Gabe der seligen Gottesschau für Christus

So ist es nur folgerichtig, wenn Suárez die Aussage unterstützt, daß Christus im Blick auf sein bloßes Menschsein (also abgesehen von seinem personalen „esse divinum“) keine größere Eignung als Subjekt (habitueller) Gnade besitzt als irgendein anderer Mensch oder Engel[198] und daß die habituelle Gnade, wie sie ihm faktisch gegeben ist, problemlos dieselbe bleiben könnte, wenn man sich statt der göttlichen eine menschliche Subsistenz als personales Prinzip Christi vorstellte[199]. Einen Anspruch auf solche Begnadung vermag die hypostatische Union dem souveränen Gott gegenüber sowieso nicht zu begründen. Er mußte dem Menschen Jesus nicht irgendwelche geschaffenen Gaben oder ihnen entsprechenden Lohn zuteil werden lassen. Die einzige Verpflichtung Gottes (allerdings auch nur „ex honestate“) gegenüber dem in die „unio“ aufgenommenen Menschen bestand nach Suárez darin, ihm die Unfähigkeit zur Sünde zu verschaffen[200]; eine streng formale Wirkung der „gratia unionis“ ist aber auch sie nicht[201].

Was für die Gnade gilt, gilt nicht weniger für ihre Christus bereits auf Erden geschenkte Erfüllung, nämlich die „visio beata“ Gottes. Ausdrücklich lehrt Suárez, daß diese Schau durch die hypostatische Union weder physisch bestimmt noch in positiver oder negativer Weise ermöglicht worden ist[202]. Die Einung hat zwar eine „gewisse Angemessenheit“ und „Konnaturalität“ für diese höchstmögliche Vereinigung einer menschlichen Seele mit Gott bedingt, aber ihr tatsächliches Geschenktwerden ist auf einen von der Union völlig verschiedenen Akt zurückzuführen, der folglich als solcher auch irgendeinem anderen sterblichen Menschen zuteil werden könnte, dem die „unio“ fehlte[203].

auf Erden nicht als unmittelbare Folge der Unionsgnade zu verstehen (vgl. ebd. 3, 591a-b).

[198] Vgl. De incarnatione 18.3.12 (589a).

[199] Vgl. ebd. 13 (589a-b).

[200] Vgl. Relectio de libertate voluntatis divinae 2.2.40 (XI, 428a).

[201] Vgl. De incarnatione 33.2.5 (XVIII, 190a): „Deinde hoc [sc. facere hominem impeccabilem, Th. M.] minus videtur convenire in gratiam unionis, quia ipsa per se non est formaliter operativa; non ergo potest per se solam immutare naturalem modum operandi humanarum virium, atque adeo nec reddere per seipsam animam impeccabilem.“

[202] Vgl. De deo uno 2.30.2 (I, 178b): „Nam illa unio nec physice concurrit ad visionem, nec dat capacitatem physicam illius nec formaliter aufert impedimenta illius, sed solum adducit secum quamdam congruentiam, et quasi debitum connaturalitatis, ut ratione illius elevanda fuerit anima sic Deo unita substantialiter, ad summam unionem accidentalem.“

[203] Vgl. ebd.: „...ergo posset Deus idem concedere cuilibet homini mortali, etiam si humanitas ejus non esset Verbo hypostatice unita.”

Konsequenter als in diesem Modell läßt sich die Trennung von Göttlichem und Menschlichem, Gnade und Natur[204], ein strikt antimonophysitisches Unionsmodell innerhalb der Vorgaben des Dogmas von Chalcedon wohl kaum formulieren.

(bb) Daß diese strikte Anerkennung der Unvermischtheit der beiden Naturen in der hypostatischen Union unmittelbar zu dem oben im zweiten Argumentationsschritt verwendeten trinitätstheologischen Grundaxiom zurückführt, wird sowohl in „De incarnatione" wie auch in DM 34 von Suárez mehrfach ausdrücklich betont. Neben der strikten Trennung der Naturen in Christus ist Suárez stets darauf bedacht, daß dem Sohn als Sohn, also gemäß seiner ungeschaffenen personalen Proprietät, keinerlei besondere Wirksamkeit im Geschaffenen zukommt – nicht einmal in seiner eigenen, ihm eingeeinten Menschheit[205]. Was den Menschen Jesus Christus vor anderen Menschen auszeichnen mag, ist wie jedes göttliche „opus ad extra" ungeteiltes Werk der ganzen Dreifaltigkeit. Christus als Mensch, so führt Suárez diese Prämisse konsequent fort, vollzieht deswegen nicht ein spezifisch „sohnschaftliches" Handeln, das den Vater zum besonderen Adressaten hätte, sondern seine ihm von der ganzen Trinität geschenkte Gnade drückt sich in einem Handeln aus, das ebenfalls auf die Trinität als ganze ausgerichtet ist. Christus, so lautet etwa eine Konkretion dieser Regel, hat uns durch sein menschliches Sühnewerk nicht nur mit dem Vater, sondern mit der ganzen Trinität versöhnt[206].

Wollte man sich dieser Argumentationsfolge nicht anschließen, müßte man der Person des Sohnes eine Aktivität in die Schöpfung hinein „per propriam relationem" zuschreiben, die den anderen Personen nicht gemeinsam wäre. Es müßte dann eine dem göttlichen Wort als solchem eigentümliche Ursächlichkeit geben, mit der es auf die geschaffene Entität der Menschheit oder die der Gottheit und Menschheit verbindenden Union einwirkte. Dies aber widerspräche der Überzeugung von der unge-

[204] Suárez selbst sieht in De incarnatione 18.3.12 (XVII, 589a) in der Trennung der „Ordnungen" von habitueller Gnade (als reiner „gratia creata") und Unionsgnade (als die ungeschaffene göttliche Person selbst einschließend) ein Abbild der strikten Trennung von Natur- und Gnadenordnung überhaupt.

[205] Vgl. De incarnatione 18.3.8 (XVII, 587a): „Secundo probatur altera pars de subsistentia increata Verbi. Primo, ex illo principio supra demonstrato, quod subsistentia illa, ut est propria Verbi, et relativa, non est activa propria aliqua efficientia, alias Verbum divinum per suam proprietatem increatam haberet aliquam efficientiam ad extra quae non esset communis caeteris personis...".

[206] Vgl. De incarnatione 4.5.8 (94a): „Sicut ergo omnia sunt ex Deo, ut sic, et a tota Trinitate, ut est unus Deus, ita Christus nos reconciliavit Deo et toti Trinitati".

teilten Wirksamkeit Gottes *ad extra*[207] und würde noch dazu die Hauptschwierigkeit der Christologie, die Gefahr einer Veränderung der göttlichen Person bei einer gleichsam „formalen" Einwirkung auf etwas Geschöpfliches[208], vergrößern.

Solchen unerwünschten Konsequenzen läßt sich nach Suárez auch nicht dadurch ausweichen, daß man die menschlichen Handlungen Christi zwar nicht durch die Relation des göttlichen Wortes, wohl aber durch den göttlichen Willen getragen sähe. Denn in diesem Fall wäre zum einen die Menschheit wiederum nicht volles Prinzip ihrer Taten und würde zudem die absurde Konsequenz induziert, daß die menschlichen Handlungen nicht Christus, sondern gleichermaßen auch dem Vater und dem Heiligen Geist eigentümlich wären. Somit folgt unausweichlich, daß mehreren Naturen in einer Person mehrere Handlungen folgen, für welche die Subsistenz als bloßer Modus nicht als Prinzip, sondern bestenfalls als notwendige Bedingung aufzutreten vermag[209].

Diese Bedingung freilich, so präzisiert Suárez erneut seine Lehrmeinung gegen die erste der zu Beginn vom DM 34, s. 7 referierten Extrempositionen, ist nicht im Sinne einer bloß neben der Natur stehenden, geradezu akzidentellen Konkomitanz der Subsistenz zu deuten. Vielmehr ist die Subsistenz für das Handeln der Person insofern unerläßlich, als sie erst den Handelnden „in suo esse completo" etabliert und deswegen seinem Handeln unersetzbar vorausgeht[210]. Handeln, so sagt es ein allge-

[207] Vgl. DM 34.7.7 (XXVI, 414a); De incarnatione, 4.4.12f. (XVII, 67a-b): „Unde argumentor secundo, quia hoc specialiter repugnat huic personalitati Christi; alias aliquam propriam efficientiam haberet ad extra relatio Verbi, quam non habent relationes Patris et Spiritus Sancti" (67a); De incarnatione 8.1.14 (XVII, 334b): Die Menschheit Christi kann in ihrem Sein nicht schlechthin von der hypostatischen Union oder vom göttlichen Wort (vermittels der Union) abhängen, „quia non videtur posse intelligi talis dependentia sine aliquo proprio influxu et propria causalitate Verbi in humanitatem, et in naturalem entitatem ejus; quod tamen dici non potest, quia omnis causalitas Verbi ad extra, etiam in humanitatem, est tantum effectiva, et communis omnibus personis." De incarnatione 8.4.22 (XVII, 368b): „Causalitas autem efficiens propria Verbi, ut terminantis, hic nulla intervenit, quia non influit propria actione in ipsam entitatem humanitatis vel unionis, sed tantum exhibet seipsum tanquam terminum unionis; omnis enim alia efficientia propria est toti Trinitati...".

[208] Die Frage nach einer „mutatio" des Wortes in der Inkarnation nennt Suárez „potissimam difficultatem hujus mysterii, quae vix potest humano ingenio satis explicari, quamvis possint argumenta utcumque dissolvi" (De incarnatione 8.4.19 [XVII, 367a]).

[209] Vgl. DM 34.7.9 (XXVI, 414b).

[210] Vgl. ebd. 10 (415a), zweite These: „Dico secundo: subsistentia non mere concomitanter se habet ad actionem agentis, sed antecedenter; nec mere per accidens, sed per se ex parte agentis."

mein akzeptiertes scholastisches Axiom, können nur Supposita („actio est suppositorum"), und dies gilt trinitätstheologisch genauso wie christologisch[211] oder rein anthropologisch. Supposita aber bedürfen des Seinsmodus der Subsistenz. Auch Gott muß folglich vollständig, d. h. personal (konkret: trinitarisch) subsistieren, wenn er nach außen handeln können soll, selbst wenn man dieses Handeln „ab aeterno" verstehen wollte, wie es manche im Blick auf die Schöpfung versuchen, und wenn als formales Prinzip des Handelns nach außen nicht die Personen, sondern die Natur zu gelten hat[212]. Auch als gemeinsam von allen drei Personen vollzogenes bleibt darum das göttliche Handeln personales Handeln, und nichts anderes gilt für das menschliche Wirken Christi unter den Bedingungen der hypostatischen Union. Das im Blick auf die personale Subsistenz Gottes darüber hinaus zu berücksichtigende Problem des Verhältnisses von „subsistentia absoluta" und „subsistentia relativa", das an dieser Stelle von Suárez ebenfalls angesprochen wird[213], klammern wir vorerst aus, da wir ihm später ausführlich nachzugehen haben.

[211] Hierdurch erklärt sich auch die angesichts der großen Bedeutung, die Suárez der Individualität auf der naturalen Ebene zumißt, etwas verwirrende Lehrposition, wonach unter der Hypothese, daß eine göttliche Person mehrere menschliche Naturen annähme, nur ein einziger Mensch und nicht mehrere entstünden. Diese Einheit wäre nämlich „quasi materialiter ratione suppositi" zu verstehen und läge nicht auf der natural-individuellen Ebene. Solche rein suppositale Einheit wäre der Einheit eines Künstlers zu vergleichen, der mehrere artverschiedene Künste beherrscht; vgl. DM 5.5.10 (XXV, 179b-180a). Die Individualität der angenommenen Menschennaturen wird also auch in diesem Falle nicht geleugnet: Würde etwa das göttliche Wort zwei menschliche Naturen annehmen und unter der einen Jesus, unter der anderen Johannes heißen, so blieben auf der Ebene der Naturen Jesus und Johannes verschieden; es wäre allerdings wahr, daß Jesus so mit Johannes identisch wäre wie das Wort mit Jesus (d.h. personal); vgl. De incarnatione 13.3.3-4 (XVII, 489a-490a).

[212] Vgl. DM 34.7.13 (XXVI, 416b): „Sicque dicere solent Theologi, trinitatem personarum in Deo per se non requiri ad creationem ex parte ipsius actionis, tamen ex parte Dei per se ac necessario supponi, quia pertinet ad personalem Dei constitutionem, et prius est ac per se praerequisitum, ut Deus sit in se plene ac perfecte substantialiter constitutus, quam ut ad extra operetur. Unde etiam si fingeremus, Deum ab aeterno aliquid creare, nihilominus intelligeremus internas origines et constitutiones divinarum personarum ordine naturae antecedere creationem. Quod si hoc verum est in Deo, in quo natura divina est essentialiter subsistens, multo magis in creatura, in qua subsistentia omnino est extra essentiam."

[213] Vgl. ebd. 14 (416b-417a).

### *e) Zwischenfazit aus trinitätstheologischer Perspektive*

Als Ergebnis der vorangehenden Erörterungen können wir – unter Berücksichtigung des Analogievorbehalts, wie er bei allen Übertragungen aus dem geschöpflichen Bereich auf Gott zu beachten ist – bereits zentrale Voraussetzungen der trinitätstheologischen Verwendung des Personbegriffs bei Suárez notieren und im Vorausblick einige derjenigen Themen benennen, die uns im folgenden eingehender beschäftigen werden. Damit fällt einiges Licht auf die enge und durchdachte Verzahnung der trinitätstheologischen Grundbegriffe im suárezischen Systementwurf und deuten sich eigentümliche Thesen seiner Ausführung ebenso wie zentrale Probleme an, mit denen er zu ringen hat.

(1) Es ist zu erwarten, daß wie die Erarbeitung des Personbegriffs im geschöpflichen Bereich auch die trinitarische Personbestimmung bei Suárez in rein ontologischer Form erfolgt. Der klassischerweise in Definitionsformeln zu findende Aspekt der „dignitas", der eine Brücke zur ethischen Verwendung des Personbegriffs ermöglichen könnte, besitzt für Suárez beim metaphysischen Nachdenken über Personalität offensichtlich keine nennenswerte Bedeutung, sondern geht im Vollkommenheitsbegriff auf.

(2) Wie Personalität im Geschöpflichen nach Suárez nicht als bloße Negation anzusehen ist, sondern als Formalkonstitutiv eine positive Entität besitzen muß, ist auch im Blick auf die trinitarischen Personen mit dem Aufweis eines so beschaffenen Konstitutionsmoments zu rechnen. Die trinitätstheologische Intention wurde bereits in der Diskussion mit Scotus über den Charakter der kreatürlichen „subsistentia" hinreichend deutlich. Wir werden die konkrete Anwendung im Kapitel über die Proprietäten und ihre personale Konstitutivfunktion vor Augen geführt bekommen. Daß dabei dem Relationsbegriff eine entscheidende Rolle zukommen wird, haben Suárez' Aussagen über die Kommunikabilität alles Absoluten in Gott, die ein solches Absolutes als Konstitutivum personaler Inkommunikabilität ausschließen, bereits hinreichend angedeutet.

(3) Wenn Suárez die geschöpfliche Personalität durch einen substantialen Modus begründet sieht, der natürlicherweise aus dem Wesen „resultiert", stellt sich die Frage, ob bzw. inwieweit dieses Erklärungsmodell und die mit ihm verbundene konstitutionslogische Nachordnung der personalen Subsistenz gegenüber der wesenhaften Existenz auch in der Übertragung auf Gott Verwendung finden kann. Es ist anzunehmen, daß die Anerkennung einer Zusammengesetztheit personaler Wesen, wie sie im Geschöpflichen problemlos erfolgt, im Falle des als zuhöchst einfach zu denkenden Gottes auf ernste Probleme stößt. Sie in der Verhältnisbe-

stimmung von Natur und Personen zu bewältigen, wird Aufgabe der trinitätstheologischen Distinktionenlehre sein.

(4) In der näheren Bestimmung des die Person konstituierenden Modus hat Suárez die thomistische These klar zurückgewiesen, nach der das Sein als letzte Aktualität eines Dinges auch formales Konstitutiv der Person ist. Hintergrund ist die von Scotus inspirierte Ablehnung einer Realdistinktion zwischen Wesen und Sein zugunsten einer bloß gedanklichen Distinktion durch den Jesuiten. Sie hat nicht nur inkarnationstheologische Konsequenzen, sondern muß auch im Blick auf die Dreifaltigkeit bedeutsam werden. Auf ihrem Hintergrund ist zu vermuten, daß der Jesuit das Sein der Personen nicht einfachhin mit dem absoluten Sein Gottes identifizieren kann, sondern die Personen ausgehend von ihrer washeitlichen Eigenheit mit einem ihnen als solchen proportionalen Sein verbinden wird. Der Verneinung des strikten „unum esse in Christo" muß die Ablehnung eines strikten „unum esse in Deo" korrespondieren – der anti-monophysitischen Stoßrichtung dort entspricht die anti-modalistische Tendenz hier. Damit klingt das Thema eines möglichen „esse relativum" an, dem sich Suárez stellen muß. Daß auf diesem Weg die schon erwähnte Person-Wesen-Distinktion zusätzlich kompliziert wird, ist evident. Denn wenn Seinszuschreibung in Entsprechung zu den unterschiedlichen „rationes formales" erfolgt, ist eine Vergrößerung der Kluft zwischen absoluter Wesensidentität bzw. -subsistenz und relativer Existenz bzw. Subsistenz unvermeidlich.

(5) Keinen Zweifel, so haben die vorangegangenen Erörterungen des weiteren signalisiert, läßt Suárez am Charakter von Personalität als „großer Vollkommenheit" für eine Substanz. Diese Feststellung wirft bei der Übertragung auf Gott die Frage nach der Vollkommenheitszuschreibung an die drei (relativ bestimmten) Personen auf („perfectiones relativae"). Auch sie wird uns der Jesuit im folgenden beantworten.

(6) Wir haben beobachten können, wie strikt Suárez die Formalbestimmungen von Individualität / Singularität einerseits und Personalität andererseits im kreatürlichen Bereich trennt. Während Individualität zur Wesensbestimmung gehört, ist Personalität ein Existenzmodus, der Individualität bereits logisch voraussetzt. Wenn man diese Scheidung auch im Göttlichen ansetzt und sie zudem mit der Prämisse verbindet, daß sich das göttliche Wesen als singuläres nicht in jener Indifferenz gegenüber dem Für-sich-Sein vorfinden kann wie geschöpfliche Naturen, stehen wir vor der Annahme einer (absoluten) Wesenssubsistenz Gottes vorgängig zu den personalen Subsistenzen. Sie wird Suárez tatsächlich intensiv beschäftigen. Sogar der erkenntnistheoretischen Grundproblematik, wonach im Geschöpflichen der allgemeine Wesensbegriff stets eine vergleichend-

abstrakte Erfassung des in sich Singulären darstellt, werden wir analog „in divinis" wiederbegegnen, nämlich in der Lehre über die bloß gedankliche Unterscheidung zwischen Wesen und Relationen in der Begegnung mit der einen, absolute und relative Bestimmungen „eminent" einschließenden Realität Gottes.

(7) Vor allem bei der Erörterung der hypostatischen Union hat uns Suárez gezeigt, welche Funktion er der Personalität bei der Erklärung intentionalen Handelns zuschreibt. Da nur Supposita handeln können, ist Personalität zwar unverzichtbare Bedingung; formales handlungsbestimmendes Prinzip ist jedoch nicht sie, sondern die Natur der handelnden Substanz. Trinitätstheologische Konsequenzen sind sowohl für die notionalen Akte „ad intra" als Ursprung der göttlichen Personen wie auch für die Bestimmung des göttlichen Handelns „ad extra" vorauszusehen. In beiden Fällen werden es nicht die Personen als Personen sein können, die durch ihr Agieren die Handlungsvollzüge washeitlich bestimmen. Wir werden aufzeigen, wie Suárez in der Lehre über die Formalprinzipien der Hervorbringungen das Wesen unmittelbar, „in recto", die Personen dagegen nur mittelbar wirksam sieht und wie er die wesenhaften und notionalen Akte in Gott identifiziert. Für die nach außen gerichteten Werke Gottes aber wird aus der handlungsbestimmenden Funktion des einen göttlichen Wesens, „durch welches" die Personen stets tätig sind, die schon im Vorangehenden mehrfach in der Argumentation herangezogene Lehre von der strengen Ungeteiltheit alles göttlichen Tuns resultieren, das den einzelnen Personen bestenfalls in uneigentlicher Weise „appropriiert" werden kann. Die Erörterungen über das Verhältnis von Natur und Subsistenz, und zwar in ihrer philosophisch-inkarnationstheologischen Entfaltung vorgängig zum eigentlichen Trinitätstraktat, beinhalten, so darf zusammenfassend behauptet werden, bereits auch die tragenden Konstruktionselemente für die Lehre über Gott als dreifaltigen.

## 3) Die Übertragung des Personbegriffs auf Gott

Dieser Lehre können wir uns nach der ausführlichen Herleitung der im folgenden immer wiederkehrenden Grundbegriffe aus der Perspektive der suárezischen Konstitutionstheorie endlicher Personalität nun zuwenden. Dabei geht es uns um die spekulative, nicht die historische Problematik des Begriffs „Person" bzw. „Hypostase" in der Gotteslehre. Daß Suárez auch über sie die zu seiner Zeit verfügbaren Kenntnisse besessen und in seinem Trinitätstraktat präsentiert hat[214], sei nur im Vorübergehen erwähnt.

### a) Die Existenz von Personalität und von drei Personen in Gott

(1) Die Übertragbarkeit des Personbegriffs auf Gott verbindet Suárez zunächst vor allem mit der Frage, inwieweit Personalität als „Vollkommenheit“, näherhin als „perfectio simpliciter“ bestimmt werden kann, wie sie für Gott in jeder Hinsicht gefordert ist[215]. Dabei scheint sich ein Dilemma zu ergeben: Während im negativen Fall die Anwendbarkeit auf Gott ausgeschlossen wäre, scheint eine bejahende Antwort dieses Prädikat allein der göttlichen Natur (als dem Inbegriff allumfassender göttlicher Vollkommenheit) zuzusprechen und damit die Unterscheidung von Natur und Person unmöglich zu machen[216].

Suárez versteht in seiner Antwort „Person“ ganz im Sinne der boethianischen Definitionsformel, die er – synonym mit ihrer Ergänzung durch Richard von St. Viktor genommen – gegen die Kritik des Scotus verteidigt: Als vollkommene, individuelle Substanz bezeichnet Personalität eine „besondere Vollkommenheit“ und damit „Würde“ der vernunftbegabten Natur[217]. Die Verknüpfung von Personalität mit Vollkommenheitszuschreibung ist prinzipiell nicht anzuzweifeln. In diesem Sinne kann, ja muß nach Maßgabe des Glaubens der Begriff auch auf Gott angewandt werden.

[214] Vgl. etwa DM 34.1.14 (XXVI, 352a-b), wo augenfällig wird, daß zur Zeit des Suárez die historische Fortentwicklung des Hypostasis-Begriffs im theologischen Interesse, wie sie im Blick auf die spätantike Hermeneutik auch von der heutigen Forschung immer wieder unterstrichen wird (vgl. zusammenfassend STUDER [1974]; ERLER [2000]), grundsätzlich bekannt war.

[215] Die Definition von „schlechthinniger“ im Unterscheidung zu „bedingter“ Vollkommenheit entwirft Suárez regelmäßig von Anselm her; vgl. DM 10.2.36 (XXV, 346a): „Tertio potest intelligi in ea partitione dividi bonum prout est alteri conveniens, et potest etiam referri vel ad ens ut sic vel ad determinatum ens. In priori sensu coincidit fere illa divisio cum alia quam tradunt theologi, dividentes perfectionem in perfectionem simpliciter simplicem et perfectionem secundum quid, cum Anselmo, in Monolog., c. 14. Bonum ergo seu perfectio simpliciter dicitur illa *quae in individuo entis melior est ipsa quam non ipsa,* id est, quae in genere entis talem perfectionem dicit ut nullam maiorem vel aequalem excludat. Perfectio autem secundum quid seu in certo genere est quae, licet bonitatem aliquam afferat, tamen cum alia maiori vel aequali repugnat vel imperfectionem aliquam habet admixtam, ut sunt perfectiones omnes creaturarum prout in eis sunt.“

[216] De trin. 1.1.1 (I, 532a-b).

[217] Vgl. ebd. 5-8 (534a-535a).

Wie alles für sich Existierende muß auch Gott eine modale Letztbestimmung seiner Existenz besitzen, durch welche er zur „inkommunikablen Subsistenz" wird[218], da diese, wie wir wissen, die Person vollkommener macht als die ihr ontologisch vorausgehende existierende Wesensnatur. Einen exakteren Erweis für die unter den Theologen umstrittene These, daß auch in Gott die Personalität in ihrer Realität und Gutheit eine echte Vollkommenheit bezeichnet, kündigt Suárez für einen späteren Zeitpunkt an; tatsächlich wird sie in De trin. l. 3, c. 9 vorgelegt werden[219]. Ebenso erfährt man zunächst noch nichts über Modifikationen, die dem philosophischen Person- bzw. Subsistenzverständnis möglicherweise in der Übertragung auf Gott einzuschreiben sind, da sie erst unter Berücksichtigung der relationalen Konstitution der göttlichen Personalitäten benennbar werden.

(2) In einem Beweisgang, der allein auf die Autorität von Schrift und kirchlicher Offenbarung rekurriert, stellt Suárez die Dreizahl der Personen in Gott fest[220]. Die in der üblichen apologetischen Stufung gegen Heiden, Juden und Häretiker gestaffelt vorgetragenen Argumente sind kaum originell. Mit der Frage der Vereinbarkeit einer einzigen göttlichen Natur mit der Dreiheit personaler Subsistenzen klingt an dieser Stelle das Kernthema des gesamten Trinitätstraktates ebenso wie der thesenartig formulierte Lösungsansatz unseres Theologen an: Weil die drei Personen Gottes in Unendlichkeit, Gleichheit und Erhabenheit gänzlich übereinkommen, sind sie eins in der Wesenheit. Die drei Existenzmodi in Gott sind im strengen Sinne gleichwertige eigene *Subsistenz*modi, d. h. Weisen des Für-sich-Seins eines einzigen Wesens, die als solche miteinander widerspruchslos vereinbar sind[221]. Ihre Dreiheit ist nicht Resultat von Unvollkommenheit und Bedürftigkeit, sondern entspringt der „wunderbaren

[218] Vgl. ebd. 10 (535a): „Quia necesse est omnem rem existentem habere ultimum terminum et modum suae existentiae. Hic autem terminus in natura substantiali est incommunicabilis subsistentia".

[219] Vgl. dazu unten Kap. 5, 5).

[220] De trin. 1.2 (I, 536a-538a).

[221] So formuliert es Suárez bei der Abgrenzung des Falls der dreifachen Subsistenz in Gott von demjenigen eines gleichzeitigen Bestehens von geschaffener und ungeschaffener Subsistenz bei der Terminierung einer endlichen Natur, wie er sie mit der Mehrheit aller Theologen ablehnt: „Et eadem ratione intelligitur facile cur possit eadem natura divina esse in tribus personis, scilicet, quia in omnibus illis est per se, et omnes illae personalitates sunt veluti modi per se existendi, et non dicunt unionem ad extrinsecam personam; modi autem per se existendi inter se comparati non includunt illam repugnantiam, et negationem mutuam, quam includunt modi per se et in alio" (De incarnatione 14.1.15 [XVII, 508b]).

Fruchtbarkeit" der unendlichen göttlichen Natur[222]. Auf diese Formulierungen wird Suárez im folgenden immer wieder zurückgreifen, wenn er über den letzten „Formalgrund" der Trinität nachdenkt oder unter Bezugnahme auf die Lehre von den innergöttlichen Hervorgängen und die mit ihrer Hilfe erläuterten Relationen das Verhältnis von Wesen und Personen näher bestimmt. Die dabei einzuhaltende Zielrichtung deutet unser Theologe bereits in seiner Metaphysik an, wenn er bei der Erörterung der göttlichen Wesenseinheit die Nichtwidersprüchlichkeit einer Trinität im Sinne des christlichen Dogmas verteidigt: Da die Einzigkeit Gottes aus der Einheit des aus sich notwendigen Seienden folgt, kann dieses kein anderes ebenso notwendiges Seiendes hervorbringen, das von ihm selbst verschieden wäre[223]. So aber ist die Hervorbringung der göttlichen Personen auch nicht zu verstehen. Denn sie werden in Gott nicht *ex nihilo*, sondern aus der göttlichen Substanz hervorgebracht. Sie subsistieren in derselben Natur und sind nicht geschaffen oder abhängig. Ihr Hervorgang geschieht „aus einem höheren Ursprung, als die natürliche Vernunft zu erkennen vermag"[224]. In ihrer realen Verschiedenheit untereinander[225], die nicht extensiv (also jegliche Identität ausschließend), wohl aber intensiv (durch „oppositio" der Personen) in höchstem Grade vorliegt[226], sind die göttlichen Personen doch zugleich von allen geschöpflichen Personen dadurch verschieden, daß mit der realen Unterscheidung vollendete Wesensidentität nicht ausgeschlossen ist[227].

[222] Vgl. De trin. 1.2.12 (I, 528b): „Quia distinctio naturae non stat cum infinitate, aequalitate, et summo principatu omnium, et singulorum habentium Dei veri naturam. Ubi autem natura est una, et unus principatus, summa aequalitas, et infinitas uniuscujusque personae. Quo fit, ut non multiplicentur personae in tali natura propter imperfectionem, vel indigentiam, sed propter mirabilem foecunditatem illius infinitae naturae. Et ob eamdem rationem multiplicari possunt illae personae cum summa simplicitate, quia omnino sunt idem cum natura in qua uniuntur." Sofern auf diese Weise die Trinität Gottes bis zu einem gewissen Grad als seiner Vollkommenheit kongruent erwiesen werden kann, mag man nach Suárez die Geheimnishaftigkeit der Inkarnation für größer erachten als die der Trinität, obwohl in objektiver Sicht das Umgekehrte gilt; vgl. De incarnatione 3.1.7 (XVII, 40a-b): „De exemplo autem Trinitatis dici posset, licet absolute et simpliciter majus mysterium sit, esse tamen magis consentaneum divinae perfectioni et propter hanc causam respondere posset aliquis mysterium incarnationis magis Deo repugnare."

[223] Vgl. DM 30.10. 8 (XXVI, 138b-139a).

[224] Vgl. ebd. 12 (140a-b): „sed altiori origine procedunt, quam naturalis ratio cognoscere valeat."

[225] Suárez expliziert die „reale und eigentümliche" Verschiedenheit der Personen eigens in De trin. 3.1-2 (I, 588a-590b) in Abgrenzung gegen den Sabellianismus.

[226] Vgl. De trin. 3.2.5 (590b).

[227] Vgl. ebd. 6 (590b) mit Rückgriff auf Aussagen des Johannes Damascenus.

### *b) Zur univoken Prädikation von „Personalität" in der trinitarischen Gotteslehre*

(1) Zu den grundlegenden Fragen, die bereits im Traktat über das göttliche Wesen angeklungen waren[228] und auch an den Anfang der trinitätstheologischen Erörterung über das Faktum göttlicher Personalität zu stellen sind, gehört für Suárez das Problem der Prädikationsweise in der Anwendung des Personbegriffs auf die drei Subsistenzen in Gott. Seit Augustinus sind sich die Theologen nicht nur der Gefahr bewußt, mit diesem in der Bibel selbst nicht gebrauchten Begriff Gott eine unangemessene Gattung-Art-Differenz einzuschreiben. Hier gilt es seiner Einschätzung nach drei Aspekte zu berücksichtigen: Ob mit der Zuschreibung von „Personalität" an Vater, Sohn und Geist jeweils eine positive Aussage oder nur eine Negation verbunden ist; ob der Gehalt, falls positiv, als etwas Reales oder nur Gedankliches anzusehen ist; und ob er, falls real, auf eine in allen dreien gleichermaßen vorhandene objektive Realität zurückgeführt, also als „präzisive" Erfassung eines positiv-realen *gemeinsamen* Sachgehalts angesehen werden kann[229]. Es geht also um die Frage nach der Univozität des Personbegriffs ebenso wie um das ihm zugrundeliegende ontologische Fundament. Daß die Lösung unmittelbar an jene Konstitutionstheorien der Personalität anschließen muß, die wir im vorigen Kapitel referiert haben, ist evident. Suárez entwickelt seine Antwort in der Auseinandersetzung mit drei Positionen der scholastischen Debatte, angesichts derer nacheinander die zuvor genannten Bestimmungsfragen Berücksichtigung erfahren und so schrittweise die trinitätstheologische Personprädikation logisch-semantisch analysiert wird. Wir werden versuchen, den schwierigen und subtilen Gedankengang so klar wie möglich zusammenzufassen.

(2) Scotus, so haben wir bereits im vorangehenden Abschnitt referiert, kennt nur eine negative Bestimmung von Personalität. „Personen" sind allein durch die Eigenschaft der Inkommunikabilität definiert. Als onto-

[228] Vgl. De deo uno, 1.4.9 (I, 15b), wo Suárez seinen ablehnenden Bemerkungen über die These einer gedanklichen Zusammensetzung der göttlichen Substanz aus Gattung und Art anfügt: „Tamen supposito mysterio Trinitatis possunt dari conceptus communes secundum rationem tribus personis, non ut sunt Deus, sed ut sunt personae vel relationes; et hoc modo habet locum quaestio, an intra Deum sit compositio generis et differentiae, quam attingemus tractantes de Trinitate."

[229] Vgl. Suárez, De trin. 1.3.1 (I, 538a-b): „Sunt autem multa simul explicanda. Unum, an nomen personae dicat aliquam positivam rationem communem tribus personis divinis. Alterum, si ratio illa positiva est, an sit realis, vel rationis. Tertium: si realis est, an dicat unum conceptum obiectivum, praecisum a tribus personis, communemque illis."

logische Letztbestimmung subsistierender Vernunftwesen kann Personalität nicht nochmals auf ein einheitliches gemeinsames Konstitutionsmoment zurückgeführt werden, da nach Scotus in diesem Bestimmungsprozeß ansonsten ein unendlicher Regreß drohte. Darum bleibt der Personbegriff für Scotus wie für die an ihn anschließenden Nominalisten eine „ratio indeterminata et transcendentalis"[230], eine negative Bestimmung, die von allen Personen so aussagbar ist wie „seiend" (und die ihm konvertiblen Prädikate) von allen Seienden. Unverkennbar von Scotus beeinflußt zeigt sich der Thomist B. Torres, der „Person" als „nomen secundae intentionis" bestimmt. Wenn man von „drei Personen" in Gott spricht, ist damit nicht gemeint, daß eine identische „res" in Gott dreimal vorkommt, sondern daß derselbe Begriff für drei Sachverhalte „ratione significationis" gebraucht wird. Mit ihm wird der gemeinsame „modus per se existendi" bezeichnet, der aber in den Personen nicht etwas Positives meint, sondern „privativum quoddam", nämlich die Inkommunikabilität[231]. Wohl über die Vermittlung von Torres hat der scotische Personbegriff auch in der frühen Jesuitenschule Einfluß ausgeübt. So lehrt Molina (zwar in Abgrenzung von Durandus und Torres, aber mit Berufung auf Scotus), daß das Wort „Person" für reale Seiende supponiert, sie aber in formaler Hinsicht allein unter der negativen Hinsicht der „incommunicabilitas" in den Blick nimmt[232] und darum als gemeinsamer Begriff keine reale, sondern nur eine gedankliche Wirklichkeit darstellt[233].

Gegen die scotische These greift Suárez auf seine Lehre von der positiven Konstitution von Personalität in DM 34 zurück: Wie in den endlichen Supposita der Modus der Subsistenz eine reale und positive Entität ist, die der Natur hinzugefügt wird, muß es auch in Gott einen „terminus positivus" geben, der die Negationen (zu denen auch die Inkommunikabilität gehört) begründet. Der Unterschied zu den endlichen Personen ist im Falle Gottes allerdings darin zu suchen, daß der Wesenheit hier nicht ein real, sondern nur gedanklich von ihr verschiedener Modus hinzugefügt wird[234]. Gott ist das absolute Sein, dessen Subsistenz so notwendig ist wie

[230] Vgl. De trin. 1.3.2 (I, 539a).

[231] Vgl. B. Torres, Comm. in I$^{am}$ q. 29, a. 4, Comm. (76vb-77rb).

[232] Vgl. Molina, Comm. in I$^{am}$ q. 29, disp. 2, a. 1 (450bC).

[233] Vgl. ebd. (449bC): „Non enim arbitror personam de formali significare aliquid reale, sed in concreto quippiam rationis, supponereque pro rebus, quae dicuntur personae". Folglich handelt es sich bei der Bestimmung als „Personen" für Vater, Sohn und Geist nicht um „essentiale", sondern „akzidentale" Prädikationen. Die thomistische Erklärung des Personbegriffs über das „individuum vagum", wie wir es auch bei Suárez vertreten finden, lehnt Molina als weniger wahrscheinlichere Erklärung ab. Auf die Nähe zu Scotus weist schon PARENTE (1938) 86f. hin.

[234] Vgl. Suárez, De trin. 1.3.3 (I, 539a-b).

sein Wesen („essentialiter subsistens"). Darum kann diese Wesenheit keiner Personalität geeint sein, die von ihr verschieden wäre, sondern nur einer solchen, die zu ihr im Verhältnis reinster Identität steht. Ein Kompositionsmodell, wie wir es nach Suárez im Verhältnis von Wesen und Subsistenz im Geschöpflichen ansetzen müssen, kann in Gott unmöglich real sein[235]. Schon hier erweist sich Suárez als Gegner aller Thesen von einer Formal- oder Modaldistinktion bei der Erklärung des Person-Wesen-Verhältnisses in Gott. Die Übertragbarkeit des endlichen Personbegriffs auf die Trinität findet an der Einfachheit und Perseität Gottes ihre Grenze.

(3) Eine zweite These wird vor allem Durandus zugeschrieben. Nach ihr gibt es eine gemeinsame positive Bestimmung von Personalität in den drei Personen, die jedoch nicht realer, sondern nur gedanklicher Art ist. Durandus wirft die Frage auf, ob „persona" eine „res", also ein konkretes Einzelding, oder eine „intentio", einen im Denken erstellten Allgemeinbegriff, bezeichnet. Der Dominikaner präsentiert beide Positionen ausführlich und entscheidet sich dann dafür, „Person" nicht unmittelbar als Dingrepräsentanz zu verstehen, da der Begriff sich mit seiner im Sinne der Definition Richards von St. Viktor verstandenen Grundeigenschaft, der Inkommunikabilität, nicht in die Klasse der „individua vaga" (wie z. B. „aliquis homo") einordnen läßt, die alle Individuen einer Art in nicht letztbestimmter Weise erfaßt. Stattdessen ist „Person" selbst ein Begriff zweiter Intention zur Bezeichnung inkommunikabler geistiger Supposita[236]. Insofern steht der Personbegriff auf gleicher Ebene mit Begriffen wie „Gattung" oder „Art"[237]. Nach der Deutung, die Suárez dieser Erklärung des Durandus zuteil werden läßt, kommt sie mit der scotischen Position darin überein, daß der ontologischen Letztbestimmung „Personalität" kein objektiv-reales gemeinsames Konstitutiv mehr zuerkannt werden kann, sondern nur ein gedankliches, wenn dieses auch im Gegensatz zu Scotus zu einer positiven Bestimmung führt. Tatsächlich lehnt Durandus

[235] Vgl. Suárez, De deo uno 1.4.4 (I, 13b-14a)

[236] Vgl. Durandus, 1 Sent. d. 32, q. 1, n. 4-17 (70va-71ra), bes. n. 11 (70vb): „Et ideo si hoc nomen personae, diceret rem subiectam intentioni individui vagi, impossibile esset quod de ratione eius esset incommunicabilitas. Si autem nomen personae non designet rem, sed rationem suppositi in natura intellectuali, nihil prohibet quod nomen personae pluribus conveniat, et tamen res cui convenit ratio personae non conveniat pluribus, quia quanvis res aliqua sit incommunicabilis pluribus, ut sortes, tamen ratio incommunicabilitatis, ut esse individuum signatum, vel esse suppositum, vel personam potest convenire pluribus". Vgl. WERNER (1883a) 260; EMERY (1997) 201ff.; IRIBARREN (2005) 141ff.

[237] Vgl. Durandus, 3 Sent. d. 1, q. 4, n. 16 (213vb).

die Möglichkeit einer streng formalen Prädikation von „suppositum" (ebenso wie von „genus" oder „species") in Gott ab[238].

Mit dieser Lösung, deren Differenz zur ersten These minimal bleibt, sieht der Jesuit wiederum das personkonstituierende Moment in Gestalt des auch im jeweiligen Einzelwesen wenigstens „confuse"[239] als gemeinsam zu identifizierenden realen „modus existendi" unzureichend erfaßt: Es muß etwas Reales in den Dingen selbst sein, auf das der Personbegriff zielt. Andernfalls drohen ernste theologische Probleme im Gefolge der Lösung, namentlich eine Unfähigkeit, die Realität der Personen in Gott zu erfassen, und eine Fehlbestimmung der Subsistenz des göttlichen Wortes, welches in der Inkarnation als bloßes „ens rationis"[240] kaum Träger der natürlicherweise durch eine reale kreatürliche Entität zu personalisierenden Menschennatur werden könnte[241]. Mit dem Begriff „Person", so lautet der Vorwurf an Durandus, geraten auch die als Personen bezeichneten Wirklichkeiten in die Gefahr, sich zu bloßen Gedankendingen zu verflüchtigen.

Suárez legt hier wohl eine etwas zu scharfe Interpretation der durandischen Lehre vor. Seine Forderung, daß die durch den Allgemeinbegriff der Relation in Gott bezeichnete Größe ebenso real sein muß wie diejenige durch „Person" gekennzeichnete[242], muß im durandischen Verständnismodell keineswegs abgelehnt werden. Gerade dem Dominikaner, der, von einem unverkennbaren „horror Sabellii" getrieben[243], einen starken Distinktionenrealismus vertritt, ist schwerlich eine Schwächung der relationalen bzw. personalen *Realitäten* in Gott anzulasten. Berechtigung haben die suárezischen Einwendungen nur insofern, als Durandus an der Stelle, auf die sich der Jesuit beruft, mit dem Begriff der Person nicht auf jene positive Formalbestimmung von personaler Subsistenz („modus exi-

[238] Vgl. ebd. (214ra): „suppositum proprie dictum non est in divinis".

[239] Vgl. Scotus, Ord. I, dist. 3, p. 1, q. 1-2, n. 72 (Ed. Vat. III, 50): „Sed confuse aliquid dicitur concipi quando concipitur sicut exprimitur per nomen, - distincte, quando concipitur sicut exprimitur per definitionem". Zu den beiden Arten der „konfusen" Supposition, welche die mittelalterlichen Logiker darüber hinaus unterscheiden („confusa et distributiva" / „confuse tantum"), vgl. MAIERÙ (1972) 232-251.

[240] Vgl. zur Bedeutung bei Suárez LOMBARDO (1995) 81-106.

[241] Vgl. Suárez, De trin. 1.3.6 (I, 540a-b).

[242] Ebd. (540a): „relatio divina, ut est communis tribus relationibus personalibus, non dicit de formali aliquod ens rationis, quia licet communitas illa fit per rationem, tamen res concepta realis est: ergo idem est de persona, quia personalitas divina, et relatio divina in re sunt omnino idem, et idem conceptus obiectivus eis respondet, licet sub diverso modo concipiendi nostro, ut infra videbimus."

[243] So DECKER (1967) 596, bestätigt durch EMERY (1997) 192f.; IRIBARREN (2005) 276.

stendi“) Bezug nimmt, die nach Suárez in der ontischen Verfaßtheit der Person als solcher grundgelegt ist. Geschwächt ist darum im durandischen Personverständnis nicht die Realität des durch den Personbegriff Bezeichneten in sich, sondern allein der Realitätsbezug der Hinsicht, unter der es betrachtet wird, da diese nach Durandus nicht unmittelbar in der Natur des Dinges zu finden, sondern durch den prädizierenden Verstand gebildet ist. Die mit dem Personbegriff intendierten Subjekte wären demnach Realitäten, die aber (als Personen) nicht in ihrer Realität als solcher, sondern unter einem sie nur für unser Verstehen verbindenden Aspekt erfaßt würden.

(4) Tatsächlich wäre die Position des Durandus in unserer Auslegung kaum mehr von der dritten Ansicht zu unterscheiden, die Suárez referiert[244]. Sie geht unverändert von der scotischen Problemanzeige aus wie die vorangehenden, radikalisiert aber deren Schlußfolgerung: „Personalität“ zielt auf etwas Positives (gegen Scotus) und Reales (gegen Durandus), ohne daß aber diese angezielte Realität tatsächlich unter einem wirklich gemeinsamen, von allen dreien her abstrahierbaren Gehalt erfaßbar wäre. Es ist gleichsam die scotische Argumentation, nur daß das rein negative Definitionsmoment durch ein positives ausgetauscht ist. „Person“ bezeichnet nicht ein Vater, Sohn und Geist in Gott gemeinsames Wesenselement (und sei es nur gedanklicher Art), sondern allein die drei Subjekte hinsichtlich ihrer je inkommunikablen Subsistenz. Die drei Subsistenzen in Gott sind drei letzte positive Bestimmungen der göttlichen Natur, denen aber kein gemeinsamer Formalgrund („quo“) mehr eigen ist. „Person“ kann kein Universale im Sinne des Gattungsbegriffs sein, da Vater, Sohn und Geist ihm ansonsten wie Exemplare von Unterarten zuzuordnen sein müßten, die durch eine jeweilige „differentia specifica“ unterschieden wären, was die Einheit in Gott auflösen müßte. Zudem ergäbe sich ein unendlicher Regreß, da die Differenzen zwischen den Personen erneut auf ein sie verbindendes Gemeinsames befragt werden könnten.

Namentliche Vertreter für diese These führt Suárez nicht auf. Man darf vor allem an Vázquez denken, der einen gemeinsamen quidditativen Gehalt des Personbegriffs ablehnt und ihn nur „benennungsweise“ („denominative“), von der Bezeichnung des gemeinsamen Existenzmodus her, den drei inkommunikablen Subsistenzen in Gott zuspricht[245]. Es wird

[244] Vgl. Suárez, De trin. 1.3.7 (I, 540b).

[245] Vgl. Vázquez, Comm. in I$^{am}$ 130.2.6-8 (II, 134b-135a). „Multo probabilior mihi semper visa est sententia, quae docet, nomen *Persona*, significare quidem conceptum communem huic, et illi personae, ut significantur eodem nomine; non tamen significare rationem communem quidditative paternitati, et filiationi, ut significantur his nominibus relativis. (...) Quare haec est differentia inter nomen, *Persona*, <et>

mit ihm nicht „in quid“ prädiziert, wohl aber ein gemeinsames „Proprium“ der Bezeichneten ausgedrückt und die Wesensnatur konnotiert. Der Begriff der Person verhält sich damit ähnlich wie derjenige der Substanz oder der Subsistenz, die ebenfalls nur auf einen gemeinsamen „modus realis“ verweisen, wenn sie von mehreren Dingen gleichermaßen prädiziert werden. Da Vázquez die „intentio“, von der Durandus zur Charakterisierung des Personbegriffs spricht, exakt in diesem ent-essentialisierten Sinne (nicht als Bezeichnung einer Wesensgemeinsamkeit, sondern der Existenzweise) verstehen will, führt er den Dominikaner für seine These als einzigen echten Belegzeugen aus der scholastischen Tradition an – durchaus nicht zu Unrecht.

(5) Suárez verteidigt zunächst mit der Mehrheit der scholastischen Autoren, darunter Thomas[246], Bonaventura[247] und Scotus[248], die echte Univozität der Personprädikation. Gegen Scotus und die ihn modifizierende dritte These richtet sich aber die nähere Explikation dieser gemeinsamen Zuschreibung: „Person“ zielt nicht auf die damit bezeichneten Subjekte als solche, sondern unter der Hinsicht eines ihnen gemeinsamen objektiven, realen und positiven Begriffs. Allein die „Gemeinsamkeit“ der Zuschreibung soll dabei ein gedankliches, d. h. durch unser Verstehen bedingtes Moment implizieren[249]. Suárez erläutert diese Aussage folgendermaßen: Vater, Sohn und Geist kommen im positiven Modus der inkommunikablen Subsistenz überein, wie ihn die Richardische Persondefinition enthält. Nicht nur der Begriff „Person“ wird von den dreien nachweislich univok prädiziert; auch die ihm zugrundeliegende „ratio nominis“, das gemeinsame Formalkonstitutiv des inkommunikablen Subsistierens, so wendet Suárez gegen den Haupteinwand der dritten Position ein, ist real. Es geht nicht bloß um eine Analogie der Proportionalität, sofern die drei Personen sich jeweils in gleicher Weise zu ihren Proprietäten

nomen, *Petrus*, quod hoc significat ipsam rem, cui convenit denominatio personae, illud vero denotat ipsam denominationem, et modum subsistendi incommunicabiliter“ (nn. 6-7, 134b-135a).

[246] Vgl. Thomas, S. th. I, 30, 4; SCHMAUS (1930b) 380ff.

[247] Vgl. Bonaventura, 1 Sent. d. 25, a. 1, q. 1.

[248] Vgl. Scotus, Ord. III, d. 1, p. 1, q. 1, n. 50 (Ed. Vat. IX, 22): „Respondeo, iste conceptus ‘incommunicabilis’, quia negat communicationem actualem et aptitudinalem, univocus est Deo et creaturae, personae divinae et creatae: negatio enim est univoca multis, quando ‘idem affirmatum’ a pluribus negatur“. Weiteres bei WETTER (1967) 270-282.

[249] „Vera nihilominus sententia est, personam divinam univoce dici de tribus personis, ac proinde non significare immediate ipsas personas secundum proprias rationes earum, sed communem conceptum obiectivum, realem et positivum, quoad rem conceptam, rationis vero quoad communitatem“: Suárez, De trin. 1.3.8 (I, 540b).

verhalten, sondern diese Übereinstimmung muß nochmals als solche univok erfaßbar vorliegen – hier scheint die grundsätzliche suárezische Kritik an der Analogielehre der Thomisten, namentlich Cajetans, auf. Dieses univoke Positivum ist der „modus subsistendi incommunicabiliter“[250], den unser Verstand, von der jeweiligen quasi-individuellen Proprietät absehend, unter einem gemeinsamen Begriff – eben dem der „Personalität“ – zu erfassen vermag[251]. Daß Suárez hier mit dem Allgemeinbegriff eine „Ähnlichkeit“ erfaßt sieht, braucht nicht zu überraschen, wenn wir uns an die schon früher erwähnte Tatsache erinnern, daß Universalien in der Sicht unseres Jesuiten immer nur Ähnlichkeitsübereinstimmungen benennen, ohne daß sie damit seiner Überzeugung nach ihren Realitätsbezug verlieren. Universalienprädikation richtet sich niemals auf Individuen als solche, sondern setzt eine derart vorgenommene „praecisio“, die Heraushebung einer gemeinsamen „ratio formalis obiectiva“, voraus. Daß darum durch den Personbegriff die drei distinkten Personen nicht in ihrer Unterschiedenheit, sondern „confuse“ erfaßt werden, ist folglich kein Mangel. Dagegen hatte Vázquez (im suárezischen Referat: die dritte These) eingewandt, daß der Personbegriff insofern kein Abstraktionsprodukt ist, als er nicht auf einen den drei Einzelpersonen übergeordneten generisch-quidditativen Allgemeinbegriff verweist, sondern vielmehr auf ein in allen drei Subsistenzen gleichermaßen zu findendes Verhältnis zur göttlichen Natur, welches sie modal (und damit positiv) bestimmt und durch welches diese gleichermaßen, aber eben nur „denominativ“ charakterisiert werden können[252]. Im Unterschied dazu verteidigt Suárez die echte univoke Gemeinsamkeit aller Personen in dem sie jeweils determinierenden bzw. „kontrahierenden“ Subsistenzmodus, sei er wie im Geschöpflichen absolut oder wie in Gott relativ[253]. Selbst Scotus habe eine Univozität der Drei in Gott bezüglich ihrer Relationalität zugegeben, wenn er diese auch im Blick auf das Personprädikat abstreiten wollte – was konsequenterweise in die These münden mußte, daß man von den Relationen formalverschiedene absolute Personalproprietäten in

[250] Vgl. ebd. 10 (541a-b): „vere et realiter conveniunt in modo subsistendi incommunicabiliter“.

[251] Vgl. ebd. (541b): „nam in hoc sunt similes in re ipsa, unde potest mens nostra praescindere, et formare unum conceptum repraesentantem personas, non distincte, et secundum propria, sed confuse, et secundum convenientiam, quam inter se habent.“

[252] Vgl. ebd. 11 (542a): „quae convenientia non est in aliqua communi ratione abstrahibili a tribus personalitatibus divinis, et superiori ad illas quasi quidditative, et intrinsece, sed solum est convenientia in quadam habitudine rationis ad eamdem naturam divinam, seu in denominatione sumpta ab eadem natura, quam terminant.”

[253] Vgl. ebd. 12 (542a-b).

Gott anzusetzen hat[254]. Doch auch diese hätte Scotus eigentlich als in ihrer Ähnlichkeit unter einem gemeinsamen Begriff („in communi ratione subsistentiae incommunicabilis"[255]) erfaßbar ansehen müssen. Hier sind die Betrachtungsebenen streng zu scheiden: Wie in der geschöpflichen Personalität ist auch in Gott die *reale* Inkommunikabilität der einen Person gegenüber einer anderen als ontologische Letztbestimmung *auf der begrifflichen Ebene* (d. h. als von uns erkennend herausgestellte) allen Personen kommunikabel[256]. Denn daß etwas in einem bestimmten „genus constitutionis" letztkonstituierend ist, bedeutet nicht, daß es nicht zugleich in einem anderen „genus constitutionis" selbst konstituiert sein kann wie andere vergleichbare Dinge auch, weshalb es mit diesen zusammen unter einem „conceptus communis" erfaßbar wird[257]. Das „Weißsein", so illustriert Suárez diese These mit einem Beispiel, ist die eigentümliche Letztbestimmung eines weißen Dinges, was aber nicht heißt, daß die „albedo" als solche, für sich betrachtet („in esse albedinis") nicht ihre eigenen formalen Bestimmungsgründe haben kann und etwa als durch spezifische Differenzen konstituierte Art innerhalb der Gattung „Farbe" erfaßbar ist. So kann auch die göttliche Personalität im Blick auf einen bestimmten Begriffsaspekt („secundum rationem") allen drei konkreten Personen gemeinsam sein und als durch ein gemeinsames Bestimmungselement konstituiert gedacht werden. Ihre Letztbestimmungsfunktion im Blick auf die göttliche Wesenheit („secundum rem") übt die Personalität dennoch nicht als so gemeinsam begriffene, sondern als jeweils „spezielle", nicht austauschbare, inkommunikable aus („ut determinata ad talem speciem relationis"[258]), also etwa als (von der Sohnschaft verschiedene, zu ihr in Opposition stehende) Vaterschaft.

[254] Vgl. ebd. 13-14 (542b).

[255] Ebd. 14 (542b).

[256] Vgl. ebd. 14 (543a): „Sic ergo personalitas relativa in Deo, vel absoluta in creaturis dicit rationem incommunicabilem secundum rationem multis personalitatibus, et nihilominus secundum rem quaelibet personalitas est incommunicabilis alteri personae, atque ita est terminus ultimus naturae. Unde non repugnat conceptum obiectivum relationis divinae esse communem relationibus personalibus, et nihilominus dicere rationem ultimi termini naturae divinae, quia illa communitas non repugnat incommunicabilitati ultimi termini."

[257] Vgl. ebd. 15 (543a): „Igitur in universum loquendo, ultimum constituens in eo genere constitutionis, in quo est ultimum, non constituitur, neque ultimus terminus amplius terminatur, nihilominus in alio genere compositionis, seu constitutionis, aut determinationis, constitui, vel determinari potest et ita non repugnat illi habere conceptum communem praeter propriam et particularem."

[258] Vgl. ebd. 14 (543a).

Daß sein Verfahren der Abstraktion eines gemeinsamen Begriffs von ontologischen Letztbestimmungen keinen infiniten Regreß impliziert, belegt Suárez gegen Scotus mit einem Verweis auf seine allgemeinen Ausführungen zu den transzendentalen Prädikaten in der Metaphysik. Eine innergöttliche Relation wie die „paternitas" resultiert nicht aus einer Addition des Allgemeinbegriffs der Relation zu einer weiteren Realität im Sinne eines sie fortbestimmenden Modus, von dem selbst Relationalität oder Substantialität nicht mehr ausgesagt werden dürften, so daß tatsächlich ein infiniter Regreß entstünde, weil die Modi als solche selbst wieder durch andere Entitäten bestimmt gedacht werden müßten usw. Vielmehr gilt: Eine konkrete personale Proprietät wie „paternitas" ist der schlechthin einfache Begriff göttlicher Relationalität als solcher, allerdings in der gegenüber dem „conceptus communis" ausdrücklicheren und bestimmteren Form[259]. Mit diesem in seiner Wurzel am scotischen Verständnis der stufenweisen Determinierbarkeit von Begriffen orientierten Modell ist auch den übrigen zusammen mit der dritten These in (c) vorgebrachten Einwänden implizit bereits Rechnung getragen. Denn das Gemeinsame der Personalität verhält sich zu den ein einziges gemeinsames Sein besitzenden Personen eben nicht wie ein Universale zu seinsverschiedenen Konkreta, sondern „ad modum transcendentis", also nach Art der allen Seienden gattungsübergreifend gemeinsamen Eigenschaften, und das heißt trinitätstheologisch, wie wir später noch exakter sehen werden: als in den drei Supposita aufzufindendes gehaltliches Grundmoment („conceptus communis"), welches das Transzendentale gegenüber dem vollbestimmten Begriff („conceptus proprius") wie das „inferius" gegenüber dem „superius" betrachtet[260]. Dasselbe wird an anderer Stelle über die mit den Personen identischen Hervorgänge ausgesagt[261].

Hier offenbart die Trinitätslehre bei aller prinzipiellen Anknüpfung an das Transzendentalitätskonzept des Scotus aber auch einen Unterschied zwischen ihm und Suárez, der in das Grundverständnis der Transzendentalienlehre hineinreicht. Wie Scotus in seiner Transzendentalienlehre die „ratio entis" von den Modi und letzten Differenzen, welche die finale

[259] Vgl. ebd. 16 (543b): „Nunc ergo breviter ad 2, negamus sequi processum in infinitum, quia relatio divina, verbi gratia, non determinatur ad esse Paternitatis per modum, in quo non includatur ipsa communis ratio divinae relationis, ac substantiae, et ita non proceditur in infinitum, quia Paternitas non constat duobus conceptibus inter se omnino condistinctis, sed dicit solum simplicem conceptum relationis magis expressum et specificum, qui per seipsum determinat communem conceptum."

[260] Vgl. ebd. 15 (543a).

[261] Vgl. De trin. 1.9.3 (561a): „Habet autem illa ratio communis ad modum transcendentis, sicut supra dixi de communi ratione personae".

begriffliche Bestimmung des Seienden leisten, ausschließt[262], so greift er in der Trinitätslehre zu Personkonstitutiva, welche die Relationen inkommunikabel machen (also – für unser Verstehen – in ihre ontische Letztbestimmung führen), ohne selbst noch relational zu sein. Suárez' Kritik an diesen absoluten Personkonstitutiva[263], die darin besteht, daß er die Relationen *als solche* inkommunikabel subsistierend (also als ontisch letztbestimmt) denkt und sie doch zugleich in einer nach Art der Transzendentalien verstandenen „realis convenientia", in einem „conceptus realis communis" (Relationalität, Personalität) übereinkommen sieht, korrespondiert seiner allgemeinen Kritik an Scotus in der Transzendentalienlehre, wo er es ablehnt, den Modi des Seienden als dessen seinshaften Letztbestimmungen die „ratio entis" als denjenigen begrifflichen Gehalt, in dem alle Seienden übereinkommen, abzusprechen[264]. Wir kommen darauf bei der Frage nach einer Multiplizierbarkeit der transzendentalen Bestimmungen in der Trinität zurück[265].

Seinen transzendental erhebbaren Personbegriff sieht Suárez in denjenigen Ausführungen des Thomas von Aquin bestätigt, in denen dieser es ablehnt, „Person" als Gattungs- oder Artbegriff zu bezeichnen[266]. Mit Berufung auf den Aquinaten[267] lehrt Suárez, daß „Person" in Gott im

[262] Vgl. Scotus, Ord. I, d. 3, p. 2, q. 1-2, n. 131 (Ed. Vat. III, 81): „ens non est univocum dictum in ‚quid' de omnibus per se intelligibilibus, quia non de differentiis ultimis, nec de passionibus propriis entis". In den folgenden Nummern liefert Scotus seine ausführliche Begründung.

[263] Vgl. dazu ausführlicher unten Kap. 8, 3), c).

[264] Vgl. GNEMMI (1969) 67ff.; DARGE (2004a) 92ff. Wie DI VONA (1994) 33 erwähnt, findet sich das suárezische Verständnis der transzendentalen Seinsprädikation an die Modi und Letztdifferenzen auch im Philosophiekurs der „Complutenses" (Karmeliter von Alcalá) und übt wichtigen Einfluß auf die Transzendentalienlehre späterer Jesuiten (wie Hurtado de Mendoza) aus (ebd. 64.440), während sie von anderen auch kritisiert wird (z. B. Bernaldo de Quiros: ebd. 393-409 und DI VONA [2002] 225).

[265] Vgl. unten Kap. 5.

[266] Hingewiesen sei allerdings darauf, daß bei manchen späteren Jesuiten dieses Schema für die Verhältnisbestimmung zwischen Personalität und den drei konkreten Personen in Gott akzeptiert worden ist; die Unterschiedenheit der Hervorgänge fungiert dann als spezifische Differenz. Vgl. etwa A. Bernaldo de Quiros († 1668), Selectae Disputationes de trin. 29.1.2-3 (202b); Th. Compton Carleton, Theologia scholastica, tom. 1, 57.1.4 (274a-b): „Existimo itaque, ut in Log. dixi, Disp. 34. sect. 2. num. 3. rationem Personae divinae ut sic esse genus, et singulas Personas divinas distingui specie: notabiliter enim differunt, cum Pater petat essentialiter non produci, Filius produci et simul producere; Spiritus Sanctus petit ab utroque procedere, et nullam personam producere".

[267] Vgl. Thomas, S. th. I, 30, 4 c.: „Et ideo dicendum est quod etiam in rebus humanis hoc nomen ‚persona' est commune communitatis rationis, non sicut genus vel spe-

Sinne eines „individuum vagum“[268] gemeinsam zu prädizieren ist, wobei die Übertragbarkeit auf das Verhältnis zu den partikulären Individuen (in Gott: den konkreten Personen von Vater, Sohn und Geist) einzuschränken ist. „Vage“ oder „konfus“ werden die drei Subsistenzen in Gott in ihrer Kennzeichnung als „Personen“ insoweit erfaßt, als nicht ihre „essentia“, sondern allein der „modus incommunicabiliter subsistendi“ in den Blick genommen wird, wie er (wenn auch in der vollständigen Realität auf je eigene Weise) als solcher allen gemeinsam ist. Das vom gemeinsamen Begriff erfaßte Allgemeine ist keine essentiale Eigenschaft im Sinne eines „quid“ oder „quale“, sondern der allen Personen gleichermaßen zukommende Subsistenz*modus*[269]. Hier läßt sich die Parallele zur Rede von „unbestimmten Individuen“ im geschöpflichen Bereich anführen, die man ebenfalls in der Weise erfaßt, daß man z. B. mehrere Menschen jeweils nicht in ihrem Menschsein, sondern allein unter der Hinsicht betrachtet, wie in ihnen die menschliche Natur in einer bestimmten modalen Determination anzutreffen ist, nämlich als subsistierend und damit zugleich als von anderen Seienden unterschieden. In der Aussage „Petrus est suppositum / persona“ geht es nicht vorwiegend um eine Information über das Menschsein Petri, sondern über die Weise, wie das menschliche Individuum Petrus existiert: nämlich durch sich und nicht in einem anderen. Wo vom „individuum vagum“ gesprochen wird, so lesen wir bei Suárez im Kontext der Debatten um das Individuationsprinzip[270], geht es nicht um

cies, sed sicut ‚individuum vagum‘. (...) Sed ‚individuum vagum‘, ut ‚aliquis homo‘ significat naturam communem cum determinato modo existendi, qui competit singularibus, ut scilicet sit per se subsistens distinctum ab aliis.“

[268] Vgl. KNEBEL (2000) 307: „Was uns hier entgegentritt, ist indessen als Individuum schon fertig, nur wird nicht auf seine Individualität, sondern auf seine typmäßige Bestimmtheit abgehoben. Es ist das altbekannte *individuum vagum*. Wer mit der *suppositio confusa tantum* operiert, kommt um diese Kategorie nicht herum. ‚Irgendein Mensch, dieser oder jener‘: dadurch wird weder Peter noch Paul denotiert, aber trotz der ihnen gemeinsamen unbestimmten Referenz würde zumindest eine universalienrealistische Semantik darauf bestehen, daß es zwischen ‚homo‘ und ‚aliquis homo‘ referentiell Unterschiede gibt. Im Unterschied zu der Referenz, welche der *Allgemeinbegriff* hat, schweift der *vage Begriff* durch eine Individuenmenge.“ MÜHLEN (1988) 30f.: „Der ganz bestimmte modus existendi, welcher dem Einzelnen als solchem zukommt, entzieht sich von sich selbst her einer Verallgemeinerung, und deshalb bleibt die communitas rationis, die vom Verstande hergestellte Gemeinsamkeit zwischen mehreren Personen, immer unvollkommen, dringt nur zu einer «vagen», unbestimmten Erkenntnis vor.“

[269] Ganz ähnlich lehrt auch Toledus, Comm. in I$^{am}$ q. 30, a. 4 (Ed. Paria I, 348b): „Nam persona significat modum communem subsistendi naturae divinae, quae competit tribus.“

[270] Vgl. Suárez, DM 5.8.14 (XXV, 236a).

eine das Individuum als solches konstituierende Universalie, sondern der Begriff referiert in formaler Hinsicht auf nichts anderes als die transzendentale Einheit der miteinander verglichenen individuellen Entitäten, sofern sie jeweils real existieren. In vergleichbarer Weise ist der substantiale Modus der kreatürlichen „Personalität" kein Wesensbestandteil, sondern ein „proprium" des subsistierenden Wesens in Analogie zu den „eigentümlichen Akzidentien" einer Substanz[271]. Suárez bleibt dieser Bestimmung in trinitätstheologischer Anwendung treu, wenn er von einer Prädikation „in qualiter" bzw. „quomodo" spricht[272], in welcher „Person" die göttliche Wesenheit nicht als solche, „quiditative", bezeichnet, sondern nur gemäß dem Modus ihrer Existenz bzw. Subsistenz[273]. Suárez unterscheidet sich hier in der Erläuterung dessen, was die göttlichen Personen als Personen miteinander verbindet, kaum von Vázquez. Die Differenz besteht nur darin, daß Suárez für einen gemeinsamen objektiven Begriff von Personalität die Übereinkunft der Subsistenzen in der Prädikation „in qualiter" für ausreichend hält und ihn nicht (wie Vázquez, wohl im Rückgriff auf Scotus) unter die Bedingung einer Prädikation „in quid" stellt.

(6) Als Summarium dieser langen Erörterung kann man festhalten: Personalität in Gott wird bei Suárez als etwas beschrieben, das bei univoker (und nicht analoger) Prädikation Prinzip von Übereinstimmung und Verschiedenheit zugleich ist. So sehr Vater, Sohn und Geist im gemeinsamen Personsein, „ad modum transcendentis" betrachtet, übereinkommen, so sehr ist doch ihre jeweilige konkrete Personalität / Proprietät zugleich das sie Unterscheidende, ohne daß der ontologische Grund der Übereinstimmung ein anderer wäre als derjenige der Unterscheidung[274].

[271] Vgl. ebd.: „Rationem autem personae, vel suppositi existimo posse reduci ad praedicamentum proprii, quatenus modus ille, quo constituitur, scilicet, personalitas vel subsistentia, essentialis non est, sed per se concomitans essentiam, sicut actu inhaerere dici potest quoddam proprium accidentis. Nec refert quod ille modus personalitatis vel subsistentiae non sit in sua entitate proprietas accidentalis, sed substantialis modus; quia hoc non variat modum universalitatis seu praedicationis, sicut esse capitatum, esse bipedem actu, dicitur accidens quinti praedicabilis, quamvis res unde sumitur, non sit accidens, sed substantia, quia modus praedicationis accidentalis est et contingens".

[272] Vgl. De trin. 1.3.17 (I, 544a): „et ideo sicut individuum vagum non praedicatur in quid, vel quale, sed potest dici praedicari in qualiter, seu in quomodo, ita est etiam persona".

[273] Vgl. ebd. 19 (544a-b).

[274] Vgl. DM 2.3.16 (XXV, 87a-b): „Nam Pater et Filius univoce conveniunt in ratione personae; quis enim negabit ibi aliquam unitatem, et convenientiam, aut affirmabit illam esse analogam, cum in ratione personae tam perfecta sit una sicut alia? Et tamen in singulis personis nulla fingi potest ex natura rei distinctio inter distinctionis

Entscheidend ist die Weise unserer Erfassung dieser ungeteilten Realitäten. Auch an dieser Stelle ist die Parallele zur Transzendentalienlehre evident, wo das Gleiche vom Begriff „ens" gilt. Im geschöpflichen Bereich kann man nach Suárez Ähnliches etwa im Falle von Quantität und Qualität behaupten, die in ihrer realen Verschiedenheit univok Akzidentien genannt werden, obgleich in beiden das eigene spezifische Sein und das Akzidens-Sein nicht unterschieden sind.

Noch einmal ist hier daran zu erinnern: Es ist die reale Identität der göttlichen Personen mit der Wesenheit, die den modalen Unterschied beider Größen, wie er als realer in den Geschöpfen vorliegt, in Gott zu einem bloß gedanklichen macht. Denn real vom Wesen distinkte Modi könnten in Gott nur wie Wirkungen aus einer Ursache oder nach Art der „Resultanz" aus dem Wesensgrund hervorgehen[275]. Beides ist unmöglich, da es die Realidentität von Wesen und Relationen in Gott (also letztlich das wahre Gottsein der Personen) vernichten müßte. Aber auch alle anderen Unterschiede zwischen göttlichen und geschöpflichen Personen, wie wir sie im folgenden immer wieder antreffen werden, gründen in dieser fundamentalen Differenz. So ist die Tatsache, daß die göttliche Person nicht bloß ein Modus, sondern durch sich selbst eine höchst vollkommene Entität und reinster Akt ist, dafür verantwortlich, daß diese Person „ratione infinitatis" anders als eine endliche Subsistenz nicht nur die ihr jeweils eigene Natur, sondern auch eine fremde zu terminieren vermag[276]. Die Unendlichkeit der Natur, wie sie einer jeden göttlichen Person zueigen ist, bringt ebenfalls mit sich, daß es in Gott nur einen einzigen Sohn geben kann, da ihm durch die Zeugung die ganze göttliche Natur mitgeteilt wird, während in geschöpflichen Zeugungsvorgängen die Naturen mit den Personen vervielfacht werden und so prinzipiell jede Person zur Zeugung einer weiteren befähigt ist[277]. Damit ist das Thema der innergöttlichen Hervorbringungen angeschnitten, das im folgenden Kapitel systematisch entfaltet werden soll.

et convenientiae fundamentum. Eadem enim paternitas in se simplicissima in sua entitate relativa distinguitur realiter a filiatione, et convenit cum illa in communi ratione relationis seu personalitatis; estque similis quasi generice, et dissimilis quasi specifice, quamvis in ea hi gradus seu conceptus ex natura rei non distinguantur."

[275] Vgl. DM 30.6.10 (XXVI, 89a-b).

[276] Vgl. De incarnatione 14.4.6 (XVII, 492a-b).

[277] Vgl. De incarnatione, q. 23, a. 3, Comm. (XVIII, 474b): „Nam in omnibus divinis personis est una individua natura infinita, quae per unam tantum generationem communicari potest, et ideo in illa tantum esse potest unus Filius naturalis; at vero in hominibus multiplicantur naturae cum personis, et ideo, per se loquendo, quaelibet posset generare."

# Kapitel 4: Die innergöttlichen Hervorgänge

Die theologische Begründung für den Glaubenssatz, wonach es in Gott nicht nur eine, sondern drei Personen gibt, die voneinander unterschieden werden können, leistet die Lehre von den innergöttlichen Hervorgängen. Im Unterschied zu Thomas, der konsequent „vom Bekannteren zum weniger Bekannten" fortschreitet, indem er von den biblisch bezeugten Hervorgängen ausgeht, um zur Lehre von den Ursprungsbeziehungen zu gelangen, die dann in einem dritten Schritt mit dem (in der Bibel nicht gebrauchten) Begriff der Personen identifiziert werden, hat Suárez die Reflexion über den Personbegriff an den Anfang gestellt, wie es in ähnlicher Form Heinrich von Gent bereits in seiner Quästionensumme getan hat[1]. Der „genetische" Ansatz des Aquinaten[2] ist damit stärker systematisch-doktrinell modifiziert, die Verwirklichung des die ganze „Summa theologiae" bestimmenden „exitus-reditus-Schemas" auch im Trinitätstraktat (vom Wesen über die Hervorgänge/Relationen/Personen zum Wesen)[3] wird nicht beibehalten. Allerdings stützt sich auch Suárez wie Thomas nach dem modifizierten Traktateinstieg auf die Hervorgangslehre als vermittelndes Theorem, um zur Gleichsetzung von Personen und Relationen gelangen zu können. Die „propädeutische Rolle", die nach Gilles Emery die thomanische Lehre von den „processiones" gegenüber den Kapiteln zu Relation und Person einnimmt, ist in dieser Per-

[1] Dort beginnt die Erörterung der Trinität in a. 53 „De personis divinis"; mit a. 54 folgt dann die Besprechung der Hervorgänge („De modo emanandi quo emanat una persona ab alia").

[2] Vgl. GARRIGOU-LAGRANGE (1951) 51: „procedit S. Thomas secundum methodum geneticam, a notiori ad minus notum; nam in Sacra Scriptura agitur de processionibus quae etiam indicantur in nomine Filii procedentis a Patre, et Spiritus Sancti a spirantibus; in S. Scriptura non invenimus nomen personae, sed solum nomina personalia Patris, Filii, Spiritus Sancti. Secundum hanc methodum S. Thomas paulatim ostendet quod in processionibus fundantur relationes (v. g. in generatione passiva filiatio), et quod personae constituuntur relationibus subsistentibus. Sic incipiendo ab eo quod est explicite revelatum (a processionibus), in eo invenit aliquid implicite revelatum et paulatim transit a cognitione confusa relationum subsistentium et personarum relativarum ad earum notionem distinctam."

[3] Vgl. dazu die schlüssige Interpretation von HANKEY (1987), bes. 115-135.

spektive auch bei Suárez gewahrt[4]. Dabei wird vor der Erörterung über Art und Zahl der Hervorgänge die grundsätzliche Frage nach ihrer Notwendigkeit gestellt, die konkret in der Abweisung der These von der Möglichkeit mehrerer nicht hervorgebrachter Personen in Gott besteht (De trin., l. 1, c. 4).

### 1) Möglichkeit und Notwendigkeit innergöttlicher Hervorgänge für die Personendifferenzierung

(1) Die dogmatische Lehre von den innergöttlichen Hervorgängen beruht auf der Prämisse, daß es in Gott eine einzige ursprungslose Person gibt, den „ungezeugten" Vater[5], dem die beiden anderen als „personae productae" gegenüberstehen. Dieses Ungezeugtsein oder noch umfassender: die „Innaszibilität" des Vaters erläutert Suárez erst zu einem späteren Zeitpunkt seiner Trinitätslehre ausführlich, nämlich in dem der ersten göttlichen Person im speziellen gewidmeten Buch acht. Wir ziehen die Darlegung der zentralen Ergebnisse an dieser Stelle vor, weil mit ihrer Hilfe die Lehre von den Hervorgängen leichter verständlich wird.

(a) Die eigentümliche, positive Proprietät des Vaters, die ihn von den anderen Personen unterscheidet, ist seine „paternitas". Im Gegensatz zu Autoren, die sie im Ausgang vom väterlichen Zeugen definieren (Bonaventura)[6], aber auch ohne ausdrücklich so weit zu gehen wie Molina, der sie auf einen *selbstreflexiven vorpersonalen* Wesensvollzug, das „intelligere essentiale", zurückführt, das die „paternitas" als Wurzel der Zeugung konstituieren soll[7], versteht Suárez die erste Eigentümlichkeit des Vaters

[4] Vgl. EMERY (2004c) 67.

[5] Vgl. Suárez, De trin. 1.4.2 (I, 545a).

[6] Vgl. De trin. 8.1.3 (712a). Suárez gibt damit korrekt Bonaventuras These in 1 Sent. d. 27, p. 1, q. 2 c. wieder, die sich auf die Notwendigkeit strikter Parallelität für die Formalbestimmung von „paternitas" und „filiatio" stützt: Wenn diese von der passiven Zeugung her verstanden werden muß, dann jene von der aktiven Zeugung: „generatio est ratio paternitatis, non e converso". Es gilt die Reihenfolge: „emanatio / origo – persona – generatio". Hier liegt der entscheidende Unterschied des bonaventurianischen Modells gegenüber dem thomanischen; vgl. FRIEDMAN (1996) 144-158; DURAND (2006).

[7] Vgl. Suárez, De trin. 8.1.4-6 (I, 712a-713a). Suárez sagt über den Urheber der Ansicht nur, daß er „quidam modernus" sei, und stellt sie so vor: „Dicunt enim aliqui, Divinitatem prius ratione, quam determinetur ad personas esse per se intelligentem, et se ipsam actu intelligere, et comprehendere. Et ex hoc actu intelligendi aiunt, pullulare Paternitatem, non secundum rem, sed secundum rationem, modo explicato. At denique addunt, ipsum Intelligere sic terminatum per Paternitatem, et notionalem effectum, esse rationem dimanationis realis Filii a Patre" (ebd. 4, 712a). Tat-

als unmittelbar mit der göttlichen Wesenheit in ihrer substantialen Verfaßtheit gegeben, ohne daß sie zum Wesensattribut würde bzw. aus einem Wesensakt hervorginge[8]. Zur Begründung reicht hier der Verweis auf die Bemerkung des Jesuiten, daß eine Entsprechung zum allgemeinen, von uns bereits erläuterten Prinzip vorliegt, nach dem eine jede substantiale Natur hinreichendes unmittelbares Fundament der ihr „konnaturalen" Personalität ist. Dies gilt in gewissem Sinne auch in Gott. Zwar ist die Eigentümlichkeit der ersten Person weder Vollzugsprodukt noch Konstitutiv des Wesens[9]. Sie stellt sich unserem Vorstellen aber als „gleichsam dem göttlichen Wesen entfließend" („quasi dimanans"[10], „fluens"[11]) dar,

sächlich findet sich diese These bei Suárez' Ordensbruder Molina, In I$^{am}$ q. 27, a. 3, disp. 4 (418bE-F), den hier also die Kritik trifft: „Etenim licet essentia divina suapte natura, ex suaque foecunditate personata sit personalitate patris, Paterque, et non essentia, sit, qui per intellectum producit ac generat: nihilominus, ut id dilucidius intelligatur, meditanda est essentia divina tamquam radix relationum, proprietatumve omnium personalium, virtute in se eas continens. Ea vero in illo priori, per intellectum se ipsam intelligente, quasi resultat a parte essentiae relatio eius, a quo alius per intellectum, ex qua et essentia (quae intelligere ipsum, caeteraque omnia attributa includit), constitutitur Pater...". Ruiz de Montoya, In I$^{am}$ 52.5.1 (451b) findet eine ähnliche These bereits „in additionibus Scoti circa primum sentent. dist. 28. quaest ultima". Allerdings wird man bei exakter Lektüre der genannten Distinktion rasch feststellen, daß Scotus selbst eine solche Meinung rundum ablehnt (vgl. WETTER [1967] 379f.). Molinas These wird auch von Jesuiten nach Suárez positiv aufgegriffen; vgl. Zuniga, disp. 8, dub. 1, n. 5 (267a): „Paternitas convenit Patri ab intellectione..."; Martinon, disp. 28, sect. 1, n. 4 (555b), der sogar die Inhalte der den Vater konstituierenden „intellectio" angibt: göttliches Wesen, Possibilien, göttliche Personen. Hier ist das Wesen endgültig zum eigentlichen Ursprung der Trinität geworden.

[8] Vgl. Suárez, De trin. 8.1.7 (I, 713a-b): „Dico ergo, hanc primam proprietatem immediate consequi ad divinam naturam, hoc solo, quod talis natura substantialis est." Ähnlich De deo uno 1.2.4 (I, 6a): „Paternitas enim est idem cum essentia divina, et non aliunde convenit Deo quam ex vi suae essentiae, et nihilominus non est proprie ac formaliter de essentia ejus."

[9] Vgl. ebd.: „dictis ergo satis constat, non posse ita comparari esse ad essentiam Dei, sicut nunc comparatur Paternitas ad divinam naturam, de qua Paternitate verissime dicitur, esse in re indistinctam ab illa natura, et immediate, intime, ac per se esse illi conjunctam, et nihilominus non esse de essentia illius naturae, et secundum rationem concipi tanquam fluens ab illa, ut infra in tractatu de Trinitate ostendetur ac declarabitur. Ratio vero differentiae est, quia Paternitas non constituit illam naturam in sua entitate actuali. Unde concipi potest illa natura in re ipsa actu existens praecisa tali relatione, et ut prior illa."

[10] Autoren der Folgezeit sprechen in diesem Zusammenhang häufig von einer „emanatio virtualis" als „quasi dependentia"; vgl. Coninck, disp. 11, dub. 2, n. 6 (290a); Avendaño, Problemata, sect. 23, probl. 2, § 1, n. 571 (199a).

[11] Suárez, De deo uno 1.2.8 (I, 7b).

wodurch die Tatsache expliziert wird, daß die göttliche Natur (als „natura *substantialis*") notwendig irgendeiner ersten Personalität bedarf. Erst durch sie (und nicht etwa vorher, allein durch das Wesen) kann Gott nach dem Axiom „actiones sunt suppositorum" als Handelnder begriffen werden. Durch ihre Konnaturalität mit dem Wesen ist die erste Personalität Symbol für die absolute (wesenhafte) Ursprungslosigkeit und damit Einzigkeit Gottes als solchen[12]. Wegen der Fruchtbarkeit („foecunditas") der göttlichen Natur aber, die in der ersten Person als eine mehreren anderen Personen kommunizierbare gedacht werden muß, kann es sich auch beim Begriff des Vaters nicht um eine absolute, sondern nur um eine relative Personbestimmung handeln. Da die göttliche Natur wesenhaft erkennend („intellectualis") ist, und zwar logisch früher als liebend („amans")[13], kommt als Formalgrund der ersten Person nur das wesenhafte Erkennen („intelligere per essentiam") in Frage. Damit aber konstituiert den Vater das, was auch das göttliche Wesen als solches konstituiert: Die Vaterschaft ist eine Personalität, die aus einer Natur resultiert, deren „letzte Differenz" gleichsam das „ipsum intelligere per essentiam" ist[14]. Die erste Personalität erweist sich hier erneut nicht als Tätigkeit oder ein aus einer solchen resultierender Terminus, sondern vielmehr als das sup-

[12] Vgl. Suárez, De deo uno 1.1.11 (I, 3b): „Est ergo [sc. Deus] ens ex se habens esse. Tandem hoc sensu docet fides, dari in Deo quandam personam ingenitam, quae auctorem vel principium non habeat, ut infra tractantes de Trinitate videbimus; ergo eodem modo est de fide, Deum esse improductum ut Deus est. Praeterea est ratio theologica, quia si haberet esse ab alio, vel haberet ab alio Deo, et ita essent plures Dii, vel ab alio meliori quam sit Deus, et sic iste non est Deus, vel ab alio inferiori, quod esse non potest, ut per se notum est."

[13] Vgl. zu diesem Prinzip auch unten Kap. 9, 4), (2), (c).

[14] Vgl. De trin. 8.1.10 (I, 713b-714a). Ähnlich wie bei Suárez lautet etwa die Lösung bei Molina, Comm. in $I^{am}$ q. 27, a. 3, disp. 4 (419aC-419B). Molina nimmt dabei die bereits erwähnten Formulierungen in Kauf, die eine Resultanz des Vaters aus der Selbsterkenntnis des *sich selbst denkenden Wesens* nahelegen: „Ut ergo paulo ante dicebamus, intuente essentia divina, ac intelligente se ipsam, antequam in ea intelligantur proprietates personales, quasi resultare a parte essentiae relationem dicentis, producentisve per intellectum ad productum, ex qua et essentia constituitur Pater et in esse Patris producentis, ac communicantis Filio suam sapientiam, et in ea caetera attributa quae includit". Ganz ähnlich nochmals ebd. q. 40, a. 2, disp. 2, membr. 3 (522bF): „...essentia intelligente eo modo se ipsam, quasi resultat eo ipso a parte illius, respectus ille, a quo alius per intellectum, qui in essentia se comprehendente fundatur, intellectionemque comprehensivam supponit: in eoque respectu praesupposita notitia illa essentiali, posita est ratio generationis activae...". Im Selbstvollzug der göttlichen Wesenheit erscheinen gleichsam die relationalen Gefüge mit ihren Hervorbringungsrichtungen. Vgl. auch Fr. de Lugo, Theol. schol. I, disp. 14, c. 1, n. 8. Für weitere Lösungsversuche ist die Übersicht bei Avendaño, Problemata, sect. 23, probl. 2, § 2, n. 575-576 (200a), hilfreich.

positale Prinzip des Hervorbringens bzw. Zeugens („principium quod generandi"). Die darin vorausgesetzte unmittelbare Verbindung des ersten Hervorbringungsaktes (der „per intellectum" erfolgenden Zeugung des Sohnes) mit dem Formalkonstitutiv des göttlichen Wesens selbst wird Suárez an späterer Stelle des Trinitätstraktates zum Einsatz bringen, um den Unterschied zwischen Sohn und Heiligem Geist im Blick auf das jeweilige Hervorbringungsgeschehen (Zeugung vs. Hauchung) zu erläutern[15]. Indem Suárez die Vaterschaft unmittelbar in der göttlichen Natur gründet, stellt er des weiteren klar: Das Vatersein kommt dem Vater nicht, wie Bonaventura meinte, deswegen zu, „weil er zeugt", sondern „damit er zeugen kann"[16], wiewohl die Identität von Können und Sein in Gott zwischen beidem keine reale Differenz zuläßt. An der Notwendigkeit der logischen Priorität dieser Eigenschaft der ersten Person vor der Zeugung des Sohnes, die bereits Thomas gegen Bonaventura unterstrich, besteht nach Suárez wegen des erwähnten Axioms, daß ein Hervorgang nur aus einer Person, nicht aber aus der göttlichen Natur erfolgen kann, kein Zweifel.

(b) Als weitere Eigentümlichkeit, die auf dem Fundament der Vaterschaft als positiver „proprietas" aufruht, ergibt sich zweitens das Attribut des Ungezeugtseins bzw. der „innascibilitas" des Vaters. Sie bezeichnet nach Suárez nichts anderes als die Abwesenheit jedes realen (und möglichen) Ursprungs[17]. Im Gegensatz zu einer in der Frühscholastik (Richard von St. Viktor, Wilhelm von Auvergne, Praepositinus) wurzelnden und in der Franziskanerschule bis Bonaventura ebenso wirkmächtigen wie problembehafteten[18] These, die den Vater in seiner Ungezeugtheit als „fonta-

[15] Vgl. Suárez, De trin. 11.5 (I, 784b-790b).

[16] Vgl. Suárez, De trin. 8.1.12 (I, 714a-b).

[17] Vgl. ebd. 8.2.6 (715b): „Dicendum ergo est, de formali significari tantum illa voce privationem omnis originis realis". Suárez versteht hier „privatio" ganz wie Thomas in S. th. I, 33, 4 ad 2, nämlich nicht als Ausdruck eines Fehlens im Sinne von Unvollkommenheit, sondern sofern „etwas dasjenige nicht hat, dessen Besitz einem anderen seiner Gattung natürlicherweise zukommt". Der Vater ist in diesem Sinne des Hervorgebrachtseins „beraubt", „prout scilicet aliquod suppositum divinae naturae non est genitum; cujus tamen naturae aliquod suppositum [sc. Filii] est genitum." Auch prinzipiell schließt sich Suárez mit der zweischrittigen Beschreibung des Vaters durch die Notionen „paternitas" und „innascibilitas" dem Aquinaten an (vgl. S. th. I, 33).

[18] Nach FRIEDMAN (1999a) 16 spielte die Innaszibilität in der franziskanischen Tradition „a crucial role". Zu Bonaventura in dieser Frage vgl. neben DURAND (2006), bes. 553-563, FRIEDMAN (1997b) 60-64, zu Heinrich von Gent ebd. 126-131. Schon STOHR (1925b) 130 sah in Bonaventuras Primitätsbegriff „die vollkommenste Ausgestaltung des Richardschen Innaszibilitätsgedankens".

lis plenitudo" der Trinität betrachtet[19], hält es der Jesuit mit der Thomistenschule[20], aber auch mit Scotus[21] nicht für notwendig, für die Ursprungslosigkeit eine eigene positive Bestimmung über die „paternitas" hinaus anzunehmen[22]. Denn diese steht als Formalprinzip des ersten Ursprungs selbst vor jedem Ursprung und konstituiert folglich die erste Person als eine solche, die ohne Hervorgang aus einer anderen subsistiert. In einer anonymen Polemik gegen Vázquez kann Suárez von dieser Bestimmung her auch die These ablehnen, Fundament der „innascibilitas" sei eine über die bloße Privation eines Ursprungs hinausreichende gedankliche Beziehung der Vaterschaft auf sich selbst hinsichtlich ihres Charakters als Erstprinzip[23]. Vázquez hatte zu dieser Erklärung nicht

[19] SCHMAUS (1930a) 335 spricht von der „primitas"-Konzeption als dem „Kernstück der altfranziskanischen Trinitätstheologie". Sie hat tiefe Wurzeln in der frühscholastischen Reflexion (besonders der Schulen von Laon und St. Viktor); vgl. HOFMEIER (1963) 251-257; ANGELINI (1972) 53f.; ARNOLD (1995) 210-216. Die Gefahr dieses Ansatzes, nämlich die mangelnde Unterscheidung des väterlichen Nicht-Gezeugtseins vom Nicht-Hervorgebrachtsein des göttlichen Wesens und damit einer gegenüber den anderen Personen besonderen Identifizierung des Vaters mit der Wesenheit haben am Beispiel Richards ÉTHIER (1939) 103f. und WIPFLER (1965) 169-183 klar herausgearbeitet. Noch die bonaventurianische Variante dieser Theologie einer väterlichen Primität muß die Frage evozieren: „Scheint nicht die erste Person ein bedenkliches Übergewicht über die anderen zu erhalten? Wenn sie ohne die anderen Personen schon irgendwie existiert, ist da nicht die Gleichheit der göttlichen Personen empfindlich gestört?" (SCHMAUS [1930b] 653; vgl. auch DECKER [1967] 517f.; den Einwand relativierend: OBENAUER [1996] 153-181).

[20] Suárez verweist korrekt auf Thomas, S. th. I, 33, 4 c., der die „proprietas innascibilitatis" allein als Ausdruck des Sachverhalts sieht, daß der Vater „principium non de principio" ist. Vgl. zur Begründung des negativen bzw. privativen Charakters der „innascibilitas" B. Torres, Comm. in I$^{am}$ q. 32, a. 3 (98vb-99ra)

[21] Vgl. etwa Scotus, Ord. I., d. 28, q. 1-2, n. 27 (Ed. Vat. VI, 120); dazu WETTER (1967) 355-358; BOTTE (1968); CROSS (2005) 185-189.

[22] Vgl. Suárez, De trin. 8.2.9 (I, 716b). Zur Gegenthese bei franziskanischen Theologen wie Roger Marston oder Bonaventura, der mit der Ungezeugtheit die „plenitudo fontalis" des Vaters konnotiert (vgl. 1 Sent. d. 27, p. 1, a. un., q. 2, sol. et ad 3; d. 28, a. un., q. 2) vgl. EMERY (2004c) 208. Mit ausführlicher Begründung findet sie sich auch bei Heinrich von Gent, Summa, a. 57, q. 1 c.: „Et sic substratum illud negationi non est nisi ipsa divina essentia: ut sit sensus, pater est ingenitus idest habens in se divinam essentiam non ab alio. (...) Ingenitum ergo positive dicit plenitudinem et sufficientiam in Patre ex se: negative autem dicit nihil habere ab alio, ut secundum hoc ingenitum sit notio praecise ratione negationis quam importat, aliquid tamen dignitatis importans ex hoc quod circa talem affirmationem fundatur" (Ed. Badius, fol. CXVIIIr).

[23] Suárez, De trin. 8.2.11 (I, 716b-717a) ist wiederum nur von „einigen" die Rede, welche diese Ansicht vertreten. Sie läßt sich verifizieren bei Vázquez, In I$^{am}$ 137.5.18 (II, 168b): „Respondeo, significatum positivum huius vocis esse paternitatem, sub

zuletzt deshalb gegriffen, weil mit ihrer Hilfe die Möglichkeit eröffnet scheint, die erste Person auch in demjenigen Moment der logisch konstruierbaren Ursprungsordnung begrifflich zu erfassen, welcher der Zeugung des Sohnes und damit dem eigentlichen Beginn von Vatersein, wie wir es im Kreatürlichen kennen, noch voranzudenken ist[24]. Als selbst nicht hervorgebrachte und mit der Fähigkeit zur Hervorbringung ausgestattete stünde die erste Person der Trinität unter dieser gedanklichen Hinsicht gewissermaßen doch vor dem relationalen Personengefüge. Suárez lehnt diese Lösung ab, weil die in solcher Weise betrachtete „innascibilitas" in seiner Deutung am Ende trotzdem unweigerlich auf die „paternitas" als einziges positives Fundament zurückweisen muß, wie er sie mit Thomas[25] und Scotus[26] lehrt. Dem Aquinaten vergleichbar, vermeidet auch unser Jesuit mit der klaren Priorität der „paternitas" in der Proprietätszuschreibung die im griechischen Trinitätsmodell, dem Vázquez hier nahe steht, wurzelnde Tendenz, den Vater vermittels der die Fülle des göttlichen Wesens bezeichnenden Ungezeugtheit konstitutionslogisch irgendwie außerhalb des trinitarischen Beziehungsgeflechts zu stellen. Nicht zu übersehen ist freilich, daß in der pointiert lateinischen Sicht, der Suárez zuzuzählen ist, diese Wurzel- und Quellfunktion nun in Gefahr gerät, dem vorpersonal betrachteten Wesen zuzufallen – wie es Molina offen zum Ausdruck gebracht hatte.

(2) Nach diesem vorgreifenden Blick auf das Verständnis der „Ungezeugtheit" des Vaters als ihm eigentümlicher Notion können wir zur Ausgangsfrage von De trin. I, 4 zurückkehren: Ist es theologisch überhaupt akzeptabel, seine Person als *einzig* nicht hervorgebracht zu denken? Gegen diese vom Glauben geforderte Annahme[27] erhebt sich im Ausgang vom philosophischen Axiom, daß ein „esse a se" vollkommener ist als ein

peculiari conceptu primae originis, et principii, quo non additur relatio realis nova, sed rationis, quia relationis realis non datur nova alia relatio realis." Suárez kommentiert scharf: „Est tamen improbabilis fuga et non sibi constans".

24 Vgl. dazu Vázquez, In I^am^ 159.5.20 (II, 332b): „Ideo, secundo dicendum est, concipi posse primam personam patris, antequam intelligatur actu generare, non quidem sub respectu patris, id enim repugnaret: quia paternitas fundatur in generatione ut praecedenti, quod probatum est, sed sub conceptu innascibilis, et foecundi ad producendum. (...) Tertio nihil obstat, quo minus persona patris apprehendatur constituta, priusquam generet, ex essentia, et proprietate illa, seu notione innascibilis, et foecundum ad producendum, quam alibi ipse Bonaventura appellat fontalem plenitudinem, ut vidimus disput. 137. c. 5."

25 Vgl. dessen Unterscheidung zwischen „paternitas" und „innascibilitas" in S. th. I, 33, 4 ad 1.

26 Vgl. Scotus, Ord. I, dist. 28, q. 1-2, n. 44.55 (Ed. Vat. VI, 130.139f.).

27 Suárez spricht in De trin. 1.4.2 (545a) von einer „assertio de fide".

„esse ab alio“, der Einwand, daß die Existenz dreier nicht hervorgebrachter Personen als vollkommenerer Zustand anzusehen sei[28].

(a) Suárez verweist angesichts der Problematik zunächst auf ein Vernunftargument: Der Ausgang von einer „persona improducta“ ist notwendige Bedingung dafür, daß die Rede von innergöttlichen Hervorgängen nicht in einen unendlichen Regreß mündet. Denn die Vorstellung einer personalen „Selbstproduktion“ ist ebenso unmöglich[29] wie die bereits erwähnte These eines Hervorgangs der ersten Person aus der göttlichen Wesenheit[30]. Im strengen Sinn ist der Begriff des „realen Hervorgangs“, wie ihn die Trinitätslehre fordert, an die Existenz real voneinander unterschiedener Seiender gebunden[31]. Da in Gott alles mit der Wesenheit real identisch ist, kommt dafür allein eine Person als Ausgangspunkt in Frage. Mit diesem ersten Argument ist zwar die Existenz einer nicht hervorgebrachten Person in Gott, jedoch nicht automatisch auch deren notwendige Einzigkeit bewiesen. Darum muß Suárez einen zweiten Gedankengang anschließen. Er richtet sich vor allem gegen Scotus, der in Abgrenzung zu Heinrich von Gent und zu Thomas, welcher im Rückgriff auf ein Hilarius-Wort[32] die Annahme mehrerer „personae improductae“ als Zerstörung des Monotheismus kritisiert hatte[33], ebendiese Möglichkeit zwar faktisch, aber nicht apriorisch ausschließen wollte[34]. Die dagegen vorgebrachten Argumente hielt er für schwach und bezweifelte die Möglichkeit, die nur auf eine einzige Person beschränkte „innascibilitas“ unmittelbar aus der Einheit und Ungeteiltheit des göttlichen Wesens ableiten zu können.

(b) Suárez weist die scotische Argumentation zurück, indem er, ähnlich wie im 13. Jahrhundert bereits Heinrich von Gent[35] und Durandus[36], aus

[28] Vgl. ebd. 1.4.1 (I, 544b).

[29] Vgl. ebd. 3 (545a-b).

[30] Vgl. ebd. 4 (545b): „...primam personalitatem Dei pullulare a Divinitate”.

[31] Vgl. ebd.: „...quia realis productio non est nisi inter res realiter distinctas”. Suárez argumentiert allerdings gelegentlich auch umgekehrt, wenn er die reale Produktion einer Person aus der anderen zum Beleg für deren realen Unterschied trotz Wesenseinheit erklärt; vgl. DM 7.2.19 (XXV, 268b): „Unde etiam divinae personae, quamvis unitatem in essentia habeant, ob realem productionem unius ab alia realiter distinguuntur.“

[32] Vgl. Hilarius, De synodis, n. 59, § 26 (PL 10, 521A).

[33] Vgl. Thomas, S. th. I, 33, 4 ad 4: „Ponere igitur duos innascibiles est ponere duos Deos, et duas naturas divinas“.

[34] Vgl. Scotus, Ord. I, d. 2, p. 2, n. 367-370 (Ed. Vat. II, 339-341); dazu CROSS (2005) 151.

[35] Vgl. Heinrich, Qdl. 6, q. 1 (Op. X, 1-32); Summa, a. 54, q. 2. (Ed. Badius, LXVIIIr-v). Dazu auch VIGNAUX (1976b) 214f.

[36] Vgl. Durandus, 1 Sent. d. 10, q. 2, n. 4 (42rb).

einer Annahme von mehreren nicht hervorgebrachten Personen deren Ununterscheidbarkeit folgert. Den Hintergrund bildet das trinitätstheologische Axiom, daß allein die „oppositio relationis", die je unterschiedliche Beziehung der Personen auf Grundlage der unterschiedlichen Hervorgänge, die personalen Unterscheidungen in Gott ermöglicht[37]. Gäbe es dagegen mehrere nicht hervorgebrachte Personen, wären deren „productiones ad intra" gänzlich ununterscheidbar, denn sie besäßen die göttliche Natur in exakt identischer Weise und könnten sie auch ebenso kommunizieren. Folglich hätten die dadurch konstituierten Relationen keine Zielpunkte, im Blick auf welche unterscheidbare Relationen resultierten[38]. An einer Stelle seiner Metaphysik begründet Suárez die Ablehnung mehrerer nicht hervorgebrachter Personen etwas anders mit dem Verweis auf die nicht weniger absurde Konsequenz, daß unter dieser Annahme die Zahl der Personen in Gott wegen des Fehlens eines einzigen Ursprungsgrundes ins Unendliche vermehrt werden könnte[39]. Auch diesen Gedanken findet man – gegen Arius gewendet – schon bei Heinrich von Gent[40].

(c) Doch auch wenn man sofort von der geoffenbarten Dreizahl ausgeht, bleibt der Versuch, sie in einer Bestimmung durch absolute Proprietäten und folglich als Personen anzusehen, die sich keiner Hervorbringung verdanken, erfolglos. Dies wäre nämlich nach Suárez nur um den Preis der Annahme möglich, daß die göttliche Natur ursprünglich als zwischen den dreien „geteilte" vorläge, was dieser Natur widerspräche[41]. Auch damit greift der Jesuit im Prinzip ein schon bei Heinrich von Gent zu findendes Argument auf[42], das er aber in drei Punkten für noch nicht hinreichend gegen mögliche Einwendungen abgesichert erachtet.

[37] Zur Traditionsgeschichte von Anselm zu Thomas, der dann die ganze weitere Scholastik beeinflußt, vgl. BOUCHÉ (1938), bes. 14ff.57ff.72-75; PERINO (1952) 163-172.

[38] Vgl. Suárez, De trin. 1.4.7 (I, 546a): „Si essent duae personae improductae, omnis productio ad intra esset indivisa respectu illarum; ergo non possent distingui per relationes disparatas in ordine ad terminum productum."

[39] Vgl. DM 29.3.20 (XXVI, 54a): „Si autem in Deo multiplicari possent personae improductae, plane possent infinitae personae multiplicari; et ideo nec fides admittit plures personas improductas, nec ratio illas permittit, neque omnino plura entia sine reductione ad unum primum, a quo caetera manant."

[40] Vgl. Heinrich von Gent, Qdl. 6, q. 1 (Op. X, S. 10, ZZ. 5-13).

[41] Vgl. Suárez, De trin. 1.4.8 (I, 546b).

[42] Vgl. Heinrich von Gent, Qdl. 6, q. 1 (Op. X, S. 8f., ZZ. 70-76): „Neque possunt esse plura absoluta, quoniam in eadem natura absoluta plura supposita esse non possunt nisi naturae illius partitione, quod est impossibile fieri in natura divinitatis, quia divinitas, cum sit singularitas quaedam, ut alibi habitum est, non potest partiri partitione universalis in particularia, et cum sit simplex, omnino carens quantitate parti-

(aa) Erstens ist der Fall zu bedenken, daß ein gleichzeitiges Miteinander von absolut und relativ konstituierten Personen in Gott angenommen würde. Der bloße Verweis darauf, daß hier die absolute Person nur zur Ausbildung akzidenteller Relationen fähig wäre, vermag nach Suárez deren Möglichkeit nicht zu widerlegen, da auch in zweifellos orthodoxen Trinitätskonzeptionen die Hauchung des Geistes (im Sinne der „spiratio activa"), die als solche nicht die personale Subsistenz des Vaters konstituiert, sondern sie bereits als vollständig bestehend voraussetzt, ebenfalls nach Art eines Akzidens erscheint (wiewohl sie es in Wirklichkeit wegen der absoluten Identität allen Seins in Gott real nicht ist)[43]. Stattdessen ist erneut darauf zu rekurrieren, daß Personen ohne Ursprungsbeziehungen in ihren Hervorbringungen völlig identisch sein müßten. Dann aber gäbe es überhaupt keine wirklichen Relationen in Gott, welche die Personen als inkommunikable konstituierten.

(bb) Zweitens ist der Einwand des Scotus zu berücksichtigen, daß mehrere nicht hervorgebrachte Personen auch deswegen denkbar sein könnten, weil zwischen ihnen unterschiedliche Relationen bestünden, die nicht Ursprungsrelationen wären. Suárez weist diesen Versuch durch ein argumentatives Ausschlußverfahren zurück, in dem unter der Voraussetzung, daß Aristoteles die möglichen Gattungen der Relationen erschöpfend beschrieben hat, die beiden einzig neben der „relatio originis" möglichen Relationsformen, nämlich die „relatio unitatis" und die „relatio mensurae", im Falle Gottes für nicht anwendbar erklärt werden[44]. Suárez hat die Lehre von den drei Gattungen der (prädikamentalen) Relation nach Aristoteles, Met. l. 5, c. 15[45], zuvor in DM 47, s. 10 näher entfaltet. Darnach liegt die „Relation der Einheit" vor, wenn Dinge auf Grund einer Einheit in der Quantität „gleich", auf Grund einer Einheit in der Qualität „ähnlich" oder auf Grund einer Einheit in der Substanz „identisch" genannt werden[46]. Ebenso sind arithmetische Relationen (Beziehungen zwischen Zahleinheiten) in diese Kategorie wechselseitiger Relation zu fassen. Für die Übertragung auf den trinitarischen Gott kommt diese Art der Beziehung deshalb nicht in Frage, weil sie wegen der Identität von Relationen und Wesenheit in Gott hier nicht in einer realen Weise, sondern nur gedanklich vorliegen könnte. Zudem vermag sie eine Distinktion der zuein-

um potentia et actu, per se et per accidens, non potest partiri partitione totius integri."

43 Vgl. Suárez, De trin. 1.4.9 (I, 546b).

44 Dafür gibt es in der Tradition bereits Vorbilder; vgl. etwa Durandus, 1 Sent. d. 4, q. 1, n. 7 (28va).

45 Vgl. Aristoteles, Metaphysik 1020b26ff. Dazu auch: BANNACH (2000) 102ff.

46 Vgl. Suárez, DM 47.10.2 (XXVI, 820b-821a).

ander in Beziehung gesetzten Größen nicht zu begründen, sondern muß sie schon voraussetzen[47]. Im Falle Gottes müßte also, sofern man mit Hilfe des ersten aristotelischen Relationstyps eine Unterscheidung der Personen jenseits der „oppositio relationis" begründen wollte, ein alternatives Distinktionskriterium zur „ratio originis" vorgelegt werden, was Suárez für nicht möglich hält.

Die bei Aristoteles und Suárez gewöhnlich an dritter Stelle genannte „Relation des Maßes" besteht nach der Lehre des Philosophen im Verhältnis des „Meßbaren zum Maß", wofür die Relationen zwischen Vermögen und ihren entsprechenden Gegenständen (z. B. „scientia-scibile", „intellectus-intelligibile") als Beispiele dienen. Die intentionalen Relationen dieser Gattung sind stets nur einseitig, weil zwar ein Maß (wie ein Vermögen) nicht ohne ein Meßbares denkbar ist, dieses aber selbst ein solches erst unter der Voraussetzung wird, daß es das auf es hin gerichtete Maß gibt – Objekt des Wissens ist ein Gegenstand beispielsweise nur deswegen, weil es ein Wissen gibt, das es als ein solches erfassen kann, das aber zugleich in seinem Vollzug nicht auf das eine aktuelle Objekt, das es hier und jetzt anzielt, begrenzt ist[48]. Das Exempel der Potenzen in Beziehung auf ihre Objekte illustriert bereits gut den Vorbehalt, den Suárez angesichts der Übertragung auch dieser Relationsform auf Gott anmeldet: Indem es auf die Aktualisierung durch das ihm angemessene Objekt angewiesen ist, erweist sich das Vermögen als begrenzt. Es impliziert somit eine Unvollkommenheit, die im Falle Gottes dessen wesenhafter Unbegrenztheit („immensitas" / „infinitas") nicht gerecht wird[49].

So bleibt zur Unterscheidung der Personen in Gott allein die „relatio originis", die, wie wir später sehen werden, mit der einzig noch übrigen Relationsform, nämlich der in Tun und Leiden, also in Kausalverhältnissen gründenden und in der aristotelischen Aufzählung an zweiter Stelle stehenden Beziehungsart in Verbindung gebracht werden kann.

(3) Schließlich ist drittens noch auf das prinzipiellste Moment der scotischen Anfrage zu antworten, ob nämlich in Gott generell mehrere absolute Personen denkbar sind, ohne daß seine Einheit zerstört würde. Suárez verneint diese Frage deswegen, weil jede „res absoluta" in Gott (im Unterschied, wie später noch bewiesen wird, zur „res relativa") als Vollkommenheit schlechthin („perfectio simpliciter") zu bestimmen wäre, die in ihrem Begriff keinerlei Unvollkommenheit und auch keinen Gegensatz einschließt. Von solcher Art müßten auch absolute Proprietäten sein, wie

[47] Vgl. De trin. 1.4.10 (I, 547a).

[48] Vgl. DM 43.10.4 (XXVI, 821a-b).

[49] Vgl. De trin. 1.4.10 (I, 547a). Zur „immensitas" Gottes bei Suárez vgl. (ohne trinitätstheologischen Bezug) GOMEZ ARBOLEYA (1946) 265f.; HELLIN (1948b).

sie von Scotus den Personen zugeschrieben werden[50]. Derartige Vollkommenheiten aber können in Gott nicht vermehrt werden, weil sie das schlichtweg „Nicht-Andere" sind und *per definitionem* Wesensattribute darstellen. Es gäbe von ihnen her keinen Grund, warum etwa der Vater neben seiner absoluten Proprietät nicht auch die des Sohnes oder Geistes besitzen sollte; denn als schlechthinnige Vollkommenheit des unendlichen göttlichen Wesens wäre eine absolute Proprietät nicht auf eine einzige Person inkommunikabel zu beschränken. Folglich würde auch jede Relation solcher nicht hervorgebrachter Personen zugleich jeder (weiteren) ursprungslosen Person kommunizierbar sein[51]. Dann aber ist es unmöglich, daß mehrere „personae improductae relativae" bestehen, denn die von beiden gleichermaßen hervorgebrachte Beziehung zueinander wäre identisch und brächte keinen Personunterschied zustande – wo eine Beziehung zwar verschiedene Ausgangspunkte, aber denselben „terminus" hat, ist formale Unterscheidbarkeit nicht gegeben[52]. Die Möglichkeit einer formalen Differenzierung der Personen ergibt sich darum nicht allein aus ihrer numerischen Verschiedenheit, sondern nur dann, wenn die Relationen als Relationen unterscheidbar werden („quasi formaliter et specie, sub genere relationis")[53], und dies ist nach Suárez allein bei einer Ursprungsverschiedenheit der Fall.

[50] Vgl. Suárez, De trin. 1.4.11 (I, 547a-b). Über die Rolle der „absoluten Vollkommenheiten" in der scotischen Gotteslehre, ihre formale Verschiedenheit und ihre Vereinbarkeit in der Unendlichkeit des göttlichen Wesens informiert HOERES (1962b) 61-72.

[51] Vgl. Suárez, De trin. 1.4.12 (I, 547b).

[52] Vgl. ebd. 15 (548a-b).

[53] Vgl. ebd. „Unde oritur alia ratio in eodem fere principio fundanda, quod relationes Dei ad intra non possunt distingui quasi numero, sub eadem ratione formali quasi specifica et ultima, sed oportet, ut distinguatur quasi formaliter et specie, sub genere relationis, vel communi, vel subalterno, ut est relatio principii, vel principiati, quia alia distinctio quasi materialis est et imperfecta, et non habet unde intra Deum oriatur, ut infra etiam dicetur." Die These einer bloß numerischen, nicht aber formalspezifischen Unterschiedenheit der Hervorgänge bzw. Relationen in Gott wurde zuweilen in der Thomistenschule vertreten; Bañez, Comm. in I^am^ q. 27, a. 4, dub. 2 (750D) nennt als Beispiel seinen Lehrer Cano (ohne ihm zuzustimmen). Suárez grenzt die innerhalb der Trinitätslehre (wenn auch mit einer gewissen Uneigentlichkeit) zugelassene Benutzung des Gattungs- und Artbegriffes präzise von den Aussagen über Gott in seiner Einheit ab, wo die Begriffe von Gattung und Art strikt zu vermeiden sind; vgl. De deo uno 1.4.9 (I, 15b): „Aliter vero quaestionis sensus non habet locum stando in sola ratione naturali, quia Deus, ut Deus est, multiplicari non potest, sed essentialiter est hic singularis Deus; et ideo concipi non potest vero conceptu communi et universali, quare non potest in eo esse genus vel species in ordine ad Deum, vel plures Deos. Tamen supposito mysterio Trinitatis possunt dari conceptus communes secundum rationem tribus personis, non ut sunt Deus, sed ut sunt

So läuft die feingliedrige Argumentation des Jesuiten auf die These hinaus, daß es in Gott zur Vervielfachung der Personen notwendigerweise realer Hervorgänge „ad intra“ bedarf, die die gesuchte Gegensatzrelation zu begründen vermögen. Unter ihnen muß es eine und nur eine nicht hervorgebrachte Person geben[54], welche der erste Ursprung des trinitarischen Lebens ist. Daß darin zugleich die Unterthese impliziert ist, wonach auch die zwei aus dieser ersten Person hervorgegangenen Personen untereinander einen „ordo originis“ begründen müssen, damit sie unterscheidbar werden und sich nicht wiederum wie zwei erste „personae improductae“ gegenüberstehen, wird hier vorerst nur angedeutet[55]; in der rationalen Explikation des lateinischen Standpunkts zum „filioque“-Problem kommt sie an späterer Stelle zur ausführlichen Darstellung.

(4) Die Argumentation des Suárez zugunsten der Existenz innergöttlicher Hervorgänge, so läßt sich zusammenfassend sagen, entfaltet sich gänzlich vom Kriterium der Unterscheidbarkeit der drei durch die Offenbarung vorgegebenen Personen her. Diese wird einzig mit Hilfe von Relationen für möglich gehalten, die ihrerseits allein durch Ursprungsverschiedenheiten in einen Gegensatz gelangen können. Suárez meidet damit strikt alle konstitutionslogischen Versuche, aus bestimmten göttlichen Wesensattributen die Personendreiheit zu „deduzieren“ oder auch nur ihre Existenz andeutungsweise zu erhellen. Ein Versuch wie etwa derjenige des Richard von St. Viktor (und in seiner Folge mancher franziskanischer Theologen), der die Dreizahl der Personen als notwendige Konsequenz der Vollkommenheit innergöttlicher Liebe zu erweisen sucht, spielt bei Suárez keine Rolle. Damit bleibt er ganz in der Linie der im zweiten Kapitel unserer Studie nachgezeichneten, in der Intention des Thomas von Aquin[56] zu deutenden erkenntnistheoretischen Rahmenbedingungen, die er selbst seinem trinitätstheologischen Denken vorgegeben hat.

personae vel relationes; et hoc modo habet locum quaestio, an intra Deum sit compositio generis et differentiae, quam attingemus tractantes de Trinitate.“

54 Vgl. Suárez, De trin.1.4.19 (I, 549a).

55 Vgl. ebd. 20 (549a-b).

56 Hingewiesen sei darauf, daß auch Scotus gegenüber dem Argument des Viktoriners und ähnlichen Begründungsversuchen durchweg kritisch eingestellt ist; vgl. Scotus, Ord. I, d. 2, p. 2, n. 248-257 (Ed. Vat. II, 276-279); WETTER (1967) 18-21.

## 2) Das Formalprinzip der innergöttlichen Hervorgänge

Nach diesen ausführlich entfalteten Präliminarien kann sich Suárez in einem zweiten Schritt einem der klassischen Probleme in der Lehre von den innergöttlichen Hervorgängen widmen, nämlich der Frage nach ihrem „principium quo". Gründen die Hervorgänge in Gott unmittelbar in der göttlichen Natur als solcher, oder vollziehen sie sich vermittels bestimmter Wesenseigentümlichkeiten, die von der Natur (nicht real, wohl aber gedanklich) unterschieden werden können? Es geht dabei konkret um die Verteidigung der im Rückgriff auf Augustinus von den meisten scholastischen Theologen vertretenen „psychologischen" Trinitätskonstruktion „per intellectum et voluntatem" gegen ihre Bestreitung, wie sie seit dem 14. Jahrhundert regelmäßig mit der Position des Durandus a S. Porciano O.P. verbunden wird. Entscheidend ist die Frage, ob aus Zahl und Art der immanenten Geistvollzüge[57] in Gott auf Zahl und Art der innergöttlichen Hervorgänge geschlossen werden kann, ohne daß für die aus diesen resultierenden Personen die Gefahr der Verendlichung oder der bloß gedanklichen Verschiedenheit voneinander entsteht.

### *a) Die Abweisung der Durandus-These*

(1) Durandus lehrt[58], daß sich die innergöttlichen Hervorgänge, betrachtet nach dem Aspekt des Hervorbringungsmodus, unmittelbar durch die göttliche Natur als solche vollziehen. Konkret bedeutet dies für die Zeugung des Sohnes: Die erste Person bringt die zweite nicht in formaler Hinsicht als „intelligens" hervor, sondern nur deswegen, weil sie als unendliches Seiendes eine unendlich fruchtbare Natur besitzt, die als solche die distinkten Ursprungsrelationen ebenso zu begründen vermag, wie sie mit einer Fülle verschiedener absoluter Attribute identisch ist[59]. Eine

[57] Vgl. zum thomanischen Hintergrund FLOUCAT (2001) 17-27.

[58] Vgl. Durandus, 1 Sent. d. 6, q. 2 (31ra-32ra); d. 10, q. 2 (42rb-va); dazu: Suárez, De trin. 1.5.2-3 (I, 550a-b). Zur Interpretation des Durandus sind hilfreich: PHILIPPE (1947); DECKER (1967) 324-327; IRIBARREN (2005) 131f.

[59] Man kann etwa zum Beleg anführen Durandus, 1 Sent. d. 2, q. 2, a. 4, n. 13 (20rb): „Et ad aliqualiter persuadendum articulum Trinitatis credo quod recurrendum est ad infinitatem divinae perfectionis. Sicut enim eadem essentia numero est voluntas, et intellectus, magnitudo, pulchritudo, et fortitudo, et quicquid aliud essentialiter dicitur, sic propter infinitum suae perfectionis eadem natura divina potest esse fundamentum oppositarum relationum, quae (cum sint relationes originis) necessario competunt diversis suppositis...". Vgl. mit weiteren Explikationen und Nachweisen PHILIPPE (1947) 256-265.

Zuordnung dieses Hervorgangs an den „intellectus", wie die Tradition sie vornimmt, geschieht dann allein in uneigentlicher Weise „per appropriationem" bzw. „per adaptationem", durch Angleichung an die Verhältnisse im menschlichen Geist als Abbild Gottes[60]. Klarer als andere Interpreten stellt Suárez auch Gregor von Rimini in die Nähe dieser These[61]. In ihr ist die augustinisch-thomanische, im Leben der menschlichen Seele verwurzelte Analogie für die Hervorgänge aufgegeben; die Dunkelheit des trinitarischen Mysteriums tritt dadurch bedeutend stärker hervor[62].

Neben einigen Traditionsbelegen führt Durandus nach Suárez vor allem drei Argumente für seine Lehrmeinung ins Feld; der Jesuit präsentiert sie getrennt vom originalen Darstellungskontext nach Art eines sachlichen Extraktes. Dabei wird allein die Ablehnung referiert, mit der Durandus Erkennen und Wollen Gottes als Hervorbringungsprinzipien im strengen Sinne behandelt, während sein Plädoyer für eine eingeschränkte, analoge Beibehaltung der eingebürgerten Bezeichnungen nicht erwähnt wird[63].

In dieser Darstellung verweist Durandus zunächst auf die Unendlichkeit des göttlichen Wesens als Quelle und Formalgrund für dessen Kommunikabilität und folglich für die Existenz von Hervorgängen. Dies ist korrekt, doch gibt es den Gedanken des Durandus unvollständig wieder. Dieser verbindet nämlich damit die Begründung, daß die Bindung der Hervorgänge an die Bedingung von Erkenntnis- und Willensakt der Fruchtbarkeit in Gott geradezu entgegensteht, da diese beiden Akte als solche nichts hervorbringen. Die Differenz zu Suárez liegt also offensichtlich auch in einer unterschiedlichen Theorie der genannten Vollzüge begründet, denen „Fruchtbarkeit" generell abgesprochen wird. Suárez weiß durchaus, daß sich die Behauptung einer fehlenden Produktivität

60 Vgl. Durandus, 1 Sent. d. 6, q. 2 (31ra-32ra).

61 Vgl. Suárez, De trin. 1.5.2-3 (I, 550a-b) mit Verweis auf Gregor von Rimini, 1 Sent. d. 7, q. 1, a. 2, wobei besonders an Gregors Identifizierung von „principium quod" und „principium quo" der Hervorgänge, verbunden mit der Abweisung des Wesens (wie der personalen Proprietäten) als Formalprinzip, gedacht werden kann (Ed. Trapp et al. II, 16-21); bezogen auf den Heiligen Geist: d. 10, q. 1, a. 1: „dico quod voluntas non est principium spiritus sancti productivum" (ebd. 160). Energisch gegen den Vorwurf einer Unterstützung des Durandus wird Gregor dagegen verteidigt bei Vázquez, In I[am] disp. 111.1.3 (II, 25a-b).

62 Vgl. EMERY (1999) 691.

63 Vgl. Durandus, 1 Sent. d. 6, q. 2, n. 17-18 (31vb). Dazu auch: EMERY (1999) 668f. 687-691.

der immanenten Akte auf niemand geringeren als Aristoteles stützen kann[64], was Durandus ausdrücklich hervorhebt[65].

Zweitens verweist Suárez auf den bei Durandus vorgenommenen Vergleich mit dem kreatürlichen Bereich, in dem die Hervorbringung eines Sohnes ebenfalls stets durch den unmittelbaren Vollzug einer Natur vermittels ihrer Form geschieht. Im Text des Durandus stellt sich auch dieses Argument etwas differenzierter dar, sofern es durchaus das Vermögen von Intellekt und Willen in einem vernunftbegabten Zeugenden in die Überlegung einbezieht, es jedoch zu einer irrelevanten Bedingung im Zeugungsgeschehen erklärt, das einem anderen Formalprinzip folgt[66]. Grund dafür ist letztlich auch hier die These von der Unfruchtbarkeit des Erkennens und Wollens für sich genommen.

Schließlich beruft sich Durandus nach Darstellung des Suárez drittens auf die Gemeinsamkeit des Erkennens in allen drei göttlichen Personen, das aus diesem Grunde als Produktivprinzip des Sohnes ausscheidet, wobei für den Geist mit Blick auf die wesenhafte Liebe in Gott analog zu argumentieren ist. Dieser Gedanke steht in mehrfacher Variation tatsächlich am Beginn der durandischen Beweisführung in 1 Sent. d. 6, q. 2 und anderswo[67].

Die tieferen Absichten, die Durandus in seiner Ablehnung der Majoritätsthese über das Prinzip der Hervorgänge geleitet haben, werden freilich in der Präsentation durch Suárez kaum deutlich. Zum einen möchte Durandus jeden Anschein vermeiden, mit der psychologischen Argumentationsmethode doch so etwas wie eine vernünftige Deduktion der Hervorgänge zu leisten. Offenbar erscheint ihm das Vorgehen des Thomas von Aquin in dieser Frage bereits als allzu weitreichend und optimistisch[68], was letztlich auf seine grundsätzliche Skepsis gegenüber dem

[64] Vgl. sein Referat in De trin. 1.5.3 (I, 550b): „De primo patet, quia actus immanentes, teste Aristotele 9. Metaphysicae non sunt principia productiva, actus autem intelligendi est immanens.“ Offenbar spielt Suárez auf die in Met. IX, Kap. 5, 1047b31-1048a24 enthaltene Lehre an, wonach ein Vernunftvermögen nur unter bestimmten (inneren und äußeren) Umständen nach außen wirksam werden kann. Auch andere Autoren der Zeit zitieren den Text regelmäßig als Einwand, vgl. etwa Bañez, Comm. in I[am] q. 27, a. 1 (718D).

[65] Vgl. EMERY (1999) 689, mit Anm. 120.

[66] Vgl. Durandus, 1 Sent. d. 6, q. 2, n. 11 (31va).

[67] Vgl. ebd. n. 7-9 (31rb). Ähnlich: 1 Sent. d. 2, q. 4, n. 9 (20ra): „Item producere et produci non possunt competere omnibus personis, quia quaedam est non producens (scilicet Spiritus sanctus) et quaedam non producta (ut Pater). Sed intelligere et velle competunt omnibus personis, ergo non possunt producere nec produci, et ita non sunt productiones nec active nec passive.“

[68] Gegen Thomas dürfte die spitze Kritik des Durandus in 1 Sent. d. 10, q. 2, n. 5 (42rb) gerichtet sein: „Qui enim voluerit binarium emanationum probare per hoc

Konzept des „intellectus fidei" hinweist, wie es Thomas verfolgt hatte[69]. Zum anderen ist Durandus bemüht, die verwirrende Doppelcharakterisierung der Hervorgänge „per modum naturae" einerseits (Sohn) und „per modum voluntatis" andererseits (Geist), wie sie traditionell gebräuchlich ist, zu vermeiden[70]. Er betont – und dies fraglos in Übereinstimmung mit dem Thomas der Summa –, daß beide Hervorgänge „per modum naturae" geschehen müssen, da beide gleichermaßen notwendig und aufgrund der unveränderlichen Wesenheit Gottes „auf eines hin determiniert" sind. Es ist die Intention, die notionalen Akte in keine Differenz zur Wesensnotwendigkeit Gottes treten zu lassen, die Durandus dazu führt, das „Wesen" selbst zum Hervorgangsprinzip zu erklären[71]. Dabei erkennt er durchaus das Erfordernis an, den Hervorgang „per modum naturae" nochmals nach Intellekt und Wille zu differenzieren[72], hält die Vermögen wegen ihrer bloß gedanklichen Unterscheidung in Gott jedoch nicht für geeignet, die realdistinkten Personen zu begründen[73]. Da Suárez zumindest die Hervorhebung des „naturalen" Hervorbringungsmodus unterstützt, wie später mit Bezug auf De trin. 6.3 noch darzustellen sein wird[74], hätte sich auf dieser Grundlage die Möglichkeit einer wesentlich wohlwollenderen Durandus-Interpretation ergeben. Dies gilt um so mehr, als, wie Michael Schmaus nachgewiesen hat, die von praktisch allen späteren Scholastikern abgelehnte „Durandus-These" in einer Tradition der Thomistenschule steht, die das Verständnis der Zeugung „per modum naturae" aus dem Sentenzenkommentar des Thomas bewahrt bzw. reakti-

quod intelligere et velle solum sunt operationes intra manentes, per quas dicunt personas procedere, quantum deficiant ostensum fuit supra dist. 6. Persuasiones, quae possunt adduci omitto, quia plus volo inniti fidei, quam cuicunque frivolae persuasioni". Vgl. auch 1 Sent. d. 2, q. 4, n. 5-8 (20ra).

69 Dies zeigt an verschiedenen Beispielen EMERY (1999); als Motiv benennt er einen rationalistischen Grundimpuls, der bei Durandus in der Theologie bestimmend wird und Glaube und Vernunft zunehmend auseinanderreißt (685).

70 Vgl. Durandus, 1 Sent. d. 6, q. 2, n. 5 (31rb); n. 16 (31vb).

71 Vgl. ebd. n. 19 (31vb), wo Durandus ganz klar zu verstehen gibt, wie er den Satz „Pater genuit natura" verstanden wissen will: „Sed cum dicitur quod Pater genuit natura, ly natura non accipitur ibi pro essentia ut prius dictum fuit, sed pro modo productionis naturalis, propter quod in argumento variatur acceptio huius nominis quod est natura".

72 Vgl. ebd. 20 (32ra): „Et ideo aliqua persona procedit per modum naturae vel intellectus quae non procedit per modum voluntatis et e converso".

73 Vgl. Durandus, 1 Sent. d. 2, q. 4, n. 9 (20ra): „...productiones in divinis sunt diversae realiter, sed velle et intelligere non differunt realiter, ergo non sunt productiones". Vgl. PHILIPPE (1947) 254.

74 Vgl. unten Kap. 8, 2).

viert hat[75]; sie findet sich in vergleichbarer Weise u. a. bei Hervaeus Natalis und Jakob von Metz[76]. Das Denken des Vaters wird im thomanischen Frühwerk ganz als Wesensakt gefaßt, so daß dem „per modum intellectus" der Zeugung jede psychologische Konnotation verlorengeht. Dies ist in der späteren „Summa theologiae" anders, die wieder ganz an die augustinische Position anschließt und dadurch die aristotelische Psychologie in einem entscheidenden Punkt erweitert: nämlich in der Annahme der Möglichkeit echter Hervorbringungen in den immanenten Akten von Intellekt und Wille[77]. Ob spätere Kritiker des Aquinaten wie Durandus diese Konzeption in ihrer ganzen Reichweite begriffen haben, darf bezweifelt werden. Es mag, wie Bruno Decker betont hat[78], die schon erwähnte Sorge um die Realdistinktion der Personen gewesen sein, welche in Teilen der Dominikanerschule dafür verantwortlich war, in der Lehre von den Hervorgängen „contra Thomam" die psychologische Erklärungsweise abzulehnen, weil man darin die Realität der „productiones" nicht hinreichend gewahrt sah, sofern man die Seelenakte im Verhältnis zur Substanz wie auch untereinander im aristotelischen Kontext letztlich nur als gedanklich unterschieden begreifen konnte und eine solche gedankliche Unterscheidung als Basis der notwendig realen Distinktion der Personen untereinander für zu schwach erachtete.

Wenn Suárez ganz ähnlich wie alle seine Zeitgenossen die Lehre des Durandus nicht bloß für falsch erklärt, sondern sie in die Nähe eines Glaubensirrtums stellt[79], berücksichtigt er dessen keineswegs isolierte

[75] Vgl. etwa Thomas, 1 Sent. d. 7 q. 2 a. 1 ad 4: „voluntas et scientia non habent rationem principii respectu generationis filii, qui procedit per modum naturae, sed tantum respectu creaturarum, quae producuntur a Deo sicut artificiata". Weiterhin: d. 10 q. 1 a. 5 c.; d. 13 q. 1 a. 2 c. u. ö.

[76] Vgl. SCHMAUS (1930b) 107f.127ff.; DECKER (1967) 317.327ff. Für Hervaeus vgl. 1 Sent. d. 10, q. 1, a. 2 (69aD-70aA).

[77] Vgl. EMERY (2004) 52.

[78] Vgl. DECKER (1967) 328. Deckers Urteil über diese Versuche ist ablehnend: „Auf jeden Fall warnt uns das Verhalten nicht weniger Dominikaner um 1300, der von Grabmann oft ausgesprochenen Vermutung, daß die Gedanken des hl. Thomas bei den ältesten Thomisten nicht zuletzt wegen deren zeitlicher Nähe zu ihm am klarsten wiederzufinden sind, vorbehaltlos zuzustimmen. Wir müssen vielmehr feststellen, daß die großen Thomisten des 17. Jahrhunderts, z. B. die Salmanticenses und Gonet, trotz ihres zeitlichen Abstandes von Thomas diesen sachlich richtiger interpretierten als die Thomas-Schüler um 1300."

[79] Nach De trin. 1.5.4 (I, 550b) ist die Durandus-These „temeraria et errori proxima", und Suárez weiß sich mit diesem Urteil auf sicherer Seite: „Moderni etiam omnes contra Durandum conveniunt, ejusque opinionem censura notant". Daß diese Einschätzung richtig ist, erkennt man etwa bei B. Torres, Comm. in I$^{am}$ q. 27, a. 5, p. 1 (41ra): „Verum existimamus hominis sententiam falsam esse, periculosam et temera-

historische Position ebensowenig wie die oben dargestellten Absichten, die der Dominikaner selbst mit seiner Lehre verbunden hat, und die Differenzierung, mit der sie bei ihm zur Darstellung gekommen ist. Hier macht sich ein häufiger bei den Theologen der späteren Scholastik zu beobachtender Mangel an historischer Betrachtungsweise von Lehrthesen bemerkbar[80], die unter einem bestimmten Namensetikett sowie aus ihrem ursprünglichen Kontext gelöst durch die Traktate gereicht und darin allein systematisch diskutiert und bewertet werden. Den ursprünglichen Autoren und ihren Texten wird man mit einem solchen Vorgehen oft nicht mehr gerecht. Suárez macht hier keine Ausnahme.

(2) Das wichtigste Vernunftargument gegen die Durandus zugeordnete Ansicht eröffnet sich dem Jesuiten aus einem allgemeinen Gesetz, das für die Hervorbringung bzw. Mitteilung einer Natur in allen möglichen Gattungen Geltung hat: Sie geschieht durch eine „eigentümliche Tätigkeit" des Hervorbringenden[81]. Diese ist für das geistige Seiende der lebendige Akt des Intellekts bzw. des Willens[82]. Die naturale Analogien bemühenden Beschreibungsversuche bei Durandus werden folglich der besonderen Würde und Geistigkeit des göttlichen Mitteilungsgeschehens nicht gerecht. Nur der „vollkommenste Modus" der Wesensmitteilung ist für Gott angemessen, und allein auf diesem Weg wird einleuchtend, weshalb gerade der Sohn den Namen „Verbum" trägt[83].

Die von Durandus vorgebrachten Argumente weist Suárez darum zurück. Der Dominikaner spielt fälschlich „naturalen" und „intellektiven" bzw. „voluntativen" Modus der Hervorgänge gegeneinander aus, da er

riam: siquidem adversatur communi doctorum, et sanctorum sententiae, et aimus illam temerariam, ne dicamus erroneam"; Molina, In I^am q. 27, a. 5, disp. 2 (424aE): „Sententia haec Durandi non immerito iudicatur non solum falsa et temeraria, sed etiam periculosa in fide, imo et erronea"; es folgt eine ausführliche Widerlegung (ebd. 424aF-425aA).

[80] Auch dies betont mit Recht bereits DECKER (1967) 328f.: „Diese Thomisten der Barockscholastik hatten keine Ahnung, daß sich Durandus mit seiner These zu seiner Zeit in bester Gesellschaft befand." Gleiches gilt für die Jesuitentheologen.

[81] Damit hängt ein Axiom der theologischen Grammatik des Suárez zusammen, das in De deo uno 1.14.9 (I, 43b) u. a. unter Bezugnahme auf die einschlägigen Beispiele aus der Trinitätslehre in folgender Formulierung präsentiert wird: „Propter hoc dico quinto, ea quae actionem vel productionem significant, in rigore possunt de concretis praedicari et non de abstractis et consequenter aliquid dici potest de uno abstracto et non de alio. (...) Ratio vero est, quia actiones proprie tribuuntur suppositis, pro quibus concreta supponunt et non abstracta in rigore."

[82] Vgl. Suárez, De trin. 1.5.6 (I, 551a).

[83] Vgl. die ähnliche Ausführung dieses Arguments bei B. Torres, Comm. in I^am q. 27, disp. un. (42vb-43ra).

deren problemlose Übereinstimmung in Gott übersieht[84]. Daß die unendliche Fruchtbarkeit der göttlichen Natur letzter Grund der Hervorgänge ist, wie Durandus betont hat, wird nach Suárez keineswegs geleugnet, wenn ihr unmittelbares Prinzip anders bestimmt wird[85]. Auch die Tatsache des allen Personen gemeinsamen essentialen Erkennens bzw. Wollens läßt sich nach Suárez nicht im Sinne des Durandus argumentativ nutzbar machen. Denn ebenso ist das Wesen allen Personen gemeinsam, so daß es als Prinzip der Hervorgänge nicht den Zweifel darüber zu beheben vermöchte, weshalb nur der Vater zeugt und nicht der Sohn[86]. Allerdings erkennt Suárez die schwierige Sachproblematik einer Unterscheidung von essentialen und notionalen Akten an und widmet ihrer Erörterung die ausführlichen nachfolgenden Kapitel.

(3) Eng verwandt mit der durch Durandus angestoßenen Problematik ist ein Thema, das Suárez sowohl in seiner Metaphysik wie in „De trinitate" ausdrücklich auf seine trinitätstheologische Relevanz hin untersucht hat: nämlich die Unterscheidung der beiden Geistvollzüge Erkennen und Wollen als unterschiedlicher Attribute in Gott. Thomas von Aquin hatte diese Frage schon in seinem Sentenzenkommentar als so bedeutend bezeichnet, daß von ihr das Verständnis aller Themen des ersten Sentenzenbuches abhänge[87]. Nach der Lehre des Suárez wie der meisten anderen Theologen seiner Epoche sind die Attribute allein gedanklich voneinander unterschieden, real jedoch im einen göttlichen Wesen identisch. Damit unterscheidet sich das geistige Wesen Gottes von der menschlichen Geistseele, in welcher wir die Vermögen von Verstand und Willen als voneinander und auch von der Seele als solcher real verschieden anzusehen haben[88]. Im Falle Gottes legt sich nach dieser Feststellung allerdings der Einwand nahe, daß so die strenge Scheidung eines Hervorgangs „per intellectum" von einem anderen „per voluntatem" nicht aufrechtzuerhalten ist[89] – damit aber käme man faktisch zur Durandus-These zurück, wonach die mit beiden Vermögen bzw. Vollzügen identische Natur als

[84] Vgl. Suárez, De trin. 1.5.7 (551b).

[85] Vgl. ebd. 8 (551b).

[86] Vgl. ebd. 10 (551b-552a).

[87] Vgl. Thomas, 1 Sent. d. 2, q. 1, a. 3 c.: „...quia ex hoc pendet totus intellectus eorum quae in 1 libro dicuntur".

[88] Vgl. dazu Suárez, De anima 2.1.5 (III, 573b-574a), wo (ausdrücklich gegen die Identitätsthesen der Nominalisten und die bloße Formaldistinktion bei Scotus) mit Thomas gelehrt wird: „Probabilius est potentias animae distingui realiter ab illa." Vgl. DM 18.3.23-24 (XXV, 623a-b). Die Unterscheidung zwischen geistiger Substanz und Vermögen (Intellekt bzw. Wille) vertritt Suárez auch in seiner Engellehre konsequent; vgl. De angelis 2.1.2-10 (II, 78a-81a); 3.1.2 (368a-b); 4.24.4-11 (513b-515b).

[89] Vgl. DM 30.6.10 (XXVI, 92b); De trin. 1.9.2 (I, 561a).

unmittelbares Prinzip fungiert. Suárez antwortet nicht wie Thomas in der theologischen Summe[90] mit dem bloßen Verweis auf die psychologische Nichtidentität der beiden Vermögen bzw. die notwendige Stufungsfolge ihrer Akte, wiewohl er diese selbstverständlich anerkennt[91], sondern strikter metaphysisch, indem er die Lehre von der „distinctio virtualis" nutzbar macht, auf die wir im systematischen Zusammenhang später[92] zurückkommen werden. Zwar stimmt es, daß in Gott Intellekt und Wille real in demselben Wesen identisch sind, doch sind sie eben nicht *in dieser Identität* Prinzip der beiden Hervorgänge, sondern in ihrer virtualen Distinktion, also in ihrer Quasi-Unterschiedenheit mit Beziehung auf die getrennten Termini ihres Vollzugs[93]. Der gemeinsame Name („processio"), den die Lateiner im Unterschied zu den Griechen für beide Ausgänge benutzen und der sich nach Suárez ähnlich wie der trinitarische Personbegriff „ad modum transcendentis" verhält[94], darf nicht als Beleg für eine *formale* Identität mißverstanden werden. Vielmehr ist der Vater Prinzip des Sohnes, *sofern* er Erkenntniskraft besitzt, und Prinzip des Geistes,

[90] Vgl. Thomas, S. th. I, 27, 3 ad 3. Nach SCHMAUS (1930b) 161 sind hier alle „viktorinischen" Überbleibsel früherer Werke des Aquinaten getilgt.

[91] Nach Suárez, De anima, 5.7.1-2 (III, 771a) „begleitet" der Wille als die höchste und geistigste der seelischen Strebenskräfte den Intellekt und folgt ihm nach („consequitur intellectum"). Der willentliche „appetitus" setzt in jedem Fall die „cognitio" voraus (ebd. 6, 773a-b).

[92] Vgl. unten Kap. 6, 3), b).

[93] Vgl. Suárez, DM 30.6.10 (XXVI, 92b): „Quia ergo nominibus intellectus et voluntatis significatur illa virtus secundum has praecisas et inadaequatas rationes, ideo non potest voluntati attribui origo Filii, nec intellectui origo Spiritus Sancti. Et hoc idem est, quod aliis verbis dici solet, has scilicet virtutes seu attributa, licet non actualiter, virtualiter esse distincta, et unum attributum esse principium vel rationem operandi seu producendi aliquid, prout virtute distinguitur ab alio; et ideo non posse formaliter et per se attribui uni quod est proprium alterius, ut virtute ab alio distinguitur. Nam haec attributa virtualiter distingui, nihil aliud est quam vel virtute continere distinctos effectus, vel unite et simpliciter in se habere quae in aliis distincta sunt, vel esse eminentem virtutem seu rationem, quae potest esse principium quod, aut quo, diversarum actionum, aut processionum. Unde, licet haec virtualis distinctio in re non sit distinctio, sed eminentia, est tamen fundamentum respectu nostri distincte concipiendi illam virtutem secundum proprias, et per se habitudines ad distinctos effectus seu terminos, et ideo est etiam sufficiens fundamentum diversarum locutionum, ut declaratum est." Vgl. die Definition bei KNEBEL (2001) 1063: „'V<irtualität>' ist an einem Gegenstand ein begriffliches Moment *a*, das insofern zwar mit einem anderen begrifflichen Moment *b* real identisch ist, in bezug auf kontradiktorisch entgegengesetzte Bestimmungen jedoch sich so verhält, als ob es von *b* real verschieden wäre."

[94] Vgl. Suárez, De trin. 1.9.3 (I, 561a). Zeugung und Hauchung sind folglich nicht Arten einer gemeinsamen Gattung.

*sofern* ihm Willenskraft zukommt. Die eine Wesensvollkommenheit wird von uns nach Art von „zwei präzisen und inadäquaten Gehalten" beschrieben (wenn auch nicht im Sinne einer „praecisio exclusiva"[95], also einer die Beziehung der beiden Begriffe völlig trennenden Abstraktion), nach denen wir auch die Hervorgänge unterscheiden. Tatsächlich ist es das real eine göttliche Wesen, das in der Lage ist, sich als Formalprinzip bei der Hervorbringung verschiedener „Effekte" (bzw. trinitätstheologisch: Personen) in der Weise zu verhalten, wie sich für unser Verstehen nur real distinkte Ursachen (Prinzipien) zu verhalten vermögen[96]. Die Lehre von den Hervorgängen trägt somit wie die Lehre von den göttlichen Attributen die Signatur unseres unvollkommenen Erkennens an sich, welches das „eminente" göttliche Wesen nur in der formalen Geschiedenheit begrifflicher Präzisionen zu erfassen vermag. Da diese Unterscheidung aber ihr Fundament in Gott selbst besitzt, bleibt sie sachgemäß und wahr.

### *b) Zur Abgrenzung der essentialen und notionalen Akte in Gott*

Die Auseinandersetzung mit Durandus, so sagten wir, hat die Frage aufgeworfen, wie sich das personbildende Erkennen des Vaters, sein Zeugen des Sohnes, von demjenigen wesenhaften Erkennen unterscheidet, das allen göttlichen Personen ungeteilt zuzusprechen ist. Unmittelbar damit verknüpft ist die nicht weniger bedeutende Frage, weshalb allein der Sohn, nicht aber der Heilige Geist in Gott „Wort" zu nennen, also mit dem Akt des väterlichen „Sprechens" zu verbinden ist – ein Problem, vor dem Anselm von Canterbury noch kapituliert hatte, das die Scholastiker seit Lombardus aber regelmäßig mit rationalen Argumenten zu bewältigen suchten[97]. Eine Lösung scheint prinzipiell nur dadurch möglich, daß entweder zwei formal verschiedene Akte im Intellekt des Vaters ausgemacht werden oder aber die exakte Bedingung angegeben wird, unter der das essentiale Erkennen als Erkennen des Vaters zeugende Kraft erhält.

[95] Vgl. DM 30.6.15 (XXVI, 93b-94a).

[96] Vgl. De trin. 1.9.5 (I, 561b): „Quia licet omnia Dei attributa sint una simplicissima perfectio, vere ac formaliter continent, quidquid perfectionis in eis excogitari potest absque imperfectione. Sic ergo est in Deo tota perfectio intelligendi, ut non minus habeat suum proprium et adaequatum terminum per ipsam productum, quam si esset in re distincta a quacumque alia perfectione. Sic ergo dari potest, et datur in Deo quaedam processio, quae solum est per intellectum".

[97] Vgl. dazu LEVERING (2001).

(1) Den ersten Weg hat Scotus eingeschlagen, indem er im Intellekt des Vaters essentialen und notionalen Akt mit den Begriffen „intelligere" und „dicere" differenziert[98]. Der Vater „zeugt", nicht sofern er im formalen Sinne „erkennt", sondern sofern seinem Intellekt (als „memoria"/Selbstgegenwart im augustinischen Verständnis[99]) die göttliche Wesenheit in ihrer aktuellen Erkennbarkeit präsent ist[100]; der Sohn wird dann in strikt formaler Betrachtung nur durch das „dicere", nicht aber das „intelligere" hervorgebracht. Die beiden Vollzüge unterscheiden sich von ihrer Zielbestimmung her, wiewohl sie beide unmittelbar aus dem einen Intellekt („in actu primo") hervorgehen und gleichsam zwei verschiedene, konkomitante Formen des „actus secundus intellectus" darstellen[101]. Allerdings ist mit der unterschiedlichen Zielbestimmtheit auch eine klare Abgrenzung der beiden intellektiven Vollzüge ausgedrückt, die durchaus ein Verhältnis der Priorität begründet: Während das „Verstehen" ohne eigentliches Produkt nur auf die Vervollkommnung des Verstehenden zielt und insofern im sachlichen Ordo des Intellektvollzugs an erster Stelle steht, ist das „Sprechen" auf die Selbstmitteilung an einen anderen ausgerichtet („ad se communicandum alteri") und setzt dabei logisch den ersten Vollzug voraus. Allerdings soll diese Vorordnung nicht bedeuten, daß der essentiale Akt auch kausal-konstitutiven Einfluß auf den notionalen hätte, wie es in dem (noch zu besprechenden) Modell

[98] Vgl. Scotus, Ord. I d. 2, p. 2, n. 291 (Ed. Vat. II, 300): „…Pater non gignet Verbum formaliter intelligentia ut ‚quo', sed ut est memoria. Ut autem habet notitiam actualem quasi elicitam et ut actum secundum, est in actu intelligentiae, cuius est omne intelligere actuale; igitur ut sic, non gignet Verbum, sed ut est in actu memoriae, hoc est, ut habet obiectum intelligibile praesens intellectui suo; in hoc enim intelligitur actus primus quasi praecedens actum secundum, qui est actu intelligere"; d. 6, q. un., n. 11-15 (Ed. Vat. IV, 92-95); d. 27, q. 1-2. bes. n. 71.86 (Ed. Vat. VI, 91.98f.); qdl. 2 (Ed. Wadding XII, 34-66); dazu: WETTER (1967) 36-41; FRIEDMAN (1997b) 247-266; HUCULAK (2002) 684-691; CROSS (2005) 223-229. Offenbar entwickelt Scotus hier die trinitätstheologische Entsprechung zu einer Unterscheidung, wie er sie in Qdl. XV für das endliche Erkennen zwischen der Herstellung der „species intelligibilis" (als des erkennbaren Objekts) einerseits und der Hervorbringung des Wortes (als des erkannten Objekts) andererseits formuliert; vgl. BOULNOIS (1999) 122f. Das Referat des Suárez findet sich De trin. 1.6.2 (I, 552a-b).

[99] Vgl. SCHMAUS (1930b) 109; STUDER (2005) 201. Scotus definiert „memoria" exakt als „intellectus habens obiectum intelligibile sibi praesens": Ord. I, dist. 2, p. 2, q. 1-4, n. 221 (Ed. Vat. II, 259).

[100] Vgl. Scotus, Ord. I, dist. 3, p. 3, q. 4, n. 599 (Ed. Vat. III, 353): „…Pater in quantum habens essentiam divinam praesentem sibi sub ratione actu intelligibilis – quod competit Patri in quantum est ‚memoria' – hoc modo Pater gignit, non autem in quantum intelligens…".

[101] Vgl. Scotus, Ord. I, d. 2, p. 2, n. 311-312 (Ed. Vat. II, 314). Vgl. auch CROSS (2005) 227.

Heinrichs von Gent der Fall ist, gegen das sich Scotus abgrenzt. Es handelt sich in beiden Fällen um formal getrennte „Zweitakte", die ihr vollständiges Prinzip im intellektiven „Erstakt" (dem Intellekt als Vermögen) finden, aber eben in einer notwendigen Reihenfolge vollzogen werden, in der das Wesenhafte vor dem Notionalen steht. Eine analoge Unterscheidung läßt sich im Vollzug des Willens zwischen wesenhaftem Wollen und Hauchen („amare" und „spirare") konstruieren. Nur die notionalen Vollzüge („dicere" / „spirare") sind folglich dem Vater im strengen Sinne eigentümlich, während „intelligere" und „amare" allen Personen gemeinsam sind. Daß damit eine entscheidende Schwächung des Verständnisses von Sohn und Geist als dem material gefüllten „Wort" bzw. der „Liebe" in einem notionalen, nicht bloß appropriativen Sinne verbunden ist, sei hier nur angemerkt. Es ist gerade nicht das von Gott (wesenhaft) Erkannte bzw. Geliebte in einer bestimmten Inhaltlichkeit, das die beiden hervorgebrachten Personen als solche bestimmt. Von hier aus ist die scotische Zurückweisung jeder besonderen Form von Modellhaftigkeit oder Formalursächlichkeit des Sohnes in der Schöpfung gegenüber dem gemeinsamen Erkennen aller drei Personen nur konsequent[102].

In seinem Verständnis der scotischen Position, das durchaus als sachgemäß angesehen werden darf, schließt sich Suárez an die Vorgaben bei Cajetan und Bartholomé Torres an[103], setzt aber in der Bewertung eigene Akzente, die zugleich eine Kritik der genannten Thomisten implizieren.

(2) In seiner Beurteilung der scotischen These bemüht sich Suárez spürbar um differenzierte Argumentation. Gegen die Aussage, daß das göttliche Wort „durch den Akt des Sprechens" hervorgebracht wird und somit als End- bzw. Zielpunkt einer „Rede" gelten kann, hat er prinzipiell nichts einzuwenden[104]. Wie der Sprechakt selbst kann das Wort einerseits in Beziehung zum Sprechenden (als dem „principium producens"), andererseits zum ausgesagten Inhalt (dem „significatum") gesetzt werden. Auf diesem Hintergrund kann die scotische Unterscheidung ebenfalls nachvollzogen und in gedanklicher Hinsicht sogar im Falle Gottes vorgenommen werden. Entscheidend ist, wie jeweils der Objektbezug im Verstandesakt aussieht: Während die aktive Produktion des Erkenntnisaktes ebenso als „Erkennen" wie als „Sprechen" bezeichnet werden mag, ist der passive Aspekt des intellektiven Geschehens, die Perzeption des Gegenstands, ausschließlich im Begriff „intelligere" impliziert. Auf das eigentli-

[102] Vgl. die Nachweise bei CROSS (2005) 229-232.

[103] Vgl. Cajetan, In I$^{am}$ q. 27, a. 1, n. 12 (Ed. Leon. IV, 307b); B. Torres, In I$^{am}$ q. 27, a. 5, q. un., p. 3 (43vb-44vb); dazu auch Molina, In I$^{am}$ q. 27, a. 1, disp. 8, m. 2 (407bD-F).

[104] Vgl. Suárez, De trin. 1.6.4 (I, 552b-553a).

che Problem, ob von hier aus eine reale und formale Unterscheidung der beiden Vollzugsgestalten des Intellekts möglich ist, gibt Suárez eine vermittelnde Antwort, die zunächst die Unterschiedlichkeit des Sachverhalts im Vergleich zwischen den Kreaturen und Gott herausarbeitet.

Über das „verbum mentis" im kreatürlichen Bereich kann Suárez zwei unterschiedliche philosophische Theorien referieren[105].

Wichtige Vertreter der Thomistenschule (wie Cajetan[106] oder Ferrariensis[107]) unterscheiden den durch die „species intelligibilis" geformten Erkenntnisakt und das aus ihm resultierende Wort wie zwei unterschiedliche Entitäten bzw. Qualitäten des Intellekts. Die These geht zurück auf die seit der „Summa contra Gentiles" beim Aquinaten vorgetragene Lehre

[105] Eine neuere Interpretation der mittelalterlichen Verbum-Lehre – LEE (2006), bes. 164-192 – kommt zu noch differenzierteren Klassifizierungen. Sie bestätigt im Kern die von Suárez gegenüber den Thomisten vorgenommene Selbstunterscheidung und ebenso den von Thomas abweichenden Charakter der durch Suárez repräsentierten Lehrströmung, bezweifelt aber, daß die meisten klassischen Thomisten den Objekt-Charakter des Wortes bei Thomas hinreichend berücksichtigt haben. Mit seinem Lehrer Theo Kobusch stellt Lee das thomanische „verbum", resultativ verstanden als die „res intellecta ut intellecta", eher in die Nähe des „esse intentionale" bei Aureoli. Kobusch hat schon früher die thomanische „verbum mentis"-Lehre als „die erste ausgearbeitete Theorie vom Erkannten als solchem" bezeichnet (KOBUSCH [1987] 82): „Das Sein dieses inneren Wortes besteht nach Thomas in nichts anderem als in seinem Erkanntwerden". Vgl. auch ebd. 369ff. Der Unterschied zur klassischen thomistischen Position liegt in der Frage, ob man das Erkannt-Sein mehr als die eigentliche Objektpräsenz im Erkennenden oder als Vermittlung des Bezugs zum Objekt „extra animam" verstehen will. Beide Aspekte sind zu berücksichtigen: „Das *verbum* ist die erkannte Sache, insofern sie erkannt ist, *in der* die *res extra animam* erkannt wird" (LEE [2006] 162). Sofern auch der Vermittlungsaspekt des Wortes bei Thomas betont wird (vgl. ebd. 127-136), behalten die Explikationen der alten Thomisten ihre Bedeutung.

[106] Die Unterscheidung von Intellektvollzug und Produkt ist das Hauptziel des Kommentars Cajetans zu S. th. I, 27, 1. So wird gegen Durandus festgestellt: „Hic autem constat terminum, idest conceptum, esse nobiliorem specie: igitur species non est illa notitia a qua procedit" (Ed. Leon. IV, 307a). Das gleiche wird gegen Scotus festgehalten: „…licet multi, cum Scoto, in XXVII distinctione Primi, respondeant affirmando identitatem conceptus et actualis intellectionis cuiusdam, idest genitae, etc., s. Thomas tamen (…) tenet conceptum esse aliud ab actu intelligendi, ut terminum ab eo cuius est terminus" (308a). Der „Begriff" oder das „Wort" wird als „res (…) intellecta actu, in esse intentionali" qualifiziert (ebd.) und in seiner Funktion als „imago alterius" zum Objekt der aktuellen Erkenntnis bzw. „forma terminans actum" (308b) erklärt.

[107] Vgl. etwa Ferrariensis, Comm. in ScG, l. 4, c. 13 (IV, 85): „prius oportet intelligere actum intelligendi producere verbum, quam terminari ad rem intellectam, ut in se est, tanquam ultimate terminans intellectionem. Verbum enim est id in quo videtur res intellecta."

vom „verbum", die sich dann in „De potentia" und in der theologischen Summe auch in ihrer ganzen trinitätstheologischen Relevanz zu erkennen gibt, sofern mit ihrer Hilfe die personale Dimension des vom Vater ausgehenden Wortes klar faßbar wird[108]: Das Wort ist nicht der Verstehensakt als solcher, sondern vermittelt das Verhältnis des Intellekts zum begriffenen Gegenstand[109]. Hier knüpfen die späteren Thomisten an, wenn sie das Wort als Bild und Ähnlichkeit verstehen, in dem als seinem nächsten Objekt der Intellekt, dessen Akt nach Cajetans Argumentation gegen Scotus ein einziger ist, einen Gegenstand erfaßt[110].

Suárez hat diese Einschätzung an verschiedenen Orten seines Werkes referiert und kritisiert[111]. Aus der Sicht der Trinitätstheologie, die uns hier vorrangig interessiert, wendet er ein, daß damit die Notwendigkeit verbunden wäre, Erkenntnisakt und -wort auch konstitutionslogisch auf zwei Prinzipien zurückzuführen. Damit erweist sich die Theorie der Thomisten seiner Meinung nach als unfreiwilliges Argument zugunsten der scotischen Unterscheidung zwischen „intelligere" und „dicere", die sie dem Buchstaben nach bekämpft[112].

[108] Vgl. EMERY (2004c) 217-223. Die Entwicklung der thomanischen Lehre vom „verbum interius" ist mittlerweile in zahlreichen Studien analysiert worden. Vgl. etwa PAISSAC (1951); CHENEVERT (1961); VAN GUNTEN (1993); LEE (2006). Eine aktuelle Zusammenstellung des Forschungsstandes bietet NISSING (2006) 123-143.

[109] Dazu auch BOULNOIS (1999) 117f.

[110] Vgl. etwa Bañez, Comm. in I^am q. 27, a. 1 (720B): „Proprium obiectum, et proportionatum humanae intellectionis est quidditas rei materialis abstracta a singularibus, sed huiusmodi quidditas non potest esse obiectum terminativum humanae intellectionis secundum quod est in re, sic enim est contracta ad res singulares, et materiales, ergo necesse est, quod in humano intellectu sit verbum productum, quod sit imago expressa rei, ad quam immediate terminetur actio intelligendi, et in qua res ipsa repraesentetur formaliter, et cognoscatur."

[111] Vgl. Suárez, De anima 3.5.9 (III, 633a); De deo uno 2.11.8 (I, 84b-85a). Die letztgenannte Passage steht im Kontext der „Visio beata"-Lehre und wendet sich vor allem gegen die Konsequenz, daß nach dem Modell der Thomisten allein das Wort, aber nicht der davon unterschiedene Erkenntnisakt als „similitudo" anzusehen ist. Damit, so der Einwand, vermehren die Thomisten ohne Grund Dinge, die in ihrem formalen Effekt ohne Unterschied sind. Wird andererseits ein solcher Unterschied zugestanden, muß man fragen, was ein Akt der Gotteserkenntnis sein soll, der keine Repräsentation und damit Gegenwart Gottes im Erkennenden darstellt.

[112] Vgl. Suárez, De trin. 1.6.4 (I, 553a-b). Tatsächlich ist die These einer Einigkeit von Thomas und Scotus in unserer Frage bereits in der älteren Thomasinterpretation bekannt (vgl. die bei B. Torres, In I^am q. 27, a. 5, p. 3 [43vb] referierte Ansicht). Auch in modernen Auslegungen der thomanischen Trinitätslehre wird das Verhältnis von essentialem und notionalem Erkennen zuweilen so beschrieben, daß ein Unterschied zur scotischen Position kaum erkennbar wird; vgl. EMERY (2004c) 225: „Il

Scotus selbst vertritt diese Begründung nicht, da er das „verbum mentis“ nicht als real vom Erkenntnisakt unterschiedene Entität ansieht. Stattdessen ist für ihn das Denken eines Gegenstands selbst im letzten sein Ausdruck im Wort, ist Hervorbringung eines Erkenntnisbildes. Während Thomas das Wort mit einem Begriff identifiziert hatte, so resümiert vergleichend Olivier Boulnois, identifiziert Scotus das Denken mit dem Wort[113]. Indem Suárez sich dem Franziskaner anschließt, kritisiert er ihn zugleich mit seinem eigenen Argument und erklärt die scotische Formalunterscheidung der beiden Erkenntnisvollzüge „intelligere“ und „dicere“ für obsolet. Wenn nach Scotus der Zielpunkt des „Sprechens“ nichts anderes ist als der vollendete Erkenntnisakt als solcher, dann, so Suárez, macht eine Unterscheidung beider Akte, die stufenhafte Doppelung des Erkennens, keinen Sinn. Die Handlungen, welche das Wort und den Erkenntnisakt hervorbringen, sind real, ja sogar formal identisch[114]. Nur eine modale Verschiedenheit wird zugestanden[115]. Hier geht Suárez noch etwas weiter als etwa Molina, der zwar ebenfalls eine Realidentität von „intelligere“ und „dicere“ lehrt und die Gegenthese als unnötige „multiplicatio entitatum“[116] zurückweist, aber mit Berufung auf Scotus zumindest an einer formalen Differenzierbarkeit festhält[117]. Wir kommen auf die Problematik später in unserer Studie zurück, wenn in der speziellen Lehre über die göttlichen Personen „Wort“ als eigentümliche Notion des Sohnes zu diskutieren sein wird[118].

Wenn nun im geschöpflichen Bereich „dicere“ und „intelligere“ und damit auch Erkennen und Wort schon nicht zu unterscheiden sind, gilt dasselbe nach Suárez erst recht für Gott, in dem das Erkennen in einem einzigen, zudem wesenhaften und damit höchst einfachen Vollzug nicht

faut donc distinguer strictement en Dieu le *connaître* (acte essentiel, commun à toute la Trinité) et le *dire* (acte personnel ou ‚notionnel‘ du Père).“

[113] „Si Thomas avait identifié le verbe avec le concept, c'est à Scot qu'il est revenue d'identifier la pensée avec le verbe“: BOULNOIS (1999) 121.

[114] Vgl. Suárez, De trin. 1.6.7 (I, 553b): „Hac vero sententia supposita, non potest subsistere dicta propositio tertia Scoti in mente humana. Quia si verbum et actus intelligendi idem sunt, ergo per quam actionem producitur verbum, producitur actus intelligendi, ergo illamet actio et est dicere, quia est productio verbi, et est intelligere, quatenus actionem requirit, quia est productio actus intelligendi, ergo non sunt ibi duae actiones, nec realiter, nec formaliter, seu ex natura rei distinctae“. Vgl. auch die diesbezügliche Scotus-Kritik in Suárez, De anima 3.5.20 (III, 635b); dazu: MÜLLER (1968) 174.

[115] Vgl. ALCORTA (1949) 292ff.; LEE (2006) 170f.

[116] Man kann bei Suárez insgesamt von einer „konsequente<n> Anwendung des nominalistischen Ökonomieprinzips“ sprechen: LEINSLE (1985) 131.

[117] Vgl. Molina, In I$^{am}$ q. 27, a. 1, disp. 8, membr. 2 (408aB-F).

[118] Siehe unten Kap. 9, 1).

mehr als ein einziges Wort hervorbringt[119]. In diesem Akt, der wegen seiner höchsten Einfachhheit und Identität mit dem göttlichen Wesen keine kausale Hervorbringung im Sinne geschöpflicher „productio" darstellt, kann bestenfalls gedanklich, für unser Verstehen, ein „Erkennen" vom „Sprechen" unterschieden werden. In Wahrheit stellt der Verstandesakt in Gott nicht einen „actus secundus" dar, der einem „actus primus" emaniert, da diese Unterscheidung stets ein Potenz-Akt-Verhältnis zwischen Vermögen und Vollzug voraussetzt, wie er in Gott nicht gegeben ist. Wenn wir hier zwischen „dicere" und „intelligere" unterscheiden, dann nur, weil wir das Göttliche stets in Analogie zum Menschlichen denken müssen[120]. Nicht möglich ist nach Suárez aber die radikale und formale Trennung der Akte und ihre Verhältnisbestimmung im Sinne einer bloßen „Konkomitanz"[121] angesichts der doppelten Emanation aus dem wurzelhaften Intellekt, wie sie Scotus vornehmen wollte. Wie schon im menschlichen Geist kein „Sprechen" vorstellbar ist, das nicht in einer innerlichen Beziehung zum „Erkennen" steht, so muß nach dem Gesetz der Analogie unserer Gottrede auch innertrinitarisch von einem Zusammenfall beider Vollzüge ausgegangen werden. Eine unmittelbare Hervorbringung des Intellekts, etwa im Sinne einer vollkommenen begrifflichen „repraesentatio" im Wort, die nicht zugleich (und in logischer Ordnung früher) Erkennen wäre[122], schließt Suárez aus. Der Fehler des scotischen Ansatzes liegt seiner Meinung nach darin, daß er im Blick auf Gott „ersten" und „zweiten" Akt in einer nicht akzeptablen Weise unterscheidet, während sie doch in Wahrheit untrennbar verbunden sind. Der göttliche Verstand ist nicht wie der geschöpfliche als Potenz zu betrachten, die in verschiedener Weise aktuiert werden kann, sondern Sein und Vollzug, Vermögen und Verwirklichung sind in ihm ungeschieden eins. Es ist das sich vollziehende Erkennen Gottes als reinster, subsistierender Akt, das nur gedanklich, dann aber in der unumkehrbaren Ordnung der *logischen* Abfolge in wesenhaftes „intelligere" und durch dieses prinzipiiertes no-

[119] Vgl. Suárez, De trin. 1.6.8 (I, 553b): „Quia in Trinitate unus est tantum terminus productus per intellectum, ergo una tantum productio realis per intellectum esse potest."

[120] Vgl. ebd. 9 (554a): „Atque hoc modo distinguitur dicere ab intelligere, tanquam productio realis ab ea, quae solum concipitur per modum productionis. Unde prior terminatur ad proprium Verbum, posterior autem concipitur terminari ad ipsum actum intelligendi absolutum et communem."

[121] Vgl. ebd. 10 (554a).

[122] Vgl. den Einwand in De trin. 1.6.13 (555a-b).

tionales „dicere" geschieden werden kann[123]. Daß diese Trennung keine formale und reale ist, sieht der Jesuit zugleich im Blick auf das göttliche Wort als solches bestätigt: Ein angeblich nur durch das „Aussprechen", aber nicht durch das „Erkennen" des Vaters konstituiertes göttliches „Wort" wäre in formaler Hinsicht unterbestimmt. Denn ein bloß „materialer" Bezug auf das göttliche Erkennen wird seiner ebenfalls biblisch abgesicherten Benennung als „Weisheit des Vaters" nicht gerecht.

(3) Als Fazit der ganzen gegen Scotus gerichteten Beweisführung steht somit fest: Das göttliche Wort geht durch den Akt des göttlichen Erkennens als solchen hervor, der Heilige Geist durch den Akt des göttlichen Liebens. Damit schließt sich Suárez an die in der thomanischen Summa entfaltete Lehre an[124]. Das notionale Sprechen des Vaters ist formal mit seinem wesenhaften Erkennen identisch und wird durch dieses innerlich konstituiert[125]. Bewiesen ist damit ebenfalls, daß es nur zwei innergöttliche Hervorgänge und folglich drei Personen gibt, die durch die jeweils ursprungsbestimmten „oppositiones relativae" unterschieden werden, weil die geistige Substanz nur zwei ihr immanente Akte, eben Erkennen und Wollen, besitzt[126]. Diese stehen in einer unumkehrbaren logischen

[123] Vgl. ebd. 14 (555b), mit der zentralen Begründungsformel: „...quia, ut saepe dixi, in Deo non est intellectiva potentia formaliter, et proprie, sed est purissimus actus intelligendi per se subsistens".

[124] Die bei Thomas in 1 Sent. d. 10, q. 1, a. 1 noch zu findende Ableitung von Erkennen und Liebe aus den Äußerungen Gottes „ad extra", die einerseits den Blick von der Vollkommenheit der Schöpfung auf die Vollkommenheit des göttlichen Urbilds, also den Sohn, andererseits vom Ausgang der Kreatur aus dem freien Willen Gottes auf das Prinzip solcher freien Liebestat, nämlich die innergöttliche Liebe, den Heiligen Geist, gerichtet haben, greift Suárez nicht auf. Während der frühe Thomas noch „im Bannkreis der von Richard von St. Viktor herrührenden Gedankengänge der alten Franziskanerschule" (SCHMAUS [1930b] 160) gestanden hatte, wird in der Summa die augustinische Doktrin wiederum beherrschend. Es ist dieser „späte" Thomas, der auf lange Sicht allein trinitätstheologisch schulprägend geworden ist.

[125] Vgl. Suárez, De trin. 1.6.15 (I, 556a): „Concludo igitur Verbum divinum procedere per actum intelligendi, ut talis est, et Spiritum sanctum per actum amandi, quae est sententia D. Thomae...". [Pater] „non dicit, nisi intelligendo, non solum materialiter, sed etiam formaliter, quia ratio dicendi est ipsa intelligentia...".

[126] Vgl. auch DM 29.3.20 (XXVI, 54a). Suárez blickt allerdings nicht nur von den immanenten Akten hin zu den innergöttlichen Hervorgängen, sondern kann zuweilen auch umgekehrt das theologisch abgesicherte Faktum der zwei unterschiedenen Hervorgänge zum Argument für die Notwendigkeit einer nach den beiden Geistvollzügen differenzierenden Rede von der absoluten Perfektion Gottes machen, die wegen des realen Zusammenfalls aller Attribute im einfachen göttlichen Wesen ein spekulatives Problem eigener Art darstellt; vgl. etwa De deo uno 1.9.2 (I, 26b): „Et confirmatur ex mysterio Trinitatis, ad quod explicandum maxime nobis necessarium est divinam perfectionem ita concipere; nam docemur secundum catholicam doctri-

Reihenfolge[127], die Suárez mit Thomas und Scotus gegen Einwände aus der Nominalistenschule, die jede Annahme einer Ordnung zwischen den an sich gleichermaßen ewigen Vollzügen[128] in Gott abgelehnt hatten[129], prinzipiell verteidigt. Allerdings ist sie wie alle Abstufungen auf der Ebene der göttlichen Wesensbetrachtung nur „virtueller" Natur. Auch eine Formalunterscheidung der göttlichen Geistvollzüge als notwendige Bedingung für die reale Unterscheidbarkeit der Hervorgänge, wie sie Scotus (gegen Heinrich von Gent) postuliert hatte[130], verlangt Suárez nicht. Schon an dieser Stelle wird die große Nähe deutlich, die in der scholastischen Erörterung des Verhältnisses zwischen dem Wesen Gottes zu den absoluten Attributen einerseits und den Relationen andererseits vorliegt und die noch mehrfach in dieser Arbeit zu erkennen sein wird[131].
Für den vorliegenden Kontext lautet die entscheidende Konklusion: Da dem Erkennen wie dem Wollen je ein „terminus adaequatus"[132] zukommt, der nicht vervielfacht werden kann, gilt Selbiges für den zugehörigen Hervorgang. Wenn Suárez diese aus der thomanischen Summa über-

nam, unam aliquam personam procedere per intellectum et aliam per voluntatem, et consequenter esse in Deo intellectum et voluntatem, quae de Deo praedicari possunt."

[127] Vgl. De deo uno, 3.4.7 (I, 208a): Der Wille setzt auch in Gott das Erkennen voraus, da er nicht auf ein „incognitum" gerichtet sein kann: „ideo enim processio Spiritus sancti posterior origine est processione filii".

[128] Eine Diskussion des Ewigkeits-Prädikats bei der Charakterisierung der innergöttlichen Hervorgänge, wie sie in der Scholastik eine lange Tradition hat (vgl. SEGOVIA [1956]) und bei Ruiz de Montoya umfassend vorgenommen wird (vgl. De trin. disp. 104, 820b-825a), findet sich bei Suárez in ausführlicherer Form nicht.

[129] Vgl. Suárez, De incarnatione 5.1.1 (XVII, 197b-198a). Anlaß der Erörterungen ist an der vorliegenden Stelle die in der Scholastik vieldiskutierte Frage nach dem Motiv der Inkarnation, in deren Zentrum eine Verhältnisbestimmung von göttlichem Erkennen und Wollen steht.

[130] Vgl. Scotus, Ord. I, d. 8, p. 1, q. 4, n. 177 (Ed. Vat. IV, 246): „distinctio perfectionum attributalium est fundamentum respectu distinctionis emanationum, – sed distinctio emanationum est realis, patet; nulla autem distinctio realis praeexigit necessario distinctionem quae tantum est rationis, sicut nec aliquid quod est vere reale praeexigit aliud quod est mere ens rationis; ergo distinctio attributorum non est tantum rationis sed aliquo modo ex natura rei." Vgl. MINGES (1908) 421-428, der deutlich betont, daß für Scotus ohne die Formaldistinktion „das ganze Trinitätsdogma in Verwirrung kommen" würde (428); HARRIS (1927) II, 185ff.

[131] Suárez deutet sie selbst an in De deo uno 1.10.1 (I, 31a) mit seinem Verweis auf De trin., l. 3.

[132] Der Begriff geht in diesem Zusammenhang auf Scotus, nicht auf Thomas zurück; vgl. etwa Scotus, Ord. I, dist. 3, p. 3, q. 4, n. 588 (Ed. Vat. III, 347f.): „Pater autem generans Filium communicat ei eandem naturam, et eandem fecunditatem spirandi amorem, quae non intelligitur in generatione Filii habere terminum adaequatum; et ideo Filius eadem fecunditate potest producere sicut Pater."

nommene Lehre[133] auch nicht als apriorischen Beweis verstanden hat, weil ihre Aussagen über die exakte Zweizahl der Hervorgänge in Gott nicht beanspruchen dürfen, eine strenge Vernunftrepugnanz gegenteiliger Behauptungen nachweisen zu können, hat er sie dennoch (gegen die Infragestellung der Nominalisten, die das psychologische Erklärungsmodell für die Hervorgänge wegen der realen Ununterscheidbarkeit von Intellekt und Wille in Gott zurückgewiesen hatten[134]) als Vermutung angesehen, der, soweit angesichts des Glaubensgeheimnisses möglich, eine begründete Wahrscheinlichkeit zukommt[135]. Sie wird später in De trin. I, cc. 9-10 genauer dargelegt[136], wobei Einwände, wie sie in der Barockscholastik regelmäßig mit dem Namen des Raimundus Lullus verbunden werden, ausführliche Zurückweisung erfahren[137]. Zuvor unternimmt es Suárez jedoch, den formalen Konstitutionszusammenhang, der zwischen den „actus immanentes" und ihren Hervorbringungen vorliegt, exakter zu bestimmen. Auf diesem Wege erhofft sich der Jesuit zudem Klarheit bezüglich des weiterhin ungelösten Problems, das den Thesen von Scotus und Durandus zugrundelag: weshalb nämlich trotz der allen Personen gleichen wesenhaften Erkenntnis dieselbe nur im Vollzug des Vaters zur Hervorbringung einer anderen Person führt.

### *c) Nähere Bestimmung der Zeugung als des intellektiven Hervorbringungsaktes*

Da die durch die zuvor gegen Scotus angestellten Überlegungen für richtig erklärte These vom formalen Zusammenfall des essentialen und notionalen Erkennens bereits in der mittelalterlichen Scholastik die

[133] Vgl. Thomas, S. th. I, 27, 5; dazu SCHMAUS (1930b) 376ff.

[134] Vgl. FRIEDMAN (2003) 117ff.

[135] Vgl. etwa Suárez, DM 30.17.14 (XXVI, 210a-b): „Quod vero in Trinitate non possit esse nisi unus Filius, non est ex rebus et obiectis quae pertinent ad omnipotentiam Dei, sed ad esse ipsius Dei, et in eo etiam est implicatio contradictionis, quanquam fortasse, quia nos non comprehendimus Trinitatis mysterium, propriam causam illius repugnantiae non exacte intelligamus, eam vero esse credimus, quia repugnat Verbum esse adaequatum, et multiplicari. Unde si Verbum generare posset, sequeretur non esse adaequatum intellectui divino, et consequenter non esse Verbum divinum."

[136] Vgl. bes. Suárez, De trin. 1.9.6 (I, 561b-562a).

[137] Vgl. ebd. 7-9 (562a-b) und 1.10.5 (563b-564a). Lullus wird eine Art Modalismus in der Lehre von den Hervorgängen vorgeworfen: Ein einziger unendlicher „actus bonificandi" soll die Dreizahl der Personen konstituieren. Suárez hält diese Lehre für schlichtweg „lächerlich", gibt aber einschränkend zu erkennen, daß er die lullistische Position nur aus zweiter Hand kennt (562a: „...si vera sunt, quae de illo referuntur").

Mehrheitsposition darstellt, kann Suárez auch für ihre nähere Bestimmung auf Vorgaben der Tradition zurückgreifen, die er kritisch diskutiert. Konkret entwickelt er seine These in Abgrenzung von der Lehrmeinung des Heinrich von Gent und der Thomistenschule.

(1) Heinrich, mit dem sich in dieser Frage bereits Scotus eingehend auseinandergesetzt hatte[138], verbindet vor allem in den diesbezüglichen Artikeln 54-59 seiner Quästionensumme, entstanden 1285/86, die Vorgaben der franziskanischen Tradition, in der seine gesamte Trinitätslehre steht, mit einer darin bislang nicht üblichen konsequenten Verwendung des „psychologischen" Modells der Entstehung von Begriffen im geistigen Formungsprozeß, wie er es bei Augustinus und Thomas vorfindet. Dabei unterscheidet er im Vater ein nicht hervorbringendes, wesenhaftes Erkennen bzw. Lieben vom hervorbringenden und notionalen, indem er das erste als rein passiv-aufnehmenden, direkten und unvollkommenen Akt des jeweiligen Vermögens, das zweite dagegen als seinen aktiven, reflexen und im Hervorbringen des manifestierenden Wortes bzw. der strebenden Liebe (bei Heinrich: „zelus") vollkommenen Vollzug beschreibt[139]. Nicht die einfache, konfuse Erkenntnis im aufnehmenden Intellekt ist wortgebärend, sondern nur die darauf zurückgreifende, auf ihr als einem „quasisubstratum" aufbauende[140] Tätigkeit des aktiven Intellekts. Diese Unterscheidung hat Thomas nach Heinrich nicht erfaßt[141]. Der notionale Akt ist im henricianischen Modell das Medium im vollständigen Zu-sich-selbst-Kommen des Intellekts: Das anfanghaft-einfache Objekterkennen bestimmt den an sich inhaltslosen Akt des auf dieses Erkennen reflektierenden Intellekts zum sich im Wort als erkennend erkennenden Intellekt. In den Worten von Michael Schmaus: „Der rein passive Intellekt wird durch das Wesen zur Erkenntnis aktuiert. Diese einfache oder Wesenserkenntnis ist nun fruchtbares Formal- oder Wirkprinzip der Zeugung. Wenn sich nämlich der Intellekt reflektierend dieser Wesenserkenntnis zuwendet, so befindet er sich in der Potenz zur Aufnahme eines von dem mit der We-

[138] Vgl. Scotus, Ord. I, d. 2, p. 2, n. 271-299 (Ed. Vat. II, 287-305); WETTER (1967) 25-31; CROSS (2005) 223-226.

[139] Vgl. Heinrich von Gent, qdl. 6, q. 1 (Op. X, S. 14-20); Summa, a. 54, q. 9 (Ed. Badius, CIIIIr-v). Diese beiden von Suárez gemeinsam zitierten Texte weisen durchaus unterschiedliche Nuancen auf; so tritt etwa in der Summa der Aspekt der reflexiven *Selbst*erkenntnis viel deutlicher hervor als im früher entstandenen Quodlibet, wo der auf die „simplex notitia" zurückgewandte Akt vorwiegend als Manifestation der ersten, unvollkommenen Gehalterfassung im Wort gesehen wird.

[140] Vgl. Heinrich, Summa, a. 40, q. 6 (Op. XXVIII, 277f., ZZ. 58-69).

[141] Vgl. PINI (2003) 324.

senserkenntnis ausgestatteten Intellekt zu zeugenden Wortes“[142]. Für den konkreten trinitätstheologischen Fall heißt dies, daß der reflektierende göttliche Intellekt im Vater sich auf den durch das einfache, ursprüngliche Wesensbegreifen „informierten“ Intellekt zurückwendet. Die Wesenserkenntnis manifestiert sich dann im „Wort“, das dem sich material verhaltenden reinen Intellekt eingeprägt wird[143]. In Gott ist dieser zweite Akt gleich ewig mit dem ersten, während er sich im Menschen diskursiv vollzieht. Mit gewissen Unterschieden gilt Analoges im Vollzug des göttlichen Wollens, wo ebenfalls ein einfaches, gewissermaßen passives Wollen (das Angezogensein durch das „bonum“) vom „amor fervens“ unterschieden wird, der dann tatsächlich zum Ruhen des Intellekts in diesem Gut führt. So verbindet Heinrich den traditionell franziskanischen Ansatz bei den innergöttlichen Hervorgängen mit einem spekulativ ausgefeilten psychologischen Modell. Es sind die als distinkte Geistvollzüge qualifizierten Hervorgänge, welche die Personen konstituieren und voneinander unterscheiden[144]. Die Verzichtbarkeit des „filioque“ für die Sohn-Geist-Unterscheidung, der wir später als Lehre Heinrichs wiederbegegnen werden, ist hier bereits vollständig angelegt.

[142] SCHMAUS (1930b) 137. Vgl. zu diesen zwei Stufen des Intellektvollzugs auch KOBUSCH (1987) 90f.; FRIEDMAN (1996) 178ff.; FRIEDMAN (1997b) 143-152; BOULNOIS (1999) 119; LAARMANN (1999) 312-323; PINI (2003) 320-325; FLORES (2006) 65-76.

[143] Vgl. Heinrich, Summa, a. 54, q. 9 (Ed. Badius, CIIIIv): „Dicimus ergo ad quaestionem descendendo, quod emanatio actus notionalis dicendi verbum sive generandi filium (quod idem est) non est aliquis actus intelligendi: sed est in nobis medius inter duos actus intelligendi: quorum unus est perfectus et completus, alius vero imperfectus et incompletus, differentes secundum rem. In deo vero inter duos actus intelligendi patri essentiales, differentes sola ratione: quorum uterque aeque completus est, quia unus et idem est secundum rem differens sola ratione: quia scilicet unus declarativus et manifestativus est, et hoc notitia quasi cogitativa eius quod per alium cognitum est quasi simplici notitia. Unde verum est quod actus dicendi sive generandi in deo, est actus intellectus, non sub ratione qua est intellectus purus sive intelligentia quasi nuda: sub ista enim ratione verbum in ipso non concipitur per actum dicendi: sed est actus intellectus sub ratione qua est memoria, continens in se notitiam simplicem, et in ea obiectum quod quo elicit actum dicendi verbum, ut dictum est“. Zur Rolle des „verbum mentis“ in der Erkenntnistheorie Heinrichs vgl. CANNIZZO (1962).

[144] Vgl. zusammenfassend FRIEDMAN (1997b) 152: „Thus, in Henry of Ghent's trinitarian theology, the Son is distinct from both the Father and the Holy Spirit on account of his intellectual emanation. The psychological model has been joined to an emanation account of personal distinction: the persons are distinct because one is unemanated, a second is emanated by intellectual procession, and a third by voluntary procession. The distinction of the persons then, is explained precisely by the application of the psychological model to the trinity."

Suárez hält, wie aus der uns schon bekannten Kritik an Scotus leicht zu vermuten ist, auch die von Heinrich angenommene Zweistufigkeit in der Beschreibung der immanenten Akte Gottes, die unter den frühen Jesuitentheologen in der Lehre Gregors von Valencia über essentiales und notionales Erkennen als zwei „virtuell" zu unterscheidende Formen innergöttlicher „actio" eine gewisse Fortsetzung gefunden hat[145], für falsch und unnütz[146]. Während sie schon im menschlichen Bereich zweifelhaft ist, weil es das von Heinrich auf seiner ersten Stufe angesetzte rein passive Erkennen nicht gibt, sofern Erkennen stets irgendeine Form von Tätigkeit umfaßt, muß sie für Gott erst recht ausgeschlossen werden, weil ein unvollkommenes Erkennen, wie es auf der ersten (die einfach-unreflektierte Wesenserkenntnis betreffende) Stufe anzusetzen wäre, bei ihm nicht in Frage kommt[147]. Zudem läßt die Lösung Heinrichs offen, weshalb in Sohn und Geist anders als im Vater nur die je ersten Formen der beiden Geistvollzüge vorliegen sollen, ohne daß dazu die in den notionalen Akt mündende Selbstreflexion tritt. Damit aber stellt sich das Ausgangsproblem von neuem.

Obwohl Suárez' Kritik an Heinrich durchaus Berührungspunkte mit derjenigen des Scotus besitzt, vor allem in der Ablehnung einer zweistufigen essentialen Erkenntnis, bleiben die Argumentationsabsichten insgesamt verschieden. Während es Scotus darauf ankam, in Heinrichs Konstitutionsmodell notionalen Erkennens das essentiale Moment für (formal betrachtet) irrelevant zu erklären und damit seine eigene These von einer klaren Scheidung essentialer und notionaler Akte vorzubereiten[148], geht es Suárez darum, auf der Aktebene die behauptete Verschiedenheit des notionalen Elementes ganz in den essentialen Grundvollzug zurückzunehmen. Nur so kann seine eigene These von der Identität der essentia-

[145] Vgl. Gregor von Valencia, Commentaria theologica, l. 1, disp. 2, q. 1, punct. 3 (688B-C). Bei Suárez findet sich dieser Verweis nicht.

[146] Vgl. Suárez, De trin. 1.7.3 (556b-557a). Siehe auch die Argumentation des Vázquez gegen Heinrich: Comm. in I^am^ 112.1 (26b-27a), die in den groben Zügen dieselbe Tendenz verfolgt.

[147] Vgl. die ähnliche Argumentation bei Vázquez, Comm. in I^am^ 112.1.3-4 (II, 27a), der auf die gleiche Vollkommenheit der essentialen und notionalen Akte in Gott verweist und daraus folgert, daß eine Einschränkung der personalen Produktivität auf letztere bei Heinrich ohne Grund erfolgt.

[148] Vgl. CROSS (2005) 225: „Scotus, however, rejects the Henrician claim that the essential acts of knowing and loving are themselves causal principles for the production of knowledge and love. For Scotus, the correlation between essential and notional extends only as far as essential *powers* (or memory and will; not *acts* of knowledge and love) grounding the notional acts (of generation and spiration – productions of knowledge and love)."

len und notionalen Akte, von dem noch die Rede sein wird, Bestätigung finden.

(2) Die zweite der diskutierten Thesen stellt Suárez mit B. Torres als einen Standpunkt der Thomistenschule vor: Um die geforderte Zweistufigkeit im geistigen Erkenntnisvollzug Gottes ohne die allzu starke Scheidung eines Scotus und auch noch eines Heinrich von Gent wahren zu können, setzt er wesenhaftes und notionales Erkennen als zwei Akte wenigstens gedanklich voneinander ab, um den ersten von ihnen allen drei Personen, den zweiten allein dem Vater zuzusprechen[149]. Diese These scheint auf den ersten Blick der von Suárez zuvor bereits als eigene Überzeugung angedeuteten recht nahe zu stehen. Dennoch unterzieht sie der scharfsinnige Kommentator ebenfalls deutlicher Kritik, in welcher er ihren genuin thomanischen Charakter anzweifelt und dabei an ältere Vorbehalte der Franziskanerschule, wie sie etwa bei Aureoli zu finden sind, aber ebenso an Einwendungen neuerer Thomisten im Gefolge Cajetans anknüpft[150]. Eindeutig weist Suárez damit, wenn auch nicht namentlich, zugleich die Meinung seines Ordensgenossen Vázquez zurück, der sich in einer eigenen Variante die genannte These einer gedanklichen Unterscheidung der beiden Aktvollzüge („sicut includens et inclusum, excedens et excessum, sicut homo differt ab animali"[151]) zueigen gemacht hat.

Diese Differenzierung übersieht nach Suárez, daß es in Gott ein doppeltes Erkennen (wenn auch nur in gedanklicher Differenzierung) ebensowenig wie einen doppelten Intellekt und überhaupt eine Vervielfachung essentialer Attribute zu geben vermag. Da Gott das Objekt seiner Erkenntnis in *einem* Akt mit vollkommener Angemessenheit erfaßt, ist die-

[149] Vgl. Suárez, De trin. 1.7.4 (I, 557a) mit Verweis auf B. Torres, In I$^{am}$ q. 27, a. 5, in 3. p. disputationis. Torres zitiert dort ablehnend die Meinung einiger, die Erkennen und Wollen jeweils nach „essentialem" und „notionalem" Vollzug differenzieren (44vb). Er selbst plädiert für die Einheit der beiden „actiones immanentes", kennt aber weiterhin eine gedankliche Unterscheidung, die aus der Verbindung mit der den Akt vollziehenden göttlichen Person resultiert (44ra): „...respondemus, quod verbum producitur per actum intelligendi, quatenus est dicere, non autem qua est intelligere: actus vero intelligendi, ut est dicere, solum tribuitur patri, et est actus patris, qui tantummodo ratione distinguitur ab eodem actu intelligendi, ut intellectio est: dicere namque importat respectum ad verbum, intelligere, duntaxat ad res cognitas." Torres bietet jedoch ebd. (44rb) alternativ auch eine Lösung, die im Wortlaut der von Suárez vertretenen noch mehr entspricht.

[150] Vgl. zum folgenden Suárez, De trin. 1.7.5-8 (I, 557a-558a).

[151] Vázquez, In I$^{am}$ disp. 112.3.9 (II, 28b). Suárez spielt auf die dortige Formulierung „tamquam includens et inclusum" in seiner Kritik erkennbar an: De trin. 1.7.5 (I, 557a).

ser einzig[152]. Es gibt keine (wenn auch nur vorübergehend) nicht aktuierte Erkenntnispotenz. Wenn in der theologischen Explikation zuweilen verschiedene Akte des göttlichen Erkennens gemäß distinkten „obiecta secundaria" unterschieden werden, dann gründet dies allein in der Unfähigkeit des menschlichen Betrachters, die Fülle des einen wesenhaften Vollzugs begrifflich angemessen einzuholen. Unterscheidbar ist von diesem mit dem absoluten Sein selbst identischen Wirken in Gott höchstens eine Relation[153]. Diese freilich kann als solche nicht den Charakter des Erkennens haben – der Vater erkennt nicht „durch" seine „paternitas" – und ist nicht wie das Erkennen ein Vollzug des göttlichen Lebens („actus vitalis") schlechthin. Die Relation mit ihrer personalisierenden Funktion in Gott ist, wie wir wissen, vielmehr nur eine ontische Letztbestimmung der göttlichen Natur im Hinblick auf ihre Subsistenz. Wenn man im Blick auf Gott Vater darum von einer „potentia generandi" spricht, so macht Suárez schon in DM 30 klar, bedeutet dies nicht, daß es in Gott auch eine „potentia intellectiva" im strengen Sinne geben müßte[154]. Denn das Erkennen als solches ist in Gott eine absolute Perfektion ohne jede Potentialität[155], während die Rede von „Zeugung" stets die das Wesen nicht berührende Ebene der Relationen anzielt. Vergleichbar sind beide Vollzüge bestenfalls dadurch, daß wie im Erkennen so auch in der Hervorbringung letztlich Vermögen und Vollzug zusammenfallen. Eine parallele Abgrenzung nimmt Suárez in DM 30 auch bezüglich der Termini „potentia volendi" und „potentia spirandi" vor[156].

[152] Vgl. Suárez, De trin. 1.7.6 (557b): „quia unus actus perfectus est adaequatus intellectui divino, comprehendit enim totum obiectum eius".

[153] Vgl. ebd. 7 (557b): „et ab absoluto nihil distinguitur illo modo, id est, tanquam proprium a communi, nisi relativum".

[154] Vgl. DM 30.15.9 (XXVI, 172b): „Unde etiam potentia intelligendi solum dicit absolutum, potentia autem generandi connotat relationem principii distincti a termino genito"; (...) „in hoc tamen est aliqua similitudo, quod sicut non datur in Deo realis potentia respectu intellectionis quam eliciat, vel recipiat, ita non datur potentia generativa respectu generationis, quam realiter eliciat, sed tantum respectu rei genitae, quae in re distinguitur a principio producente, non vero ab ipsamet potentia generandi, nisi quantum ad relationem quam connotat; sed de hoc latius alibi."

[155] Vgl. dazu auch DM 30.14.7 (167a): „Haec ergo imperfectio tollenda est a vita Dei, et solum id quod perfectionis est, illi est tribuendum; atque ita concipiendus est Deus ut actualissime habens totam illam perfectionem, quam habet vivens cum sese actuat intelligendo vel cognoscendo, seclusa illa imperfectione distinctionis inter actum et potentiam, et causalitatis." Suárez weist deswegen auch alle Spekulationen über eine „Selbstursächlichkeit" Gottes zurück; vgl. DM 28.1.7 (XXVI, 3a); De Deo uno 1.2.4-6 (I, 6a-7a) und GOUDRIAAN (1999) 52.

[156] Vgl. DM 30.16.11 (186b-187a): „dicendum est, ita esse in hoc loquendum, sicut de potentia generandi supra attigimus, nam eodem modo potentia spirandi dicitur,

Weil damit das personale Moment in Gott als Formalbestimmung seiner wesenhaften Erkenntnis unmißverständlich ausgeschlossen ist und irgendein anderes Bestimmungsmoment des essentialen Aktes in Abgrenzung zu diesem selbst nicht in Frage kommt, ist es zugleich unmöglich, daß das an eine bestimmte Person gebundene notionale Erkennen als etwas verstanden werden könnte, welches das essentiale Erkennen durch Hinzufügung eines determinierenden Aspektes oder einer besonderen Beziehung zum Erkenntnisgegenstand „kontrahiert“[157]. Auch als das Wort hervorbringende bleibt die wesenhafte Erkenntnis Gottes ohne Hinzufügung einfach und unverändert.

(3) Damit ist nur noch ein Weg offen, um die in der Produktion des Wortes bestehende Eigentümlichkeit der vom Vater ausgeübten Erkenntnis gegenüber dem gleichen Erkenntnisvollzug in den übrigen Personen zu erklären: Die „paternitas“ tritt als „personale Bedingung“ („conditio personalis“) zum göttlichen Lebensakt, nicht um ihn formal in seiner Erkenntnishaftigkeit zu verändern, sondern allein, um ihn „zur Hervorbringung“ zu bestimmen[158]. In Gott gibt es nur *ein* Erkennen, das mit der genannten Bedingung entweder verbunden ist oder nicht und das *deswegen* notional hervorbringend ist oder nicht[159]. Indem Vater und Sohn sich nicht im Wesen, wohl aber in der Weise des Besitzes des einen Wesens („modus habendi essentiam“) unterscheiden und dadurch personal konstituiert werden, differenzieren ihre personalen Eigentümlichkeiten in ähnlicher Weise auch nicht ihr gemeinsames wesensbedingtes Erkennen, sondern nur den Modus seiner Habe: Das „intelligere essentiale“ kommt der einen Person durch sich selbst („per se“), der anderen dagegen „durch Zeugung“ („per generationem“) zu. Der besondere Habensmodus des Vaters erlaubt es nur ihm, erkennend zu zeugen, wiewohl es die Kraft und Fruchtbarkeit des wesenhaften Erkenntnisaktes als solchen ist, der

non respectu actus volendi, sed respectu termini seu personae productae. Nam, quia illa est in re ipsa distincta a producente, ideo intelligitur in producente aliquid, quod sit ratio spirandi, et hoc dicitur potentia productiva per modum principii, non respectu actionis, sed respectu termini, ad quem non comparatur ut potentia receptiva, sed ut principium quo productivum. At vero respectu actus volendi ut sic non potest dari potentia, quia oportet esse activam et receptivam ejus. Quod expresse notavit D. Thomas, 1 p., q. 41, art. 4 ad 3, et 2 contra Gent., c. 10.“

157 Vgl. De trin. 1.7.8 (I, 558a).

158 Vgl. ebd. 9-11 (558a-559a).

159 Torres, der, wie oben erwähnt, diese Lösung ebenfalls kennt, nennt eine Analogie aus dem geschöpflichen Bereich: „Sicut si idem numero calor esset in foemina, et in viro: in foemina produceret lac, et non in viro“ (B. Torres, In I^am q. 27, a. 5, p. 3 [44rb]).

die Mitteilung ermöglicht[160]. Das Wesen ist Grund der Hervorbringungen, wenn es mit der entsprechenden personalen Bedingung in Verbindung steht – damit ist an dieser Stelle auch schon die Kernthese des Suárez zur Frage nach dem Formalprinzip der notionalen Akte vorweggenommen, wie sie später in De trin. 6.5 ausführliche Begründung findet[161]. Ganz mit Scotus einig ist sich Suárez, wenn er innerhalb dieses Modells die jeweilige Einzigkeit des Zeugungs- und Hauchungsaktes in Gott begründet: Wenn in der Erkenntnis des Vaters das göttliche Erkennen seinen, wie Suárez mit Scotus sagt, „adäquaten"[162] Vollzug gefunden hat, kann es nicht noch einmal zeugend weitergegeben werden. Denn in den nachfolgenden Personen fehlt zwar nicht das wesenhafte Erkennen, wohl aber die für die Zeugung daneben notwendige personale Bedingung, näherhin der Erkenntnisbesitz „durch sich"[163], wie er nur dem Vater zukommt. In dieser ersten Hinsicht ist damit die Fruchtbarkeit des göttlichen Wesens erfüllt. In analoger Weise lassen sich „essentiale" und „notionale" Liebe unterscheiden. Der Heilige Geist liebt mit derselben Liebe wie Vater und Sohn, aber er vollzieht dadurch keine neue Hervorbringung, weil die „productio amoris" mit ihm selbst bereits vollendet ist[164].

(4) In der strengen Identifizierung essentialer und notionaler Vollzüge hat Suárez ein wichtiges Anliegen des Aquinaten korrekt erfaßt und bewahrt[165]. Die in der scotischen Trinitätsdoktrin wie an vielen Punkten so auch in der Unterscheidung von „intelligere" und „dicere" latente Gefahr eines wesenhaft-absoluten Unterschiedes zwischen Natur und Person und damit zwischen den Personen selbst wird hier klar umgangen. Die göttlichen Personen als Personen, aber auch als Erkennende und Wollende

[160] Vgl. Suárez, De trin. 1.7.11 (I, 558b): „communicat autem [sc. Pater] ex virtute et foecunditate ipsiusmet actus intelligendi".

[161] Vgl. dazu unten Kap. 8, 2), (2).

[162] Vgl. etwa Scotus, Ord. I, d. 2, p. 2, n. 222 (Ed. Vat. II, 261) u. ö. Thomas verwendet den Ausdruck „notitia adaequata" oder „terminus adaequatus" bezogen auf die beiden Geistvollzüge in seiner Trinitätslehre nicht; er spricht nur gelegentlich von einer „adaequatio" des Sohnes gegenüber dem Vater. Vgl. 1 Sent. d. 31, q. 3 ad 1; De pot. q. 2, a. 4 ad 5.

[163] Vgl. Suárez, De trin. 1.7.11 (I, 558b): „ut autem persona generet, non satis est, quod intelligat, sed necesse est, ut a se habeat actum intelligendi".

[164] Vgl. ebd. 12 (559a).

[165] Vgl. die resümierenden Bemerkungen bei SCHMAUS (1930b) 161: „Diese Ausführungen zeigen, daß der hl. Thomas, so wenig wie er bei der Zeugung einen inneren Unterschied zwischen dem Erkenntnis- und dem Zeugungsakt annahm, so wenig hier einen inneren Unterschied zwischen dem Willens- und dem Hauchungsakt annimmt. Notionaler und wesentlicher Willensakt unterscheiden sich nur dadurch, daß der eine ein subsistierendes Produkt zum Terminus hat, der andere nicht."

haben nichts, das ihnen eigentümlich wäre, es sei denn die den Wesensbesitz konditionierenden Ursprungsrelationen.

Wie aber das Wesen und die ihm zugehörigen Vollzüge in logischer Betrachtung dem „modus habendi" dieses Wesens und der Wesensakte vorausgehen, so folgt für die theologische Reflexion darauf nur konsequent die methodische Vorordnung des Traktats „De Deo uno" vor den Traktat „De Deo trino", wie er sich unter den Kommentatoren der thomanischen Summe zunehmend durchgesetzt hat. Auch Suárez spricht im ersten Teil seiner Gotteslehre ebenso wie in den entsprechenden Passagen seiner Metaphysik ausführlich von Erkennen und Wollen Gottes, ohne dabei die Differenzierungen der Trinitätslehre vorwegzunehmen. Letztere können gleichsam als mikrostrukturelle Innengestalt der zuvor in sich vollständig umrissenen Grundmatrix des göttlichen Wesensvollzugs eingezeichnet werden.

(5) Als Appendix zur prinzipiellen Verhältnisbestimmung der essentialen und notionalen Akte kommt Suárez auf die seit Durandus diskutierte Frage zu sprechen, ob der Intellekt „in actu primo", als Wurzel aller Vollzüge, oder aber im Akt der Hervorbringung (also gewissermaßen „in actu secundo") unmittelbares Prinzip der Zeugung ist.

Der Thomist Torres hatte sich für die erste der Alternativen ausgesprochen und dabei auf die hervorbringende Kraft der väterlichen „memoria foecunda", des göttlichen Urintellekts im Sinne Augustins, verwiesen, der als solcher das Wort hervorbringt, ohne daß eine weitere Differenz zwischen „intelligere" und „producere" in Gott anzunehmen wäre[166]. Suárez möchte demgegenüber lieber der durch Heinrich von Gent[167] begründeten These folgen, wonach der väterliche Erkenntnisakt nicht als „actus primus", sondern als Vollzug unmittelbarer Grund der Zeugung ist[168].

[166] Vgl. Suárez, De trin. 1.8.1 (I, 559a-b), mit Verweis auf B. Torres, In I$^{am}$ q. 27, a. 5. p. 2. Vielleicht bezieht er sich auf die Aussage ebd. 43va: „Tertio observandum est, quod quamvis intellectus sit principium quo, producendi filium, intelligere tamen non est principium quo, producendi filium, sed ipsa filii productio."

[167] Vgl. Heinrich von Gent, qdl. 6, q. 1 (Op. X, 1-31), wo stets vom „actus intelligendi" die Rede ist, aus dem in der oben referierten Form zunächst die „simplex notitia", danach das „verum" hervorgeht.

[168] Die Vaterschaft, sofern sie die Person des Vaters konstituiert, wird bei Heinrich als „generativitas" im Sinne einer aktiven Potenz verstanden, welcher der aktuale Zeugungsakt gedanklich nachzuordnen ist. Einen ähnlichen Gedanken vertritt auch Wilhelm von Ware; vgl. SCHMAUS (1930a) 332f.: „Das ist ein genialer Versuch, über die crux hinwegzukommen, wie der Vater zeugen könne, wo er doch erst durch die auf den Zeugungsakt folgende Relation der Vaterschaft konstituiert wird." Man kann die suárezische Erklärung freilich auch auf das von Thomas in der Summa

Damit bleibt die terminologische Scheidung zwischen dem göttlichen Wesen als der „Wurzel" („radicale principium") der Hervorbringungen, des Erkenntnis- bzw. Liebesvollzuges aber als unmittelbaren Prinzips der aus ihnen resultierenden Personrelationen gewahrt[169]. Auch wenn in Gott nur gedanklich zwischen Vermögen und Vollzug zu trennen ist, was im Blick auf den augustinischen Terminus der „memoria foecunda" durch eine Unterscheidung von „memoria ut principium" und „memoria formata actu" zum Ausdruck gebracht werden kann[170], ist das „principium proximum productionis" letzterem zuzuordnen. Wenn der Vater dieses Erkennen vollzieht, „handelt" er nicht wie ein erkennendes Geschöpf, das dabei selbst eine Bestimmung durch den Erkenntnisgegenstand erfährt. Er muß nicht zu seiner eigenen Vervollkommnung den Schritt vom Vermögen zum Akt unternehmen. Zwischen „Verstehen" und „Hervorbringung des Wortes", so hatte Suárez schon gegen Scotus geltend gemacht, gibt es keine Trennung. Letztlich geht es dem Jesuiten in diesem Punkt durchweg um die Abwehr falscher Potentialitätsvorstellungen in der Rede vom göttlichen Wesen.

entwickelte Modell der menschlichen Gottebenbildlichkeit beziehen, das (im Unterschied zu früheren Texten) primär „secundum actus" und nur sekundär „secundum potentias et habitus" ausgerichtet ist; vgl. BOOTH (2000).

[169] Vgl. Suárez, De trin. 1.8.2 (I, 559b). Scotus unterscheidet „principium remotum" und „principium proximum"; vgl. WETTER (1967) 158f. Dies übernimmt wörtlich Molina, Comm. in I$^{am}$ q. 41, a. 5 (534bF-535aA). Man entspricht damit selbstverständlich der Anforderung in der „Ratio studiorum" von 1586, wo sich als zu lehrender Satz das Grundprinzip der „psychologischen Trinitätslehre" findet: „18. Tam originum, quam relationum omnium fundamentum, a quo relatio suam habet realitatem, est divina essentia per intelligere ac velle foecundum" (Ed. Lukács, 9).

[170] Vgl. Suárez, De trin. 1.8.4 (I, 560a): „Unde dico ulterius, intellectum, seu memoriam aeterni Patris, etiam prout a nobis concipitur in actu primo esse foecundam: non tamen uno solo modo, sed quodammodo duobus. Nam primo est foecunda ad actum intelligendi quasi producendum, (ut loquitur Scotus) quia ut supra dixi, illum non realiter producit, sed a nobis concipitur ac si produceret. Eadem vero memoria, ut sit principium, quo realiter producitur memoria jam formata illo actu adhuc est foecunda, ut sit principium, quo realiter producitur verbum, quia, ut saepe dixi, illud verbum non producitur ad intelligendum, sed ex intelligentia (ut sic dicam)".

### 3) Zur Vereinbarkeit von Hervorbringung und wahrer Göttlichkeit der Personen

(1) Nachdem Suárez Existenz und Zahl der Hervorgänge und die daraus folgenden Konsequenzen für die Rede über die göttlichen Personen formuliert hat, stellt er, gewissermaßen nachträglich in l. 2, c. 2 seines Traktats, noch einen sehr fundamentalen Einwand gegen das gesamte Lehrstück zur Debatte: Widerspricht das „Hervorgebrachtsein" von Sohn und Geist nicht deren wahrer Göttlichkeit? Gefragt ist nach einer Interpretation der „productio in divinis", die das „productum" nicht als „ens ab alio", als abhängiges und damit letztlich geschöpfliches Seiendes erscheinen läßt[171], nach einer Interpretation der Trinitätslehre also, die schon an der spekulativen Wurzel jedem Arianismus und Subordinatianismus eine Absage erteilt[172].

Eine solche Deutung eröffnet sich nach Suárez von der Einsicht her, daß alles innerhalb Gottes im strengen Sinne göttlichen Wesens ist. Vom Hervorbringenden zum Hervorgebrachten kann darum nur dasselbe unendliche Sein mitgeteilt werden[173]. Die personale „oppositio", die das einzig Unterscheidende in Gott ist, führt nicht zu einem Unterschied zwischen Personen und Wesen. Der Sohn ist gegenüber dem Vater kein „aliud", sondern nur ein „alius". Weil die Hervorbringung einer göttlichen Person aus einer anderen das als solches nicht hervorgebrachte, nicht abhängige und unveränderliche göttliche Sein mitteilt, führt sie auch selbst nicht zu einem Verhältnis der Abhängigkeit und Verursachung zwischen den Personen, wie es im geschöpflichen Bereich (bei materialen, formalen, wirk- oder finalursächlichen Kausalitätsbestimmungen) zu finden ist[174], ebensowenig zu einer Veränderung des Wesens[175].

[171] Vgl. Suárez, De trin. 2.2.1 (576a). Auf die klare Zurückweisung jeder Form von Abhängigkeit in der suárezischen Theorie der innergöttlichen Hervorgänge weist HELLIN (1949) 285 gegen die Kritik bei DEL PRADO (1911) 171 hin.

[172] Wie EMERY (2004c) 54.70-74 richtig hervorhebt, ist dieses Anliegen bereits auch der Ausgangspunkt der thomanischen Trinitätslehre (vgl. S. th. I, 27, 1 c.).

[173] Vgl. Suárez, De trin. 2.2.4 (I, 576b).

[174] Vgl. ebd. 5-8 (576b-578a), bes. 6 (577a): „nam si talis sit productio, ut per ipsam communicetur illud esse, quod causatum non est, nec dependens, neque ipsa productio erit cum vera dependentia. Maxime, cum illud esse intrinsece et essentialiter includatur in persona producta, et in omni ejus proprietate per summam quamdam simplicitatem." „Abhängigkeit" ist für Suárez ein Zentralbegriff in der Bestimmung jedes Tun-Erleiden-Konnexes: BURNS (1964) 469-472. Vgl. zur Ablehnung eines solchen Verhältnisses für die Relationen in Gott Scotus, Ord. I, d. 2, p. 2, n. 267 (Ed. Vat. II, 286), der aber stärker von der einen „infinitas" des göttlichen Wesens, also von der Nicht-Verursachung her argumentiert: CROSS (2005) 245-248. Eine Final-

Dieses kann gar nicht anders als gemeinsam mit allen Attributen und Vollkommenheiten kommuniziert werden[176]. Einige (vor allem griechische) Kirchenväter, die den Begriff der „Ursache" im trinitätstheologischen Kontext benutzen, sind in diesem Sinne auszulegen[177], wie im Anschluß an thomanische Äußerungen in S. th. I, 33, 1[178] dargelegt wird. Den Sprachgebrauch der Griechen hatte bereits das Konzil von Florenz auf dieser Grundlage für vereinbar mit dem lateinischen erklärt[179]. Wenn Suárez in dieser Deutungslinie argumentiert, entspricht er auch der Vorgabe seines Ordens, dessen „Ratio studiorum" von 1599 eigens auf die korrekte Behandlung des vorliegenden Problems hinweist[180].

ursächlichkeit in den innergöttlichen Hervorgängen lehnt Suárez explizit ab in De ultimo fine 2.2.3 (IV, 19a).

175 Vgl. De trin. 2.2.10 (I, 578a-b). Zu den Grundthesen über die Unveränderlichkeit Gottes bei Suárez vgl. – ohne besonderen Bezug zum Trinitätstraktat – CHARAMSA (2003).

176 Vgl. Suárez, De deo uno 2.22.9 (I, 130a): „Et propter eam [sc. causam] intelligi non potest, quod alicui communicetur essentialiter divina natura, quin communicentur omnia haec attributa. Et ideo cum Pater communicat divinitatem Filio, necessario communicat omnipotentiam et cetera omnia, ut infra suo loco videbimus, neque aliud posset mente concipi."

177 Weitere thomanische Stellen zum Thema nennt EMERY (2004c) 191-196. Vgl. Suárez, De trin. 2.2.8 (I, 577b-578a); dazu auch DM 12.1.31 (XXV, 383a-b): Die griechischen Väter haben den Begriff der Ursache in einem weiteren Sinn gefaßt, als dies in der Redeweise der Lateiner üblich ist. Sie wollten im trinitätstheologischen Kontext mit dem Begriff der Ursache jedoch ebenfalls nicht mehr bezeichnen als den Ursprung einer Person aus einer anderen. Auch an anderer Stelle bemerkt Suárez bei griechischen Vätern eine Redeweise, die wegen der Gefahr subordinatianistischer Deutungen in „frommer Weise" auszulegen ist; vgl. etwa zum „Geringersein" Christi gegenüber dem Vater; Suárez, De incarnatione disp. 43, prol., n. 1 (XVIII, 391b): „Alia enim expositio quorumdam Graecorum, qui de persona divina ratione originis hoc intelligunt, minus propria est, et pie explicanda, ut latius in materia de Trinitate dicendum est." Daß dies die zur Zeit des Suárez insgesamt übliche Argumentationsstrategie im Blick auf die strittigen griechischen Texte ist, sei durch den exemplarischen Verweis auf Molina, Comm. in I$^{am}$ q. 33, disp. 3 (474bA-475aC) belegt.

178 Suárez knüpft damit terminologisch hier nicht so sehr an der eigentlichen thomanischen Ausgangsfrage zu den Hervorgängen (S. th. I, 27, 1) an, die stärker mit dem Begriffspaar „actio / processio ad extra" und „ad intra" operiert, sondern bevorzugt das Gegensatzpaar „causa-principium", das Thomas bei der Erörterung der Position des Vaters im Hervorbringungsgeschehen einführt.

179 Vgl. Konzil von Florenz, 6. Sitzung: Wohlmuth / Alberigo, Dekrete, Bd. 2, 527.

180 Vgl. Ratio atque institutio studiorum (1591), ed. Lukács, 317: „15. Dei filius, neque qua Deus, neque qua Dei filius, absolute dicendus est minor Patre; nisi id clare explicetur secundum autoritatem principii, ut explicant sancti patres; quae explicatio etiam si vera sit, non usurpanda tamen ratione scandali."

(2) Diese Antwort, wie sie die orthodoxe Trinitätslehre einfordert, hat Suárez bereits in seiner Metaphysik bei der Erörterung der Begriffe „Ursache“ und „Tätigkeit“ grundgelegt.

Der Jesuit beginnt seine Ursachenlehre in DM 12 im Anschluß an einige kurze Vorbemerkungen zu deren universaler metaphysischer Relevanz[181] mit einer ausführlichen definitorischen Verhältnisbestimmung der Termini „causa“ und „principium“, in der die trinitätstheologische Problematik geradezu die Leitfrage darstellt[182]. „Prinzip“ ist gegenüber „Ursache“ der übergeordnete und weitere Begriff, sozusagen die ihn einschließende Gattung. Daß diese klare terminologische Abstufung nicht nur bei den eben erwähnten griechischen Vätern in der Trinitätstheologie, sondern auch von Aristoteles im philosophischen Kontext nicht immer klar beachtet wird, ist Suárez bekannt; „principiatum“ und „causatum“ scheinen, da gleichermaßen Zielpunkte von relationalen Bestimmungen, gelegentlich ineins zu fallen[183].

(a) Allgemeinste Bestimmung des „Prinzips“ ist nach Suárez seine Priorität gegenüber dem von ihm Prinzipiierten[184], woraus sich eine Ordnung zwischen beiden ergibt, die einen Zusammenfall ausschließt. Bei jeder Rede über Prinzip und Prinzipiiertes gilt es, damit Mißverständnisse vermieden werden, den Punkt exakt zu bestimmen, in dem diese Vorgängigkeit angenommen werden soll. So muß man, wenn man vom Vater als dem „principium divinitatis“ spricht, unbedingt klarstellen, daß damit seine Innaszibilität und Priorität im Hervorbringungsordo der Personen, nicht jedoch etwa eine Vorgängigkeit zum göttlichen Wesen ausgedrückt wird[185]. Prinzip kann etwas nämlich auch dann sein, wenn es nicht in ei-

[181] Vgl. Suárez, DM 12, proleg. (XXV, 372b). Das „metaphysische“ und nicht mehr „physische“ Grundverständnis von Ursächlichkeit bei Suárez (Ursache- bzw. Wirkung-Sein als „proprietas quaedam entis ut sic“ mit transkategorialem Charakter: DM 12 [XXV, 372b]) arbeitet die Interpretation bei CARRAUD (2002) 103-166 heraus.

[182] Vgl. dazu ebd. 126-137.

[183] Vgl. DM 12.1.1 (XXV, 373a): „Ratio vero esse potest, quia principium relationem dicit ad principiatum, sicut causa ad effectum; principiatum autem idem esse videtur quod effectum.“

[184] Vgl. ebd. 8 (375a): „...commune esse omni principio, ut sit aliquo modo prius principiato; hoc enim prae se fert ipsum principii nomen.“

[185] Vgl. ebd. (375b): „Et ad hanc verborum proprietatem videntur alludere Sancti, cum dicunt, Patrem aeternum esse principium, fontem et originem totius deitatis. Non enim ita loquuntur quia Pater sit principium ipsius naturae divinae, quia juxta fidem Catholicam divina natura non habet principium, quia a nullo procedit, alias ab eo distingueretur; unde sicut damnatur haec locutio, Essentia generat, ita et haec, Essentia generatur, vel procedit. Vocant ergo Patrem principium divinitatis, quia in illo gradu seu ordine (ut ita dicam) divinarum personarum solus ipse ita est principium

gentümlicher (d. h. wesensbegründender) Weise Einfluß auf ein anderes Seiendes ausübt[186].

(b) Dagegen ist eine Ursache, wie Suárez später ausführt, in philosophischer Bestimmung stets ein solches Prinzip, das aus sich heraus dem von ihm Verursachten Sein mitteilt[187], was im strikten Sinn auf die Wirkursache zutrifft. Auch diese Definition präzisiert Suárez noch einmal im explizit trinitätstheologischen Interesse[188], indem er den darin enthaltenen Aspekt der Abhängigkeit zwischen Ursache und Wirkung unterstreicht, wie er uns im geschöpflichen Bereich regelmäßig begegnet: Damit Ursächlichkeit vorliegt, ist es notwendig, daß jenes Sein, welches die Ursache aus sich heraus in die Wirkung einfließen läßt, von der Ursache selbst verursacht ist[189]. Die Abhängigkeit des Verursachten von seiner Ursache liegt folglich darin, daß es ein vom Sein der Ursache verschiedenes Sein besitzt, das dennoch in irgendeiner Weise Partizipation des Seins der Ursache ist, da es aus diesem hervorgeht. In dieser Weise kann keine göttliche Person von einer anderen abhängig sein. Denn dasjenige Sein, das durch die Hervorgänge mitgeteilt wird, ist nicht unterschieden vom Sein der hervorbringenden Person, sondern mit diesem identisch. Die einzigartige Eigentümlichkeit der innergöttlichen Hervorgänge besteht gerade darin, daß jede göttliche Person von der anderen ein gänzlich unabhängiges Sein empfängt, das dennoch kein anderes als das numerisch identische Sein der hervorbringenden Person selbst ist. Diese Weise

aliarum personarum in divinitate subsistentium, ut nullum principium habeat; et ideo dicitur principium divinitatis, id est omnis communicationis divinitatis. Filius autem, quia principium habet, non potest absolute vocari principium divinitatis; dicitur autem vere principium Spiritus Sancti, seu communicationis divinitatis per modum spirationis, quia sub ea ratione non habet principium. Sic igitur de ratione omnis principii est, ut sit prius eo cujus est principium; quod si absolute et simpliciter in aliquo ordine principium sit, erit etiam primum in illo ordine." Vgl. auch die Aussagen zum göttlichen Vater als dem „primum principium" der Gottheit in De trin. 8.3, dort bes. n. 6 (I, 718b). Die Lehre des Suárez in DM 12.1 ist, was die Unterscheidung von Ursache und Prinzip, die trinitätstheologische Ausrichtung und die Bewertung der griechischen Väteraussagen betrifft, nicht wesentlich von dem verschieden, was Fonseca, Comm. in Met. l. 5, c. 2, q. 7 (II, 47-55) ausführt.

186 Vgl. das Resümee der Gesamtargumentation bei Suárez, DM 12.1.25 (XXV, 382a).

187 Vgl. DM 12.2.4 (384b-385a): „Causa est principium per se influens esse in aliquid"; vgl. ESCHWEILER (1928) 260; CARRAUD (2002) 130f.145-163.

188 Vgl. die „difficultas ex mysterio trinitatis sumpta" in DM 12.2.6 (XXV, 385a-b).

189 Vgl. ebd. 7 (385b): „Ad hoc ergo explicandum dixi, causam esse quae influit esse in aliud; his enim verbis eadem res declaratur, quae importatur in verbo *dependendi*; significatur autem per illa, ad causalitatem necessarium esse ut illud esse, quod causa per se primo influit in effectum, sit causatum ab ipsa causa, et consequenter quod sit esse distinctum a proprio esse, quod causa in se habet." Zum Verhältnis von „processio" und „causa" vgl. mit Blick auf Thomas von Aquin REINHARDT (1989).

der Hervorbringung ist nach Suárez die höchste nur denkbare Form der Selbstmitteilung, und sie findet sich allein in Gott[190]. Während wir im geschöpflichen Bereich Hervorbringungen stets mit Kausalität verbunden sehen, ist in Gott eine hervorgebrachte Person ebenso wie die hervorbringende göttliches „ens a se“[191]: derselbe, nicht ein art- oder zahlverschiedener Gott[192]. In der Selbstmitteilung „durch vollkommene Identität und gleichsam intimsten Einschluß des Mitgeteilten in dem, dem es mitgeteilt wird“, erhält der Hervorgebrachte vom Hervorbringenden alles mit Ausnahme der inkommunikablen Personalität[193]. Der Blick auf die Trinität erweist damit alle geschöpflichen Hervorgänge als solche unvollkommener Natur und verbietet gleichzeitig eine Übertragung des geschöpflichen Kausalitätsschemas auf die Beschreibung des innergöttlichen Lebens. Suárez resümiert: „Weil also die göttliche Zeugung von der Art ist, daß das Sein, welches in erster Linie durch sie mitgeteilt wird, ein solches ist, das nicht aus einem anderen Sein hervorgeht und das darum weder abhängig noch verursacht, sondern allein von der hervorbringenden Person mitgeteilt ist, darum ist jene Zeugung nicht Bewirkung oder Verursachung (um es so auszudrücken), sondern eine Hervorbringung von weit höherer Beschaffenheit“[194]. Auf diesen unser Vernunftbegreifen

[190] Suárez charakterisiert diese Weise der realen Mitteilung in De incarnatione 11.3.8 (XVII, 443a) mit den Worten: „[communicatio] per identitatem perfectam, et quasi intimam inclusionem (ut sic dicam) ejus rei, quae communicatur, in illa cui communicatur.” Zum scotischen Hintergrund der Rede von einer „communicatio per identitatem“ vgl. MÜHLEN (1953) 93f.; WETTER (1967) 54ff.; CROSS (2005) 167-170. Ebenso sprechen die Scholastiker von einer Prädikation „per identitatem“, die allein in der Rede über Gott, in Sätzen wie „essentia est Pater“, zu finden ist; vgl. MAIERÙ (1981) 491f.; ders. (1988) 251-254.

[191] Vgl. Suárez, DM 28.1.10 (XXVI, 3b-4a): „In divinis autem personis non est hic modus emanationis, quia imperfectus est; et ideo sicut omnes sunt verus et unus Deus, ita omnes sunt unum ens a se, omnesque essentialiter constituuntur per essentiam, quae est suum esse incausatum, et improductum, atque ita quaelibet persona est ens necessarium, non solum quia necessario manat, sed etiam quia essentialiter constituitur per esse et essentiam omnino improductam; quamvis enim persona divina producatur, non tamen ejus natura, sed communicatur personae per ejusdem personae productionem. Non est ergo, quod ab illo mysterio argumentum ad res creatas desumatur.“

[192] Vgl. DM 30.10.12 (XXVI, 140a-b).

[193] Vgl. De incarnatione 11.3.8 (XVII, 443a).

[194] Vgl. DM 12.2.8 (XXV, 386a): „Sic igitur, quia generatio divina talis est, ut esse quod per se primo per illam communicatur, non sit manans ab alio esse, et ideo nec pendens nec causatum, sed communicatum tantum a persona producente, ideo generatio illa non est effectio neque causatio (ut sic dicam), sed productio longe superioris rationis.“ Mit ähnlichen Worten verteidigt Suárez in DM 28.2.13 (XXVI, 12a) den

übersteigenden einzigartigen Ursprung der göttlichen Personen verweist Suárez auch, wenn er die Frage nach rationaler Vereinbarkeit von Einzigkeit und Dreifaltigkeit Gottes beantworten muß[195]. Hier leuchtet Gottes „Grenzenlosigkeit" („infinitas") auf, die in nichts anderem als seiner „excellentia perfectionis" besteht[196].

(c) Obgleich der Begriff des Prinzips nicht die in der Bestimmung des Terminus „Kausalität" aufweisbaren trinitätstheologischen Unvereinbarkeiten mit sich bringt, bleibt doch hinsichtlich seiner noch das Problem bestehen, wie der Vater „Prinzip" des Sohnes heißen kann, obwohl er ihm nicht in zeitlicher Weise vorausgehen darf. Auch damit hat sich Suárez bereits in seiner Metaphysik ausführlich beschäftigt. Seine Antwort läuft auf eine Einschränkung der allgemeinen Definition von „principium" im Falle ihrer trinitätstheologischen Nutzbarmachung hinaus. In Gott, so zitiert Suárez die Lehre des hl. Thomas[197], gibt es eine Ursprungsordnung, ohne daß jedoch eine göttliche Person (d. h. eine relative Subsistenz in der einen Natur) gedanklich oder der Natur nach „früher" wäre als eine andere; es herrscht ein „ordo naturae sine prioritate". Das Moment der Priorität im Begriff „principium" muß darnach, wenn es im strengen Sinne verstanden wird, auf die metaphysischen Gegenstände außerhalb Gottes eingeschränkt werden. Wenn man allerdings die Priorität ausdrücklich (wie es etwa Scotus tut) als eine „des Ursprungs" kennzeichnet oder „nach der Ordnung der Aufzählung" der Personen verstehen will, ist diese Benutzung des Begriffs („cum addito et limitatione") auch trinitätstheologisch zulässig[198]. Dasselbe gilt für die in uneinge-

Charakter der innergöttlichen Relation als „ens increatum" und in DM 30.4.7 (76a) als „ens per essentiam".

195 Vgl. DM 30.10.12 (XXVI, 140a-b): Die Personen in Gott werden nicht aus dem Nichts, sondern aus der göttlichen Substanz hervorgebracht. Sie subsistieren in derselben Natur und sind nicht geschaffen oder abhängig: „sed altiori origine procedunt, quam naturalis ratio cognoscere valeat."

196 Vgl. dazu De incarnatione, Comm. ad q. 1, a. 1, n. 6 (XVII, 35a): „Ubi Pater eamdem numero naturam et essentialem perfectionem Filio communicat, sine ulla privatione vel diminutione sui, neque se communicat propter indigentiam, ut sibi perfectionem acquirat, sed ex perfectionis abundantia, et infinita quadam excellentia"; DM 28.1.18 (XXVI, 6b-7a); De deo uno 2.1.5 (I, 47a): „Deus ergo dicitur infinitus simpliciter proprie et quasi a priori, quia tantae perfectionis est, ut non possit in ea habere superiorem nec aequalem, qui sit distinctae naturae." Zur Mitteilbarkeit dieser „infinitas" in den Hervorgängen vgl. ebd. 7 (47b-48a).

197 Vgl. Thomas, S. th. I, 42, 3.

198 Vgl. DM 12.1.10 (XXV, 376a-377a). Suárez erkennt also in der Verwendung der Vokabel „prioritas" im trinitätstheologischen Kontext, wie sie Scotus anders als Thomas verwendet, keinen sachlichen Unterschied zwischen beiden Autoren. Ähnlich hatte es Fonseca gesehen, der ausdrücklich auf die terminologische Differenz

schränkter Verwendung ebenfalls mißverständliche Rede vom Sohn als „principiatus a Patre“[199]. Suárez macht sich an dieser Stelle das scotische Verständnis einer Ordnung von logisch, nicht zeitlich anzuordnenden „instantia naturae“ bzw. „instantia originis“ in Gott, die vor allem von Nominalisten heftig kritisiert worden war, grundsätzlich für das menschliche Verstehen des trinitarischen „Konstruktionsgeschehens“ nutzbar[200].

(d) Zum Begriff des Prinzips gehört es weiterhin, daß zwischen dem „Früheren“ und dem „Späteren“ eine Verbindung bzw. Abfolge besteht; das bloße „post hoc“ reicht nicht aus[201]. Stattdessen gibt ein Prinzip das „Woher“ des Prinzipiierten in der Ordnung des Seins, des Entstehens oder des Erkennens an[202]. Gemäß den verschiedenen Weisen einer solchen Abfolge (räumlich oder metaphysisch, nach innen oder außen etc.) resultiert eine unterschiedliche Benennung des Prinzips im einzelnen. Da in all diesen unterschiedlichen Prinzipiierungsverhältnissen keine komplette Übereinstimmung im Blick auf das als Prinzip begriffene Seiende, die zwischen ihm und dem Prinzipiat bestehende Relation sowie den jeweiligen Konstitutionsgrund des Verhältnisses besteht, wird der Begriff nach Suárez nicht univok, sondern analog verwendet[203].

(3) Besondere Aufmerksamkeit widmet der Jesuit dem damit zusammenhängenden theologischen Problem, ob auch die doppelte Weise, wie Gott Prinzip zu sein vermag, nämlich einerseits „ad extra“, in seinem schöpferischen Wirken, und „ad intra“, in den innergöttlichen Hervorgängen, in univoker oder nur analoger Weise durch den gemeinsamen Begriff zu erfassen ist[204]. Zweifelhaft ist nicht die Univozität des Prinzipbegriffs im innertrinitarischen Hervorbringungsgeschehen (also zwischen

hinweist; vgl. Comm. in Met. l. 5, c. 1, q. 3 (II, 29D-E): „At Scotus, ut liberior in sua sententia adhibenda, cum considerasset in communicatione divinae naturae dari re vera, et a parte rei aliquam prioritatem communicationis, sive producentis, quae non sit prioritas naturae, non est veritus prioritatem originis inducere, non quidem contra sententiam Divi Thomae, qui huic prioritati, ut a Scoto explicatur, nihil repugnat, sed praeter eius aliorumque antiquiorum consuetudinem huiusmodi prioritatem non nominandi recte tractandi, et forsitan nec animadvertendi.“

199 Vgl. Suárez, DM 12.1.32 (XXV, 383 b).

200 Vgl. auch die ausführliche Darstellung des Problems bei Molina, Comm. in I$^{am}$ q. 42, a. 3 (II, 541a-542b), der sich insgesamt gegenüber der scotischen Redeweise kritischer zeigt, weil er darin offenbar die Gefahr einer Verzeitlichung Gottes nicht hinreichend vermieden sieht. Eine „prioritas ex natura rei“ zwischen göttlichen Personen lehnt Molina selbst als nur gedankliche ab.

201 Vgl. Suárez, DM 12.1.11 (XXV, 377a-b).

202 Vgl. ebd. 12 (377b): „principium esse id unde aliquid est, aut fit, aut cognoscitur”.

203 Vgl. ebd. 13 (378a-b).

204 Vgl. ebd. 16-24 (379b-382a). Prinzipiell ähnlich wie Suárez antwortet in der vorliegenden Frage Fonseca, Comm. in Met. l. 5, c. 1, q. 6, s. 1 (II, 47-49).

„generans" und „spirans"), die Suárez mit Scotus ebenso unbedingt anerkennt wie früher schon die Univozität in der trinitätstheologischen Verwendung von „Person" und „Relation"[205]; es geht vielmehr um den Vergleich von innergöttlichen Hervorbringungen und Schöpfungswirken Gottes.

(a) In der scholastischen Tradition sind dazu, wie Suárez zu referieren weiß, bereits verschiedene Lösungsmodelle (Analogie mit Priorität der Prinzipienfunktion „ad extra" – Analogie mit Priorität der Prinzipienfunktion „ad intra" – Univozität) vertreten worden. Suárez selbst hält eine Antwort in dieser Generalität nicht für möglich, sondern möchte stattdessen seine Stellungnahme nach den drei Aspekten differenzieren, die er zuvor schon bei der Qualifizierung unterschiedlicher Prinzipiierungsverhältnisse identifiziert hatte[206].

(aa) Blickt man erstens auf die beiden Prinzipienrelationen als solche (die Beziehungen Gottes nach außen bzw. innen), so verhalten sie sich analog, weil die Prinzipienrelation Gottes zu den Geschöpfen nur gedanklich, diejenige in der Trinität aber real ist. Diese Analogie ist nach Suárez vermutlich nur eine Analogie der Proportionalität, bei der es vermieden wird, das unendlich voneinander entfernte Endliche und Unendliche in eine unmittelbare Beziehung zu stellen.

(bb) Auch wenn man zweitens den jeweiligen Formalaspekt des Prinzipiierungsverhältnisses (die „ratio principii") vergleicht, stellt man nach Suárez nicht Univozität, sondern wiederum Analogie fest, diesmal allerdings in der stärkeren Form der Attributionsanalogie. Suárez möchte damit die für christliches Schöpfungsdenken im Kontext einer Partizipationsmetaphysik unerläßliche Prämisse festhalten, daß die innergöttlichen Hervorgänge als Bedingung der Möglichkeit des göttlichen Schöpfungshandelns anzusehen sind. Im Hintergrund steht die allgemeine Regel, daß göttliche Attribute in eigentümlicher Weise stets früher von Gott ausgesagt werden als von den Kreaturen. Dies gilt nicht nur von Wesenstermini, sondern auch von den personalen Begriffen. Der Terminus „Person" bzw. „Vater" und „Sohn" wird früher von Gott als von den Kreaturen ausgesagt, von göttlichen und menschlichen Personen nur nachfolgend, eben in analoger Weise. Folglich gibt es ein natürliches Frühersein („antecessio naturalis") der Ursprünge „ad intra" gegenüber denen „ad extra" und ein Verhältnis einseitiger Abhängigkeit. Zwar fordert der Begriff der Schöpfung nach Suárez nicht im strengen Sinne die Trinität der Personen als Möglichkeitsbedingung und darum auch nicht die innergöttlichen Hervorgänge. Von Seiten Gottes aber, sofern in ihm als dreifaltigem die

[205] Vgl. Suárez, DM 12.1.24 (XXV, 381b).
[206] Vgl. ebd. 19-22 (380a-381a).

Personen ebenso als „schlechthin notwendige Seiende“ zu gelten haben wie das Wesen, sie mit dem Wesen identisch und miteinander inseparabel verbunden sind, ist die Trinität notwendig Voraussetzung seines schöpferischen Handelns und hängt die Schöpfung so von den Personen ab, daß sie faktisch nicht von ihnen zu trennen ist[207]. Dasselbe erhellt daraus, daß generell jedes Handeln von einer Person stammt, in dem als dreifaltig erkannten Gott aber keine weitere Person außer den drei Personen existiert, folglich das Schöpfungshandeln Gottes seinen personalen Ursprung nur in den drei faktisch in Gott subsistierenden Personen finden kann. Auch weil schließlich die Schöpfung aus dem Erkennen und der Liebe Gottes hervorgeht, Erkennen und Liebe im trinitarischen Gott faktisch aber mit den Personen des Sohnes und des Heiligen Geistes verbunden sind, gehen die Personen der Schöpfung voraus.

All diese Argumente ändern allerdings nichts an der Tatsache, daß Suárez den notwendigen Konnex zwischen Personen und Schöpfung aus der Sicht Gottes allein auf der wirkursächlichen, nicht jedoch auf einer formal- oder exemplarursächlichen Ebene ansiedelt. Das Band zwischen Trinitäts- und Schöpfungslehre ist hier wesentlich schwächer geworden, als es noch in der Theologie des hl. Thomas war[208]. Aus den Prämissen des Suárez – wie im übrigen weithin auch der frühneuzeitlichen Thomistenschule[209] – ließe sich zweifelsohne die Schlußfolgerung ziehen, daß dieselbe Schöpfung, wie wir sie jetzt wahrnehmen, prinzipiell auch als Wirkung eines einpersönlichen Gottes denkbar bliebe.

(cc) Nur wenn man drittens das Prinzip selbst („materialiter“, als Fundament beider Prinzipiierungsverhältnisse gefaßt) in den Blick nimmt, kann man von einer Univozität im Wirken Gottes nach innen und außen sprechen. Denn es ist unterschiedslos derselbe Gott, der „Prinzip“ der Hervorgänge nach innen und Prinzip der Kreaturen nach außen ist. Auch Schöpfer ist Gott von Ewigkeit, wenigstens sofern diese schöpferische Kraft als Möglichkeit im Attribut der Allmacht grundgelegt ist, das wie

[207] Vgl. auch DM 7.2.27 (XXV, 270b-271a).

[208] Offener als Suárez gibt diese Differenz Fonseca zu, wenn er in Comm. in Met. l. 5, c. 1, q. 6, s. 2 (II, 50D-E) bemerkt: „Fateor, D. Thomam saepe, ut 1 dis. 29 q. 1 ar. 2 et 1. p. q. 45 art. 6. et alios plerosque Theologos affirmare productionem divinarum personarum esse exemplar, et habere causalitatem in productione creaturarum, verum improprie id dicitur, tum quia ratio causandi causae exemplaris in productione creaturarum debet esse communis toti trinitati, tum quia debet esse finita et limitata: quemadmodum et ipsa creaturarum productio.“

[209] Verwiesen sei exemplarisch nur auf Johannes a S. Thoma, In I[am] qq. 29-32, disp. 34, a. 3, n. 7 (Ed. Solesmes, IV/2, 207): „Virtus creativa non est notionalis, sed pure absoluta; nec requirit pluralitatem personarum, etiam ut condicionem intrinsecam ad creandum“.

alle göttlichen Wesensattribute in der unendlichen Vollkommenheit Gottes wurzelt[210].

(b) In diesen Ausführungen wird bereits der entscheidende Charakterzug in der suárezischen Verhältnisbestimmung von immanenter Trinität und Wirken Gottes nach außen faßbar. So wenig wie die Dreipersonalität durch die natürliche Vernunft abgeleitet oder demonstriert werden kann, so wenig gibt es eine naturnotwendige Verbindung des Schöpfungsbegriffes mit der Annahme eines trinitarischen Gottes. „Natürliche" Schöpfungslehre kann, ja muß ebenso wie „natürliche" Theologie von der Trinität absehen. Wie wirkungslos für Suárez das Wissen um Gottes Trinität für die natürliche Gotteslehre bleibt, zeigt sich vielleicht nirgends deutlicher als in den Ausführungen seiner Metaphysik und Gotteslehre, die dem „Leben Gottes" gewidmet sind. Wer vermutet, daß der christliche Theologe zu diesem Thema nicht ohne Beziehung auf die Dreipersönlichkeit auskommen kann, findet bei Suárez keine Unterstützung. Vielmehr hält dieser es nicht für notwendig, bei der Rede von der Lebendigkeit Gottes auf die innergöttlichen Hervorgänge zu verweisen, obwohl diese unbezweifelbar „actus vitae" sind. Da sie die natürliche Vernunft übersteigen, sind sie als solche nicht notwendig, um das „wesenhafte Leben" Gottes zu verstehen. Dieses würde sich nämlich nach Suárez auch dann nicht verändern, wenn es keine Hervorbringungen nach innen gäbe und Gott folglich als eine einzige Person subsistierte. Dafür verweist er auf die Person des Heiligen Geistes, der jetzt ebenfalls vollkommener Gott genannt wird, obwohl er nichts hervorbringt. Somit konstituieren die göttlichen Personen nicht die „lebendige und in höchstem Maße fruchtbare Natur" Gottes, sondern setzen sie vielmehr voraus[211]. Darum überrascht es nicht, daß Suárez das Kapitel über die Glückseligkeit Gottes in DM 30 gleichfalls unter Absehung von der Trinität schreiben kann[212]. Für

[210] Vgl. ÁLVAREZ (2000) 175ff.

[211] Vgl. Suárez, DM 30.14.8 (XXVI, 167b): „Verumtamen illae superant rationem naturalem, et per se non sunt necessariae ad intelligendam essentialem vitam Dei. Nam hic Deus ut sic est essentialiter vivens, etiamsi ut sic nihil ad intra producat. Et similiter, si in tali essentia una persona tantum subsistens intelligeretur, esset vivens ex vi talis essentiae; sicut etiam nunc Spiritus Sanctus perfectissime vivit, licet nihil ad intra producat; et Filius intelligendo vivit, quamvis intelligendo non producat. Processiones ergo illae per se ac formaliter non erant necessariae ad vitam, esse tamen non potuissent, nisi in natura vivente et foecundissima. Et ideo nobis, qui eas credimus, recte declarant perfectissimam vitam divinae naturae." Vgl. auch die Ableitung des „esse vivens" als absoluter Perfektion Gottes ohne trinitätstheologische Bezüge in De deo uno 1.3.11-14 (I, 11a-12a).

[212] Vgl. DM 30.1.16-18 (XXVI, 169b-170a).

die Diskussion der übrigen Attribute Gottes, die ihm als dem Einen zukommen, gilt Nämliches.

Damit haben wir zugleich eine versteckte Parallele zwischen Gotteslehre und Christologie bei Suárez im Blick auf die Rolle der Subsistenz aufgedeckt: Wie im Menschgewordenen die göttliche Subsistenz des Wortes gegenüber der angenommenen geschöpflichen Natur auf eine konstitutionsontologische Funktion eingeschränkt ist, um das wahre Menschsein nicht zu beeinträchtigen, so dürfen die drei Subsistenzen im Blick auf das eine göttliche Wesen ebenfalls keine dieses als solches modifizierenden Einflüsse ausüben. Würden Leben, Erkennen, Wollen etc. Gottes in einer persondifferenten Selbständigkeit und Vielheit vorliegen, wäre dadurch nicht bloß die Einheit Gottes gefährdet, sondern ergäbe sich a fortiori das Erfordernis, auch die angenommene Menschennatur als personal (und nicht bloß naturhaft) konstituiert zu verstehen. Einer trinitätstheologischen Tendenz zum Tritheismus würde dann in der Christologie eine Tendenz zur bipersonalistischen Fehldeutung entsprechen.

Die ebenfalls nicht unproblematische Konsequenz des suárezischen Modells ist eine andere: Wenn die innergöttlichen Hervorgänge schon für die natürliche Gotteslehre keine wirkliche Relevanz besitzen, überrascht es kaum, daß auch die Trennung von Trinitäts- und Schöpfungslehre, wie dargestellt, recht deutlich ausfällt. Als rein durch übernatürliche Offenbarung vermittelt, fungiert das Wissen um die drei Personen in Gott zwar als vom Theologen unbestritten anzusetzende Voraussetzung des Schöpfungshandelns. Für die Vernunft bleibt die Trinität dabei aber selbst in der schöpfungstheologischen Reflexion die eher unwahrscheinlichere (wenn auch nicht unvernünftige bzw. unmögliche) Alternative neben der Einpersönlichkeit. Außerhalb des eigentlichen Trinitätstraktates, unter dessen offenbarten Prämissen selbstverständlich die faktische Notwendigkeit der drei Personen in Gott und ihre Untrennbarkeit vom Wesen nicht bezweifelt werden kann[213], bleibt die Dreipersönlichkeit Gottes, was den Weltbezug angeht, ein übernatürliches „superadditum".

(4) In den Zusammenhang der strikten Abgrenzung zwischen innergöttlichem Leben und Schöpfung Gottes gehört die ebenfalls noch in DM 12 zu findende Erläuterung, daß aus der zuvor im Blick auf den Begriff „Hervorgang" nachgewiesenen Analogie der Tätigkeit Gottes nach innen und außen eine ebensolche Analogie bezüglich des Begriffspaares „potentia generandi" – „potentia creandi"[214] nicht abgeleitet werden kann. Denn von einer „Potenz", welche innertrinitarisch der aktualen Hervorbringung vorausginge, wie die Möglichkeit zur Schöpfung dem Schöpfungsakt vo-

[213] Vgl. auch DM 7.2.27 (XXV, 270b-271a).
[214] Vgl. DM 12.1.23 (381a-b).

rausgeht, kann man in Gott streng genommen nicht sprechen. Der Grund dafür liegt darin, daß die Macht Gottes hinsichtlich der Kreaturen auf eine Setzung zielt, die von ihm selbst unterschieden ist („emanatio transiens") und die nicht notwendig, sondern frei erfolgt. Die Mächtigkeit zur Zeugung oder Hauchung der göttlichen Personen dagegen bezieht sich auf ein Gott immanentes Hervorbringungsgeschehen, welches real niemals nur potentiell angelegt sein kann, sondern immer schon aktuell realisiert ist. In diesem für die natürliche Metaphysik nicht mehr erfaßbaren Sinn[215] spricht man von einer „Potenz" in Gott eher mit Blick auf die Schöpfung als auf die innertrinitarischen Hervorgänge; hier hat der Begriff eine Funktion nur für unser Verstehen, und sie werden die diesbezüglichen Ausführungen in Buch 6, Kap. 5 des suárezischen Trinitätstraktates näher beschreiben. In der Trinität ist der „actus secundus" der vollzogenen Hervorgänge vollkommener als die im Sinne des „actus primus" gedanklich-abstraktiv konzipierte bloße Wesenspotenz, während im Verhältnis Gottes zur Kreatur genau das Umgekehrte gilt: Der mit Unvollkommenheit (im Sinne zeitlich-freier Realisierung) behaftete „actus secundus" verweist dort auf die ihm vorausliegende, alle Effekte unendlich übersteigende Größe der ursächlichen (All-)Macht und schöpferischen Potenz Gottes.

Im unmittelbaren Kontext unserer Erörterung genügt es festzuhalten, daß Suárez mit der Ablehnung einer immanenten Hervorbringungspotenz erneut jede Spur der Verendlichung von Gott fernzuhalten bemüht ist. In Gott kann es wegen der größeren Allgemeinheit des Prinzipienbegriffs gegenüber dem der Ursache Prinzipiierungs-, aber kein Kausalitätsgeschehen geben. Das zentrale Anliegen der Trinitätslehre bei Thomas und anderen mittelalterlichen Scholastikern, den Hervorgang der Personen in Gott klar vom göttlichen Schöpfungswirken zu trennen und damit zugleich die absolute Freiheit und Gratuität der Schöpfung von der Notwendigkeit des innergöttlichen Lebensvollzuges abzuheben[216], ist bei Suárez unverkürzt gewahrt.

[215] Dies betont Suárez in DM 30.16.11 (XXVI, 486b-487a) und verweist auf die diesbezüglichen Ausführungen innerhalb der Trinitätslehre.

[216] Vgl. Thomas, S. th. I, 32, 1 ad 3; dazu HÖDL (1965) 5f.; EMERY (2004c) 16. Thomas verzichtet in der Gotteslehre nicht auf die Heranziehung des „bonum diffusivum sui"-Axioms. Indem er es aber ganz auf den zuhöchst innerlichen Hervorgang im Schoße Gottes als der vollkommensten Natur bezieht, hält er jedes neuplatonisch-emanatistische Mißverständnis fern. Vgl. ScG IV, c. 2: „Secundum diversitatem naturarum diversus emanationis modus invenitur in rebus: et quanto aliqua natura est altior, tanto id quod ex ea emanat, magis ei est intimum." Vgl. auch VANIER (1953) 22-54 (dionysischer Einfluß bei Thomas im Vergleich mit anderen Theologen der Zeit); GARRIGOU-LAGRANGE (1951) 49f.72; OBENAUER (1996) 69-72. Grö-

(5) Nur noch kurz hingewiesen sei darauf, daß Suárez in seiner Metaphysik die innergöttlichen Hervorbringungen nicht nur von jedem ursächlichen Wirkgeschehen, sondern auch von der Subsumierung unter göttliche Handlungsvollzüge („actiones") im strengen Sinne abgegrenzt hat. Hier ist Suárez noch strikter als Thomas, der, wenn auch mit Einschränkungen, durchaus von „actiones immanentes" in Gott spricht[217]. Wiederum besteht das entscheidende Argument des Jesuiten im Verweis auf die Realidentität der immanenten Akte Gottes, Erkennen und Lieben, mit der göttlichen Wesenheit. Auch sofern diese Akte in Gott Personen hervorbringen, sind sie nicht als „actio" im prädikamentalen Sinne zu bezeichnen, da ihnen die dafür notwendige Differenz von bewirkendem Prinzip und von diesem hervorgehender, abhängiger und unterschiedener Tätigkeit fehlt. Man könnte formulieren: Gerade im Interesse des „Immanenz"-Kriteriums, wie es für die thomanische Trinitätslehre selbst zentral ist, hält Suárez den Terminus „actio" für mißverständlich. Wie beim Kausalitätsbegriff läßt auch im Blick auf ihn die fehlende ontologische, eine Stufungsfolge bedingende „Abhängigkeit" des Prinzipiierten vom Prinzip eine trinitätstheologische Verwendung nicht zu[218]. Diese

ßer ist die Rolle des Motivs bei Bonaventura, vgl. BEIERWALTES (2001). Für Scotus ist das „bonum diffusivum"-Axiom trinitätstheologisch gleichfalls bedeutungslos: WETTER (1967) 23f.; VIGNAUX (1976b) 223-226. Auch er grenzt selbstredend freie Schöpfung und notwendige innergöttliche Hervorgänge klar voneinander ab; vgl. nur Ord. I, dist. 2, p. 2, q. 1-4, n. 261 (Ed. Vat. II, 281f.). Stark betont wird das korrekte Verständnis der Hervorgänge in Gott als Bedingung für eine nichtdeterministische Schöpfungsvorstellung bei Heinrich von Gent, qdl. 6, q. 2 (Op. X, 33-36); vgl. FLORES (2006) 124-133.

217 Vgl. etwa Thomas, De pot. 8, 1 c.; S. th. I, 27, 2 c.: „Verbum (...) procedit per modum intelligibilis actionis, quae est operatio vitae"; I, 27, 3 c.: „In divinis non est processio nisi secundum actionem"; I, 27, 5 c.: „Processiones in divinis accipi non possunt nisi secundum actiones quae in agente manent. Huiusmodi autem actiones in natura intellectuali et divina non sunt nisi duae, scilicet intelligere et velle". Die Thomisten haben diese Redeweise gegen Suárez beibehalten; vgl. GARRIGOU-LAGRANGE (1951) 70.

218 Vgl. Suárez, DM 48.4.12 (XXVI, 891a-b): „...actiones immanentes si sint propriae Dei, non sunt actiones accidentales, imo neque actiones proprie et in rigore sumptae. Nam si metaphysice tantum consideremus actus immanentes Dei, qui sunt intelligere et amare, non solum non sunt accidentia, sed ipsamet substantia Dei, verum etiam nulla in eis intelligitur origo realis, ut possint actiones vocari. Si vero theologice illi actus considerentur, quatenus per eos realiter procedunt ad intra duae personae divinae, adhuc non possunt actiones proprie nominari, vel quia actio, ut actio, includit quod ipsamet realiter emanet a principio agente; ibi autem actiones non emanant, licet emanent personae; vel certe quia actio, ut actio, includit dependentiam; nam actio dicit habitudinem ad rem actam seu factam; at vero in his processionibus personarum nulla est dependentia, ut supra, disp. 12 de causis, dictum est.

These ist in der Folgezeit von den strikteren Thomisten regelmäßig kritisiert worden, die den Begriff der „actiones immanentes" gegen den Vorwurf der notwendigen Implikation von Unvollkommenheit verteidigt haben[219].

Itaque inter immanentes nulla est actio propria, quae non sit actio agentis creati, et ideo nulla est quae non sit ex subjecto et in subjecto, quia agens creatum nihil potest efficere, nisi ex praesupposito subjecto, et per actionem receptam in illud." Suárez wiederholt die Abgrenzung der innergöttlichen Hervorgänge von „operationes" bzw. „actiones in toto etiam metaphysico rigore" in seiner Relectio De libertate voluntatis divinae 1.2.15 (XI, 404a-b).

[219] Vgl. DORONZO (1968) 117f., n. 126, mit Anm. 75.

# Kapitel 5: Die Dreiheit der Personen und die Vervielfachung mit ihnen verbundener Prädikate in Gott

Im Mittelpunkt des dritten Buches von „De trinitate" steht für Suárez ein Folgeproblem der innergöttlichen Personenunterscheidung: Können auf ihrer Grundlage weitere Begriffe, die mit dem der Person engstens verbunden sind, in trinitarischer Anwendung vervielfacht werden? Im einzelnen untersucht Suárez diese Möglichkeit im Blick auf den abstrakten Personbegriff selbst („personalitas"), die in der Persondefinition verwendeten Begriffe „Subsistenz" und „Existenz" sowie die von jedem Seienden als solchen prädizierbaren Transzendentalien. Ausführliches Augenmerk erfährt dabei die transzendentale „bonitas", da mit ihr die Frage nach getrennten personalen Vollkommenheiten verbunden ist, deren positive Beantwortung die Einheit Gottes in besonderem Maße zu gefährden droht. In allen folgenden Erörterungen geht es also um die Festsetzung korrekter Prädikationsregeln für die Rede über die drei real unterschiedenen Personen in der einen göttlichen Wesenheit und damit um ein zentrales Kapitel „trinitarischer Grammatik".

Während das Verhältnis der göttlichen Hypostasen zu Zahlbestimmungen in allgemeinster Form seit der Väterzeit als „ein fürchtenswertes Problem"[1] bekannt war, ist die bei Suárez und vielen nachfolgenden Autoren zu findende umfassende Verknüpfung mit der Transzendentalienfrage eine Eigentümlichkeit der frühneuzeitlichen Scholastik. Thomas sind derartige Reflexionen über mit den Personen in Gott multiplikable Seinseigenschaften und ihre abstrakt reflektierten Konstitutionsprinzipien noch fremd, was offensichtlich damit zu tun hat, daß er die Personen bzw. Relationen in ontologischer Hinsicht ganz und gar im einen, ungeteilten Sein Gottes gründen läßt. Schaut man, welche Begriffe er innerhalb der Trinitätstheologie der Summa durch das Zahlwort „tres" vervielfacht, so findet man neben der selbstverständlich und durchgängig gebrauchten Formel von „tres personae" / „hypostases" die Rede von „tres subsistentiae" (I, 29, 2 ag. 1), wobei „subsistentia" hier ganz dem altkirchlichen Sprachgebrauch entsprechend als mit „Person" gleichbedeutendes Kon-

[1] VON BALTHASAR (1985) 110; zum Thema „Trinität und Zahl" vgl. ebd. 110-116.

kretum zu verstehen ist[2]. Verdreifacht werden mit den Personen weiterhin die mit ihnen identischen Relationen (I, 30, 2 ad 1) und Personalitäten bzw. personalen Proprietäten (I, 39, 3 ad 4) sowie die sie charakterisierenden Notionen (I, 32, 3 c.). Schließlich können alle Wesensattribute Gottes in adjektivischer Form von jeder der Personen ausgesagt werden („tres existentes / sapientes / aeterni / habentes deitatem etc.“: I, 39, 3 c. / ad 1). Ausdrücklich abgelehnt wird von Thomas die Vervielfachung substantivisch gebrauchter Wesenstermini (wie „tres substantiae“: I, 39, 3 ad 2; „tres essentiales unitates“: I, 31, 1 arg. 4; „tres caritates / sapientiae etc.“: I, 37, 1 ag. 1). Wir werden im folgenden sehen, wie und warum Suárez über diese Vorgaben hinausgeht.

## 1) „Drei Personalitäten“?

Wenn in Gott drei Personen real zu unterscheiden sind, wie der Glaube gegen Sabellius bekennt, muß auch ein jeweils unterschiedliches Formalprinzip dieser Personen angebbar sein: Einer und derselben Person kann nicht aus gleicher Quelle „distinctio personalis“ und „unitas personalis“ zukommen[3]. Um dies zu bestätigen, legt Suárez seine früher referierten Aussagen über die Inkommunikabilität des Personseins zugrunde, in denen für jede subsistierende Entität die Inexistenz in einem anderen Suppositum bzw. einer von ihr unterschiedenen Hypostase ausgeschlossen wurde. Wie wir wissen, hat diese Inkommunikabilität ihren Grund in einer positiven Entität, die man auch trinitätstheologisch geltend machen kann. Wenn man das Formalprinzip der Person (ihr „principium quo“) bzw. ihre sie jeweils konstituierende personale Proprietät mit dem Begriff „personalitas“ bezeichnen will, ist nach Suárez (wie auch schon nach Thomas von Aquin[4]) die Rede von „tres personalitates“ in Gott zulässig. Auch wenn dieser Terminus im Sprachgebrauch der Tradition nicht eindeutig definiert bzw. legitimiert scheint, bezeichnet er doch eine unbezweifelbare Wirklichkeit[5].

2 Dies merkt mit Recht STOLZ (1939) 346, Anm. 21, an.

3 Vgl. Suárez, De trin. 3.3.2 (I, 591a).

4 Vgl. die bereits erwähnte Stelle Thomas, S. th. I, 39, 3 ad 4, wo Thomas ausdrücklich den Begriff „tres personalitates” mit „tres personales proprietates“ erklärt.

5 Vgl. Suárez, De trin. 3.3.4 (I, 591b): „Nunc autem supponimus, esse in Deo proprietates reales constituentes personas quas nos abstracte concipimus, recteque significamus, ita ut licet modus concipiendi sit ex imperfectione nostra, nihilominus res concepta, et significata vera, et realis sit. Has ergo proprietates, personalitates vocamus, easque asserimus ita esse distinguendas, et multiplicandas in re ipsa, sicut ipsasmet personas.“

Daß die These von der Dreiheit der „personalitates" in Gott dessen Einfachheit nicht schmälert, begründet Suárez auf zweifachem Wege[6]. Zum einen weist er darauf hin, daß die Einfachheit der göttlichen Personen die jeweilige Identität mit ihrer „proprietas" bzw. „personalitas" verlangt. Wenn nun die Person in Gott keine Hinzufügung darstellt, welche Einheit und Einfachheit des göttlichen Wesens zu tangieren vermöchte, gilt Selbiges auch von allen mit dem Personbegriff konvertiblen Termini. Zum anderen ist der „per oppositionem" zu beschreibende Unterschied der Personalitäten eigentlicher Grund der Personunterscheidung; wie aber diese selbst mit dem Wesen Gottes vereinbar ist, weil absolutes und relatives Sein im zuhöchst einfachen Wesen Gottes zugleich bestehen können[7], muß es auch ihr formaler Grund sein. Im Hintergrund steht die durch alle scholastischen Schulen akzeptierte und von Suárez bereits in seiner Christologie[8] zur Anwendung gebrachte Regel, daß die Einheit eines substantivischen Begriffs durch die Einheit der sie begründenden Form garantiert ist, wie sie in ihm selbst konkret ausgedrückt wird bzw. wie sie ihn in abstrakter Formulierung bedingt[9]. Ein Substantiv bezeichnet einen Gegenstand „per modum substantiae". Die Substanz aber hat ihre Einheit von der Form, durch welche sie in formaler Hinsicht bestimmt wird. Damit verweist das „nomen substantivum" unmittelbar auf die substanzkonstituierende Form, und zwar „per modum per se stantis", indem es also die Substanz in ihrem Selbstand bezeichnet. Auch wenn es mehrere Supposita derselben Formbestimmung gibt, werden sie doch „ex vi nominis substantivi" nach Art eines einzigen durch diese Form Konstituierten bezeichnet. Die Prädikation erfolgt „singulariter", weil der Name Ausdruck ihrer Einheit in der Form ist. Daraus folgt nach Suárez eine weitere Regel: Wo es unterschiedliche „nomina substantiva" gibt, muß ihnen auch eine Formenpluralität zugrundeliegen (eine „multitudo formae directe ac formaliter significatae per nomen"). Denn eine Vielheit konkreter Bezeichnungen, der eine Einheit der (abstrakten) Form korre-

[6] Vgl. ebd.

[7] Vgl. etwa DM 4.8.9 (XXV, 139b-140a).

[8] Vgl. De incarnatione 13.2.13 (XVII, 488a); Suárez will dort beweisen, daß Christus auch dann nur ein einziger Mensch wäre, wenn alle drei göttlichen Personen seine Menschheit angenommen hätten: „Et ratio est, quia ad unitatem termini substantivi sufficit unitas formae, ut optime docuit D. Thom., l p., q. 36, art. 4, et quaest. 39, art. 3, quia terminus substantivus, ut homo, formaliter significat formam seu naturam, ut in habente illam, et ideo ut simpliciter dicatur unus homo, sufficit unitas naturae."

[9] Vgl. De trin. 3.3.5 (I, 591b-592a): „ad unitatem nominis substantivi sufficere unitatem formae, formaliter significatae per nomen, seu formae a qua tale nomen sumptum est."

spondierte, würde der erstgenannten Regel widersprechen[10]. Das Ergebnis dieses prädikationslogischen Exkurses für die Trinitätslehre lautet[11]: Die drei Personen in Gott sind nicht drei Götter, weil ihnen eine „pluralitas deitatum“ auf der Ebene der Konstitutivformen fehlt. Als Personen aber müssen den dreien „tres personalitates“ zugrundeliegen. Denn auch „persona“ ist ein Substantiv, das eine „erste Substanz“ im Sinne der aristotelischen Kategorien bezeichnet (eben das jeweilige „per se subsistens“ und „incommunicabile“). Eine Multiplikation von Personen ist darum nur bei Multiplikation der „personalitates“ legitim, ebenso wie personale Einheit (etwa im Falle Christi) einer einzigen „personalitas“ korrespondieren muß.

## 2) „Drei personale Subsistenzen“?

War die erste Frage noch recht unkompliziert zu lösen, führt die zweite nach Suárez zu einem der unbestrittenen Kernprobleme, das Trinitätstheologie und Christologie verzahnt: Gibt es in Gott drei personale, relative Subsistenzen, die mit den drei Personen identifiziert werden dürfen? Daß der Jesuit der Frage eine hohe Bedeutung zugemessen hat, zeigt sich allein dadurch, daß er sie nicht nur in „De trinitate“, sondern auch in „De incarnatione“ (11.4.4), hier sogar noch ausführlicher, behandelt hat. Suárez betrachtet die exakte Bestimmung der Subsistenz und ihrer Rolle geradezu als den Dreh- und Angelpunkt der Christologie überhaupt[12], und für die Trinitätslehre gilt Ähnliches. Da er zudem im trinitätstheologischen Kontext auf die frühere Erörterung in „De incarnatione“ ausdrücklich verweist und sich zu ihrer bleibenden Gültigkeit bekennt, sind beide Darstellungen im folgenden zusammenzuführen, wobei der christologische Argumentationsgang als Basistext gewählt wird. Vorausgesetzt ist in den folgenden Erörterungen bereits die suárezische Lehre von einer absoluten Subsistenz in Gott, die in unserer Studie erst an einem späteren Ort eingehender behandelt wird[13]. Für das Verständnis der Argumentation setze man sie bereits hypothetisch voraus.

[10] Vgl. ebd. 6 (592a-b).

[11] Vgl. ebd. 7 (592b).

[12] Vgl. De incarnatione, q. 3 (XVII, 430b); „Quoniam vero totius materiae huius intelligentia pendet ex cognitione subsistentiae, vel existentiae divinae, quae formaliter est terminus hujus unionis, ideo operae pretium duco ante expositionem litterae D. Thomae disputationem praemittere, in qua quid utraque harum sit, breviter tradamus“.

[13] Vgl. unten Kap. 6, 4).

Der Sinn der vorliegenden Frage ist die Ermittlung des Formalgrundes der dreifachen personalen Subsistenz in Gott. Während der Terminus „subsistentia", wie Suárez historisch korrekt feststellt[14], bei den Vätern meist als „nomen concretum" gebraucht wird und dann in unproblematischer Weise für die konkrete Hypostase bzw. Person steht, verwenden die Scholastiker das Wort oft im Sinne eines „nomen abstractum", das den Grund des Subsistierens in einer Person bezeichnet, dessen Bestimmung im Falle Gottes kontrovers ist. Zwei Modelle sind nach Angaben des Suárez in der theologischen Tradition zum Problem entwickelt worden.

(1) Die erste These setzt in Gott nur eine einzige (absolute) Subsistenz an. Von ihr beziehen auch die drei Personen bzw. Supposita ihre personale Subsistenz[15]. Wenn die göttliche Natur als wesenhaft subsistierend, also durch sich selbst existierend, gedacht werden muß, scheinen davon und voneinander distinkte personale Subsistenzen schlicht überflüssig zu sein. Diese Behauptung kann argumentativ dadurch untermauert werden, daß einerseits im Blick auf die innergöttlichen Relationen, welche als „esse ad aliud" die Personen konstituieren, eine subsistenzbegründende Funktion nicht ausmachbar ist und daß andererseits im Blick auf die absolute Subsistenz Gottes die Annahme ihrer weiteren Bestimmbarkeit durch personale Subsistenzen als geradezu definitionswidrig erscheinen muß. Gegen den Vorwurf, daß die drei Personen damit ontologisch neutralisiert werden, verweisen die Vertreter der Ansicht darauf, daß den Personen zwar nicht die je eigene Subsistenz, wohl aber die davon zu unterscheidende Inkommunikabilität aufgrund ihres Eigenseins, näherhin „ratione relationis" zukommt.

Diese erste These hat nach Suárez Anhänger sowohl unter solchen Theologen gefunden, die zu einer negativen Persondefinition neigen (Scotus, Durandus[16], Marsilius[17]) und darum mit der Zuschreibung positi-

[14] Das Wissen um den Bedeutungswandel im Subsistenzbegriff ist allerdings Gemeingut der barockscholastischen Autoren; vgl. etwa auch Vázquez, Comm. in I$^{am}$ 125.1.3 (II, 136a).

[15] Vgl. Suárez, De incarnatione 11.4.1 (XVII, 448a-b); De trin. 3.4.2 (I, 593b-594a).

[16] Ein deutliches Zeugnis dafür, daß Durandus wie die Thomisten die Subsistenz der Personen formal nicht aus ihren Proprietäten, sondern aus der göttlichen Wesenheit ableiten will, findet sich in 3 Sent. d. 1, q. 2, n. 7 (211rb-va). Dort identifiziert Durandus das Subsistieren mit dem „esse ad se", das per definitionem nicht der Relation (dem „esse ad aliud"), sondern nur dem Wesen zukommen kann: „in divinis vero licet suppositum sit illud quod subsistit, tamen ratio formalis suppositi non est per se subsistentia, nec fundatur in proprietate per se subsistendi, sed est ad aliud esse et ideo per aliud est suppositum et per aliud subsistit: est enim suppositum formaliter et completive per proprietatem relativam, subsistit autem non per proprietatem relativam, sed per essentiam vel substantiam. Cuius ratio est, quia subsistere dicit esse secundum perfectissimum modum essendi, sed perfectissimus modus essendi est es-

ver Formalkonstitutiva an die Personen zurückhaltend sind, wie auch aus dem Kreis der strengen Thomistenschule (Paludanus, Ferrariensis, Capreolus[18], auch Vitoria und Soto werden ihr zuweilen zugerechnet), die den dreifaltigen Gott ganz und gar vom einen und einzigen wesenhaften „actus essendi", dem subsistierenden „esse per essentiam" her verstehen wollen, neben dem es kein eigenes personales Seinsprinzip geben kann. Die Ansetzung unterschiedlicher Subsistenzgründe für Wesen und Personen erschiene ihnen als Gefährdung der seinshaften Einheit Gottes. Ausdrücklich stellt Suárez in „De incarnatione" auch Augustinus und Thomas selbst in die Nähe dieser Meinung, und dies durchaus begründetermaßen. Augustinus wird bereits bei Durandus für die vorliegende These beansprucht[19]. Zwar spricht der Kirchenvater nicht von einer Subsistenz des Wesens, betont aber unermüdlich, daß das „ad se" Gottes allein zur Substanz, das „ad aliud" dagegen zur Relation gehört[20]. Bei Thomas finden sich wiederholt Aussagen wie diejenige, daß es in Gott kein Sein außer dem der Wesenheit gibt und die Relationen folglich nicht aus sich, sondern aufgrund der Wesenheit subsistieren[21]. Die Relationen dürfen

se in se vel ad se, hoc autem non convenit alicui in divinis nisi ratione essentiae, quia per omnia alia, supposita divina dicuntur ad aliud, et non ad se, quare suppositum divinum subsistit per essentiam, et non per proprietatem relativam. (...) Absurdum est autem, ut substantia relative dicatur: omnis ergo res ad seipsam subsistit quanto magis Deus?"

17 Zum Personbegriff des Marsilius vgl. MÖHLER (1949) 59-69. Marsilius bestimmt Personalität allerdings nicht wie Scotus auf rein negativem Wege (über das Moment der Unmitteilbarkeit), sondern über die gemeinsame Proportion der Subsistenzen zur Wesenheit. Zumindest eine Ähnlichkeit des Personbegriffs zu den Universalien wird damit anerkannt. Zur Charakterisierung des marsilianischen Theologieverständnisses insgesamt vgl. HOENEN (2000); SANTOS NOYA (2000) (Fazit: Marsilius stützt sich – auch in der Trinitätstheologie – vor allem auf die positive Kirchenlehre und eine „allgemein geltende" Theologie).

18 Vgl. Capreolus, Defensiones, l. 3, d. 1, q. un. (V, 1-13).

19 Vgl. Durandus, 3 Sent. d. 1, q. 2, n. 7 (211rb-va).

20 Vgl. beispielhaft Augustinus, De trin. V, 8 (CCL 50, 215, ZZ. 1-6): „Quapropter illud praecipue teneamus, quidquid ad se dicitur praestantissima illa et diuina sublimitas substantialiter dici; quod autem ad aliquid non substantialiter sed relatiue; tantamque uim esse eiusdem substantiae in patre et filio et spiritu sancto ut quidquid de singulis ad se ipsos dicitur non pluraliter in summa sed singulariter accipiatur"; V, 11 (ebd. 218, ZZ. 1-4): „Quod autem proprie singula in eadem trinitate dicuntur nullo modo ad se ipsa sed ad inuicem aut ad creaturam dicuntur, et ideo relatiue non substantialiter ea dici manifestum est."

21 Vgl. Thomas, De pot. 8, 2 ad 11: „in divinis nullo modo est esse nisi essentiae; et propter hoc, sicut in Deo est tantum unum intelligere, ita etiam unum esse. Et ideo nullo modo concedendum est, quod aliud sit esse relationis in divinis, et aliud essentiae"; ebd. 8, 3 ad 7: „Relationes autem in divinis etsi constituant hypostases, et sic faciant eas subsistentes, hoc tamen faciunt in quantum sunt essentia divina: relatio

demgegenüber nicht „per modum existentis in substantia“[22] bezeichnet werden, womit ihnen erneut keinerlei seinskonstitutive Rolle zugestanden wird. Hintergrund ist die These vom „unum esse dei“[23], an welche die Thomistenschule in ihrem allergrößten Teil regelmäßig und treu angeknüpft hat; ein bloßes „durandizare“, wie es ein Jesuit der Zeit nach Suárez den thomistischen Vertretern mit Hilfe des originellen Eponyms einmal vorgeworfen hat[24], liegt sicher nicht vor.

(2) Die Gegenthese zur ersten Meinung wird nach Suárez einsichtigerweise von allen Theologen vertreten, die eine absolute Subsistenz in Gott ablehnen und darum von „Subsistenz“ in Gott allein im personbezogenen Plural sprechen. Unter sie zählt der Jesuit explizit Vertreter der vorscotischen Franziskanerschule (Alexander von Hales, Bonaventura). Aber auch unter den Befürwortern der „subsistentia absoluta“-Lehre hat sie Anhänger gefunden, aus denen Suárez vor allem Cajetan und nach ihm weitere „recentiores Thomistae“ nennt, welche auf die Trinitätslehre der thomanischen Summa rekurrieren. Drei „relative Subsistenzen“ bestehen in ihrer Sicht zugleich mit der einen „absoluten“[25]. Die Verweise auf thomanische Texte, die Suárez referiert, fallen im Vergleich zu den Zitierungen in der ersten These allerdings eher allgemein und undeutlich aus. Wie wir schon zu Beginn bemerkten, sind unmittelbare Belege für eine Rede von drei (abstrakten) Subsistenzen in Gott bei Thomas schwerlich beizubringen. Bei Scotus findet Suárez gleichfalls Stellen, die eher in die Richtung personaler Subsistenzzuschreibung tendieren[26], ohne daß jedoch auch sie eindeutig den Sprachgebrauch des Jesuiten unterstützen könnten. Tatsächlich scheint die deutliche Verwendung von „subsistentia“ im Sinne eines abstrakten Formalkonstitutivs erst zu dem Zeitpunkt aufgekommen

enim, in quantum est relatio, non habet quod subsistat vel subsistere faciat; hoc enim solius substantiae est.”

22 Ebd. 8, 2 ad 13.

23 Vgl. ebd. 9, 5 ad 19: „omnino concedendum est quod in divinis non sit nisi unum esse: cum esse semper ad essentiam pertineat, et praecipue in Deo, cuius esse est sua essentia. Relationes autem quae distinguunt supposita in divinis, non addunt aliud esse super esse essentiae, quia non faciunt compositionem cum essentia, ut dictum est.”

24 Vgl. Th. Muniesa († 1696), Disputationes scholasticae de mysteriis Incarnationis et Eucharistiae 2.1.25 (52a).

25 Wie früh die Rede von „drei inkommunikablen Subsistenzen“ in die Thomistenschule Einzug gehalten hat, erkennt man beispielhaft an der diesbezüglichen Stellungnahme des Hervaeus Natalis, Tractatus de relationibus, q. 3 (61va-63rb). Allerdings scheint hier noch nicht wie bei Suárez ein ausdrücklich „formales“ Verständnis des Begriffs vorzuliegen.

26 Vgl. Suárez, De incarnatione 11.4.2 (XVII, 448b); De trin. 3.4.3 (I, 594a). Genannt werden vor allem das 4. und 5. Quodlibet.

zu sein, als die ausdrückliche Debatte um eine Unterscheidbarkeit von absoluter und relativer Subsistenz in Gott begann, also, wie wir später noch sehen werden, mit Cajetan.

Zur Zeit des Suárez ist sie allerdings längst selbstverständlich geworden. Ohne Zögern schließt sich der Jesuit der zuletzt angeführten Fraktion an, deren Ansicht er als „gänzlich wahr" qualifiziert und in „De incarnatione" mit Hilfe von zwei Unterthesen erläutert.

(a) Es gibt in Gott drei real voneinander verschiedene personale Subsistenzen, wenn man „Subsistenz" als konkreten Namen für „das, was subsistiert", versteht[27]. Dafür spricht nach Suárez an erster Stelle der Sprachgebrauch zahlreicher Konzilien der alten Kirche, in denen die Personen als „subsistentiae" bezeichnet werden, was man „subiective", nicht bloß „adiective" verstehen muß. Damit aber ist für den Jesuiten im Sinn einer theologisch sicheren Konklusion auch die Multiplikation der formalen Bedeutung des Namens „Subsistenz" erwiesen, wie sie in der scholastischen Debatte um die „tres subsistentiae personales" zur Diskussion steht.

(b) Somit gibt es in Gott drei relative Subsistenzen, die man auch durch Wendung dieses Begriffs in seine abstrakte Form als drei „Subsistenzgründe" („tres rationes subsistendi") bezeichnen kann[28]. Dies ist eine unmittelbare Folge der zuvor genannten These, wenn man in ihr zusätzlich den relationalen Charakter der personalen Subsistenzen zur Geltung bringt. Unter den erneut an erster Stelle stehenden Traditionsbelegen verweist Suárez vor allem auf Aussagen im christologischen Kontext: Die Inkarnation wurde vollzogen „hinsichtlich der Subsistenz des Wortes". Wenn, wie das Dogma lehrt, in Christus keine geschaffene Subsistenz vorliegt, muß es eine die Menschennatur tragende „subsistentia personalis increata" des Sohnes geben, durch welche die hypostatische Union möglich wird und die nicht mit der Subsistenz der übrigen Personen bzw. der absoluten Subsistenz Gottes vermischt werden darf[29]. Damit begegnen wir einem Argument, auf das Suárez bereits in seiner Lehre von der Personkonstitution gegen die Thomisten großen Wert gelegt hatte.

Den Autoritätsbeweisen für die personale Eigenständigkeit von Subsistenz als Formalkonstitutiv in Gott fügt unser Autor in seiner Christologie vier Vernunftargumente an[30], die hier nicht im einzelnen wiedergegeben werden müssen. Man kann sie im letzten alle als durch das Personverständnis des Suárez bedingt charakterisieren, wie wir es im dritten Kapitel unserer Studie ausführlich erläutert haben. Wenn Personalität ein positi-

[27] Vgl. De incarnatione 11.4.3 (XVII, 448a).
[28] Vgl. ebd. 4 (449a).
[29] Vgl. auch De trin. 3.4.4 (I, 594a-b); ebd. 9 (595a-b).
[30] Vgl. De incarnatione 11.4.4 (XVII, 449a).

ves Konstitutivum haben muß, welches gerade im besonderen Existenzmodus des Subsistierens besteht, und wenn diese Personalität (und nicht etwa die Existenz, der „actus essendi") das ontologische Letztkonstitutiv des Suppositum ist, dann muß dies in Gott ebenso gelten, unbeschadet der Tatsache, daß hier Person(alität) und Wesen als realidentisch anzunehmen sind. An die Stelle des substantialen, zum Wesen hinzutretenden Modus, wie er im Bereich des Geschaffenen das Subsistieren verbürgt, tritt in Gott die mit dem Wesen realidentische Relation, die als solche subsistiert und in ihrer Existenz nicht gänzlich auf das Wesen rückführbar ist.

(3) Gegen die zweite These werden von den Vertretern der ersten mehrere Gegenargumente geltend gemacht, die Suárez ausführlicher Erörterung und Widerlegung unterzieht.

(a) Der Haupteinwand gegen die von Suárez unterstützte Lösung lautet, wie oben angedeutet, daß die Personen zwar inkommunikable Subsistenzen sind, doch ihr Subsistieren aus der „subsistentia communis" beziehen, weil die Relationen selbst nur die Inkommunikabilität als das eigentlich „Personale" beisteuern. Im strengen Sinne gäbe es dann zwar in Gott „tres personalitates", aber allein eine Subsistenz. Suárez mißfällt diese (in der scholastischen Debatte meist Durandus zugeschriebene[31]) These vor allem deswegen, da sie seiner Ansicht nach nicht klar zu machen vermag, worin die den Personen zugeschriebene Inkommunikabilität bestehen soll, wenn man sie nicht als „subsistentia positiva personalis et propria" ansehen will[32]. Eine von anderen unterschiedene Person zu sein, so unterstreicht der Jesuit, bedeutet, eine von anderen Personen unterschiedene Subsistenz zu haben. Inkommunikabilität ist im Sinne des Suárez etwas Positives, das zur Natur hinzukommt und sie so terminiert. Im Falle Gottes heißt das: Die Relation fügt der Natur das „proprium esse relativum"[33] hinzu, das zwar das „esse absolutum" einschließt, dieses aber

[31] Vgl. etwa Durandus, 3 Sent. d. 1, q. 2 (211rb-212ra). Durandus sieht in Gott das Formalkonstitutiv der Supposita, welches in der „proprietas relativa" besteht, als verschieden vom Formalkonstitutiv ihres Subsistierens an, für das er auf die Wesenheit verweist: „suppositum divinum subsistit per essentiam et non per proprietatem relativam" (ebd. n. 7, 211va). Aus dieser Unterscheidung resultiert die uns schon aus der Kritik des Suárez bekannte inkarnationstheologische Konsequenz einer doppelten Einung („per existentiam" und „per proprietatem relativam") im Geschehen der hypostatischen Union. Letztlich begegnen wir bei Durandus damit der extremen Variante einer „subsistentia absoluta"-Lehre.

[32] Vgl. Suárez, De incarnatione 11.4.5 (XVII, 449b-450a).

[33] Der Ausdruck „esse relativum" oder auch „esse relatum", den Suárez regelmäßig als Gegenbegriff zu „esse absolutum" und Bezeichnung des ontischen Eigenstandes der

zugleich terminiert bzw. modifiziert; so muß auch ihm eigene Subsistenz zukommen. Auf diese Weise lehnt Suárez den thomistischen Gedanken eines einzigen, auch die personale Existenz begründenden Seins in Gott ab: Zwar ist die Wesenheit irgendwie „Wurzel der gesamten relativen Subsistenz“[34], aber nicht ihr eigentlicher Formalgrund. Dieser muß vielmehr in der Relation, verstanden als (gedanklich hinzugefügter) „modus substantiae“, selbst zu finden sein, auch wenn die volle Substantialität der Relation bzw. Person erst über die in ihr eingeschlossene Wesenheit gegeben ist. Damit bildet sich erneut die „modale“ Bestimmung von personaler Subsistenz, wie sie Suárez zunächst mit Blick auf den geschöpflichen Bereich entwickelt hatte, konsequent in seiner Trinitätslehre ab: Wie die Subsistenz als terminierender Modus der geschaffenen Substanz von dieser zwar nicht abtrennbar, ebensowenig jedoch mit ihr real identisch ist und deswegen eigenes (modales) Sein besitzt, das nicht im „esse essentiae“ aufgeht, so kommt den Relationen in Gott, welche die Wesenheit (wenn auch nur in gedanklicher Unterschiedenheit) zur personalen Subsistenz bestimmen, je eigene relationale Subsistenz zu. Auf den entscheidenden Unterschied, der zwischen göttlichem und geschöpflichem Bereich einzutragen ist, wird Suárez in der unter (c) darzustellenden Antwort auf einen nachfolgenden Einwand eingehen. Schon jetzt aber kann sicher festgehalten werden, daß die von ihm vertretene Lösung im Austausch der ontologischen Letztbestimmung von Personalität gründet, wie er sie gegenüber den meisten Thomisten vorgenommen hat: Nicht der Seinsakt bestimmt eine Wesenheit fort zum konkreten Substanzsein. Denn die als „esse essentiae“ verstandene Existenz ist zwar nach Suárez mit dem Wesen identisch, hebt aber im geschöpflichen Bereich die Indifferenz der „essentia actualis“ zur Inhärenz in einem fremden Träger oder aber zur Existenz „per se“, also dem eigenen Subsistieren, noch nicht auf. Dies geschieht erst durch die (als Formalkonstitutiv betrachtete) *personale* Subsistenz. Übertragen auf Gott gilt, wie wir später sehen werden: Das

Relation als solcher verwendet, ist seit dem frühen 14. Jahrhundert in theologischen Texten zu finden. Seine exakte Begriffsgeschichte bleibt noch zu schreiben.

[34] Diese Formulierung erinnert an das bildhafte Argument, mit dem Fonseca gegen Cajetan die Rede von drei relativen Subsistenzen in Gott rechtfertigt. Vgl. Fonseca, Comm. in Met. l. 5, c. 8, q. 5, s. 3 (II, 520B-521C), bes. s. 5 (527A): „Nam, quemadmodum in arbore radix est id, quo rami originaliter sive radicaliter (ut dici solet) frondent et florent, et fructum ferunt, et tamen ipsi rami sunt, qui per seipsos suasque peculiares qualitates quasi formaliter foliis, floribus et fructibus vestiuntur: sic quodam modo natura divina est ratio originalis et radicalis subsistendi personis divinis, quia virtute divinae naturae omnes subsistunt: at ipsae personae per suas personales relationes, quemadmodum formaliter personae sunt, ita et formaliter subsistunt.“

absolute „esse essentiae“ Gottes ist zwar bereits für sich subsistent, aber noch nicht inkommunikabel. Es schließt damit zwar die im Kreatürlichen gegebene Möglichkeit aus, daß die Wesenheit in einen fremden Träger aufgenommen werden könnte, bleibt aber auch hier der quasi-modalen Letztbestimmung fähig, die durch die drei personalen Subsistenzen geleistet wird.

(b) Suárez weiß, daß sich trotz dieser Verdeutlichungen gegen die von ihm vertretene Lösung weitere Einwände erheben. Ein erster nimmt seinen Ausgang von der Bestimmung der Subsistenz als „schlechthinniger Vollkommenheit“ („perfectio simpliciter“) in Gott, die dadurch definiert wird, daß es auf jeden Fall besser ist, sie zu besitzen als ihrer zu entbehren[35]. Da nun in Gott die „perfectiones simpliciter“ nicht personal multipliziert werden – man spricht nicht von zwei „Weisheiten“, „Unendlichkeiten“ etc. – scheint dies auch im Falle der Subsistenz ausgeschlossen zu sein[36]. Suárez' Antwort geht von einer differenzierteren Betrachtung von Subsistenz und Perfektion in Gott aus. Nur die generelle „ratio subsistendi“ in Gott bezeichnet eine „perfectio simpliciter“, nicht aber die „ratio subsistendi *incommunicabiliter*“, also der formale Grund *personaler* Subsistenz; somit kann letzterer vervielfacht werden. Wir werden diesem Problem erneut begegnen, wenn wir in einem der folgenden Abschnitte über die Vermehrbarkeit der „perfectio“ in Gott eigens zu handeln haben[37]. Schon jetzt steht aber fest, daß Suárez, um seine These aufrechterhalten zu können, zwischen „wesenhafter“ und „personaler“ Vollkommenheit eine Abstufung vornehmen muß. So bleibt es möglich, im Begriff der Person auf jeden Fall die Subsistenz (wie ein „quasi-transcendens“) eingeschlossen zu sehen und aus der Existenz von „tres personalitates“ in Gott auch auf „tres subsistentiae incommunicabiles“ zu schließen[38].

(c) Ein weiterer Einwand gegen die eigene These hat nach Suárez als noch schwerwiegender zu gelten. Er fragt nach dem konkreten Zusammenhang von absoluter und relativer Subsistenz und möchte darin einen Widerspruch entdecken[39]. Beide Subsistenzen kommen allein in der „ratio subsistentiae“ überein. Diese ist in der Funktion der Subsistenz zu sehen, „einziger Terminus einer Natur als solcher“ zu sein, der diese „für sich seiend“ macht. Unter dieser Voraussetzung aber lassen sich absolute

[35] Hintergrund dieser Überlegungen ist zweifellos die scotische Lehre von der Existenz als reiner Vollkommenheit; vgl. HOERES (1962b) 25-45, bes. 30.

[36] Vgl. Suárez, De incarnatione 11.4.6 (XVII, 450a-b).

[37] Vgl. unten Kap. 5, 5).

[38] Vgl. De incarnatione 11.4.7 (XVII, 450b).

[39] Vgl. ebd. 10-11 (451b-452a).

und relative Subsistenz nicht in einer Person vereinen, ohne daß die eine von ihnen als Bestimmungsgrund der anderen verstanden wird. Dies allerdings ist unmöglich, weil dann nach der Definition von Subsistenz eine von beiden nicht Subsistenz sein kann, da sie (als durch die zweite bestimmt) den Grund ihres Für-sich-Seins „ab alio" empfängt – und damit in repugnanter Weise ein nicht aus sich seiendes Aus-sich-Sein wäre – oder weil umgekehrt die bestimmend zu denkende Subsistenz nicht die Natur als Natur, sondern ein bereits „per se" Existierendes terminieren müßte, was gleichermaßen absurd erscheint. Weil also eine Subsistenz nicht anderen Subsistenzen kommunikabel ist bzw. das „Für-sich-Seiende" nicht zugleich „in einem anderen" als Träger zu bestehen vermag, können in der Konsequenz des Einwands die Relationen zur absoluten Subsistenz der Wesenheit nicht ihrerseits als Subsistenzen hinzutreten. Das göttliche Wesen kann ihnen, wenn sie subsistieren, nicht nach Art einer Form kommuniziert werden. Damit scheint ein Verzicht auf die Annahme einer „subsistentia absoluta" in Gott nötig zu werden, damit die Relationen die Natur als das Absolute in Gott terminieren können. Oder aber es gilt der umgekehrte Fall, der letztlich zur ersten, von Suárez abgelehnten These zurückführt: Die Subsistenz einer jeden Relation ist keine andere als jene absolute, von der eine Multiplikation nicht begreifbar zu machen ist. Die Wesenheit Gottes, die selbst mit der göttlichen Subsistenz identifiziert werden muß, ließe dann auch die Relationen subsistieren, da diese sie einschließen. Die Relationen hätten darüber hinaus keinen weiteren Subsistenzgrund mehr nötig.

Suárez gibt zu, daß der ganze Einwand wegfiele, sobald man für die göttliche Wesenheit zwar eine absolute Existenz, nicht aber eine absolute Subsistenz annähme und infolgedessen für die Relationen zwar keine eigene Existenz, wohl aber eigene Subsistenzen ansetzte. Die Subsistenz gäbe in diesem Verständnis den Relationen nicht ihre Existenz schlechthin, da diese von der Wesenheit käme und allen drei Personen gemeinsam wäre, sondern nur das „*per se* existere", wie es die Personen als drei Subsistenzen im Sinne von „tres rationes per se essendi" bzw. „tres perseitates existentiae absolutae" möglich macht[40]. Dennoch möchte sich Suárez nicht in diesen Ausweg flüchten – weshalb, werden wir vertieft im nächsten Abschnitt sehen –, sondern stattdessen nach einer Lösung suchen, mit deren Hilfe seine These unverkürzt aufrechtzuerhalten ist. Es gibt, so lautet die Kernaussage seiner Antwort, relative Subsistenzen in Gott, die das Für-Sich-Sein und das damit verbundene Unmitteilbar-Sein vermit-

[40] Vgl. ebd. 12 (452a).

teln, allerdings nur den Personen, die durch sie konstituiert werden[41]. In dieser Weise bestimmen sie die wesenhafte Existenz Gottes, die das Für-sich-Sein aufgrund eigener Beschaffenheit besitzt, hin zur je besonderen personalen Existenz. Die Personen haben folglich einen doppelten Subsistenzgrund, einen absoluten (in ihrem Sein *als Gott*) und einen relativen (in ihrem Sein *als Vater, Sohn und Geist*)[42]. Wer in dieser doppelten Subsistenzbestimmung einen Widerspruch erkennen will, verfällt nach Suárez dem Fehler, die Konstitution der Person in Gott in gleicher Weise zu verstehen wie in der Kreatur. Eine geschaffene Natur nämlich wird durch ihre Personalität so terminiert, daß in dem hinzukommenden Subsistenzmodus die Natur selbst nicht enthalten ist, sondern vielmehr das Suppositum als Ergebnis der Hinzufügung der „personalitas" zur Natur resultiert. Die zu terminierende Natur hat als solche zwar Existenz, aber nicht im Modus des Für-sich-Seins, wie er erst aus der Verbindung mit Personalität entsteht. Wo der Modus fortgenommen würde, bliebe die Natur in einer gewissen Indifferenz zurück[43]. Anders steht es im Falle der göttlichen Natur. Sie wird durch die Personalität so bestimmt, daß sie (wegen der totalen Identität zwischen Wesen und Relationen in Gott) in dieser selbst inkludiert ist. Die „personalitas" ist hier nicht als „Hinzufügung" zum Wesen im streng additiven Sinne zu verstehen, sondern als Entität, welche das eigene Sein letztlich *durch die ihr innerliche Natur* besitzt. Darum stellt die ontologische Bestimmbarkeit der Natur durch die Relationen keinen Gegensatz zur Tatsache dar, daß das „esse absolutum" der Natur als solcher hinreichender Subsistenzgrund dieser Natur ist. Dieses Für-sich-Sein des Wesens kann man wiederum mit Hilfe des „Abstraktionstests" aufzeigen, der im Blick auf Gott zum exakt umgekehrten Ergebnis führt wie zuvor mit Blick auf die Geschöpfe: Denken wir uns in Gott die personalen Relationen fort, wird dennoch die verbleibende

[41] Vgl. De incarnatione 11.4.14 (XVII, 453a): „ergo personalitates divinae, secundum illud esse, in quo conferunt incommunicabilitatem, conferunt etiam per se esse, et cui unum praestant, tribuunt etiam aliud."

[42] Vgl. ebd. 15 (453a-b): „Dicendum est ergo, subsistentiam Dei relativam dare quidem esse incommunicabile et per se, non tamen ipsi naturae divinae, nec huic Deo ut sic, sed constituto per ipsam, scilicet divinae personae, et hoc modo dicuntur terminare divinam existentiam essentialem, non quidem dando illi ut per se sit, hoc enim ex se habet, sed determinando illam ad hanc vel illam personam, quasi adjungendo illi quoddam esse etiam per se et subsistens, quo talis persona formaliter constituitur, ita ut persona ipsa, secundum totum esse quod includit, intelligitur per se existens ac subsistens tam secundum esse absolutum Dei, quam secundum esse relativum Patris, aut Filii, aut Spiritus Sancti, et hoc est maxime consentaneum divinae perfectioni; et nullam difficultatem aut repugnantiam involvit."

[43] Vgl. ebd. 16 (453b): „veluti indifferens et capax unionis ad suppositum distinctum".

Natur niemals als eine solche übrig bleiben, die bezüglich ihres Existenzmodus („in se" oder „in alio") als indifferent zu betrachten und darum der Union mit einem von ihr selbst verschiedenen Suppositum fähig wäre. Auch ohne subsistierende Relationen könnte die göttliche Wesenheit nicht anders denn als subsistierendes Suppositum gedacht werden – dann konkret im Modus der Einpersönlichkeit. Die grundlegende, absolute Subsistenz Gottes ist folglich nicht durch die Relationen vermittelt, sondern ergibt sich „kraft der Vollkommenheit des absoluten Seins Gottes" selbst („ex vi perfectionis sui esse absoluti"). Dieser Gedanke, der uns später als Fundamentalargument des Suárez für seine These von der absoluten Subsistenz wiederbegegnen wird, relativiert zwar die Konstitutionsfunktion der relativen Subsistenzen, aber hebt sie nicht auf. Die göttliche Natur, so lautet der von Cajetan entlehnte Grundgedanke, wird den drei Personen nicht „propter indigentiam vel imperfectionem" kommuniziert – so wie die geschaffene Natur einer Subsistenz bedarf –, sondern ihre Entfaltung in die Tripersonalität ist Ausdruck ihrer Unendlichkeit[44]. Die Relationen „terminieren" die göttliche Natur, aber „tragen" sie nicht und verschaffen ihr nicht „Durch-sich-Sein". Vielmehr ist das „esse essentiae" so in den einzelnen Relationen enthalten, daß es mit einer jeden etwas zuhöchst Einfaches und inkommunikabel Subsistierendes konstituiert, das wir „göttliche Person" nennen. Die überzeugende Antwort auf den Einwand, daß es einer Subsistenz widerspricht, ihrerseits terminiert zu werden (konkret: daß es der absoluten Subsistenz widerspricht, durch die relativen Subsistenzen terminiert zu werden), gründet also nach Suárez in der Differenzierung des dabei verwendeten Untersatzes: Daß es „einer Subsistenz widerspricht, terminiert zu werden", gilt nur, wenn man unter „terminus" den *ersten* Grund des Für-sich-Seins bzw. den Naturträger versteht. Diesen Modus des Terminierens, wie er der geschöpflichen Welt eigen ist, üben aber die göttlichen „personalitates" gegenüber der Wesenheit gerade nicht aus. Der höhere Modus der Termination, wie er hier vorliegt, führt in keinen derartigen Widerspruch mit der vorgeordneten absoluten Subsistenz. In Gott kann nämlich (anders als im geschöpflichen Bereich) ein und dieselbe Subsistenz in mehreren Supposita

[44] Vgl. ebd. 17 (454a). Der Rekurs auf die Wesensunendlichkeit gehört in diesem Kontext zum weit verbreiteten Motiv der Trinitätstraktate. Vgl. unter den Jesuiten vor Suárez Gregor von Valencia, De trin. l. 1, c. 29 (371-381) oder Salmeron, Commentarii, Bd. 2, tract. 2 (6b): „In Divinis vero unum tantum numero est, quod sine sui divisione, et multiplicatione communicatur, quia infinitum est; et ideo potest tribus personis adesse, sicut tota anima rationalis est in qualibet parte corporis, et in toto corpore, et sicut divinitas tota est in universo ipsum replens, et tota in qualibet eius particula."

eingeschlossen sein. Die (relative) Subsistenz kann somit Grund des Für-sich-Seins desjenigen sein, das sie konstituiert[45], ohne dieselbe Funktion für das Wesen als solches ausfüllen zu müssen. Sie „bestimmt" und „modifiziert" die absolute Subsistenz, ohne sich von ihr naturhaft zu unterscheiden und durch diesen Formalakt eine konstitutive Funktion im Blick auf die Wesenheit auszuüben[46]. Es geht darum bei der relativen Subsistenz nicht um einen Modus der Einung oder des In-einem-anderen-Seins im Widerspruch zum Modus der absoluten Perseität, sondern vielmehr um einen „Modus des innigsten Eingeschlossenseins [sc. der absoluten Subsistenz] und gleichsam der Durchdringung bei höchster Identität" („modus intimae inclusionis, et quasi penetrationis, ut ita dicam, cum summa identitate")[47]. Die absolute Subsistenz kommuniziert sich mehreren Personen, ohne dadurch selbst im anderen ihrer selbst zu sein; denn die vielen sind mit ihr, dem Einen, identisch.

Zwar kann unser Verstand von diesem Einschlußverhältnis insoweit absehen, als er den formalen Begriff der Sohnschaft oder Vaterschaft zu denken vermag, ohne dabei das absolute Sein, das diese beiden inkludieren, *ausdrücklich* mitdenken zu müssen. Andererseits kann er dieses auch nicht so vom Begriff der göttlichen Relationen trennen, daß die wesenhafte Inklusion zum Verschwinden gebracht würde[48] – wir werden diesen Aspekt später noch eigens zu verdeutlichen haben[49]. Trotz dieses Eingeschlossenseins in den Relationen stellt es für die absolute Subsistenz keinen Widerspruch dar, gemäß den eigenen Formalgründen der Relationen vervielfacht zu werden. Der Begriff der Subsistenz verhält sich hier nach Art der Transzendentalien: Er ist in allen Relationen gleichermaßen enthalten.

Die inkludierte absolute Subsistenz vermittelt somit den Relationen nicht das Subsistieren gemäß ihrem eigenen Formalgrund, sondern nur gemäß dem absoluten göttlichen Sein (das heißt: sie gibt ihnen die wesenhafte Identität in Gott). Die Relation behält daneben etwas Eigentümliches, durch welches sie die göttliche Natur determiniert bzw. modifiziert – nicht im Sinne einer Hinzufügung, sondern „per intimam inclusionem, cum summa identitate et simplicitate". Sie hat einen eigenen Subsistenz-

[45] Vgl. auch Suárez, De trin. 3.4.11 (I, 595b): „Igitur licet demus divinam essentiam non conjungi relationi ex indigentia subsistendi, nihilominus necessarium est, ut relatio ipsa ex se subsistens sit, ut possit veram personam constituere."

[46] Vgl. De incarnatione 11.4.18 (XVII, 454a): „unde haec terminatio potius intelligenda est per modum cujusdam modificationis, seu determinationis, quam per modum sustentationis naturae terminatae".

[47] Vgl. auch De trin. 3.4.10 (I, 595b).

[48] Vgl. De incarnatione 11.4.19 (XVII, 454b-455a).

[49] Vgl. unten Kap. 6, 3), b), cc).

grund und, wie im folgenden nachzuweisen ist, auch eigene Existenz.

Dieses Modell des Verhältnisses von absoluter und relativer Subsistenz in Gott, so resümiert Suárez in „De trinitate"[50] den komplexen Gedankengang des Inkarnationstraktats, macht das Geheimnis der Dreifaltigkeit einfacher verständlich als die Gegenposition. Während dort letztlich ohne Angabe überzeugender Konstitutionsgründe „tres relationes in Deo *subsistente*" angesetzt werden müssen, wird hier leichter einsichtig, wie die substantialen Hervorgänge in Gott auf echte „res subsistentes" als vollkommene Zielpunkte der Hervorbringungen hinauslaufen. Zwischen ihnen erweist sich der jeweilige „relative Gegensatz" als Ursprungsrelation.

### 3) „Drei (personale) Existenzen"?

Die Frage, ob mit der Subsistenz auch die (relative) Existenz in Gott vervielfacht zu werden vermag, scheint auf den ersten Blick eine jener scholastischen Subtilitäten zu sein, deren Sinn für die Sachproblematik nicht mehr wirklich einsichtig zu machen ist und die darum mit Recht von den Kritikern der scholastischen Trinitätslehre, wie wir sie im Eingangskapitel unserer Arbeit haben zu Wort kommen lassen, lächerlich gemacht werden konnten. Suárez selbst gibt zu Beginn seiner ersten, ausführlichen Behandlung des Problems in „De incarnatione", disp. 11 zu, daß die Frage von den älteren Theologen nicht explizit behandelt worden ist. Er selbst habe, so bemerkt Suárez in der Christologie, in Vorlesungen zur Trinitätslehre eine bejahende Antwort gegeben, die auf ein geteiltes Echo gestoßen sei[51]. Sofort denken mag man dabei an die Einwände des Vázquez, der in seinem nach der Christologie des Suárez publizierten Trinitätstraktat von „einigen neueren Autoren" spricht, die von „tres existentiae" bzw. „tria esse" in Gott zu reden „gewagt" hätten, was für den Kritiker weder Rückhalt in der normativen Tradition (vor allem der Vätertheologie) besitzt noch einen schlüssigen Vernunftbeleg vorweisen kann. Dagegen bleibt Vázquez selbst dabei, daß es in Gott nur „unam existentiam, hoc est unum esse" gibt, wenn man auch von „drei Modi und Relationen dieser Existenz" zu sprechen habe[52].

[50] Vgl. Suárez, De trin. 3.4.9 (I, 595a-b).

[51] Vgl. De incarnatione 11.2.1 (XVII, 434a). Suárez weist damit auf die Tatsache hin, daß in seiner Zeit Thesen bereits vor ihrer Publikation im Druck durch die wissenschaftliche Öffentlichkeit rezipiert und diskutiert wurden.

[52] Vgl. Vázquez, In I[am] 126.1-3 (II, 113a-116b), Zitat aus 126.2.3 (113b); ähnlich: In III[am] 25.3.16 (I, 217a-b).

Suárez hat sich nicht nur in seiner Erörterung des Inkarnationsdogmas, sondern ebenso später in der Metaphysik und der Trinitätslehre immer wieder mit diesem Thema befaßt.

Aus unserer Kenntnis seines Systems kann das nicht überraschen, denn die Bestimmung des Verhältnisses zwischen Existenz und Subsistenz, auf die auch die vorliegende Frage hinausläuft, gehört zu den philosophisch wie theologisch zentralen Problemen seines Denkens. In besonderer Weise führt die Frage nach einer personal ausdifferenzierten Existenzprädikation in die Auseinandersetzung mit dem Thomismus, der bei allen Unterschieden in der Beschreibung der Subsistenzkonstitution in der These vom einen Sein Gottes weithin konsequent geblieben ist. Wir können aus den verschiedenen Ausführungen unseres Theologen die Debatte zum Thema differenziert nachzeichnen.

(1) Eine erste Position, die Suárez referiert, lehnt die Rede von „drei relativen Existenzen" in Gott ab. Sie findet sich in der älteren Thomistenschule und kann viele Belege aus Augustinus und Thomas für sich geltend machen: Es gibt in Gott kein „esse personae" außer dem „esse naturae"[53]. Der philosophische Beleg, den Suárez in „De trinitate" für diese These ins Feld führt, scheint auf den ersten Blick mit seinem eigenen Verständnis von Subsistenz und Existenz zu konvergieren: Wenn die (subsistierende) Relation in Gott nichts anderes ist als ein Modus der absoluten göttlichen Existenz („modus existentiae divinitatis"), kann ihr selbst keine eigene Existenz zukommen; denn es zeichnet ja den Modus als Modus aus, daß er stets nur „an" einer anderen Entität ansetzt, ohne diese selbst zu vervielfachen. Auch in den Kreaturen fügt ein neuer „modus essendi" kein neues, für sich distinktes Sein hinzu. In Gott, so folgert das Argument, kann darum eine (relative) Existenz nicht Modus der absoluten sein oder ihr hinzugefügt werden[54]. Stattdessen wären die göttlichen Personen – in strenger Entsprechung zum Modell kreatürlicher Personalität – als Subsistenzen zu denken, welche die eine und nicht vermehrbare Existenz der Gottheit modal terminieren und selbst an diesem Sein teilhaben. Damit ist ziemlich exakt die Kritik wiedergegeben, wie wir sie im Trinitätstrakt des Gabriel Vázquez finden können[55].

[53] Vgl. Suárez, De incarnatione 11.2.2 (XVII, 434a-b); De trin. 3.5.2 (I, 596a). Daß sich die suárezische Lehre hier nicht mit Thomas harmonisieren läßt, müssen selbst Autoren zugeben, die ansonsten sehr großzügig in der Feststellung von Übereinstimmungen sind; vgl. etwa SOLÁ (1948b) 520f.

[54] Vgl. Suárez, De trin. 3.5.3 (I, 596a-b).

[55] Vgl. Vázquez, Comm. in I$^{am}$ 126.3.12 (II, 115a-b): „Ex praedicto testimonio Damasceni [sc. de tribus modis existendi in Deo, Th. M.] deducitur prima ratio pro nostra sententia. Nam si humanitas, et quaevis natura creata dicitur habere unam tantum existentiam, sive sit in alio, sive per se subsistat, et ex eo solum, quod per se existat,

(2) Trotz der scheinbaren Konvergenzen stellt sich Suárez, wie angedeutet, auf die Seite der Gegenthese.

(a) Sie sieht der Jesuit bereits bei Richard von St. Viktor im vierten Buch seines Trinitätswerkes bezeugt[56]. Die Multiplikation personaler Existenz stellt sich ihm als notwendige Folge der Richardischen Persondefinition dar. Daß Suárez der Auslegung des Viktoriners in „De trinitate" noch stärkere Bedeutung zumißt als zuvor in „De incarnatione"[57], könnte damit zu tun haben, daß er sich auch auf diesem Wege von seinem Kritiker Vázquez abheben möchte, der in einer ausführlichen Passage seines Trinitätstraktats Aussagen Richards zusammengestellt hatte, die in seiner Sicht gegen eine Indienstnahme zugunsten der „tres existentiae"-These sprechen[58].

Suárez deutet die Aussagen Richards, der in der Barockscholastik gerne als letzter Repräsentant der „Vätertheologie" gesehen wird und deswegen hohe Autorität genießt, durchweg anders. Neben einer konkreten Verwendung von „existentia" (= „res existens" / Suppositum) findet er in den Ausführungen des Viktoriners auch schon Ansätze einer abstrakten Bedeutung vor. In ihnen scheinen eigene Konstitutionsprinzipien der personalen Existenz bezeichnet zu werden, wie sie das Konkretum „existentia" notwendig fordert.

Das stärkste Argument für seine Interpretation kann Suárez der Beobachtung entnehmen, daß Richard zwischen dem göttlichen „Sein" im allgemeinen und der die je besonderen Modi der hervorbringenden oder herkünftigen Seinshabe bezeichnenden personalen „Existenz" (von „exsistere" hergeleitet) zu unterscheiden bemüht ist. Damit ist nach Suárez die These von drei „relativen Existenzen", die gedanklich vom absoluten

non dicitur habere novum actum existendi, nec novam existentiam, etiam personalem, sed novum modum existendi, cum tamen modus existentiae per se ab existentia substantiali realiter differat, quando ab ea separari potest, multo magis consequitur, unam personam divinam ex eo, quod existat existentia substantiali essentiae, et praeter eam habet proprietatem personalem, quae est modus existendi, et ab ea solum ratione distinctus non habere duplicem existentiam, etiam secundum nostrum modum intelligendi, sed eandem, quam habet alia persona, alio tamen modo. Modum autem per se existendi non addere rei novam existentiam, sed novum existendi modum, constat in humana natura per se et in alio existenti, ut in Christo: et accidentibus in subiecto, et deinde per se, cum in Sacramento altaris sine subiecto relinquuntur."

[56] „Praeterea Richardus de sancto Victore satis aperte mihi videtur hanc sententiam docuisse in libro quarto, de Trinitate, capite duodecimo et sequentibus" (Suárez, De trin. 3.5.6 [I, 597a]).

[57] Vgl. De incarnatione 11.2.5 (XVII, 435b-436a).

[58] Vgl. Vázquez, Comm. in I$^{am}$ 126.2.4-11 (II, 113b-115a).

Sein zu unterscheiden sind, im Kern ausgebildet[59].

Liest man die richardischen Texte im Licht dieser Deutung, fällt allerdings rasch auf, daß Suárez etwas zu sorglos seinen Existenzbegriff mit demjenigen des Viktoriners identifiziert. „Existentia" ist für Richard durchweg kein formal ontologischer Terminus[60], sondern in erster Linie die grundlegende Bezeichnung des in Gott Unterschiedenen unter Berücksichtigung des Einheits- wie des Differenzprinzips (also der Aspekte des „quid sit" wie des „unde habeat esse"[61]). Während „substantia", „esse" und das „sistere" im „ex-sistere" für das Eine in Gott stehen, das allen Personen gleichermaßen zukommt (von Richard auch die „qualitas rei" genannt), ist „existentia" (jetzt mit Betonung auf der präpositionalen Komponente „ex") Ausdruck der nach der jeweiligen Ursprungsbeziehung verschiedenen Habe dieses Seins[62] und insofern in Gott multiplizierbar. Angezielt ist damit nicht die formale Bezeichnung eines relativen Seins, sondern der begriffliche Ausdruck dafür, daß sich in Gott das eine Sein in den Trägern nach der Weise unterschiedlicher Ursprungsbeziehungen differenziert. Darum sagt Richard, daß die „Existenz" die Substanz (= das eine Sein Gottes) „unter Verweis auf irgendeine (nicht mitteilbare) Eigentümlichkeit", nämlich die personeigentümliche Herkunfts-

[59] Vgl. Suárez, De trin. 3.5.6 (I, 597a): „Tertium est, Richardum specialiter considerasse in hoc nomine *existentiae* vim quamdam in illa particula, *ex*, propter quam vult *existentiam* significare esse, non qualecumque, sed quod est ex alio, vel ex quo est aliud. Et ob hanc causam potius dicit esse in Deo tres existentias, quam unam, unde ita loquitur, dari in Deo unum esse et tres existentias, quia existentia indicat peculiarem modum habendi illud esse, qui modus in relatione consistit. Unde nihil aliud videtur explicasse per haec, nisi existentias relativas, quas ratione distinguit ab esse communi." Eine ähnliche Indienstnahme Richards findet sich noch bei MINGES (1919b) 30, auch wenn er lieber von „tres esse subsistentiae" sprechen möchte.

[60] Wohl mit Recht betont ÉTHIER (1939) 95 zu dieser Personbestimmung: „la formule de Richard n'est pas une définition qui ait valeur ontologique."

[61] Vgl. Richard, De trinitate l. 4, c. 12 (Ed. Ribaillier, 174, ZZ. 5-10). Vgl. auch WIPFLER (1965) 65-84; DEN BOK (1996) 262-281. Ganz im Sinne Richards unterscheidet schon Petavius, Dogmata theologica, De trin., l. 4, c. 3, n. 7-8 (II, 632b-633b) bei Personen ein „quale sit" (die Natur, den „modus essendi") von dem „unde habeat ut sit" (den im „modus obtinendi" angezielten Ursprung, zu explizieren als „modus quo quis obtinet, quod substantialiter est, vel naturaliter habet" [sc. ab alio aut a se]).

[62] Vgl. Richard, De trinitate l. 4, c. 12 (174f., ZZ. 22-24.27-30): „Quod autem dicitur existere, subintelligitur non solum quod habeat esse, sed etiam alicunde, hoc est ex aliquo habeat esse. (...) In uno itaque hoc verbo existere, vel sub uno nomine existentie datur subintelligi posse et illam considerationem, que pertinet ad rei qualitatem, et illam que pertinet ad rei originem."

angabe, benennt[63]. Eine terminologische Gleichsetzung von „esse" und „existere" in der suárezischen Form der Unterscheidung absoluter und relativer Existenz als analoger Weisen von Aktualität eines formalen Gehalts wird damit nicht vorgenommen. Folglich kann man, trotz einiger scheinbar in diese Richtung weisender Formulierungen, auf die sich Suárez beruft[64], die Proprietäten bzw. die „modi originis" nicht ohne weiteres als seinskonstituierende Prinzipien neben der Wesenheit verstehen. So dürfte Vázquez hier richtiger liegen, wenn er auf die Differenz zwischen der Bedeutung von „esse" bzw. „existentia" bei Richard einerseits und den späteren Scholastikern andererseits hinweist, die darin liegt, daß „Existenz" für Richard nicht den „actus existendi", sondern „das einmalig Existierende"[65], die göttliche Person selbst unter Berücksichtigung ihrer Ursprungsbestimmung und personalen Proprietät, bezeichnet[66].

Insgesamt fehlt freilich der Terminologie Richards, vor allem dem Begriff „existentia", letzte Präzision und Klarheit. „Existentia" umfaßt die absolut-„allgemeine" Subsistenz ebenso wie die personal-„inkommunikable", ohne daß ein exaktes Konstitutionsmodell dieser doppelten

[63] Vgl. Richard, De trinitate l. 4, c. 16 (178, ZZ. 5-6): „Nomine existentie, ut ex superioribus patet, intelligitur quod habeat substantiale esse et ex aliqua proprietate"; ebd. (179, ZZ. 22-25): „Existentiam demonstratum est superius substantiam significare, non tamen simpliciter, sed cum proprietatis alicujus denotatione, que pertineat ad considerationem originalis cause"; c. 19 (182, ZZ. 14-19): „Existentia igitur significat rei esse, et hoc ipsum ex aliqua proprietate. Quis autem non videat quod sit differens existentia unum esse omnipotentem ex proprietate ista, et alium esse omnipotentem ex proprietate alia? Quamvis enim utrisque sit unus modus essendi, non tamen utrisque et idem modus existendi."

[64] Sie finden sich vor allem in Richard, De trinitate l. 4, c. 16 (179, ZZ. 35-40): „Sciendum vero est quod existentia designat substantiale esse, sed aliquando quod sit ex communi, aliquando quod sit ex incommunicabili proprietate. Communem autem existentiam dicimus, ubi intelligitur esse habens ex proprietate communi; incommunicabilem vero ubi intelligitur esse habens ex proprietate incommunicabili."

[65] WIPFLER (1965) 75. Auf den konkreten, nicht abstrakten Charakter des Begriffs „existentia" bei Richard weist schon DE RÉGNON (1892) I, 249 hin.

[66] Vgl. Vázquez, Comm. in I$^{am}$ 126.2.4 (II, 113b-114a): „Nusquam apud Sanctos invenies, in Deo esse plures existentias, aut plura esse: existentias dico pro actu ipso existendi: nam quod adversarii ex Richardo de Sancto Victore referunt, nihil eorum sententiae favet: imo ex illius verbis potius nostra confirmari, et eorum opinio refutari manifeste potest. Licet enim (...) concedat communem existentiam, et (...) existentias incommunicabiles, tamen nomine, *Existentia,* (...) non intelligit idem quod Scholastici, actum nempe existendi, seu esse, sed totam substantiam, seu personam, quae dicitur habere esse. Id vero, quod Scholastici nunc existentiam appellamus, ille vocat esse, et in illis locis semper unum esse trium personarum assignat: et nusquam tria, nec cum additamento illo, relativa, concedit. (...) Nam apud ipsum, ut optime explicat Alexander prima parte quaestione 44. in corpore, et ad quintum, existere non est tantum esse, sed ex alio esse in quo iam includitur proprietas personalis."

Seinshabe in den drei göttlichen Supposita zur Verfügung gestellt würde. Insofern ist Suárez wiederum nicht ganz im Unrecht, wenn er manche der von Richard dargebotenen Begriffsformeln im Rahmen seines eigenen Existenzverständnisses für rezipierbar und interpretierbar ansieht. Ein unmittelbares Vorläufermodell der suárezischen „existentia relativa"-Lehre ist Richards Trinitätstraktat damit aber nicht, und niemand hat sie in den ersten 400 Jahren nach ihrer Entstehung in dieser Weise zu deuten versucht.

(b) In expliziterer Form als bei Richard findet Suárez die These von drei relativen Existenzen in Gott bei einigen „modernen Kommentatoren" des hl. Thomas vor[67], die darum als unmittelbarste Referenzquellen für seine eigene Lehre gelten dürfen. Ausdrücklich werden – allerdings ohne weiteres Referat – die Namen von Bartholomé de Medina O.P. (1528-1580)[68] und Francisco Zumel O.Merc. (ca. 1540-1607) genannt[69]. Daß diese Zitierung korrekt erfolgt, läßt sich allein schon aus der Kritik belegen, die in der Thomistenschule gegen solche Abweichler aus den eigenen Reihen in einer entscheidenden Frage laut geworden ist[70]. Schauen wir uns, bevor wir die Stellungnahme des Suárez selbst in den Blick nehmen, etwas näher die Begründung des Mercedariertheologen Zumel an, der als Zeitgenosse des Suárez in Salamanca lehrte und etwa zwanzig Jahre vor ihm erstmals seinen einflußreichen Kommentar zur I$^{a}$ Pars samt Behandlung der Trinität publizierte[71].

Der Ausgangspunkt des Theologen ist eindeutig Cajetans Unterscheidung von absoluter und relativer Subsistenz in Gott. Zumel charakterisiert sie zwar klar als Abweichung von der thomanischen Lehre des einen göttlichen Seins, das auch die Quelle der personalen Subsistenz sein muß, aber er stimmt der These, wie er an späterer Stelle ausführlich darlegt[72],

[67] Vgl. Suárez, De incarnatione 11.2.3 (XVII, 434b-435b); De trin. 3.5.4 (I, 596b).

[68] Vgl. Medina, Comm. in III$^{am}$ q. 3, a. 2 (156a): „...in divinis sunt tres personae, ergo tres personalitates, ergo tres existentiae"; q. 17, a. 2, dub. 3 (435a): „subsistentia multiplicatur in divinis, quia est personalis, sed existentia etiam est personalis, ergo etiam multiplicatur in divinis."

[69] Vgl. Suárez, De trin. 3.5.5 (I, 597a). Über die zu Zumel vorhandene Lit. bis 1970 informiert MUÑOZ (1970).

[70] Ich verweise auf Bañez, Comm. in I$^{am}$ q. 40, a. 4 (936D-E): „Sed advertendum est, quod Magister Medina ibi non solum concedit, in divinis personis reperiri tres subsistentias personales et relativas, sed etiam tres existentias. Confundit enim subsistentiam cum existentia, et putat hanc esse mentem domini Caietani. In qua re ego illi fui semper contrarius. Quoniam contra totam Metaphysicam et Theologiam est confundere existentiam cum subsistentia." Bañez weist anschließend nach, daß Medina damit auch die Lehre des Cajetan und Thomas nicht trifft.

[71] Vgl. zum folgenden: Zumel, Comm. in I$^{am}$ q. 28, disp. 4 (715a-718a).

[72] Vgl. ebd. q. 30, disp. unica (741b-748a).

dennoch persönlich zu. Ohne dies am vorliegenden Ort zu begründen, nimmt Zumel die von Cajetan aufgeworfene Fragestellung zum Anlaß, auch über eine Unterscheidbarkeit der Existenz in Gott parallel zur gedanklichen Differenz von Wesen und Relationen nachzudenken[73]. Die bejahende Antwort, die er gibt, beruft sich erneut auf die Vorgabe Cajetans, indem sie die Prinzipien, die den Dominikaner zur Unterscheidung von absoluter und relativer Subsistenz bewogen haben, auch auf die Existenzproblematik überträgt. Wenn wir die Wesenheit, so argumentiert Zumel, gedanklich von den Relationen unterscheiden, schreiben wir ihr damit eine aktuale absolute Entität zu, in der eine eigene absolute Existenz inkludiert sein muß. Denn Existenz gehört zum Begriff aktualer Entität in streng formaler Hinsicht[74]. Gleiches gilt für die Relationen: Wenn wir sie als der Wesenheit „hinzugefügt", sie bestimmend und personisierend denken, stellen wir sie uns nach Art aktualer Entitäten vor Augen, für die gleichermaßen eine Existenzzuschreibung notwendig ist, nun allerdings entsprechend der Seinsweise der Relationen im Sinne „respektiver Existenz"[75]. Dem Unterschied zwischen Wesen und Relationen auf „formaler" Ebene muß ein ebensolcher Unterschied auf „existentialer" Ebene korrespondieren, denn die Formalitäten werden durch ihre jeweilige Existenz erst konstituiert. Eine ähnliche Beweisführung kann auch vom Realitätsgehalt und von der Subsistenz der Relationen her konstruiert werden, die beide gleichermaßen die eigene Existenz als ihre Bedingung fordern.

In Gott nun haben die drei Personen ihre eigene relative Existenz vermittels der jeweiligen Proprietät, wie sie andererseits das „esse commune" von der Wesenheit her besitzen. Da zwischen den beiden Formen der Existenz Realidentität besteht, ist der Einwand, daß auf diesem Wege

[73] Vgl. ebd. q. 28, disp. 4 (715b): „Solum ergo restat quaestio, Utrum sicut distinguntur ratione relatio et essentia: ita etiam distinguantur ratione, existentia relationis et existentia essentiae divinae."

[74] Vgl. ebd. (716a): „Ad manifestationem, et probationem huius conclusionis, suppono quod existentia, est de formalissimo conceptu entitatis actualis ut sic: ita ut non possit praescindi a conceptu illius. Quo supposito, probatur primo, existentiam relationis ratione distingui ab existentia essentiae. Nam praescindendo essentiam a relationibus, intelligimus illam habere suam entitatem actualem absolutam: et consequenter in illa includi propriam existentiam absolutam."

[75] Vgl. ebd.: „Rursus, intelligimus relationes quasi superadditas essentiae, determinantes illam et personantes. Quas relationes etiam intelligimus per modum actualis entitatis, addentes supra essentiam aliquid actuale. Ergo sicut in proprio conceptu essentiae, includitur existentia propria absoluta, quia illa concipitur ut entitas actualis absoluta: ita in proprio conceptu relationis includitur propria existentia respectiva, quia illa concipitur ut habens propriam existentiam relativam."

eine Quaternität entstünde, als gegenstandslos zu betrachten[76].

Wir werden im folgenden sehen, daß Suárez diese Argumentation in ihren wesentlichen Punkten aufgegriffen hat. Selbst die zuvor diskutierte Berufung auf Richard von St. Viktor konnte er in ihrem Kern bereits bei Zumel finden[77].

(c) Seine Ausführungen beginnt Suárez allerdings mit einem kaum versteckten Seitenhieb gegen Theologen wie Zumel, die angesichts der These von drei relativen Existenzen in Gott immer noch behaupten, Thomisten zu sein. Denn eine solche Lehre, so wendet Suárez mit Recht ein, ist mit der thomistischen Grundüberzeugung einer Realdistinktion zwischen Sein und Wesen eigentlich nicht mehr vereinbar[78]. Eigene Existenz für die Personen ist nach Ansicht des Jesuiten vielmehr nur dann schlüssig anzunehmen, wenn man (dem scotischen Grundmuster der Existenzzuschreibung folgend) die formalen Eigenheiten der göttlichen Personen, ihre in der jeweiligen Proprietät bestehende quasi-quidditative Bestimmung, untrennbar mit der Zuschreibung eigener Existenz verbunden sieht – wie es Zumel ja faktisch auch getan hat. Unter der Bedingung der Realdistinktion von Wesen und Existenz dagegen ergäben sich so wenig notwendig drei Existenzen der Personen in Gott, wie nach thomistischer Sicht durch die formale Verschiedenheit von Leib und Seele die seinshafte Einheit des Menschen eingeschränkt wird. Denn Existenz gehört hier nicht zum inneren Begriff einer jeden Entität oder eines jeden Modus. Zwar ist die daraus resultierende Distinktion nur in den Kreaturen real, doch muß sie auch in Gott wenigstens gedanklich ansetzbar sein. Wie für die Thomisten in den Kreaturen Natur und Person geschieden sind, aber die Existenz der Natur zugleich Existenz der Person ist und umgekehrt, muß es sich entsprechend auch in Gott verhalten. Hier ist die ältere Thomistenschule im Gefolge des Capreolus konsequenter als manche Neuere gewesen, wenn sie im Unterschied zu den Kreaturen, bei denen das Sein von der Wesenheit getrennt ist, in Gott ein einziges Sein in einer einzigen Substanz gelehrt hat, das „ratio existendi" auch für die Personen ist[79].

[76] Vgl. ebd. (716b): „Ex hoc tamen quod in divinis personis ponitur unum subsistere essentiale, et commune, et tria existere incommunicabilia, et personalia: non sequitur quod in divinis sunt quatuor subsistentiae, aut quatuor subsistentes. Quia illud subsistere absolutum et commune identificatur cum illis tribus subsistentiis incommunicabilibus: et non ponit in numero cum illis."

[77] Vgl. ebd. (717a).

[78] Vgl. Suárez, De incarnatione 11.2.3 (XVII, 434b): „...non consequenter loquuntur...".

[79] Vgl. ebd. (434b-435a): „...magisque constanter procedunt Capreol., Cajetan., et alii Thomistae; ipsi enim sentiunt in unaquaque re substantiali existentiam esse unicum

Daß Suárez damit die originär thomistische These auf den Punkt getroffen hat, kann kaum bezweifelt werden. Wie wir wissen, sieht das metaphysische Fundament, zu dem er selbst sich bekennt, anders aus, und auf ihm errichtet er seine Argumentation zugunsten dreier relativer Existenzen in Gott[80]. Existenz ist für den Jesuiten entscheidendes Kennzeichen der „actualis entitas", was gleichermaßen für die Kreaturen wie für Gott gilt. Wir erinnern uns, daß Suárez mit Hilfe dieses Axioms christologisch die eigene, geschaffene Existenz der Menschheit Christi begründet hatte. Nun wird es auch trinitätstheologisch fruchtbar gemacht[81]: Wenn die Personen als Entitäten zu betrachten sind, müssen mit ihnen notwendig entsprechende Existenzen verbunden sein, ebenso wie die Wesenheit als für sich existierend angesehen werden muß, wenn sie „entitas actualis"

simplicem actum totius suppositi et naturae, quam dicunt in creaturis esse entitatem distinctam ab essentia, cujus est actus. Et ita in uno supposito tantum ponunt unum esse, per quod tam suppositum quam natura existit; unde ex creaturis ad divina ascendendo, quamvis esse divinum differat a creato, quia est ipsa essentia et natura Dei, tamen in ratione, et (ut ita dicam) in perfectione actus debet excellentiori modo habere quidquid habet esse creaturae; ergo, sicut unicum esse simplex est sufficiens actus, per quem existit persona creata, et ejus natura, ac personalitas, ita illud unicum esse absolutum et infinitum Dei, erit sufficiens ratio existendi, tam naturae divinae, quam omnibus personis."

80 Diese Konsequenz in der Durchhaltung der Verhältnisbestimmung von Entität und Existenz dürfte für Suárez bei seiner These von den „tres existentiae relativae" wichtiger gewesen sein als das bei MARTIN (1899) 881 in Erwägung gezogene Motiv, einen Personbegriff, der das „In-sich-Existieren" enthält, in Gott unverkürzt aufrechterhalten zu wollen.

81 Auf die untrennbare Verknüpfung der Thesen von der „existentia creata" der Menschheit Christi neben der Existenz des göttlichen Wortes und von den drei relativen Existenzen in Gott neben der absoluten Existenz weist Suárez selbst ausführlich in De incarnatione 36.1.16 (XVIII, 266a) hin: „nam ex eodem fundamento, ex quo cogimur ponere in Trinitate existentiam absolutam et relativam, cogimur ponere in duabus Christi naturis existentiam creatam et increatam, et ideo vel utrumque affirmandum esset, vel utrumque negandum. Quod ita declaratur, quia, si in Deo est existentia nihil aliud intrinsece est quam ipsa actualis entitas rei, et ideo quot sunt modi entitatum, tot necesse est esse modos existentiarum; et hinc concluditur, quia in Deo est entitas absoluta et relativa ratione distinctae, esse etiam proportionalem existentiam; ergo, pari ratione, quia in Christo sunt duae naturae, quae sunt duae entitates actuales, altera creata, altera increata, proportionaliter erunt existentia creata et increata. Vel e contrario confirmatur, quia si in persona creata existentia est unicus actus indivisibilis, per quam et persona et natura existit, multo magis in personis divinis ipsum esse absolutum naturae erit etiam existentia omnium relationum, et si existentia erit tantum absoluta, ei in ea facta erit unio, et procedet ratio facta. Si autem in Deo, sicut persona et natura ratione distinguuntur, ita etiam esse naturae et esse personae, ergo multo magis in natura et persona creata distinguetur esse naturae ab esse personae, et in Christo homine distinguetur esse naturae creatae, quod creatum est, ab esse personae increato."

genannt werden darf. Das ist die von Scotus übernommene Grundüberzeugung der suárezischen Metaphysik, die ihn auch in der Trinitätslehre von den Thomisten trennt. Ohne es selbst zu wissen, sind Suárez und die ihm vorangehenden scotisierenden Thomisten mit ihrer These von den „tres existentiae relativae" geradezu in eine der frühesten Kontroversen um die scotische Trinitätslehre zurückgekehrt. In einer von Viktorin Doucet edierten Quästion aus dem Sentenzenkommentar des unmittelbaren Scotusschülers Anfredus Gonteri, entstanden 1324/25[82], findet sich nicht nur die Behauptung von „tria esse personalia" in Gott in Unterscheidung vom „esse absolutum" des Wesens als unmittelbare Schlußfolgerung des scotistischen, von der Formaldistinktion zwischen Wesenheit und Personen geleiteten Trinitätsdenkens[83], sondern zugleich eine historisch interessante Dokumentation der scharfen Kritik, die gegen sie von Magistri des Dominikanerordens vorgetragen wurde. Der Vorwurf lautete kaum überraschend auf Vervielfachung der Wesenheit und Quaternitätsgefahr. Interessant ist, daß mit Johannes de Prato auch damals schon auf dominikanischer Seite ein Theologe zu finden war, der sich zumindest auf die Rede von einem „esse relativum" in Gott einlassen wollte und damit von der ursprünglichen thomanischen Vorgabe abgewichen ist. Der Streit provozierte 1320 einen offiziellen Entscheid der Pariser Theologenfakultät, der zugunsten der Franziskaner ausfiel. Ludwig Hödl hat jüngst die lehrgeschichtliche Bedeutung der Auseinandersetzung vertiefend expliziert[84].

Kehren wir nach dieser grundsätzlichen Einordnung zurück zur detaillierten suárezischen Explikation der zweifachen Formel für die Seinsprädikation in der Lehre über den dreifaltigen Gott. Was die göttliche Wesenheit angeht, ist sie in der Sicht des Jesuiten wenig problematisch. Die göttliche Natur existiert nur durch ihr „esse absolutum", ohne daß relative Existenzen dazu einen Beitrag zu leisten vermöchten. Wieder einmal verweist Suárez auf das Gedankenexperiment einer Reduktion der Tripersonalität in Gott – das Wesen könnte auch unter solcher Bedingung noch als existierend vorgestellt werden[85]. Da nun die Personen als göttliche in der einen, absolut existierenden Wesenheit subsistieren, existieren sie auch im einen, selben göttlichen Sein; sofern sie allerdings als Rela-

[82] Vgl. DOUCET (1938).

[83] Vgl. Anfredus Gonteri O.F.M., 1 Sent. d. 34, q. 3, ed. DOUCET (1938) 227-239, hier: 229. Scotus selbst spricht von einem je eigenen, durch die Proprietäten bedingten „esse personale" der drei Personen beispielsweise in Ord. I, dist. 28, q. 3 (Ed. Vat. VI, 138ff.). Vgl. MINGES (1919) 28.

[84] Vgl. HÖDL (2006).

[85] Vgl. Suárez, De incarnatione 11.2.4 (XVII, 435b), These (1).

tionen voneinander unterschieden sind, haben sie zugleich je eigene Existenz, eben relative, und zumindest mit dieser präzisierenden Hinzufügung darf man von „tres existentiae“ in Gott sprechen[86].

Die Berechtigung dieser These, in der Suárez – wie wir mit Blick auf Richard von St. Viktor sahen – gegenüber der Tradition nicht so sehr eine neue Lehre als eine veränderte Redeweise sehen will, die in der älteren Scholastik zumindest Anknüpfungspunkte aufzeigen kann[87], hängt offenbar ganz davon ab, wie man das „Eigensein“ der Relationen ontologisch bestimmen will. In der differenzierten Betrachtungsweise des Jesuiten kann den drei göttlichen Personen bzw. Relationen ein bestimmtes Prädikat in dreifacher Weise zugeschrieben werden[88].

Einerseits geschieht dies „praecise ratione essentiae“. So wird z. B. das „Gottsein“, „Ungeschaffensein“ etc. von ihnen ausgesagt. Da diese Prädikate nur einen einzigen identischen Formalgrund in allen Personen besitzen, werden sie mit ihnen nicht vervielfacht.

Zweitens erfolgt eine Prädikation „praecise ratione relationis“. So kommt es den Relationen etwa zu, „inkommunikabel“ zu sein, Person zu sein, „etwas anderes“ zu sein. Solche Bestimmungen werden nicht mit den jeweiligen personalen Proprietäten (z. B. dem Vatersein) als solchen vermehrt, da diese nicht multiplikabel sind, wohl aber mit der Personalität bzw. Relationalität in jenem allgemeinen Sinn, in dem die drei begrifflich übereinstimmen – wir erinnern uns an das Kapitel über die univoke Personprädikation in Gott. Denn so können die Formen bzw. Formgründe vervielfacht werden, von denen her diese Prädikate genommen sind.

In einer dritten Weise gilt: Wiederum andere Zuschreibungen kommen den göttlichen Relationen zwar absolut und schlechthin auf Grund des Wesens zu, gemäß einem bestimmten Modus aber auf Grund ihrer relationalen Beschaffenheit. Dies ist nach Suárez besonders „in praedicatis aliquo modo transcendentalibus“ anzunehmen, wobei hier noch nicht die Transzendentalien im klassischen Sinne gemeint sind, denen im folgenden je eigene Erörterungen gewidmet werden, sondern vielmehr unmit-

[86] Vgl. ebd. 5 (436b): „Dico tertio: nihilominus absolute et simpliciter dicendum est, tres divinas personas existere eodem esse, et solum cum addito dicendum est, relative existere per distincta esse relativa, et simili modo simpliciter dicendum est esse in Deo unum esse; triplex autem esse non est nisi cum addito concedendum, scilicet, relative.“

[87] Zwar bemüht sich Suárez, neben den früher erwähnten Texten Richards von St. Viktor auch thomanische Aussagen als Beleg heranzuziehen (vgl. De trin. 3.5.7 [I, 597b]), doch gibt er andererseits zu, daß die Lehre des Aquinaten über das *einzige* Sein der göttlichen Personen nur mit interpretatorischem Aufwand in die eigene These zu integrieren ist; vgl. De incarnatione 36.2.8 (XVIII, 272b).

[88] Vgl. De incarnatione 11.2.5 (XVII, 437a).

telbare Explikationen von „seiend" (wie „sein" oder „eine Entität bzw. Realität haben")[89]. Hier stehen wir vor der Doppelaspektivität der göttlichen Relationen in ontologischer Betrachtung: Da sie die absolute Entität zuinnerst einschließen, sind sie vom Wesen formal nicht getrennt. Die Relationen haben Sein schlechthin aufgrund der gemeinsamen „essentia". Andererseits besitzen sie als Relationen zugleich relatives Sein. Dieses ist ebenso „modal" aufzufassen, wie sie es selbst als Relationen sind, wenn sie das Wesen terminieren bzw. modifizieren[90]. Nichts anderes hatte bereits Zumel gelehrt. Die Bindung der Relation an das Wesen „relativiert" im wahrsten Sinne des Wortes die personale Existenz in Gott, aber gibt ihr zugleich eine ontologische Valenz, die prinzipiell von derjenigen aller geschöpflichen Existenzmodi verschieden ist. Was wir in Gott in Analogie zur geschöpflichen Welt als „Modus" der wesenhaften Existenz zu begreifen suchen, ist hier in Wahrheit selbst eine „entitas perfectissima", deren (auch hier in Korrelation zur „entitas actualis" zu bestimmende) Seinsmächtigkeit über die eher schwache kreatürliche modale Eigenexistenz[91] hinausweist. Während die modale kreatürliche Subsistenz gerade in ihrer Unterschiedenheit von der durch sie terminierten Natur Unvollkommenheit einschließt, die ihr etwa verbietet, eine andere als die eigene Natur zur Subsistenz zu bestimmen, ist dies bei den göttlichen Subsistenzen anders. Sie sind als Relationen identisch mit der durch sie „modifizierten" Wesenheit, was sich in ihrer Fähigkeit dokumentiert, als Relationen über die eigene Natur hinaus weitere Wesenheiten terminieren zu können[92], was im Falle der Inkarnation Christi real wird.

Für die an dritter Stelle genannte Prädikationsweise läßt sich aus diesen Explikationen festhalten, daß die ihr zugehörigen Prädikate nicht schlechthin und absolut vervielfacht werden, sondern nur in Verbindung mit den Begriffen, die eine Relation bezeichnen („sub nominibus impor-

[89] Vgl. ebd.: „et hujusmodi est esse seu habere entitatem, aut realitatem, nam unicuique personae divinae simpliciter et absolute convenit esse, ratione essentiae; ratione autem relationis tantum convenit esse tali modo, scilicet, respiciendo terminum".

[90] Vgl. De trin. 3.5.10 (I, 598a): „Atque ita in praesenti, existentia relativa immediate considerari potest tanquam modus ipsius relationis, quam constituit in esse formae et entitatis actualis, ipsa vero relatio est, quae proxime concipitur ut forma, vel modus naturam terminans, vel constituens personam."

[91] Diese wird betont in De trin. 3.5.9 (597b-598a).

[92] Vgl. De trin. 3.5.8 (597b): „Primo, quia licet nostro modo concipiendi relatio divina apprehendatur ut modus, vere tamen est entitas perfectissima: nam propria ratio modi, ut distinguitur ab entitate, imperfectionem aliquam includit et distinctionem ex natura rei ab eo cujus est modus. Quod etiam ex [ed.: est] Metaphysica manifestum est. Unde subsistentia personalis Dei ideo potest terminare alienam naturam, quia non est tantum modus, sed vera res et per se entitas."

tantibus relationem"). Die Form, von der her sie genommen sind, ist dieselbe in allen Personen, eine Vervielfältigung findet nur statt hinsichtlich des bestimmten inkommunikablen bzw. relativen Modus. In diese Kategorie fällt „Sein", so daß es zwar schlechthin ein einziges ist, aber dreifach genannt werden kann mit dem Hinweis auf das betreffende Relativum. Nach Suárez ist mit dieser Behauptung kein Widerspruch zur Unendlichkeit des absoluten Seins gegeben. Die These kann vertreten werden, ohne daß aus ihr folgen müßte, daß die absolute Existenz Gottes vollständiges Formalkonstitutiv der Relationen ist. Denn wie die Gottheit unter Absehung von den Relationen etwas schlechthin Unendliches, aber nichtsdestoweniger gemäß diesem präzisen Begriff nicht in formaler Hinsicht relativ ist (auch nicht wesenhaft), sondern nur absolut, da die relative Vollkommenheit (formal betrachtet) nicht zu ihrer Unendlichkeit gehört, obwohl sie in ihr auf eminente Weise enthalten ist, so ist auch das der Gottheit als solcher korrespondierende wesenhafte Sein unendlich, und zwar als solches, also nur als absolutes und nicht relatives. Durch dieses Sein existiert demnach in vollkommener Weise die absolute Natur, aber nicht die Relation qua Relation, und deswegen ist es notwendig, daß die Relation als solche irgendein Sein hinzufügt, durch welches es exakt „in esse entitatis actualis relativae" konstituiert wird[93]. Anders wäre nicht zu erklären, daß wir Wesen und Relation zumindest gedanklich zu unterscheiden vermögen und etwa der „paternitas" eine formale, seinsvermittelnde Funktion im Bezug auf die eigene Relation ebenso zuschreiben wie die Hervorbringung des „esse Filii" im Hinblick auf die von ihr unterschiedene und gesetzte Beziehung[94].

An dieser in „De incarnatione" vorgetragenen Lehre hat Suárez auch in „De trinitate" unverändert festgehalten. Deutlicher fällt im Spätwerk der Hinweis auf den scotischen Einfluß aus, der darin erkennbar wird: Das eigene „esse existentiae" der Relationen gegenüber der Wesenheit folgt aus ihrer dem Wesen gegenüber verschiedenen „quidditas" bzw. „ratio formalis"[95]. Denn wenn die Existenz der Relation nichts anderes ist als die wirkliche (aktuale) Entität der Relation selbst, kann sie als solche ebenso „respektiv" sein wie die Relation (in ihrem „Was")[96].

[93] Vgl. De incarnatione 11.2.13 (XVII, 439b).

[94] Vgl. die Argumente (1)-(3) in De trin. 3.5.11-13 (I, 598a-b).

[95] Vgl. De trin. 3.5.5 (I, 596b). Wenn SCHMIDBAUR (1995) 432 u. ö. „ratio relationis" ohne Bedenken als „Wesen der Relation" übersetzt, begibt er sich auf ein im Hinblick auf seinen dezidiert thomistischen Standpunkt problematisches terminologisches Geleis.

[96] Vgl. auch Suárez, DM 31.11.33 (XXVI, 282a), bezogen auf akzidentelle Relationen: „...eo modo quo relatio habet essentiam realem, actualem, et propriam ac distinctam ab aliis essentiis rerum, ita necesse est ut propriam habeat existentiam, ita di-

Suárez hat eine nicht unerhebliche Gefahr in dieser Redeweise klar benannt, die wiederum bereits Zumel beschäftigt hatte[97]: Ist mit den „drei relativen Existenzen" nicht zugleich das Bestehen von „drei Wesenheiten" in Gott behauptet? „Wesenheit" nämlich ist ebenfalls ein transzendentales Prädikat, das von absoluter und relativer Verwirklichung absieht. Die Relation als Relation, so läßt sich der Einwand weiter stützen, hat durchaus ihre quidditative Bestimmtheit, nämlich das „esse ad", in dem sich folglich die Personen voneinander (und von der absoluten Wesenheit) unterscheiden[98]. In seiner Antwort auf diesen Einwand möchte Suárez die Rede von mehreren Wesenheiten in Gott nicht nur durch begriffliche Kaschierungen umgehen, wie er sie in der Unterscheidung eines „quod quid est relationis" und eines „quod quid est naturae divinae" bei Cajetan vorliegen sieht, sondern sie auf jeden Fall ganz vermeiden, weil sie dem Sprachgebrauch des Dogmas zuwiderläuft. Die Lösung des Jesuiten lautet: Es gibt in Gott nur eine Wesenheit, die allen drei Personen gemeinsam ist. Als Wesenheit einer Sache ist dabei dasjenige zu bezeichnen, wodurch das Seiende in seinem Sein schlechthin konstituiert wird und welches Prinzip seiner Handlungen ist. Diesem Kriterium genügt in Gott nur die eine, einzige Natur. Der Modus des inkommunikablen personalen Subsistierens aber gehört streng formal nicht zum Begriff der Wesenheit eines substantialen Individuums[99]. Dies läßt sich am Beispiel des Menschen erkennen, dessen geschöpfliche Personalität zwar von der menschlichen Natur ihrem formalen und gleichsam wesenhaften Begriff nach unterschieden wird, ohne daß der Mensch damit jedoch eine andere als die eine menschliche Natur besäße. So sind Christus als Mensch und jeder andere Mensch Individuen derselben Art, obwohl sie in den Personalitäten differieren. Um so mehr ist es eine einzige Wesensnatur, in der die drei göttlichen Personen subsistieren, ja aus der sie als Relationen ihr „esse simpliciter" in der Weise beziehen, daß ihr formal-quidditativer Eigenstand als Relationen nur „cum addito" als seinsgebend benannt werden darf[100]. Hier kann sich Suárez erneut die ontologische Grundbe-

stinctam ab existentia fundamenti sicut ipsa relatio distincta fuerit. Unde si relatio est entitas accidentalis realiter a fundamento distincta, necesse est habere existentiam etiam realiter distinctam, praesertim in nostra sententia, quod existentia est ipsamet actualis essentia"; De incarnatione 11.2.15 (XVII, 440a).

[97] Vgl. Zumel, Comm. in I^am q. 28, disp. 4 (717a-b).

[98] Vgl. Suárez, De incarnatione 11.2.6 (XVII, 437a-438a).

[99] Vgl. die ähnliche Abgrenzung in De trin. 4.6.4 (I, 631b).

[100] Vgl. De incarnatione 11.2.6 (XVII, 438a): „Sic ergo multo magis tres personae simpliciter sunt unius naturae et essentiae; imo etiam relationes ipsae simpliciter dicendae sunt unius essentiae, quia (ut dictum est) in omnibus essentialiter includitur, et ab illa magis habent esse simpliciter quam ex propriis conceptibus; cum addito au-

stimmung seiner Modus-Theorie zueigen machen, nach der ein Modus untrennbar mit der Natur verbunden ist, die er modifiziert. Darum steht er ihr gegenüber in grundsätzlicher Abhängigkeit[101]. Wie also die Relation als Modus in ihrem Subjekt besteht, so auch die relative Existenz als dem absoluten Existieren geeinte „Inexistenz"[102]. Die Existenzmodi folgen auch in Gott ontologisch den jeweiligen Seinsweisen der aktuellen Entität, zu der sie gehören[103]. Da mit der Existenz jedoch nicht auch das Wesen modifiziert wird, braucht die für den dogmatischen Sprachgebrauch problematische Annahme dreier „relativer Wesenheiten" in Gott mit der Setzung dreier modal verstandener Existenzen nicht zugegeben zu werden. Zulassen will Suárez dagegen den weiter gefaßten Begriff von „tres rationes reales relativae" in Gott, die das Formalkonstitutiv der Relationen zu kennzeichnen vermögen. Hier wie auch in allen anderen strittigen Benennungsfragen, wie sie sich etwa im Bezug auf die Multiplizierbarkeit der Prädikate Dauer, Ewigkeit, „actus purus" u. ä. entzünden können, gilt nach Suárez als generelle Beurteilungsregel: Wenn ein Prädikat etwas unter einer Hinsicht bezeichnet, die Unendlichkeit schlechthin „in genere entis" impliziert, kann es in Gott nicht vervielfacht werden, weil es auf jene Einheit bezogen ist, die in Gott allein aus der Wesenheit hervorgeht. Hier scheint die scotische Grundprägung des suárezischen Gottesbegriffs auf, dessen entscheidende Eigentümlichkeit und damit einzige strikt nicht-multiplikable Wesensgröße „infinitas" heißt. Bei transzendentalen Begriffen dagegen, die der Unterscheidung von endlichem und unendli-

tem, et secundum quid possunt dici distingui in formali et quidditativa ratione relationis."

[101] Vgl. auch ebd. 16 (440a-b).

[102] Auch bezüglich dieses von Suárez gebrauchten Begriffs legt sich der Querverweis zur Christologie nahe, wo die eigene, geschaffene Existenz der angenommenen Menschheit gleichermaßen als „Inexistenz" bezeichnet wird; vgl. De incarnatione 26.1.17 (XVIII, 266b): „creata existentia humanitatis Christi non est omnino perfecta et completa in genere substantiae, et ideo habet potius rationem inexistentiae, quam existentiae simpliciter." Der Unterschied zur Seinsweise der Relationen in Gott besteht freilich darin, daß diesen wegen ihrer Identität mit der göttlichen Wesenheit im Unterschied zu der auch in der hypostatischen Union geschöpflich verbleibenden Menschheit in ihrem Existieren keinerlei Unvollkommenheit zukommt.

[103] Vgl. die generelle Regel des Suárez in DM 31.11.32 (XXVI, 282a): „Et hoc modo est in universum vera regula, unumquodque ens actu esse idem in re cum suo esse adaequato, et unamquamque essentiam actualem cum sua existentia, substantialem cum substantiali, totalem cum totali, partialem cum partiali, accidentalem cum accidentali, et modalem cum modali." Offenbar gegen solche suárezische Aussagen richtet sich Vázquez, wenn er die Annahme einer „subsistentia partialis" bzw. „hypostasis partialis" strikt zurückweist; vgl. In III$^{am}$ 32.3.12 (I, 244b).

chem Seiendem vorgängig sind, wie etwa „Existenz", ist eine Vervielfachung möglich auf Grund der Dreiheit der Relationen („ratione trium relationum")[104].

Zusammenfassend läßt sich sagen: Die Lehre von den „relativen Existenzen" in Gott ist bei Suárez die konsequente trinitätstheologische Konsequenz seiner generellen, scotistisch geprägten Verhältnisbestimmung von Wesen (bzw. in umfassenderer Perspektive: formbestimmter Entität) und Existenz. Der ontologische Status der Existenz korrespondiert dabei strikt dem ontologischen Status der betreffenden Entität, was für die Existenz der göttlichen Personen in sich einen respektiven Charakter zur Folge hat, im Verhältnis zur Wesenheit aber als quasi-modale Bestimmung expliziert werden kann, von der aus Quaternitätsvorwürfe zurückzuweisen sind. In historischer Perspektive greift Suárez mit seiner Lehre eine schon in der Generation vor ihm in der spanischen Thomasauslegung bestehende Tendenz zur Geltendmachung des scotistischen Existenzverständnisses innerhalb der Trinitätstheologie auf, der Cajetan mit seiner Zuschreibung einer je eigenen Subsistenz an die drei Personen in Gott ungewollt den Grundimpuls geliefert haben dürfte.

### 4) Vervielfachung der transzendentalen Prädikate?

(1) Die Grundregel, nach der alle weiteren Fragen aus dem Komplex „Multiplikation von Prädikaten in Gott" beantwortet werden müssen, ist in den vorangehenden Abschnitten bereits angeklungen: Vervielfacht werden mit den Personen weder (in substantivischer Weise) die reinen Wesensattribute noch die aus den personalen bzw. notionalen Proprietäten stammenden Bestimmungen. Denn während jene ebensowenig multiplizierbar sind wie das göttliche Wesen, bleiben diese streng an die jeweilige Person gebunden, welcher sie eigen sind.

Nun gibt es daneben jedoch Bestimmungen, die sowohl vom Wesen als auch den personalen Eigentümlichkeiten her gewonnen werden können, weil sie allen Entitäten in sehr allgemeiner Weise zukommen und nicht auf bestimmte Seinskategorien beschränkt sind[105]; wegen ihres transkategorialen Charakters heißen sie in der metaphysischen Tradition „transzendentale" Prädikate.

[104] Vgl. Suárez, De incarnatione 11.2.11 (XVII, 439a).

[105] Vgl. De trin. 3.6.1 (I, 599a): „praedicata communiora, magisque indifferentia, quae ab essentia et a proprietate personali sumi possunt, ut sunt maxime transcendentalia praedicata, et similia".

Die philosophiegeschichtliche Einordnung der suárezischen Transzendentalienlehre gehört zu den häufigen und kontroversen Themen der neueren Suárezforschung. Vor allem die Frage, wie weit der Jesuit dem scotischen Neuentwurf des Transzendentalienbegriffs gefolgt ist, der sich gegen die ältere, vor allem im thomanischen Denken anzutreffende scholastische Tradition abgrenzt, steht dabei im Zentrum des Interesses. Hat Suárez mit Scotus die Transzendentalität eines Sinngehalts ausgehend vom Kriterium der kategorialen Unbestimmtheit, also der Tatsache, daß etwas nicht mehr notwendig irgendeiner höheren Gattung unterstellt ist, verstanden, oder begreift er mit Thomas die Transzendentalien als diejenigen allgemeinsten Prädikate („comunissima“), die insofern gattungsübergreifenden Charakter haben, als sie allen Seienden in allen Kategorien zugesprochen werden können? Rolf Darge hat in seiner Studie zur Thematik die Forschungspositionen kritisch gesichtet und in der Überprüfung am suárezischen Text eine vermittelnde These vorgelegt: Suárez knüpft in der Grundbestimmung von Transzendentalität „als eine<r> Art prädikativer Gemeinsamkeit höchsten Grades, die sich auf alles erstreckt, das ist, und so – unter der Bedingung einer Vielheit von transzendentalen Sinngehalten – deren Konvertibilität untereinander ermöglicht und zur notwendigen Folge hat“[106], klar an die vorscotische Tradition an, wie sie paradigmatisch durch Thomas von Aquin repräsentiert wird[107]. Sofern die Transzendentalienkonzeption des Scotus dadurch ausgezeichnet ist, daß sie sich mit dem Bestimmungsmoment „aliquid non contentum sub genere“ beschränkt und nicht dazu ein „esse commune omnibus“ fordert[108], wird sie durch Suárez nicht übernommen. Im Verständnis der Analogizität der transzendentalen Sinngehalte weicht der Jesuit andererseits deutlich von Thomas ab und greift ein scotisches Grundelement auf, wenn er die prädizierten Gehalte als „innerlich und wesenhaft“, in identischer Weise in allen Analogaten anzutreffen behaup-

[106] DARGE (2004a) 76.

[107] Vgl. auch DARGE (2000b). Die mittelalterlichen Alternativen im Verständnis des Transzendentalen hat samt ihrer Relevanz für die rationale Gotteslehre in konziser Form jüngst Jan A. Aertsen herausgestellt; sein Fazit: „'Transzendental' meint für Thomas das den Kategorien Gemeinsame (und schließt daher das Göttliche nicht ein), für Scotus dagegen das nicht zu einer Gattung Gehörige (und schließt so das Göttliche ein)“: AERTSEN (2006) 310.

[108] Vgl. etwa die Bestimmung von Transzendentalität, wie sie im 16. Jahrhundert der Scotist Melchior de Flavin (Melchior Flavius, †1580) vorlegt: „Nec oportet, ut aliquid sit transcendens, ipsum esse commune omnibus, sed sufficit, ut non contineatur sub genere. Accidit enim sibi quod habeat multa inferiora, perinde ac de ratione generis summi non est habere aliquod genus supra se“ (Resolutiones in I$^{am}$, d. 8, q, 3, fol. 43r).

tet[109]. Wie bei Scotus ist „seiend" auch für Suárez der einfachste und grundlegendste Begriff, der jeder existierenden Wesenheit zugesprochen werden kann, das indifferente Minimalmoment, welches stets übrig bleibt, wenn man die „realitas" von allen sie determinierenden inneren Modi abstrahiert[110]. Der Ausgangspunkt der Analyse ist nach Scotus stets ein washeitlicher Begriff. Das eine Wesenheit determinierende „quale" jedoch, unter das die letzten Differenzen und Modi des Seienden zu fassen sind, ist für den Franziskaner nicht mehr im strengen Sinne „seiend", sondern nur „per accidens" und denominativ, nämlich von seinem Enthaltensein in einem substanzhaften Seienden her. Was den unvollkommenen, in der Abstraktion aufscheinenden Allgemeinbegriff zum vollkommenen Begriff des in der Realität existierenden Dings fortbestimmt, ist also selbst kein „Seiendes"[111]. Hier setzt die Kritik des Suárez an. Der Jesuit lehnt es ab, die Modi oder positiven Differenzen verschiedener Seiender aus dem transzendentalen Seinsbegriff auszuschließen[112]. Vielmehr gilt: Die „ratio entis" ist „eingeschlossen in allen eigentümlichen und bestimmten Weisen des Seienden (rationibus entium) und auch in den Modi, welche ein Seiendes determinieren"[113]. Dieses gegen Scotus gerichtete Moment hat zwar Ludger Honnefelder ähnlich wie zuvor Walter Hoeres als Mißinterpretation der scotischen Vorgabe aufgrund eines

[109] Vgl. DARGE (2004a) 77-84. Die umfangreiche philosophische Debatte um den Analogiebegriff bei Suárez, in der die Frage nach dem Verhältnis zu Scotus und seiner Univozitätslehre zentral ist, braucht hier nicht im einzelnen nachgezeichnet zu werden. Vgl. die detaillierte Einordnung des Suárez in die philosophische Tradition bei ASHWORTH (1995). Der Artikel kommt zum vermittelnden Ergebnis, daß Suárez an Thomisten vor Cajetan, aber auch an spätere Mitglieder der Schule (wie Domingo de Soto) anknüpft, die Einheit und Analogizität im Seinsbegriff zu verbinden suchen. Dagegen hält GOUDRIAAN (1999) 139-147 den „thomistischen" Analogieaspekt mit dem grundsätzlich scotischen Univozitätsstandpunkt bei Suárez für nur nominell vereinbar und knüpft damit an das Urteil an, welches die Thomisten traditionell über Suárez gefällt haben; vgl. beispielhaft MANSER (1949) 423-426. In eine ähnliche Nähe zu Scotus stellt Suárez HOERES (1965), der den Unterschied zwischen beiden hauptsächlich in der erkenntnistheoretischen Bewertung des univoken Seinsprädikats und der ontischen Ermöglichung der verschiedenstufigen „praecisio" erkennt (Fazit 289f.). Schon JANSEN (1940a) 170 hatte die „praecisio obiectiva" als „Kernstück der Metaphysik des Suarez" bezeichnet. Weitere Beiträge zum Thema liefern MORABITO (1940) 397-412; GIACON (1947) 56f.237-243; HELLIN (1946); DOYLE (1969); GNEMMI (1969) 310-320; PECCORINI (1972).

[110] Vgl. HONNEFELDER (1979) 376-382; LEINSLE (1985) 63-71.

[111] Vgl. DARGE (2004a) 90f.

[112] Vgl. Suárez, DM 2.3.13 (XXV, 86a).

[113] Vgl. DM 28.3.21 (XXVI, 20b-21a), wo Suárez die „rationem entis" bestimmt als „intime inclusam in omnibus propriis ac determinatis rationibus entium, et in ipsis modis determinantibus ipsum ens". Vgl. GRACIA (1992) 122ff.

veränderten Modus-Verständnisses qualifiziert[114] und angesichts der fraglosen Orientierung am scotischen Basismodell für nicht allzu hoch zu veranschlagen betrachtet. Die Konsequenzen für die Trinitätstheologie werden wir dennoch im einzelnen zu überprüfen haben.

Die prinzipielle Ausrichtung am scotischen Univozitätskonzept führt Suárez zu der These: Was alles Seiende in indistinkt-„konfuser" Betrachtung verbindet, ist nichts anderes als das, was in der begrifflichen Letztbestimmung das eine vom anderen unterscheidet: nämlich „seiend" zu sein[115]. In dieser doppelten Betrachtungsweise wurzelt das suárezische Analogieverständnis[116], das sich klar vom thomistischen Äquivalent unter-

[114] Für das scotische Modusverständnis gilt nach DECORTE (1995) 427f.: „Modus in Scotus' terminology always means: intrinsic perfection. Whereas one and the same thing can comprise several quidditatively different formalities, the difference between a reality/formality and its intrinsic mode is not one of concepts or essences or realities, but one of intensity of being. A white thing – Scotus's example – can be characterized by various intensities of whiteness. Suppose we conceive the white thing that is brilliantly white simply as a white thing (i.e. without including in our conceptions the intensity of whiteness or its mode of being): we then conceive it in an imperfect way, because we conceive the brilliantly white thing simply as a white thing. However, if we conceive it as a brilliantly white thing (i.e. res together with modus), we conceive it perfectly, i.e. our concept is perfectly adequate to the extramental thing." Vgl. GRAJEWSKI (1944) 86f., der die scotische Lehre vom Modus (vor allem in seinem Verhältnis zur Formalität) als „to some extent obscure and incomplete" erklärt. Zur Aufnahme des Begriffs bei Suárez, den bereits WELLS (1962) 426f. für historisch inkorrekt erklärt hat, stellt HOERES (1965) 283ff., hier 285, fest: „But he [sc. Suárez] has failed to understand the Scotistic conception of mode as a gradus perfectionis, possibly because he employed the word modus in a different sense." Modi bei Suárez haben zu tun mit Zusammensetzung, Abhängigkeit, Veränderlichkeit endlicher Seiender. Ähnlich HONNEFELDER (1990) 243f. Am scotischen Grundkonzept der suárezischen Transzendentalienlehre ist nach Honnefelder dennoch nicht zu zweifeln: „Während das, was Suárez an Scotus kritisiert, gar nicht dessen Lehre ist, folgt er mit dem, was er als eigene Lösung ausschließt, den Grundlinien der tatsächlichen scotischen Lehre: Mit der entscheidenden Annahme, daß zwei formalen Begriffen, die nur in der Ausdrücklichkeit ihrer Repräsentanz verschieden sind, dennoch zwei verschiedene objektive Begriffe entsprechen können, setzt er nämlich für die Ebene der Begriffsgehalte genau jenen Typ der Unterscheidbarkeit an, den Scotus als distinctio zwischen res und modus intrinsecus eingeführt hat" (ebd. 245f.). Dagegen erscheint Suárez' Deutung in der Interpretation durch Rolf Darge – vgl. bes. DARGE (2004a) – als echtes Alternativmodell gegenüber dem (durchaus korrekt verstandenen) scotischen Transzendentalienkonzept.

[115] Vgl. Suárez, DM 2.4.16 (XXV, 87a): „quibusdam videtur impossibile ut idem secundum rem absque ulla distinctione ex natura rei, quam in se habeat, possit esse principium seu fundamentum convenientiae et distinctionis ab alio (...). Ego vero existimo etiam in convenientia univoca id non repugnare".

[116] Während also das determinierte Seiende nicht univok zu verstehen ist, weil es den Unterschied zwischen endlichem und unendlichem Seienden bzw. „ens a se" und

scheidet. Zur Erläuterung der These greift Suárez bezeichnenderweise schon in seiner Metaphysik auf ein Beispiel aus der Trinitätstheologie zurück[117]: Vater und Sohn kommen in Gott darin überein, „Personen“ zu sein. Wie wir an früherer Stelle dieser Arbeit bereits sahen, versteht Suárez Personalität hier nach Art einer Transzendentalie: als begriffliches Grundmoment, das von allen drei Supposita prädiziert werden kann, ohne daß diese dadurch artverschiedene Exemplare einer gemeinsamen Gattung würden[118]. Wie jedoch das Personsein (in der allgemein-abstraktiven Begriffsgestalt) das die drei in Gott Verbindende ist, so ist es doch zugleich als vollbestimmt-konkretes (nämlich als „paternitas“, „filiatio“ und „spiratio passiva“) das die Supposita Unterscheidende. Der abstrahierbare und gemeinsam prädizierbare Grundgehalt von Personalität ist Fundament einer quasi-generischen Verbundenheit, während (scotisch gesprochen) auf der Ebene der „conceptus proprii“ eine quasi-spezifische Verschiedenheit vorliegt. So unterscheiden sich alle Seienden als (durch ihre Modi) voll bestimmte, während sie zugleich als Seiende in dem auf die transzendental-univoke Gemeinsamkeit reduzierten Wesensbegriff eine „unvollkommene Übereinstimmung“ („imperfectam convenientiam“)[119] besitzen. Suárez verwendet hier den thomistisch klingenden Terminus der Seinsanalogie, obwohl Leitgedanke das scotische Verständnis von „ens“ bleibt[120].

„ens ab alio“ zu berücksichtigen gilt, kommt schlechthin alles Seiende univok darin überein, in seiner inneren Konstitution möglich, d. h. nicht-repugnant in seinen nicht von der Existenz abhängigen Formalbestimmungen zu sein. Die Nicht-Repugnanz ist für Suárez „the lowest common intrinsic denominator of being wherever it is found“: DOYLE (1969) 331.

[117] Vgl. Suárez, DM 2.4.16 (XXV, 87a): „Nam Pater et Filius univoce conveniunt in ratione personae; quis enim negabit ibi aliquam unitatem et convenientiam, aut affirmabit illam esse analogam, cum in ratione personae tam perfecta sit una sicut alia? Et tamen in singulis personis nulla fingi potest ex natura rei distinctio inter distinctionis et convenientiae fundamentum. Eadem enim paternitas in se simplicissima in sua entitate relativa distinguitur realiter a filiatione, et convenit cum illa in communi ratione relationis seu personalitatis; estque similis quasi generice, et dissimilis quasi specifice, quamvis in ea hi gradus seu conceptus ex natura rei non distinguantur.“

[118] Vgl. De trin. 1.3.14-16 (I, 542b-543b).

[119] DM 2.4.16 (XXV, 87b).

[120] Vgl. HONNEFELDER (1990) 282-294. In dieselbe Richtung analysiert die Texte bereits LEIWESMEIER (1941) 191-200. Wie Suárez zugleich das Moment der Ungleichheit, wie es der Analogiebegriff impliziert, als im Sinngehalt des Seienden eingeschlossen denkt, braucht hier nicht näher erläutert zu werden. Vgl. dazu DARGE (1999b) und DARGE (2000a) 157: „Analog ist danach [sc. bei Suárez] in erster Linie nicht ein Ausdruck oder seine Verwendung in der Prädikation, sondern der durch den Ausdruck bezeichnete objektive Begriff, also der Sinngehalt der Sache, den der

Was läßt sich aus diesem flüchtigen Blick auf Grundaussagen der suárezischen Transzendentalienlehre für unsere vorliegende Frage nach einer Multiplizierbarkeit der transzendentalen Prädikate parallel zur Multiplikation der Personen in Gott folgern? Mit der Zuschreibung der „ratio entis" auch an alle Seinsmodi und letzten Differenzen hat Suárez deutlicher als Scotus das Tor dafür geöffnet, von den nach Art modaler Letztbestimmungen der göttlichen Wesenheit verstandenen personkonstituierenden Relationen auch die transzendentalen Eigenschaften aussagen zu können – und zwar nicht nur, sofern diese Relationen durch ihre Identität mit dem göttlichen Wesen in dessen absolutem Sein übereinkommen, sondern gerade auch, sofern sie Relationen sind. Multipliziert werden können die Transzendentalien in Gott sogar allein in der letztgenannten Hinsicht, denn werden sie vom Wesen her verstanden, sind sie so einzig wie dieses selbst. Leitet man sie dagegen von den personalen Proprietäten ab, ist die Möglichkeit einer der Dreipersonalität entsprechenden Vervielfachung im einzelnen evident. Sie gilt es im folgenden zu erörtern[121].

(2) Gänzlich unumstritten ist nach Suárez die Bezeichnung der drei Personen als „tres res". Die Explikation, die der Jesuit anschließt, bewahrt das Ergebnis einer schon in der Frühzeit scholastischer Trinitätsspekulation, seit den Tagen Roscellins von Compiègne und Anselms von Canterbury virulenten Debatte[122]. Wohl deswegen stellt Suárez „res" an den Anfang seiner Betrachtung, obgleich es sich dabei für ihn wegen der Syn-

formale Begriff des Verstandes repräsentiert. Dieser verhält sich analog, insofern er seine inferiora in einer nach ‚Früher' und ‚Später' bestimmten Ordnung betrifft, indem er sich zuerst und auf absolute Weise – ohne Beziehung auf das jeweilige andere – in einem von ihnen findet, und ‚danach' im Sinne der Gründungsordnung in dem oder den anderen, welche ihn nur in wesenhafter Abhängigkeit von jenem ersten besitzen". Konkret ist damit Bezug genommen auf das ontische Ordnungsverhältnis zwischen einem Seienden und seinen Modi. „Die Konzeption integriert das herkömmliche Verständnis von Univozität und fügt ihm ein Moment hinzu, durch das der Univozitätsbegriff zum negativen Pendant des neuen Analogiekonzeptes wird – eben die Gleichförmigkeit der Beziehung des Sinngehalts zu seinen *inferiora* in der objektiv-begrifflichen Ordnung" (ebd. 159). Vgl. zum Themenkomplex auch die bereits in Anm. 109 dieses Kapitels zitierte Literatur.

[121] Zu unterscheiden ist unsere Problematik von der Frage, ob man einzelne transzendentale Prädikate, sofern sie *Wesensattribute* sind, einer bestimmten Person zu appropriieren vermag (z. B. dem Sohn als „veritas"); vgl. dazu, im Ausgang von Thomas, KRETZMANN (1989); auf ähnliche Stellen bei Bonaventura und Albert weist COURTINE (1990) 350 hin.

[122] Vgl. EMERY (2004c) 167-172.

onymität mit „ens“ gar nicht um eine „passio entis“ im eigentlichen Sinne handelt[123].

In seiner Sicht ist durch die Multiplikation des Prädikats „res“ nichts anderes als der Charakter der Relationen als „wahrer und realer Substanzen“ benannt[124]. Daß die Wesenheit in den drei göttlichen Personen gerade nicht vervielfacht wird, ist kein Gegenargument, da die mit dem Begriff angezielte „realitas“ nicht auf das Wesen beschränkt ist, sondern in einem weiteren Sinne der irgendwie sachhaften Bestimmung verstanden werden kann[125], freilich „unter Einschluß der Fähigkeit und Hinordnung (...) auf das verstandesunabhängige Sein“[126]. So aber sind auch den drei Personen gleichsam drei „formae“ zuzuordnen, näherhin die in ihrer Formalbestimmung „quidditativ“ als solche differierenden Relationen[127]. Suárez zieht auf diesem Wege nicht seine These zurück, daß die Relationen gegenüber dem Wesen nicht „in quid“, sondern „in quale“[128], nämlich nach Art letztbestimmender Existenzmodi zu prädizieren sind. Denn damit ist nicht gesagt, daß sie nicht in sich eine quasi-formale Bestimmung besitzen. Der letztlich auf Avicenna zurückweisende Bezug von „res“ auf das Wesen eines Dinges[129] ist somit hier in einem erweiterten

[123] Die Reduzierbarkeit von „res“ auf „ens“ begründet Suárez ausführlich in DM 3.2.3-7 (XXV, 108a-109b). Dazu: DARGE (2000c) 343-350; DARGE (2004a) 154-173. In dieser Traditionslinie wird in der deutschen Schulphilosophie nach Suárez das lateinische „ens“ häufig mit dem deutschen Wort „Ding“ übersetzt; vgl. LEINSLE (1985) 9, zur Gleichsetzung bei Suárez 129f.

[124] Vgl. Suárez, De trin. 3.6.3 (I, 599b).

[125] Vgl. auch COURTINE (1990) 377ff.; BOULNOIS (1999) 480ff.

[126] DARGE (2004a) 161. Suárez steht, wie Darge gegen Courtine darlegt, in der (von Avicenna über Heinrich von Gent und Scotus reichenden) Tradition des Verständnisses von „res a ratitudine“, nicht bloß „res a reor“. „Seiendes“ ist für ihn demnach nicht bloß als „rein Denkbares“ bzw. „logisch Mögliches“ Gegenstand der Metaphysik, sondern nur in Beziehung zu seiner extramentalen Existenzmöglichkeit.

[127] Suárez weist in De trin. 3.6.3 (I, 599b) hin auf die „tres quasi formas“ in Gott, „quae habent tres rationes formales quidditativas, nimirum tres relationes differentes in formali, et quasi specifica ratione relationis“.

[128] Die Bedeutung dieses scotischen Begriffspaares läßt sich mit LOMBARDO (1995) 122 folgendermaßen umschreiben: „*Praedicare in quid* concerne l'essenza dell'oggetto considerato («praedicare per modum subsistentis»). *Praedicari in quale* concerne l'essenza in quanto è termine correlativo di un soggetto conoscente («per modum denominantis»)“.

[129] Vgl. AERTSEN (2002) 145: „The Latin Avicenna was the origin of the career of *res* in medieval philosophy“. Der Artikel zeichnet auch nach, wie der Begriff durch Thomas seinen festen Platz im mittelalterlichen Transzendentalienensemble erhalten hat. Seine Rolle verstärkt sich bei Heinrich von Gent und Scotus, ohne daß bei ihnen schon, wie in der neueren Forschung gerne behauptet wurde (vgl. etwa COURTINE [1990] 537; VOLPI [1993]; BOULNOIS [1999]), „res“ gänzlich auf das

Sinn zu verstehen. Nicht als Gott, wohl aber als Vater, Sohn und Geist, und das heißt theologisch: als „relationes oppositae" müssen die drei Personen auch „in quid" – das bedeutet in der vorliegenden Argumentation: auch „real" – voneinander verschieden sein. Diese Aussage kann sich auf die Autorität des hl. Thomas berufen. Der Aquinate spricht freilich terminologisch nur von einer „forma relativa", nicht aber von einer „realitas" der Relationen, wenn er in Auseinandersetzung mit den Vorgaben des Petrus Lombardus[130], der den Zahlwörtern in der Übertragung auf die göttlichen Personen bloß einen rein negativen Charakter zuschreiben wollte, die Rede von „tres res" in Gott und damit auch einen positiven Sinngehalt der numerischen Termini anerkennt[131]. Die so in Gott zu konstatierende Vielheit ist, wie Thomas in offensichtlichem Anschluß an Al-

supertranszendentale „Denkbare" reduziert worden wäre, wie es bei Autoren des 17. Jahrhunderts geschah; vgl. HÜBENER (1985) 84f.; LEINSLE (1988) 22-26; DOYLE (1998). Der Begriff behält seinen Bezug auf reale Existenz, wie auch die Metaphysik Wissenschaft vom „ens reale" bleibt und nicht auf reine „Tinologie" reduziert wird. Ebendies gilt auch noch für Suárez: Bei ihm ist das „ens inquantum ens" zu verstehen „als das Wirklich-Seiende, sofern es das ist, was eine reale Wesenheit besitzt, oder als das Wirkliche in dem, worin es ein der Existenz außerhalb des Intellekts fähiges Wesen darstellt" (DARGE [1999a] 260f.). Insofern ist ein weitreichender „Mentalismus"- und „Verbegrifflichungs"-Vorwurf gegen Suárez unberechtigt; vgl. zu diesem Urteil auch JANSEN (1940a), bes. 170; KOLTER (1941) 135.150f. (Suárez wird charakterisiert als auf halbem Wege stehengebliebener Nominalist); überzeugende Belege bei HELLIN (1961), der eine differenzierte Darstellung des suárezischen Possibilienbegriffs vorlegt; daran anknüpfend: HELLIN (1980); SCHNEIDER, M. (1961); HOERES (1962a), der an Suárez' Kritik gegen die scotische Formaldistinktion und den damit verbundenen starken Realismus zeigt, „daß für Suárez mehr als für andere Philosophen das konkrete, existierende Seiende, das dabei durchaus unter der Rücksicht seiner Wesensbestimmtheit betrachtet werden kann, *der* eigentliche Gegenstand der Philosophie bleibt" (201); SANZ (1989); GRACIA (1991b), Fazit ebd. 308f.; GRACIA (1993), gegen die Einwände von WELLS (1993); GRACIA (1998b) 109-121; PEREIRA (2004) (spricht 679f. sogar von einer „primacy of existence" bei Suárez). Mentale Begriffe bleiben bei Suárez wie bei allen Scholastikern letztlich im Dienst der Erkenntnis unbezweifelt extramentaler Realitäten, „a posteriori consequences of a real relation between minds and the world outside of them": GRACIA (1998a) 225.

[130] Vgl. Thomas, S. th. I, 30, 3 c.: „...Magister, in sententiis, ponit quod termini numerales non ponunt aliquid in divinis, sed removent tantum."

[131] Vgl. etwa Thomas, 1 Sent. d. 25, q. 1, a. 4 c.; S. th. I, 30, 3 c.: „Nos autem dicimus quod termini numerales, secundum quod veniunt in praedicationem divinam, non sumuntur a numero qui est species quantitatis; quia sic de Deo non dicerentur nisi metaphorice, sicut et aliae proprietates corporalium, sicut latitudo, longitudo, et similia, sed sumuntur a multitudine secundum quod est transcendens"; S. th. I, 39, 3 ad 3: „hoc nomen ‚res' est de transcedentibus. Unde secundum quod pertinet ad relationem, pluraliter praedicatur in divinis".

bert vom Sentenzenkommentar bis hin zur theologischen Summe lehrt[132], keine auf Materialität verweisende „quantitative", sondern eine „transzendentale". Sie vermag „Mehrheit" zu benennen, „die aber nichts mit Getrenntsein (*divisio*) zu tun hat, dieses vielmehr verneint"[133]. „Eines" ist ein Seiendes in seiner Ungeteiltheit, wobei „Seiendes" hier vorgängig zu seiner kategorialen Einteilung in Substanz und Relation verstanden wird. Als in sich ungeteilt und so von den anderen unterschieden, können die Relationen in dem einen Gott als solche und als „Realitäten" verstanden multipliziert werden. Es ist dieser wesentlich trinitätstheologisch motivierte Gedanke transzendentaler Vielheit, also einer auch in Gott, dem absoluten Sein, selbst denkbaren „Andersheit", die nach Giovanni Ventimiglia geradezu die Originalität des thomanischen Denkens gegenüber dem platonischen wie auch dem aristotelischen Seinsbegriff ausmacht und an der Wurzel seiner Analogielehre steht[134].

(3) Den unmittelbaren Rückbezug zum Aquinaten vermag Suárez für eine zweite These nicht mehr vorzunehmen, die sich auf das transzendentale Grundprädikat „ens" bezieht. Da Thomas die Personen in Gott nur durch den einen wesenhaften Seinsakt Gottes subsistierend weiß und die Zuschreibung eigener „Existenzen" an sie nicht kennt, hat Suárez Recht mit seiner Beobachtung, daß der Aquinate auch bei der Rede von „tria entia" in Gott Zurückhaltung übt[135]. „Seiend" kann nach Ansicht des Thomas in Gott allein adjektivisch, nicht aber (wie „res") substantivisch multipliziert werden, da es nicht von den Relationen abzuleiten ist, die eines eigenen Seinsaktes entbehren. Suárez dagegen bleibt seiner Abweichung von Thomas treu, wenn er in Entsprechung zu den drei relativen Existenzen auch von „tria entia realia" in Gott sprechen möchte. Diese von ihm unter Berufung auf Bartholomé Torres als „sententia communis" der neueren Autoren qualifizierte These[136], die das weitreichende Ein-

[132] Nach EMERY (2003b) 32 ist die Tatsache, daß Thomas Vielheit in Gott durch seinen neuen Begriff transzendentaler Vielheit anerkennen kann, „a radical Christian novelty in understanding the relations between the One and the Many". Vgl. auch MARTIN (1949) 39-42; EMERY (1995) 445-454; MÜHLEN (1988) 102f.; EMERY (2004c) 170ff.

[133] VON BALTHASAR (1985) 113.

[134] Vgl. VENTIMIGLIA (1997) 177-245.

[135] Vgl. Suárez, De trin. 3.6.4 (I, 599b): „De altero transcendente, scilicet, *Ens*, scrupulosius loquitur divus Thomas. (...) Non enim vult, ut concedamus tria entia, sicut tres res. Ratio ejus est, quia ens dictum est ab esse: in Trinitate vero non est, nisi unum esse, sicut una essentia, ergo non possunt esse plura entia...". Bezugstext ist wiederum Thomas, 1 Sent. d. 25, q. 1, a. 4.

[136] Tatsächlich kennt Torres ein eigenes Sein der Relationen, sofern dieses aus der formalen Unterscheidung der Definitionen von Wesen und Relationen herleitbar ist. Vgl. B. Torres, Comm. in I$^{am}$ q. 28, a. 2, disp. 3 (65ra): „Respondet [sc. s. Thomas]

dringen des scotischen Seinsverständnisses bis in die engere Thomistenschule bezeugt, begründet er einerseits mit der (wie schon erwähnt auf Synonymität hinauslaufenden) Konvertibilität der Prädikate „res" und „ens", die auch eine beidseitige Multiplizierbarkeit nahelegt. Andererseits verweist er auf den Inhalt des Begriffes „ens", wobei sein scotisches Verständnis des Wortes im Unterschied zum thomanischen erneut sichtbar wird. „Seiend" referiert darnach formaliter nicht auf das Sein (als Akt), sondern auf „irgendeine Entität"[137]. Damit ist „ens" nicht bloß das (gleichsam supertranszendentale) „possibile logicum", sondern ein formaler Begriff, der auf das zielt, „was eine reale Wesenheit besitzt", und der somit „ein der Existenz außerhalb des Intellekts fähiges Wesen"[138] bezeichnet – eine Grundbestimmung der suárezischen Transzendentalienlehre. Folglich wird wie bei Scotus der Begriff „ens" nach Art einer letzten Washeit verwendet, exakter: als transzendentale Minimalbestimmung von Gehaltlichkeit[139], als nicht weiter determinierter, wohl aber determinierbarer abstraktiver Erstbegriff, der wegen seiner höchsten Einfachheit vor der Modalisierung in „endlich" und „unendlich" steht und darum univok für Gott und Geschöpf zu verwenden ist. „Res" und „ens" nun sind für Suárez im strengen Sinne gar keine unterschiedlichen Transzendentalien, sondern Synonyma: Wo immer „realitas" auszumachen ist, ist „ens", aber nicht nur im (fraglos „essential" bestimmten) substantialen Sein, sondern „auch in jedem inneren Modus und in jeder realen Differenz des Seien-

igitur summatim, quod esse bifariam capitur: uno modo pro esse essentiae, et isto modo sumendo esse, idem esse habet paternitas et essentia; secundo modo sumitur esse, pro ratione, quae per definitionem explicatur: quomodo sumitur in definitione relativorum. Et fatemur, quod paternitas, et essentia habent diversa esse, si in hoc significato, esse, accipiamus: siquidem si possent definiri, haberent diversas definitiones."

137 Vgl. Suárez, De trin. 3.6.5 (I, 600a): „ens non significat de formali ipsum esse, sed entitatem quamcumque. In divinis autem personis multiplicantur entitates, et unaquaeque relatio est quaedam entitas realiter distincta ab altera."

138 DARGE (2004a) 62; ähnlich ebd. 388.

139 Vgl. HONNEFELDER (1995) 86f.: „Die im Begriff «Seiendes» erfaßte und ausgesagte Bestimmtheit wird also wie eine Washeit aufgefaßt, stellt aber selbst als solche keine Washeit mehr dar. (...) Die «Seiendheit» aber ist keine washeitliche Bestimmtheit mehr, sondern die allen washeitlichen Bestimmungen zukommende Bestimmtheit. Sie ist allen eingrenzenden Bestimmungen gegenüber gänzlich unbestimmt und bestimmbar, im Vergleich zu der Bestimmung «Nicht-Seiend» jedoch die «bestimmteste Bestimmtheit»." Vgl. schon ähnlich WÖLFEL (1965) 104: „Allen Gedankenreihen und ontologischen Begriffen, an denen wir zweifeln können, steht also ein jenseits alles Bezweifelbaren Unzweifelbares gegenüber und liegt ihm voraus: Das reine Sein, der letzte Identitätspunkt jedes ihm nachgeordneten eingegrenzteren Begriffs, der Identitätspunkt auch zwischen Gott und Mensch". Vgl. etwa Scotus, Ord. I, dist. 3, p. 1, q. 1-2, n. 133 (Ed. Vat. III, 82f.).

den"[140] – hier nun wird die oben erwähnte Abweichung von Scotus konkret wirksam. Da somit dem Prädikat „ens" eine noch umfassendere Transzendentalität zukommt als dem vorwiegend substanzbezogen verwendeten „esse", ist es nach Suárez im trinitätstheologischen Kontext von der Sache her nicht schlechthin notwendig, wie bei den Existenzen auch beim vorliegenden Prädikat „cum addito", also von „tres entia *relativa*", zu sprechen, wenngleich die Hinzufügung ihren Sinn behält, wenn man in der sprachlichen Fassung der Trinitätslehre auf unbedingte Unmißverständlichkeit Wert legt.

(4) Nur beiläufig wendet Suárez den Blick auf das dritte häufig unter die Transzendentalien gezählte Prädikat „aliquid"[141]. Über dieses braucht nichts gesagt zu werden, da es wie zuvor „res" gar nicht als eigenständige „passio entis" zu betrachten ist. „Aliquid" trägt als Synonym zu „ens" (im Sinne des „real Seienden")[142] oder zu „unum" (als dem „indivisum in se, et divisum a quolibet alio"[143]) keinen neuen Sinnaspekt bei, der die Aufnahme unter die eigentlichen „passiones entis" rechtfertigen könnte[144]. In trinitätstheologischer Hinsicht gilt unter diesen Voraussetzungen: Von „tria aliquid" könnte man im Prinzip sprechen, wenn nicht der Bezug auf Singuläres (die Implikation eines „signum particulare") die Verbindung von „aliquid" mit Zahlwörtern behinderte.

(5) Etwas ausführlicher wird die Erörterung wieder, wenn die Bezeichnung „tres unitates (transcendentales)" zur Diskussion gestellt wird[145]. Die Frage richtet sich, wie die Unmöglichkeit eines Plurals von „unum" bereits anzeigt, nicht auf eine Multiplikation der konkreten, sondern nur der formalen Größen, also der jeweiligen Einheitsprinzipien in den Personen (die „propriae unitates personales"). Beachtet man diese Bindung an die Personen, die jede Vervielfachung der göttlichen Wesenseinheit ausschließt, kann auch in dieser Teilfrage bejahend geantwortet werden. Die Begründung des Suárez erschöpft sich nicht im bloßen Verweis auf die Konvertibilität von „unum" und „ens", deren Konstatierung bei Aristoteles als Wurzel der gesamten späteren Transzendentalienlehre be-

[140] DARGE (2000) 390. Vgl. Suárez, DM 3.2.4 (XXV, 108a), ausdrücklich auch De trin. 3.6.4 (I, 600a): „Re tamen vera illae duae voces *Ens* et *Res*, licet fortasse habeant etymologias diversas, tamen quoad rem significatam sunt synonymae, et idem conceptus mentis illis correspondet".

[141] Vgl. ebd. 7 (600b); DM 7.3.7 (XXV, 273b-274a).

[142] Vgl. DM 3.2.5 (XXV, 108b-109a).

[143] Vgl. ebd. 6 (109a).

[144] Vgl. auch KLASMEIER (1939) 11ff.; SANZ (1992); VENTIMIGLIA (1997) 242f.; DARGE (2000c) 351-358; DARGE (2004a) 174-181.

[145] Vgl. Suárez, De trin. 3.7 (I, 600b-601b).

trachtet werden kann[146]. Nach Ansicht des Suárez gibt es „tres unitates (personales)" als „singuläre" und – vom relationalen Charakter her betrachtet – sogar „individuelle" auch deswegen, weil die „Einheit", die mit jeder der Personen verbunden ist, ihr Ungeteilt-Sein meint, das, wie eben bereits angedeutet, zugleich die Geschiedenheit der personalen „entitas indivisa" von allen anderen Entitäten mit sich bringt[147]. Wegen der so verstandenen negativen Bestimmung transzendentaler Einheit wie auch der verschiedene substantiale Einheiten voneinander abgrenzenden Numerizität geraten die mit diesen Attributen beschriebenen Personen jedoch nicht in die Gefahr, als zusammengesetzte Einheiten (nämlich aus dem Wesen und einem von ihm verschiedenen Einheitsprinzip) mißverstanden zu werden, sondern behalten ihre schlechthinnige Identität mit der Wesenheit[148]. Im nächsten Hauptkapitel unserer Arbeit wird noch eingehender Gelegenheit sein, um auf das hinter diesen Aussagen stehende suárezische Verständnis transzendentaler Einheit einzugehen.

(6) Im Falle der „veritas transcendentalis" findet Suárez in der scholastischen Tradition die Meinung des Richard von Mediavilla († 1302/08)[149] vor, der eine Vervielfachung dieses Prädikats in Gott mit dem Argument verworfen hatte, daß die „veritas rei" nichts anderes bezeichne als das in einem Begriff erfaßbare Wesen einer Sache (die „essentia conformabilis conceptui"), das in Gott nur ein einziges ist[150]. So wenig es in Gott eine „essentia personalis" gibt, so wenig gibt es in dieser Deutung eine „veritas" (oder auch „bonitas") der Person neben der des Wesens.

Auch Suárez zweifelt nicht daran, daß Gott als „prima veritas" einzig ist. Dennoch möchte er für das vorliegende „transcendens" die Vervielfa-

[146] Vgl. AERTSEN (1987) 10 mit Verweis auf Aristoteles, Met. l. IV, c. 2, 1003b22 ff.

[147] Vgl. Suárez, De trin. 3.7.4 (I, 601a-b). MARTIN (1949) 29 bemerkt: „In der Diskussion über die ratio formalis der transzendentalen Einheit entscheidet sich Suarez dahin, daß die Einheit nicht bloß die rein negative Ungeteiltheit, sondern, daß sie das Seiende in seiner Ungeteiltheit meint".

[148] Vgl. Suárez, De trin. 1.10.6 (I, 564a) mit dem Resümee: „nam si personae considerentur, ut sunt unum in essentia, non sunt illud unum per compositionem, sed per summam identitatem personarum cum essentia, ut infra explicaturi sumus."

[149] Vgl. Richard, 1 Sent. d. 24, art. 1, q. 3 ad 1 (I, 219b): „Ad primum in oppositum cum dicitur, quod in Deo non est bonitas personalis, nec unitas etc. dico quod non est simile de bonitate et unitate, quia bonum dicit rationem perfectionis, veritas autem essentiae nominat essentiam inquantum est conformis vero intellectui. Unitas autem nominat rem sub ratione qua indivisibilis, vel indivisa in plures tales. In Deo autem non est, nisi perfectio essentialis, nec est in Deo aliqua essentia personalis, et ideo non ponimus in Deo bonitatem personalem nec veritatem. Sed quia in Deo est et indivisio essentiae, et indivisio personae: ideo in Deo ponimus et unitatem essentialem et personalem."

[150] Vgl. Suárez, De trin. 3.8.1 (I, 601b-602a).

chung mit den Personen zulassen. Dazu unterscheidet er drei mögliche Prädikationsweisen von „veritas" in Bezug auf Gott[151]. Als „veritas in intelligendo" bedeutet sie erstens nichts anderes als die unfehlbare Übereinstimmung des göttlichen Intellekts mit jedem möglichen Erkenntnisgegenstand und ist einzig. Als „veritas in dicendo" fungiert sie zweitens als moralische Tugendvollkommenheit des göttlichen Willens und kann ebensowenig vervielfacht werden wie dieser selbst. Als „veritas in essendo" allerdings bezeichnet sie drittens die reale Entität, wie sie der Erfassung durch einen angemessenen Begriff zugänglich ist[152]. Suárez versteht dabei, wie in DM 8.7 ausführlich dargelegt wird, diese Wahrheit nicht als eine Relation zwischen Gegenstand und Intellekt, sondern exakt als den Gegenstand selbst, sofern er dem reflexiven Erfassen unseres Geistes in seiner prinzipiellen, schon vor jeder aktuellen Erkenntnis anzusetzenden Erkennbarkeit evident ist[153], sofern er also in jedem möglichen Intellekt einen wahren Formalbegriff von sich zu erzeugen vermag[154]. Die Zu-

[151] Vgl. ebd. 2 (602a). Dazu: DOYLE (1987) 49-52.

[152] Vgl. Suárez, De trin. 3.8.2 (I, 602a): „entitas ipsa rei, ut conformis vel conformabilis vero conceptui eius".

[153] Vgl. zur Begründung DM 8.7.11 (XXV, 298b-299a). Daraus folgen die beiden Kernthesen des Suárez zur „veritas transcendentalis": „dico primo, veritatem transcendentalem intrinsece dicere entitatem realem ipsius rei, quae vera denominatur, et praeter illam nihil ei intrinsecum, neque absolutum, neque relativum, neque ex natura rei, nec sola ratione distinctum, addere" (ebd. 24, 303b). „Dico secundo, veritatem transcendentalem significare entitatem rei connotando cognitionem seu conceptionem intellectus, cui talis entitas conformatur, vel in quo talis res repraesentatur, vel repraesentari potest prout est" (ebd. 25, 303b). Vgl. auch De deo uno 1.7.7 (I, 21a): „...verum supra ens nihil reale intrinsecum addere, sed solum dicere entitatem rei, cum quodam modo peculiari concipiendi illam, qui potest dici esse cum quadam reflexione supra cognitionem rei". SEIGFRIED (1967) 131 kommentiert: „Das Seiende selbst, insofern es diesem modus significandi et concipiendi korrespondiert, d. h. das Seiende als Wahres, ist nur mit Hilfe dieser connotatio conceptus (intellectus) begreifbar und explizierbar; um begreifen und ausdrücken zu können, daß das Seiende überhaupt kraft seiner Entität seinerseits dazu geeignet ist, terminus eines möglichen intellektiven Aktes zu sein, durch den es intentional repräsentiert wird, wie es ist, muß ineins mit dem Seienden selbst notwendig auch sein möglicher Begriff bzw. der Erkenntnisakt in facto esse als das, was vom Seienden möglicherweise terminiert wird, mitbegriffen und mitausgedrückt werden. Diese connotatio ist schlechterdings unerläßlich für das Erfassen und Ausdrücken der Terminabilität und Intelligibilität des Seienden als solchen." Vgl. auch ebd. 44-54; MAHIEU (1921) 145-148; DARGE (2003b), bes. 263ff.; DARGE (2004a) 263-312. Die beiden letztgenannten Studien arbeiten thomanische, scotische und ockhamsche Einflüsse auf dieses Verständnis transzendentaler Wahrheit heraus, unterstreichen zugleich aber, u. a. in Abgrenzung zu KLASMEIER (1939) 26-33, die Eigenständigkeit und Originalität der suárezischen Lösung.

[154] Vgl. RAST (1935) 359.

schreibung „transzendentaler Wahrheit" ist demnach eine Aussage über die ontologische Bedingung der Möglichkeit für Erkenntniswahrheit, nicht die Erkenntnisrelation selbst. Ein wichtiges Argument bei dieser Bestimmung ist für Suárez der Verweis auf Gott, dessen transzendentale Wahrheit außer Frage steht, obwohl er in keiner Weise eine reale Relation zu anderem einzugehen vermag, weder „ad extra" (zu einer Kreatur) noch „ad intra", denn die Relationen in Gott sind allein solche des Ursprungs, die mit der Gottheit real identisch und folglich keine von ihr ausgehenden Beziehungen sind[155].

Sofern der Begriff transzendentaler Wahrheit in dieser dritten Spielart auf die göttlichen Personen bezogen wird, ist er mit ihnen (genauer: mit ihren Entitäten) multiplizierbar, während er im Hinblick auf das Wesen einzig ist. Daß in diesem Sinne etwa der Person des Sohnes solche Seinswahrheit „in ratione Filii", auf Grund der personalen Eigentümlichkeit und Inkommunikabilität zukommt, hängt wie schon in den vorangehenden Argumentationen damit zusammen, daß der personalen Entität eine eigene „ratio formalis seu quidditativa" zuzusprechen ist, durch welche sie begrifflich erfaßt wird. Suárez unterscheidet sich durch diesen Begriff transzendentaler Wahrheit von Vázquez, der zwar auch deren Multiplikation mit den Personen in Gott zugesteht, sie jedoch als „äußerliche Benennung" versteht, wie sie aus dem Bezug auf einen Intellekt erwächst, der ein wahres Urteil über die Relationen auszusprechen vermag – „wahr" ist also in Wirklichkeit das Urteil des Intellekts, die Relationen sind es nur in uneigentlich-übertragener Form[156]. Dagegen kann nach Suárez auch im Blick auf die einzelnen Personen noch einmal nachgewiesen werden, daß die hier jeweils zu behauptende „veritas" nicht in einer realen Relation zum (göttlichen) Intellekt bestehen kann. So richtet sie sich im Vater nicht auf den Intellekt, sofern er hervorbringend ist, denn der Vater als Träger des intellektiven Akts ist nicht hervorgebracht; ebensowenig auf den Intellekt, sofern er den Verstandesakt vollzieht, denn wegen der Identität von Intellekt und Wesen in Gott sowie zwischen Wesen und Personen entstünde damit nur ein Selbstverhältnis des Vaters[157]. Auch im

[155] Vgl. Suárez, DM 8.7.12 (299a): „quia neque ad aliquid extra se, ut constat, neque ad aliquid intra se, quia vera divinitas nullam in re distinctionem habet ab his omnibus quae intra Deum sunt" (...); „in Deo non sunt aliae relationes reales, praeter relationes quae comitantur origines, in quibus nullae aliae fundari possunt."

[156] Vgl. Vázquez, Comm. in I$^{am}$ 77.4 (I, 459b-460b); 121.7.28 (II, 89b): „Paternitas ergo, sicut est entitas, habet suam veritatem, quae nihil aliud est, quam extrinseca denominatio per respectum ad intellectum potentem vere de illa iudicare (...), quia ergo intellectus potest vere iudicare in Deo esse tres reales relationes (...) easque realiter distinctas, ideo tres sunt in tribus relationibus veritates."

[157] Vgl. Suárez, DM 8.7.12 (XXV, 299a).

Sohn, obwohl hervorgebracht, besteht die „veritas filiationis" nicht in einer Konformitätsrelation zum Intellekt als hervorbringendem, denn der Sohn geht nicht durch eine Idee hervor, sondern ist selbst das Erkenntnisbild des Vaters, das von ihm naturhaft hervorgebracht wird. Zudem wäre auch im göttlichen Wort das Verhältnis zum Intellekt ein Selbstverhältnis, denn der Sohn ist wie der Vater vermittels des Wesens mit diesem eins, und erst aus dieser Einheit der Personen mit dem göttlichen Intellekt erwächst das gegenseitige Erkennen der Personen. So ist auch im Blick auf den Sohn eine Relation „ad intellectum ut intelligentem" auszuschließen. Entsprechendes gilt für den Heiligen Geist.

Zusammenfassend kann Suárez festhalten: Während es christologisch eine „veritas naturae humanae", aber nicht eine „veritas personae humanae" geben kann, weil die Natur und nicht die Person das quidditative und als solches begrifflich erfaßbare kreatürliche Prinzip darstellt, gibt es in Gott eine „triplex veritas transcendentalis relativa", da den Personen als solchen quidditative Unterscheidbarkeit zukommt. Um die Abgrenzung von der einen absoluten „veritas prima (essentiae)" zu gewährleisten, möchte der Jesuit hier wieder auf der präzisen Charakterisierung der „veritates *relativae*" bestehen[158], die im Verhältnis zur absoluten Seinswahrheit Gottes exakt das Verhältnis der Personen zum Wesen abbilden: Die Unterscheidung untereinander ist real, während sie dem Wesen gegenüber nur gedanklicher Natur ist.

## 5) „Tres bonitates" – distinkte personale Vollkommenheiten?[159]

Als letzte der Transzendentalien bleibt die „Gutheit" zu behandeln. Wenn wir die Erörterung des Suárez zu diesem Begriff getrennt von den übrigen in einem eigenen Unterpunkt zur Sprache bringen, hängt dies nicht nur mit der auffälligen Ausführlichkeit zusammen, durch welche die Darlegungen von De trin. 3.9-10 geprägt sind, die in DM 10.3 eine wichtige Parallele besitzen. Auch sachlich ist hier ein besonders brisanter Punkt erreicht, denn die Zuschreibung distinkter, an die einzelnen Personen gebundener Vollkommenheiten in Gott, wie wir sie nach den bisherigen Thesen bei Suárez erwarten dürfen, scheint, da mit ihnen die Heiligkeit und Verehrungswürdigkeit Gottes berührt wird, mit der Einheit noch schwerer vereinbar zu sein als die Multiplikation der vorangehenden Prädikate.

[158] Vgl. De trin. 3.8.5 (I, 602b).
[159] Vgl. zum folgenden Abschnitt insgesamt MICHEL (1950) 1811f.; ELORDUY (1944).

Entsprechend differenziert fällt die Debatte unter den Theologen aus, deren Erhebung Suárez der Formulierung seiner eigenen Lösung voranstellt. Die „Ratio studiorum“ der Jesuiten hatte die Frage ausdrücklich der freien Diskussion überlassen[160]. Bevor wir sie bei Suárez nachzeichnen, soll mit knappen Strichen der Begriff der „transzendentalen Gutheit“ in seinem generellen Verständnis umrissen werden, wie ihn unser Autor entwirft[161].

(1) Wie schon im Falle der „veritas“ lehnt Suárez auch im Falle der „bonitas transcendentalis“ die Bestimmung als (gedankliche oder reale) Relation ab. Es ist die von Ewigkeit her bestehende ontische Gutheit Gottes, gefaßt als wesenhaftes, den drei Personen gemeinsam zuzuschreibendes Prädikat des „ens necessarium et simplicissimum“[162], auf die der Theologe wiederum an erster Stelle verweisen kann[163] und deren Erläuterung in allgemeiner Form bereits im Traktat „De Deo uno“ erfolgt ist[164]. Bei ihr kann es nicht um ein „Gutsein für anderes“, sondern allein um ein „Gutsein an und für sich selbst“ gehen, denn Gottes Wesen bestimmt sich nicht in Beziehung auf etwas, das von ihm selbst verschieden wäre. Andernfalls könnte die strenge Konvertibilität zwischen „ens“ und „bonum“ nicht aufrechterhalten werden. Der Sinngehalt des transzendentalen Guten besteht nach Suárez in positiver Aussage darin, daß es zum Seienden den (gedanklichen[165]) Aspekt der „Angemessenheit“ bzw. „Zuträglichkeit“ („rationem convenientiae“) hinzufügt, die es für andere „erstrebbar“

[160] Vgl. Ratio atque institutio studiorum (1586), ed. Lukács, 7; (1591), ebd. 320, n. 9.

[161] Vgl. auch MAHIEU (1921) 154ff.; LOMBARDO (1995) 124-130; DARGE (2004a) 313-365.

[162] Vgl. Suárez, De deo uno 1.8.2 (I, 22a-b).

[163] Vgl. DM 10.1.5 (XXV, 329b-330a): „Primo, quia Deus ab aeterno bonus est, bonitate transcendentali communi tribus personis, et tamen in eo nulla est relatio realis communis tribus personis.“

[164] Vgl. De deo uno, 1.8.10 (I, 24a): „Nunc vero dicimus perfectionem subsistendi, quae in supposito considerari potest, Deo etiam per essentiam suam convenire. Perfectionem autem incommunicabiliter subsistendi, quae magis propria est suppositi, ut sic, qualiscumque illa sit, Deo non deesse, eique necessitate naturali convenire, et per suam essentiam saltem identice illam habere, et hoc satis esse, ut etiam quoad hanc partem dicatur Deus de se bonus, et perfectus per essentiam suam.“

[165] Darin liegt eine Abgrenzung gegen die Meinung des Scotus, wie sie Suárez versteht: „...bonitatem dicere quandam proprietatem absolutam ac realem superadditam enti, et ex natura rei seu formaliter distinctam ab illo“ (DM 10.1.6, XXV, 330a). Dagegen versucht USCATESCU BARRÓN (2003) aufzuzeigen, daß Scotus tatsächlich einen relationalen Charakter des Guten gelehrt hat. Die bei Suárez zu findende Deutung kennt freilich schon Aureoli, von dem sie Capreolus und andere übernommen haben.

macht[166]. Wie Rolf Darge nachgewiesen hat, knüpft Suárez mit dieser Bestimmung an die Transzendentalienlehre Cajetans an, der wiederum von Explikationen bei Petrus Aureoli und (vermittels seiner) auch Durandus abhängig zu sein scheint[167]. Nach Suárez ist diese „Konvenienz“ nicht – wie der Begriff vielleicht nahelegen mag[168] und die eben genannten früheren Scholastiker bei ihrer Explikation des transzendentalen Guten auch ausdrücklich gelehrt haben – als Relation im eigentlichen Sinne zu verstehen, sondern vielmehr als eine „natürliche Neigung, Aufnahmefähigkeit oder Verbindung“, wie sie von einem anderen her aufgrund einer bestimmten naturalen Beschaffenheit gegenüber der Vollkommenheit des Seienden besteht, und zwar nach Art eines „Konnotats“[169]. Damit greift Suárez auf einen logischen Verknüpfungsbegriff Ockhamscher Provenienz zurück. Wie mit „verum“ nicht die bestimmte Erkenntnisbeziehung zu einem Seienden als solche, sondern die ontologische Möglichkeitsbedingung für diese angezeigt war, verhält es sich entsprechend bei „bonum“ hinsichtlich der Strebebeziehung, die zu einem Seienden eingegangen werden kann. Auch sie ist im Seienden gegründet und ermöglicht, aber im Blick auf dieses allein nicht hinreichend bestimmbar; beides soll zum Ausdruck kommen, wenn das Seiende „bonum“ genannt wird[170]. Grundlage allen Gutseins ist die ontische Perfektion eines Seienden. Ob jedoch etwas tatsächlich für dieses oder jenes Seiende gut genannt werden kann, hängt darüber hinaus von der Natur dessen ab, zu der es in „Angemessenheit“ oder „Nicht-Angemessenheit“ stehen kann. Wie also die transzendentale Wahrheit über die „entitas rei“ hinaus den Begriff eines Erkennens konnotieren muß, das so beschaffen ist, daß es die Entität tatsächlich abbildet, wie sie ist, muß die transzendentale Gutheit über die Entität des „ens“ hinaus ein anderes Seiendes konnotieren, dessen natu-

[166] Vgl. auch De deo uno 1.8.12 (I, 24b), wo es im Blick auf die transzendentale Gutheit Gottes heißt: „dicitur aliquod ens bonum, quia conveniens est alicui ac proinde est appetibile“.

[167] Vgl. DARGE (2004a) 326-331; DARGE (2004b) 141-144. Zu Berührungspunkten zwischen Suárez und Durandus generell vgl. RABADE ROMEO (1961) 256-263.

[168] GRACIA (1991a) 174 spricht von einer „strongly relational notion“ und möchte von dort her eine innere Inkonsistenz der suárezischen Bestimmung aufweisen.

[169] Vgl. Suárez, DM 10.1.12 (XXV, 332a): „Dicendum ergo est, bonum supra ens solum posse addere rationem convenientiae, quae non est proprie relatio, sed solum connotat in alio talem naturam habentem naturalem inclinationem, capacitatem, vel conjunctionem cum tali perfectione; unde bonitas dicit ipsam perfectionem rei, connotando praedictam convenientiam, seu denotationem consurgentem ex coexistentia plurium.“

[170] Vgl. aber die Einschränkung der Analogie von „verum“ und „bonum“ in ihrem Verhältnis zu den jeweiligen Vermögen („intellectus“ und „appetitus“), wie sie Suárez ebd. 20 (335a) vornimmt.

rale Beschaffenheit es erlaubt, ihm das genannte Seiende als konvenientes in Beziehung zu stellen. Die Erstrebbarkeit ist folglich auf der formalen Ebene Konsequenz der transzendentalen Gutheit[171]. Diese gründet in der ontischen Vollkommenheit („perfectio") eines Seienden, ohne mit dieser formal zusammenzufallen; denn es bleibt nötig anzugeben, für wen das Seiende „konvenient" ist. Dies gilt auch für „in sich Gutes", bei dem von einer *Selbst*konvenienz, verbunden mit einer bloß gedanklichen Unterscheidung zwischen dem Seienden und der Natur, welcher es konveniert, auszugehen ist[172]. Diese Güte kommt allein für Gott in Frage, denn für ihn als „substantia simplicissima" gibt es keine Konvenienz zu einem Seienden außerhalb seiner[173]. Insgesamt ist somit, wie in Sectio drei der zehnten metaphysischen Disputation eingehend dargelegt wird, durch den Begriff des transzendentalen Guten das An-und-für-sich-Gute wie das Für-andere-Gute gleichermaßen umfaßt[174].

In diesem Kontext stoßen wir endlich auch auf das uns im vorliegenden Zusammenhang eigentlich interessierende Problem: die Frage nach der Gutheit der innergöttlichen Relationen. Da Suárez nämlich die strenge Transzendentalität des Prädikates „bonum" für alle Seienden verteidigen will, muß er sich mit dem Einwand auseinandersetzen, daß es offensichtlich „entia" gibt, denen zwar Sein, nicht aber Gutheit zuzuschreiben ist; zu den prominentesten Beispielen dafür zählen die „realen Relationen"[175]. Suárez' generelle These läßt dem Einwand gegenüber keinen Zweifel an der strengen Konvertibilität von „ens" und „bonum" zu. Ebenso wie „Gutheit" immer im Sein gründet und darum „bonum" stets „ens" inkludiert[176], gilt auch umgekehrt, daß jedes Seiende gut ist bzw. irgendeine Gutheit besitzt. Denn jedem realen Seienden kommt notwendigerweise irgendeine Vollkommenheit zu, durch welche es in seinem Sein konstituiert wird. Es ist die mit dieser Vollkommenheit identische „entitas" des Seienden selbst, seine Form, Materie oder Natur, die ihm un-

[171] Vgl. ebd. 19 (334b-335a).

[172] Vgl. ebd. 18 (334a-b).

[173] Vgl. DM 10.3.7 (348b-349a): „sed per summam identitatem et simplicitatem est Deus conveniens sibiipsi, et natura ejus est conveniens suae personae, et personalitas ipsi naturae; sed haec convenientia potius est secundum eam rationem, qua redditur in se bona et perfecta, quam secundum eam qua dicitur esse alicui conveniens."

[174] Vgl. DARGE (2004a) 346-363; DARGE (2004b) 152-157.

[175] Vgl. Suárez, DM 10.3.1 (XXV, 346b). Ebd. 11 (350a) spricht Suárez von einer „vulgaris difficultas".

[176] Vgl. ebd. 3 (347a).

trennbar „konvenient" ist und die für das Seiende ontische Gutheit bedeutet[177].

(2) Das eigentliche trinitätstheologische Problem der Zuschreibung von je eigener „perfectio" bzw. transzendentaler Gutheit an die Relationen begreifen wir am besten, wenn wir mit Suárez' Darstellung in „De trinitate" auf die erste, strikt ablehnende Lösungsoption blicken, die offen als „opinio satis communis" charakterisiert wird[178]. Scotus[179] und Durandus[180] werden ihr ebenso zugezählt wie zahlreiche Thomisten (vor allem Cajetan[181]). Auch frühe Jesuitentheologen wie Bellarmin und Molina unterstützen diese Mehrheitsthese[182]. Ihre Verweigerung eigener Vollkommenheit (wie Unvollkommenheit) für die personalen Eigentümlichkeiten bzw. Relationen in Gott ruht auf zwei argumentativen Fundamenten, die uns mitten in die eigentlich erst in Buch sieben von „De trinitate" explizit abzuhandelnde trinitarische Relationenlehre führen.

Zum einen verweisen Vertreter der These, wie etwa der Thomist Capreolus[183], auf das Wesen der realen Relation, die in ihrer eigensten Be-

[177] Vgl. ebd. 4 (347b-348a): „omne verum ens in se bonum est, seu bonitatem aliquam habet sibi convenientem; atque ita fit ut bonum absolute dictum cum ente convertatur. (...) Ratio conclusionis est, quia omne ens reale necessario habet aliquam perfectionem, qua in suo esse constituitur, quae in re nihil aliud est quam ipsamet entitas, qua perficitur; ipsa enim entitas rei, vel forma, materia, aut natura, quibus res in suo <esse> constituitur, dicuntur perfectiones rei, quia illis perficitur in suo esse." Mit der Konvertibilität von „ens" und „bonum" argumentiert vor Suárez zugunsten der Zuschreibung von Vollkommenheit an die Relation als Relation in Gott auch Toledo, In I$^{am}$ q. 28, a. 1 (Ed. Paria I, 332b). Dem liegt die Ablehnung der thomistischen These zugrunde, daß die Relation (als „ad aliquid") in transzendentaler Betrachtung kein „ens" oder „aliquid" sei (ebd. 333b).

[178] Vgl. Suárez, DM 10.3.11 (XXV, 350a-b); De trin. 3.9.1 (I, 603a).

[179] Vgl. Scotus, Ord. III, dist. 1, p. 1, q. 4, n. 139 (Ed. Vat. IX, 62f.); wesentlich deutlicher ist das wohl 1306/07 entstandene Qdl. 5, bes. nn. 1-14 (Ed. Wadding XII, 117-129).

[180] Vgl. Durandus, 3 Sent. d. 1, q. 3, n. 13 (212va).

[181] Vgl. Cajetan, In I$^{am}$ q. 28, a. 2, n. 15 (Ed. Leon. IV, 324b).

[182] Vgl. Bellarmin, Controv. de Christo l. 2, c. 12 (Op. I, 327a): „est enim una et eadem infinita perfectio in omnibus personis, sed non eodem modo; in Patre enim illa perfectio est paternitas, in Filio filiatio etc." Die Rede von „tres perfectiones" lehnt Bellarmin ebenso ab wie diejenige von „tres veritates" (ebd. c. 16 [332a]). Molina, Comm. in I$^{am}$ q. 42, a. 6, disp. 2 (545aD): „tota perfectio, quae est in personis divinis, est perfectio essentiae, et ab essentia formaliter."

[183] Vgl. Capreolus, Defensiones l. 1, d. 7, q. 1, a. 2 (I, 277b): „Ex quo patet quod potentia generandi, quoad essentiam quam includit, est in tribus personis, et quoad hoc dicit perfectionem simpliciter; sed quoad notionem est in solo Patre, et quoad hoc non dicit perfectionem simpliciter; relatio enim, in quantum hujusmodi, non dicit perfectionem, cum, in quantum hujusmodi, nihil ponat in eo cui attribuitur. Ideo non sequitur quod habeat Pater aliquam perfectionem simpliciter quam aliae perso-

stimmung nicht ein „in" (den Bezug zu einem Träger), sondern nur ein „ad", ein reines Bezogensein, bezeichnet. Die Thomisten bestreiten dabei nicht die faktische Verbindung dieser beiden Aspekte einer Relation, wohl aber die begriffliche Implikation des „esse in" im „esse ad" als dem eigentlichen Formalbestimmungsmoment einer Beziehung[184]. Beide so voneinander zu trennen, daß es in Gott formal eigenbestimmte Beziehungshaftigkeit gibt, die als „esse ad" vom Wesen unterscheidbar wird, aber dennoch wirklich (und somit vollkommen) ist durch den einen wesenhaften Seinsakt Gottes, macht die Grundidee des thomistischen Trinitätsdenkens aus. Aus der Relation als Relation erwächst schon im geschöpflichen Bereich keine Vervollkommnung des in Beziehung stehenden Subjekts, und ebenso geht dort mit der Veränderung eines Relats keine Veränderung desjenigen Subjekts einher, in dem die Relation gründet. Es ist, so lautet ein entsprechendes Beispiel, unwahrscheinlich, daß ich selbst dadurch eine Vollkommenheit verliere, daß eine andere Person Farbe oder Ort wechselt und mir auf diese Weise unähnlicher, ferner etc. wird[185]. Die Vollkommenheit eines Dinges gründet in seinem eigenen Seinsakt, nicht aber in Beziehungen.

Neben die erste mehr philosophische Begründung tritt zweitens eine genuin theologische. Wären die Relationen Perfektionen, so lesen wir etwa bei Cajetan[186], besäße eine göttliche Person irgendeine Vollkommenheit, welche der anderen fehlte. Damit aber wäre eine prinzipielle Ungleichheit zwischen den Personen (bis hin zur qualitativen Unterscheidung) ebenso unausweichlich wie zwischen dem trinitarischen Gott in seiner substantialen Einheit und den Personen[187]. Aus Scotus läßt sich ein „argumentum ad absurdum" ergänzen[188]: Personale Vollkommenheit in

nae non habent, sed quod habet perfectionem cum alia relatione quam aliae personae."

[184] Vgl. MICHEL (1937) 2142.

[185] Vgl. Suárez, DM 10.3.11 (XXV, 350b).

[186] Vgl. Cajetan, In I$^{am}$ q. 28, a. 2, n. 14 (Ed. Leonina IV, 324a).

[187] Vgl. De trin. 3.9.2 (I, 603a-b).

[188] Vgl. nochmals Scotus, Qdl. 5 (Ed. Wadding XII, 117-141). Molina, der diese scotische Argumentation zustimmend aufgreift, erwähnt explizit, daß die relationalen Entitäten in Gott so aus der Zweiteilung alles Seienden in endliches und unendliches herausfallen und damit das Grundschema der disjunktiven Transzendentalien (im scotischen Sinne) einer übernatürlichen Erweiterung bedarf; vgl. Comm. in I$^{am}$ q. 42, a. 6, disp. 2 (546aF-bA): „Divisio ergo entis in infinitum et finitum, legitima est, si sit sermo de ente a Philosophis cognito: proprietates autem personales ac relationes divinae, quae nec finitae sunt, nec infinitae, Philosophos latuerunt. Praeterea, ut eadem divisio legitima sit, necesse est, creatas relationes reales dicere formaliter perfectionem (...) alioquin in illis pateretur instantiam illa divisio. Nisi forte quis dicat divisionem illam intelligendam esse de solis entibus absolutis, aut de solis entibus

Gott müßte entweder endlich oder unendlich sein. Im ersten Fall entstünde ein Widerspruch zum Begriff der göttlichen Perfektion, die nicht endlich sein kann; im zweiten aber wäre die Perfektion einmalig vollkommen und damit nicht multiplizierbar. Folglich kommt den Relationen als solchen, in Absehung von der Wesenheit, die sie modifizieren, weder formale Endlichkeit oder Unendlichkeit und damit auch weder formale Vollkommenheit noch Unvollkommenheit zu[189]. Wie die Unendlichkeit der Relationen leitet Scotus auch ihre Vollkommenheit ganz aus der absoluten Wesenswurzel ab.

Scotisten und Thomisten sind sich somit darin einig, daß es in Gott nur eine einzige Vollkommenheit gibt, nämlich die des Wesens, wenn sie auch von diesen in der Einheit und Subsistenz des göttlichen Seins, von jenen aber in der Unendlichkeit als modalem Urattribut des göttlichen Wesens begründet wird. Was den Relationen als Perfektion zuzuschreiben ist, so stimmen beide Fraktionen überein, stammt ganz und gar aus der „perfectio absoluta" Gottes.

(3) Um den bei Scotus erwähnten Inkonvenienzen zu entgehen, aber dennoch die Zuschreibung von Perfektion an die Relationen nicht aufgeben zu müssen, legt eine zweite Lösung das ganze Augenmerk auf die Identität von Relationen und Wesenheit in Gott. Aus ihr folgt dann eine Vollkommenheit der Relationen, die strikt dieselbe ist wie diejenige der Wesenheit. Suárez schiebt diese bei ihm John Mair (Johannes Major,

realiter inter se distinctis: non vero de modis realibus entium, quales sunt relationes, ut distinguuntur a suis fundamentis." Mit der zuletzt vorgenommenen Einschränkung dürfte wohl am ehesten das ursprüngliche scotische Verständnis getroffen sein.

189 Vgl. DAVENPORT (1999) 283f. Davenport vertritt die These, daß Scotus mit seiner Lehre von der Wesenheit als reiner Vollkommenheit, die in ihrer Unendlichkeit den Personen / Relationen vorzuordnen und durch sie nicht zu multiplizieren ist, vor allem problematische Konsequenzen zu umgehen suchte, die man zuvor seinem Ordensbruder Petrus Johannes Olivi zum Vorwurf gemacht hatte, der von einer „dreifach wiederholten, ins Sein gesetzten, gezeugten Wesenheit" sprechen wollte. Das Grundanliegen des Olivi (nämlich die Betonung eines eigenen, verstandesunabhängigen Realitätscharakters der Personen) habe Scotus zugleich vermittels seiner Formaldistinktion wahren wollen. Vgl. ebd. 246-301, bes. 290: „As we recall, Scotus introduced his Trinitarian discussion in the *Lectura* by arguing that theologians are free to analyse the divine persons as constituted either by relations or by modes of being – *per relationes vel modos essendi*. Scotus' solution in effect cleverly combines these two conjectures into a single new picture. Relations, if properly analysed ontologically as lacking all magnitude of perfection of their own, are, it turns out, extramental modes of the divine essence. By distinguishing between the divine essence as an infinite ens quantum and the personal relations assumed through production as extramental *modi essendi* adding no amount of perfection to this infinite *ens quantum*, Scotus has found a way to reconcile the two opposing views."

1469-1550)[190] und Bartholomé Torres[191] zugeschriebene These ziemlich rasch beiseite, da er in ihr keinen wirklichen Fortschritt gegenüber der ersten Lösung erkennt. Auch sie hatte ja an der Identität von Wesen und Relationen nicht gezweifelt, aber ihre Kritik gerade auf eine solche Vollkommenheit gerichtet, die sich aus der „ratio propria" der Relationen ergibt. Dieser Einwand wird durch den zweiten Vorschlag nicht entkräftet[192].

(4) Eine dritte These bemüht sich um die Verbindung der beiden ersten Versuche. Die Relationen fügen darnach „secundum proprias rationes" dem einen Wesen Vollkommenheit hinzu. Dennoch muß man insgesamt von einer einzigen transzendental-absoluten „bonitas" sprechen, die höchstens gedanklich nach den Personen unterschieden werden kann, und zwar im Sinne eines in der dreifachen personalen Brechung betrachteten Selbstverhältnisses Gottes[193].

Man wird hinter den von Suárez nicht genannten „Zeitgenossen", welche diese Meinung vertreten, an erster Stelle wieder einmal Vázquez vermuten dürfen[194]. Er spricht sich prinzipiell für die Einheit der „perfectio" in Gott aus, erachtet aber die bei Torres dafür vorgetragene Begründung als zu schwach. Stattdessen legt er eine Erklärung vor, die alle von Suárez referierten Gedanken enthält: Die eine Vollkommenheit in Gott entspricht seiner einen wesenhaften „integritas". Die vom Wesen gedanklich unterschiedenen Relationen sind zwar „tres res et entitates"; weil sie aber als Existenzmodi „vervollkommnende" Momente des einen Gottes und

[190] Vgl. Major, 1 Sent d. 33, q. un. ad 2 (92vb): „Ad aliud dicitur quod quaelibet proprietas est perfectio simpliciter quia est ipsa deitas. Quis potest vocare distinctionem formalem inter aliqua quando sic se habent quod supponunt pro eodem singulari et aliquid dicitur de uno quod non dicitur de alio et contra." Dieser schottische Philosoph und Theologe, der vor allem in seiner Heimat (Glasgow, Saint Andrews), aber zeitweise auch in Paris lehrte, wird gewöhnlich der nominalistischen Richtung zugerechnet. Er zählt zu den einflußreichsten scholastischen Gelehrten seiner Zeit, vor allem auf dem Gebiet der Logik. Vgl. für eine Gesamtcharakterisierung VILLOSLADA (1938) 127-164, zu seiner Glaubenstheorie und theologischen Erkenntnislehre auch TORRANCE (1970).

[191] Vgl. B. Torres, In I$^{am}$ q. 28, a. 2, disp. 3, p. 2 (65va): „Relatio divina, intrinsecus est Deus, ut probatum est superius, at Deus est infinitae perfectionis, ergo divina relatio continet infinitam perfectionem. (…) Nam perfectio relationum divinarum, et relativorum, duntaxat est essentia." Die Zuordnung dieser These durch Suárez scheint hier korrekter zu sein als diejenige, die Bañez vornimmt (Comm. in I$^{am}$ q. 28, a. 2 [766C]), wenn er Torres zusammen mit Cano als Verfechter der Meinung Biels (die auch Suárez verteidigen wird) präsentiert, wonach die Relation „secundum propriam rationem" eine Vollkommenheit darstellt.

[192] Vgl. Suárez, De trin. 3.9.3-4 (I, 603b-604a).

[193] Vgl. ebd. 5-6 (604a-b).

[194] Vgl. auch ELORDUY (1944) 200-205.

seiner einen „integritas" darstellen (darin vergleichbar den ebenfalls nur gedanklich von der Wesenheit zu scheidenden absoluten Attributen), folgt daraus keine Multiplikation der Perfektionen in Gott[195]. Allerdings gesteht Vázquez zu, daß man von drei Vollkommenheiten in gedanklicher Hinsicht („secundum rationem") sprechen mag, insofern nämlich die Relationen von der Wesenheit in derselben Weise (nämlich gedanklich) unterschieden werden können. Wir konzipieren die Relationen so, „als ob" sie von der Wesenheit verschieden und so auch Träger distinkter Vollkommenheiten wären[196].

Vor Vázquez hat schon der Jesuit Gregor von Valencia eine positive Konstitutionsfunktion der Relationen für die Wesenheit Gottes vertreten. In seinem Trinitätstraktat spricht er davon, daß die Mehrheit der Personen notwendig ist, damit Gottes Unendlichkeit als „schlechthinnige" gelten darf[197]. Für Gregor läßt sich also das übliche Argument „von der Unendlichkeit zur Personenpluralität" auch umkehren. Allerdings zieht er keine Konsequenz für das „bonitas"-Prädikat, so daß er möglicherweise nicht wie Vázquez im unmittelbaren Fokus der Ablehnung steht, die wir bei Suárez vorfinden.

[195] Vgl. Vázquez, Comm. in I[am] 121.6.20 (II, 87b): „Ut igitur hanc difficultatem explanemus, observandum est primo, bifariam posse perfectionem usurpari, uno modo pro integritate rei, in qua consistit formaliter ratio bonitatis, quae constituitur passio entis (…). Altero modo perfectio dicitur, quidquid ad integritatem alicuius pertinet, et ipsum integrat, et perficit, ut consentaneum et conveniens; haec autem non ponitur passio entis…"; ebd. 22 (88a): „Ex his patet (…). Primum si de perfectione, quae est passio entis, et idem est, quod integritas rei loquamur, sequitur in Deo unam tantum esse perfectionem, quia una solum est integritas: omnia enim, quae in Deo sunt, nostro modo intelligendi sive attributa, sive essentia, sive relationes, ad hanc integritatem, et perfectionem, seu bonitatem pertinent. (…) quamvis autem quaelibet relatio, seu persona, per se dicatur res, et tres relationes, tres res in Deo dicantur; non tamen dicuntur tres bonitates, et perfectiones, quia omnes hae sunt idem cum una essentia, cum qua unum integrant Deum et perficiunt; ex quo et una solum integritas resultat." Zur Ansicht des Vázquez vgl. auch LENSI (1940) 14f.

[196] Vgl. Vázquez, Comm. in I[am] disp. 121.6.23 (II, 80a-b): „at in nostra opinione, qui disp. 120 diximus sola ratione differe [sc. relationes ab essentia], necessario certe sequitur, non esse tres perfectiones reales essentiae divinae, sed solum esse perfectiones secundum rationem; quia sola nostra ratione cogitantur, ac si perficerent essentiam, in qua sunt, cum reipsa eam non perficiant, sed sint idem cum illa." Vgl. schon den Hinweis bei WERNER (1887b) 126.

[197] Vgl. Gregor von Valencia, De trin. l. 1, c. 29 (374A): „…quia illa unitas in re non esset infinita simpliciter, atque adeo neque ad omnia sufficiens, nisi esset etiam, ut est, plures personae. Ex hac enim pluralitate constat etiam eius infinitas. Quare talis pluralitas supervacanea non est. Neque vero hoc temere dicimus, sed revelatione divina eruditi, quae talem esse omnino rationem infiniti ac summi illius entis certissime nos docet."

Suárez kritisiert die referierte Lösung und darin seinen Ordensbruder Vázquez mit zwei Argumenten[198]. Vor allem erscheint ihm die „konstitutive" Funktion, die hier den Relationen im Blick auf die „integritas", die vollständige Wesensverfaßtheit Gottes, eingeräumt wird, als zu groß. Dabei könnte der Anschein entstehen, der Vater sei vor der Zeugung des Sohnes noch nicht „vollständig" und vollkommen Gott. Eine als einfach und absolut zu denkende „perfectio" Gottes kann deshalb in keiner Weise – nicht einmal, wie es Vázquez neben den anderen „Konstitutiva" Gottes auch für die relationalen Existenzmodi nahelegt, in gedanklicher Hinsicht – aus den Relationen herrühren. Vielmehr muß nach Suárez die theologische Konstruktion der Trinität strikt vom Absolutum Gottes ausgehen, mit dem die relativen Vollkommenheiten, die man den Personen als solchen zuzusprechen hat, schlechterdings identisch sind.

(5) Damit deutet sich bereits die von Suárez selbst präferierte Lösungsoption an, die in der Argumentationsfolge des Trinitätstraktates als vierte der referierten Thesen genannt wird, nachdem der Jesuit sie bereits zuvor in „De incarnatione"[199] wie auch in den „Disputationes metaphysicae"[200] vorgestellt hatte. Von dort her konnte sie schon Vázquez in seinem Trinitätstraktat zitieren, wo nicht bloß etwas abschätzig „aliqui recentiores" als ihre Vertreter genannt werden, sondern sie dazu noch auf den Nominalisten Gabriel Biel zurückgeführt wird, der, wie es bissig heißt, „um seine These zu erläutern, nach Art seiner Schule verschiedene Verständnisweisen von ‚Vollkommenheit' anführt, nicht weil das Wort tatsächlich bei den Lateinern in so vielen verschiedenen Weisen in Gebrauch wäre, sondern weil die Nominalisten, um bestimmten Schwierigkeiten zu entgehen, mit den Worten zu spielen scheinen"[201]. Eine solche Ansicht, so das Urteil des

[198] Vgl. Suárez, De trin. 3.9.7-13 (I, 604b-606a).

[199] Vgl. De incarnatione 11.4.7 (XVII, 450b-451a): „Concedo ergo illas tres subsistentias dicere tres perfectiones relativas distinctas, atque adeo posse aliquam perfectionem relativam esse aliquo modo in una persona, quae non est in alia, quanquam absolute nihil perfectionis sit in una persona, quod non sit in omnibus, quod iam pertinet ad aliam quaestionem de perfectione quam dicit relatio divina, quae in materia de Trinitate disputatur."

[200] Vgl. DM 30.5.6 (XXVI, 87b-88a).

[201] Vázquez, Comm. in I$^{am}$ 121.3.4 (II, 83b): „Alii non solum docent, relationes divinas esse perfectiones Dei secundum propriam rationem relationis; sed etiam tres esse perfectiones relativas realiter distinctas. Quam sententiam recentiores aliqui amplectuntur, et aperte docuit Gab[riel] in I. d. 7. q. 3. ar. 3. qui, ut explicet suam sententiam, more suae scholae varias affert acceptiones perfectionis, non quia revera vocabulum apud Latinos tot modis usurpetur, sed quia Nominales, ut aliquas fugiant difficultates, vocabulis ipsis ludere videntur." Der nominalistische Hintergrund seiner These, den Suárez selbst kennt (vgl. den Verweis auf Biel in De trin. 3.10.4 [I,608b]), wird ihm noch von modernen Thomisten vorgehalten, vgl. MARTIN (1899) 877.

Vázquez, wirkt sich sehr nachteilig für das Mysterium der Trinität aus, da es Begriffe in eine Mehrzahl bringt, deren Multiplikation die Väter stets vermieden haben[202].

Daß diese harten Worte unmittelbar gegen Suárez gerichtet sind, läßt sich kaum bezweifeln. Wie aber charakterisiert dieser selbst seine Lehrmeinung? „Sie behauptet, daß es eine einzige absolute transzendentale Gutheit in der Trinität gibt, daß eine relative Gutheit aber einer jeden Person eigentümlich ist und so in den göttlichen Personen vervielfacht wird“[203]. Obwohl Suárez seinen Gegnern konzediert, daß seine Redeweise in der Vätertheologie nicht allzu viele Anhaltspunkte besitzt[204], möchte er sie aus philosophischer wie theologischer Sicht auch noch in „De trinitate“, ungeachtet der Einwendungen des Vázquez, verteidigen[205].

Mit ihr ist nämlich einerseits die strenge Konvertibilität von „ens“ und „bonum“ gewahrt, sofern der Relation als wahrem realen Seienden und realer Form auch eine reale Vollkommenheit bzw. Gutheit zukommt. Als Quelle dieser These benennt Suárez die Nominalistenschule[206] und bestä-

[202] Vgl. Vázquez, Comm. in I$^{am}$ 121.3.4 (II, 84a): „Ego sane semper existimavi, sententiam hanc multum derogare mysterio Trinitatis, cum eas multiplicat voces, quas nunquam Patres ausi sunt multiplicare.“

[203] Suárez, De trin. 3.9.14 (I, 606a): „quae affirmat bonitatem transcendentalem absolutam esse unam in Trinitate, relativam vero esse unicuique personae propriam et ita in divinis personis multiplicari“.

[204] Vgl. ebd. 20 (607b-608a).

[205] Vgl. MARTIN (1899), bes. 874ff.; DUMONT (1941) 2653f.; ELORDUY (1944) 205-216.

[206] Vgl. Suárez, DM 10.3.15 (XXV, 353b): „Dicendum ergo est, relationem ut relatio est, sicut propriam dicit entitatem, seu entitatis modum, ita etiam propriam dicere bonitatem seu perfectionem, ut bene docuerunt Ocham et Gabriel...“. Vgl. LENSI (1940) 15ff. Molina, Comm. in I$^{am}$ q. 42, disp. 2 (544bF) nennt als weitere Vertreter Aureoli (1 Sent. d. 19, q. 2) und den Pariser katholischen Humanisten Jodocus Clichtoveus (1472/73-1543; Theologia Damasceni [Paris 1513], Comm. super lib. 1 fidei orthodoxae, c. 11). Noch einmal sei darauf hingewiesen, daß die These in der spanischen Scholastik schon vor Suárez Aufnahme fand: „Quidam enim ut Gabriel (...) quem sequutus fuit Cano, aiunt non esse inconveniens, quod aliqua perfectio sit in Patre, quae non sit in Filio, quia hoc nihil aliud est, quam dicere aliquam realitatem esse in Patre, quae non est in Filio, quod satis catholicum est, quia alia res est Pater, et alia res est Filius“: Bañez, Comm. in I$^{am}$ q. 28, a. 2 (768C). Auch der Salmanticenser Thomist Zumel, Comm. in I$^{am}$ q. 28, a. 2, disp. 5 kennt diese Begründung: „Quia paternitas divina, ut relatio, est ens reale: ergo ut sic, dicit perfectionem“ (719b). „Divina relatio et essentia, sicut distinguuntur ratione in esse rei, ita etiam in esse perfectionis. Et sicut intelligimus, quod conceptus relationis addit secundum rationem supra conceptum essentiae quamdam rationem realem, quae consistit in respectu ad aliud: ita intelligendum est in divinis, quod conceptus perfectionis divinae relationis addit nostro modo intelligendi supra perfectionem, quam concipimus in essentia ut sic, aliquid perfectionis realis“ (ebd. 720a). Die These von einer Nicht-

tigt wenigstens darin das Urteil des Vázquez. Die aus der Lehrposition sich ergebenden Aussagen gelten universal im göttlichen wie im geschöpflichen Bereich. Selbst der Akt der Sünde[207] und – in thomistischer Perspektive völlig undenkbar[208] – die „materia prima“[209] besitzen nach Suárez als Entitäten transzendentale Gutheit. Wollte man den realen Relationen mit Verweis auf ihre nicht-absolute Entität transzendentale Perfektion absprechen, müßte man ebenso hinsichtlich der Akzidentien oder anderer Seinsmodi verfahren[210]. Damit würde man sie in der Sicht des Suárez jedoch auf eine ontologische Stufe mit den Possibilien stellen und die Realität ihres Eigen-Seins verkennen.

Des weiteren beruft sich der Jesuit darauf, daß in theologischer Hinsicht mit der vorgetragenen Lösung der Anschein vermieden wird, als bleibe Gottes trinitarisches Sein für die Vollkommenheitszuschreibung folgenlos bzw. als seien die Personen für sich genommen geradezu unvollkommen. Stattdessen wird die im Geschöpflichen selbstverständliche Zuschreibung von Perfektion an Subsistenzen (namentlich Personen) auch im Falle der subsistenten Relationen in Gott möglich. Wie die Akte der Mitteilung des einen Wesens an die drei Personen als Ausdruck der innergöttlichen Fruchtbarkeit („foecunditas“) eine Vollkommenheit darstellen[211], so sind auch die Personen selbst eigenständige Vollkommenheiten und für sich, nicht bloß ihres göttlichen Wesens wegen, liebenswert. Solche Vollkommenheit kommt der Relation folglich in formaler Hinsicht nicht vom Wesen her, sondern „ex proprio conceptu“ zu[212]. Dies wird in der praktischen trinitarischen Frömmigkeit – ein solcher Verweis ist im suárezischen Trinitätstraktat selten – ebenso vorausgesetzt wie in der Christologie, die von der Person des Sohnes als „größtem Gut“ seiner

Identität der Perfektionen zwischen den Personen zitiert Zumel ebenfalls mit der Zuschreibung an Cano, ohne ihr zustimmen zu wollen (721a-b).

[207] Vgl. Suárez, DM 10.3.15 (XXV, 351b).

[208] Vgl. etwa die Kritik bei MANSER (1949) 636-640.

[209] Vgl. Suárez, DM 10.3.24 (XXV, 353b-354a). „Reine Potentialität“ ohne jede entitative Bestimmung wird für Suárez zum in sich widersprüchlichen Gedankending; vgl. JANSEN (1940a) 182ff.; OLIVO (1995) 167ff.

[210] Vgl. Suárez, DM 10.3.13-14 (XXV, 351a-b). „Et declaratur in hunc modum, nam, si respicere filium relatione creata, est formaliter aliqua perfectio, quomodo intelligi potest in aeterno Patre nullam esse perfectionem respicere Filium? Quod si formaliter est perfectio, necesse est ut sit relativa, quia consistit in habitudine ad terminum; ergo illa ut sic provenit formaliter a relatione, et non ab essentia ut essentia, quamvis haec in re non distinguantur.“

[211] Vgl. De trin. 3.2.5 (I, 590a-b).

[212] Vgl. DM 10.3.17 (XXV, 352a).

angenommenen Menschennatur spricht[213]. Daß Suárez in einem sehr konkreten Punkt der Gebetstheologie die disparate Ansprechbarkeit und Verehrungswürdigkeit der drei göttlichen Personen verteidigt und sich sogar angesichts der stets umstrittenen Frage nach der Berechtigung einer eigenen liturgischen Verehrung Gott-Vaters positiv ausgesprochen hat[214], mag man auf diesem Hintergrund also nicht bloß seiner Reverenz gegenüber der Trinitätsfrömmigkeit des Ordensvaters Ignatius zugute halten[215], sondern in genuin theologischen Überzeugungen begründet

[213] Vgl. De trin. 3.9.15-17 (I, 606b-607a). Allerdings ist nach Suárez das Gebet zu einer einzelnen göttlichen Person nur zulässig, wenn es die anderen jeweils einschließt. Dann freilich gilt: „...licitum esse loqui specialiter in oratione cum una persona, non dirigendo locutionem ad alias ex propria et formali intentione orantis. Hoc probat usus Ecclesiae. Et ratio est, quia illae personae vere sunt distinctae, et quatenus a nobis confuse et abstracte cognoscuntur, possumus cogitare de una, non cogitando actu de aliis. Rursus unaquaeque per se spectata est verus Deus; ergo possumus ab unaquaque sigillatim petere tanquam a vero Deo, et hoc facit Ecclesia in litania, et fortasse id facit ad profitendam hanc fidem de distinctione personarum, et quod singulae sint verus Deus; ut autem profiteatur omnes esse eumdem Deum, subjungit: *Sancta Trinitas unus Deus, miserere nobis*. Eodem ergo modo possumus nos et ore et mente orare" (Suárez, De oratione 1.9.13, XIV, 34b). Schon diese letzte Bemerkung zeigt, daß von einem konsequenten „Personalismus" in der Gebetstheologie des Suárez kaum gesprochen werden kann. Wenn die Gebete der Kirche vorwiegend an den Vater gerichtet sind, geschieht dies (nur) „per appropriationem", weil der Vater „Quell" und „Prinzip" der Trinität ist (ebd. 14, 34b-35a). Allerdings nennt Suárez ebenfalls den Grund, daß der Vater allein den Sohn gesandt hat, den die Kirche in ihrem Beten als Mittler anruft; zumindest hier ist der heilsgeschichtliche Bezug der Gebetsstruktur anerkannt. Es folgt auch eine Erklärung, weshalb die Kirche gelegentlich in der Liturgie zum Sohn, aber (wenigstens in den Kollektengebeten) nie zum Heiligen Geist betet. Suárez vermerkt ebenso, daß es kirchliche Gebete gibt, die an die abstrakte „Gottheit" (ohne Bezug auf eine konkrete Person) sowie die Trinität als ganze gerichtet sind, und hat auch damit aus theologischer Sicht kein Problem (ebd. 15, 35a-b). Mit eher a-personaler Stoßrichtung präsentiert sich die Vaterunser-Auslegung des Suárez, De oratione 3.8.3 (XIV, 242b-243a), wenn sie die Anrede „Pater" lieber auf die „tota trinitas", deren Kinder wir sind, als die erste Person im besonderen beziehen möchte. Schon die Hochscholastik kannte diese Sichtweise – vgl. etwa für Bonaventura die Belege bei HEINZ (1985) 14, Anm. 36 –, und auch zur Zeit des Suárez ist es verbreitet, für eine „wesenhafte" Prädikation des göttlichen Vaternamens einzutreten. So ist nach Toledus, Comm. in I^am^, q, 33, a. 3 (ed. Paria, I, 361a) Gott (als Gott) „Vater" der Geschöpfe auf vierfache Weise: „per creationem", „ratione imaginis", „ratione gratiae", „ratione gloriae".

[214] Vgl. Suárez, De oratione 1.9.13-14 (XIV, 34b-35a); dazu: CAILLAT (1939), bes. 137ff., der die These ebenfalls bei Théophile Raynaud S.J. (1583-1663) nachweist.

[215] Schon in der Einleitung haben wir auf das trinitarische Beten des Ignatius hingewiesen, das stets auch an die einzelnen Personen gerichtet war und von entsprechenden mystischen Erfahrungen begleitet wurde; vgl. die schon in Kap. 1, Anm. 79 zitierten Feststellungen aus ZECHMEISTER (1987).

sehen. Der Rahmen des „opera indivisa"-Axioms wird dabei freilich nie überschritten.

Indem sie als „relative" qualifiziert wird, bildet die personale Vollkommenheit in Gott die Formalkonstitution derjenigen Entität ab, der sie zukommt. Was „auf etwas anderes hin" *ist*, ist auch „auf etwas hin", also relativ, *vollkommen*. In gleicher Weise entspricht das Verhältnis der relativen Vollkommenheit zur absoluten Vollkommenheit Gottes exakt demjenigen, das die Relation zur Wesenheit besitzt. Zwischen beiden besteht ein bloß gedanklicher Unterschied; die absoluten Perfektionen sind – so hatte schon die Abgrenzung zur vorangegangenen These klargestellt – in keiner Weise durch die relativen bedingt. Voneinander dagegen sind die „perfectiones personales" ebenso real unterschieden wie die Personen selbst, mit denen sie vervielfacht werden[216].

(6) Von dieser Lösung her kann Suárez auf die erste These (vor allem die Meinung der Thomisten) zurückblicken, die er als einzige wirklich ernstzunehmende Alternative betrachtet. Ihre beiden Kernaussagen lehnt der Jesuit ab: Weder darf das „esse in" von der Wesensbestimmung der Relation (also dem „esse ad") ausgeschlossen werden, wie man auch ein Akzidens niemals vom „esse entis" zu trennen vermag[217]; noch darf von der Tatsache, daß geschaffene Relationen nicht immer Vollkommenheit vermitteln, zu schnell auf die göttlichen Relationen geschlossen werden, die als subsistente nicht etwa Akzidentien der göttlichen Substanz darstellen, sondern diese terminieren und – in menschlichem Verständnis gesprochen – „gleichsam modifizieren"[218].

Mit diesem Ausdruck bringt sich gleichwohl nochmals das Grundproblem jeder Behauptung relativer göttlicher Perfektionen in Erinnerung: Ist damit nicht eine Ungleichheit der Personen verbunden? Ebendies hatte Vázquez kritisch eingewandt[219]. Suárez antwortet mit der Unter-

[216] Vgl. Suárez, De trin. 3.9.18-19 (I, 607a-b).

[217] Vgl. DM 10.3.14 (XXV, 351a-b). Dieses Argument wird uns ausführlicher in der Kritik am thomistischen Relationsbegriff in der Abhandlung über die Konstitutivfunktion der göttlichen Relationen für die Personen wiederbegegnen; vgl. unten Kap. 8, 3), c).

[218] Vgl. Suárez, De trin. 3.10.2 (I, 608a): „Et praesertim, quia sunt subsistentes et suo modo terminant, et quasi modificant divinam naturam, ut more nostro loquamur, et quia per se pertinent ad reales, ac divinas processiones, vel ex parte principii, vel ex parte termini talium processionum".

[219] Vgl. Vázquez, Comm. in I$^{am}$ 121.4.7 (II, 84a-b). Auch die von Suárez im folgenden vorgetragenen Argumente gegen diese Kritik finden sich im selben Kapitel bei Vázquez bereits behandelt (84b-86b).

scheidung einer doppelten Weise von „perfectio“[220]. Die Relationen als solche sind im Unterschied zur Wesensperfektion Gottes nicht als „perfectiones simpliciter simplices“ zu bestimmen, die sich dadurch definieren, daß ihr Vorhandensein in jedem Fall besser ist als ihr Fehlen[221]. Damit widerspricht Suárez faktisch einem Versuch wie dem des Gregor von Valencia[222], als Vollkommenheiten charakterisierte Relationen in Anselms Definition erfaßt zu sehen. Die dafür erforderliche „schlechthinnige Einfachheit“ geht den relativen Vollkommenheiten nach Suárez ab, nicht weil sie (positiv) eine Unvollkommenheit oder Begrenztheit implizierten, sondern weil sie jeweils in Opposition zu einer anderen Vollkommenheit stehen und als so relational verschiedene nicht allen Personen zugleich zukommen können[223]. Die relativen Perfektionen „ad intra“, so erläutert Suárez den Sachverhalt an einer Stelle seiner Metaphysik, sind wegen ihrer (als Vollkommenheit zu verstehenden) Inkommunikabilität als solche nicht wesenhaft in der absoluten göttlichen Natur eingeschlossen; in unserer Vorstellung sind sie vielmehr der Wesensperfektion als personale Vollkommenheiten „hinzugefügt“[224]. Diese Unterscheidung von der We-

[220] Vgl. Suárez, De trin. 3.10.4 (I, 608b-609a); dazu auch MICHEL (1937) 2144f. Eine ganz ähnliche Argumentation findet sich unter den jesuitischen Zeitgenossen des Suárez bei Salmeron, Commentarii, tom. 2, tract. 11 (112a-b): „Nec tamen propterea negamus, relationes dicere perfectiones secundum quid, sive secundum relationem (ut sic dicam) modalem: nec ullum inconveniens est ponere in una persona perfectionem quae non sit in alia, quia talis perfectio non est perfectio simpliciter simplex, sed relativa, quae etiam eminenter ratione essentiae est in quavis persona, ac proinde una persona non est alia perfectior. Non ergo in relationibus attenditur ordo dignitatis, secundum maiorem, vel minorem perfectionem simpliciter, sed solum secundum perfectionem relativam, sed secundum magis, vel minus principale, ut Sancti loquuntur.“

[221] Suárez zitiert in DM 30.1.8 (XXVI, 63a) für die „perfectio simpliciter simplex“ die Definition Anselms: „quae in unoquoque est melior ipsa, quam non ipsa“.

[222] Vgl. Gregor von Valencia, De trin. l. 2, c. 12 (575A-D).

[223] Vgl. Suárez, DM 30.1.8 (XXVI, 62b-63a): „Unde de ratione perfectionis simpliciter imprimis est ut sit absoluta et non relativa, nam perfectio relativa excludit aliam sibi oppositam, quae, quantum est ex se, potest esse aeque perfecta“. Vgl. KOPLER (1933) 388ff.; GIACON (1947) 316-321.

[224] Vgl. Suárez, DM 30.5.6 (XXVI, 87b): „...breviter dicendum est, perfectionem propriam, quam illae relationes dicunt (suppono enim aliquam dicere), non includi formaliter et essentialiter in essentia Dei ut sic, seu ut absoluta et communis est, non ob imperfectionem talium relationum, sed ob oppositionem, et incommunicabilitatem. Non potuisset enim essentia communicari Filio, verbi gratia, secundum totam suam essentialem rationem, si in ea paternitas formaliter et essentialiter includeretur. Nihilominus tamen necessarium fuit illas perfectiones relativas formaliter esse in Deo, et quasi addi (ut nostro modo concipiendi loquamur) formali perfectioni essentiae, non ut aliquid perfectionis ei accresceret neque ut aliquod accidens ei adjungeretur, sed ut in illa natura infinita, posset esse constitutio proprii suppositi incom-

sensperfektion darf andererseits nicht in Richtung einer Akzidentalität der Personen oder einer Perfektibilität des Wesens mißgedeutet werden. Ebensowenig liegt eine ontische „Ungleichheit“ zwischen den Personen vor, denn in ihrer relativen Unterschiedenheit entsprechen sie einander dennoch im „gradus entitatis“[225]. Daß der Vater dem Sohn alles, aber nicht auf jede Weise mitgeteilt hat, sofern er die „paternitas“ für sich behält und den Sohn damit als von sich selbst verschiedenen („distinctus“) gezeugt hat[226], führt nicht zu einer essentialen Abstufung zwischen beiden. In scholastischer Terminologie ausgedrückt: Die Beziehung zwischen Vater und Sohn ist die von durch Entgegensetzung Unterschiedenen, aber nicht von sich im Gegensatz (innerlich) Ausschließenden. Es handelt sich um eine „oppositio relativa“, nicht um eine „oppositio contraria“. Die Ungleichheit ihrer Relata im Sinne der Nichtaustauschbarkeit („disaequiparantia“) ist zudem anders als bei dem ihr entsprechenden geschöpflichen Gegensatz („Vater und Sohn“) kein der Vollkommenheit nach abstufender[227]. Denn wenn auch nicht „formaliter“, so ist doch „eminenter“, einschlußweise vermittels des mit den Personen identischen unendlichen Wesens Gottes als der in absoluter Betrachtung höheren Perfektion, in

municabiliter subsistentis et ideo illa perfectio non est accidentalis, sed proprie dicitur personalis.“

[225] Vgl. auch DM 29.3.16 (XXVI, 53a): „...in relationibus divinis paternitas et filiatio, ut relationes sunt, dissimiles sunt, seu disquiparantiae, ut vocant, et tamen in perfectione et entitate relativa ut sic censentur aequales, non solum prout includunt essentiam, in qua sunt idem, sed etiam secundum proprias rationes relativas in quibus distinguuntur.“

[226] Vgl. auch De trin. 3.2.3 (I, 590a) in Anknüpfung an B. Torres.

[227] Die Bedeutsamkeit dieser Unterscheidung sowie der Besonderheit innergöttlicher Gegensatzbeziehungen für die Wahrung der Personengleichheit unterstreicht Suárez in DM 45.1.8 (XXVI, 739b-740a): „Tandem oppositio positiva distinguitur in relativam et contrariam. Oppositio relativa est inter extrema relationum, ut inter patrem et filium, etc. (...). Oppositio contraria est inter positiva extrema et absoluta, directe inter se repugnantia in eodem subjecto (...). Nunc solum est advertenda differentia, quam inter contraria et relative opposita notavit D. Thomas, q. 7 de Potentia, art. 8, ad quartum, nimirum, quod relative opposita non semper sunt inaequaliter perfecta, scilicet quoad oppositas relationes. Quod quidem in relationibus creatis manifeste constat, si sint mutuae et aequiparantiae; (...) in relationibus autem creatis disquiparantiae, semper altera invenitur minus perfecta, ut inductione patet in relatione patris et filii, majoris et minoris, et similibus. Et ratio est, quia fundamentum talium relationum semper est in altero extremorum cum aliqua imperfectione, aut saltem cum minore perfectione. Solum in relationibus increatis, etiamsi disquiparantiae sint, invenitur aequalitas propter oppositam rationem.“ Das Verhältnis von Vater und Sohn in Gott ist also anders als im Kreatürlichen nicht dasjenige eines weniger Vollkommenen zum Vollkommeneren, sondern die reine, nicht abstufende Beziehungsunterscheidung.

einer jeden von ihnen auch die relative Vollkommenheit der übrigen enthalten[228]. Die Verschiedenheit der Personen bedingt, daß sie als je eigenständige und für sich genommen vollkommen sind (was z. B. „in genere Paternitatis" bedeutet, daß der Vater in höchstem Maße Vater ist), daß sie aber die Vollkommenheit der übrigen Personen wie auch jede andere absolute oder relative Vollkommenheit „in genere entis" nur aufgrund des Wesens besitzen[229]. Unter dieser Voraussetzung bleibt jede göttliche Person eine den anderen Personen nicht nachzuordnende „res simpliciter perfecta"[230], denn die schlechthinnige Vollkommenheit des göttlichen Wesens, mit dem sie alle in der Wirklichkeit identisch sind[231], erfährt durch die relativen Vollkommenheiten ebensowenig eine „Addition" wie die Vollkommenheit des Sohnes bei der Aufnahme der Menschheit in der Inkarnation, deren geschöpfliche Perfektion im göttlichen Wort „eminenter" längst enthalten ist. Auf diese Abstufung greift Suárez ebenfalls in anderen schwierigen Kontexten der Gotteslehre, in denen es

[228] Vgl. De trin. 3.10.7 (I, 609a-b) und die Definition in DM 30.1.10 (XXVI, 63b): „Breviter tamen dicendum est continere eminenter, esse, habere talem perfectionem superioris rationis, quae virtute contineat quidquid est in inferiori perfectione...". Das anschließend erwähnte Verhältnis von Ursache und Wirkung, wie es beim „eminenten" Enthaltensein der Geschöpfe in Gott zweifellos gilt, darf trinitätstheologisch nicht appliziert werden.

[229] Vgl. DM 10.3.16 (XXV, 352a): „Addo, intelligi facile posse, relationem ex proprio conceptu esse infinitam in genere paternitatis aut filiationis, etc., non esse tamen infinitam in genere entis, nisi ratione essentiae quam includit"; ebd. 18 (352b): „Concedendum ergo censeo, omnem relationem realem dicere propriam bonitatem seu perfectionem. Neque hinc fit personas divinas esse inaequales in perfectione, neque, absolute loquendo, aliquam perfectionem esse in una, quae non sit in aliis, quia in singulis personis est eadem perfectio infinita in genere entis, formaliter vel eminenter includens omnem perfectionem omnium entium, tam absolutam quam respectivam, tam personalem quam essentialem."

[230] Vgl. De trin. 3.10.7 (I, 609b): „quia ut res sit simpliciter perfecta, satis est, quod formaliter contineat omnem perfectionem simpliciter et eminenter omnem aliam."

[231] Wenn unser Verstand die „präzise und formale" Trennung einer Relation vom Wesen vornimmt, muß er sich darum immer bewußt bleiben, daß der „conceptus obiectivus" der Relation im Unterschied zum gedanklich geschaffenen „conceptus formalis" die „ganze Gottheit und Unendlichkeit Gottes" einschließt. Nur in Bezug auf unser Erkenntnisvermögen verhalten sich die Personen „ad modum partis", der Sache nach bleiben sie dagegen stets „ens totum". Vgl. DM 28.2.10 (XXVI, 10b): „Responderi ergo potest, relationem divinam, verbi gratia, paternitatem, quantumvis praecise ac formaliter concipiatur a nobis, esse ens simpliciter infinitum, quia nunquam potest praescindi vel abstrahi, quin in suo obiectivo conceptu includat essentialiter totam essentiae perfectionem."

um die Vermittlung abgestufter, aber in Gott unmöglich real verschiedener Perfektionen geht, zurück[232].

Auch auf die Überlegenheit der Annahme von drei relativen Perfektionen gegenüber der These von einer einzigen absoluten Vollkommenheit in Gott darf aus dem Blickwinkel des Suárez hingewiesen werden. Nur mit der von ihm gemachten Annahme glaubt der Jesuit nämlich dem Einwand entgehen zu können, daß die für sich genommen ohne Vollkommenheit konzipierte Relation in der Inkarnation nicht als solche, sondern nur vermittels der absoluten Wesensperfektion Gottes an die Stelle der zweifelsohne eine Vollkommenheit bezeichnenden geschöpflichen Subsistenz treten kann[233]. Die Inkarnation fände ansonsten irgendwie zwischen der Menschennatur und dem (absolut subsistierenden und vollkommenen) göttlichen Wesen statt und wäre nicht im streng formalen Sinne allein Bestimmung der Menschennatur durch die Relation als Proprietät der zweiten göttlichen Person – ein Vorwurf, der, wie wir bereits aus dem Kapitel über die Personbestimmung wissen, von Suárez immer wieder gegen die Thomisten, namentlich gegen Cajetan, erhoben wird und diese in eine Reihe mit Durandus und seinem Erklärungsversuch stellt. Das Problem löst sich für Suárez nur dadurch, daß man der Relation als solcher jene unendliche Vollkommenheit zugesteht, vermittels derer sie in der Lage ist, an die Stelle der geschöpflichen Subsistenz zu treten und damit ganz allein, ohne ein Parallelgeschehen auf essentialer Ebene, diejenige ontologische Funktion auszuüben, welche die hypostatische Union „ex parte assumentis“ charakterisiert.

[232] Vgl. etwa DM 30.9.11 (XXVI, 119a): Bei der Diskussion darüber, ob die freien Handlungen Gottes eine „perfectio secundum quid“ darstellen, wird u. a. auf die relative Perfektion der göttlichen Personen verwiesen, die zwar nicht „perfectiones simpliciter simplices“, wohl aber Vollkommenheiten „in propriis generibus vel rationibus“, also „secundum quid“, darstellen. Allerdings, so wird im folgenden (12 [119a-b]) eingeschränkt, besteht ein Unterschied insofern, als die relativen Perfektionen Gottes allein aus der Tatsache, daß der relative Gegensatz in Gott keine Unvollkommenheit impliziert, selbst ohne Unvollkommenheit als solche nicht „simpliciter simplices“ sind, während das Fehlen dieser Qualifizierung bei absoluten Vollkommenheiten stets „ex imperfectione admixta“ stammen muß. Der entscheidende Unterschied zwischen dem Wesen und den ihm „hinzugefügten” Relationen einerseits und dem göttlichen Willen gegenüber den ihm hinzugefügten freien Dekreten andererseits liegt darin, daß eine Relation deswegen nicht real vom Wesen unterschieden ist, weil sie mit ihm als „ens necessarium“ existiert und weil eine Person in Gott niemals (indifferent) „frei“, sondern „notwendig“ hervorgeht, während Wille und Dekrete einander wie „essentia actualis necessaria“ und „essentia possibilis“ gegenüberstehen.

[233] Vgl. dazu Suárez, De incarnatione 12.2.12 (XVII, 469b-570a).

(7) Im Vergleich mit der thomistischen Lösung intendiert die suárezische zweifelsohne auf den ersten Blick eine stärkere Betonung der Eigentümlichkeit der Relationen gegenüber dem Wesen, indem sie das „esse ad" als ihr Formalkonstitutiv unterstreicht. Freilich entgeht Suárez dem dagegen erhobenen Einwand einer Zerstörung der göttlichen Einheit nur dadurch, daß er die für selbständig erklärten relativen Vollkommenheiten der göttlichen Personen in einer Metareflexion zu Quasi-Implikaten der einen gemeinsamen Wesenheit erklärt, was mit deren unendlicher Vollkommenheit begründet wird, der gegenüber die Vollkommenheiten der Relationen als solche irgendwie begrenzt und sekundär erscheinen – neben der „perfectio simpliciter simplex" gibt es in Wahrheit doch nur abgestufte und damit letztlich endliche und unvollkommene Perfektionen. Daß in der späteren Schuldiskussion mit ähnlichen Argumenten, wie sie Suárez im Blick auf die drei Relationen in Gott vorträgt, auch die göttlichen Willensdekrete als eigene Perfektionen qualifiziert werden konnten[234], ohne daß damit deren Eigenständigkeit gegenüber dem einen göttlichen Wesen tatsächlich vergrößert worden wäre, bestätigt unser Urteil. Es bleibt also die Frage, ob die sich zunächst als gewisse Verselbständigung der Personen gegenüber der Wesenheit ausweisende Lehre von den relativen Perfektionen in Gott nicht durch die unumgängliche wesensvermittelte Absicherung ihrer Identität ebenso wie durch die ursprüngliche Verbindung von „esse in" und „esse ad" im Relationsverständnis in Wahrheit einen Schritt hin zur „Essentialisierung" der Relationen / Personen in Gott darstellt, ja zu einer zunehmenden Angleichung an die absoluten Wesensattribute führt, die das ursprünglich thomistische wie auch das scotistische Modell vermeiden können, insofern sie von einer formellen Vollkommenheitszuschreibung an die Relationen je auf ihre Weise gänzlich absehen[235].

[234] Vgl. RAMELOW (1997) 312-315.

[235] Diese Gefahr hat wohl die ältere thomistische Kritik an Suárez korrekt erkannt; vgl. beispielsweise DEL PRADO (1911) 537: „Qui negant realem compositionem esse et essentiae in rebus creatis, coguntur multiplicare esse in divinis, et relativum videntur mutare in absolutum" (was 540f. ausdrücklich von Suárez gesagt wird); ähnlich GARRIGOU-LAGRANGE (1946a) 224f.; ders. (1946b) 894f.; ders. (1951) 82. Gegen Del Prados Kritik werden Scotus und Suárez in Schutz genommen durch MINGES (1919b).

## 6) Vervielfachung göttlicher Wesensprädikate in der Trinität?

Weniger kontrovers als in Bezug auf die relativen Prädikate stellt sich das Vervielfachungsproblem hinsichtlich der absoluten Prädikate in Gott dar, das Suárez in zwei Schritten getrennt für die positiven und negativen unter ihnen diskutiert.

(1) Wenn der Theologe von „Attributen Gottes“ spricht, so stellt Suárez zu Beginn von Kap. elf des dritten Buches seiner Trinitätslehre fest, folgt er meistens einer etwas engeren Bestimmung des Begriffs, die darin „irgendeine absolute Eigentümlichkeit“ erkennt, „welche nach Art einer Gott zukommenden Form von ihm prädiziert wird“[236]. Personale, relative und transzendentale Prädikate sind hierbei ausgeschlossen. Weitere Einengungen der Definition, die für echte göttliche Attribute auch das Kriterium der „Vollkommenheit“ (entweder für Gott allein oder für ihn und die Kreatur, möglicherweise noch verbunden mit der Zusatzbedingung natürlicher Erkennbarkeit) verbunden wissen wollen, lehnt Suárez als unberechtigt ab[237]. Zur weiteren Behandlung der göttlichen Attribute reicht seiner Meinung nach neben der Abgrenzung positiver und negativer Prädikate die Unterscheidung zwischen analog für Gott und Kreaturen gemeinsam geltenden und einzig und allein Gott zukommenden Attributen aus.

(2) Diese kleinen Kontroversen über die Definitionsgrenzen beeinträchtigen nach Suárez nicht die Einhelligkeit der Theologen in der Unterstützung der These, daß positive Wesensattribute in Gott bei substantivischem Gebrauch nicht vervielfacht werden können[238]. Das Basisaxiom, wonach in Gott alles eins ist, soweit nicht ein relationaler Gegensatz vorliegt, bleibt hier die entscheidende Vorgabe. Von ihr her steht sowohl für das Attribut der „Ewigkeit“ („aeternus“) wie für Erkennen und Wollen in Gott (trotz ihrer notionalen Konnotate) fest, daß sie strikt auf das Wesen zu beziehen sind, während die „Dauer“ („duratio“) als „quasi transzendentales“ Prädikat auch im Sinne personaler Zuschreibung gebraucht werden kann[239]. Eine Vervielfachung im adjektivischen Gebrauch bleibt bei den Wesensattributen möglich, weil so nicht notwendig eine Vervielfachung der damit gegebenen Formbestimmung verbunden ist: Die Rede

[236] Vgl. Suárez, De trin. 3.11.1 (I, 610b).
[237] Vgl. ebd. 2-4 (610b-611b).
[238] Vgl. ebd. 5 (611b).
[239] Anders: Vázquez, Comm. in I$^{am}$ 122.7.30 (II, 90a) und weitere S.J.-Autoren der Folgezeit; vgl. Compton Carleton, Theologia scholastica, tom. 1, 56.2.4 (273a-b).

von „drei allmächtigen" Personen zerstört die Einheit der göttlichen Allmacht nicht[240].

(3) Kein prinzipiell verschiedenes Urteil ist hinsichtlich der negativen Gottesattribute zu formulieren, deren Aufgabe jeweils darin besteht, irgendeine Unvollkommenheit in der Rede über Gott abzuwehren[241].

(a) Genauere Erläuterung verlangt die Frage, ob bestimmte negative Attribute den Personen nicht vom Wesen, sondern von den jeweiligen Proprietäten her zuzusprechen sind. So ließe sich die Meinung vertreten, die gemeinsame Unmöglichkeit des Erschaffenseins der Personen („esse increabiles") sei eine Abstraktion personaler Eigentümlichkeiten von Vater (als solcher der Möglichkeit nach „ungeschaffen"), Sohn (als solcher der Möglichkeit nach „ungehaucht") und Geist (als solcher der Möglichkeit nach „ungezeugt"). Suárez lehnt diese notionale Deutung ab, indem er die in Frage stehende Negation vollständig auf die göttliche Aseität (das „esse a se, et non ab alio") bezieht und eine Zuschreibung von den Relationen her ausschließt. Das wesenhafte Sein aber kommt den Personen unterschiedslos zu und wird durch den ihnen eigentümlichen Modus der Wesenshabe, mit der die gesuchte Notwendigkeit verknüpft ist[242], nicht bedingt. Die personalen Proprietäten bieten vielmehr bloß die notwendigen Bedingungen für die aus ihrer Identität mit dem Wesen resultierende Aufnahme der essentialen Attribute, sofern sie zu diesen Attributen in einer gewissen „Proportion" oder zumindest im Verhältnis der Nicht-Repugnanz stehen; eine formale Zurückführung auf die „rationes relativae" statt auf die gemeinsame „essentia" ist damit jedoch nicht verbunden[243].

(b) Während weitere negative Attribute („immensitas", „immutabilitas", „incomprehensibilitas" u. a.) klar auf das Wesen zu beziehen sind, stellt die Frage, ob nicht zumindest die Zuschreibung von „Unendlichkeit" („infinitas") an die Relationen aus deren eigener formaler Bestimmtheit erwächst, ein besonderes Problem dar. Sie steht in enger Verbindung zu der von uns bereits erläuterten Vollkommenheitsthematik. Denn mit der Ablehnung eigener personaler Vollkommenheiten für die Personen ist

[240] Vgl. Suárez, De trin. 3.11.12 (I, 613a-b).

[241] Vgl. De trin. 3.12.1 (I, 614a).

[242] Vgl. ebd. 3.12.3 (614b): „modus habendi illam formam, a qua habent, ut necessario sint".

[243] Vgl. ebd. 4 (614b): „Quocirca, ut respondeamus difficultati propositae, advertendum est, quaedam esse praedicata essentialia, quae comparata ad personas, requirunt in earum relationibus quamdam non repugnantiam, ut sic dicam, seu proportionem, ut possint recipere talia attributa per simplicissimam identitatem: non vero possunt illa complete habere ex sola sua ratione relativa, sed formaliter habere debent ab essentia: et talia praedicata nullo modo possunt multiplicari."

notwendig auch eine vervielfachte „infinitas“ verworfen; die Anerkennung relativer „perfectiones“ scheint andererseits noch nicht automatisch auch deren Qualifizierung als „aus sich selbst unendlich“ mit sich zu bringen.

Suárez behandelt die Frage nach der formalen Unendlichkeit der göttlichen Personen schon in DM 28.2 im Rahmen der Erörterungen über die Unterscheidung von endlichem und unendlichem Seienden. Die Schwierigkeit vergrößert sich in dieser Perspektive noch: Die göttlichen Relationen scheinen sich der vorgegebenen Disjunktion insofern zu entziehen, als Endlichkeit (etwa im Sinne des partiellen Seins) ihrem Sein in Gott, Unendlichkeit aber ihrer trinitarischen Multiplizierbarkeit zu widersprechen scheint[244]. Aus diesem Grunde hatte bekanntlich Scotus (in unmittelbarer Parallelität zu seiner bereits referierten These vom Ausschluß der Prädikate „vollkommen“ / „unvollkommen“) gelehrt, daß die Ursprungsrelationen weder im formellen Sinne endlich noch unendlich genannt werden dürfen. Die Unterscheidung zum Wesen als der einzigen Quelle der Unendlichkeit in Gott wird damit in deutlicher Form gewahrt[245].

Suárez' Antwort geht in den „Disputationes metaphysicae“ und in „De trinitate“ unterschiedliche Wege, wiewohl er beide Male anders als Scotus eine Unendlichkeit der göttlichen Relationen als Relationen bejaht.

Im Trinitätstraktat sieht der Jesuit eine Rede von „tres infinitates relativae realiter distinctae“[246] dadurch gerechtfertigt, daß die Relationen in ihrer jeweiligen „Gattung“ je als solche ebenso unendlich wie vollkommen genannt werden können[247]. „Unendlichkeit“ ist in Gott, da von jeder quantitativen Dimensionierung gelöst[248], geradezu ein transzendentaler Korrespondenz- und Folgebegriff zu „perfectio“[249]. Die absolute Vollkommenheit Gottes, so betont Suárez offensichtlich mit Blick auf Scotus, wird dadurch ebensowenig vervielfacht wie seine wesenhafte Unendlich-

[244] Vgl. DM 28.2.1 (XXVI, 8a).

[245] Vgl. WETTER (1967) 349-352; BOLLIGER (2003) 155-160. Wichtige diesbezügliche Stellen aus Scotus sind auch verzeichnet bei MINGES (1930) II, 232ff.

[246] Vgl. auch Suárez, De trin. 3.12.7 (I, 614a).

[247] Suárez begründet dies ebd. (614a-b) mit der Unendlichkeit der notionalen Akte: „nam verbum divinum procedit ut adaequatus terminus intellectionis paternae, quae intellectio infinita est, ergo et verbum formaliter in ratione verbi habet infinitatem, ergo et in ratione Filii, nam hae duae rationes in ipso una sunt, ut infra dicam, ergo et Pater habet similem infinitatem ratione Patris. Et eadem ratio ad Spiritum sanctum applicari potest.“

[248] Vgl. DM 30 (XXVI, 60b): „in Deo non est aliud qualitas, vel magnitudo, quam essentia“.

[249] Vgl. De trin. 3.12.8 (I, 615b).

keit[250]. Mit dieser Lehre haben wir einen weiteren Punkt der Abgrenzung gegenüber Vázquez vor uns. Dieser läßt kein Verständnis von „Unendlichkeit“ in Gott gelten, das nicht ausschließlich auf das Wesen zu beziehen wäre, so daß die Behauptung „relativer Unendlichkeiten“ unmöglich wird[251].

Stärker von der Unendlichkeit der göttlichen Natur her argumentiert Suárez zuvor selbst noch in den metaphysischen Disputationen, um die Relation als „ens simpliciter perfectum” zu bestätigen. Dazu wird eine abgrenzende Unterscheidung vorgelegt: Die Relation ist ihrem streng formalen Begriffsgehalt nach („ex sua praecisa ratione“) etwas Endliches nicht in positiver Hinsicht, d. h. in der Weise, daß sie unfähig zur Aufnahme einer unendlichen Vollkommenheit wäre, wohl aber in negativer Hinsicht, sofern sie aus sich selbst heraus nicht jene unendliche Vollkommenheit impliziert, deren Aufnahme „von anderswo her” („aliunde”) für sie zugleich widerspruchsfrei möglich ist[252]. Daß somit nicht „aus jedem präzisen Begriff“ von Relationalität die ganze schlechthinnige Unendlichkeit des konkreten relationalen Seienden innerhalb Gottes gewonnen werden kann, mindert die Vollkommenheit der Relation so lange nicht, wie sie diese „ex sua adaequata entitate“, also aus jenem vollständig-konkreten Begriff, der stets die Wesenheit impliziert, besitzt[253].

Man sieht im Vergleich der beiden Argumentationen, daß Suárez im Trinitätstraktat gegenüber den früheren „Disputationes metaphysicae“ zu einem stärkeren, weil strikter von der eigenen Vollkommenheit der Relationen her gewonnenen Begriff der dreifachen personalen Unendlichkeit in Gott gelangt ist. Vielleicht hat zu dieser Akzentverlagerung die Kritik des Vázquez beigetragen, die dieser an der Multiplikation des Prädikats geübt hat. Wenn er zur Begründung anführt, daß es in Gott keine Weise der Unendlichkeit gibt, die sich nicht dem Wesen verdankt, so daß jede von ihnen der göttlichen Einzigkeit korrespondieren muß, mag Suárez darin die Aufforderung gesehen haben, seine eigene entgegengesetzte

[250] Vgl. DM 28.2.11 (XXVI, 11a): „relationes esse entia simpliciter infinita, non tamen esse plura infinita, quia non habent hanc infinitatem, nisi ut includunt essentiam, in qua sunt unum.“

[251] Vgl. Vázquez, Comm. in I$^{am}$ 121.7.28-29 (II, 89b-90a).

[252] Den Begriff der „negativen Endlichkeit“ scheint Suárez später in „De trinitate“ für die (dort noch stärker als „autonom“ unendlich charakterisierten) Relationen vermeiden zu wollen; vgl. ebd. 3.12.6 (I, 615a). Allerdings gibt Suárez selbst keinen Hinweis auf eine mögliche Änderung seiner Argumentation in diesem Detail.

[253] Vgl. DM 28.2.11 (XXVI, 11b): „non est enim necesse, neque ad perfectionem rei spectat, ut ex quovis praeciso conceptu habeat totam infinitatem simpliciter in genere entis, sed satis est, quod habeat illam ex sua adaequata entitate, et quod ex aliqua ratione praecise concepta habeat infinitatem in illo genere.“

These noch klarer vermittels der notwendigen Verbindung von Unendlichkeit und Vollkommenheit der drei Relationen zu begründen.

Mit seiner Antwort nimmt Suárez zugleich eine klare Positionierung angesichts des viel diskutierten Problems vor, ob ein Begriff der göttlichen Relationen gewonnen werden kann, der in absoluter Hinsicht von der Wesenheit absieht (und umgekehrt). Indem der Jesuit die Frage verneint und die Inklusion der Wesensvollkommenheit in jeder „ratio personalis" lehrt[254], sieht er die Gegenposition notwendig mit der Konsequenz verbunden, die so abstrahierte „entitas relativa" zu einem „finitum simpliciter", und zwar in positiver Hinsicht, erklären zu müssen. Da dies abzulehnen ist, bleibt die Möglichkeit der „praecisio" angesichts der göttlichen Relationen begrenzt. Ein eigenes dieser Frage gewidmetes Kapitel wird uns dies im folgenden noch eingehender belegen[255].

(4) Die in den vorangegangenen Teilerörterungen gewonnenen Ergebnisse zur korrekten Zuordnung von Prädikaten zu Wesen und Personen im trinitätstheologischen Kontext faßt Suárez in einem eigenen Kapitel des Trinitätstraktates zusammen[256]. Hier wird deutlich, daß moderne Versuche, gerade die scholastische Trinitätslehre als „Theo-Grammatik" zu verstehen und mit einer trinitarischen Gotteslehre auf dem Fundament theologischer Sprachlehre an dieser Tradition anzuknüpfen, höchste Berechtigung besitzen[257].

[254] Vgl. auch DM 30.10.12 (XXVI, 140a-b): „at vero in personis ejusdem naturae solum est distinctio in rationibus personalibus, in quibus tota perfectio naturae intime includitur, et ab illa habent infinitam perfectionem simpliciter."

[255] Vgl. unten Kap. 6), 3), b), cc).

[256] Vgl. Suárez, De trin. 3.13 (I, 616a-618b).

[257] Vgl. SCHÄRTL (2003), der allerdings die Tradition der neuzeitlichen Scholastik ausklammert und sich auf die Diskussion mit Thomas von Aquin beschränkt.

# Kapitel 6: Die Vereinbarkeit von Wesenseinheit und Dreiheit der Personen in Gott

## 1) Einheit und Einfachheit Gottes

### *a) Zur Stellung des Themas in der Gotteslehre des Suárez*

Bevor wir uns einem der Hauptthemen der suárezischen Trinitätstheologie, der denkerischen Vereinbarkeit der Dreipersönlichkeit mit der Einfachheit und Einheit des göttlichen Wesens, zuwenden können, müssen einige Vorbemerkungen über diese beiden Wesensattribute vorangeschickt werden, um den Rahmen zu konturieren, dem die nachfolgende Erörterung eingeschrieben ist. Die entscheidenden Aussagen dazu formuliert Suárez in DM 30, ss. 3-5; auf diesen Basistext weisen die eher knapp gehaltenen Ausführungen der Gotteslehre mehrfach ausdrücklich zurück (De Deo uno, 1. 4-6). Als weiterer philosophischer Kontext sind die beiden Sektionen über die transzendentale Einheit des Seienden heranzuziehen, mit denen Suárez die vierte seiner metaphysischen Disputationen eröffnet.

(1) Einfachheit und Einheit Gottes gehören in der Sicht der gesamten christlichen Tradition zu den grundlegendsten und unbestrittenen Attributen des göttlichen Wesens. Durch sie unterscheidet sich der biblische Gott von seinen Geschöpfen ebenso wie von den Göttern der Heiden. Während der Glaube an den „einen“ Gott als Grundartikel der jüdisch-christlichen Religion unzählige Belege in den Heiligen Schriften besitzt und in allen Symbola explizit aufgenommen ist, muß der Beweis für Gottes Einfachheit aus biblisch-theologischer Perspektive indirekt geführt werden. Sie ist mit der reinen Geistigkeit des einen Gottes, die jede Zusammensetzung ausschließt, notwendig verbunden.

Wenn in der thomanischen Summa bei der Erörterung des göttlichen Wesens, wie sie auf die berühmte Quästion über Gottes Existenz folgt, das Kapitel über die Einfachheit demjenigen über die Einheit vorangestellt wird, findet dies seinen Grund darin, daß hier nicht ein offenbarungstheologisch-heilsgeschichtlicher, sondern eher ein philosophisch-spekulativer Duktus der Argumentation gewählt ist, den der Aquinate offenbar von der ihn auch in der Gotteslehre entscheidend prägenden Autorität des Augustinus übernimmt[1]. Für Thomas steht dabei die negative Bestimmung des göttlichen Wesens, die im Ausschluß von Prädikaten besteht, die mit Gott als „ipsum esse subsistens" unvereinbar sind, am Anfang[2], und unter diesen nimmt der Erweis schlechthinniger Nicht-Zusammengesetztheit des Wesens den ersten und grundlegendsten Platz ein[3]. Im Anschluß an die Feststellung der uneingeschränkten „simplicitas" des Wesens erfolgt dessen Charakterisierung als absolute Vollkommenheit, Güte, Unendlichkeit, Allgegenwärtigkeit, Unveränderlichkeit und Ewigkeit. Erst danach bildet eine Quästion über die Einheit Gottes (S. th. I, 11) das Ende dieser Reihe negativer Wesensbestimmungen. Nach zwei Quästionen über unsere Erkenntnis Gottes (I, 12) und seine Benennbarkeit (I, 13), mit denen die Passage „de divina substantia" im engeren Sinne abschließt, folgen Darlegungen über das Leben Gottes, und zwar sofern es nach innen gerichtet ist (Erkennen und Wollen, mit verschiedenen Nebenfragen: I, 14-24) und sofern es das Prinzip der einen äußeren Effekt hervorbringenden Handlungen darstellt („potentia Dei": I, 25). Nachdem so auch die Erörterungen über die „essentiae unitas" im weiteren Sinne (nämlich als die Lebensäußerungen Gottes in der Einheit des Wesens umfassend) abgeschlossen sind, fügt Thomas eine Quästion „de divina beatitudine" ein (I, 26), die als Bündelung und Resümee des ersten Teils der Gotteslehre verstanden werden kann. Ihm folgen die 17 Quästionen der Trinitätslehre (qq. 27-43).

(2) Die Gotteslehre des Suárez ist in drei große „Traktate" gegliedert, die jeweils durch „Bücher" und „Kapitel" weitere Einteilung erfahren. Darin hat der Jesuit den Aufbau des thomanischen Vorlagetextes einer unübersehbaren Veränderung unterzogen. Sie drückt sich nicht nur darin aus, daß die Erörterung „De Deo uno" bei Suárez schärfer von derjenigen „De Deo trino" getrennt ist, als dies bei Thomas der Fall war. Auch in sich erfährt die Gotteslehre wichtige Umakzentuierungen, die sowohl die generelle Stoffanordnung wie darin die Unterscheidung „natürlicher" und „übernatürlicher" Aspekte betreffen.

[1] Vgl. DECKER (1967) 596f.: „Denn das Hauptanliegen Augustins ist doch die unitas divinae essentiae und ihre absolute Einfachheit. Darum beginnt auch der Augustinus-Schüler Thomas von Aquin seinen Traktat von den göttlichen Eigenschaften in der Summa theologiae I q. 3 mit dem zwar unbiblischen, aber durchaus augustinischen Begriff der göttlichen simplicitas." Vgl. auch STUDER (2005) 134ff.

[2] Vgl. Thomas, S. th. I, 3 (prol.).

[3] Vgl. auch OEING-HANHOFF (1953) 113ff.140ff.

(a) Methodisch ordnet Suárez in der Einleitung[4] alles, was „Gott als den einen" betrifft („quae deo, ut unus est, attribuimus"), fast einschränkungslos der metaphysischen Vernunfterkenntnis zu. Das darin erschlossene Wissen darf als eine „der (menschlichen) Natur gemäße Vollkommenheit" („perfectio naturae consentanea") gelten, die von der Offenbarung eine gewisse Reinigung von Irrtümern und Bekräftigung erfährt, um dann ihrerseits in den Dienst der „höheren" (der übernatürlichen) Theologie treten zu können. Mit Ausnahme der Prädestinationsfrage, so hatten wir an früherer Stelle bereits ausgeführt, kann nach Suárez alles, was Gott in seiner Einheit angeht, irgendwie durch die natürliche Vernunft erfaßt werden; darum werden die Ausführungen des Traktats weithin als kürzere Fassung derjenigen „theologia naturalis" angekündigt, die in der früher veröffentlichten Metaphysik bereits eigenständig („distincte ac separatim") zur Darstellung gekommen war. Da Thomas von Aquin nirgendwo eine geschlossene „natürliche Theologie" vorgelegt hatte, wird bei Suárez eine ihm gegenüber deutlich verschärfte Trennung der Erkenntniszugänge sichtbar, die unser Autor offen anspricht. Während die älteren scholastischen Theologen gewöhnlich die Themen der „duplex theologia" vermischt vortragen, kann er sie methodisch klarer trennen.

(b) Im vorliegenden Kontext interessieren uns die gegenüber Thomas vorgenommenen Umstellungen, die im Aufbau des ersten Traktats „De divina substantia ejusque attributis" zu vermerken sind. Die Einleitungsfrage des Aquinaten nach Gottes Existenz wird von Suárez ausführlich nur in der Metaphysik behandelt[5] und ist im ersten Buch des genannten Eröffnungstraktats (überschrieben „De essentia et attributis Dei in communi", 14 Kapitel) ganz den Erörterungen „de essentia" einverleibt, was in der Ablehnung des Realunterschieds zwischen Wesen und Existenz beim Jesuiten begründet sein dürfte. Die zweischrittige thomanische Anordnung des nachfolgenden Stoffes (Charakterisierung des Wesens durch negative Attribute – wesenhaftes Wirken Gottes in seiner Innen- und Außenrichtung) weicht einem dreigliedrigen Anordnungsschema. An den Anfang stellt Suárez Aussagen über Wesen und Attribute Gottes „im allgemeinen", die nach Funktion und Inhalt in Parallelität zu den generellen Erörterungen stehen, welche das „transzendentalwissenschaftliche" Fundament der suárezischen Metaphysik bilden. In ihrem Aufbau zeigt die „natürliche Theologie", wie die Erörterungen „De Deo uno" schon bei manchen Barockscholastikern und dann in der Schule Christian Wolffs regelmäßig heißen, somit auch intern eine gewisse Parallelität zum Aufbau der Metaphysik als ganzer, zu dessen „speziellen" Teilen sie (mit

[4] Vgl. zum folgenden Suárez, De Deo, Prooemium (I, p. XXIII).
[5] Vgl. DM 29 (XXVI, 21-60); dazu: LEIWESMEIER (1938) 25-64.

einer begrenzten übernatürlichen Erweiterung) schon bei Suárez gehört. Diese Fundamental-Theologie beschreibt bei ihm mit ihren aus beiden Feldern der thomanischen Darstellung in der Summa zusammengeführten Themenkomplexen das göttliche Wesen als „ens (necessarium), simplex, unum, verum, bonum" und schließt grundlegende Überlegungen zum Verhältnis von Wesen und Attributen und der Attribute untereinander an.

Diesem ersten Buch folgen im Anfangstraktat der Gotteslehre zwei weitere Bücher zu den übrigen negativen und positiven Attributen Gottes. Da für Suárez als Fundament der Prädestinationsfrage wie der gesamten Gnadenordnung das „mysterium altissimum" anzusehen ist, wie Gott von der vernünftigen Kreatur geschaut bzw. nicht geschaut werden kann, überlagert dessen Erörterung quantitativ alle übrigen Themen im zweiten Buch „De attributis negativis", indem es 25 von 32 Kapiteln (cc. 6-30) füllt. Unter dem Titel „De attributis Dei affirmativis" werden anschließend in den nur zehn Kapiteln des dritten Buches sowohl die Darlegungen über Erkennen und Wollen Gottes als auch zu Allmacht und Vorsehung gefaßt.

Insgesamt lassen sich die Grundordnungen der Gotteslehre bei Thomas und Suárez in folgendem Schema kontrastieren:

| **Thomas, Summa theologiae, Iª pars** | **Suárez, Commentaria ac disputationes in primam partem D. Thomae de Deo uno et trino** |
| --- | --- |
| (1) Über die Existenz Gottes: I, 2 | |
| (2) Über das Wesen Gottes (als solches)<br>(a) I, 3-11 : Quomodo Deus non sit<br>(b) I, 12: Quomodo Deus cognoscatur a creaturis<br>(c) I, 13: Quomodo Deus nominetur | (1) Tractatus 1: De divina substantia ejusque attributis<br>(a) l. 1: De essentia et attributis Dei in communi<br>(b) l. 2: De attributis Dei negativis<br>(c) l. 3: De attributis Dei affirmativis |
| (3) Über die (wesenhafte) Tätigkeit Gottes<br>(a) Immanente Tätigkeit<br>(aa) I, 14-18: De scientia Dei<br>(bb) I, 19-21: De voluntate Dei<br>(cc) I, 22-24: De his quae simul respiciunt intellectum et voluntatem | (2) Tractatus 2: De divina praedestinatione |

| | |
|---|---|
| (b) Tätigkeit, die auf eine äußere Wirkung zielt; I, 25: De divina potentia | |
| (4) I, 26: De divina beatitudine, „Resümeequästion" | |
| (5) I, 27-43: De his quae pertinent ad trinitatem personarum in divinis | (3) Tractatus 3: De sanctissimo trinitatis mysterio |

### *b) Gottes Einfachheit*

Die oben erwähnte Stellung im ersten, generellen Teil der Darlegungen über Gottes Wesen weist bereits darauf hin, daß für Suárez die Einfachheit wie anschließend auch die Einheit Gottes nicht zu den göttlichen Attributen zu zählen ist, die wir uns als gleichsam aus der Wesenheit resultierend und ihr (in Analogie zu geschöpflichen Eigenschaften oder Akzidentien) hinzukommend denken. Vielmehr handelt es sich um unmittelbare Vollkommenheiten der Wesenheit, die wenigstens in unserem Erkennen den Attributen vorzuordnen sind und in den geschaffenen Substanzen eine Entsprechung in den „perfectiones essentiales" finden[6].

(1) Suárez bündelt seinen philosophischen Beweis der absoluten göttlichen Einfachheit in DM 30 im Resümee von De Deo uno, l. 1, unter zwei Argumentationsstichworten[7].

(a) Er verfährt einerseits im Ausgang von der Charakterisierung der Einfachheit als einer Vollkommenheit, die Gott nicht fehlen darf und zu seiner Notwendigkeit gehört[8]. In der absoluten Wesensvollkommenheit Gottes sind auf „eminente" Weise alle einzelnen Vollkommenheiten und Attribute nicht nur „wurzelhaft"[9], sondern realidentisch-inklusiv[10], wenn

[6] Vgl. PESCH (1914) 89f. Eine solche fundamentale Bedeutung des Prädikats „Einfachheit" kann mit guten Gründen auch in der Interpretation der thomanischen Gotteslehre behauptet werden; vgl. etwa THERON (1987) 46ff.; BURNS (1993), bes. 19: „Nonetheless, simpleness is the ontological condition and primary reason for asserting that the reality whose existence is affirmed in question 2 is perfect, good, limitless, immutable, timeless, and one. In this light, to call that reality 'God' is not unreasonable. As such, simpleness is not merely an attribute (albeit drawn in negative terms) among others." Vgl. auch die Hinweise bei ADAMS (1987) 903-908.

[7] Vgl. Suárez, De deo uno, 1.4.1 (I, 13a). Vgl. LEIWESMEIER (1938) 72-79; GOMEZ ARBOLEYA (1946) 259ff.

[8] Vgl. Suárez, De deo uno, 1.4.6 (I, 14b).

[9] Vgl. ebd. 1.11. 5 (34b-35a).

[10] Vgl. etwa DM 30.6.3 (90a): „ergo sicut perfectiones eminenter in Deo contentae, prout in ipso sunt, non sunt aliud ab ejus essentia, ita perfectiones simpliciter, quae in Deo sunt formaliter, et attributa ejus a nobis dicuntur, non sunt aliud ab ejus es-

auch für unser Begreifen „confuse“[11], enthalten. Daraus resultiert zugleich die wesenhafte Inklusion der Attribute untereinander[12]. Es ist nur konsequent, wenn Suárez an anderer Stelle von diesen Prämissen her ableitet, daß eine vollkommene Wesensschau Gottes, die nicht zugleich Schau aller Attribute und wesenhaften Vollkommenheiten wäre, absolut unmöglich ist[13]. Unsere gedankliche Unterscheidung, so lehrt der Jesuit allerdings gegen eine nominalistische Zuspitzung der Identitätsthese[14], wie wir sie in Ockhams Kritik an der scotischen Formaldistinktion begründet finden[15], vermag die Attribute zu trennen, weil die Sonderung virtuell im göttlichen Wesen grundgelegt ist. So wird die Reduktion der Attribute trotz realer Identität auf eine bloße Nominaldistinktion vermieden. Die dabei vorgenommene „praecisio“ kann allerdings, wenn sie korrekt bleiben will, niemals von der wesenhaften Göttlichkeit als entscheidender ontologischer Bedingung (für die Perseität, das „esse a se“ der Attribute) absehen, ähnlich wie in der Erkenntnis von Körperdingen die Abstraktion von „Quantität“ sinnvollerweise niemals derart erfolgen darf, daß ihre notwendige Inhärenz in einer Substanz übersehen wird[16].

Suárez weiß sich mit dieser Lehre auf der Seite der Mehrheit aller Autoren[17]. Die Zuschreibung einzelner (positiver) Attribute an Gott, die jeweils als „actus increatus“ und damit selbst wesenhaft göttlich zu gelten haben[18], ist in dieser Sicht nichts anderes als die Explikation des impliziten Inhalts des göttlichen Wesens[19], welches aus unserer Erkenntnisper-

sentia.“ Der Unterscheidung von Wesen und Attributen Gottes ist neben DM 30.5-6 vor allem De deo uno 1.10-12 gewidmet.

11 Vgl. De deo uno 1.11.7 (I, 35a-b).

12 Vgl. ebd. 1.13.1 (38a): „Ex dictis evidenter concluditur quodlibet attributum essentialiter includi in quolibet“. Die Begründung liegt darin, daß alle Attribute das göttliche „esse per essentiam“ enthalten.

13 Vgl. De deo uno 2.22.8 (129b): „Dicendum nihilominus est, omnes videntes Deum videre et perspicere omnia attributa et omnem essentialem perfectionem Dei formaliter in ipso existentem, neque aliter fieri posse, etiam de potentia absoluta, supposita clara Dei visione, prout in se est.“

14 Vgl. zur Auseinandersetzung des Suárez mit ihr ebd. 1.13.2 (38b-39a).

15 Vgl. dazu ADAMS (1982) 417-422; ADAMS (1987) 934-941; SCHÖNBERGER (1990) 104-109; KAUFMANN (1995).

16 Vgl. Suárez, De deo uno 1.12.7 (I, 37b): „Alia ergo est abstractio sapientiae in communi, alia vero est consideratio expressa divinae sapientiae, sine consideratione expressa illius conditionis, qua non est ab alio.“

17 Vgl. De deo uno 1.10.3 (I, 31b): Die These „attributa divina in re non distingui actu ab essentia divina“ darf als „communis sententia theologorum“ gelten.

18 Vgl. ebd. 1.12.4 (36b-37a).

19 Vgl. DM 30.6.16 (XXVI, 94a).

spektive „Grund der Attribute" („ratio attributorum")[20] ist, freilich ohne jeden Schatten geschöpflicher Ursächlichkeitsbeziehung. Als Beispiel aus der Welt des Geschaffenen kann man nach Suárez eher die begriffliche Aufspaltung komplexer Kennzeichnungen heranziehen, etwa die Explikation menschlicher „Rationalität" in verschiedenen Aspekten (Diskursivität, Zusammensetzung und Trennung von Gedanken im Urteil, Fähigkeit zur Begriffsbildung u. ä.), die in Wahrheit nur nach Art von Teilen etwas erläutern, das in der Sache ungetrennt eines ist[21].

Daß Scotus mit seiner „celebris sententia"[22] im Bereich der göttlichen Attribute eine Formaldistinktion vorgängig zu unserem Verstehensakt angenommen haben soll, mag Suárez schlichtweg nicht glauben[23]. Der Jesuit lehnt sie für die Gotteslehre ebenso ab wie die von ihm selbst in der Erklärung geschöpflicher Wirklichkeiten oft herangezogene Modaldistinktion, auf die später in diesem Kapitel noch zurückzukommen sein wird. Denn wenn, wie dort zu zeigen ist, selbst zwischen absoluten und relativen Prädikaten Gottes weder ein realer noch ein (formal-)modaler Unterschied zugegeben werden darf, dann gilt dies a fortiori erst recht für das Verhältnis absoluter Prädikate untereinander[24].

Die suárezische Attributenlehre ist somit ein einziges Plädoyer für ein striktes Verständnis göttlicher Einfachheit. Als Signum der einzigartigen „formalen Erhabenheit" Gottes, des Zugleich aller Vollkommenheiten im ersten und höchsten Seienden, steht die Einfachheit für die Unmöglichkeit, daß Gott irgendeiner Vollkommenheit verlustig gehen könnte[25]. Da aber, wie Suárez mit Cajetan[26] und Soncinas[27] gegen Scotus[28] lehrt[29], Ein-

[20] Ebd. 17 (94a-b).

[21] Vgl. ebd. 18 (94b-95a).

[22] De deo uno 1.10.2 (I, 31a).

[23] Vgl. DM 30.6.3 (XXVI, 90b): „Quapropter credibile non est, Scotum reipsa ab hac certa doctrina discrepasse, sed alio sensu usum fuisse nomine distinctionis formalis et ex natura rei, ut superius tractando de distinctionibus indicavimus, et moderni ejus discipuli latius tradunt".

[24] Vgl. De deo uno 1.10.5 (I, 32a-b).

[25] Vgl. dazu DM 30.1.1 (XXVI, 60b).

[26] Vgl. Cajetan, Super De ente et essentia, c. 2, q. 3 (40): „Ad evidentiam huius partis nota, quod ut habes a S. Thoma, IV Sent. dist. XI, quaest. II, art. 1, ad primum: simplicitas nec perfectionem simpliciter nec imperfectionem sonat; res enim ex eo quod simplex, non habet perfectionem maiorem, sed ex eo quod taliter simplex, idest simplicitatem subsistentem habet. Unde materia prima est simplicissima, et formae accidentales sunt simplices, et tamen non sunt perfectiores substantiis compositis. Et ideo cum dicimus substantias simplices esse perfectiores compositis, intelligas non de quibuscumque simplicibus substantiis, sed de simplicibus subsistentibus in sua simplicitate; quales sunt substantiae separatae omnes. Propterea caveto hic

fachheit als Negation keine „perfectio per se" bzw. „simpliciter" darstellt, möchte der Jesuit das Verständnis des Arguments dahingehend präzisieren, daß es besagt, es sei besser, Vollkommenheit „in einer einfachen Entität" zu besitzen als durch Zusammensetzung. Einfachheit erscheint hierbei gegenüber der Zusammensetzung als vollkommenerer *Modus* in der Konstitution eines jeden Seienden, der folglich demjenigen Seienden, über das hinaus nichts Vollkommeneres gedacht werden kann[30], nicht fehlen darf. Die Befürworter einer Formaldistinktion zwischen den göttlichen Attributen liegen demgegenüber falsch, wenn sie behaupten, aus der vor das Verstehen des Intellekts verlagerten Gegensätzlichkeit der Attribute resultiere eine Art der Zusammensetzung, die auch für Gott akzeptabel sei und seine Einfachheit nicht zerstöre. Suárez dagegen hält unter einer solchen Annahme als Konsequenz die Unvollkommenheit der Komponenten wie auch des aus ihnen entstehenden Ganzen für unvermeidlich. Denn zwischen den Komponenten würde eine Ordnung der Abhängigkeit folgen: Wenn ein Attribut mehr als gedanklich von der Wesenheit getrennt wäre, müßte es aus dieser hervorgehen und wäre folglich ein Akzidens[31]. Die Substanz, die solche Akzidentien produzierte, wäre in sich nicht unendlich vollkommen. Denn als solche schlösse sie in formaler Hinsicht nicht jede schlechthinnige Vollkommenheit („perfectionem simpliciter simplicem") ein, da sie einige Eigenschaften erst aus sich hervorgehen lassen müßte. Folglich wäre eine Substanz denkbar, der

opinionem Scoti in I Sent. dist. VIII, quaest. I, dicentis simplicitatem esse perfectionem simpliciter."

[27] Vgl. Soncinas, Qq. metaphysicales, l. 4, q. 14 (Ed. 1588, 24a). Die Quästion will zeigen, daß die Metaphysik die höchste Würde unter allen Wissenschaften besitzt, indem ihr Objekt, das „ens commune", als vollkommenstes erwiesen wird: „Quanto aliquid subiectum est simplicius et abstractius, tanto est simpliciter perfectius et nobilius. Sed ens commune quod est obiectum metaphysicae, est simplicius et abstractius quolibet, quia omnes alii conceptus se habent ex additione ad ens, cum sint vel inferiores ente, vel se habeant ut passiones. (...) Maior probatur quia simplicitas est perfectio simpliciter, et melius est eam habere quam eius oppositum, alioquin non esset quod absolutum formaliter in prima causa, in qua nihil est formaliter absolutum, nisi sit perfectio simpliciter, ut bonitas, iustitia, intellectus, sapientia, et huiusmodi est etiam simplicitas".

[28] Vgl. Scotus, Ord. I, d. 8, q. 1, n. 20 (Ed. Vat. IV, 161): „Ad primum argumentum dico quod simplicitas est simpliciter perfectionis secundum quod excludit componibilitatem et compositionem ex actu et potentia vel ex perfectione et imperfectione, sicut dicetur in sequenti quaestione."

[29] Vgl. Suárez, DM 30.3.3 (XXVI, 73a).

[30] Diese Version des Gottesbegriffs Anselms (und anderer Theologen seit der Väterzeit) findet sich ausdrücklich in DM 30.1.8 (62b-63a).

[31] Vgl. De deo uno 1.10.7 (I, 32b-33a).

(mit dem ursprünglichen Besitz aller Attribute) ihr gegenüber größere Vollkommenheit zukäme[32]. Ebensowenig besäße das Ganze aus dieser (hervorbringenden) Substanz und den (hervorgebrachten) akzidentalen Attributen jene Vollkommenheit, die dem „unum perfectissimum" Gottes zusteht.

Am Rande sei bemerkt, daß nach Suárez auch jede mehr als bloß gedankliche Trennung zwischen dem unendlichen Sein Gottes und dem Sein als transzendentaler Bestimmung im Interesse der Einfachheit Gottes unbedingt zu vermeiden ist, damit die „ratio entis" nicht als etwas Gott und den Kreaturen real Vorausgesetztes erscheint[33]. Das trinitätstheologische Problem der innergöttlichen Hervorgänge wird in DM 30 noch bewußt ausgeklammert, die Richtung der suárezischen Antwort läßt sich aber erahnen.

(b) In einem zweiten Angang kann der Beweis der göttlichen Einfachheit induktiv vorgehen[34]. Suárez denkt dabei an ein vollständig aufzählendes Ausschlußverfahren, mit dessen Hilfe alle möglichen aus dem geschöpflichen Bereich bekannten Weisen der Zusammensetzung als für Gott nicht in Frage kommend erwiesen werden. Vier solcher Möglichkeiten werden genannt[35].

(aa) Als Wesen, welches aus sich selbst ist und ohne jeden Rest von Potentialität existiert, kennt Gott keine Zusammensetzung aus „esse" und „essentia". Es gibt in ihm keine Gehaltlichkeit, die erst durch ein von ihr selbst verschiedenes Wirklichkeitsprinzip aktual werden könnte.

(bb) Als wesenhaft subsistierendem, absolutem Sein ist Gott die reale Zusammensetzung aus Natur und Suppositalität fremd – mit dieser Aussage konnten wir schon an früherer Stelle den fundamentalen Unterschied zwischen göttlichem und geschöpflichem Personsein kennzeichnen. Freilich gibt der Jesuit zu, daß gerade in dieser Frage die natürliche Vernunft an ihre Grenzen stößt, denn die Wahrung der Personenunterscheidung trotz der höchsten Einfachheit und Identität zwischen Natur und Person in Gott ist so geheimnisvoll wie die Dreipersonalität als solche[36]. Wenn, wie Suárez oft wiederholt, schon im geschöpflichen Bereich die Unterscheidung zwischen Natur und Subsistenz für die natürliche Vernunft kaum zu erfassen ist und eigentlich nur durch die übernatürliche Offenbarung (vor allem das christologische Geheimnis) zugänglich

[32] Vgl. ebd.: „…quia non includeret formaliter omnem perfectionem simpliciter simplicem: unde posset intelligi perfectior substantia."

[33] Vgl. DM 2.3.10 (XXV, 84b).

[34] Vgl. De deo uno, 1.4.2 (I, 13a-b).

[35] Vgl. ebd. 3-7 (13b-15a) und ausführlicher: DM 30.4 (XXVI, 74a-85b).

[36] Vgl. DM 30.4.3 (75a-b) und Bemerkungen in DM 34.1.1 (348a).

wird, muß erst recht die Weise der „compositio" in der göttlichen Erstsubstanz dunkel bleiben[37]. Allein die negative Feststellung, daß Gott nicht wie das Geschöpf durch etwas seinem Wesen real Hinzugefügtes (etwa einen substantialen Modus) subsistieren kann, vermag die Vernunft unter Absehung von der Trinitätsoffenbarung zu formulieren, denn die Indifferenz der geschöpflichen Natur zur eigenen Subsistenz oder zur Inexistenz in einem fremden Suppositum ist ganz offensichtlich als „große Unvollkommenheit" von Gott fernzuhalten. Gottes Subsistenz, so lehrt der Glaube, ist nicht zufällig, sondern strikt notwendig diejenige in den drei Personen[38], die nicht etwa als Wirkungen oder Resultanzen außerhalb des göttlichen Wesens stehen, sondern mit ihm identisch sind und darum seine ontologischen Grundbestimmungen (vor allem das ungeschaffene, wesenhafte Sein) selbst unverkürzt beanspruchen dürfen[39].

(cc) Abwegig ist es des weiteren, für Gott eine „compositio ex partibus integralibus" anzunehmen, wie sie nur in körperlichen Substanzen vorkommt und darum als Vorstellungsmodell in der Trinitätslehre (hinsichtlich der Wesenskommunikation an die hervorgebrachten Personen) strikt abzulehnen ist. Aus dieser Haltung heraus hatte Suárez gegen Vázquez eine auch nur gedanklich angesetzte Konstitutivfunktion der Relationen für die „integritas Dei" zurückgewiesen.

(dd) Ebenso scheidet die Zusammensetzung aus Materie und Form aus, weil sie zumindest eine passive Potentialität in der durch sie konstituierten Substanz mit sich bringt.

(ee) Eine noch subtilere Aufgabe besteht darin, auch die gedankliche Zusammensetzung Gottes aus Gattung und Art zurückzuweisen. Sie war von einigen Theologen der Nominalistenschule zugelassen worden, da man in ihrem nicht-realen Charakter keine Gefährdung der göttlichen Einfachheit erblickte, und bleibt auch bei manchen nominalistisch beein-

[37] Vgl. DM 30.4. 4 (75b).

[38] Vgl. ebd. 5 (75b): „Nam licet secundum fidem nostram divina natura communis sit tribus personis, non tamen per modum indifferentiae potentialis ad modum essendi per se, vel in alio, sed per modum infinitae actualitatis, ratione cujus postulat tres proprias rationes subsistendi incommunicabiliter, ita ut neque sine illis, neque aliter quam cum illis, esse possit; ergo ratio distinctionis et compositionis suppositi cum natura omnino cessat in divina natura."

[39] Vgl. ebd. 6 (76a): „Sed divina essentia non potest ita comparari ad suppositum suum, alioqui ipsum esse per essentiam non esset in re ipsa de essentia divini suppositi seu suppositalitatis divinae, et consequenter illa suppositalitas non esset essentialiter ens necessarium; esset ergo ens participatum, et fieret ab aliqua causa, vel saltem naturaliter manaret ac flueret ab ipsa essentia Dei, sicut in creaturis suppositum dimanat a natura; haec autem est magna imperfectio, quia alias divinum suppositum, ut sic, non esset increatum, neque ens per essentiam, sed aliquo modo factum."

flußten Jesuitenautoren des Barock präsent[40]. Gott wäre dann zumindest für unser Verstehen der Gattung nach Substanz und als solche von anderen Substanzen durch eine Artdifferenz verschieden[41]. Die Trinitätslehre, die wenigstens zwischen Wesen und Personen in Gott einen gedanklichen Unterschied zulassen muß, scheint diese These zu unterstützen. Dennoch stimmt ihr Suárez nicht zu. Seine Ablehnung ist durch zwei Hauptargumente geleitet.

Erstens schließt die Tatsache, daß es keinen univoken Begriff für Gott und Kreatur (in ihrer jeweiligen modalen Letztbestimmung) gibt, die Existenz eines umgreifenden Gattungsbegriffes aus[42]. Zwar ist sich Suárez bewußt, daß er mit der Anerkennung univoker, quasi generischer Prädikate für die innergöttlichen Relationen (wie etwas das „Personsein") selbst einen gewichtigen Einwand gegen diese Behauptung geliefert hat. Dieser kann aber entkräftet werden, wenn man in den transzendentalen Bestimmungen dasjenige hervorhebt, was gegen ihre Einstufung als Gattungsbegriffe spricht, nämlich die fehlende Zugehörigkeit zur Wesensebene bzw. die nicht wesenhaft zu verstehende Unterschiedlichkeit der Personen voneinander[43], sofern sie gerade nicht unterschiedliche Arten des gleichen Genus bezeichnen, sondern wesenhaft gleiche Individuen. Wir erinnern uns, daß Suárez auf diese Feststellung bereits bei seinen früheren Ausführungen zum „transzendentalen" Charakter des univoken Personbegriffs in Gott großen Wert gelegt hatte.

Zweitens schließt die theologische Grundregel, daß in Gott nur substantial prädiziert wird, die Annahme einer spezifischen Differenz aus, die als solche notwendig „außerhalb des Gattungsbegriffs" („extra rationem generis") stehen müßte[44]. Denn auch was in Gott nach Art einer Differenz auszudrücken wäre, müßte stets real mit der Wesenheit identisch sein. Es ist das einzigartige Geheimnis Gottes, daß seine singuläre und individuelle Natur als solche mehreren Supposita mitgeteilt werden kann, ohne daß sie von diesen oder sich selbst getrennt würde. Eine Mitteilung des Wesens an die Personen „wie ein Allgemeines an das Partikuläre oder ein

[40] Aus der Zeit nach Suárez nenne ich als Beispiel für die Anerkennung einer „compositio metaphysica per intellectum" R. de Arriaga, Disputationes theologicae, p. 1, 46.4.1, n. 23 (I, 485a-b).

[41] Vgl. Suárez, DM 30.4.29 (XXVI, 83b-84a).

[42] Vgl. ebd. 31 (84a).

[43] Vgl. ebd.: „Et ideo ratio generis ab illis communibus conceptibus excludenda est, vel quia ratio personae non pertinet ad essentialem rationem rei, etiamsi in Deo in re non distinguantur; vel quia divinae personae non distinguuntur essentialiter; utrumque enim horum est contra rationem generis; vel etiam ob sequentem rationem."

[44] Vgl. ebd. 32 (84b-85a).

Übergeordnetes an das Untergeordnete" scheidet darum aus[45]. Suárez plädiert stattdessen für ein prinzipiell anderes Verständnis näherer „Bestimmungen" der allgemeineren begrifflichen Zuschreibungen im Falle Gottes: Sie sind nicht nach der Weise spezifischer Differenzen zu verstehen, sondern nach Art der Fortbestimmungen transzendentaler Begriffe. Hier treffen wir erneut auf die eigenartige Kombination des grundlegenden scotischen Verständnisses von Transzendentalität mit dessen vorscotistisch-thomanischer Konzeption. Wie nach Thomas der Seinsbegriff nicht generisch sein kann, weil er in allen ihn weiterbestimmenden Begriffen selbst enthalten bleibt, so daß er durch keine Differenz kontrahiert werden kann, die nicht selber „seiend" wäre, so enthält auch das Sein als Wesensbestimmung Gottes bereits dessen ganze Vollkommenheit, so daß die Gottesattribute im einzelnen niemals als begriffliche Hinzufügungen, sondern nur aspekthafte Entfaltungen der einen Vollbestimmung zu fassen sind[46]. Damit ist im Verständnis der „Supersubstantialität" Gottes, der seinem Wesensbegriff nach „auf eminente Weise" die Perfektionen aller Gattungen einschließt[47], bei Suárez exakt jenes Verständnis transzendental-begrifflicher „resolutio" präsent, das auch seine Metaphysik kennzeichnet. In den Worten Rolf Darges: „Die jeweilige oberste kategoriale Bestimmung, bei der das Verfahren ansetzt, wird dabei nicht in Begriffe zerlegt, von denen der eine den anderen nicht einschließt, sondern durch eine ganzheitliche Abstraktion in den unbestimmteren Begriff derselben Sache reduziert. Die auf diese Weise gesonderten Begriffe verhalten sich deshalb zueinander nicht wie Materie und Form, Bestimmbares und Bestimmendes, sondern als das unbestimmt zum bestimmt Repräsentierenden derselben (ganzen) Sache"[48].

Das scotuskritische Moment der suárezischen Transzendentalienlehre, nämlich die Ablehnung der These, daß der Begriff „Seiendes" von seinen weiteren qualifizierenden Bestimmungen nicht mehr washeitlich aussag-

[45] Vgl. DM 5.1.6 (XXV, 147b): „Praeterea divina natura est ita in se una, ut multiplicari non possit, aut in plures similes dividi; est ergo una individua, et singularis natura, ratione cujus ita Deus est unus numero, ut multiplicari nullo modo possit. Habet ergo divina natura unitatem individuam et singularem, cui non repugnat quod illa natura communicabilis sit tribus personis. Quia communicatur eis, non ut universale particulari, neque ut superius inferiori, sed ut forma seu natura suppositis, in quibus ipsa, neque ab ipsis, neque a se ipsa dividitur, quia tota est in singulis, et in omnibus simul, omnino indistincta ab illis; sed de hoc alias."

[46] Vgl. DM 30.4.32 (XXVI, 85a).

[47] Vgl. ebd. 33 (85b): „Ob hanc ergo causam et infinitam eminentiam illius rationis constitutivae Dei, non potest definiri ad aliquod praedicamentum, sed supra omnia et extra omnia est tanquam fons omnium."

[48] DARGE (2003) 391.

bar sein soll und folglich zwischen dem Seienden und seinen Modi eine formale Distinktion entsteht, entfaltet in der Gotteslehre seine ganze Relevanz. Hier, in der Rede über den wesenhaft Seienden, verwirft Suárez erst recht alle Versuche „kompositorischen" Verstehens, da sie der göttlichen Unendlichkeit und Einfachheit widersprechen müßten[49]. Wir werden im Laufe der weiteren Analyse der Trinitätstheologie immer wieder auf Konsequenzen dieser Grundüberzeugung treffen.

(2) Diese Einfachheit der göttlichen Substanz steht für Suárez mit den dargestellten Argumenten fest. Gegen den noch möglichen Einwand, es bleibe auch in Gott eine Zusammensetzung möglich, bei der die Teile so notwendig sind wie das Ganze, stellt der Jesuit die Antwort, daß in diesem Fall ein Formalgrund für den inneren Zusammenhang existieren müßte, der den Teilen vorzuordnen wäre. Damit aber wäre erneut eine Einheit *vor* der Vielheit postuliert und folglich das Argumentationsziel verfehlt[50]. Implizit erneuert Suárez hier seine Ablehnung aller Theorien, die den Relationen eine integrale Rolle für die Konstitution der göttlichen Wesenheit zuschreiben. Auch sie scheitern in seiner Sicht am Kriterium der göttlichen Einfachheit.

Wie Gottes Wesen selbst nicht zusammengesetzt ist, kann es auch seinerseits keine Zusammensetzung mit geschaffenen Substanzen eingehen. Gott ist weder als Form geschaffener Substanzen (etwa in Gestalt einer göttlichen Weltseele)[51] noch als Materie derselben (wie es der Pantheismus impliziert) denkbar[52]. Der einzige mögliche Einungsmodus ist die Termination einer geschöpflichen Natur in der hypostatischen Union, die nicht als formalursächliche Bestimmung bzw. Natureneinung, sondern allein als Vermittlung von Subsistenz an die fremde Natur zu verstehen ist. Zwar handelt es sich bei ihr durchaus um eine reale Zusammensetzung, allerdings um eine solche, in der das göttliche Suppositum in seiner Integrität und Vollkommenheit keine Minderung oder Veränderung erfährt.

[49] Vgl. Suárez, DM 30.4.34 (XXVI, 85b).

[50] Vgl. De deo uno, 1.4.7 (I, 14b-15a).

[51] An diesem Punkt wird beiläufig deutlich, weshalb die klassische Scholastik auch die Annahme einer Formalkausalität Gottes in der Gnadenlehre, wie sie etwa im 20. Jahrhundert (wenn auch mit gewissen Einschränkungsformeln) Rahner vertreten hat, nicht kannte.

[52] Vgl. De deo uno 1.5.1-9 (I, 15b-17b).

### c) Gottes Einheit (und Einzigkeit)

Als eine der Transzendentalien, die mit dem Seienden konvertibel sind und dieses allein unter einer besonderen Hinsicht bestimmen, die im Falle des nicht positiv definierbaren göttlichen Wesens eine Negation oder von uns erfaßte Konnotation darstellt[53], ist die „Einheit" als Gottesprädikat im unmittelbaren Anschluß an die Bestimmung der „entitas divina" als solcher zu untersuchen[54]. Für den philosophischen Hintergrund verweist Suárez auf die Ausführungen seiner Metaphysik, wo die transzendentale Einheit vor allem in der vierten Disputation behandelt wird.

(1) Das transzendentale „unum" benennt für Suárez eine Eigenschaft jedes Seienden, die mit ihm als solchem engstens verbunden ist und allen weiteren Bestimmungen, die stets den Vergleich mit anderem implizieren, in gewissem Sinn zugrunde liegt[55]. Der besondere Sinnaspekt der „Einheit", so lehrt Suárez mit den Thomisten, besteht darin, daß sie dem Seienden nicht etwas Positives (nicht einmal in gedanklicher Hinsicht)[56], sondern allein „eine gewisse Negation nach Art der Privation" hinzufügt[57]. Das transzendentale Eine ist nichts anderes als das Seiende selbst

[53] Vgl. ebd. 1.6.1 (18a-b): „et re ipsa nihil aliud dicunt quam ipsam rei entitatem sub aliqua negatione, vel connotatione a nobis conceptam".

[54] Vgl. auch GOUDRIAAN (1999) 73-79.

[55] Vgl. Suárez, DM 2, prol. (XXV, 115a), wo der Jesuit die Behandlung an erster Stelle unter den Transzendentalien so begründet: „quia cum entitate maxime est conjuncta, et caeteris passionibus quodammodo supponitur; quia reliquae in quadam rerum distinctarum comparatione seu habitudine consistunt, quae sine unitate intelligi non potest."

[56] Vgl. Suárez, DM 4.1.6 (XXV, 116b-117a). Eine ausführliche Analyse des Lehrstücks findet sich bei DARGE (2001) und DARGE (2004a) 197-261. Die Darstellung bei KLASMEIER (1939) 14-26 ist, wie Darge nachgewiesen hat, im einzelnen unscharf. Ähnliches gilt wohl auch für SIEGMUND (1928) 178f.

[57] Suárez, DM 4.1.12 (XXV, 118b). Zur Unterscheidung der Begriffe bemerkt KOBUSCH (1987) 432: „Im allgemeinen unterscheidet man von der Negation im eigentlichen Sinne die Privation. Die Negation im eigentlichen Sinne ist in der Tradition allgemein als unendliche (negatio infinitans) charakterisiert worden. Sie ist als solche von unendlich vielen Subjekten aussagbar. Insofern sie nicht an eine bestimmte Gattung des Seienden gebunden ist, heißt sie bei Thomas »absolute Negation«. Das Nicht-Sehen bspw. ist ebenso sinnvoll von einem Blinden aussagbar wie auch von einem Stein. Der Ausdruck Nicht-Mensch trifft auf alles Seiende außer dem Menschen zu. Die Privation dagegen kann nur von einer bestimmten Gattung des Seienden, d. h. von bestimmten Subjekten prädiziert werden. Blindheit z. B. kann als privative Bestimmung nur den Subjekten zukommen, die von Natur aus und eigentlich die Sehkraft besitzen müssten oder diese verloren haben oder nicht haben."

unter der Hinsicht einer Negation, nämlich der Ungeteiltheit seines Wesens: „ens cum indivisione“[58]. Reale Einheit setzt folglich die Entität selbst voraus und schließt sie ein[59]. Da freilich das Seiende allein *als reales* auch eines ist, reales Seiendes aber nur in der Disjunktion „unendlich oder endlich“ gegeben ist, geht die zuletzt genannte scotische Grundeinteilung des Seienden auch im Urteil des Suárez der Einteilung in „eines und vieles“, welche die Thomisten für die erste halten, voraus[60]. „Unendlichkeit“, so lautet eine wichtige Konsequenz aus dieser Feststellung, ist ein Prädikat, in dem sich Gott noch stärker als in der „Einheit“ von der Kreatur unterscheidet[61]. Als göttliche Vollkommenheit ist folglich die Unendlichkeit früher und grundlegender als die Einheit anzusetzen[62]. Für die Trinitätslehre ist diese Feststellung von höchster Bedeutung: Gott ist als unendliches Seiendes der „ganz andere“ gegenüber seinen Geschöpfen. In der Unendlichkeit als göttlichem Seinsattribut, so betont Suárez immer wieder, muß unser Verstand letztlich die Vereinbarkeit von Einheit und Dreifaltigkeit Gottes gegründet sehen, auch wenn ihm die unmittelbare Evidenz dieses Geheimnisses verwehrt bleibt. Indem die Unendlichkeit auch noch der grundlegendsten Transzendentalie „unum“ vorgeordnet

[58] Vgl. Suárez, DM 4.2.3 (XXV, 123a-b) und 4.2.7 (124a-b). Die Lösung steht nahe an der thomanischen, kann aber im Detail auch als Kritik an dieser verstanden werden; vgl. DARGE (2004a) 208-213.

[59] Vgl. Suárez, DM 4.4.3 (XXV, 132a).

[60] DM 4.8.2 (137b-138a).

[61] Vgl. ebd. 8 (139a-b): „multo magis distant inter se ens finitum et infinitum, quam unitas per se et per accidens ut sic; ergo in hoc sensu illa divisio est prior, utpote declarans summam atque primariam entis diversitatem seu distantiam.“ Dies entspricht der scotischen Konzeption, in der die „Unendlichkeit“ als Gott eigener Seinsmodus gleichsam als Individuationsprinzip des göttlichen Wesens betrachtet werden kann; vgl. CATANIA (1993) 43f. Der Grund ist darin zu sehen, daß auf die Unendlichkeit des göttlichen Wesens der letzte Zusammenfall aller Formalbestimmungen zurückzuführen ist, der in den Geschöpfen niemals existiert: „Die kreatürlichen Formgründe schließen sich aus, die göttlichen schließen sich ein, denn sie sind jeweils das Ganze, da sie durch die Unendlichkeit im Quidditativen zur Ganzheit geeint wurden“ (WÖLFEL [1965] 166). Vgl. Scotus, Ord. I, d. 3, p. 1, q. 1-2, n. 59: „ens infinitum includit (…) omnem ‚perfectionem simpliciter' sub ratione infiniti…“ (Ed. Vat. III, 41). Da die Geschöpfe an dieser Infinität Gottes in keiner Weise teilhaben können, wird Gott unter dem Begriff des „ens infinitum“ sogar vollkommener erfaßt als unter dem Begriff des „ens simplex“: „Cognitio enim esse divini sub ratione infiniti est perfectior cognitione eius sub ratione simplicitatis, quia simplicitas communicatur creaturis, infinitas autem non, secundum modum quo convenit Deo.“ Daß es einen graduellen Übergang zwischen „endlich“ und „unendlich“, wie ihn Johannes a Ripa in seiner Kritik am Gottesprädikat „ens infinitum“ behauptet hatte (vgl. COMBES [1963] 553ff.), geben könnte, ist weder bei Scotus noch bei Suárez denkbar.

[62] Vgl. Suárez, DM 4.8.10 (XXV, 140a).

ist, wird einem monolithischen Unitarismus in der Beschreibung des höchsten Seienden gewehrt und die Nichtrepugnanz des christlichen Glaubens an die Dreipersönlichkeit Gottes metaphysisch grundgelegt.

(2) Breiten Raum gesteht Suárez seiner Begründung für den bloß negativen Charakter der transzendentalen Einheit zu[63]. Einer Betrachtung des Attributs als hinzugefügter positiver „ratio realis", wie Suárez sie in der an Avicenna anknüpfenden scotischen Lehre behauptet sieht und wie sie unter den Zeitgenossen etwa Gabriel Vázquez vertritt[64], steht vor allem im Wege, daß (wenigstens nach Suárez) ein solches Konstitutivum selbst ein Seiendes und folglich auch „Eines" wäre, so daß die Frage nach dem Bestimmungsgrund des Einen in einen unendlichen Zirkel geriete[65]. Dieses Argument konnte Suárez im Kern schon bei seinem Ordensgenossen Fonseca finden, der sich gleichfalls ausdrücklich gegen das scotische „Additionsmodell" ausspricht[66].

Selbst bei einer nur gedanklichen Unterscheidung, wie sie in der älteren Franziskanerschule häufiger vertreten wird (Bonaventura, Summa Halensis), bliebe im Falle Gottes nach Suárez die inakzeptable Konsequenz unvermeidbar, daß Wesen und Einheit zumindest gedanklich voneinander getrennt werden könnten. Dagegen sind sich die meisten Theologen mit Berufung auf Thomas von Aquin darin einig, die Einfachheit Gottes, in der zugleich seine Einheit besteht, so unmittelbar mit dem göttlichen Wesen (verstanden als „summa actualitas") zu verbinden, daß sie diesem gegenüber nicht als eine weitere, hinzukommende Vollkommenheit anzusehen ist[67]. Für das Verständnis der transzendentalen „Einheit" bestätigt sich von diesen Aussagen der Gotteslehre her, daß sie

[63] Vgl. zum folgenden DARGE (2001) 40-44; DARGE (2004a) 202-206; dort auch zentrale Textnachweise zu den von Suárez kritisierten Positionen von Bonaventura und Scotus.

[64] Vgl. Vázquez, Comm. in I^am 128.2 (II, 128a-130a), mit Berufung auf Aristoteles, Alexander von Hales und Scotus. Dazu: SOLANA (1928) 112f.

[65] Vgl. Suárez, DM 4.1.8 (XXV, 117a-b): „si unum addit enti positivam realem rationem, ergo necesse est ut in illa includatur ens; ergo et unum; ergo illi addenda erit alia ratio positiva, per quam sit unum; ergo ita procedetur in infinitum, nisi in aliqua ratione reali sistamus, quae ita sit per se ens et unum, ut esse sic unam, nihil addat supra entitatem ejus."

[66] Vgl. Fonseca, Comm. in Met. l. 4, c. 2, q. 5, s. 3, c. 4, n. 3 (I, 770A-B): „Tertia conclusio. Unum nihil addit enti, quod reale et positivum sit, et ab ente formaliter distinguatur. (...) Est etiam conclusio pene omnibus communis, praeterquam iis, qui Scoti doctrinam sequuntur." Auch Fonseca spricht in der Begründung seiner These davon, daß ein „realiter positivum" eigene „Formalität" besäße und folglich als „unitas propria" und „quidditative ens" anzusehen wäre (vgl. ebd. 770D-E).

[67] Vgl. Suárez, DM 4.1.11 (XXV, 118a-b). Zum Verhältnis zu Thomas in dieser Frage vgl. auch DARGE (2000b) 361f.; DARGE (2001) 48-51.

nichts anderes als die Ungeteiltheit des Seienden in sich selbst besagt. Die Unterschiedenheit von anderen Seienden ist dagegen im strengen Sinne keine transzendentale Bestimmung, sondern das Akzidens einer realen Relation, welche die Existenz des anderen (als Terminus der Relation) voraussetzt[68]. Die transzendentale Einheit des Seienden wird dabei, wie Suárez mit Fonseca[69] und anderen früheren Scholastikern lehrt, durch die „coexistentia aliorum" weder begründet noch verändert. Gott war vollkommen „einer", nämlich ungeteilt in seiner Wesenheit, bevor Kreaturen als das ihm gegenüber „andere" existierten. Der Möglichkeit nach („aptitudine et fundamentaliter") ist jedes Seiende immer schon von anderem unterschieden; dies ist freilich nicht Voraussetzung, sondern Folge der transzendentalen Einheit[70].

Diese Einheit wird von Suárez deswegen mit Fonseca[71] „per modum privationis" gekennzeichnet, weil sie ein „Fehlen" nur am realen Seienden (am „ens"), nicht aber am fiktiven Nicht-Seienden behaupten: Nur das „ens" ist innerlich ungeteilt[72]. Von der Privation im eigentlichen Sinne unterscheidet sich die analog zu ihr verstandene transzendentale Einheit dadurch, daß sie dem Seienden (zumal dem göttlichen) keinerlei Vollkommenheit entzieht. Andererseits muß Suárez als christlicher Theologe vorsichtig sein, die Einheit selbst schlechthin als Vollkommenheit zu klassifizieren, da man daraus allzu leicht ein Argument für die Einpersönlichkeit Gottes und gegen die Trinität konstruieren könnte. Als Zeichen von Vollkommenheit ist in Gott vielmehr die Wesenseinheit genauso wie die Vielheit der Personen anzusehen[73], was mit der Perfektion höherer

[68] Vgl. Suárez, DM 4.1.16 (XXV, 119b-120a). Damit hängt zusammen, daß Suárez die spezielle Transzendentalität des „aliquid" (verstanden als „aliud quid") ablehnt.

[69] Vgl. Fonseca, Comm. in Met. l. 4, c. 2, q. 5, s. 4, n. 3 (I, 772F): „Unum addit enti aut negationem, aut relationem rationis". Zur Transzendentalienlehre Fonsecas vgl. MARTINS (1994) 284-325, zum transzendentalen „unum" ebd. 284-291.

[70] Vgl. Suárez, DM 4.1.16 (XXV, 119b-120a): „Tamen, quia de facto et quodammodo ex intrinseca ratione entis, secundum totam suam latitudinem considerati, cum quolibet ente possibilis est existentia alterius, ideo ad omne ens consequitur ut possit esse distinctum ab alio, quod revera unicuique convenit ex eo quod in se unum est. Et hoc modo esse distinctum alio aptitudine et fundamentaliter potest dici convenire omni enti, qua unum est; tamen hoc ipsum non intrat formaliter rationem unius, sed consequitur illam, sicut consequitur ad quantitatem, ut sit fundamentum aequalitatis, vel inaequalitatis".

[71] Vgl. Fonseca, Comm. in Met. l. 4, c. 2, q. 5, s. 5 (I, 772D): „Unum addit enti negationem divisionis per modum privationis: ita tamen, ut formaliter non includat ens".

[72] Vgl. Suárez, DM 4.1.19 (XXV, 120b).

[73] Vgl. ebd. 25 (122a-b): „Si tamen sumatur unum, ut excludit aliud, et dicit esse unicum seu solitarium, sic clarum est talem negationem per se non dicere perfectionem; imo nec semper requirere illam, aut provenire ex illa; nam in Deo esse unum tan-

Ordnung zusammenhängt, die der Wesenheit Gottes im Vergleich zu derjenigen der Kreaturen eigentümlich ist[74]. Mit dem knappen Verweis auf den Charakter des „unum" als eines auf die Wesenheit zu beziehenden negativen Prädikats begnügt sich Suárez auch in „De Deo uno" angesichts der Frage, wie das göttliche Eine mit der Dreiheit der Personen verbunden werden kann[75]. Die besondere Erörterung wie auch der Abweis häretischer Gegenpositionen wird ganz dem Trinitätstraktat überlassen.

## 2) Die Identität der Personen im einen göttlichen Wesen

(1) In Anknüpfung an die zuletzt genannte Problematik stellt Suárez seinen Erörterungen zu Beginn des vierten Buches von „De trinitate" die Abweisung verschiedener Irrtümer aus der Theologiegeschichte voran, welche allesamt auf eine Vervielfachung der Gottheit mit den Personen der Trinität hinauslaufen. Erstaunlich ist, daß entsprechende islamische Vorwürfe gegen den trinitarischen Gottesbegriff der Christen, die von anderen Autoren der Zeit mit Belegen aus dem Koran und prominenten islamischen Philosophen wie Averroes präsentiert werden[76], bei Suárez keine Erwähnung finden. Mit Recht wird von unserem Jesuiten darauf hingewiesen, daß christlicher „Tritheismus" in Wahrheit meist als Kryptoarianismus zu entlarven ist, sofern die Rede von „mehreren Göttern" nicht univok geschieht, sondern sich mit einer seinshaften Abstufung des Sohnes und Geistes gegenüber dem „höchsten Gott", welcher der Vater ist, verbindet[77].

Die katholische Position kann demgegenüber leicht in zwei zusammenhängenden Thesen präsentiert werden: Die drei Personen haben numerisch ein und dieselbe Gottheit, also eine einzige Wesenheit und Natur, die in unserem Verständnis „individuell" genannt werden mag. Nach Suárez handelt es sich bei der Einheit der drei Personen in Gott um die unüberbietbar höchste Weise von „Verbindung" („suprema coniunctio"), die sich denken läßt[78], wenn auch nicht um die höchste Weise von

tum in essentia provenit ex perfectione; tamen quod in eo sit una tantum persona, non pertinet ad perfectionem, sed potius personarum distinctio ibi est ex summa perfectione."

[74] Vgl. auch DM 4.5.7 (134b).

[75] Vgl. De deo uno 1.6.2 (I, 18b).

[76] Vgl. etwa Genebrard, De s. trinitate, l. 1 (50).

[77] Vgl. De trin. 4.1.1 (I, 619a).

[78] Vgl. De incarnatione a. 9, Comm., n. 11 (XVII, 373a-b), wo diese Bewertung konkret mit Blick auf die hypostatische Union der Naturen in Christus erfolgt.

„Identität" schlechthin, da die Selbstidentität der göttlichen Wesenheit wie die innere Einheit der Personen dem realen Zusammenfall von Wesen und Personen vorzuordnen bleiben[79]. Hier wird sichtbar, daß Suárez für dialektische Modelle einer direkten Proportionalität von Identität und Verschiedenheit, wie sie in der heutigen Diskussion häufiger vertreten werden und in der thomistischen Lehre vom einen einzigen Seinsakt Gottes, der als solcher auch Seinsakt der drei Personen ist, ein gewisses Fundament finden[80], kaum Anknüpfungspunkte bietet. Wie bereits die Zuschreibung eigener relativer Existenz an die Personen gegenüber der absoluten, wesenhaften Existenz Gottes bewiesen hat, ist für den Jesuiten „reine" Identität weit strenger an das entscheidende Kriterium transzendentaler Einheit, nämlich die aus der eigenen quidditativen Bestimmtheit folgende Selbstidentität eines Seienden gebunden, die als solche im strengen Sinne Nicht-Unterschiedenheit ist; ihr gegenüber bleibt die Identität der Personen mit dem Wesen, die untrennbar mit der realen Unterschiedenheit der Personen untereinander verbunden ist, ein erst in einem zweiten, eigenen Schritt zu erfassendes Geheimnis.

Bei seiner Erläuterung der trinitarischen Identität weist Suárez besonders auf die dogmengeschichtlich entscheidende Funktion des nicaenischen „homoousios" hin, das die Überwindung von Arianismus und Sabellianismus gleichermaßen in die Wege leitete, weil mit seiner Hilfe die Formulierung der Wesenseinheit bei wahrer Unterschiedenheit der Personen möglich wurde.

[79] Vgl. ebd. 12 (373b-374a): „unitas enim ex propria ratione unitatis excludit distinctionem, et si simplicissima sit, excludit compositionem; qua ratione igitur unitas essentiae divinae simplicissima est, nulla potest esse major; qua vero ratione unitas personarum in essentia admittit distinctionem ipsarum personarum inter se, ex hac parte unitas uniuscujusque personae ad seipsam est major, quia nullam in ipsa persona admittit distinctionem respectu sui ipsius; et hoc modo dicitur una persona divina magis esse in se quam in alia; ad quem modum dici etiam potest, unamquamque relationem magis esse idem sibi quam essentiae, non quia in re ipsa aliquo modo distinguatur ab essentia, sed quia non ita adaequate est idem illi sicut sibi ipsi; ita enim est idem sibi, ut non possit distingui ab aliquo, quod cum ipsamet identificetur; ita vero est idem essentiae, ut tamen possit realiter distingui ab alia persona, quae identificatur cum essentia."

[80] Vgl. als einen von Bonaventura ausgehenden Versuch des Nachweises, „daß diejenige Einheit die höchste ist, welche unbeschadet ihrer selbst ihr – prima facie zumindest scheinbares – Gegenteil, die Unterschiedenheit nämlich, in ihren Selbstvollzug integrieren kann bzw. integriert und somit an ihrem ‚Gegenteil' nicht auf eine Grenze stößt", OBENAUER (1996), hier 33f.

Zurecht, so zitiert der Jesuit, wurde der Begriff darum durch Marius Victorinus als „von Gott erfunden" gepriesen. Wie vielen Theologen vor und nach ihm dient er Suárez als Musterbeispiel für die Notwendigkeit und Erlaubtheit der Einführung von nichtbiblischen Termini in die theologische Fachsprache, wo es um die Erklärung bestimmter Glaubensmysterien oder die Abwehr von Irrlehren geht[81].

(2) Nach diesen Aussagen über die Wesensgleichheit aller Personen steht bereits fest, daß Suárez bei der Verhältnisbestimmung von Personen und Wesenheit kaum eine starke Trennungsthese vertreten wird. In der gesamten scholastischen Tradition wird eine solche mit dem Namen des Gilbert von Poitiers verbunden[82] – und ebenso einhellig erfolgt ihre Ablehnung, wie sie seit der Entscheidung des Konzils von Reims 1148 autoritativ vorgegeben war.

(a) Suárez steht dabei auf der Seite der schärferen Kritiker, die dem frühscholastischen Magister die Behauptung einer realen Distinktion zwischen „relatio" und „divinitas" zuschreiben, aus welcher notwendig die Lehre von einer innergöttlichen „Quaternität" folgen würde. Daß, wie bereits Thomas von Aquin ausgeführt hatte[83] und auch noch Torres oder Molina zitieren[84], die gilbertinische Lehre in einem unvollkommenen Relationsbegriff wurzeln könnte, zieht Suárez nicht in Erwägung. Erst recht wird eine Nähe zwischen thomanischem und gilbertinischem Denken, wie sie in der neueren Forschung immer wieder hervorgehoben worden ist[85], von Suárez nicht festgestellt bzw. reflektiert. Gilbert hat nach seiner Darstellung die Relationen deswegen als eine Art real zu unterscheidender Hinzufügungen zur Wesenheit gedeutet, weil er nur auf diesem Weg glaubte, die Allgemeingültigkeit des logischen Fundamentalaxi-

[81] Vgl. Suárez, De trin. 4.1.4-5 (I, 620a-b); dazu auch Vázquez, Comm. in I$^{am}$ 109.5 (II, 21b-23a).

[82] Die Präsenz Gilberts in der Trinitätstheologie reicht somit weit über die bei EMERY (2003b) 12 genannte Epoche vom 12. bis zum 14. Jahrhundert hinaus. Zur gilbertinischen Trinitätstheologie vgl. aus der neueren Forschung mit weiteren Literaturverweisen SCHMIDT (1956); HOFMEIER (1963) 80-100; COURTH (1985) 51-58; SCHLAPKOHL (1999) 125-138. Zu mittelalterlicher Kritik an dem Entwurf: ROTH (1936) 283-288; WILLIAMS (1951) 81-126.

[83] Vgl. Thomas, S. th. I, 28, 2 c. Dazu: EMERY (2004c) 116f.

[84] Vgl. B. Torres, Comm. in I$^{am}$ q. 28, a. 2 (50rb); Molina, Comm. in I$^{am}$ q. 28, a. 2, disp. 1 (427bC-E).

[85] Vgl. etwa MALET (1956) 155, mit Rückgriff auf WILLIAMS (1951); SCHMIDT (1956) 164, der Gilbert in die Reihe „Thomas von Aquino – Albertus Magnus – Petrus Lombardus – Anselm von Canterbury – Augustin" einordnen möchte; SMITH (2003) 93. Die Autoren verweisen vor allem auf die bei Gilbert wie bei Thomas zu findende Unterscheidung der Prinzipien „quo" und „quod"; vgl. SCHMIDT (1956) 210-223.

oms „Wenn zwei Sachverhalte gleichermaßen identisch mit einem dritten sind, müssen sie auch zueinander im Verhältnis der Identität stehen" („Quaecumque sunt eadem uni tertio, sunt eadem inter se") retten zu können. Mit Thomas verbindet Suárez allerdings die (von der Vorgabe des Lombarden abweichende[86]) Einschätzung, daß Gilbert nicht als Häretiker zu führen sei, da er seinem Irrtum abgeschworen habe[87]. Damit unterscheidet Suárez auch deutlich zwischen dem Distinktionsmodus des Gilbert und dem „kollektiven" Trinitätskonzept des Joachim von Fiore, das noch in neuscholastischen Darstellungen häufig mit ihm in einem Atemzug genannt wird[88]. Joachim gilt Suárez, wie zu Beginn von Buch zwei der Trinitätslehre deutlich wird, weit klarer als häretischer Autor, da er gelehrt habe, die drei Personen seien nur so als ein Gott zu betrachten, wie viele Menschen *ein* Volk oder viele Körperdinge das *eine* Universum bilden[89]. Die gegen Joachim gerichtete Verurteilung aller trinitarischen „Quaternitätsmodelle" durch das IV. Laterankonzil (1215)[90] und seine Option für die entgegengesetzte Lösung des Augustinus bzw. Petrus Lombardus, in der die göttliche Wesenheit als mit den drei Personen identische „summa res" erscheint, ist für die Folgezeit das verpflichtende lehramtliche Fundament geblieben.

(b) Die drei entscheidenden rationalen Argumente gegen Gilberts Lehre findet Suárez bereits bei dessen zeitgenössischem Widersacher Bernhard von Clairvaux vor[91]. Es ist somit die scholastische Standardkritik gegen den trinitätstheologischen Gilbertinismus, die auch Suárez referiert; eingehendere Bemühungen, die Lehre des Frühscholastikers aus

[86] Vgl. Petrus Lombardus, Sent. l. I, dist. 33, c. 1 (Ed. Quaracchi I/2, 240-243), der die gilbertinische These stärker in die Nähe einer Häresie gerückt hatte.

[87] Vgl. Suárez, De trin. 4.2.1-2 (I, 620b-621a).

[88] Vgl. etwa BERGERON (1932) 154; DORONZO (1968) 144f.

[89] Vgl. Suárez, De trin. 2.1.2 (I, 574b). Heutige Interpreten betonen mit Sympathie Joachims Nähe zu modernen heilsgeschichtlich-sozialen Trinitätskonzeptionen; vgl. TERRACCIANO (1993) 30f.; GRESHAKE (2001) 126.

[90] Vgl. Wohlmuth / Alberigo, Dekrete, Bd. 2, 231ff.; dazu auch GRABMANN (1909-11) II, 403f.; RABENECK (1953) 304f.; SCHEFFCZYK (1967) 191; DE MARGERIE (1975) 194ff.; MAIERÙ (1985) 221f.; ders. (2002) 151ff. Wenn PESCH (2001) 180 im Blick auf Thomas von Aquin von „4 subsistenten Relationen" in Gott spricht, ist dies natürlich ein Verschreiber. Daß man sich zur Zeit des Suárez der grundsätzlichen Bedeutung der konziliaren Entscheidung gegen Joachim und für Lombardus klar bewußt war, bezeugen die Ausführungen bei B. Torres, Comm. in I$^{am}$ q. 32, a. 2, pars 2 (95ra-b).

[91] Vgl. zum folgenden Suárez, De trin. 4.2.4-9 (I, 621a-622b). Zur Lehre Bernhards vgl. die Ausführungen in De consideratione, V, 8, 18 (Opera III, ed. Leclercq, 482). Die Auseinandersetzung mit Gilbert ist ausführlich analysiert bei STICKELBROECK (1994) 39-63.

ihrem historischen Kontext heraus zu deuten, wie sie bei Vázquez auffällig sind[92], finden sich nicht.

Erstens, so setzt die Kritik des Suárez an, ist bei Übernahme der Prämissen des Porretaners die Folgerung unausweichlich, daß es in Gott eine reale Zusammensetzung gibt, die, wenn auch nicht als strenges Potenz-Akt-Verhältnis, so zumindest als Gegenüber von „terminus" und „terminabile" wie im Falle der hypostatischen Union zu deuten wäre und damit der Einfachheit Gottes widerspräche. Zweitens ist nicht zu erkennen, wie eine von der göttlichen Wesenheit verschiedene Relation der Einstufung als „kreatürlich" entgehen könnte – gibt es doch außer Gott nur Nicht-Göttliches. Suárez weist dies nach, indem er einerseits am Kriterium des göttlichen „esse a se" eine Gleichursprünglichkeit in Nicht-Identität von Relationen und Wesen ausschließt und andererseits aus der Erwägung aller möglichen Qualifizierungen der Relation im Feld von „Substanz und Akzidens" allein die Annahme einer das Wesen einschließenden Substantialität als Fundament für eine Lösung benennt, in der die Relation nicht als (kreatürlich) unvollkommen erscheint. Das dritte Argument darf als eine Variation des ersten gelten, sofern es die Unmöglichkeit für vom Wesen real distinkte Personen betont, sich zu einem wirklichen „unum" zusammenzufügen.

(3) Bevor Suárez nach dieser Abweisung des Gilbert zugeschriebenen Realunterschieds die schwierige Diskussion darüber beginnt, welche Weise der „distinctio" zwischen Relationen und Wesen in Gott außer ihr in Frage kommen könnte, schiebt er mit Kapitel drei des vierten Buches einen angesichts der langen, sich vor allem seit dem 14. Jahrhundert intensiv entfaltenden Problemgeschichte überraschend knappen Abschnitt zur rechten trinitätstheologischen Deutung jenes syllogistischen Grundsatzes ein, dessen falsches Verständnis er an der Wurzel des gilbertinischen Irrtums ausgemacht hatte: Wie läßt sich das Axiom der über etwas Drittes vermittelten Gleichheit zweier Größen mit der Tatsache vereinbaren, daß in Gott die Relationen zwar alle mit der Wesenheit identisch sind, daraus aber keine Identität der Relationen untereinander folgt? Suárez setzt ohne weitere Diskussion voraus, daß der Satz aus dem aristotelischen Werk[93] tatsächlich die Grundlage der syllogistischen Logik

[92] Vgl. Vázquez, Comm. in I^am^ 120.1-2 (II, 69b-73b), der sich stark auf die Darstellung des Otto von Freising über den Konflikt um Gilbert stützt. Als „trop indulgent" wird das vázquezische Urteil noch bei DE RÉGNON (1892) II, 107 kritisiert.

[93] Vgl. Aristoteles, Topik, l. 7, c. 1 (152a2-3); Analyt. priora, l. 1, c. 3 (25b32-35): „Quando igitur tres termini sic se habent ad invicem ut postremus in toto sit medio et medius in toto primo, vel sic vel non sic, necesse est extremitatum esse syllogismum perfectum".

darstellt; auf den in der Debatte immer wieder zu findenden Versuch, das vorliegende Problem zu lösen, indem die Grundlagenfunktion auf andere Prinzipien übertragen wird (etwa bei Gregor von Rimini und Vázquez: „Dici de omni, dici de nullo“[94]), geht Suárez nicht ein.

(a) Ohne die mittelalterliche Vorgeschichte der Problematik im einzelnen zu referieren, setzt Suárez bei denjenigen zentralen Lösungsversuchen an, die auch bei anderen Autoren seiner Zeit gewöhnlich diskutiert werden.

(aa) Der erste wird Durandus und – mit einem gewissen Zögern – auch Scotus zugeschrieben[95] und beruht auf der von beiden gelehrten Unterscheidung „ex natura rei“ zwischen Wesen und Relationen. Unter dieser Bedingung wird die Folgerung des Axioms auf diejenigen Fälle eingeschränkt, in denen die Einheit zweier Begriffe mit dem gemeinsamen

[94] Vgl. Gregor von Rimini, Lect. I, d. 5, q. 1 (Ed. Trapp et al. I, 453f.); dazu: GARCÍA LESCÚN (1970) 45-60; Molina, Comm. in I$^{am}$ q. 28, a. 3, disp. 3 (445a-446b); Vázquez, Comm. in I$^{am}$ 123.2 (II, 93a-94a); ihm folgt in der Zeit nach Suárez etwa Ruiz de Montoya, De trin. disp. 15, s. 4 (143b-145a).

[95] Während Suárez keine exakteren Belegstellen aus diesen beiden Autoren nennt, verweist Vázquez, Comm. in I$^{am}$ 122.1.2 (II, 92a), auf die jeweiligen Ausführungen zu dist. 2, q. 4 des ersten Sentenzenbuches. Vgl. Scotus, Ord. I, dist. 2, p. 2, q. 1-4, n. 411-414 (Ed. Vat. II, 362f.): „Ad primum argumentum principale dico quod maior sic est intelligenda: ‚quaecumque aliqua identitate sunt eadem alicui, tali identitate inter se sic sunt eadem', quia non potest concludi aliqua identitas extremorum inter se nisi secundum illam identitatem sint eadem medio et medium in se sit sic idem; et per hanc propositionem sic intellectam ‚tenet omnis forma syllogistica'. Omissa enim altera condicione, vel unitatis medii in se vel extremorum ad medium, non est syllogismus, sed paralogismus accidentis. (…) Cum accipitur in minori quod ‚quidquid est in essentia divina, est idem illi', non est verum de identitate formali, et ideo non potest concludi formalis identitas extremorum inter se; quamdiu autem stat formalis distinctio relationum suppositi, stat distinctio suppositorum. Et si dicas quod saltem ex reali identitate eorum ad essentiam concluditur identitas eorum inter se, dico quod essentia non habet identitatem talem unicam subsistentiae prout personae vel personalia ut extrema uniuntur in essentia, et ideo non potest concludi identitas subsistentium vel subsistentiae per rationem identitatis eorum in essentia ut in medio.“ Vgl. XIBERTA (1933) 306ff.; WETTER (1967) 71ff. Durandus gibt in 1 Sent. d. 2, q. 4, n. 15 (20va) nicht mehr als einen kurzen Hinweis auf den „ex natura rei“ anzusetzenden Unterschied zwischen Wesen und Relationen. Wesentlich deutlicher sind die Ausführungen in q. 1 und 2 des ersten Avignonesischen Quodlibet „Utrum divina essentia et relatio differant aliquo modo realiter“ / „Utrum spiratio activa differat realiter a generatione activa et passiva seu a paternitate et filiatione“ (Ed. Stella, 45-68). Nach LOWE (2003) 92 gründet die gesamte durandische Trinitätskonzeption und ihre früh kritisierte Problematik in dieser Lehre vom realen Unterschied zwischen Personen und Wesenheit. Zur Interpretation, mit dem Verweis auf zahlreiche weitere Parallelaussagen im Sentenzenkommentar: EMERY (1999) 692-698; zuvor auch XIBERTA (1933) 311f.

dritten derart ist, daß zu diesem weder ein realer noch ein formaler Unterschied besteht[96]. Denn wo ein („ex natura rei" verstandener) modaler oder formaler Unterschied zu diesem vorliegt, ist auch eine Unterscheidung untereinander möglich. Genau dieser Fall ist aber bei der Identität der göttlichen Personen mit dem Wesen gegeben, so daß keine Identität der Personen untereinander folgt. Schon Aureoli hatte diese Begründung mit dem Argument kritisiert, daß aus ihr bestenfalls eine Unterscheidung zwischen den Relationen resultiert, die von derselben Art wie zwischen ihnen und dem Wesen ist – also auch nur eine modale bzw. eingeschränkt reale, was dem Dogma kaum gerecht wird und nach Sabellianismus klingt[97]. Suárez setzt noch grundlegender an, wenn er auf seine spätere generelle Kritik der trinitätstheologisch zur Anwendung gebrachten Formaldistinktion im scotischen Sinne verweist. In der bei Scotus vorgetragenen Form fehlt dem Axiom nach Suárez zudem ein hinreichendes induktives Fundament. Denn aus unserer Welterfahrung können wir bestenfalls die negativ formulierte Schlußfolgerung belegen, daß die reale Nicht-Verschiedenheit zweier Größen mit einer dritten solche reale *Nicht-Verschiedenheit* dieser Größen voneinander mit sich bringt[98]. Eine *Unterschiedenheit* der Personen trotz ihrer Wesensidentität ist dadurch nicht abzusichern.

(bb) Einen zweiten Lösungsansatz findet unser Theologe im Werk des hl. Thomas vor. Das Prinzip ist darnach wahr nur bei denjenigen Sachverhalten, die mit einem dritten sowohl real als auch gedanklich identisch sind, nicht aber bei jenen, die dem dritten gegenüber zumindest gedanklich unterschieden werden können. Zu letzteren gehören die Personen im Verhältnis zum Wesen[99]. Ähnlich lehrten neben Albert, Petrus von Tarantasia und Aegidius Romanus[100] unzählige Autoren verschiedener Schulen.

[96] Vgl. Suárez, De trin. 4.3.1 (I, 622b).

[97] Vgl. Aureoli, 1 Sent. d. 2, q. 3, a. 3, n. 74 (Ed. Buytaert II, 393). Dazu auch GELBER (1974) 134f.

[98] „Quae ita sunt eadem uni tertio ut ab eo realiter non distinguantur, ita etiam sunt inter se idem, ut inter se realiter non distinguantur" (Suárez, De trin. 4.3.2 [I, 623a]).

[99] Vgl. etwa Thomas, S. th. 28, 3 ad 1: „Ad primum ergo dicendum quod, secundum philosophum in III Physic., argumentum illud tenet, quod quaecumque uni et eidem sunt eadem, sibi invicem sunt eadem, in his quae sunt idem re et ratione, sicut tunica et indumentum, non autem in his quae differunt ratione. Unde ibidem dicit quod, licet actio sit idem motui, similiter et passio, non tamen sequitur quod actio et passio sint idem, quia in actione importatur respectus ut a quo est motus in mobili, in passione vero ut qui est ab alio. Et similiter, licet paternitas sit idem secundum rem cum essentia divina, et similiter filiatio, tamen haec duo in suis propriis rationibus important oppositos respectus. Unde distinguuntur ab invicem"; De potentia, q. 8 a. 2 ad 10: „dicendum, quod quaecumque sunt eadem re et ratione oportet quod in quo-

Wiederum zeigt Suárez kein Verständnis für die eingeführte Beschränkung, die wie die des ersten Versuchs in der Erfahrung der natürlichen Vernunft ohne Fundament ist. Denn wenn sich in unserer normalen Erfahrungswelt zwei Dinge von einem dritten nur gedanklich unterscheiden, sind sie auch voneinander nur gedanklich, aber nicht real verschieden, wie aus dem Verhältnis der Begriffe von Tun und Leiden gegenüber dem der Bewegung deutlich gemacht werden kann. Daß Thomas gerade dieses Beispiel als Analogie für eine Lösung des trinitätstheologischen Problems anführt, nennt Suárez darum mit kaum verborgener Distanzierung „verwunderlich"[101]. Die hier vorgelegte Kritik findet sich im Kern bereits bei Petrus Aureoli, der anders als Suárez daraus einen noch schärferen Vorwurf gegen Thomas formuliert: Wenn sich die reale Identität von Personen und Wesenheit bei gedanklicher Unterscheidung auch auf die Unterscheidung der Personen untereinander abbilden soll, fällt man in den Sabellianismus zurück[102]. Daß damit die vielleicht fundamentalste Kritik gegen die thomanische Trinitätstheologie überhaupt formuliert ist, die an der Wurzel des Dissenses zwischen Thomas und Scotus steht[103], liegt auf der Hand. Sie ist bis in die neueste Zeit hinein immer wieder laut geworden[104]. Wenn Suárez sie in dieser expliziten Form nicht aufgreift, so liegt es vermutlich daran, daß er selbst an der bloß gedanklichen Unterscheidung von Wesen und Personen prinzipiell festhalten möchte.

cumque est unum, sit aliud. Non autem hoc oportet de his quae sunt eadem re, sed non ratione; sicut instans est idem quod est principium futuri et finis praeteriti, non tamen principium futuri dicitur esse in praeterito, sed id quod est futuri principium; et similiter non dicitur quod paternitas est in filio, sed id quod est, scilicet essentia." Dazu: XIBERTA (1933) 294-297.

[100] Belege bei ALDAMA (1932) 549 und XIBERTA (1933) 300f.304ff. Der Artikel nennt noch weitere scholastische Lösungsversuche außer den bei Suárez präsentierten. Daran anlehnend: MUÑOZ DELGADO (1992).

[101] „Et (quod mirabilius est) ad hoc affert Aristotelem [Ed.: Aristoteles] 3. Phys. et exemplum de actione et passione, quae sunt idem cum motu et non inter se" (Suárez, De trin. 4.3.3 [I, 623a]).

[102] Vgl. Aureoli, 1 Sent. d. 2, q. 3, a. 3, n. 53 (Ed. Buytaert II, 587): „Sed secundum sic dicentem, paternitas et filiatio sunt idem secundum rem essentiae divinae, quamvis sint distincta secundum rationem ab ea. Ergo inter se erunt eaedem secundum rem, quamvis distinguantur secundum rationem, et per consequens Pater et Filius sola ratione distinguuntur, et redit error Sabellii."

[103] Vgl. die mit dem Sabellianismusvorwurf operierende scotische Kritik am thomanischen Unterscheidungsmodell nach Wilhem von Alnwick, Additiones Magnae, l. 1, dist. 33, q. 2, n. 2 (ed. Wadding XI/1, 185a).

[104] So lautet der wichtigste Vorwurf gegen die thomanische Trinitätslehre bei BAUR (1842) II, 684, daß es dem Aquinaten wegen der mangelnden Anerkennung realer Relationen in Gott nicht gelinge, die Subsistenz des „verbum procedens" einsichtig zu machen.

(cc) Ebenfalls an Thomas orientiert ist eine dritte Antwort, die im Fall der mit dem Wesen identischen Personen deren Identität untereinander nicht schlechthin, sondern nur in ebendiesem Wesen als dem „tertium" behauptet[105]. Suárez weiß zwar, daß dieses Argument bei den entscheidenden Vertretern der thomistischen Schule, allen voran Capreolus[106] und Cajetan[107], großen Anklang gefunden hat, lehnt es aber als zirkulär ab, weil durch die Hinzufügung „in tertio" bei der Identitätsbehauptung nur die Bedingung der Prämisse wiederholt wird, während die Konklusion einer wahren Identität untereinander unerreicht bleibt[108]. Diese Kritik ist nicht originell, sondern findet sich schon bei Autoren vor Suárez in ähnlicher Weise[109].

(dd) Auch den bei Aegidius Romanus[110], Thomas von Straßburg[111] und Johannes Capreolus[112] zu findenden Versuch, den Aureoli in ähnlicher Form präsentiert (und kritisiert)[113], das problematische Axiom dadurch einzugrenzen, daß eine Identität der beiden Ausgangsgrößen untereinander nur bei „adäquater" Identität mit dem Dritten statthaben soll, wie sie im Fall der Trinität fehlt, scheitert nach Suárez am Fehlen einer der Person-Wesen-Identität in Gott vergleichbaren „identitas *in*adaequata" in unserem natürlichen Erfahrungsbereich. Tatsächlich ist die These bei den genannten Autoren von der zuvor referierten kaum zu unterscheiden.

(ee) Wenn schließlich das Vorliegen eines Gegensatzes („oppositio") zwischen A und B, welcher größer ist als die gemeinsame Identität mit C, zur einschränkenden Bedingung für die totale Identität von A und B untereinander erklärt wird, kann Suárez erneut nur zirkuläres Argumentieren konstatieren, da das eigentlich fragliche Moment, nämlich der reale Gegensatz *trotz* Identität im Dritten als solcher, wiederum unerklärt

[105] Suárez bezieht sich vermutlich auf Thomas, 1 Sent. d. 33, q. un., a. 1 ad 2: „Ad secundum dicendum, quod si aliqua duo sint idem, secundum id quod idem sunt, in quocumque est unum, et alterum. Paternitas autem et essentia divina sunt idem secundum esse; et ideo sicut in filio est esse essentiae, ita et in filio est esse paternitatis, quia in divinis non est nisi unum esse." Vgl. ALDAMA (1932) 550.

[106] Vgl. Capreolus, Defens. l. 1, dist. 2, q. 3, a. 1 (I, 151a-153a). Vgl. dazu PÈGUES (1901) 696-703.

[107] Vgl. Cajetan, Comm. in S. th. I, q. 28, a. 1, n. 6 (Ed. Leon. IV, 325b).

[108] Vgl. Suárez, De trin. 4.3.4 (I, 623b).

[109] Vgl. Toledus, Comm. in I$^{am}$ q. 28, a. 2 (Ed. Paria I, 338b-339a): „Sed ista solutio est parvi momenti; est enim synonymum: sunt idem tertio, et: sunt idem inter se in illo tertio. Et sic nihil esset dicere."

[110] Vgl. Aegidius Romanus, 1 Sent. d. 33, q. 3 (171va-172rb).

[111] Vgl. Thomas de Argentina, 1 Sent. d. 33, a. 2 (100ra-va).

[112] Vgl. Capreolus, Defens. l. 1, dist. 2, q. 3, a. 1 (I, 152a-153a), gegen Aureoli.

[113] Vgl. Aureoli, Scriptum super I$^{um}$ Sent., d. 2, q. 3, n. 60 (Ed. Buytaert II, 189f.); vgl. ALDAMA (1932) 552. Vgl. Bellarmin, Controv. de Christo, l. 2, c. 18 (Op. I, 333a).

vorausgesetzt werden muß[114]. Einen namentlichen Vertreter für diesen Antwortversuch führt der Jesuit nicht an. Man mag an die bei Aureoli[115] referierte These denken, wonach unser Axiom „in höchster Weise für Absoluta, nicht für Relativa“ Gültigkeit besitze, die vielleicht auf Richard von Mediavilla[116] zurückgeht und in der Zeit nach Suárez von Ruiz de Montoya wieder aufgegriffen wurde[117].

Mit diesen aufgezählten Lösungsversuchen ist keineswegs das ganze Spektrum der Thesen abgedeckt, die zur Zeit des Suárez noch in der lebendigen Debatte standen. Allerdings würden auch die meisten weiteren Antworten – wie etwa die des Gregor von Valencia[118], wonach das Axiom in seiner Gültigkeit auf diejenigen Fälle zu beschränken sei, in denen der mit den Ausgangsbegriffen zu identifizierende Mittelbegriff nicht „eines und vieles zugleich“ sein kann, oder die des Molina[119], der das Prinzip der verglichenen Identität nur unter den Bedingungen der Singularität und Inkommunikabilität des Mittelbegriffes für allgemeingültig erachtet –, für Suárez kaum einem erneuten Zirkularitätsvorwurf entgehen.

(b) Aus diesem allseitigen Versagen der Lösungsoptionen, welche die Allgemeingültigkeit des Grundprinzips der syllogistischen Logik, wenn auch mit diversen Modifizierungen, im natürlichen wie übernatürlichen Seinsbereich zu verteidigen suchen, zieht Suárez eine weitreichende Konsequenz. Seiner Ansicht nach besitzt das vorliegende Axiom nur induktiv gesicherte Geltung im kreatürlichen Bereich, während es auf Gott in ebendieser Weise keine Anwendung finden kann[120]. Denn der Schluß von

[114] Vgl. Suárez, De trin. 4.3.6 (I, 623b).

[115] Vgl. Aureoli, Scriptum super I^um Sent., dist. 2, q. 3, n. 56 / Electronic Scriptum: „Quapropter dixerunt alii quod hoc oritur ex condicione relationis; nam illa maxima: ‚Quaecumque uni et eidem sunt eadem, sunt eadem inter se‘ tenet in absolutis, non autem in relativis, pro eo quod esse relationis non est fundamentum, sed ad aliud puta ad correlativum“.

[116] Vgl. Richard, 1 Sent. d. 34, a. 1, q. 1 ad 3.

[117] Vgl. Ruiz, De trin. 15.3.2 (141b-142a); ALDAMA (1932) 555f.; LENSI (1940) 7-12.

[118] Vgl. Gregor von Valencia, De trin. l. 1, c. 30 (390C-391C); Comm. in I^am disp. 2, q. 2, p. 4 (I, 710bB-D): „…respondere possimus, illam maximam intelligendam esse, quando tertium ex sui ratione habet tantummodo, ut sit re unum, si autem ex sui ratione non solum habet ut sit re unum, sed etiam, ut sit re plura, non potest verificari illa maxima de tali tertio…“. Vgl. ROMEYER (1950) 2480.

[119] Vgl. Molina, Comm. in I^am q. 28, a. 3, disp. 2 (444bF-445aE).

[120] Vgl. Suárez, De trin. 1.11.20 (I, 570a); 4.3.7-9 (623b-624b), bes. 7 (623b-624a): „Hoc ergo posito respondeo: Principium illud *Quaecumque*, etc., si in tota abstractione et analogia entis sumatur, abstrahendo ab ente creato et increato, seu finito et infinito, esse falsum, neque directe demonstrari, aut probari posse, sed ad summum inductione posse a nobis ostendi in creaturis. Negamus autem inde recte concludi in tota

endlichen Einzelbeobachtungen ist nicht in der Lage, sichere Aussagen über Gott, das unendliche Seiende, und damit auch nicht über das Seiende als solches in der Einheit von endlichem und unendlichem Sein hervorzubringen[121]. Diese „skeptische" Schlußfolgerung, die später meist mit dem Namen des Suárez in Verbindung gebracht wurde, geht in Wirklichkeit nicht auf unseren Jesuiten allein zurück. Tatsächlich konnte Suárez sie, wie Juan de Aldama belegt hat, bereits in den Schriften seiner Ordensbrüder Bellarmin und Vázquez vorfinden, die beide ebenfalls die Verschiedenheit des „ens infinitum" von allen „entia finita" für das Versagen der gewohnten Schlußform verantwortlich machen[122]. Spätere Jesuiten haben sie aufgegriffen[123]. Wie diese möchte auch Suárez mit der getroffenen Einschränkung nicht die syllogistische Form generell gefährdet sehen. Wenn der Schluß „haec divinitas = Pater; haec divinitas = Filius; ergo: Pater = Filius" als falsch zu kennzeichnen ist, handelt es sich um einen zwar in der Form, nicht aber im materialen Ergebnis korrekten „Syllogismus expositorius". Dieser hat seinen Namen daher, daß ein sin-

illa universitate. Quia in rigore sit argumentum ex puris particularibus, et quia in creaturis potest illud oriri ex limitatione earum: et ideo non recte sit illatio ad rem illimitatam".

[121] Vgl. auch Suárez, DM 7.3.8 (XXV, 274b): „Sed hoc principium in creaturis, et in rebus finitis simpliciter tenet; in re autem infinita, qualis est divina essentia, non verificatur illa maxima, absolute loquendo, quia propter suam infinitatem potest esse idem relationibus oppositis, quae propter oppositionem inter se idem esse non possunt, nisi tantum in essentia; de quo alias."

[122] Vgl. Bellarmin, Controv. De Christo, l. 2, c. 18 ad 2 (Op. I, 333a); Vázquez, In I$^{am}$ 122.2 (II, 93b). Dazu: ALDAMA (1932) 554. Auch ALEJANDRO (1948) 153 urteilt: „Ante todo, conviene tener presente que la posición de Suárez, no es una posición aislada y rara; era una posición admitida, y suficientemente expuesta antes de él."

[123] Vgl. etwa Ruiz, De trin. 15.5.7 (144b); R. de Arriaga, Disputationes theologicae, p. 1, 43.3, n. 11 (I, 459a): „Vides ergo totam vim principii syllogistici reduci ad impossibilitatem duorum contradictoriorum in eadem indivisibili entitate". Das Prinzip gilt dann nicht, wenn eine Entität so vollkommen ist, daß sie mit der Inidivisibilität die „capacitas contradictoriorum" besitzt (wie durch die „Virtualdistinktion" zum Ausdruck gebracht). Also gilt die vorliegende „forma argumentandi" immer im geschöpflichen Bereich, aber nicht für Gott (ebd. n. 12, 459a). Als rundum „falsch" wird das Prinzip in der Anwendung auf die Gotteslehre bei dem an französischen SJ-Kollegien lehrenden L. Maeratius († 1664), Disputationes, tom. 3, disp. 45 (214bA) charakterisiert. Nach dem valencianischen Jesuiten M. Borrull († 1689), Tractatus de trin. 3.3.25 (66f.), sieht das Axiom „Quae sunt eadem..." vom trinitarischen Gott so ab wie das Axiom „Omnes in Adam peccaverunt" von Maria, das durch diese Ausnahme ebenfalls grundsätzlich nicht aufgehoben wird. P. de Bugis S. J. († 1680) gibt zu bedenken, daß auch andere für die natürliche Vernunft sichere Axiome (wie: „ex nihilo nihil fit") im Licht des Glaubens (hier: des Schöpfungsdogmas) eine Einschränkung erfahren; vgl. De trinitatis mysterio 3.3.13 (151b-152a).

gulärer und inkommunikabler Mittelbegriff gleichsam durch zwei in ihm enthaltene Begriffe, die ebenfalls für Singuläres stehen, „ausgelegt" wird[124]. Nun gibt es in Gott zwar eine singuläre „res" (die Gottheit), doch ist sie zugleich wahrhaft an verschiedene Supposita kommunizierbar. „Deus" taugt damit nicht als Mittelbegriff für einen expositorischen Syllogismus, der die Identität der Supposita untereinander beweisen könnte, weil er sich trotz seiner Singularität wie ein Allgemeinbegriff verhält. Nicht die syllogistische Schlußform als solche versagt nach Suárez hier, sondern sie sieht sich eher mit einem Gegenstand konfrontiert, den sie sachlich nicht zu erfassen vermag[125]. Das Problem liegt somit eher auf der „materialen" als der „formalen" Ebene. Würde man modifizierend den Begriff der „Gottheit" als Allgemeinbegriff in die Mitte eines Syllogismus setzen, käme man zu einem korrekten Ergebnis ebenfalls nur dann, wenn man der eigentümlichen Äquivalenz von „res singularis" und „natura communis" im Trinitätsmysterium Rechnung trüge.

(c) Vor allem in den neuscholastischen Kontroversen des frühen 20. Jahrhunderts haben Thomisten Suárez im Blick auf die vorgelegte Lösung eine Kapitulation des Denkens vorgeworfen, in dem die Möglichkeiten der Theologie, zu rational verantworteten Schlußfolgerungen in der Gotteslehre zu gelangen, massiv beschnitten wird. Gerne knüpft man dabei an die scharfe Suárez-Kritik an, die mit Louis Billot (1846-1931) ausgerechnet ein prominenter Jesuitentheologe vorgelegt hatte. Die Probleme seines großen Ordensgenossen mit dem Identitätsschluß sah Billot in dessen Lehre von der Relation begründet, die durch ihre Identifizierung mit dem Fundament zum Quasi-Absolutum gemacht werde; bei so verstandenen Relationen bzw. Personen in Gott gelange man zu einem falschen Urteil hinsichtlich des Syllogismus-Problems[126]. Die Abkehr vom

[124] Vgl. MAIERÙ (1972) 437; insgesamt zum Gegenstand ebd. 437-445.

[125] Vgl. Suárez, De trin. 4.3.8 (I, 624a): „...non quia forma syllogistica ibi deficiat et non concludat, sed potius, quia non servatur, neque applicatur forma syllogistica, quoad rem ipsam, sed quoad vocem tantum."

[126] Vgl. BILLOT (1910) 379: „Ex modo enim quo concipitur relatio pendet omnis modus concipiendi hoc mysterium, et solvendi argumenta in contrarium. Quod si phantasia illusus oblivisceris supremas categorias quibus in creatis ens dividitur, minime esse univocas, sed relationem concipias per modum cuiusdam absoluti, perinde ac si nihil esset in re praeter ipsum fundamentum, et hunc conceptum proportionaliter applices materiae de Trinitate: iam nihil ex natura relationum poteris eruere quo vel probabiliter satisfacias argumentis. Sed et necessitate quadam ad hoc tandem tibi deveniendum erit, ut dicas principium identitatis comparatae (quae sunt eadem uni tertio sunt eadem inter se), esse principium merae inductionis, quod cum per solam experientiam comparetur, non est necessario universaliter verum, imo simpliciter fallit in divinis". Es folgt eine Fußnote mit Verweis auf Suárez, De trin. 4.3.

streng apriorischen Charakter des gewöhnlich als „principium identitatis comparatae" bezeichneten Grundsatzes der Syllogistik zählt in der Folge zu den meistkritisierten Aussagen der Trinitätslehre des Suárez, ja seines gesamten philosophisch-theologischen Lehrgebäudes[127]. Nach unserer Deutung ist es fraglich, ob mit dieser stark „nominalistischen" Deutung die Aussageabsicht des Jesuiten tatsächlich getroffen ist. Worauf er hinweisen möchte, ist die Tatsache, daß Aristoteles bei der Formulierung seines Axioms den Fall des einen Gottes, in dem es neben der absoluten eine mehrfache personale Subsistenz gibt, nicht vor Augen hatte und folglich in seiner Formulierung nicht berücksichtigen konnte. So wird man auch Suárez letztlich in die große Reihe derer einordnen dürfen, die das Axiom nicht durch formale Infragestellung, sondern durch einschränkende Präzisierung bewahren wollten[128]. Blickt man in die unmittelbar nachfolgende Diskussion der Schulen, so wird ersichtlich, daß Suárez nicht nur durch Jesuiten, sondern sogar durch einzelne Thomisten in dieser Weise interpretiert wurde, selbst wenn die meisten der Autoren selbst einen anderen Weg zu gehen versuchten[129]. Auch seitens des Lehr-

[127] Vgl. etwa MARTIN (1899) 883ff.; JANSSENS (1900) 239; VAN DER MEERSCH (1917) 558, n. 754; HUGON (1920) 379; MAHIEU (1921) 505f.; MAHIEU (1925) 284; KOPLER (1933) 446; D'ALÈS (1934) 117; MICHEL (1937) 2155; DORONZO (1968) 163f., n. 177: „Sed huiusmodi Suaresii solutio videtur potius desperata, quia supponit mentem humanam non posse ex particularibus et contingentibus assurgere ad principia universalia, ita ut evidenter constet in nullo ente, utut illimitato qualis est essentia divina, posse unificari contradictoria." Auf die Unfähigkeit des Suárez, echte gedankliche Unterscheidungen, die nicht zugleich reale sind, anzuerkennen, möchte CUNNINGHAM (1962) 310 die Schlußfolgerung des Jesuiten zurückführen.

[128] Vgl. DALMAU (1926).

[129] DALMAU (1948) 557f. weist darauf hin, daß etwa Johannes a S. Thoma die These des Suárez mit Respekt und ohne Zensurierung referiert hat. Vgl. auch DALMAU (1926); ders. (1955) 293-302. Wohlwollende Interpretation erfährt Suárez u. a. durch DESCOQS (1924) 153; DESCOQS (1925) 470f.; GUERRERO (1933) 20-31 (in dessen Auslegung das Axiom nach Suárez für Gott nur in einem formal-transzendentalen, aber nicht in einem prädikamentalen Sinn gilt); ALEJANDRO (1948) 147-159.171-178; BOYER (1949) 144: „Notandum tamen esse videtur Suarezium nihil contra principium contradictionis dixisse nec forte quoad rem multum differre ab aliis negantibus principium everti; nam non solum concedit quod suae opinioni ‚accomodari possunt aliquae responsiones ex dictis' [De trin. 4.3.7]; sed etiam totus est in ostendendo illud idem quocum in Deo relationes identificantur esse prorsus diversum a quocumque uno eodemque in creatis, cum sit infinitum et pluribus communicabile (ibid., n. 8) et asserit leges syllogismi servari in argumentatione de Trinitate, dummodo attendatur quod essentia, quantumvis singularis, vim habet termini communis, quia tribus communicatur; unde potius in hoc deficit quod non explicat istud punctum in quo redit quaestio: cur scilicet idem possit communicari multis et unum multis re identificari: quod sane fieri non posset si simpliciter seu

amtes ist Suárez im vorliegenden Punkt niemals wegen einer inakzeptablen Sonderlehre getadelt worden.

### 3) Die Bestimmung des Unterschieds zwischen Wesen und Personen

Mit den vorangehenden Ausführungen hat Suárez klar eine reale Unterscheidung zwischen Wesen und Personen in Gott als irrig abgewiesen. Im folgenden geht es darum festzustellen, welche Art des Unterschieds außerhalb der „distinctio realis" zwischen beiden zugelassen werden kann. Um die Argumentation des Jesuiten besser zu verstehen, legt sich der einleitende Blick auf DM 7 nahe, wo in allgemeiner Form die möglichen Weisen der Unterschiedenheit des Seienden zur Erörterung kommen, deren Darstellung sich in einer systematisierten und differenzierten Form präsentiert, wie sie bei Thomas noch nirgends zu finden war[130].

#### *a) Die möglichen Weisen der Unterschiedenheit des Seienden*

#### aa) Reale und gedankliche Unterscheidungen

Suárez beginnt seine Erörterungen in DM 7 in unmittelbarem Anschluß an das Kapitel über die transzendentale Einheit des Seienden und deklariert sie inhaltlich auch ausdrücklich als dessen Vervollständigung: Die „modi unitatis" werden erst gänzlich verständlich, wenn man neben sie auch die möglichen „modi distinctionis" stellt[131].

(1) Als unbestreitbar kann Suárez die Tatsache voraussetzen, daß es eine reale Distinktion gibt, die man auch als diejenige eines Dinges von einem anderen („rei a re") bezeichnen kann. Sie bringt die Nichtidentität beider Größen zum Ausdruck.

adaequate seu simul re ac ratione cum illis identificaretur"; HELLIN (1950-51) (vgl. das Fazit HELLIN [1951] 171: Das „principio de identidad comparada" ist nach Suárez formal universal gültig, aber kennt in materialer Hinsicht eine Ausnahme, nämlich die Trinität. Grund dafür ist, wie 173f. ausgeführt wird, letztlich die Übernatürlichkeit bzw. Unerkennbarkeit des göttlichen Wesens).

[130] Vgl. CUNNINGHAM (1962).

[131] Vgl. Suárez, DM 7, Prooem. (XXV, 250a). Zur Entsprechung der verschiedenen „modi distinctionis" und „modi identitatis" vgl. auch DM 7.3.4 (272b-273a).

In eine Diskussion um die exakte Ermittlung notwendiger Bedingungen der realen Unterscheidung, wie sie bei manchen früheren Autoren eine Rolle spielt[132], läßt sich Suárez nicht ein. Er weist allein auf eine materiale Differenzierung hin, die im Blick auf die vorliegende Distinktion vorzunehmen ist: Sie kann sowohl zwischen zwei realen Dingen („distinctio positiva") als auch zwischen einem realen Seienden und einem Nicht-Seienden vorliegen („distinctio realis negativa")[133]. Die Form der positiv-realen Unterscheidung liegt zwischen den göttlichen Personen vor, wobei Suárez ihr Beispiel auch als Beleg für die Feststellung anführt, daß eine Realdistinktion von Seienden nicht automatisch im Sinne einer realen Relation zwischen ihnen auszudeuten ist[134].

(2) Neben die reale Distinktion läßt sich als zweite große Gattung die bloß gedankliche, die „distinctio rationis", stellen. Sie ist eine solche, die formal und der Wirklichkeit nach nicht in den als unterschieden bezeichneten Dingen besteht, sofern sie in sich selbst existieren, sondern nur, sofern sie unseren Begriffen unterliegen und durch sie eine bestimmte Benennung erfahren[135]. In der seit etwa 1500 üblichen Form[136] unterscheidet Suárez zwei Arten der gedanklichen Unterscheidung: Als „distinctio rationis ratiocinantis" ist sie ohne Fundament in der Wirklichkeit, ein bloßes Produkt unseres Denkens. Als solche liegt sie namentlich dann vor, wenn unser Verstand ein Ding unter einem ihn adäquat erfassenden

[132] Vgl. Fonseca, Comm. in Met., l. 5, c. 6, q. 6, s. 1 (II, 396-398), wo ein Unterschied in der Existenz, im Werden und Vergehen, eine reale Trennbarkeit, die Möglichkeit getrennter Existenz, die Zuschreibung von „Alietät" als notwendige Bedingungen der „distinctio realis" diskutiert werden. Fonseca greift den letztgenannten Aspekt auf und expliziert ihn in drei Varianten. Vgl. die kritische Stellungnahme des Suárez in DM 7.2.15 (XXV, 266b-267a) zur Unterscheidung nach „generatio" und „corruptio", die seiner Meinung nach auch nur modal sein könnte.

[133] Vgl. Suárez, DM 7.1.2 (250b).

[134] Vgl. ebd. 3 (251a): „Et in Deo tres personae distinguuntur realiter, quamvis inter eas distinctio non sit specialis relatio realis." Wir werden später auf eine ähnliche Problematik bei der Debatte um „Ähnlichkeit" bzw. „Gleichheit" der Personen treffen.

[135] Vgl. ebd. 4 (251a).

[136] Vgl. zum Thema KNEBEL (2002a); (2002b). Nach KOBUSCH (1987) 158f. findet sich bereits bei Ockham eine gewisse Vorwegnahme der späteren Einteilung der „entia rationis" in solche „cum fundamento in re" und „sine fundamento in re". Typisch für die abschätzige Bewertung dieser Denkbemühungen in der heutigen Theologie sind Aussagen wie bei VON BALTHASAR (1985) 148, mit Anm. 16., auf die auch SCHULZ (1997) 492 hinweist. Dagegen vermag KNEBEL (2002a) überzeugend geltend zu machen, wie die Distinktionenlehre mit ihrer subtilen Scheidung „realer" und erst „in unserem Denken" konstituierter Gehalte den Scholastikern als „Korrektiv gegen den Trug der Vergegenständlichung" (ebd. 173) diente und damit einen immer wieder gegen scholastische Ontologie erhobenen Vorwurf fragwürdig erscheinen läßt.

Begriff zu sich selbst in eine Beziehung setzt, ohne damit auf eine sachlich vorliegende Differenz zu rekurrieren („Petrus ist Petrus")[137]. Im anderen Falle muß die Verstandesunterscheidung ein reales Fundament besitzen und heißt dann „distinctio rationis ratiocinatae". Um einer Verwechslung mit der realen Unterscheidung vorzubeugen, erklärt Suárez exakter, worin dieses Fundament bestehen kann: Es handelt sich entweder um die „Erhabenheit" eines Gegenstandes („eminentia"), die von uns nur auf dem Wege unterscheidender Prädikation expliziert werden kann (sog. „distinctio virtualis"[138]). Ein Ding begegnet uns dabei in einer Seinsfülle, die sich der Repräsentation in einem einzigen unserer Begriffe entzieht. Oder als Fundament der Verstandesunterscheidung kommt die Beziehung eines einzigen Gegenstandes zu diversen anderen, real unterschiedenen Dingen in Frage, bei denen diejenige Unterscheidung vorkommt,

[137] Vgl. Suárez, DM 7.1.5 (XXV, 251b): „...nimirum ut distinctio rationis ratiocinantis sit in ordine ad eumdem conceptum adaequatum seu simplicem ejusdem rei, solum per quamdam repetitionem, vel comparationem ejus, quae in mente fit." Vgl. DM 7.3.2 (271b-272b). Nach DM 54.6.5 (XXVI, 1040a-b) entspricht die „relatio identitatis eiusdem ad seipsum" besonders gut der Definition einer bloß gedanklichen Relation: „...esse relationem, quam intellectus fingit per modum formae ordinatae ad aliud, seu referentis unum ad aliud, quod in re ipsa ordinatum aut relatum non est" (ebd. 1, 1039a). Daß in der frühneuzeitlichen Scholastik die Urteile über Aussagen der Form „A=A", also die „propositiones identicae", weit auseinandergehen, zeigt KNEBEL (2002a), bes. 158-163.

[138] Der exakte Ursprung dieses Terminus bleibt noch aufzuklären. Fonseca, Comm. in Met. l. 5, c. 6, q. 6, s. 3 (II, 403B) verweist auf Cajetan. Vgl. die wichtigen Hinweise bei KNEBEL (2001) 1063f. Letztlich steht hinter dem Terminus die schon bei Thomas zu findende Denkfigur, daß dasjenige, welches in Gott eins ist, in den Geschöpfen als Geschiedenes auftritt. Vgl. etwa De ver. q. 8, a. 10 ad 3: „Ad tertium dicendum, quod id quod est unum, non potest esse propria ratio plurium, si sit eis adaequatum. Sed si sit superexcedens, potest esse plurium propria ratio, quia continet in se uniformiter propria utriusque quae in eis divisim inveniuntur. Et hoc modo essentia divina est propria ratio rerum omnium, quia in ipsa uniformiter praeexistit quidquid divisim in omnibus creaturis invenitur, ut Dionysius dicit." Die „distinctio virtualis" erfreut sich in der frühneuzeitlichen Scholastik vor allem in der Jesuitenschule großer Beliebtheit. Auch in anderen schwierigen Fragen der Gotteslehre außerhalb des Trinitätstraktats, in denen es um unsere Unterscheidung des in Gott real Ungeschiedenen geht, bringt man sie zum Einsatz, etwa in der Verhältnisbestimmung von Wissen und Willensdekreten; vgl. am Beispiel von Antonio Perez S.J. RAMELOW (1997) 306, mit Anm. 3 und 4. Einige SJ-Autoren lehnten den Begriff der „distinctio virtualis" jedoch auch ab, weil sie in der „virtus" irgendein aktives Unterschiedensein in Gott vor unserem Erkennen angedeutet sahen, also darin eine versteckte Formaldistinktion im scotischen Sinne vermuteten. Vgl. etwa D. Alarcón († 1634), Theologia scholastica, I, 5.2.7 (394a-b). Letztlich zielen viele der nach Suárez intensivierten Debatten um die „distinctio virtualis" auf die Frage ab, was in Gott reales Fundament der von uns vorgenommenen Unterscheidungen ist.

die wir dann aufgrund des Bezogenseins auch vom eigentlich ungeteilten Ausgangsgegenstand aussagen[139]. Diese beiden Stufen entsprechen, obwohl bei Suárez noch nicht explizit so benannt, der bei späteren Jesuitenautoren beliebten Unterscheidung zwischen einer „inneren" (d. h. die innere Sachkonstitution betreffende) Virtualdistinktion, wie sie nur in Gott vorfindlich ist, und einer „äußeren" Virtualdistinktion, wie sie auch im Geschöpflichen ausgemacht werden kann[140]. In beiden Fällen arbeiten wir offensichtlich mit Begriffen, die ein Seiendes in einer ihm nicht vollständig entsprechenden Weise erfassen, also seine real unteilbare Wesenheit bzw. Gehaltlichkeit („ratio objectiva") nicht erschöpfend beschreiben, sondern nur perspektivisch und aspekthaft[141]. Wir bedienen uns solcher Begriffe, die ihrem objektiven Gehalt nach verschieden sind, wissen aber, daß die durch sie beschriebene Sache in Wahrheit nur eine einzige Entität ist, in welcher das durch unsere Begriffe Ausgedrückte real zusammen-

[139] „Unde fundamentum, quod dicitur esse in re ad hanc distinctionem, non est vera et actualis distinctio inter eas res, quae sic distingui dicuntur; alias non fundamentum distinctionis, sed distinctio ipsa antecederet; sed esse debet vel eminentia ipsius rei, quam sic mens distinguit, quae a multis appellari solet virtualis distinctio, vel certe habitudo aliqua ad res alias vere et in re ipsa distinctas, penes quas talis distinctio excogitatur seu concipitur" (Suárez, DM 7.1.4 [XXV, 251a]).

[140] Vgl. etwa A. de Herrera († 1684), Tractatus de altissimo trinitatis mysterio, q. 2, s. 1, n. 2 (23): „Distinctio virtualis extrinseca" ist diejenige, „qua aliquid realiter indivisum distinctis conceptibus explicamus in ordine ad diversos terminos" – die Sonne erleuchtet wie das Licht und wärmt wie die Wärme. Dagegen ist die „distinctio virtualis intrinseca" zu bestimmen als „equivalentia [sc. unius rei] ad duplicem entitatem, quatenus duplex entitas involvit oppositionem praedicatorum". Herrera unterscheidet in der letztgenannten Form noch einmal (a) eine „distinctio pure omnino virtualis" („excludens distinctionem realem etiam in tertio": Intellekt und Wille in Gott) und (b) eine „distinctio non pure omnino virtualis" („quae dicit realem distinctionem in tertio": Wesenheit und Proprietäten). Um all diese Unterscheidungsvorschläge entwickelten sich lebhafte Kontroversen mit Zeitgenossen. J. de Ulloa, Theologia scholastica, t. 1, disp. 2, c. 3, n. 23f. (51a-52b), illustriert das „Als-Ob" der Virtualdistinktion durch das Beispiel eines Vizekönigs, der real nicht König ist, sich aber in manchen Punkten so verhält, als wäre er einer; oder von elf Silberunzen, die sich bei einem Einkauf so einsetzen lassen wie eine Goldunze. Es geht stets darum, die Verifikation von „praedicata contradictoria" bei realer Nicht-Unterschiedenheit des Prädikationssubjekts verstehbar zu machen.

[141] Vgl. Suárez, DM 7.1.5 (XXV, 251b): „At vero posterior distinctio rationis fit per conceptus inadaequatos ejusdem rei; nam, licet per utrumque eadem res concipiatur, per neutrum tamen exacte concipitur totum id, quod est in re, neque exhauritur tota quidditas, et ratio obiectiva ejus, quod saepe fit concipiendo rem illam per habitudinem ad res diversas, vel ad modum earum, et ideo talis distinctio semper habet fundamentum in re, formaliter autem dicetur fieri per conceptus inadaequatos ejusdem rei."

fällt[142]. Das Musterbeispiel für die Gott betreffende Weise der virtuellen Distinktion ist die Unterscheidung seiner Wesensattribute durch den menschlichen Verstand. Wenn wir etwa Gottes Gerechtigkeit und Barmherzigkeit als unterschiedene Prädikate nebeneinanderstellen, begreifen wir nicht in adäquater und totaler Weise die zuhöchst einfache Wesenheit Gottes, wie sie in sich selbst ist. Stattdessen erfassen wir die göttliche Wesenskraft entweder als gleichsam geteilte in Hinordnung auf verschiedene Wirkungen, die das Wesen als eine einzige „virtus eminens" ursächlich hervorbringt: Wir nennen es „barmherzig" und „gerecht", weil es als es selbst Ursache eines in dieser doppelten Weise zu beschreibenden Handelns ist. Oder wir explizieren die eine Wesenheit im Verhältnis zu verschiedenen Vorzügen, die wir im Menschen als getrennte vorfinden, die aber tatsächlich auf erhabene Weise in der zuhöchst einfachen Natur Gottes geeint sind. Nach Suárez trägt die „distinctio rationis" ihren Namen also nicht deswegen, weil sie zwischen zwei bloßen Gedankendingen vorgenommen wird, sondern weil unsere Vernunft Sachverhalte, die als solche in der sie fundierenden Wirklichkeit ungetrennt sind, nur nach Art unterschiedener Dinge begreifen kann. Rein „im Verstand" existieren folglich nicht notwendig die Gegenstände, um die es geht, sondern besteht die Unterscheidung, die gemacht wird[143]. Sie folgt im letzten aus der Unvollkommenheit unseres abstrahierenden und dabei zuweilen verworrenen und unangemessenen begrifflichen Erfassens, weshalb sie nach Suárez konsequenterweise dem göttlichen Verstand gänzlich abzusprechen ist[144]. „Gedankliche Unterscheidungen" nimmt Gott selbst nicht vor; wenn sie in seinem Intellekt zu finden sein sollen, dann nur als solche, die er als von den Geschöpfen vollzogene erkannt hat.

### bb) Über die Möglichkeit einer Formaldistinktion

Während die vorangehenden Ausführungen zum Allgemeingut der Scholastiker in der Zeit des Suárez gehören, besteht das entscheidende

[142] Als Kriterium für das Vorliegen einer „distinctio rationis ratiocinatae" kann Suárez darum in DM 7.2.28 (XXV, 271b) formulieren: „Ex quo infero, quandocunque certo constet, aliqua duo, quae in re unita et conjuncta sunt, ita esse in conceptibus obiectivis distincta, ut in re et in individuo sint prorsus inseparabilia, tam mutuo quam non mutuo, et tam de potentia absoluta quam naturaliter, et tam quoad esse quam quoad realem unionem inter se, tunc magnum et fere certum argumentum esse, illa non distingui actu in re, sed ratione ratiocinata."

[143] Vgl. DM 7.1.6 (251b-252a). Damit bestreitet Suárez aber nicht, daß es gedankliche Unterscheidungen *auch* zwischen „res rationis" geben kann.

[144] Vgl. ebd. 8 (252a-b). Für weitere Reflexionen und Belege zu diesem Problem vgl. (mit der suárezischen Antwortrichtung) Ruiz, De trin. 12.6 (118b-120a).

Problem der vorliegenden Thematik in der Frage, ob es außer den beiden genannten Formen der Unterscheidung (der realen und gedanklichen) eine weitere Weise geben könnte. Zu ihrer Klärung reicht nach Suárez nicht die einfache Feststellung aus, daß jede Unterscheidung, die keine gedankliche ist, darum real sein muß. Denn damit bliebe das Problem ungelöst, ob jede Unterscheidung, die in den Dingen unserem Erkennen vorausgeht (also real ist), von derselben Art sein muß. Wie im folgenden rasch deutlich werden wird, kommt hier die Auseinandersetzung mit einer berühmten Grundlehre der Scotisten in den Blick, die zumeist unter dem Titel der „Formaldistinktion" erscheint. Suárez ist sichtlich bemüht, deren Anliegen korrekt wiederzugeben und nicht durch eine unscharfe Problemformulierung, wie er sie bei vielen Autoren sowohl aus der Nominalisten- wie der Thomistenschule gegeben sieht[145], von vornherein zu banalisieren. Es geht nicht etwa darum, ob beim Vergleich positiv-realer Dinge etwas Mittleres zwischen gedanklicher und realer Distinktion angesetzt werden könnte – eine solche Annahme wäre leicht abzuweisen. Stattdessen muß geklärt werden, ob es im Rahmen derjenigen Unterscheidung, die vor unserem Verstehen in den Dingen selbst anzusetzen ist, also im Bereich der realen Distinktion, neben einer „größeren" (der „Realdistinktion" im engeren Sinne: „inter rem et rem") auch eine „kleinere" reale Unterscheidung zu geben vermag. Da ihr in der Diskussion oft unterschiedliche Namen zugeteilt werden, entsteht leicht Anlaß zur Verwirrung durch Äquivokationen[146], so daß die Erörterung ihrer Möglichkeit auf begriffliche Präzision angewiesen ist. Es bedarf keines Nachweises, daß mit diesem philosophischen Diskurs bereits eine wichtige Vorentscheidung für das trinitätstheologische Problem der Verhältnisbestimmung von Wesen und Personen zu erwarten ist.

(1) Die Gegner einer solchen zuweilen „distinctio media" genannten kleineren Realdistinktion läßt Suárez zuerst zu Wort kommen. Sie stützen sich seiner Darstellung nach vor allem auf vier Argumente.

(a) Das erste verweist auf eine notwendige Parallelität zwischen den Gattungen der Unterscheidung und den Gattungen des Seins. Da es nur reales oder gedankliches Seiendes gibt, gibt es folglich auch nur die beiden entsprechenden Weisen der Unterscheidung[147].

(b) Ein zweites Argument geht von der aristotelischen Prämisse aus, daß mit Hilfe des Begriffspaares „idem et diversum" eine vollständige Disjunktion des Seienden vorgenommen werden kann. Wie es also vor jeder Verstandestätigkeit im Bereich des realen Seienden nur „Identi-

[145] Vgl. zu solchen Versuchen auch GRAJEWSKI (1944) 6-12.

[146] Vgl. Suárez, DM 7.1.9 (XXV, 252b-253a).

[147] Vgl. ebd. 10 (253a).

sches" oder „Verschiedenes" gibt, so kann auch zwischen zwei konkreten Seienden auf der realen Ebene nur entweder Identität oder Verschiedenheit herrschen.

(c) Drittens kann auf die Tatsache verwiesen werden, daß das Seiende als Seiendes, seinem allgemeinen Begriff nach, notwendig vervielfacht wird, wann immer es unter einer bestimmteren Hinsicht (etwa der Qualität oder Relation) vervielfacht wird. Wann immer darum zwei Seiende in irgendeiner Weise (auch in bloß „modaler") verschieden sind, entsteht zwischen ihnen ein realer Unterschied bzw. wird die reale Identität und numerische Einheit zwischen beiden unmöglich. Denn in allen speziellen Differenzen ist auch eine Differenz in der Seiendheit gesetzt, da „ens" als transzendentales Prädikat in allen bestimmteren Hinsichten eingeschlossen ist. Jede durch begriffliche Unterscheidung erfaßbare „Vielheit" in den Dingen ist darnach auch eine reale Vielheit des Seienden[148].

(d) Ein realer Unterschied zwischen Dingen, so wird viertens angeführt, liegt in der Verschiedenheit der realen Wesenheiten begründet, welche das jeweilige Seiende konstituieren. Die Entität eines Dinges ist ja, wie Suárez in scotischer Tradition lehrt, nichts anderes „als die reale Wesenheit, sofern sie außerhalb ihrer Ursachen gesetzt ist"[149]. Weil somit ein Seiendes *in concreto* durch nichts anderes konstituiert wird als durch dasjenige, das die Wesenheit *in abstracto* ausdrückt (nämlich die mit der Angabe der spezifischen Differenz endgültig abgeschlossene gehaltliche Bestimmtheit), kann ein und dasselbe Seiende nur eine einzige Wesenheit besitzen. Wo immer eine reale Wesenheit gegeben ist, ist darum auch ein reales Seiendes gegeben, und wo immer sich Wesenheiten unterscheiden, unterscheiden sich auch die durch sie konstituierten Seienden.

(2) Neben dieser ablehnenden Position steht die These derer, die eine wirkliche Distinktion unabhängig von der menschlichen Verstandestätigkeit anerkennen, die dennoch nicht auf der Ebene kompletter Dingunterscheidung („rei a re") anzusiedeln ist.

(a) Selbstverständlich nennt Suárez als berühmtesten Vertreter Johannes Duns Scotus, der in verschiedenen theologischen und philosophischen Kontexten auf eine Unterscheidung zurückgreift, die „distinctio

[148] Vgl. ebd. 11 (253b): „ergo, si aliqua multiplicantur in re secundum determinatas rationes entis, necesse est in illis etiam multiplicari in re ipsam rationem entis. Quia, cum illa duo, quatenus a parte rei distinguuntur, includant oppositos, seu repugnantes modos, aut differentias quibus inter se distinguuntur, non possunt habere in re veram et realem identitatem, nec numericam unitatem in ratione entis, quia non potest idem numero ens oppositis differentiis simul affici ac determinari."

[149] Vgl. ebd. 12 (253b): „quia entitas rei nihil aliud est quam realis essentia extra causas posita".

formalis", manchmal aber auch „distinctio virtualis" heißt[150]. Nach Ansicht des Jesuiten bleiben die Ausführungen des Doctor Subtilis, der sich dem Thema nirgends in einer geschlossenen Systematik gewidmet hat, vielfach so unscharf, daß selbst unter seinen Schülern keine Einigkeit darüber erzielt worden ist, ob ihr Meister tatsächlich etwas von der oben beschriebenen „distinctio rationis ratiocinatae" Verschiedenes behaupten wollte[151]. Für Suárez ist freilich nicht dieses historische Problem, sondern

[150] Über dieses Herzstück der scotischen Philosophie und Theologie gibt es zahllose Literatur. Nur als kleine Auswahl seien genannt: MINGES (1908); ROTH (1936) 463-468; GRAJEWSKI (1944), hier auch Hinweise zum theologischen Gebrauch (179-197) und speziell zum trinitätstheologischen (192-197); WÖLFEL (1965) 1-31; WOLTER (1990) 27-41 (ebd. 33 auch zur variablen Terminologie); SCHMIDT (2003) 143-192 (mit Berücksichtigung der Kritik Ockhams). Wolter schlägt folgenden Vergleich vor: „Perhaps a better analogy than ‚ontological bricks' would be that of a stage upon which different spotlights are playing, where each illuminated area represents what we grasp in one of our concepts. It is not necessary that the spotlights remained fixed; they may move about, and the areas illumined may even intersect in part. Scotus' point, I believe, would be this. Even before you switch the spotlights on, or, what is more, if you never turned them on or even had any lights, it would still be meaningful not only to speak of what they would reveal if you had them to turn on, but there would also be grounds for denying that one part of the stage is simply identical with the other as regards what a light will reveal. For each possibly separate area of illumination would still be just what it is and would contain what is proper to itself" (a.a.O. 34). WÖLFEL (1965) 40 zieht den – wohl noch passenderen – Vergleich zu einem das einförmig anmutende Farbspektrum zerlegenden Prisma heran. Zur trinitätstheologischen Relevanz vgl. auch WETTER (1967) 58-71; BOLLIGER (2003) 218-238; IRIBARREN (2005) 70-87; RIEGER (2005) 467-473.

[151] Die Schuld an solcher Verwirrung den Scotisten und ihrer Sprache zu geben, hat zur Zeit des Suárez bereits eine längere Tradition; vgl. die prägnante Feststellung bei HOENEN (2003a) 338: „Die Skotisten galten als die Phantasten der Philosophie, die sich mit ihrem unverständlichen Gerede unbeliebt machten und mit ihrer angeblichen Anwendung eines modus loquendi Platonicorum eine Lehre vertraten, die bereits von Aristoteles als Selbsttäuschung abgewiesen worden war." In der vorliegenden Frage weist Suárez freilich auf ein echtes sachliches Problem hin. Auch andere Autoren der modernen Scholastik sind sich nicht klar darüber, ob Scotus tatsächlich mit seinen Äußerungen von Thomas abweichen wollte. So schreibt beispielsweise Toledus, In I$^{am}$ q. 28, a. 2 (Ed. Paria I, 336b): „nec puto, quod [sc. Scotus] in re differt multum a S. Thomas, sed in modo loquendi." Die meisten Scotisten sahen dies freilich anders und haben die Annahme einer „distinctio rationis ratiocinatae" im Licht ihrer Formaldistinktion für überflüssig erachtet. Gedankliche Unterscheidungen werden von ihnen, wenn überhaupt, nur in der strikteren Form der „distinctio rationis ratiocinantis" anerkannt; vgl. KNEBEL (2002a) 150ff. Freilich herrscht selbst bei prominenten Scotus-Forschern des 20. Jahrhunderts nicht immer vollständige Klarheit, wie O'BRIEN (1964) 66f. im Blick auf Aussagen Allan B. Wolters feststellt. Daß manche Verwirrung, wie sie sich etwa aus dem Vergleich verschiedener unter

vielmehr die mit ihm verbundene Sachfrage von Interesse, zumal kein Zweifel daran bestehen kann, daß sich zahlreiche Autoren seit Scotus – beispielhaft genannt wird Durandus[152] – in diversen Kontexten, nicht zuletzt in der Trinitätslehre, einer solchen Distinktion bedienen, die „ex natura rei", aber nicht im engeren Sinne real sein soll. Wenigstens für die Anerkennung einer „ontischen Schichtung"[153] von Wesen und Relationen in Gott haben sie sogar Nominalisten im Gefolge Ockhams gelehrt[154], die in anderen Zusammenhängen eher als Kritiker der scotischen Formaldistinktion aufgetreten sind. Allerdings finden sich bei Suárez exaktere Angaben zur Rezeptionsgeschichte der scotischen Unterscheidungslehre nicht. Daß sie nicht nur im Scotismus und Nominalismus, sondern, vor allem in der Frühzeit, auch unter thomistisch orientierten Theologen Einfluß gewinnen konnte, bleibt ebenso wie ihr Einfluß in den späteren Schulen außerhalb des Scotismus unreflektiert[155].

(b) Seine Prüfung der These beginnt Suárez mit der Frage nach ihrer Begründbarkeit im Werk des Aristoteles[156]. Die Antwort fällt nach Durchsicht mehrerer Texte, die häufig zum Beleg angeführt werden, negativ aus. Der Stagirit kann nach Suárez ebensowenig wie Thomas von Aquin oder ein anderer der „auctores antiqui" als sicherer Gewährsmann der Formaldistinktion dienen, da sich ihre Aussagen allein in der nicht weiter differenzierten Zweigleisigkeit „Real- oder Verstandesdistinktion" bewegen. Die Einsichten heutiger Forschung, wonach die scotische Lösung

dem Namen des Scotus überlieferter Werke ergibt (vgl. etwa die These von zwei Versionen der scotischen Formaldistinktion bei ADAMS [1982] 414-417), auf die vielleicht nie gänzlich zu entwirrende Redaktionsgeschichte dieser Texte zurückzuführen ist, ist erst in der neuesten Scotus-Forschung langsam ins Bewußtsein getreten.

[152] Vgl. die in den folgenden Abschnitten zitierten Passagen zu seinem Modell der „Modaldistinktion".

[153] So der Ausdruck bei WÖLFEL (1965) 20.

[154] Vgl. etwa Ockham, Ord. I, d. 2, q. 1 (OTh II, 19f.); Summa logicae II, c. 2 (OPh I, 254); Gabriel Biel, 1 Sent. d. 2, q, 1, a. 1 not. 3-4 (Ed. Werbeck / Hofmann I, 129-134); a. 3, dub. 3 (ebd. 139-145); Marsilius, 1 Sent. q. 6, a. 2, concl. 4 (Ed. Santos Noya I, 241). Interpretierend zu Ockham: GELBER (1974) 172-185; LEFF (1975) 400-436; JORDAN (1985), bes. 102-110, der die Formaldistinktion bei Ockham als bloße Unterstreichung des Geheimnisses ansieht, welcher der (bei Scotus beanspruchte) Erklärungscharakter abgehe; ADAMS (1987) 1002f.; COURTENAY (1987) 278; SCHÖNBERGER (1990) 106ff.; KNUUTTILA (1993a) 152; RIEGER (2005) 473-476.

[155] Vgl. etwa die Aussagen der neueren Forschung zu scotischen Elementen bei Hervaeus Natalis: IRIBARREN (2002) 619ff.; IRIBARREN (2005) 97f. u. ö.

[156] Vgl. Suárez, DM 7.1.14 (XXV, 254b).

Wurzeln in der älteren Franziskanerschule seit Richard Rufus besaß[157], standen im 17. Jahrhundert noch nicht zur Verfügung.

So richtet sich der Fokus ganz auf die von den Scotisten selbst vorgelegten Vernunftbeweise[158]. Ihr erster lautet: Was außerhalb der Wesensdefinition eines Dinges liegt, ist in gewisser Weise der Wirklichkeit nach von ihm verschieden. Nun gibt es aber vieles, das nicht zur Definition im eigentlichen Sinne gehört, aber zugleich nicht ein von dem definierten Gegenstand verschiedenes Ding darstellt. Also muß es eine Unterscheidung in der Wirklichkeit geben, die geringer ist als die reale Distinktion „einer Sache von einer anderen".

Zu diesem Argument tritt zweitens der Verweis auf die Realität derjenigen Unterscheidung, die durch die Verschiedenheit der Definitionen bzw. „objektiven Begriffe" gegeben ist. Die definitorisch unterscheidbaren Realitäten brauchen jedoch nicht notwendig auf der ontischen Ebene der „res" angesiedelt zu sein; also ist auch hier eine „kleinere" Unterscheidung gefordert.

Weitere Argumente für die Formaldistinktion bei Scotus, wie etwa den Verweis auf die ursprüngliche Unterschiedenheit von Wesen und Relationen im Erkennen von Gott-Vater[159], läßt Suárez an dieser Stelle außer Betracht.

(c) Die genannten, von ihm insgesamt erstaunlich knapp präsentierten Begründungsversuche lehnt unser Jesuit rundweg ab, weil er sie entweder für zirkulär hält oder letztlich in die Annahme einer bloßen „distinctio rationis ratiocinatae" münden sieht.

(aa) Hinter diesem Urteil, wie es in seinem ersten Teil zunächst das frühere der beiden genannten scotistischen Argumente betrifft, steht vor allem Suárez' Verständnis der Definition, das seinerseits auf die Indivi-

[157] Vgl. dazu JANSEN (1929), der den Trend zu einer Formaldistinktion als „einheitlichen Familienzug" der älteren Franziskanerschule vor Scotus bezeichnet (534). SCHMAUS (1930b) 454 hebt wie JANSEN (1929) 332-343 hervor, daß Bonaventura unter die unmittelbaren Vorläufer der scotischen Formaldistinktion zu zählen ist. Gleiches gilt für Wilhelm von Ware (SCHMAUS [1930a] 325) und andere Franziskaner (ergänzend: GRAJEWSKI [1944] 102-124; WÖLFEL [1965] 19, Anm. 61; KRAML [1995] 311-316). Schmaus hatte zuvor sogar die Lehre Augustins in diesem Sinne interpretiert (SCHMAUS [1927] 141, m. Anm. 1). Anderer Meinung ist in der Bewertung dieser ganzen Vorgeschichte BORAK (1965) 158.

[158] Vgl. Suárez, DM 7.1.15 (XXV, 255a).

[159] Vgl. Scotus, Ord. I, d. 2, p. 2, q. 4, a. 7, n. 406 (Ed. Vat. II, 357f.): „Breviter ergo dico quod in essentia divina ante actum intellectus est entitas a et entitas b, et haec formaliter non est illa, ita quod intellectus paternus considerans a et considerans b habet ex natura rei unde ista compositio sit vera ‚a non est formaliter b', ‚non autem praecise ex aliquo actu intellectus circa a et b'".

duations- und Erkenntnislehre des Jesuiten zurückweist. Die Formaldistinktion muß davon ausgehen, daß alle „formal" erfaßbaren Gehalte als solche „real" sind. Der „Aspekt des Gedacht-werden-Könnens ist im Wirklichsein enthalten und zugleich von ihm formal different".[160] Die Zurückführung komplexer auf einfachere Begriffe führt zur Erfassung von einfacheren *Sach*gehalten des begrifflich erfaßten Gegenstandes, ist also eine Einsicht von ontologischer Relevanz. Die neuere Scotus-Forschung hat zurecht auf die Prämisse eines „noetisch-noematischen Parallelismus der einfachen, insbesondere der schlechthin einfachen Begriffe"[161] hingewiesen, „den man die erkenntnistheoretische Hintergrundsthese der scotischen Philosophie nennen könnte"[162] und der auch für die Formaldistinktion entscheidende Voraussetzung ist. „Duns Scotus neigt aufgrund seines Erkenntnisrealismus dazu, jegliches distinkt Erfaßbare auch auf einer ontologischen Ebene als distinkt aufzufassen"[163]. Wenn das Verstehen eine bestimmte „ratio", den eidetischen Gehalt eines Dinges[164] unter einer bestimmten intentionalen Hinsicht erfaßt, muß es darin durch den Gegenstand selbst geleitet sein, wenn es diesem auch in seiner vollständigen faktischen Existenz, die sich nicht adäquat begrifflich repräsentieren, sondern nur intuitiv erfassen läßt, nicht gerecht zu werden vermag[165].

Diese Annahme eines Isomorphismus[166] zwischen unserer begrifflich-abstraktiven Dingrepräsentation und dem Repräsentierten selbst stellt Suárez ausdrücklich in Frage[167]. Seiner Meinung nach erfassen unsere Definitionen nämlich keineswegs die Dinge immer so, wie sie in Wirklichkeit sind. Mit dem Allgemeinbegriff „Mensch", den wir in der Wesensdefinition explizieren, begreifen wir keineswegs alles „Wesentliche" jenes

160 SCHMIDT (2003) 192.

161 HONNEFELDER (1979) 174.

162 HONNEFELDER (1995) 85.

163 HOFFMANN (2002) 101.

164 Diese Terminologie wird von Scotus-Interpreten nicht zufällig gerne gewählt. Bereits JANSEN (1929) 537 wird durch das Vorfinden der unterschiedlichen Gehalte im einen Objekt durch die „cognitio intuitiva" bei Scotus „an das schlichte Schauen der heutigen Phänomenologie" erinnert. Allerdings hat SCHÖNBERGER (1990) 103 nicht zu Unrecht auf eine gewisse Verlegenheit der Scotus-Forschung in der Benennung derjenigen Wirklichkeiten hingewiesen, die durch die Formaldistinktion als nicht-identisch klassifiziert werden sollen; die terminologischen Vorschläge sind vielfältig: „Schichten" (Wölfel), „formal verschiedene Konstitutionsgründe" (Nink), „entités" (Gilson), „property-bearers" (McCord Adams), „eidetische Mannigfaltigkeit" (Honnefelder).

165 Vgl. HOFFMANN (2002) 190-193.

166 Der Ausdruck findet sich bei WOLTER (1990) 30.

167 Vgl. zum folgenden Suárez, DM 7.1.15 (XXV, 255a); interpretierend: HOERES (1961); HONNEFELDER (1990) 232ff.414ff.

Individuums, als welches „ein Mensch" allein real existiert. Hier steht Suárez dem Konzeptualismus in der Tradition Ockhams nahe: Dem Allgemeinbegriff entspricht keine unmittelbare Realität in den individuell existierenden Dingen. Auf die entsprechenden ausführlicheren Explikationen dieser weitreichenden These von der Zugehörigkeit der individuellen Differenzen zur realen Wesenheit der Dinge (im Unterschied zu ihrer bloß in unserem Denken existenten gemeinsamen Wesenheit), wie sie in DM 5 erfolgen, haben wir bereits im Kapitel über den Personbegriff verwiesen[168]. Im vorliegenden Zusammenhang lautet die Konsequenz: Wenn unsere Definitionen, ja alle sie ermöglichenden Universalbegriffe gegenüber den durch sie bezeichneten „res" unter dem generellen Vorbehalt der begrifflichen Unangemessenheit stehen, der aus unserem unvollkommenen Verstehensmodus der individuell konstituierten Wirklichkeit folgt, läßt sich von ihnen her keine Unterscheidungstheorie entwickeln, die einen unmittelbaren Parallelismus im Verhältnis zur extramentalen Wirklichkeit impliziert. Die realen Dinge sind mehr als ihre von uns erfaßte Wesenheit, und was wir als „extra essentiam" stehend begreifen, ist dennoch real mit ihr identisch. Gerade die „ipsa rei entitas", das reale Ding in seiner schlechthinnigen Identität, können auch die Scotisten nicht adäquat auf der Ebene wesenhafter Begriffe erfassen. Unter korrekter Berücksichtigung des Unterschiedes zwischen gedachter und realer Wesenheit wäre stattdessen die Aussage zu treffen, daß sich die Formaldistinktion letztlich als das Verfahren unseres Denkens erweist, eine von uns nicht vollständig auf einen Begriff zu bringende Wirklichkeit so zu explizieren, „als ob" sie in sich durch unterschiedliche Formalbegriffe (wie „ens", „individuum", „species") unterscheidbar wäre – also im Sinne der gedanklichen Distinktion[169].

(bb) Für noch schwächer erachtet Suárez den zweiten zugunsten der Formaldistinktion angeführten Beleg. Den Obersatz, der jeden definitorischen Unterschied zu einem realen erklärt, hält der Jesuit in vielen Fällen für falsch. Den Grund dafür sieht er wiederum in der Tatsache, daß wir Gegenstände häufig durch nicht „sachgemäße" Begriffe bestimmen bzw.

[168] Vgl. oben Kap. 3, 1, a), (2).

[169] In diesem Sinne faßt KRAML (1995) 310 den Unterschied zwischen Thomas und Scotus im Blick auf die Rede über Gott prägnant so zusammen: „Für Thomas ist in Gott eigentlich nur eine Eigenschaft vorhanden, die wegen der beschränkten Kapazität der Geschöpfe nur aspekthaft verwirklicht und vom erkennenden Menschen oder geschöpflichen Geist überhaupt nur aspekthaft und damit unterschieden erfaßt werden kann. Für Scotus sind in Gott die verschiedenen Vollkommenheiten mit allen ihren definierenden Bestimmungen (formalitates) vorhanden und bilden eine reale Einheit, sind aber formal verschieden, in den Geschöpfen sind sie wegen deren beschränkter Kapazität real verschieden."

nur aspekthaft erfassen. Solche Unterscheidungen werden von außen, eben durch unseren Verstand, in unterschiedlicher Weise an den Gegenstand herangetragen bzw. von ihm her auf den Gegenstand übertragen („per denominationem extrinsecam“[170]) und sind darum stets „distinctiones rationis“.

### cc) Die Lehre von der Modaldistinktion

Mit dieser klaren Abweisung der Formaldistinktion im vollen scotischen Sinne ist Suárez jedoch keineswegs gänzlich auf die Seite derer getreten, die eine reale Distinktion unterhalb der eigentlich dinglichen bzw. entitativen Unterscheidung ablehnen. Die Alternative, die Suárez der scotischen These gegenübergestellt, ist die „distinctio modalis“, die „zwischen einem Seienden und seinem Modus“ („inter rem aliquam et modum eius“[171]) statthaben soll. Sie von den beiden anderen Distinktionsarten zu unterscheiden, macht nach Suárez die eigentliche Schwierig-

[170] Vgl. Suárez, DM 7.1.21 (XXV, 258a). „A denomination is called «intrinsic», when the predicate refers to an accidental form inherent in the subject, and «extrinsic», when it is otherwise. (...) This distinction is standard from the early 14th century“: KNEBEL (1998b) 319 (der Artikel informiert insgesamt über die Geschichte dieses scholastischen Begriffs und seines bald nach 1300 konstituierten terminologischen Umfelds); „naming things from outside themselves“: DOYLE (1984) 122; „a designation of something, not from anything inherent itself, but from some disposition, coordination, or relationship which it has toward or with something else“: ebd. 122f.; KOBUSCH (1987) 174-178; Kobusch sieht in dem nominalistischen Gedanken der „denominatio extrinseca“ die Wurzel des modernen, eine eigene ontologische Bestimmtheit und Würde des Gedachten ablehnenden Verständnisses von „Objektivität”, und zwar „vermittelt durch den Vater der neuzeitlichen Metaphysik, Suarez, gegen den Protest des letzten Scholastikers, Descartes'“ (180); RANGEL RIOS (1991) 56-78 (Grundkritik ebd. 65: „Meiner Meinung nach besteht die Schwierigkeit der denominatio extrinseca/connotatio-Lehre von Suárez darin, daß, statt die rein semantische bzw. denotativ-konnotative Dimension seines Denkens zu explizieren, er sie eher verschüttet, indem er es unternimmt, extrinsische Bezeichnungen auf ihre realen Fundamente ontologisch zu reduzieren“); GRACIA (1992) 128-131.

[171] „Nihilominus censeo, simpliciter verum esse dari in rebus creatis aliquam distinctionem actualem, et ex natura rei, ante operationem intellectus, quae non sit tanta, quanta est inter duas res, seu entitates omnino distinctas, quae distinctio, quamvis generali vocabulo possit vocari realis, quia vere est a parte rei, et non est per denominationem extrinsecam ab intellectu, tamen ad distinguendum illam ab alia majori distinctione reali, possumus illam appellare vel distinctionem ex natura rei, applicando illi tanquam imperfectiori generale nomen (quod usitatum est), vel proprius vocari potest distinctio modalis; quia, ut explicabo, versatur semper inter rem aliquam, et modum ejus“: Suárez, DM 7.1.16 (XXV, 255a-b).

keit aus, die mit ihrer Behauptung verbunden ist[172]. Während der Jesuit für sie neben der Bezeichnung als „distinctio media" auch die Formel der „distinctio ex natura rei" als eine Art Oberbegriff anerkennt, der gleichzeitig die reale Distinktion im engeren Sinne bezeichnen kann, möchte er den Ausdruck „distinctio formalis" wegen zu großer Äquivokationsgefahr vermeiden. „Formal" sind nämlich auch viele strikt realdistinkte Dinge verschieden, wie Suárez an der Verschiedenheit der göttlichen Personen voneinander exemplifiziert, denen ihre jeweilige relationale Proprietät als unverwechselbare „ratio obiectiva", wenn auch nicht als „Wesenheit", zukommt. Wir kennen diese Unterscheidung bereits aus dem Kapitel über die Vervielfachung der transzendentalen Prädikate in der Trinität.

Die Modi nun fügen in den geschaffenen Dingen den substantialen oder „wurzelhaften" Entitäten positive Bestimmungen, ontische Letztdeterminierungen außerhalb der individuellen Wesenheit hinzu[173]. Am Beispiel der „subsistentia creata" hat uns ihre Funktion bereits beschäftigt. Es handelt sich bei ihnen nicht um eigenständige Entitäten im strengen Sinne, sondern um modifizierende Letztbestimmungen von bereits wesenhaft konstituierten Seienden[174], häufig auch deren gegenseitiges Verhältnis betreffend[175]. Ob sie als substantiell oder akzidentell anzusehen sind, hängt davon ab, ob sie etwas zur substantiellen oder nur akzidentellen Konstitution des durch sie modifizierten Seienden beitragen[176]. Während eine schlechthin reale Entität nur durch eine einzige wesenhafte Bestimmung („ratio essentialis") konstituiert sein kann, die unverlierbar ist, kommen ihr möglicherweise mehrere verschiedene „rationes modales" zu, die, da sie außerwesentlich sind, auch Veränderung erfahren

[172] Vgl. DM 7.2.1 (261b): „Tota difficultas consistit in discernenda distinctione modali a caeteris".

[173] Vgl. zum folgenden ausführlicher: ALCORTA (1949); JOLIVET (1949), zum speziellen Modus des „vinculum substantiale"; HELLIN (1950a), mit der Definition 216f.: „Los modos en sentido estricto son ciertas determinaciones actuales, formales y últimas de la potencialidad de ser para darle algún oficio o denominación o función; sin estas determinaciones, por lo menos tomadas individualmente, puede estar el sujeto; pero las determinaciones dichas no pueden estar sin el sujeto ni siquiera por la omnipotencia divina"; RUBIANES (1952) 34-39; SCHLÜTER (1984) 67; MENN (1997) 242-250; HURTADO (1999).

[174] Vgl. Suárez, DM 7.1.17 (XXV, 256a), wo als Beispiel für einen solchen Modus die Inhärenz der (als solcher wesenhaft bestimmbaren) Quantität in der Substanz präsentiert wird: „quia est aliquid illam afficiens, et quasi ultimo determinans statum, et rationem existendi ejus, non tamen addit illi propriam entitatem novam, sed solum modificat praeexistentem".

[175] Vgl. HOERES (1962a) 184f.

[176] Vgl. Suárez, DM 32.1.14 (XXVI, 316a-b).

können[177]. Der Modus ist an die Form, die er unmittelbar ohne weitere vermittelnde Instanz affiziert, notwendig gebunden und kann selbst kein eigenes Seiendes konstituieren[178], ja nicht einmal durch die absolute Macht Gottes in eine ontische Eigenständigkeit (im Sinne des Für-sich-Seins) gesetzt werden. Trotz dieser Realidentität ist er in „modaler" Weise von der Sache, die er bestimmt, unterscheidbar und begrifflich trennbar. Der Modus muß gegenüber dem zu modifizierenden Gegenstand einen eigenen „conceptus obiectivus" (also einen distinkten, dem Intellekt zugänglichen Sachgehalt[179]) und damit eine unterschiedliche „ratio formalis" besitzen[180]. Sofern ein Modus substantial ist, spricht ihm Suárez sogar eigene Individualität und ein (in modaler Verschiedenheit) eigenes „esse existentiae" zu[181]. Mit dem Modus sind ebenfalls alle ihm zukommenden transzendentalen Bestimmungen von denen der modifizierten Sache zu unterscheiden[182]. Die trinitätstheologische Relevanz dieser Aussagen haben wir im Blick auf die quasi-modal konzipierten Relationen in Gott bereits kennengelernt.

Während also generell reale Trennbarkeit zweier formaler Bestimmungen („conceptus obiectivi") in der Wirklichkeit darauf hindeutet, daß der Unterschied zwischen beiden größer als ein nur gedanklicher sein muß[183], ist Zeichen für die modale Unterscheidung im speziellen als die

[177] Vgl. DM 7.2.30 (XXV, 261a).

[178] Vgl. DM 7.1.18 (XXV, 256b): „Igitur dantur in entitatibus creatis modi aliqui afficientes ipsas, quorum ratio in hoc videtur consistere, quod ipsi per se non sufficiunt constituere ens seu entitatem in rerum natura, sed intrinsece postulant ut actu afficiant entitatem aliquam, sine qua esse nullo modo possint".

[179] Ich schließe mich hier der Definition an, wie sie ELORDUY (1948a) 337 als Ergebnis seiner Suárez-Analyse (bes. ebd. 348-360) formuliert: „...el concepto objetivo es la cosa en cuanto se halla objetivamente en el entendimiento y es conocida o cognoscible por actos intelectuales reflejos, formal o implicitamente."

[180] Vgl. Suárez, DM 7.2.1 (XXV, 261b): „...ut aliqua a nobis distinguantur plusquam ratione ratiocinantis (...) ut minimum, seu imprimis necessarium esse [supponitur] ut habeant distinctos conceptus obiectivos, et secundum eos rationes formales aliquo modo distinctas...".

[181] Vgl. DM 5.6.14 (XXV, 185a-b); DM 7.2.13-14 (266a-b); DM 31.11.30 (XXVI, 281a).

[182] Vgl. DM 7.2.29 (XXV, 260b): „nam eo modo quo distinguuntur ens et modus a parte rei, distinguuntur omnia praedicata superiora, etiam transcendentalia inclusa in modo, ab his quae includuntur in re, cujus est modus."

[183] Vgl. DM 7.2.2 (261b): „Dico primo: quandocunque duo conceptus obiectivi ita se habent, ut a parte rei, et in individuo separari possint, vel ita ut unum sine alio in rerum natura maneat, vel ita ut realiter disjungatur, et realem unionem, quam habebant, amittant, signum est inter illa esse majorem distinctionem quam rationis ratiocinatae; atque adeo actualem aliquam ex natura rei, seu quae a parte rei sit." Daß allerdings umgekehrt nicht alle real verschiedenen Dinge auch trennbar sein müssen, exemplifiziert Suárez in DM 7.2.25-27 (270b-271a) an den drei Fällen der untrenn-

schwächere Form der „distinctio realis" eine bloß einseitige Trennbarkeit: Die „res" kann ohne ihren „modus" bestehen, aber nicht umgekehrt. Wo dagegen nach einer Trennung beide Teile für sich erhalten bleiben können, sind sie im strengeren, umfassenden Sinne real und nicht bloß modal voneinander zu unterscheiden. Ein von der Verhältnisbestimmung zwischen Modus und Ding verschiedenes, gleichwohl aber aus ihr abzuleitendes Problem stellt die Frage dar, wie sich ein Modus von einem anderen Modus innerhalb oder außerhalb ein und desselben Dinges unterscheidet[184]; sie kann hier ausgeklammert bleiben.

Mit der (im eigentlichen Sinne) realen, der gedanklichen und der modalen Distinktion sind nach Suárez alle möglichen Weisen der Unterscheidung des Seienden erschöpfend benannt. Der Jesuit gibt in DM 7 wie auch sonst in seinem Werk keine material vollständige Aufzählung aller möglichen Modi, beruft sich allerdings in den unterschiedlichsten Kontexten der Philosophie und Theologie auf die hier grundgelegte Theorie. In dieser Verwendung ontischer Modi herrscht eine prinzipielle Nähe zwischen Suárez und Vázquez[185], während ihre Rezeption in der späteren Jesuitenschule kontrovers geblieben ist[186].

baren Bindung der Geschöpfe an Gott, der Unmöglichkeit einer Trennung der Relation von ihrem Terminus und der notwendigen Verbundenheit der real verschiedenen göttlichen Personen untereinander.

[184] Verschiedene Modi desselben Dinges sind nach Suárez auch voneinander nur modal unterschieden, weil sie durch ihre Quasi-Identität mit der modifizierten Sache eine gewisse Identität untereinander haben: „Et confirmatur, quia unusquisque illorum habet aliquam identitatem cum illa re, quam afficit; ergo in illa et per illam habent aliquam identitatem inter se; ergo retinent solum distinctionem modalem" (ebd. 26 [260a]). Damit wird nochmals klar, weshalb die Personen in Gott anders als die Subsistenzen endlicher Supposita nicht als Modi im eigentlichen Sinne gefaßt werden dürfen: Sie haben auf der einen Seite nicht bloß eine gewisse, sondern totale Identität mit dem Wesen, weil sie nicht als Hinzufügung zu diesem zu denken sind; andererseits aber bringt diese größere Identität mit dem Wesen nicht eine Modalisierung des Unterschiedes zwischen den Personen mit sich, sondern vielmehr deren *reale* Unterscheidung.

[185] Als punktueller Beleg sei nur angeführt Vázquez, In III^am^ 31.6.31 (I, 240b), wo es bezüglich der Bestimmung endlicher Subsistenz heißt: „complementum additum naturae, quo ipsa constituitur et contrahitur ratione suppositi, esse modum quendam realem ipsius existentiae, quem communiter vocamus modum per se existendi". Unterschiede zu Suárez in Detailfragen der Modus-Lehre brauchen in unserem Kontext nicht benannt zu werden.

[186] Einige Aspekte der Debatte präsentiert BACIERO (1968) 31ff.

## *Exkurs*: Historische Wurzeln der suárezischen Modus-Lehre

Die Lehre von den Modi wird in der Forschung gerne als charakteristische und eigenständige Leistung der nachtridentinischen Scholastik, namentlich der suárezischen Ontologie, benannt[187]. Aus der Sicht einer historischen Rekonstruktion ihrer Hintergründe, die für den (ontologischen[188]) Modus-Begriff in seiner scholastischen Verwendung erst ansatzweise unternommen wurde, stellt sich die Sachlage weit komplexer dar. Stephen Menn hat gewiß Recht mit seinem Urteil, daß ein „Erfinder" der Modus-Lehre nicht ausgemacht werden kann[189]. Aufweisbar sind jedoch Entwicklungslinien, die einer Lehre wie der suárezischen zugrundeliegen und die der Jesuit selbst immer wieder erwähnt hat.

Der besseren Übersichtlichkeit wegen möchte ich in diesem Exkurs Hinweise auf eine allgemeine ontologische Nutzbarmachung des Modus-Begriffs (1)[190], vor allem in der Lehre über die Konstitution endlicher Suppositalität[191], von Bemerkungen zur Tradition seines trinitätstheologischen Gebrauchs (2) unterscheiden, wiewohl außer Frage steht, daß sich beide Ideenlinien in der Verwendung von „Modus" als „einer der vieldeutigsten Signifikanten in dem an Vieldeutigkeit wahrlich nicht armen metaphysischen Vokabular"[192] seit der Hochscholastik vor allem im Verständnis von Personalität berührt haben[193].

(1) Seit Ende des 13. Jahrhunderts gewinnt der Begriff des „modus (essendi)" innerhalb der scholastischen Metaphysik spürbar an Bedeutung. Heinrich von Gent in seiner Relationenlehre, Scotus bei der umfassende-

[187] Vgl. ALCORTA (1949) 36; NOREÑA (1985) 163; MENN (1997) 226. Nach DESCOQS (1924) 147 ist die Moduslehre im suárezischen Denken „une pièce essentielle".

[188] Über die logischen Verwendungsformen des Modus-Begriffs, wie sie in der Scholastik ebenfalls häufig sind, braucht hier nicht gehandelt zu werden.

[189] Vgl. MENN (1997) 238: „It is impossible to say who invented the Scholastic doctrine of modes".

[190] Wichtige Stationen auf dem Weg von der Hochscholastik bis zu den Spaniern der frühen Neuzeit hat bereits MUÑIZ (1945) 57-79 herausgestellt.

[191] Richtige Hinweise geben MAHIEU (1921) 136, der bezüglich der „distinctio modalis" auf die scotischen Wurzeln verweist, und HURTADO (1999) 105: „La noción de modo no se encuentra en la filosofía helenistica ni tampoco en la de Santo Tomás de Aquino. Si bien tiene, de alguna manera, su origen en la noción escotista de distinción formal y Pedro de Fonseca ya se habia aproximado a ella [cf. MARTINS (1994), pp. 226-230], podemos decir que es la contribuición ontológica más original de la escolástica barroca y, en particular, de Suárez."

[192] KNEBEL (1993) 7.

[193] Nach OEING-HANHOFF (1984) 8 ist der trinitätstheologische „Personbegriff (...) eine der wichtigsten Ausprägungen des vielschichtigen Begriffs «modus», dessen weitverzweigte Geschichte noch fast unerforscht ist."

ren Explikation der „ratio entis" jenseits seines rein formal-transzendental benennbaren Gehalts oder Durandus im Nachdenken über ontologischen Selbstand und Fremdbezüglichkeit eines Seienden sind nur einige der wichtigen Autoren, die in ihren stets durch theologische Erklärungsabsichten finalisierten philosophischen Erörterungen den Einsatz formal-modaler Abstufungen erproben[194]. Als funktionaler und „operativer"[195] Terminus erweist „Modus" seine Attraktivität im Bemühen um ein Aufbrechen der strikten Unterscheidung zwischen realen und gedanklichen Sachverhalten und um differenzierte ontologische Konstitutionsentwürfe in Variation der beiden Zentralbegriffe „Wesen" und „Sein / Existenz".

(a) Das wirkungsgeschichtlich bedeutsamste Modell der Determination einer „realitas" durch „innere Modi" stammt von Scotus. Unter „modus intrinsecus" versteht Scotus eine metaphysische Konstitutionsgröße, die den quidditativen Gehalt eines Seienden unberührt läßt, indem sie nicht wie die Differenz eine Gattung spezifiziert, sondern vielmehr einen unvollkommenen Begriff „in quale" zum vollständigen Begriff fortbestimmt. Musterbeispiel ist die Determination von „ens" zum endlichen oder unendlichen Seienden. Der „modus intrinsecus" ist also selbst keine Formalität, nichts für sich Bestehendes, „sondern stets nur der pure Grad der Intensität des Inhalts, dessen Modus er ist"[196] – was die bleibende Unterscheidbarkeit formaler Gehalte auch im göttlichen Seienden möglich macht, in dem diese alle im Modus der Unendlichkeit real sind[197]. Dennoch ist der Modus dem modifizierten Gehalt nicht bloß äußerlich geeint: Allein unser Verstand vermag diesen von jenem zu trennen. Dennoch ist der Modus nach Scotus vorgängig zu unserer Verstandestätigkeit von der „realitas" verschieden, was die „distinctio modalis" in die Nähe der Formaldistinktion stellt, wenn auch nicht derjenigen zwischen zwei nicht identischen formalen bzw. quidditativen Gehalten, die als solche als realdistinkt zu gelten haben, sondern zwischen einem „quid" und einem „quale", aus der keine reale Zusammensetzung folgt. Auch das Verhältnis von Wesenheit und Existenz hat Scotus in der Nähe des Verhältnisses von

[194] Ältere Wurzeln des ontologischen Modaldenkens müssen in unserem Rahmen unerwähnt bleiben.

[195] Vgl. KNEBEL (1993) 41.

[196] HONNEFELDER (1979) 379. Eine systematische Erörterung des Begriffs fehlt allerdings bei Scotus; vgl. HARRIS (1927) II, 64ff.; O'BRIEN (1964) 70.

[197] In der Formulierung des Renaissance-Scotisten Melchior de Flavin, Resolutiones in $I^{am}$, d. 8, q. 4 (fol. 43v): „infinitas enim non destruit formalem rationem illius cui additur".

„Washeit und Modus" gedacht[198], ohne damit eine wirkliche ontologische Distinktion der beiden Größen zugeben zu wollen. Letztlich weicht Scotus zu ihrer Unterscheidung auf die Ebene der Erkenntnis aus: Während die Erfassung des Wesens und damit eines Dinges in seiner intentional reduzierten Repräsentation abstraktiv geschieht, kann das real existierende Ding als ganzes nur intuitiv erfaßt werden. Eine Unterscheidung auf ontologischer Ebene mit Hilfe je eigener realer Prinzipien verbindet Scotus damit nicht[199].

Dieser Schritt wird allerdings im nachfolgenden Scotismus getan. Franz von Mayronis verlegt die Distinktion zwischen Wesenheit und „modus intrinsecus" stärker auf die ontologische Betrachtungsebene, indem er den Modus als die „ratio formalis" eines Dinges nicht verändernd, sondern zu ihm „hinzukommend" faßt[200], was sich konkret in einer verstärkten Scheidung zwischen Wesen und Realität/Existenz in Gott niederschlägt. Die Modaldistinktion wird deutlicher als bei Scotus von der Formaldistinktion abgehoben, so daß sie im Verständnis bei Mayronis geradezu als „neu in die Problemgeschichte eingebrachte"[201] gewichtet werden kann. In der zunehmend feinmaschiger werdenden Distinktionenlehre der nachfolgenden Scotisten setzt sich diese Verselbständigung fort[202].

(b) Nun ist nicht die Modus-Spekulation der scotistischen Schule der unmittelbare Anknüpfungspunkt für Suárez bei seiner Erklärung der Konstitution von konkreter Suppositalität bzw. Personalität geworden. Eher darf man an die dominikanische Traditionslinie denken, und darin zunächst an den Einfluß des Durandus a S. Porciano[203]. Suárez weist im Kontext seiner Distinktionenlehre ausdrücklich auf eine zentrale These aus der Relationenlehre des Dominikaners hin[204], auf die wir in trinitätstheologischer Perspektive zurückkommen werden. Auch in der Frage

[198] Vgl. O'BRIEN (1964) 71: „It becomes evident that in Scotism there is no room for any real distinction between the essence and existence of creatures, because being is univocal and is always determined by the actual condition of its essence. An essence exists just as much as it is, and its existence is exactly defined by the mode of being which belongs to that essence"; HONNEFELDER (1979) 262f. mit Bezug auf Scotus, Quodl. q. 1, n. 4 Additio (Ed. Wadding XII, 5). Diese Stelle scheint jedoch singulär und zudem textkritisch nicht bis ins letzte gesichert zu sein.

[199] Vgl. HONNEFELDER (1979) 264ff.

[200] Vgl. ROTH (1936) 322.447 u. ö.; HOFFMANN (2002) 237; HOENEN (2003a) 351-355; MAIERÙ (2005) 404-426.

[201] BOLLIGER (2003) 266.

[202] Vgl. ebd. 274-302.

[203] Wohl zurecht urteilt KNEBEL (1993) 16, daß die Frage nach der „Seinsweise der Seinsweisen" von Suárez „in engster Anbindung an Durandus" entschieden werde.

[204] Vgl. Suárez, DM 7.1.19 (XXV, 256b), mit Verweis auf Durandus, 1 Sent. d. 30, q. 2, n. 15 (84vb).

nach dem formalen Unterschied zwischen Suppositum und Natur hat Durandus in seiner früher von uns zusammen mit der suárezischen Kritik dargestellten Lösung zum vorliegenden Problem ausführlich zwei mit dem Modus-Begriff agierende Antwortversuche referiert. Der erste geht davon aus, daß das Suppositum von der Natur durch einen Modus unterschieden ist, welcher der Natur dadurch zuwächst, daß sie in eine Verbindung mit den Akzidentien tritt, deren Träger sie in der konkreten Erstsubstanz ist[205]. Während Durandus diese Erklärung, die man als modaltheoretische Explikation thomanischer Äußerungen zur Differenz von Wesen und Suppositum[206] bezeichnen könnte, deutlich zurückweist, steht er einer zweiten Spielart wesentlich freundlicher gegenüber. Sie spricht von dem das Suppositum auszeichnenden realen Modus als dem „modus per se subsistendi", welchen die Natur ausbildet, sofern sie „sich selbst überlassen ist"[207], was den Unterschied zum Spezialfall der hypostatischen Union kennzeichnet, der durch die Intervention Gottes zustande kommt. Hier rückt der subsistenzkonstituierende Modus bereits deutlich in die Nähe einer ontischen Komponente. Nur die Sorge, mit dieser Lösung eine problematische Zusammengesetztheit in die Supposita hineinzutragen, hat Durandus offenbar davon abgehalten, ihr noch einschränkungsloser zuzustimmen.

Ein Beleg für die theologische Nutzbarmachung der Modus-Terminologie bei Durandus ist neben der (hier vorerst auszuklammernden) Trinitätsdoktrin seine Christologie. Nach Philipp Kaiser „ist Durandus der erste in der gesamten Tradition, der den Begriff des modus unionis auch in seiner Inkarnationslehre verwendet, um damit die perso-

[205] Vgl. Durandus, 1 Sent. d. 34, q. 1, n. 8 (92ra).

[206] Vgl. etwa Thomas, S. th III, 3, 3 c.: „...in rebus compositis ex materia et forma, necesse est quod differant natura vel essentia et suppositum. Quia essentia vel natura comprehendit in se illa tantum quae cadunt in definitione speciei, sicut humanitas comprehendit in se ea quae cadunt in definitione hominis, his enim homo est homo, et hoc significat humanitas, hoc scilicet quo homo est homo. Sed materia individualis, cum accidentibus omnibus individuantibus ipsam, non cadit in definitione speciei, non enim cadunt in definitione hominis hae carnes et haec ossa, aut albedo vel nigredo, vel aliquid huiusmodi."

[207] Vgl. Durandus, 1 Sent. d. 34, q. 1, n. 14 (92rb): „Alius modus dicendi est quod suppositum realiter differt a natura, quia praeter naturam includit modum realem non quidem causatum ex unione naturae cum accidentibus ut dicit praecedens opinio, sed modus qui competit naturae ex se si sibi relinquatur, et iste modus est modus per se subsistendi qui includitur in ratione suppositi, et non in ratione naturae: suppositum enim dicit quid per se subsistens, non autem natura...". Vgl. auch d. 23, q. 2 (71rb): „Subsistere dicit determinatum modum essendi, prout scilicet aliquid est ens per se et non in alio".

nale Union in Christus genauer zu bestimmen“[208]. Auch daran wird Suárez, wie wir wissen, anknüpfen.

Daß Durandus mit seinen Spekulationen über eine im ontologischen Sinne zu verstehende modale Erklärung der Subsistenz zu Beginn des 14. Jahrhunderts nicht allein stand, zeigt vor allem der Blick auf Aegidius Romanus. Wie anderswo gewisse Ähnlichkeiten in den Lehren beider über die Relation aufgefallen sind[209], so erinnert auch die bei Durandus zitierte Kompositionstheorie für endliche Subsistenz an Thesen des Augustiners, dessen Rückgriff auf den Modusbegriff bei der Unterscheidung von Suppositum und Natur im Traktat „Über die Konstitution der Engel“ von den Jesuitenscholastikern ausdrücklich als Beleg für ihr eigenes Modell angeführt wurde[210]. Damasus Trapp hat gezeigt, daß Aegidius während seiner gesamten Lehrtätigkeit an Figuren modaler Unterscheidung gearbeitet hat, die zwischen gedanklicher und realer changieren und deren Nähe zur scotistischen Formalunterscheidung vom Interpreten betont wird[211]. Schon bei Zeitgenossen wie Gottfried von Fontaines hat sie teils heftige Kritik erfahren[212], was nach Trapp ihre zunächst geringe Nachwirkung in der Theologiegeschichte erklären mag[213].

Einflußreich zeigt sich Aegidius' Lehre allerdings im Sentenzenkommentar seines Ordensbruders Thomas von Straßburg, der um 1336 entstanden ist. Dort ist für das endliche Suppositum der „modus essendi“, welcher nach Thomas aus der Vereinigung von Natur und „esse existentiae“ erwächst, als mittelbares (nämlich aus dem Sein resultierendes) Kon-

[208] KAISER (1968) 83. Zur ontologischen Charakterisierung der Modi bei Durandus vgl. ebd. 86-91.

[209] Vgl. IRIBARREN (2005) 121f., Anm. 38, die eine Beeinflussung des Durandus durch Aegidius allerdings für unwahrscheinlich hält.

[210] Vgl. den Bezug auf Aegidius Romanus, De compositione angelorum, q. 5, bei Suárez, DM 7.1.19 (XXV, 257a). Dieselbe Zitierung findet sich zuvor bei Fonseca, Comm. in Met., l. 5, c. 8, q. 6, s. 4 (II, 548C-D). Hinweise auf dieses unpublizierte Opusculum, dessen Lehre über die Konstitution des Suppositum mit vielen weiteren Stellen der aegidianischen Theologie harmoniert, liefert TRAPP (1935), bes. 453.469. Zu den der Subsistenzkonstitution gewidmeten Passagen der aegidianischen Christologie vgl. auch die Nachweise bei RICHELDI (1938) 80-92. Aegidius spricht dort davon, daß das „Durch-sich-Sein“ ein „modus essendi“ ist, welcher der Natur dadurch zuwächst, daß sie dem Sein verbunden wird.

[211] Vgl. TRAPP (1935) 457-479. Während Trapp einen Einfluß des Heinrich von Gent auf das aegidianische Modusverständnis für unwahrscheinlich erklärt (vgl. ebd. 457), wird ein solcher von DECKER (1967) 436 nahegelegt.

[212] Vgl. TRAPP (1935) 480-485.

[213] Vgl. ebd. 500: „Historia theologica de modo Aegidiano severe iudicasse videtur: silendo et tacendo“.

stitutivmoment verstanden[214], dessen eigene entitative Bestimmung so schwach wie möglich erfolgt[215].

Diese Quellen dürften es sein, aus denen die Vertreter einer ausgefalteten Modaltheorie des Personkonstitutivs, unter denen wir Thomisten wie Ferrariensis und Cajetan kennengelernt haben, schöpfen konnten. Ihre, wenn zunächst auch ohne ausdrückliche Verwendung des Modus-Begriffs, vorgetragene Lehre, wonach eine von der Natur unterscheidbare Realität bzw. Entität existiert, die das „Für-sich-Sein" der Erstsubstanzen begründet, braucht hier nicht erneut ausführlich referiert zu werden.

Auch auf weiteren Feldern der metaphysischen Theorie außerhalb der Frage nach der Personkonstitution haben sich die aus der Hochscholastik ererbten Modalansätze in der späteren Thomistenschule als fruchtbar erwiesen. Wiederum seien nur einige Zeugnisse erwähnt, die Suárez selbst zum Beleg seiner Lehre von einer Modaldistinktion anführt. So kennt er bei „vielen neueren Schülern des hl. Thomas", unter denen namentlich Diego de Astudillo[216], ein Lehrer des berühmteren Domingo de Soto († 1560), genannt wird, Versuche einer modalen Unterscheidung von substantialer Existenz und Wesenheit als Ausdeutung der thomanischen „Realdistinktion". Neben Soto selbst[217] steht auch der nicht weniger bedeutsame Salmanticensische Dominikaner Melchor Cano († 1560) dieser Auffassung nahe; Soto wendet in seinen Aristoteleskommentaren die Modaldistinktion zudem auf das Verhältnis von Existenz und Personalität an[218].

[214] Vgl. Thomas von Straßburg, 3 Sent. d. 6, q. 1 (13vb): „Secundo dico, quod suppositum creatum sic differt a natura, quod tamen non includit in se rem aliquam intrinsece, quam non includat natura; sed tantummodo modum rei, puta modum per se essendi, quem consequitur ex hoc, quod ad esse suae actualis existentiae taliter coniungitur, quod alteri supposito in subsistendo non innititur".

[215] Vgl. ebd. (14ra): „Ad formam argumenti dicendum, quod licet natura, et esse sint duae res, natura tamen, et praedictus modus in natura derelictus, non sunt duae res, sed una tantum, scilicet ipsa natura, aliter tamen se habens."

[216] Quaestiones super octo libros phisicorum et duos libros De generatione Aristotelis peripateticorum principis (Vallisoleti 1532), De gen. l. 1, q. 5 ad 1. Ich konnte dieses Werk nicht einsehen.

[217] SOLANA (1928) 31 nennt als Beleg Soto, Comm. in Quartam Sent., dist. 10, q. 2, a. 2 (481a): „Enimvero istud esse existentiae nunquam intellexi esse aliquam entitatem distinctam a subiecto tanquam aliam rem, sed est modus, et actus substantiae". Diese Stelle zitiert in unserem Kontext bereits Vázquez, In III$^{am}$ 72.1.4-5 (I, 482a-b). Vgl. BEUCHOT (1992) 155 und LEINSLE (1985) 38f. mit Rückgriff auf KENNEDY (1972) 42f. Vgl. auch WELLS (1962) 428f. Ähnliche Formulierungen lassen sich in den ungedruckten Thomaskommentaren Sotos nachweisen; vgl. ORREGO-SÁNCHEZ (2004) 189-196.

[218] Vgl. Suárez, DM 34.4.32 (XXVI, 377a). Soto möchte aber die traditionelle Rede von einer realen Distinktion von Natur und Suppositum nicht aufgeben. Vgl. etwa Dom. Soto, In Porphyrii Isagogen, Aristotelis Categorias librosque de Demonstratione ab-

Mit Luis de Molina hat die These von der Existenz als „modus concomitans" der Wesenheit in die frühe Jesuitenschule Einzug gehalten[219], dort aber rasch teils heftige Kritik erfahren. Es ist kein Zufall, daß sich Suárez in dieser Frage unter die Kritiker des Molina einreiht[220]. Für ihn können er und die zuvor genannten Autoren insoweit nicht unmittelbare Referenz sein, als er an einer Differenzierung von Wesen und Sein neben derjenigen von Wesen und Subsistenz nicht interessiert ist. Sie bezeugen jedoch die generelle Attraktivität von Modal-Modellen in der spanischen Scholastik für die Bewältigung diverser metaphysischer Distinktionsprobleme.

(c) Innerhalb der frühen Jesuitenschule ist unmittelbarster Anknüpfungspunkt für die suárezische Moduslehre und die daraus folgende These von der „realen Modalunterscheidung" zweifellos der Aristoteleskommentar des Portugiesen Pedro da Fonseca[221]. Wenn man Fonsecas Ausführungen über die „genera distinctionis" mit denen des Suárez vergleicht, wird deren Eigenart besser erkennbar[222]. Fonseca spricht sich ausdrücklich gegen eine bloße Zweiteilung des Distinktionenreiches und für die „modernere" Dreiteilung aus, in der auch eine „distinctio ex natura rei" Platz hat. Dafür wird u. a. ausdrücklich Scotus zitiert[223]. Die „distinctio ex natura rei" unterteilt Fonseca dreifach. An erster Stelle steht eine „distinctio formalis" [1], die ihrerseits in zweifacher Form vorliegt: als „distinctio formalis essentialis" [1a], die klassisch-scotistische Unterscheidung zwischen Formalitäten bzw. Entitäten repräsentierend, und die „distinctio formalis pura" [1b], die eigens für den Fall der trinitarischen Personen konzipiert ist, welche zwar durch „rationes obiectivae", aber nicht durch ihre Wesenheit verschieden sind. Bevor Fonseca an dritter Stelle die „distinctio potentialis" [3] behandelt, durch die eine Unterscheidung von Teilen eines homogenen Ganzen ermöglicht werden

solutissima Commentaria, De substantia, q. 1 (152bM-153aA): „Atqui quod diximus de ente et essentia, dicimus de natura et supposito: videlicet, quod non est grave peccatum quantum ad nomen negare hanc distinctionem realem (...) Fateor tamen optime antiquos vocasse hanc distinctionem realem, postquam seclusa operatione intellectus est haec differentia."

219 Vgl. PORRO (1995), bes. 353-366. Porro erörtert vor allem Molinas eigentümliche Gleichsetzung der so verstandenen Existenz mit der „Dauer" („duratio") eines Dinges. Vgl. auch DI VONA (1968) 38-41.

220 Vgl. PORRO (1995) 405ff.

221 Suárez beruft sich ebd. – mit Recht – auf Fonseca, Met. l. 5, c. 6, q. 6, der die kreatürliche Existenz „tamquam ultimus eius modus intrinsecus" von der Wesenheit unterscheidet. Vgl. dazu CARUSO (1979) 32f.; MARTINS (1994) 226-230.

222 Vgl. dazu MENN (1997) 242-250.

223 Vgl. Fonseca, Comm. in Met., l. 5, c. 6, q. 6, s. 1 (II, 396). Allein dieses Lehrstück macht klar, wie abwegig die Charakterisierung Fonsecas als „ein recht orthodoxer Thomist" bei CONZE (1928) 2 ist.

soll[224], kommt zweitens die „distinctio modalis“ [2] zur Erörterung, „durch welche die Seienden durch Modi, die nicht formaliter Seiende sind, oder die Modi selbst sowohl untereinander als auch von den Seienden unterschieden werden“[225]. Suárez übernimmt aus diesem Entwurf vor allem die Charakterisierung der Modi als nicht selbständig seiender Bestimmungsgrößen. Allerdings schränkt er ihren Umfang auf eine Teilmenge der bei Fonseca unter dem Begriff der Modaldistinktion erfaßten Elemente ein und wählt auch zur Erläuterung andere Beispiele als der Jesuit aus Portugal[226]. Klar wird aus dem Vergleich zwischen Suárez und Fonseca jedenfalls, daß sich der Modus-Begriff beider nicht als unmittelbare Anknüpfung an den eigentlichen Modus-Begriff des Scotus versteht, sondern vielmehr als Versuch, die scotische Formaldistinktion in einer begrifflich präzisierten und (wenigstens im Falle des Suárez) dadurch auch extensional eingeschränkten Weise in das eigene metaphysische System zu integrieren, ohne ihr auf der expliziten begrifflichen Ebene und in den erkenntnistheoretischen Konsequenzen zustimmen zu müssen[227]. Daß die Modaldistinktion in seiner Sicht die einzig korrekte Version der scotischen „distinctio formalis“-Lehre ist, gibt Suárez immer wieder deutlich zu erkennen[228]. „Seiendes“ ist in dieser Sichtweise „in der Sache selbst vorgängig zum Intellekt vom eigentümlichen inneren Modus der Sache

[224] Vgl. Fonseca, Comm. in Met., l. 5, c. 6, q. 6, s. 2 (II, 401).

[225] Vgl. ebd. s. 2 (400A): „Modalis distinctio est, qua entia per modos, qui non sunt formaliter entia, aut ipsi modi cum inter se, tum ab entibus distinguuntur“. Vgl. auch ebd. q. 7, s. 1 (405C).

[226] Vgl. Suárez, DM 7.1.19 (XXV, 257a-b).

[227] Insofern hat Mauricio Beuchot ganz Recht, wenn er urteilt: „Asì, Suárez parece revitalizar la distinción formal escotista, sólo que con otro nombre, el de «distinción modal»“: BEUCHOT (1994) 44. Zu einer ähnlichen Bewertung kommt mit Berufung auf DM 7.1.16 ONG-VAN-CHUNG (1997) 217f., der zudem auf das Fortwirken der Transformation bei Descartes hinweist: „Il apparaît donc que le terme de distinction modale est une invention qui marque une distance à l'endroit de la distinction formelle de Duns Scot, de sorte que Descartes semble avoir admis, sans aucune autre forme de procès, le recouvrement, ou plus exactement le remplacement, de la distinction formelle par la distinction modale“ (218). Vgl. auch ROIG GIRONELLA (1944) 203-208, bes. 214, Anm. 13.

[228] Vgl. etwa Suárez, De trin. 3.1.4 (I, 589a), wo aus der Tatsache, daß die Formaldistinktion nur „intra eandem rem“ vorliegen kann, innerhalb ein und desselben Dinges aber kein anderer Unterschied als derjenige zwischen der eigentlichen „res“ und ihrem „modus“ zu finden ist, die Identität von (korrekt verstandener) Formaldistinktion und Modaldistinktion gefolgert wird: „nam actualis distinctio in re ipsa non est, nisi realis, vel modalis, seu, ut alii loquuntur, formalis: haec autem posterior distinctio nunquam invenitur, nisi intra eamdem rem, quae componitur, vel aliquo modo coalescit ex illis rebus, quae ita distingui dicuntur. Unde, quod ita distinguitur ab aliqua re semper est tanquam modus, vel affectio ejus, ut inductione facile constat.“

unterschieden“[229]. Um „innerliche und integrale Modi des Seienden“ im Sinne des Scotus (vor allem „Endlichkeit“ und „Unendlichkeit“) handelt es sich aber nicht, da diese vom Wesen selbst und nicht von etwas ihm „additiv“ Hinzugefügtem herrühren müßten. Die Modi des Suárez sind Formalitäten mit einer bestimmten Funktion am Seienden[230], ihr Wesen ist das aktuelle Modifizieren eines anderen[231]. Was sie an Realität besitzen, geht auf ihren eigenen begrifflichen Gehalt, ihre unverwechselbare „ratio formalis“ zurück, wenn diese auch nicht zur Konstitution eines „ens reale“ im strengen Sinne ausreicht[232]. Immerhin scheint die eigene „realitas“ des Modus gegenüber der Einteilung bei Fonseca verstärkt zu sein.

(d) Es ist der so vorbereitete Modusbegriff, den Suárez, wie wir früher bereits sahen, für seine Bestimmung *endlicher* Subsistenz aufgegriffen hat. Für ihn ist hier Personalität „modaliter“ sowohl von der Wesenheit wie von der Existenz der substantialen Natur zu unterscheiden, während die beiden letztgenannten real ineins fallen. Die modale Unterscheidung als ontologisch schwächste aller Distinktionen reicht seiner Ansicht nach aus, um vor allem in der Erklärung des Geheimnisses der Inkarnation, für welche sie in erster Linie eingeführt ist („propter quae praecipue introducta est haec distinctio“), ans Ziel zu gelangen. Eine größere Distinktion, so wird im Rückgriff auf eine Art Ökonomieprinzip argumentiert – Distinktionen sollen nicht ohne Notwendigkeit vermehrt und vergrößert werden –, ist hier überflüssig. Denn mit Hilfe der modalen Unterscheidung kann erklärt werden, wie die Menschheit Christi ohne den Modus der eigenen Subsistenz integer bewahrt bzw. durch einen ihr entgegengesetzten Modus affiziert und zum Subsistieren geführt wird, nämlich durch die Einung mit einer anderen Personalität[233].

Subsistenz ist demnach kein Akzidens, aber auch nicht im eigentlichen Sinne eine substantiale Entität, sondern eben ein substantialer Modus. In

[229] DARGE (1999b) 324.

[230] Vgl. etwa Suárez, DM 32.1.13 (XXVI, 316a): „hi autem modi reales non sunt nihil, sed suas reales essentias habent sibi proportionatas“; u. ö.

[231] Vgl. De incarnatione 8.3.9 (XVII, 348b-349a): „At vero id, quod est modus, per seipsum unitur rei, quia realiter non habet aliam entitatem ab ipsa re, et ejus formalitas consistit in actuali modificatione ipsius rei…“.

[232] Vgl. DM 7.2.27 (XXV, 260b): „Alio tamen modo potest sumi ens reale pro eo quod ex proprio conceptu, seu ex vi suae rationis formalis potest propriam entitatem afferre seu constituere, et hoc sensu falsum est non posse dari medium inter ens reale et rationis: datur enim modus entis, qui neque est merum ens rationis, ut per se constat, neque est ens reale in eo rigore et proprietate sumptum, ut a nobis declaratum est; et ita etiam datur distinctio modalis media inter distinctionem rationis, et realem rigorose sumptam.“

[233] Vgl. Suárez, DM 34.4.32 (XXVI, 377a-b).

dieser Explikationshinsicht kann Suárez nochmals unmittelbar an Fonseca anknüpfen, der vom „modus essendi entitativus" in Abgrenzung von einem die Akzidentalität nicht ausschließenden „modus essendi purus" spricht[234]. Der genannte Modus wird nach Suárez nicht unmittelbar, sondern mittelbar (über die für die Substanz und die an ihr ausgeübte Funktion) in die Kategorie der Substanz eingeordnet[235]. Näherhin ist der substantiale Modus eine nach Art der Form zu verstehende Bestimmung, da er wie ein abschließender „actus naturae" angesehen werden kann. Allerdings ist die Subsistenz streng genommen keine formale Ursache, denn sie kann vom göttlichen Wort ersetzt werden, das ganz gewiß nicht im eigentlichen Sinn als Formalursache zu betrachten ist. Exakt wird darum die Subsistenz als „ultimus ac purus terminus naturae" definiert: Er bestimmt die zuvor für ihn potential geöffnete und auf ihn hin in der oben beschriebenen Weise indifferente Natur nicht als „informatio", wohl aber „per intrinsecam modificationem" so, daß die Natur anschließend keine weitere Indifferenz mehr besitzt. Vergleicht man diese Aussagen noch einmal mit der Lehre Cajetans, kann man festhalten: Wie dieser hebt Suárez den „terminativen" Aspekt der Subsistenz gegenüber der Wesenheit hervor. Stärker als der Dominikaner unterstreicht der Jesuit den bloß modalen, ontologisch unselbständigen Charakter dieses Konstitutivelements. Der entscheidende Unterschied zu Cajetan liegt aber darin, daß Existenz bei Suárez ganz und gar mit der Natur verbunden wird. Die Subsistenz ist dann nicht Vorbereitung auf einen letzten Seinsakt, sondern selbst letzte, vervollkommnende Modifizierung der vorauszusetzenden Wesensexistenz.

Eine exakte Geschichte des metaphysischen „Modismus" in der Schulwissenschaft der frühen Neuzeit bleibt noch zu schreiben. Auch unter den Jesuiten ist er trotz der ihn stützenden großen Autoritäten vor allem angesichts der Einwände seitens nominalistisch ausgerichteter Autoren (wie Hurtado de Mendoza) in den Jahrzehnten nach Suárez in der Debatte um die Subsistenzbestimmung wie die Relationentheorie Gegenstand heftiger Kontroversen geblieben[236].

(2) Eine zweite Traditionslinie der Modalbegrifflichkeiten läßt sich in der Trinitätstheologie nachweisen.

(a) Die Formel „subsistentia est modus existentiae" (zurückgehend auf die trinitätstheologische Rede von den drei *tropoi tes hyparxeos* bei Basilius von Cäsarea) ist bereits in der lateinischen Übersetzung des Damas-

[234] Vgl. Fonseca, Comm. in Met. l. 5, c. 8, q. 6, s. 4 (II, 550A).

[235] Vgl. Suárez, DM 34.4.34 (XXVI, 377 b-378 a).

[236] Vgl. etwa zum ersten Punkt Tiphaine, De hypostasi et persona, bes. cc. 40-60 (206-365), zum zweiten Hinweise und Lit. bei LEINSLE (2006) 123-134.

cenus zu finden[237] und hat, wie etwa Ruiz de Montoya mit vielen Belegen nachweist, mannigfache Anknüpfungspunkte auch in der älteren Väterliteratur[238]. In der Scholastik ist sie ebenfalls von Beginn an gegenwärtig, wenn auch nicht in einer begrifflich präzisierten, ontologisch orientierten Verwendungsform. So findet sich bei Richard von St. Viktor der Ausdruck „modus existentiae / essendi" in der Deskription von Personalität[239] und in der Bestimmung der innertrinitarischen Ursprungsverhältnisse[240]. Bonaventura sieht die relationale Proprietät vom Wesen nicht als „alia essentia", sondern als „alius modus se habendi" unterschieden, welcher dem Wesen und der Person „nichts hinzufügt"[241]. Diese „modi se habendi" besitzen eine geringere Distinktion als „modi essendi", aber eine größere als bloße „modi intelligendi" und bringen keine Zusammengesetztheit von Wesen und Relationen in Gott mit sich[242]. Heinrich von Gent mit

[237] Vgl. Suárez, De incarnatione 36.1.5 (XVIII, 262b). Zum Gebrauch bei Damascenus vgl. BILZ (1909) 87-95.

[238] Vgl. Ruiz, De trin. 12.5.3-6 (117b-118a).

[239] Vgl. Richard von St. Viktor, De trinitate, l. 4, c. 24 (Ed. Ribaillier, 189): „Fortassis erit planius et ad intelligendum expeditius, si dicimus quod persona sit *existens per se solum* juxta singularem quemdam rationalis existentie modum. (...) Modus autem rationalis existentie alius est communis pluribus naturis, alius est communis ejusdem nature pluribus substantiis, alius ejusdem substantie pluribus personis. Sed personalis proprietas singularem rationalis existentie modum requirit sine quo persona nunquam subsistit. Ut ergo existens per se solum persona esse possit, singularem aliquem rationalis existentie modum habere oportebit."

[240] Vgl. weitere Stellen und ihre Interpretation bei WIPFLER (1965) 178ff.

[241] Vgl. Bonaventura, 1 Sent. d. 33, a. un., q. 2: „relatio ratione comparationis ad subiectum transit in substantiam, et ideo proprietas est divina substantia; ratione vero comparationis ad terminum sive obiectum remanet; et quantum ad hoc est distinctiva et differt ab essentia, non quia dicat aliam essentiam, sed alium modum se habendi, qui per comparationem ad essentiam vel personam dicit modum, nihil addens". Die Vermeidung einer „compositio" durch einen solchen Modus wird unterstrichen im „ad 2" der Quästion.

[242] Vgl. DECKER (1967) 397; GELBER (1974) 12-15; FRIEDMAN (1996) 141-143. Letzterer arbeitet die Nähe Bonaventuras zu Thomas in der Unterscheidung der Personen heraus. Auch der Franziskaner stützt sich auf die zweifache Natur der Relationen: „When the properties are compared to the essence, they disappear into the essence and become one with it, differing only by mode or a purely rational distinction. But when the relations are compared to their terms, they differ from the essence by mode of reference"; FRIEDMAN (1997b) 44-52, zum Unterschied Bonaventura-Thomas dort bes. 46f.: „Although they both use relation to posit distinction in God, the ontological status of the various differences in God were understood somewhat differently by Aquinas and Bonaventure. Aquinas based all difference in God on the correspondence of something in God to the intentions or *rationes* that our mind had about him. Thus Aquinas kept all difference in God at a purely rational level – albeit with ‚rational' taken in a special sense – until the real distinction

seiner Lehre von der Relation als „purus modus essendi“ bzw. „respectus“, dessen Realitätsgrund allein das Wesen ist, steht dieser Lösung spürbar nahe, ohne daraus jedoch irgendeine Eigenrealität bzw. quidditatives Sein für die Relationen folgern zu wollen[243].

Damit kombiniert Heinrich bonaventurianische Impulse mit den Vorgaben des Thomas von Aquin[244]. Thomas hat ebenfalls von dem die Eigentümlichkeit begründenden jeweiligen „modus existendi“ der Person wie des innergöttlichen Hervorgangs gesprochen[245]. Der Genitiv ist hier eindeutig subjektiv, nicht aber objektiv zu verstehen, so daß man die

of the persons arose from opposition of relations. Bonaventure also says that all distinction in God is ‚rational', but he relies on various modes to explain diversity: in particular, Bonaventure calls the diversity arising between a relation and its foundation the diversity of a mode of reference (modus se habendi).“

243 Vgl. DECKER (1967) 405: „Merken wir uns aus der Relationslehre Heinrichs von Gent als Wichtigstes: Die Relation als solche ist nur ein ‚purus modus essendi', ein bloßer ‚respectus'. Sie ist vom Fundament nicht real unterschieden. Darum gibt es auch zwischen göttlicher Wesenheit und Relation keinen realen Unterschied. Die absolute Einfachheit Gottes bleibt unangetastet.“ Vgl. FLORES (2006) 164-184.

244 So das Fazit der Deutung Heinrichs bei GELBER (1974) 35-43. Die Stoßrichtung des Magisters gegen Aegidius Romanus, der seinerseits gegen Thomas den „res“-Charakter der Relation gestärkt hatte, betont DECORTE (1996) 202-211; vgl. bes. 207: „The importance of this far more than merely verbal shift can hardly be overestimated. Is Henry trying to be a better Aristotelian or Thomist than Giles? Or is this one of his ‚nominalist tendencies'?“ Die Schüler des Heinrich setzten die Tendenz ihres Meisters fort; HÖDL (2003) 383 resümiert: „Die Gandavistae bestritten die Realität der Relation und erklärten diese als modus der Sache. Die Beziehung ist keine selbständige Sache, ein reales, vom Subjekt verschiedenes Akzidens. Sie hat ihre eigene Sachlichkeit und Realität, nämlich die des Sachverhaltes, des respectus, welcher der Sache eignet und diese auf das Andere hin übereignet. Die Relation kann keine Sache sein, denn so gesehen würde sie mit der Substanz ein ‚compositum' schaffen, das die Form nicht zuläßt. Die Realität der Relation einer res ist deren relationale Seinsweise, die wir als respectus im Hin-Sein auf Anderes entdecken und ausmachen. Die Relation umspannt, unterfängt die übrigen 6 Prädikamente, und hat im Vergleich zu diesen eine höhere vollkommenere Sachlichkeit. Nur in dieser Analyse ist der Relationsbegriff philosophisch zu begründen und theologisch bedeutsam.“ Vgl. auch HÖDL (2004) 121-131.

245 Vgl. etwa Thomas, S. th. I, 30, 4 ad 2: „ad secundum dicendum quod, licet persona sit incommunicabilis, tamen ipse modus existendi incommunicabiliter, potest esse pluribus communis“; I, 41, 3 ad 4: „modus divinae generationis“; De pot. 2, 5 ad 4: „licet omnipotentia absolute considerata non sit propria patris, tamen prout cointelligitur ei determinatus modus existendi, sive determinata relatio, propria fit patri“; 9, 2 ad 6; 9, 3 c.: „Dicendum quod persona, sicut dictum est, significat quamdam naturam cum quodam modo existendi. Natura autem, quam persona in sua significatione includit, est omnium naturarum dignissima, scilicet natura intellectualis secundum genus suum. Similiter etiam modus existendi quem importat persona est dignissimus, ut scilicet aliquid sit per se existens.“ Vgl. DEWAN (1999).

„Existenzweise" der Person nicht als eine eigenständige, Existenz bzw. Subsistenz begründende Entität deuten darf, sondern als Bezeichnung für die durch den jeweiligen Standort im trinitarisch-relationalen Gefüge eigentümliche Wesenshabe von Vater, Sohn und Geist[246]. Die Unterscheidung vom Wesen wird ganz auf unser Verstehen zurückgeführt[247] und scheint damit geringer anzusetzen als diejenige Bonaventuras.

(b) Es verwundert nicht, daß nachfolgende Franziskaner unmittelbar an Bonaventuras Bestimmung anknüpften. So unterscheidet Richard von Mediavilla Person und Wesen „propter differentem modum se habendi", da allein die Person in Gott „auf einen anderen" bezogen ist[248]. Insgesamt wird in der nachbonaventurianischen Franziskanerschule ein Trend spürbar, die Verschiedenheit der Begriffe von Wesen und Relationen im Sinne einer korrespondierenden Verschiedenheit der damit erfaßten Objekte vorgängig zu unserem Verstehen zu deuten[249]. Auch wenn die neuere Forschung vorsichtiger als manche frühere Interpreten[250] ist, darin bereits die komplette scotische Formaldistinktion vorgebildet zu finden, ist ein Trend in diese Richtung unverkennbar.

Auch in scotischen Texten findet man die explizite Erklärung der Wesen-Relationen-Differenz mit Hilfe des Modus-Begriffs, und zwar in der „Lectura" und den „Additiones"[251] klarer als in der „Ordinatio"[252]. Schon zu Beginn der „Lectura" möchte Scotus die Rede von einer Konstitution der göttlichen Personen durch unterschiedliche „modi essendi" nicht

[246] Vgl. EMERY (2003a) 349f. Der Artikel zeigt auch, wie für Thomas der „modus existendi" im „modus agendi" der einzelnen Personen seinen Ausdruck findet.

[247] Vgl. auch GELBER (1974) 20f.

[248] Vgl. Richard, 1 Sent. d. 34, a. 1, q. 1 (I, 294a). Vgl. FRIEDMAN (1997b) 166.

[249] Vgl. GELBER (1974) 60-71.

[250] Vgl. JANSEN (1929).

[251] Der in der Wadding-Ausgabe (Bd. 11) als Buch eins der Pariser Reportationen wiedergegebene Text ist in Wahrheit das erste Buch der „Additiones magnae", die der Scotus-Schüler Wilhelm von Alnwick zusammengestellt hat; vgl. WILLIAMS (2002) 10f. „Die *Additiones Magnae* gelten, bereits seit längerem unbestritten, für Buch 1 als Bearbeitung der *Reportatio I A* durch Wilhelm von Alnwick, der hierbei die Lehre des Scotus im wesentlichen getreu wiedergibt": RODLER (2005) 34*; um eine reine Abbreviation handelt es sich nicht: ebd. 90*f. Rep. I A spiegelt Scotus' Pariser Sentenzenvorlesung der Jahre 1302/03 wider (vgl. ebd. 28*-31*). Sie ist die beste der überlieferten Reportationen, obgleich ihre nur in einer Handschrift bezeugte Charakterisierung als „Reportatio examinata" Probleme aufwirft (ebd. 114*-126*). Die Sachlage verkompliziert sich weiter, wenn man beachtet, daß die Texte der „Additiones" und der Rep. IA in den meisten Überlieferungen miteinander vermengt wurden; vgl. ebd. 52*-73*.

[252] Vgl. GELBER (1974) 71-102.

ablehnen[253]. Bei der im Kontext von distinctio 25 des ersten Sentenzenbuches aufgeworfenen Frage, ob von den drei göttlichen Personen ein gemeinsamer positiver Personbegriff abstrahiert werden kann, gibt Scotus die Antwort, daß die personbildenden Proprietäten unter dem gemeinsamen Begriff des „modus essendi" zu erfassen sind. Mit diesem „Modus" sei in allgemeiner Form das je Eigentümliche der drei Personen von Vater, Sohn und Geist benannt, welches uns berechtigt, in Gott von „tres res" bzw. „tres subsistentes" zu sprechen[254]. Darum muß es sich hier – anders als bei den zuvor genannten „modi intrinseci" des Seienden – um eine Prädikation „in quid" handeln. Auch in den „Additiones" kehrt dieser Gedanke wieder. „Modus essendi" bezeichnet damit nach Scotus hier exakt die positive Bestimmung für die Leistung des Personalen gegenüber der Wesenheit in Gott. Auf diesem Wege ist die dreifache, das inkommunikable Subsistieren in Gott ermöglichende Relationalität in einem gemeinsamen abstraktiv-quidditativen Begriff erster Intention erfaßt. Dieser Sinngehalt kann deswegen in gleicher Weise allen drei Proprietäten zugeschrieben werden, weil er nach Scotus dem Relationalen als Relationalen vorausliegt und so prinzipiell auch für eine absolute Person in Gott zutreffen könnte: „'Person' bezeichnet nicht die Relation unter der Hinsicht der Relation, sondern unter einer allgemeineren Hinsicht, nämlich der des Modus oder der inkommunikablen Proprietät. Daher bezeichnet ‚Person' etwas Allgemeineres als das Sich-zu-sich- oder Sich-zu-einem-anderen-Verhalten, so daß in exakter Weise ihr Begriff nicht der Begriff von diesem oder jenem ist, obgleich faktisch keine Person besteht, die nicht Relation wäre"[255]. Der Personbegriff verhält sich in seiner Vorgängigkeit zu Absolutem und Relativem ähnlich transzendental wie der Begriff „seiend" gegenüber seinen Fortbestimmungen zu Sub-

[253] Scotus, Lectura, dist. 1, p. 2, q. 1 (Ed. Vat. XVI, 167): „Intelligendum est in principio quod duo sunt de substantia fidei de quibus principaliter tractatur in libro Sententiarum, scilicet quod sint tantum tres personae et unus Deus, et quod hae personae non sunt a se, sed una persona producit aliam et duae tertiam. Circa hoc autem non est licitum varie opinari. Sed utrum personae constituantur per relationes vel per modos essendi, dummodo tamen salvantur praedicta, non est illicitum varie opinari, sed licitum est circa illa exerceri, quia non teneor ex fide ad quodcumque verum."

[254] Vgl. MÜHLEN (1953) 81f.; WETTER (1967) 276-281.

[255] „*Persona* igitur non significat relationem sub ratione relationis, sed sub aliqua ratione communiori, puta modi, vel proprietatis incommunicabilis. Unde *persona* dignificat aliquid communius, quam esse ad se, vel ad alterum; ita quod determinate conceptus eius non est conceptus huius, vel illius, quamvis in re non sit persona, nisi quae est ad alterum": Scotus, Rep. Par. (= Additiones magnae) I, d. 25, q. 2, n. 14 (Ed. Wadding XI/1, 134b). Vgl. weitere Stellen aus dist. 33. q. 1-2 bei GELBER (1974) 80f.

stanz oder Akzidens. Entscheidend ist für den Personbegriff demnach nur, daß er den Modus der Inkommunikabilität im Besitz einer Vernunftnatur anzeigt. Noch einmal in den Worten der „Additiones“: „So bezeichnet also ‚Person‘ eine vernunftbegabte Natur in der Weise, sie inkommunikabel zu besitzen, und demnach meint ‚Person‘, indem sie eine Sache bezeichnet, welche diesen Modus bzw. eine inkommunikable Proprietät in der vernunftbegabten Natur besitzt, etwas Allgemeineres als ‚Relativum‘“[256]. Wir sind hier wenigstens im Falle des dreifaltigen Gottes sehr nahe an einem Verständnis von Personalität als dem präzisen positiven Formalgrund für Inkommunikabilität, wie es bei Suárez zu finden ist. Allerdings entwickelt der scotische Argumentationsgang von hier aus keine allgemeine ontologische Modus-Theorie von Personalität, wie es später der Jesuit tut, offenbar ohne unmittelbare Referenz auf die zuletzt genannten Texte. Genau dies hatte Suárez, wenn wir uns an seine früher dargestellte Kritik an der scotischen Lehre von der geschöpflichen Personkonstitution erinnern, dem Franziskaner vorgeworfen: daß er im Endlichen ablehnt, was er in Gott nicht verneinen kann, nämlich die Notwendigkeit eines eigenen, positiven personalen Konstitutionsmoments. Was das Verhältnis der relativen Proprietäten zur Wesenheit betrifft, darf Scotus trotz der beschriebenen Inanspruchnahme des Modus-Begriffs nicht unter die Vertreter einer *real* verstandenen „distinctio modalis“ im Sinne Bonaventuras oder Heinrichs von Gent gerechnet werden. Von ihr grenzen sich die zitierten Passagen der „Additiones“ vielmehr ausdrücklich ab, weil ihr Autor sie als zu stark und die Gefahr einer Zusammengesetztheit in Gott begründen sieht[257]. Stattdessen stellt er dieser Unterscheidungsweise seine eigene These einer formalen Nichtidentität beider Größen entgegen, durch die er sich, wie wir wissen, zugleich von der (als zu schwach erachteten) bloßen gedanklichen Unterscheidung des Thomas distanziert[258].

Daß in der nachscotischen Franziskanerschule der ursprüngliche scotische Modus-Begriff trinitätstheologisch relevant bleibt, hat B. Roth am Beispiel des Franz von Mayronis aufzeigen können. Die strengere Unterscheidung der intrinsischen Modi von den Formalitäten erleichtert es

[256] „Sicut igitur *persona* dicit naturam intellectualem per modum habendi eam incommunicabiliter, et secundum hoc *persona* significans rem habentem modum, sive proprietatem incommunicabilem in natura intellectuali, dicit aliquid communius, quam relativum“: ebd.

[257] Vgl. ebd. dist. 33, q. 2, nn. 3-7 (Ed. Wadding XI/1, 185a-b). Dazu kommentierend: WETTER (1967) 71.342-347.

[258] Vgl. Rep. Par. (= Additiones magnae) I, dist. 33, q. 1, nn. 5-6 (Ed. Wadding XI/1, 181b-182a); q. 2, n. 1-2 (ebd. 184b-185a).

Mayronis, die durch denselben Modus verbundenen, untereinander aber klar als Formalitäten unterschiedenen Größen von Wesen und Proprietäten Gottes in ihrer Realidentität zu verstehen[259]. Inwieweit in der durch Scotus geprägten Franziskanertheologie auch ein modales Verständnis von Personalität oder ein modaler Unterschied zwischen Wesen und Personen zu finden sind, bedürfte eigener Erforschung.

(c) Petrus von Tarantasia hat den Begriff der modalen Distinktion in die dominikanische Tradition der Relationsbestimmung eingeführt, wobei er in seinem Verständnis spürbar zwischen Bonaventura und Thomas schwankt[260]. Die Distinktion findet von hier aus ihren Platz auch bei anderen Dominikanern des 14. Jahrhunderts wie Johannes Quidort von Paris, Wilhelm Petrus Godin oder Jakob von Metz[261], bei letzterem in kritischer Absetzung vom ontologisch schwachen Relationsbegriff des Heinrich von Gent[262], während andere Dominikaner sie in dieser Form kritisieren[263] und ihrerseits an Heinrichs Relationsbegriff anknüpfen[264]. Der Unterschied zwischen der franziskanischen und der dominikanischen Linie ist in dieser Frühzeit allerdings insgesamt nicht allzu groß[265].

[259] Vgl. ROTH (1936) 324. Zum Verhältnis von Absoluta und Relativa in Gott nach Franz von Mayronis vgl. ausführlich ebd. 371-449.

[260] Vgl. 1 Sent. d. 34, q. 1, a. 1, zit. bei Schmaus (1930) 406, Anm. 59; GELBER (1974) 25ff.

[261] Vgl. DECKER (1967) 397.411.449; GELBER (1974) 27f.; YPMA (1991); SCHÖNBERGER (1994) 139.

[262] Vgl. HÖDL (2003) 384f. Als These wird hier greifbar: „Die Seinsmodi der Beziehungen einer Sache sind insofern real, als sie die Sachlichkeit der res, nicht ihre Dinglichkeit betreffen. Die Realität der Relationen läßt sich mit der überkommenen Unterscheidung Substanz und Akzidenz nicht begreifen. Wie soll man nach der Realität der Relation fragen, wenn unter Realität nur die ‚realitas absoluta' verstanden wird und nicht auch die ‚realitas respectiva', welche als formale Vollkommenheit der Sache begriffen werden muß" (385). Die modaltheoretische Explikation der Relation durch Heinrich und die „Gandavistae" hat auch bei anderen Theologen der Zeit teils heftige Kritik evoziert, weil man „Modus" für einen unbestimmbaren Scheinbegriff hielt und negative Folgen für die Trinitätslehre befürchtete; vgl. etwa die von HÖDL (2004) edierte und kommentierte Stellungnahme des Johannes de Polliaco († nach 1321).

[263] Vgl. etwa zu Hervaeus Natalis DECKER (1967) 423; GELBER (1974) 43-53.

[264] Vgl. HÖDL (2003) 383f.

[265] GELBER (1974) 54f. resümiert: „That consensus borrowed the modal difference from Henry of Ghent and Bonaventure as a more satisfactory way out of the problem of how the divine relations could conform to one simple essence and yet give rise to three really distinct persons, than the rational difference of Aquinas. Aside from this one instance, the members of the Dominican Order followed the Trinitarian doctrine of Aquinas fairly closely, although they injected debate over some new problems into the fray."

Daß dies nicht so blieb, scheint vor allem der Radikalisierung des Verständnisses modaler Verschiedenheit zuzuschreiben zu sein, wie sie trinitätstheologisch durch Durandus erfolgte[266]. Durandus geht aus von einem Verständnis des „modalen" Unterschieds zwischen einer Relation und ihrem Fundament im kreatürlichen Bereich[267]. Der „respectus" ist nicht als eigene Entität, wohl aber als „modus entitatis" zu betrachten, der selbst so wenig an „Seiendheit" und „Realität" besitzt, daß er mit anderen Gegenständen (egal ob absoluter oder relativer Art) keine echte „Zusammensetzung" eingeht[268]; damit ist zugleich der Einwand eines unendlichen Regresses in den Modalbestimmungen abgewiesen. Insgesamt ist die modal verstandene Relation bei Durandus nur in analoger Hinsicht als „res" oder „entitas" zu bestimmen, nämlich soweit sie am Sein dessen teilhat, das sie modifiziert. Damit hängt zusammen, daß Durandus der Relation als solcher keine eigene Perfektion zuzuschreiben vermag[269]. Trotz der historischen Verbindung der durandischen Thesen zu den schon zuvor in der Dominikanerschule verbreiteten Relationstheorien und der vom Autor selbst vorgenommenen Einschränkungen bringt, wie wir im nächsten Abschnitt exakter sehen werden, die Übertragung der Modaldistinktion in die Trinitätslehre als eines (wenn auch nur minimal

[266] Vgl. ebd. 54-59.

[267] Zum Verständnis des modalen Seins der Relation bei Durandus vgl. GELBER (1974) 54-59; IRIBARREN (2005) 109-121.136f.221f. u. ö. Etwas zu stark ist wohl die Einschätzung bei LOWE (2003) 89: „Unlike most thirteenth-century and like some other fourteenth-century scholastics, the question of relations was Durandus' central metaphysical preoccupation."

[268] Vgl. Durandus, 1 Sent. d. 30, q. 2, n. 15 (84vb): „Ad cuius probationem praeintelligendum est, quod res dicitur analogice de re absoluta et de respectu; sed per prius et simpliciter de re absoluta. Per posterius autem et secundum quid de respectu qui non est res, nisi quia est realis modus essendi. Unde habet minimum de entitate, quia est solus modus entitatis, et non est entitas habens modum, sed modus tantum: res ergo dicta per se et simpliciter qualis est absoluta cum omni re absoluta facit compositionem, sed illud quod dicit secundario res, et secundum quid cum nulla facit compositionem, nec cum absoluto, nec cum relato".

[269] Die Kritiker des Durandus im Dominikanerorden sahen in dessen Verständnis der Relationen als Modi, das in distinktionstheoretischer Sicht auf den ersten Blick eine Unterstreichung ihrer Eigenständigkeit gegenüber dem Wesen darstellt, darum tatsächlich nicht eine Stärkung ihrer ontischen Position, sondern – gegenüber der die Identität mit dem Wesen betonenden thomanischen Lehre – eine gefährliche Schwächung; vgl. DECKER (1967) 392: „Denn wie Thomas wiederholt betont, sind die innergöttlichen Relationen nur deshalb subsistent, weil sie mit der Wesenheit identisch sind. Wir verstehen daher, wie die Behauptung eines irgendwie realen Unterschieds zwischen Wesenheit und Relation und die Leugnung der Subsistenz der Relationen bei Durandus miteinander zusammenhängen. Beides aber wurde von den Zensoren als häretisch gebrandmarkt."

gefaßten) Realunterschieds zwischen Wesen und Personen eine Veränderung gegenüber dem bisherigen Theologenkonsens mit sich, der – unbeschadet des dahinter erkennbaren ernsthaften anti-sabellianischen Anliegens[270] – bei den nachfolgenden Autoren außerhalb des Scotismus fast einhellige Ablehnung hervorrufen wird[271]. Man sieht damit die Relationen in einer Weise „verdinglicht", die mit der Einheit und Einfachheit Gottes nicht mehr vereinbar erscheint.

(d) Wie eine trinitätstheologische Verwendung der Seinsmodi im Verständnis des 16. Jahrhunderts aussehen kann, die nicht auf die Linie des Durandus einschwenkt, läßt sich in der Jesuitenschule vor Suárez am Beispiel des Francisco Toledo erkennen[272]. In seinem (zu Lebzeiten des Suárez ungedruckten) Traktat lehrt er ausdrücklich eine „formale" Nicht-Identität von Wesen und Relationen. Um sich dennoch von Scotus abgrenzen zu können, expliziert er sie als Unterscheidung der „ratio" des Wesens vom „modus" der Relationen, wie er sie begrifflich aus Bonaven-

[270] Vgl. DECKER (1967) 437: „M. E. kam Durandus nicht durch irgendwelche philosophischen Prämissen zu seiner als Häresie gebrandmarkten Lehranschauung. Entscheidend dürfte vielmehr die entschiedene Frontstellung gegen jede auch nur denkbare sabellianische Verflüchtigung der Trinität gewesen sein. Durandus argumentiert letztlich als Theologe. Es geht ihm um die Verteidigung des Dogmas von der realen Dreiheit der Personen. Diese glaubt er nur retten zu können durch die Annahme eines realen Unterschieds zwischen den die Personen begründenden Relationen einerseits und der gemeinsamen Wesenheit anderseits." Damit grenzt sich Decker gegen die Einschätzung Josef Kochs ab, der vor allem die durandische Relationenmetaphysik als Hintergrund der Trinitätsauffassung benannt hatte. Die Ähnlichkeit zwischen der so bestimmten Intention des Durandus und der des Scotus bei seiner Thomaskritik liegt auf der Hand.

[271] Vgl. das zusammenfassende Urteil bei GELBER (1974) 55: „Durand relied on the theory of modes as proof that composition was not a necessary concomitant of the occurence of two things in one unity. Durand seems to sympathize with this last view, but to feel unsure about it because of the difficulty in avoiding composition in God. But in Sentences I, d. 13, q. 1, Durand espoused this third view without designating it as the opinion of anyone other than himself. Durand seems to follow in the footsteps of John Quidort, William Peter Godin and Jacob of Metz in accepting the modal distinction along with the Thomist and Aegidian conception that relation is a res of some sort. His conclusion, however, that therefore relation is a thing, at least in some way, in opposition to its fundament as well as in opposition to its terminus was not in line with the rest of the scholastic tradition." Zuvor ist schon bei DECKER (1967) 436f. der Unterschied der modaltheoretischen durandischen Trinitätsauffassung zu den Lehren seiner Vorgänger stark unterstrichen worden: „Mit der häretischen Anschauung des Durandus, daß sich Relation und Wesenheit in Gott real unterscheiden, haben Heinrich von Gent, Guilelmus Petri de Godino und Johannes von Paris nichts zu schaffen."

[272] Vgl. zum folgenden Toledus, In I$^{am}$ q. 28, a. 2 (Ed. Paria I, 336ff.).

tura kennt[273]. Dabei greift er auf das Verständnis der prädikamentalen Relation zurück, die stets auf ihr Trägersubjekt bezogen ist und darum im Blick auf das reine „ad aliquid" niemals vollständig bestimmt werden kann. Hier zeigt sich, daß der abstrakt gefaßte Beziehungsaspekt als solcher ein von Akzidentalität oder Substantialität abstrahierender Modus ist[274]. Die Bestimmung der Relation als ganzer muß stets den „gradus naturae" berücksichtigen, in dem der Modus zur Verwirklichung kommt. Erst dann wird das „accidens ad aliud" von der „substantia ad aliud" unterscheidbar. Wie das Sein in einer Substanz („esse per se") modal verschieden ist vom Sein eines Akzidens, so auch das „ad aliquid" als Modus im Geschöpflichen und in Gott. Es ist jeweils nur die Gesamtbestimmung des modifizierten Seienden, die es erlaubt, auch dem Modus seinen korrekten ontologischen Status zuzuordnen: als „respectus inhaerens" oder „respectus subsistens". Der Modus „ad aliquid" erweist sich hier als ontologisch unselbständiges Formalmoment. Für die Unterscheidung der modal verstandenen Relation vom Wesen in Gott folgt daraus: Wie wir in der Substanz das „esse per se" als den eigentümlichen Modus ihres Seins erkennen, ohne beides real voneinander zu unterscheiden, so erkennen wir der göttlichen Natur die Modi des „zum anderen" oder „von einem anderen her" Seienden zu, ohne Natur und Modus als reale „diversa" zu verstehen[275]. Denn der Modus ist identisch mit der Substantialität des Wesens. Die Unterscheidung zwischen beiden ist folglich nur eine gedankliche. [Ende des Exkurses]

[273] Vgl. ebd. (337a-b): „Relatio distinguitur ratione ratiocinata, non sicut duae rationes, quasi essentia sit una ratio et quidditas, et relatio alia; sed quasi ratio et modus. (…) Nota 1° quod quidditas relationis dupliciter potest considerari in humanis. Uno modo integre et complete; et sic non est tantum ordo ad aliud, sed ordo alicuius ad aliud, etiam non considerata existentia. Ratio autem est, quia ad aliud essentialiter est accidens: accidens autem a subiecto pendet: relatio ergo ordinem habet ad subiectum; immo non est completa ratio relationis per solum id, quod est ad aliud, sicut nec ratio substantiae in illo, quod est esse per se. Unde fit, quod in relatione id, quod est esse ad aliud purum, sit modus quidem faciens naturam relationis, sicut esse per se est modus substantiae. (…) Altero modo potest considerari imperfecte relatio; et tunc est ille modus et ordo ad aliud, qui tantum respicit terminum."

[274] Vgl. auch Toledus, Comm. in I$^{am}$ q. 29, a. 4 (Ed. Paria I, 344a-b).

[275] Vgl. ebd. q. 28, a. 2 (337b): „Nota 2° ascendendo ad divina, quod relatio, quantum ad suam existentiam, transit in divinam essentiam, cum ipsaque identificatur. Similiter quantum ad gradum naturae, qua respicit subiectum, solum manet id, quod est modus quidam, scilicet ad aliud; et sic distinguitur ratione ab essentia, estque modus ipsius. Unde sicut esse per se est modus substantiae, ita quodam modo esse Patrem est modus Patris; et sicut esse per se quodam modo est ad ens, ita relatio ad ipsam essentiam."

Die in diesem Exkurs versammelten Mosaiksteine zu zwei Aspekten der scholastischen Moduslehre fügen sich bei weitem nicht zu einem geschlossenen Bild zusammen. Im Blick auf Suárez erlauben sie aber folgende resümierende Feststellungen.

Wenn Suárez die Unterscheidung einer „res" und der als positiven Bestimmungen zu ihr hinzutretenden Modi als (einzig) legitime Ausformung einer „kleineren" realen Unterscheidung lehrt, kann er terminologisch an einen Aspekt der scotistischen Tradition einer „distinctio media" anknüpfen, den er inhaltlich jedoch eher in derjenigen Richtung ausgestaltet, wie sie durch Jakob von Metz, Durandus oder Aegidius Romanus in der Dominikanerlinie eingeschlagen wurde[276] und seit Cajetan für die Verhältnisbestimmung von Wesen und Subsistenz oder Existenz verschiedene Konkretisierungen erfahren hat. In der Metaphysik des endlichen Seienden möchte Suárez damit spürbar ein scotisches Grundanliegen wahren, ohne die innerhalb der Jesuitenschule in ihrer umfassenden Gestalt weithin zurückgewiesene Formaldistinktion rezipieren zu müssen. Direkte Impulse für die Umsetzung dürfte er bei seinem Ordensbruder Fonseca gefunden haben. Aus dem dritten Kapitel unserer Studie wissen wir bereits, daß eine unmittelbare Übernahme des mit Hilfe der Modalkomposition konstruierten geschöpflichen Personbegriffs in die Trinitätslehre für Suárez aus theologischen Gründen nicht in Frage kommen konnte. Wir werden im folgenden Abschnitt dieses Urteil in der suárezischen Auseinandersetzung mit Durandus aus der Perspektive des Natur-Relationen-Verhältnisses bestätigt finden. Daß der Modus-Begriff in der Trinitätstheologie jedoch auch dann keineswegs bedeutungslos werden muß, wenn man das starke Distinktionsmodell des Durandus nicht vertritt, hat uns der Blick auf seine Verwendung bei franziskanischen wie dominikanischen Theologen seit dem 13. Jahrhundert ebenso gezeigt wie auf seine erneute Verwendung beim Jesuiten Toledo, der sich bemüht, mit seiner Hilfe die scotische Formaldifferenz wieder in den Rahmen der thomistischen gedanklichen Unterscheidung zurückzuführen. Auch bei Suárez erweist sich die ontologische Moduslehre als im eigentlichen Sinne auf die kreatürliche Welt beschränkt und hier für das Verständnis von Personalität und Relationalität unverzichtbar. Als solche bleibt sie jedoch zugleich das Instrumentarium für unsere Rede über Distinktionen in Gott, wenn wir diese auch stets unter den Vorbehalt stellen müssen, daß wir mit ihr die ungeteilte Realität Gottes nicht adäquat und in sich, sondern nur im Spiegel der uns zugänglichen endlichen Wirklichkeiten zu

[276] Die Kritik an der suárezischen Scotus-Interpretation, wie sie im Blick auf Themen der modalen Unterscheidung WELLS (1962) entfaltet, ist aus historischer Perspektive sicherlich korrekt.

erfassen vermögen. Suárez hat damit die scotische Formaldistinktion nicht bloß modaltheoretisch interpretiert, sondern in der speziellen trinitätstheologischen Anwendung zugleich versucht, durch Einfügung in das erkenntnistheologische Rahmenmodell der thomistischen Gotteslehre die von der überwiegenden Theologenmehrheit gegen sie geäußerten Orthodoxiezweifel zu beheben, ohne den Grundansatz der scotischen Denkform, den Ausgang von den Formgehalten in Wesen und Relationen (und nicht vom göttlichen Wesenssein) verabschieden zu müssen, der seinen eigenen metaphysischen Grundüberzeugungen zutiefst entspricht.

### *b) Anwendung auf die Unterscheidung zwischen Wesen und Personen in Gott*

Nach dem Blick auf die allgemein-philosophische Erörterung, die Suárez den unterschiedlichen Weisen der Unterscheidung und ihrer ontologischen Einstufung zukommen läßt, und dem Versuch, im umfassenderen historischen Kontext die Eigenart der suárezischen Modus-Lehre herauszuarbeiten, wie sie für sein Verständnis der Formalkonstitution endlicher Subsistenz zentrale Bedeutung gewinnt, können wir uns der spezielleren Nutzbarmachung dieses Lehrstücks für die Verhältnisbestimmung zwischen Personen und Wesenheit in Gott zuwenden, die der Jesuit im Fortgang des vierten Buches seiner Trinitätslehre vornimmt.

#### aa) Die These von der rein gedanklichen Verschiedenheit von Wesen und Personen

Die Frage nach der ontologischen Qualifizierung des Unterschieds zwischen Wesen und Personen in Gott muß bei demjenigen Element ansetzen, das die Personen als solche in ihrer jeweiligen Eigenheit bestimmt. Im allgemeinen scholastischen Sprachgebrauch sind dies die personalen Proprietäten. Sie gilt es folglich in ein Verhältnis zur Wesenheit zu setzen, mit der zusammen sie die Personen konstituieren. Da die „gilbertinische" These einer eigentlichen Realdistinktion zwischen den Größen bereits zuvor zurückgewiesen worden ist, braucht Suárez sie nicht erneut zu diskutieren. Stattdessen entwickelt er seine eigene Lehrposition in Auseinandersetzung mit zwei wichtigen Autoritäten aus der Theologie des frühen 14. Jahrhunderts, nämlich Durandus a S. Porciano und Petrus Aureoli. Mit ihren Positionen sind die Extrema einer starken Unterscheidungs- wie einer starken Einheitsthese in der vorliegenden Frage benannt. Ihnen gegenüber muß sich im einzelnen zeigen, in welchem Umfang Suárez seine für die geschöpfliche Welt formulierte und nicht zuletzt durch Durandus inspirierte Lehre von der modalen Konstitution endlicher Suppositalität mit der Folge eines modalen Unterschieds zwischen Natur und Person in die Gotteslehre zu übernehmen bereit ist.

(1) Durandus gilt in der Diskussion des Spätmittelalters regelmäßig als Vertreter einer „kleineren" realen Distinktion zwischen Wesen und Personen in Gott. Auch wenn Suárez ihn, wie wir im vorangehenden Abschnitt sahen, nur unter die Vorläufer des Konzepts einer „modalen" Distinktion rechnet, die zwischen der im strengen Sinne realen und der bloß gedanklichen Unterscheidung anzusiedeln ist, schreibt er dem Dominikaner ebendiese These in der Trinitätstheologie recht deutlich zu[277].

(a) Tatsächlich lehrt Durandus, daß in Gott der Unterschied zwischen Wesen und Relation nicht bloß gedanklicher Art sein kann, da ansonsten Sabellianismus folgte, ebensowenig aber real im strengen Sinn („simpliciter et absolute") ist, da in diesem Fall die göttliche Identität zerstört würde[278]. Gefordert ist darum eine „distinctio realis secundum quid, et cum determinatione". Als drei mögliche Kandidaten für eine solche Unterscheidung nennt Durandus die These von einer Nicht-Adäquanz und Inkonvertibilität von Person und Wesen, die Verhältnisbestimmung „sicut res et modus habendi illam rem" sowie die formale Unterscheidung der beiden Größen „ex natura rei" bei realer Identität[279]. Durandus selbst erscheint es naheliegend, Wesen und Relationen einander wie „res et modus habendi rem" gegenüberzustellen. Diese in offensichtlicher Anknüpfung an den von uns erwähnten älteren trinitätstheologischen Sprachgebrauch erfolgende Unterscheidung, so hatte Durandus schon vorher ausgeführt, erfüllt exakt jene Kriterien, wie sie trinitätstheologisch gefordert sind („mittlere" Unterscheidung ohne Konsequenz einer Zusammensetzung des modifizierten Gegenstandes)[280]. Da Durandus zu-

[277] Vgl. Suárez, De trin. 4.4.2 (I, 624b-625a).

[278] Vgl. Durandus, 1 Sent. d. 33, q. 1, n. 23 (89vb). In 3 Sent. d. 1, q. 2 (211vb-212ra) nennt Durandus zudem ein christologisches Argument für seine Unterscheidungsthese: „Ex praedictis sequitur, quod proprietas relativa aliquo modo differt ex natura rei ab essentia divina, quia cum essentia divina uniatur naturae humanae assumptae, quo unio non sufficit ad hoc quod natura assumpta sit unum personaliter cum filio, et non cum Patre et Spiritu sancto. Sed ultra hoc requiritur unio naturae assumptae cum proprietate filii, idcirco in hoc differt ex natura rei proprietas relativa filii ab essentia communi". Wir kennen bereits die suárezische Ablehnung dieser Lehre von einer doppelten Einung in der hypostatischen Union.

[279] Vgl. Durandus, 1 Sent. d. 33, q. 1, n. 26-28 (90ra). Auf die Art der Differenzierungen, die Durandus angesichts der gerade in diesem Punkte heftigen Kritik durch die ordenseigene Untersuchungskommission vorzunehmen versucht hat und wie sie etwa im ersten Avignoneser Quodlibet sichtbar werden (vgl. KOCH [1927] 122f.), kann und braucht in unserem Kontext nicht detailliert eingegangen zu werden.

[280] Vgl. Durandus, 1 Sent. d. 33, q. 1, n. 14-17 (89rb-va).

gleich die modale Unterscheidung mit derjenigen zwischen zwei „Formalitäten" gleichsetzt[281], braucht er sich auch von der ersten und dritten der von ihm vorgestellten Ansichten nicht vollends zu distanzieren. Während das Referat des Suárez also richtig darin liegt, die trinitätstheologische Distinktionslehre des Durandus in ihrer letzten Fassung weitgehend mit derjenigen des Scotus zu identifizieren, tut der Jesuit dem Dominikaner unrecht, wenn er behauptet, dieser setze das Person-Wesen-Verhältnis in Gott mit demjenigen in den Geschöpfen gleich[282]. Denn daß der „göttliche Vater" sich zur „Gottheit" verhalte, wie sich eine konkrete menschliche Person („Petrus") zur menschlichen Natur verhält, wird von Durandus selbst explizit verworfen[283]. Die Gleichsetzung der modal verstandenen Personalitäten mit Formalitäten im scotischen Sinne verhindert in seiner Sicht gerade die Notwendigkeit, in ein ontologisches „Additionsmodell" mit der Folge echter Zusammensetzung in Gott zu verfallen, wie es ihm Suárez – von seiner eigenen, für die geschöpfliche Welt entwickelten Modaltheorie her durchaus verständlich – unterstellen will.

(b) Neben der Auseinandersetzung mit Durandus fehlt bei Suárez an der vorliegenden Stelle eine exaktere Analyse der scotischen Thesen zur innertrinitarischen Unterscheidungslehre. Wenn der Jesuit sie nur auffällig kurz zitiert, läßt er zugleich seine Absicht erkennen, den Franziskaner vor dem Vorwurf einer realen Unterscheidung zwischen Wesen und Personen, wie er in der frühen Jesuitenschule zuweilen in heftiger Form geäußert wurde[284], in Schutz zu nehmen, indem er die Dunkelheit und Uneindeutigkeit der scotischen Ausdrucksweise entschuldigend ins Feld führt[285]. Details der scotischen Lösung, wie etwa die von modernen Inter-

[281] Die Annäherung des Durandus an Scotus in der dritten Redaktion seines SK (wie sie in den Drucken dokumentiert ist) vermerkt bereits KOCH (1927) 123.235. Vgl. SCHÖNBERGER (1994) 131: „Die Ontologie des Durandus steht (...) vor denselben Schwierigkeiten wie die scotische Lehre der Formalitäten. Sie kann die Objektivität nicht anders festhalten als durch Inanspruchnahme eines res-Charakters. Sie muß gleichwohl diesen zugleich minimalisieren und veruneigentlichen."

[282] Vgl. Suárez, De trin. 4.42 (I, 624b).

[283] Vgl. Durandus, 1 Sent. d. 33, q. 1, n. 29 (90ra): „illa inadaequatio quae est inter paternitatem et essentiam non est sicut inadaequatio quae est vel esset inter sortem et hominem, dato quod homo esset aliquid singulare sicut sortes...".

[284] Vgl. etwa Gregor von Valencia, De trin. l. 3, c. 3 (670C-676C). Die scotische These erscheint hier als „omnino periculosa" (672D) und „sane contra fidem" (674B), so daß der Autor zum Urteil kommt: „Quare haec sententia Scoti vehementer sane videtur obstare ipsi Trinitatis mysterio. Praecludit enim viam potissimam illud defendendi ab impossibilitate" (676C).

[285] Vgl. etwa Suárez, DM 7.2.5 (XXV, 263a): „nam Scotus obscurius et valde in communi loquitur de sua distinctione formali". Auch ein Gilbertinismus-Vorwurf gegen Scotus,

preten häufiger hervorgehobene Nuance, daß der Doctor Subtilis statt von einer „formalen Distinktion" lieber von „formaler Nicht-Identität" gesprochen hat[286], werden von Suárez ebenso nicht eigens ventiliert wie Fortentwicklungen der Ursprungslehre in der Scotistenschule[287]. Dagegen ist dem Jesuiten bekannt, daß führende Vertreter der nominalistischen Richtung, von denen Ockham, Marsilius und Gabriel Biel erwähnt werden[288], im trinitätstheologischen Kontext an der Formaldistinktion festgehalten haben, während sie ihr ansonsten ablehnend gegenüberstanden.

(c) Zur Begründung der von Durandus und Scotus vertretenen Position führt Suárez in „De trinitate" drei Argumente an[289]. Das erste und entscheidende verlangt eine Entsprechung zwischen Prädikations- und Seinsebene: Wenn von Wesen und Personen kontradiktorische Aussagen gemacht werden („Pater generat, essentia non generat"), muß zwischen beiden in der Wirklichkeit ein mehr als gedanklicher Unterschied bestehen. Die eher beiläufig angeführten zwei weiteren Argumente verweisen auf die Nezessität, die personale Selbstidentität als gegenüber der Identität mit dem Wesen stärker anzusetzen, sowie auf den Unterschied zwischen absoluter Formbestimmung des Wesens und relationaler Konstitution der Personen, der nach Augustinus zugleich ein Ordnungsverhältnis (Absolutum vor Relativum) impliziert. Nicht ausdrücklich wiederholt wird ein weiteres, in DM 7 für die Durandusthese referiertes Argument: Eine modale oder formale Distinktion legt sich darnach deswegen nahe, weil in Gott die Wesenheit der Wirklichkeit nach mit der Vaterschaft verknüpft, aber zugleich, obwohl numerisch identisch, von ihr trennbar ist, sofern sie nämlich auch mit der Sohnschaft verbunden sein kann[290].

wie ihn in der Trinitätstheologie Gerson erhoben hatte (vgl. WÖLFEL [1965] 169), kommt bei Suárez nirgends zur Sprache.

[286] Vgl. etwa SCHMAUS (1930b) 512.514f.; ROTH (1936) 308: „Erst ein Teil der Schüler des J. Duns Skotus, unter ihnen F<ranciscus> v<on> M<ayronis>, schritten auch in dieser Frage von der formalen Nichtidentität zur ‚Distinctio formalis' weiter. Andere Skotisten behielten die Lehre und Ausdrucksweise ihres Meisters bei".

[287] Suárez ist dafür in der neueren Forschung kritisiert worden, vgl. HÜBENER (1985) 67. Exakter waren an dieser Stelle Torres, Comm. in I$^{am}$ q. 28, a. 2, pars 1 (52vb) und Toledus, In I$^{am}$ q. 28, a. 2 (Ed. Paria, 335b): „Scotus non audet concedere distingui formaliter, sed non esse eadem formaliter."

[288] Vgl. Suárez, De trin. 4.4.2 (I, 625a); dazu SCHMAUS (1930b) 550f., mit Anm. 79. Nachweise für Biel finden sich bei FRIEDMAN (2003) 113ff. Auf die trinitätstheologische Formaldistinktion bei Marsilius weist MÖHLER (1949) 13f.86ff., u. a. mit Zitierung von 1 Sent. q. 6, a. 2, concl. 4 (Ed. Santos Noya I, 241), hin; insgesamt wird er als gemäßigter und eklektischer Nominalist charakterisiert, bei dem ebenfalls Einflüsse anderer Schulrichtungen zu finden sind (vgl. MÖHLER [1949] 147).

[289] Vgl. Suárez, De trin. 4.4.3 (I, 625a).

[290] Vgl. DM 7.2.5 (XXV, 263a).

(2) Nur äußerst knapp handelt Suárez die zweite These ab, die er wie seine Zeitgenossen mit dem Namen des Petrus Aureoli († 1322) verbindet[291]. In der Trinitätslehre seines 1316 vollendeten Sentenzenkommentars gibt es nach dem Referat des Jesuiten weder einen realen noch einen gedanklichen Unterschied zwischen Wesen und Person, da dies der göttlichen Einfachheit zuwiderlaufe.

Blickt man in die Texte des Aureoli selbst, bemerkt man rasch, wie holzschnittartig und verkürzend Suárez die originelle Position des Franziskaners mit dieser Formulierung wiedergegeben hat. Sie stellt den in der mittelalterlichen Theologie seltenen Versuch dar, eine ontologische Nachordnung der Personalität gegenüber der Wesenheit zu vermeiden, welche die thomistische Trinitätstheologie ebenso prägt wie die scotistische und in der seit Cajetan häufigen These von einer absoluten Subsistenz Gottes, die sich nicht aus den personalen bzw. relativen Subsistenzen herleitet, besonders deutlich wird. Die Grundüberzeugung Aureolis, wie sie schon in der ersten Distinktion seines Sentenzenbuches angesichts der Frage, ob Gott oder ein Geschöpf die göttliche Natur getrennt von den Relationen zu schauen vermögen, zum Ausdruck kommt, lautet[292]: Auch wenn wir Wesen und personale Proprietäten als verschiedene „res", „rationes" und „formalitates" bezeichnen können[293], begreifen wir Gott in seiner „Einheit" und „Ungeschiedenheit" nur, wenn wir die strikt *gemeinsame* Konstitutionsfunktion von Wesenheit und Relationen in den Blick nehmen. Das Wesen existiert real allein in seinen drei personalen Existenzweisen[294], es besitzt keine „Einheit" getrennt von den personalen Proprietäten wie diese nicht ohne das Wesen[295]. Eine Trennung beider ist darum selbst für den göttlichen Intellekt unmöglich. Es ist richtig, daß Aureoli dies mit Verweis auf die Einfachheit Gottes begründet: Sie wird

[291] Vgl. De trin. 4.4.4 (I, 625a).

[292] Vgl. Aureoli, 1 Sent. d. 1, a. 2, n. 46 (Ed. Buytaert I, 346): „Haec autem impossibilitas ortum habet, quia essentia non habet propriam unitatem realiter, nec intelligibiliter; sed essentia et paternitas fundant penitus eandem unitatem, et secundum rem, et secundum intellectum, sic quod nullus intellectus, etiam Divinus, potest praecise concipere entitatem et praecise paternitatem, quamvis essentia sit res et paternitas res, pro eo quod fundant eandem indistinctionem, et omnimodam unitatem."

[293] Vgl. auch ebd. n. 62-63 (Ed Buytaert I, 351ff.).

[294] Vgl. auch SCHMAUS (1930b) 548f.; FRIEDMAN (1997b) 295: „Likewise each of the properties is utterly indistinct from the essence, we cannot even think one of the properties without also thinking the essence in some way: between essence and property there is utter indistinction. It is only the three supposites that result from essence and properties that are distinct from each other and have some singular unity: Aureol calls this unity *perseitas tertii modi*".

[295] Vgl. Aureoli, 1 Sent. d. 1, a. 2, nn. 48-66 (Ed. Buytaert I, 346-355).

als „perfectio simpliciter" nur gewahrt, wenn die sie fundierenden Größen nicht additiv, und sei es nur nach Art einer gedanklichen „compositio", zusammenfinden, sondern trotz ihrer Formalverschiedenheit ein einziges Konstitutivum bilden[296], dem wir uns allerdings in unterschiedlichen Zugangsweisen – mit „direkter" Betrachtung von Wesen oder Proprietät unter „ko-inklusiver" Erfassung des jeweils anderen – nähern können[297]. Wie wir bereits an früherer Stelle sahen, verbindet sich für Aureoli mit seiner These das Anliegen, die reale Unterscheidung der Personen untereinander bestmöglich abzusichern. Der Personenunterschied darf nicht, wie der Franziskaner es vor allem der thomistischen Lösung vorwirft, durch eine nur gedankliche Trennung der Subsistenzen vom Wesen in die Gefahr einer modalistischen Abschwächung geraten[298]. Ebensowenig darf die Wesenheit ihnen gegenüber als eigene „Einheit" gefaßt werden, was nach Aureoli in eine Quaternitätsauffassung münden müßte[299]. Als Beispiel für die in der Trinität anzusetzende Möglichkeit, daß unterschiedliche Formalitäten bzw. Realitäten eine einzige „unitas" fundieren, führt Aureoli das in unserer Erkenntnis allgegenwärtige Verhältnis von intentionaler Gegenstandsrepräsentanz und realer Dinglichkeit an[300]. Das „esse apparens" einer Rose ist keine Hinzufügung zu deren „realitas", sondern eben reines Erscheinungsmedium dieser Realität selbst. Dieses „objektive Sein", dessen Erfassung nach Theo Kobusch als „der zentrale Bestandteil in Aureolis Werk"[301] gelten darf, spielt auch trinitätstheologisch eine wichtige Rolle. So ist der göttliche Sohn als „imago" im Intellekt des Vaters kein „bloß" gedanklich-intentionales Sein oder gar etwas „Ausgedachtes", sondern das wesenhaft göttliche Sein selbst in seinem Eröffnetsein für das Erkennen („in esse conspicuo")[302], ohne daß auch

[296] Vgl. ebd. n. 54 (Ed. Buytaert I, 347f.).

[297] Vgl. ebd. n. 68 (Ed. Buytaert I, 355f.).

[298] Vgl. Aureoli, 1 Sent. d. 2, s. 11, a. 3, n. 53 (Ed. Buytaert II, 587): „Sed secundum sic dicentem, paternitas et filiatio sunt idem secundum rem essentiae divinae, quamvis sint distincta secundum rationem ab ea. Ergo inter se erunt eaedem secundum rem, quamvis distinguantur secundum rationem, et per consequens Pater et Filius sola ratione distinguuntur, et redit error Sabellii."

[299] Vgl. ebd. d. 1, s. 6, a. 2, n. 48 (Ed. Buytaert I, 346); d. 2, s. 11, n. 85.90.93 (ebd. II, 595.597.599f.).

[300] Vgl. zum folgenden VIGNAUX (1976a) 162-168; SUAREZ-NANI (1986) 23-33; KOBUSCH (1987) 141-155.

[301] Ebd. 141.

[302] Vgl. Aureoli, 1 Sent. d. 2, s. 11, a. 2, n. 98 (Ed. Buytaert II, 604): „Et sic est simpliciter in divinis, quia filiatio non est aliquid, quam respectus verbi, seu imaginis. Unde Filius est Deus non fictitie sed realiter, positus in esse conspicuo in prospectu intellectus paterni, et habet se sic conspicuitas, quae est proprietas filiationis ad ipsam

hier „res" und „apparitio" (also konkret: Wesen und [zweite] Person) voneinander getrennt werden könnten[303]. Die trinitätstheologische Aussage bringt so das Grundverständnis von „objektivem Sein", also dem Sein eines Dinges für den und im Intellekt, zum Ausdruck, wie es im gnoseologischen Entwurf des Aureoli entfaltet ist. Indem er das erscheinende Sein, das der erkennende Intellekt hervorbringt, mit dem darin zur Erscheinung gebrachten Ding selbst identifiziert, es als Seinsmodus desselben ansieht, vermeidet er – in strengster Weise im Falle des göttlichen Intellekts – eine Qualifizierung des Gedachtseins im Sinne defizitären Seins („esse deminutum"), wie sie aus der griechischen Antike über Avicenna auch in das mittelalterliche Denken Eingang gefunden hatte[304]. Zugleich grenzt sich Aureoli gegen Scotus ab, indem er in der intentional repräsentierten Wesensnatur das Moment des Erkanntseins als untrennbar von der reinen Gehaltlichkeit betrachtet. Damit erweist sich das „esse apparens" stets auch als Moment im Selbstvollzug des Erkennenden, der im Wort sich selbst sichtbar macht und aussagt. Bezieht man das Lieben als zweiten Grundvollzug des zu Selbstvollzug und -reflexion fähigen geistigen Wesens mit ein und beachtet man den im Seinsmodus der Produktionen offenbar werdenden Vollkommenheitsunterschied der geistigen Setzungen in Gott gegenüber denen in der Kreatur, hat man bereits den Kern der gesamten psychologischen Trinitätslehre in ihrer bei Aureoli vorgelegten Variante aufgedeckt[305].

deitatem, ut Deus in esse conspicuo positus, quasi totus sit realis apparentia, et conspicuitas Deitatis, et totus sit deitas ipsa."

[303] Diese Untrennbarkeit von Wesen und Personen behauptet Aureoli konsequenterweise auch für die eschatologische Gottesschau; vgl. 1 Sent. d. 1, s. 6, n. 46 (Ed. Buytaert I, 346); dazu: VIGNAUX (1976a) 168.

[304] Vgl. KOBUSCH (1987) 144: „Das erscheinende Sein ist also der Gegenstand selbst, aber insofern er erscheint. Der Intellekt freilich vermag, wenn er den Gegenstand erkennt, nicht zwischen dem erscheinenden und realen Sein des Gegenstandes zu unterscheiden, sondern er sieht den realen Gegenstand in seinem erscheinenden Sein als ein »einfaches Eines« an. Die Erscheinung der Sache ist nicht auch eine »Realität«, so als ob die Sache selbst an sich und die Sache, die erscheint, zwei Realitäten darstellten. Erscheinendes und reales Sein sind als zwei Seinsmodi derselben Sache anzusehen. Was in der Erkenntnis erscheint, ist dasselbe wie das, was außerhalb des Erkennenden real ist. Das Erkanntsein der Rose ist ein Modus ihres Seins. Oder allgemeiner: die Erscheinung einer Sache ist ihre innere Existenzweise." Auf die Nähe von Aureolis Konzeption zu derjenigen bei Modisten wie Radulphus Brito weist FRIEDMAN (1997a) hin.

[305] Vgl. Aureoli, 1 Sent. d. 3, s. 14, a. 3, nn. 54-63 (Ed. Buytaert II, 712-717). FRIEDMAN (1997b) 337f. gibt folgende Zusammenfassung: „The Son is the divine essence conceived, a concept of the divine essence; and just as when we conceive a rose, the concept is the rose inextricably mixed together with passive conception, so essence and filiation are inextricably mixed together, forming one person, a unity of utter

Suárez berücksichtigt all diese Zusammenhänge nicht, wenn er Aureoli allein unter dem Schlagwort „Ununterscheidbarkeit von Wesen und Personen" rezipiert. Diese These läuft seiner Ansicht nach entweder auf die terminologisch unglückliche Fassung einer korrekten Meinung hinaus (Einschluß der Gottheit in den Relationen) oder behauptet schlechterdings etwas Denkunmögliches, weil sie der durch die vorher referierte (scotische) Lösung so pointiert herausgestellten Unterscheidungsnotwendigkeit nicht gerecht wird. Ob Suárez mit dieser schroffen Abfertigung einer aus dem Kontext gerissenen Einzelthese in eine sachlich angemessene Auseinandersetzung mit Aureoli eintreten konnte, darf selbst nach unserem nur kurzen Blick auf den komplexen Theorieentwurf des Franziskaners bezweifelt werden. Symptomatisch ist diese Behandlung immerhin für die Skepsis, mit der insgesamt die wichtigsten Schulen seit der Spätscholastik dem Versuch Aureolis entgegengetreten sind, jene Isolierung der abstrakten Wesensbetrachtung in der Gotteslehre und ihre Vorordnung vor die Trinitätsaussagen zu vermeiden, wie sie notwendig resultieren muß, wenn man den Relationen jede Konstitutivfunktion im Blick auf den „Deus ut unus" abspricht. Aureoli hält hier eine Alternative parat, die zumindest in der heutigen Theologie, die häufig die scholastische Tradition gerade im Blick auf die genannten Konsequenzen kritisiert, eine Neuentdeckung verdient hätte.

(3) In der Mitte zwischen den vorgestellten Konzeptionen der modalformalen Nicht-Identität bzw. totalen Real-Identität von Wesen und Personen positioniert Suárez seine eigene These von der in der Sache selbst begründeten gedanklichen Unterscheidung beider („distinctio rationis cum fundamento in re / rationis ratiocinatae"), in der er sich mit Thomas und vielen Thomisten sowie generell der überwiegenden Mehrheit der Autoren einig weiß[306].

indistinction, distinct from and mutually opposed to the unities founded by each of the other two properties and the essence. In both cases the respective property and the absolute thing are so inextricable that we cannot conceive them apart from each other. In a similar way, the Father is the divine essence that says the word, these two properties being likewise inextricably mixed together, and Father and Son are then distinct on account of the mutually opposed respects – respects distinct in-and-of themselves (*se ipsis*) – they have to one another: saying and being said, or conceiving and being conceived." Zur Geisthauchung bei Aureoli, in der Gott nicht in seinem „esse apparens", sondern „in esse dato" zu betrachten ist, vgl. SUAREZ-NANI (1986) 34-37.

[306] Vgl. Suárez, De trin. 4.4.5 (I, 625a-b) und ROTH (1936) 457-463. Zumel, Comm. in I[am] q. 39, a. 1, disp. 1 (838a) bestätigt die Majoritätsposition der These in Salamanca: „Item, supra diximus quod in Deo est virtualiter et fundamentaliter illa distinctio rationis ratiocinatae, quam noster intellectus facit et complet: quanquam non sit ac-

(a) Neben Belege aus der lehramtlichen und theologischen Tradition stellt Suárez als erstes Vernunftargument für seine Lösung die Berufung auf die absolute Einfachheit Gottes. Sie darf im Falle der Personen nicht gemindert werden, da ansonsten deren wahre Göttlichkeit in Frage gestellt würde[307]. Wenn Durandus dagegen auf die reale Unterscheidung der Personen voneinander verweist, durch die Gottes Einfachheit nicht tangiert wird, um mit ihr auch die modale Distinktion zwischen Personen und Wesen für vereinbar zu erklären, widerspricht Suárez. Denn untereinander brauchen die Personen im Sinne des Glaubens kein „unum" zu bilden und können daher real verschieden sein. Im Verhältnis zur Wesenheit jedoch muß ihnen höchste Einheit und Einfachheit zukommen[308]. Damit ist auch der in DM 7 als Einwand begegnende Gedanke als falsch erwiesen, nach dem die „Trennbarkeit" des Wesens von einer Person durch gleichzeitiges Identisch-Sein mit einer weiteren (also die Kommunikabilität des Wesens) eine modale Trennung zwischen Wesen und Personalität zur Folge haben müßte[309]. Denn wenn der Vater die Wesenheit dem Sohn kommuniziert, bedeutet dies in keiner Weise, daß sie von ihm selbst getrennt würde. Diese Möglichkeit, die Kommunizierbarkeit ein und derselben Natur an real unterschiedene Personen, ist die unvergleichliche Eigentümlichkeit der unendlichen Wesenheit Gottes in ihrer Einfachheit und Vollkommenheit. Daß die Argumentation „ex infinitate" in diesem Punkt von Scotus übernommen ist[310], braucht kaum erneut betont zu werden.

Besonderes Gewicht legt Suárez bei seiner Verteidigung der strikten Einfachheit Gottes auf eine „reductio ad absurdum": Wie im geschöpflichen Bereich die Hinzufügung des Modus „Subsistenz" zur Natur die

tualiter et formaliter ante operationem intellectus. Unde ista sententia, est probabilissima: et quae communiter modo defenditur in Salmanticensi gymnasio."

[307] Vgl. Suárez, De trin. 4.4.8-10 (I, 626a-b).

[308] Dieses von Suárez bei Durandus kritisierte Argument, der Schluß von der Realdistinktion der Personen untereinander auf irgendeine die einfache gedankliche Unterscheidung übersteigende Distinktion zwischen Personen und Wesenheit, wurde auch später immer wieder einmal reaktiviert; vgl. etwa die Kritik bei DORONZO (1968) 146.153 gegen BOYER (1943) 148.

[309] Vgl. Suárez, DM 7.2.5 (XXV, 263a). Der Einwand erinnert an ein Argument bei Scotus: Ord. I, d. 2, p. 2, q. 1-4, n. 391 (Ed. Vat. II, 350f.).

[310] Vgl. Scotus, ebd. n. 387 (Ed. Vat. II, 349): „Ergo essentia divina, quae est penitus illimitata, a qua aufertur quidquid est imperfectionis, potest dare totale esse pluribus suppositis distinctis." Vgl. SCHULZ (1997) 98-122; CROSS (1999) 67ff. WÖLFEL (1965) 236 formuliert: „Die Unendlichkeit wird also sozusagen zu einem das Ganze göttlichen Seinsaufbaus Umspannenden; wie sie auf essentialer Ebene den gegenseitigen *Ein*schluß der Formalelemente bewirkt, so bewirkt sie auf notionaler Ebene deren *Zusammen*schluß."

Person etwas nicht schlechthin Einfaches sein läßt, so müßte auch eine „distinctio modalis" in Gott Zusammensetzung zur Folge haben. Zusammensetzung jeder Art aber, so wissen wir bereits, ist für Suárez gegenüber dem Einfachen stets das Unvollkommenere – und damit das für Gott als denjenigen, über den hinaus nichts Größeres und Vollkommeneres gedacht werden kann, Unangemessene.

(b) Ein zweites Argument verwirft das Durandus-Modell mit dem Vorwurf, die Ebenen von „Wesen" und „Person" in Gott nicht mehr klar genug zu unterscheiden[311]. Die Distinktion des Dominikaners vorausgesetzt, wäre nach Suárez die Personalität Gottes nicht wesenhaft Gott, sondern hätte eine von der Wesenheit unterschiedene Entität. Damit müßte es sich bei ihr aber notwendig um etwas Geschaffenes und Unvollkommenes handeln, da sie in ihrer Unterscheidung von der Gottheit nicht deren ontische Fülle (die „ratio absoluta entis vel substantiae") erreicht und zudem als in irgendeiner Weise wirkursächlich-resultativ aus dem Wesen hervorgehend zu denken wäre (eben wie geschöpfliche Subsistenz nach Suárez natürlicherweise aus der Wesensnatur „resultiert"). Gott besäße dann modale Quasi-Akzidentien, was (wegen der Realität der Modaldistinktion) wiederum auf eine Zusammensetzungs-These hinausliefe[312].

(c) Das dritte und vierte Argument[313] sieht die modale Distinktion in Gott letztlich in jenen Irrtum einer Quaternität münden, der auch schon gegen die These einer Realdistinktion angemahnt worden war. Denn wenn in Gott der „Besitzende" mit dem, was „besessen wird", im Sein nicht identisch ist, tritt beides nebeneinander, so wie drei reale Modi zu einer Wesenheit.

(4) All diese Probleme im Umfeld einer drohenden Zerstörung der göttlichen Einfachheit sieht Suárez in der von ihm vertretenen Lösungsoption vermieden. Sie ist als deutliches Plädoyer dafür zu lesen, auch in den Aussagen der Trinitätslehre auf Einhaltung der strikten Unterscheidung zwischen Gott und dem Kreatürlichen Acht zu geben.

(a) Die gedankliche Unterscheidung mit sachlichem Fundament, die im Zentrum der These steht, hat nach Suárez keineswegs nur in der Gotteslehre ihren Ort; es gibt auch Beispiele für sie im geschöpflichen Bereich, etwa in der rationalen Psychologie[314]. In der Rede über Gott entfal-

[311] Vgl. Suárez, De trin. 4.4.11 (I, 626b).

[312] Vgl. dazu DM 30.5.7-11 (XXVI, 88a-89b). Kritik an einer Modaldistinktion wegen der Unmöglichkeit nicht-substantialer Realitäten in Gott wird auch in De trin. 3.1.4 (I, 589a) angedeutet.

[313] Vgl. De trin. 4.4.12-13 (I, 626b-627a).

[314] Suárez nennt in De deo uno 1.13.9 (I, 40b) die Unterscheidung zwischen „intellectus" und „memoria" oder zwischen „voluntas ut natura" und „voluntas ut libera".

tet sie allerdings in besonderer Weise ihre problemlösende Kraft. Wie sie klar machen kann, entspringt die Verschiedenheit der hier zu unterscheidenden Gehalte („rationes") der Unvollkommenheit unseres Erkennens, nicht aber einer realen Zusammensetzung in Gott. Gott ist „ein einziges wahrhaft absolutes und wahrhaft relatives gehaltlich bestimmtes Seiendes [res], ohne Unterscheidung [der Gehalte] voneinander, weil sie [sc. Absolutes und Relatives] als solche weder beigelegte Begriffe sind noch Widersprüchlichkeit implizieren"[315]. Hier bleibt Suárez klar beim Verständnis der alle menschlichen Kategorien transzendierenden Wirklichkeit Gottes, wenn man so will: der thomistischen Variante einer Supersubstantialität Gottes und der aus ihr prädikationslogisch folgenden „coincidentia oppositorum", wie sie vielleicht durch Cajetan ihre berühmteste Formulierung gefunden hat[316]. Wären wir in der Lage, eine zureichende Definition der

Auch diese Begriffe bilden wir nur durch die Beziehung der zu erklärenden real ungeteilten Vermögen auf einen jeweils von ihnen verschiedenen Gegenstand.

[315] De trin. 4.4.19 (I, 628a): „una res vere absoluta et vere relativa, sine distinctione inter se, quia, ut sic, non involvunt impositionem nec repugnantiam". „Impositio" bezeichnet eine von der ursprünglichen Repräsentanz zu unterscheidende und ihr gegenüber sekundäre Verwendung eines Begriffs. Thomas spricht etwa in De Potentia, q. 10, a. 4 davon, daß die Worte „Vater" und „Sohn" der Sache nach ursprünglich im göttlichen Bereich Bedeutung besitzen und von dort „secundum nominis impositionem" in den menschlichen Bereich gelangt sind. Eine solche Nicht-Ursprünglichkeit des Bedeutens schließt Suárez für die Begriffe „absolut" und „relativ" aus.

[316] Vgl. Cajetan, Comm. in I$^{am}$ q. 39, a. 1, n. 7 (Ed. Leon. IV, 397b): „Ad evidentiam horum, scito quod, sicut in Deo, secundum rem sive in ordine reali, est una res non pure absoluta nec pure respectiva, nec mixta aut composita aut resultans ex utraque; sed eminentissime et formaliter habens quod est respectivi (imo multarum rerum respectivarum) et quod est absoluti; ita in ordine formali seu rationum formalium, secundum se, non quoad nos loquendo, est in Deo unica ratio formalis, non pure absoluta nec pure respectiva, non pure communicabilis nec pure incommunicabilis; sed eminentissime ac formaliter continens et quidquid absolutae perfectionis est, et quidquid trinitas respectiva exigit. Oportet autem sic esse, quia oportet cuilibet simplicissimae rei secundum se maxime uni, respondere unam adaequatam rationem formalem: alioquin non esset per se primo unum intelligibile a quovis intellectu". GARRIGOU-LAGRANGE (1934-35) 307-311; ders. (1951) 2.176f. sieht in dieser Scotus-Kritik Cajetans mit gutem Grund den zentralen Punkt der ganzen thomistischen Trinitätslehre und zugleich den Berührungspunkt von rationaler Trinitätsspekulation und mystischer Theologie, in welcher der über allem Sein und sogar über der Differenz von „absolut" und „relativ" stehende Gott in pseudo-dionysischer Tradition als „Dunkelheit" und undurchdringliches Geheimnis erfahren wird. Auch andere neuscholastische Autoren weisen auf diese Passage hin; vgl. DAFARA (1945) 373f.; BOYER (1949) 139. Ausdrücklich abgelehnt wird die These Cajetans bei Toledus, In I$^{am}$ q. 28, a. 2 (Ed. Paria, 336b-337a), der in ihr die Leugnung jeder formalen Verschiedenheit von Wesen und Relationen und damit eine unnötige Verdunke-

„perfectio essentiae divinae" zu bilden (was wir nicht sind!), dann würden, wie Bañez in Anknüpfung an Cajetan formuliert hat, auch die relativen Prädikate Gottes in ihr aufgehoben sein[317] – in der reinen Positivität des göttlichen Seins ist real *alles* Göttliche eingeschlossen. In diesem trinitätstheologischen Fundamentalaxiom der Thomisten ist zugleich die prinzipielle Absetzung vom Scotismus mit seiner These von ursprünglich und denkunabhängig distinkten eidetischen Strukturen in Gott greifbar, die erst in der Unendlichkeit des göttlichen Wesens in eine Identität zu führen sind, ohne zu einer Formalidentität zu gelangen.

Suárez will Thomist sein, indem er die Formaldistinktion auch trinitätstheologisch ablehnt. Dennoch bleibt die Abwendung von Scotus ähnlich wie im allgemeinen Kontext der Moduslehre auch hier von einer gewissen Zwiespältigkeit geprägt. Denn die suárezische Begründung für die Einzigkeit der göttlichen Wirklichkeit jenseits von Absolutum und Relativum mit dem Verweis auf die „Nicht-Repugnanz" der zusammenfallenden Formalitäten klingt wiederum sehr scotisch[318]. Gott faßt in „eminenter" Weise in sich zusammen, was in den Kreaturen getrennt ist – das ist Ausdruck seiner Vollkommenheit, nicht Einschränkung der Einfachheit. Ausdrücklich zieht Suárez von den zwei in DM 7 erwähnten Erklärungsmodellen für eine „Virtualdistinktion" hier nur die der „eminentia" heran. Das zweite, welches Aussagen über Gott aus den formalverschiedenen Wirkungen ableitet, die dieser als real-eine Ursache im Bereich des

lung des trinitarischen Mysteriums sieht. Seine eigene Lösung will, wie dargestellt, einen Mittelweg zwischen Cajetan und Scotus suchen.

[317] Vgl. Bañez, Comm. in I$^{am}$ q. 27, a. 2 (735C-D): „Advertit itaque Caietanus, quod hinc constat nullam esse distinctionem formalem inter essentiam divinam, et proprietates personarum et attributa reliqua, quae in Deo formaliter salvantur et ponuntur. Itaque secundum hanc doctrinam haec propositio, essentia divina est Pater, sive paternitas, formaliter et essentialiter est vera, et non solum identice, ut quidam Theologus modernus dixit. Et ratio est, quia si perfectio divini esse secundum se diffineretur a nobis includerentur haec omnia in ipsa definitione. Et haec doctrina notanda est valde pro dicendis in sequentibus."

[318] Man kann hier allgemein von einer „Formal-Repugnanz" sprechen, die „unmittelbar und präzisiv gesetzt <ist> durch die metaphysische Struktur der Dingnaturen selbst": KNEBEL (1992) 880. Scotus redet im gleichen Zusammenhang auch von der „Kompossibilität" der verschiedenen „rationes" in Gott; vgl. Ord. I, d. 2, p. 2, q. 1-4, n. 377 (Ed. Vat. II, 344): „Ad hoc [gemeint ist das Zugleich von Wesenseinheit und Personendreiheit, Th. M.] autem aliqualiter declarandum notandum est quod sicut repugnantia repugnant ex suis propriis rationibus, ita non repugnantia, sive compossibilitas, est ex propriis rationibus compossibilium." Zum Begriff der logischen Possibilität in Abgrenzung zur ontologisch-realen bei Scotus vgl. Ord. I, dist. 2, p. 2, q. 1-4, n. 262 (Ed. Vat. II, 282f.); aus der Fülle der Literatur: HONNEFELDER (1990) 3-56; KNUUTTILA (1993a) 139-149; KING (2001).

Geschöpflichen hervorbringt, wird ausdrücklich für die Unterscheidung der absoluten Attribute Gottes anerkannt, nicht aber für die Unterscheidung von Wesen und Personen[319]. Der Grund dafür dürfte darin zu suchen sein, daß Gott nach außen hin dem schöpfungstheologischen Basisaxiom gemäß nur „als einer“ handelt, so daß folglich keine geschöpfliche Wirkung dazu nötigt, in der göttlichen Ursache ein Fundament personaler Unterscheidungen von der Wesenheit zu postulieren. Damit erweist eine der erkenntnistheoretischen Grundprämissen der Trinitätslehre auch im spekulativen Innenraum des Traktats ihre Relevanz.

(b) Ob man die so begründete gedankliche Trennung des real Ungetrennten mit dem nach Suárez angemessensten, weil auch den objektiven Sachgrund der gedanklichen Unterscheidung benennenden Ausdruck „distinctio rationis ratiocinatae“ oder aber mit einem anderen Terminus (wie „distinctio rationis, formalis, virtualis, fundamentalis“) bezeichnet, ist für den Jesuiten von nachgeordneter Bedeutung[320]. Auch terminologisch ist Suárez hier nicht auf unbedingte Abgrenzung gegenüber Scotus bemüht. Fest steht, daß die von unserem Erkennen vorzunehmende Unterscheidung – wie die Hervorbringung aller bloßen „entia rationis“ und gedanklichen Relationen – dem göttlichen Intellekt selbst fremd ist[321]. Damit ist eine fundamentale Differenz zwischen göttlichem Selbstbegreifen seiner trinitarischen Realität und ihrer geschöpflichen Erfassung benannt. Suárez zeigt sich von dem im Rahmen der Argumentation zugunsten einer Formaldistinktion in Gott vorgebrachten Einwand des Scotus, daß Gott sich nicht ausdrücklich selbst als einen solchen erkennen könnte, der durch den Intellekt und nicht durch den Willen zeugt, wenn er seinen Intellekt und Willen nicht als formal verschieden erfaßte[322], wenig beeindruckt. Der Jesuit entgegnet: Auch wenn eine solche Erkenntnis in

[319] Vgl. Suárez, De trin. 4.4.16 (I, 627b).

[320] Vgl. ebd. 15 (627a-b).

[321] Vgl. DM 54.2.20 (XXVI, 1024b). Die Nützlichkeit von „entia rationis“ für die Lösung theologischer Probleme durch den *menschlichen* Verstand steht auf einem ganz anderen Blatt und wird von Suárez ausdrücklich zugegeben; vgl. DM 54.1.4 (1016a).

[322] Die scotische These lautet nach Suárez, De deo uno 1.13.3 (I, 39a): „Unde etiam Deus ipse cognoscit, se generare per intellectum et non per voluntatem; ergo videt suum intellectum esse aliquo modo distinctum a voluntate; ergo ita est in re, quia Pater aeternus videt suum intellectum et voluntatem, prout in re sunt et non fingit distinctionem.“ Suárez gibt hier seine Referenzstelle bei Scotus nicht exakt an. Man könnte denken an Ord. I, d. 8, p. 1, q. 4, n. 187 (Ed. Vat. IV, 257). Auch in Ord. I, d. 2, p. 2, q. 1-4, n. 393 (Ed. Vat. II, 351) argumentiert Scotus zugunsten der Formaldistinktion mit der Aussage, daß Wesen und personale Proprietät in der ursprünglichen Erkenntnis des Vaters bereits getrennt sein müssen („ut diversa obiecta formalia“), was allerdings hier damit begründet wird, daß allein die Schau der Wesenheit den Vater zu beseligen vermag. Vgl. dazu unten Kap. 6, 3), c), cc), (2), (b), (aa).

Gott nicht unmittelbar angenommen werden darf, muß sie ihm mittelbar keineswegs fehlen. Denn die Vermögen wie die mit ihrer Hilfe vorgenommenen Unterscheidungen der innergöttlichen Hervorgänge sind nach Suárez indirekt Objekte des göttlichen Erkennens, sofern dieses auch „alle Handlungen der menschlichen Einbildung oder des menschlichen Verstandes" erfaßt und damit zugleich alle Inhalte, die ohne Entsprechung in der Wirklichkeit sind bzw. in unserem inadäquaten Begreifen von Dingen ihren Platz haben[323]. Gott sieht also in seinem Geist die Gedankendinge nicht unmittelbar als solche, wohl aber als vom Menschengeist gebildete oder bildbare. Sich selbst erkennt Gott auf eine höhere Weise, nämlich unmittelbar in seiner Wesenheit, die alles von uns in distinktem Begreifen Erfaßte ungetrennt einschließt. An dieser Weise der Schau Gottes (als „einer einfachen absoluten Vollkommenheit" ohne Scheidung der Attribute „nach Art mehrerer") werden in der ewigen Seligkeit – aber erst dort – auch Geschöpfe Anteil erhalten[324].

### bb) Abweisung einer Inklusion der personalen Bestimmungen im Wesensbegriff

Wenn zwischen Personen und Wesen nur ein gedanklicher Unterschied anzusetzen ist, stellt sich als unmittelbares Folgeproblem die Frage, ob die Begriffe, mittels derer wir sie erfassen, in einem Verhältnis gegenseitiger Inklusion stehen. Ziel der damit angestoßenen Erörterung ist es zu ermitteln, inwieweit unser Verstand beim Blick auf das Trinitätsgeheimnis die eine der real untrennbaren Wirklichkeiten legitimerweise begrifflich ohne die andere zu denken und zu bestimmen vermag. Man könnte auch in scholastischer Terminologie formulieren: Sind „essentia" und „persona" in Gott von uns „cum praecisione", also aspektiv ohne Bezugnahme

[323] Suárez spricht DM 54.2.23 (XXVI, 1025b) von „fictiones formales" des menschlichen Verstandes. In De trin. 4.4.17 (I, 627b) lautet das zusammenfassende Urteil: „Quamvis Deus cognoscat hanc distinctionem, ut factibilem suo modo ab intellectu creato: proprie tamen non fieri ab ipso Deo, sed ab intellectu inadaequate concipiente res divinas: quia talis distinctio, ut actualis, nihil aliud est, quam denominatio a distinctis et inadaequatis conceptibus ejusdem rei, idemque dicendum est de quocumque intellectu, vidente clare Deum, prout in se est, quia intercedit eadem proportionalis ratio"; dazu auch De deo uno 1.13.6-7 (I, 40a-b). DOYLE (1988) 71 zählt eine Untersuchung der Frage nach Gottes Wissen um die Gedankendinge in der Sicht der frühneuzeitlichen Scholastik zu den besonders interessanten Forschungsaufgaben. Die erst teilweise publizierte Studie von J. Schmutz dürfte dazu einen wichtigen Beitrag leisten. Vgl. zu Suárez SCHMUTZ (2004).

[324] Vgl. De deo uno 2.22.10 (I, 130a): „Non oportet ut qui videt Deum, videat divina attributa per modum plurium, sed ut vere sunt una simplex perfectio absoluta, formaliter continens omnes perfectiones quas nos multis attributis significamus."

auf den jeweils anderen Begriff, erfaßbar? Die Lösung hat, wie wir sehen werden, nicht nur für die Trinitätstheologie, sondern auch für das Verständnis der himmlischen Gottesschau des Menschen große Bedeutung.

(1) In der Verhältnisbestimmung von Wesen und Attributen, der immer wieder zum Vergleich einladenden Paralleldebatte der vorliegenden Frage, wird die Möglichkeit einer solchen „praecisio" von Suárez im ersten Buch „De Deo uno" wie zuvor in DM 30.6 gegen Scotus umfassend verneint und stattdessen eine beidseitige essentiale Prädikation von Wesen und Attributen vertreten[325]. Die Behauptung findet ihre Begründung darin, daß die Attribute nichts anderes als nicht komprehensive Bezeichnungen des einen einzigen, zuhöchst einfachen und unendlichen göttlichen Seins sind, das notwendig alle von uns begrifflich ausdifferenzierten Vollkommenheiten in sich schließt, und zwar nicht bloß „wurzelhaft" („in radice"), sondern „formaliter"[326]. Diese Inklusion muß sich in unserem Sprechen über Gott abbilden, wenn es die wahre Natur Gottes auf wahre Weise erfassen will[327].

(2) Auch die trinitätstheologische Variante der Problematik behandelt der Jesuit recht ausführlich von der einen wie der anderen Seite der Beziehungsglieder her, zunächst mit Blick auf eine mögliche Inklusion der Personen in der Wesenheit.

Für einen Einschluß der Personalitäten im göttlichen Wesen scheint zu sprechen, daß im Falle Gottes alles substantial prädiziert wird. Wie aber nach den eben referierten Ausführungen alle Attribute Gottes in der einen „ratio formalis" des Wesens eingeschlossen sind[328], so scheint auch die Aussage „Gott ist Vater" eine Wesensaussage zu sein[329]. Suárez schreibt diese These nur recht allgemein „einigen neueren Thomasauslegern" zu. Man darf vor allem an Cajetan denken, der Wesen und Personen hinsichtlich der ihnen beiden gemeinsamen göttlichen Existenz identifiziert und zugunsten seines Urteils exakt das von Suárez angeführte Argument der ausschließlich substantialen Prädikation in Gott vorträgt[330]. Andere

[325] Zur These vgl. Suárez, DM 30.6 (XXVI, 89b-95a); De deo uno, 1.11.2 (I, 33b); die Begründung erfolgt in den anschließenden Nummern.

[326] Vgl. ebd. 5 (34b).

[327] Vgl. ebd. 6 (35a): „Suppono enim vere nos concipere divinam naturam veram et non fictam. Quia fieri non potest, ut in re sic concepta non includerentur attributa, etiam negando esset verum dicere has perfectiones non esse de essentia talis naturae sic conceptae; ergo vel ibi non concipitur vera divina natura, vel idem dici potest de divinitate in se; si ergo hoc posterius falsum est, etiam illud prius."

[328] Zu verweisen ist dafür auf DM 30.6.5-8 (XXVI, 90b-91b).

[329] Vgl. De trin. 4.5.1 (I, 628b).

[330] Vgl. Cajetan, Comm. in I$^{am}$ q. 28, a. 2, n. 3 (Ed. Leon. IV, 322a): „Relatio realiter existens in Deo, est idem essentiae secundum rem, et non differt nisi secundum ra-

Thomisten, die zuweilen für diese These angeführt werden, sind Hervaeus Natalis, Silvester Prierias und auch Bañez[331]. In ähnliche Richtung scheint eine Formulierung bei Gregor von Valencia zu deuten[332]. Tatsächlich lehrt er der Sache nach kaum etwas anderes, als wir es bei Suárez finden, nämlich die reale Identität von Wesen und Relationen bei gedanklicher Unterscheidbarkeit. Auch die zuvor genannten Thomisten gehen faktisch kaum über Aussagen dieser Art hinaus. Ausdrücklich sprechen sie nicht von einer formalen Inklusion der Relation im Begriff der Wesenheit, weshalb sich die von Suárez referierte These letztlich als konsequentialistisch zugespitzt erweist.

(3) Suárez selbst lehrt mit fast allen Zeitgenossen seiner Schule[333] in der vorliegenden Frage, daß die Personen und ihre Proprietäten in formaler Hinsicht nicht in die Bestimmung der Wesenheit gehören. Damit ist ein wichtiger Unterschied zur Attributenlehre benannt[334], bei dessen Formulierung sich der Jesuit klar an die ursprüngliche thomanische Vorgabe anschließt[335]. Eine ausdrückliche Bezeichnung des so explizierten gedanklichen Unterschiedes zwischen Wesen und Personen als „größer" gegenüber dem Unterschied der sich einschließenden Wesensattribute untereinander, wie sie sich später etwa bei Ruiz de Montoya findet[336], nimmt Suárez nicht vor.

tionem. Et probatur quoad primam partem, sic. Quidquid in rebus creatis habet esse accidentale, translatum in Deum habet esse substantiale; ergo relatio in Deo existens, habet esse essentiale". Es folgt ebd. n. 4 (322a-b) der Hinweis auf die identische „existentia" von Wesen und Relationen. Vgl. auch q. 39, a. 1 (Ed. Leon. IV, 397a-b). Um eine (aus der entgegengesetzten Position) wohlwollende Interpretation Cajetans bemüht sich Molina, Comm. in I$^{am}$ q. 28, a. 2, disp. 6 (440bA-D): Cajetan habe den Einschluß der Relationen nicht im Wesen als solchem gelehrt, sondern „in jener einzigen, zuhöchst einfachen Formalbestimmung, die zugleich absolut und respektiv ist, und die in formaler Hinsicht zugleich Wesen, Vater, Sohn und Heiliger Geist ist". Dies ist unbedingt zu unterscheiden!

331 Exaktere Stellenangaben bei Aversa, Sacra theologia, p. 1, q. 28, s. 6 (I, 613b).

332 Vgl. Gregor von Valencia, Comm. in I$^{am}$ disp. 2, q. 2, punct. 3 (708B): „Relationes reales in divinis idem sunt realiter quod essentia. Probat hoc D. Thomas. Nam quidquid in creaturis est accidens, est substantia in Deo. Sed relatio realis, in creaturis est accidens. Ergo in Deo est substantia, atque ideo ipsa essentia divina."

333 Verwiesen sei nur auf Vázquez, Comm. in I$^{am}$ 121.2 (II, 78a-79b).

334 Suárez weist darauf bereits im Kontext von De deo uno hin; vgl. ebd. 1.12.1 (I, 36a): „Nam essentia divina est de conceptu essentiali divinarum relationum et non de converso, ut infra videbimus...".

335 Vgl. Thomas, S. th. I, 33, 3 ad 1: „communia absolute dicta secundum ordinem intellectus nostri, sunt priora quam propria; quia includuntur in intellectu propriorum, sed non e converso. In intellectu enim personae ‚Patris' intelligitur ‚Deus', sed non convertitur".

336 Vgl. Ruiz, De trin. 12.4.4-5 (117a).

Die theologische Vernunft vermag seiner Ansicht nach vor allem zwei Argumente für die vorliegende These zu formulieren[337]. Einerseits steht fest, daß alles zur Wesenheit Gottes Gehörige in die Bestimmung der einzelnen drei Personen aufzunehmen ist; dagegen umfaßt das Wesen die Relationen in ihrer jeweiligen Eigenheit in dieser Weise nicht. Zum anderen kann auf die völlige Einfachheit des Wesens verwiesen werden, der gegenüber die Relationen eine Unterscheidung voneinander fordern. Mit dieser Differenzsignatur können sie folglich nicht einen Bestandteil der Wesensbestimmung bilden, denn sonst müßten zugleich alle Relationen (vergleichbar den absoluten Attributen) in jeder einzelnen Person sein, damit in ihr auch die volle Gottheit (wesenhaft) präsent sein könnte. Auf diesen Gedanken sieht Suárez alle weiteren Argumente zurückverwiesen, die auf die notwendige Unterscheidung von Wesen und Proprietäten bei der Bestimmung der einzelnen Personen bzw. der innergöttlichen Hervorgänge rekurrieren[338]. Wir erinnern uns an die schon früher referierte Debatte um die Unterscheidbarkeit relativer Vollkommenheiten in Gott von der absoluten Wesensvollkommenheit, in der die vorliegende Problematik in gewissem Sinne vorweggenommen worden war[339].

Für unser menschliches Verständnis des Verhältnisses von Wesen und Personen liegt, so zeigen die Erläuterungen des Jesuiten, die Gattung-Art-Analogie am nächsten, da hier ebenfalls von keinem „Speziellen" behauptet werden kann, das „Generische" in seiner ganzen Breite zu enthalten[340]. Dementsprechend ist umgekehrt das Genus ohne Rekurs auf eine Species bestimmbar. Letztlich folgt Suárez damit dem „transzendentalen" Verständnis der göttlichen Wesenheit in ihrem Verhältnis zu allen göttlichen Attributen, wie es bereits Torres vertreten hatte[341]. Daß die Inklusion des „Bestimmteren" im „Allgemeinen" schließlich auch dann nicht folgt, wenn man eher das Verhältnis von Natur und Personalität im Geschöpflichen als Ausgangspunkt der Analogie wählt, zeigt Suárez mit Hinweis auf die hypostatische Union. In ihr treffen wir auf die Menschennatur Christi als integral bestimmte, ohne daß dazu Rekurs auf die diese Natur determinierende Personalität genommen werden müßte. In einem dritten Angang kann man aus der geschöpflichen Welt den Ver-

[337] Vgl. Suárez, De trin. 4.5.5-6 (I, 629a-b). Vgl. zu dieser Frage auch die in die gleiche Richtung zielende Argumentation bei Zumel, Comm. in I[am] q. 28, a. 2, disp. 3 (710a-715a).

[338] Vgl. Suárez, De trin. 4.5.7 (I, 629b-630a).

[339] Vgl. Kap. 5, 5) mit den dort zitierten Referenztexten.

[340] Das „tertium comparationis" lautet nach De trin. 4.5.9 (I, 630a): „essentia intrinsece coalescens ex oppositis rationibus, non potest tota inveniri in singulis inferioribus, vel quasi inferioribus, in quibus rationes illae oppositae simul esse non possunt".

[341] Vgl. Torres, Comm. in I[am] q. 28, a. 2, disp. 3, p. 2 (65ra).

gleich zwischen abstrakter und konkreter Natur heranziehen, um zum gleichen Ergebnis zu gelangen. Obwohl die „Menschheit" in ihrer Definition nicht vom „Menschen" abweicht, braucht dennoch die individuelle Differenz nicht in der Definition berücksichtigt zu werden. In einem entsprechenden Verhältnis stehen in Gott absolutes Wesen und relative Proprietäten[342].

All diese Aussagen zeigen, daß Suárez in der vorliegenden Frage kaum anders argumentiert als bei seiner Stellungnahme zugunsten einer absoluten Subsistenz in Gott oder bei der Vorordnung der absoluten Wesensperfektion vor die relativen Vollkommenheiten. Die entscheidenden ontologischen Kennzeichen Gottes – Unendlichkeit, Einfachheit und Vollkommenheit seines Wesens – sind in formaler Betrachtung nicht aus den Relationen abzuleiten[343]. Die Wesenheit ist auch ohne die „formalitas relationum" vollkommen und vollständig, da wir das Wesen als ein solches zu denken haben, das die relative Vollkommenheit nicht formal, wenn auch „eminenter" enthält, bevor sie ihm „hinzugefügt" wird[344]. Sie ist in ihm inbegriffen, ohne in seiner Definition Berücksichtigung finden zu müssen (ohne „de essentia" zu sein); denn Suárez begreift die Relation nicht als quidditative, sondern die personale Subsistenz ermöglichende Modifizierung der einen absoluten Subsistenz Gottes („particularis modus subsistendi"). Die relative Bestimmung „begleitet" das Wesen „in untrennbarer Weise mit höchster Identität", aber sie gehört nicht wie ein jedes absolutes Attribut zu ihm als solchem[345]. Suárez leugnet, wie wir sahen, nicht die Berechtigung eigener transzendentaler Prädikate für die Personen. Und doch gründet alle personale Eigenständigkeit letztlich allein in der ihr vorauszudenkenden Unendlichkeit des göttlichen Wesens, die tiefster Ermöglichungsgrund jener dreifachen relativen Subsistenz ist, die Gott von allen endlichen Supposita unterscheidet. Wie also die relative Subsistenz von der absoluten her zu bestimmen ist und nicht

[342] Vgl. Suárez, De trin. 4.6.1 (I, 630b).

[343] Vgl. ebd.

[344] Vgl. DM 30.6.9 (XXVI, 92a): „Unde fit ut formalis perfectio relationis prius secundum rationem contineatur eminenter in essentia quam ei formaliter adjungatur, quia licet in relatione formaliter nulla sit imperfectio, est tamen aliquid quod ad perfectionem simpliciter non pertinet, scilicet, oppositio cum alia relatione, et ideo in ea locum habet continentia eminentialis praeter formalem; haec vero adjungitur ad constitutionem personae, non ad complementum naturae."

[345] „Et ideo in ea [sc. perfectione relationis] recte intelligitur quod non sit de essentia, sed inseparabiliter et cum summa identitate concomitans, et quasi terminans essentiam. Haec autem omnia longe diverso modo inveniuntur in attributis essentialibus, ut declaratum est, et ideo in eis non est aliud esse essentiam quam esse de essentia" (ebd.).

umgekehrt (weshalb Suárez mit dem Satz „Deus est Trinitas" ebensowenig Probleme hat wie mit dem Satz „Deus est Pater"[346]), so ist auch nur von einer Inklusion des Wesens in den Relationen, nicht aber umgekehrt zu sprechen[347].

### cc) Das Eingeschlossensein des Wesens in den Relationen

Damit hat der zweite Teil unseres Problems ebenfalls schon seine Lösung gefunden. Nicht nur schließen, woran kein Zweifel besteht, die konkret gefaßten Personen – „Pater, Filius, Spiritus Sanctus" – die Wesenheit ein, weil Personalität generell als (Subsistenz-)Modus eines Wesens gedacht werden muß. Gleiches gilt nach Suárez auch für die abstrakt verstandenen Personalitäten, die mit den innergöttlichen Relationen zusammenfallen[348]. Dennoch scheint das zuvor gefällte Urteil über die Nicht-Inklusion der Person im Wesen diese Schlußfolgerung in Frage zu stellen, weshalb Suárez an erster Stelle wieder die der eigenen entgegengesetzte Meinung zu Wort kommen läßt.

(1) Sie stützt sich auf zwei zentrale Argumente.

(a) Verwiesen wird einerseits auf das metaphysische Axiom, wonach zwei Begriffe, die als „Bestimmendes" und „Bestimmbares" einander gegenüberstehen, sich wechselseitig nicht einschließen dürfen[349]. In dieser Weise verhalten sich aber auch Personen und Wesen. Mit gleicher Stoßrichtung führen die Verteidiger der wechselseitigen Nicht-Inklusion, zu denen in der Tradition von Durandus[350] und Gregor von Rimini[351] her neben den Suárez bekannten Molina[352] und Vázquez[353] auch viele Vertre-

[346] Vgl. De trin. 4.6.3 (I, 631a-b).

[347] Vgl. ebd. 1 (630b): „sicut ab infinitate habet illa natura, ut sit [Ed. Vivès: sic] realiter communis tribus relationibus: Ita etiam habet, quod in illis intime includatur: Quia tamen secundum se est simpliciter infinita, quod formaliter non habet a relationibus: ideo secundum se est perfecta et completa essentia absque formalitate relationum, solumque illas requirit ad particularem modum subsistendi. Ita ergo potest esse identitas in re, sine inclusione essentiali mutua."

[348] Vgl. De trin. 4.7.1 (632a-b).

[349] Vgl. ebd. 2 (632b): „quando duo comparantur, ut determinans, et determinabile, seu ut forma contrahens et contracta, necessario debent ita distingui, ut neutrum includatur in conceptu alterius".

[350] Vgl. Durandus, 1 Sent. d. 33, q. 1 (88b-91a).

[351] Vgl. Gregor von Rimini, 1 Sent. d. 33, q. 2, concl. 4 (Ed. Trapp et al. III, 202, Z. 1-16). Gregor behandelt die Problematik offenbar ganz auf der Ebene der formalen *Prädikations*möglichkeiten; vgl. GARCÍA LESCÚN (1970) 200-203.

[352] Vgl. Molina, Comm. in I$^{am}$ q. 28, a. 2, disp. 6, concl. 4 (441aC-F): „Sumptis essentia et relatione eodem modo, essentia non est de intrinseca ratione relationis."

[353] Vgl. Vázquez, Comm. in I$^{am}$ 121.2 (II, 78a): „Ego sane non dubito relationem divinam ab essentia ita ratione nostra distingui, ut conceptus essentiae nullo modo in-

ter der nachfolgenden Jesuitenschule gerechnet werden dürfen[354], die Bestimmung des Florentiner Konzils an, wonach die göttlichen Personen aus Wesen und Relationen konstituiert werden. Die damit vorgenommene „resolutio" des komplexen Begriffes käme nie an ihr Ziel, wenn man für die Konstituentien ein Einschlußverhältnis annähme. Daß diese Frage an das Problem erinnert, ob es letzte transzendentale Begriffe gibt, die in allen anderen (möglicherweise auch den sie selbst kontrahierenden) eingeschlossen sind, übersieht Suárez nicht und weist sogar auf mögliche Konsequenzen der trinitätstheologischen Stellungnahme für die diesbezügliche metaphysische Lehre hin[355]. Wer die Univozität des Seinsbegriffes in allen „entia particularia" leugnet, wie es exakt im Zusammenhang unserer Frage Vázquez mit Berufung auf das thomistische Analogieverständnis getan hat[356], gegen den Suárez offenbar argumentiert, wird auch nicht in Entsprechung dazu das göttliche Wesenssein gleichermaßen in den Relationen anwesend erkennen wollen. Aber auch die Univozitätsthese bietet nach Suárez nur dann einen Ausgangspunkt für das angestrebte Verfahren, wenn „ens" nicht nur von den Seienden selbst, sondern auch von seinen „Modi" prädiziert werden kann – hier kehrt der Haupteinwand des Jesuiten gegen die scotische Transzendentalienlehre wieder und findet gleichsam seine trinitätstheologische Begründung. Das Argument ist im übrigen fast identisch aus Torres übernommen, der es aus einer typisch „scotisierenden" Deutung der thomanischen Lehre vom gemeinsamen Sein in der Trinität entwickelt. Auch in philosophischer Hinsicht

cludatur in conceptu relationis, sed relatio apprehendatur a nobis, sicut aliquis modus, vel affectus adveniens essentiae."

[354] Stellvertretend sei aus der letzten Phase der jesuitischen Barockscholastik genannt: J. de Marin († 1725), Theologia speculativa, tom. 1, tr. 2, disp. 2, s. 5, n. 44 (134b). Auf der Linie des Suárez steht Ruiz, De trin. 13.1.2 (121b).

[355] Vgl. Suárez, De trin. 4.7.3 (I, 632b-633a): „Quod si de transcendentibus, afferatur instantia in contrarium, non admittitur ab his auctoribus: ex quibus aliqui propterea putant, non posse dari conceptum communem transcendentalem. Scotus autem e converso, quia illum conceptum admittit, videtur negasse illum includi in modis determinantibus ipsum." Diese Parallele zwischen Trinitäts- und Transzendentalienlehre ist schon DALMAU (1948) 550ff. aufgefallen.

[356] Vgl. Vázquez, Comm. in I$^{am}$ 121.2 (II, 78a): „In primis autem essentia divina non potest comparari cum relatione, sicut ratio entis cum ratione particulari. Nam ut dicebamus disp. 114, c. 2. ratio entis non est una communis omnibus entibus particularibus: sic enim esset universalis et univoca; sed sola vox est communis, proxime significans decem rationes particulares praedicamentorum, substantiam quidem simpliciter, alias vero cum additamento."

wäre der Einfluß dieses Autors auf Suárez also einer eingehenderen Untersuchung wert[357].

(b) Eher philosophisch argumentiert gleichermaßen ein zweiter Grundgedanke zugunsten der Nichtinklusion[358], der sich, ohne daß Suárez dies zu erkennen gäbe, wiederum beinahe wörtlich bei Vázquez findet[359]: Würde die Relation die Wesenheit einschließen, könnte sie nicht zugleich die Person konstituieren. Denn ein Konstitutionselement (unter mehreren) darf nicht alles einschließen, was das durch es zu Konstituierende umfaßt, da ansonsten ein weiteres Konstitutionselement überflüssig würde. Wenn also die Relation der Vaterschaft und die Wesenheit zusammen die Person des Vaters konstituieren sollen, ist es nicht sinnvoll anzunehmen, daß die Vaterschaft als solche bereits das Wesen inkludiert.

(2) Mit seiner diesen Begründungsversuchen entgegengesetzten These von der Inklusion des Wesens in den Relationen sieht sich Suárez nicht bloß in bester Gesellschaft mit Thomas von Aquin[360], seiner Schule[361] und

[357] Vgl. B. Torres, Comm. in $I^{am}$ q. 28, a. 2, disp. 2, dub. ult. (59b): „Neque enim esse potest aliqua res, quae intrinsecus non sit ens: neque etiam cogitatione comprehendi potest, quicquid asserat Scotus. Qui affirmat, ultimas differentias non esse de se entia: cuius opin<ionem> confutavimus in opusculis loco allegato. Nunc itaque dicimus, quod quemadmodum ens se habet ad omnes res, ita divina essentia se habet ad omnia divina: tum absoluta, cum relativa. Adeo quod sicut ens intrinsecus, et essentialiter includitur in omnibus rebus, et quaelibet res est intrinsecus essentialiter ens, ita divina essentia intrinsecus, et essentialiter includitur in qualibet re divina: sive absoluta, sive respectiva, et quaelibet huiusmodi intrinsecus, et essentialiter est divina essentia: ut paternitas, filiatio, spiratio activa, et passiva, aeternitas, et quodlibet aliud attributum." Torres beruft sich für diese Deutung auf Thomas, S. th. I, 27, 2 ad 3, wobei er bezeichnenderweise das thomanische „esse" als „essentia" faßt: „In ipsa enim perfectione divini esse continetur et verbum intelligibiliter procedens et principium verbi; sicut et quaecumque ad perfectionem ejus pertinent, ut supra dictum est." Wie bei Suárez wird das Argument des Torres erneut aufgegriffen bei Ruiz, Comm. in $I^{am}$ disp. 13, s. 1, n. 4 (122a).

[358] Vgl. Suárez, De trin. 4.7.4 (I, 633a).

[359] Vgl. Vázquez, Comm. in $I^{am}$ 121.2.7 (II, 79a): „Si relatio formaliter includit essentiam, sequeretur personam non constitui relatione, quia persona nihil aliud est quam essentia relatione determinata, et contracta: id autem ipsum esset relatio, siquidem includeret essentiam, sed persona non constituitur persona: ergo nec relatione: et ita Pater, qui est persona, non constitueretur paternitate: nisi diceremus, aliquid significari nomine patris, et in eius includi conceptu, quod non includeretur in paternitate."

[360] Die von Suárez zitierte Passage: „communia esse de conceptu propriorum" findet sich – nicht ganz wörtlich – in S. th I, 33, 3 ad 1: „dicendum quod communia absolute dicta secundum ordinem intellectus nostri, sunt priora quam propria; quia includuntur in intellectu propriorum, sed non e converso." Es ist exakt diese Doppelthese, die auch Suárez vertritt.

[361] Stellvertretend nenne ich B. Torres, Comm. in $I^{am}$ q. 28, a. 2, disp. 3 (62ra-63va).

weiteren älteren wie neueren Scholastikern[362], sondern auch auf Seiten der besseren Argumente. Sowohl im Blick auf Gott selbst wie auf unser Verständnis von ihm hält er die „inclusio essentiae in relationibus" für beweisfähig.

(a) Um den ersten Teil dieser Doppelbehauptung zu belegen[363], rekurriert Suárez zunächst auf die gegenseitige Inklusion von Abstraktum und Konkretum in Gott. Wenn, wie allgemein anerkannt, die Gottheit zur Bestimmung des Vaters gehört, dann auch zur Bestimmung des Vaterseins – entsprechend bei den anderen Personen. Des weiteren würde es nach Ansicht des Jesuiten der göttlichen Vollkommenheit widersprechen, wenn die göttliche Relation nicht „wesenhaft göttlich" genannt werden dürfte.

(b) Mit Bezug zu unserem Modus des Verstehens will Suárez seine These dadurch belegen[364], daß er zunächst allgemein nach Art und Weise der Inklusion eines Begriffes („conceptus obiectivus") in einem anderen fragt. Dabei läßt sich ein „distinkt und formal" vorliegendes Enthaltensein von einem solchen unterscheiden, das nicht ausdrücklich, sondern nur „confuse" erkannt ist. Wenigstens in dieser zweiten Hinsicht muß nach Suárez das göttliche Wesen in den Relationskonzepten eingeschlossen sein, da sein Begriff sich gleichsam als Allgemeinbegriff gegenüber den personalen Determinationen verhält. Man kommt zu dieser Einsicht ebenfalls, wenn man die Blickrichtung wechselt und nach der ontologischen Qualifizierung der „paternitas divina" (oder einer anderen göttlichen Personalität) fragt. Weil es sich bei ihr um ein reales Seiendes handelt, kann ihre Bestimmung einzig auf „endlich" oder „unendlich" lauten, und selbstverständlich ist das zweite Prädikat zutreffend. „Unendlichkeit" aber hat die Vaterschaft nicht aus sich als solcher, sondern aus der Tatsache, daß sie *göttliche* Vaterschaft ist, also das göttliche Wesen einschließt.

(3) Von diesem Beweisfundament aus kann Suárez noch einmal auf die Argumente der Gegenthese zu sprechen kommen[365]. Den Grundsatz, daß jeder Begriff, der einen anderen von allgemeinerer Art einschließt, in zwei sich gegenseitig nicht einschließende Begriffe auflösbar sein muß, hält Suárez für falsch. Zur Begründung macht er sich die bereits erwähnte

[362] Neben den von Suárez in De trin. 4.7.5 (I, 633a) selbst genannten Autoren kann unter den frühen Jesuiten auf Bellarmin verwiesen werden; Controv. de Christo, l. 2, c. 9 (Op. I, 325a): „Ita igitur essentia divina essentialiter includitur in relationibus: nihil enim est in Deo, quod non sit essentialiter Deus; alioqui esset essentialiter creatura". Wie Suárez schließt Bellarmin ein (formales) Eingeschlossensein der Relationen im Wesen aus.

[363] Vgl. Suárez, De trin. 4.7.6-8 (I, 633a-634a).

[364] Vgl. ebd. 9 (634a).

[365] Vgl. De trin. 4.8.1 (634a-b).

Beziehung des Themas zur Transzendentalienlehre nutzbar. Auch die Transzendentalien bezeichnen einen Allgemeinbegriff und sind in denjenigen Modi enthalten, durch die sie selbst „kontrahiert" werden. Mit dieser These, die in DM 2.5 eingehend dargelegt wird[366], grenzt sich Suárez, wie wir wiederholt erwähnten, gegen die scotische Position ab, in der qualifizierende Bestimmungen des Seienden behauptet werden, von denen „Seiendes" selbst nicht mehr „in quid" prädiziert werden kann[367]. Zwar weiß der Jesuit, daß das Beispiel nur begrenzt taugt. Denn während die Transzendentalien nur gedanklich in allen ihren Determinierungen präsent sind, muß das göttliche Wesen den Personen auf transzendentale Weise im Sinne einer „communitas *rei*" zukommen. Zumindest der Grundtyp der gesuchten begrifflichen „resolutio" wird auf diesem Wege aber auch im Geschöpflichen nachweisbar.

### dd) Die Identität aller göttlichen Attribute in den Personen und ihre essentiale Prädikation

Suárez kommt am Ende des vierten Buches von „De trinitate" nochmals auf einen Aspekt der Wesensgleichheit zu sprechen, der zwar im Prinzip mit den früheren Aussagen bereits geklärt ist, sich aber speziell im trinitätstheologischen Kontext bestimmten Einwänden ausgesetzt sieht, die eine eigene Erörterung rechtfertigen. Es geht um die vollkommene Einheit der göttlichen Personen in allen absoluten Attributen, insbesondere in der „Allmacht"[368].

(1) Unser Autor formuliert dazu gleich zu Beginn zwei grundsätzliche Thesen, die eine Anwendung der zuvor formulierten Regeln für das nur einseitige Inklusionsverhältnis zwischen Personen und Wesenheit einerseits und die gegenseitige Inklusion von Wesenheit und Attributen andererseits darstellen.

Erstens sind allen Personen sämtliche Attribute in numerischer Identität zuzuschreiben, welche der Gottheit bzw. Gott zukommen[369]. Dieser Satz ist Bestandteil des Glaubens der Kirche im strikten Sinn („de fide") und folgt aus der absoluten Identität von Gottheit und Attributen, die durch keinerlei Oppositionsverhältnisse eingeschränkt ist. Zweitens gehören diese Attribute wesenhaft zu jeder einzelnen Person bzw. Relation, auch wenn umgekehrt die Relationen nicht Bestandteile des göttlichen

[366] XXV, 92b-98b.
[367] Zum weiteren Kontext vgl. DARGE (2004a) 84-96.
[368] Vgl. Suárez, De trin. 4.9.1 (I, 635b).
[369] Vgl. ebd. 2 (635b): „Dicimus ergo primo. Omnes divinas personas habere omnia et eadem numero attributa, quae Divinitati seu Deo conveniunt."

Wesens sind[370]. Zur Begründung kann Suárez darauf verweisen, daß nichts den Personen wesentlich sein kann, was nicht zugleich Gott als solchem wesentlich ist. Da neben den „essentialia" nur „notionalia" von den Personen prädiziert werden könnten, nicht aber akzidentelle Bestimmungen, gibt es zu dieser Schlußfolgerung keine Alternative.

(2) Die Feststellungen sehen sich drei Einwänden ausgesetzt, deren ersten beiden Suárez recht knapp begegnet, während er den dritten für so ernst ansieht, daß seiner Erwiderung ein eigenes Kapitel gewidmet wird.

(a) Ein erstes Argument blickt auf das negative Attribut „esse improductum". Offenbar kommt es der Gottheit zu, nicht aber allen drei Personen, da es von Sohn und Geist nicht ausgesagt werden kann. Suárez kontert, indem er streng zwischen essentialer und notionaler Prädikation trennt[371]. „Nicht hervorgebracht" sind alle Personen, sofern sie Gott sind. Als *Person* dagegen darf allein der Vater diese Bezeichnung führen, freilich nicht kraft des göttlichen Wesens allein, sondern aufgrund seiner personalen Proprietät. Wenn diese ihn von den anderen Personen unterscheidet, so nicht deswegen, weil sie bei ihm ein von diesen verschiedenes Sein kennzeichnete, sondern nur einen distinkten *Modus* der Seinshabe, der identisch ist mit dem eigenen Ursprungs- oder Beziehungsmodus: der Verneinung jedes personalen Ursprungs[372].

(b) Ein zweiter Einwand geht aus von der Tatsache, daß bestimmte absolute Prädikate einzelnen Personen appropriiert werden. Dies hat Häretikern den Anlaß gegeben, sie zu unterscheidenden Attributen im eigentlichen Sinne zu erklären[373]. Suárez kann sich bei seiner Antwort auf eine kurze Erinnerung an die eigentliche Bedeutung der „Appropriation" für die trinitarische Gotteslehre beschränken. Sie bezweckt nicht mehr als die Zuordnung eines Prädikats zu einer Person, weil es eine bestimmte Nähe („affinitas") zu deren eigentlicher personaler Proprietät besitzt, die uns auf diesem Wege besser verständlich gemacht wird. Eigene bzw. neue Unterscheidungscharakteristika im strengen Sinne ergeben sich durch die Appropriationen nicht[374]. Hier wie an vielen weiteren Stellen des suárezischen Traktats wird deutlich, daß der Appropriationsbegriff längst jene lebendige Kraft der Vermittlung zwischen spekulativer und heilsökonomi-

[370] Vgl. ebd. 3 (636a): „Secundo dicendum est, omnia haec attributa esse de essentia singularum personarum et relationum, licet relationes non sint essentiales illis."

[371] Vgl. ebd. 5 (636a-b).

[372] Vgl. ebd. (636b): „Unde sola superest diversitas in modo habendi illud esse, qui solum est modus originis, seu relationis"

[373] Vgl. ebd. 6 (636b).

[374] Vgl. beispielhaft die auf Thomas bezogenen Ausführungen bei LAVALETTE (1959) 7-15. Über die historischen Wurzeln der wirkmächtigen thomanischen Appropriationenlehre informiert CHÂTILLON (1974).

scher Theologie verloren hat, die er in der Frühzeit der Scholastik einmal besaß.

(c) Die dritte und nach Suárez weitreichendste Einwendung speist sich aus der Unterschiedlichkeit der „notionalen Fähigkeiten", wie sie im Vergleich der Personen zu konstatieren ist[375]. Nur der Vater kann zeugen und hauchen, der Sohn nur hauchen, der Geist vermag keines von beiden. Der Einwand verschärft sich, wenn man dem Vater als dem Ursprung der Trinität in einer vor den anderen Personen ausgezeichneten Weise das Allmachtsprädikat zuschreiben wollte; damit schiene er vor den beiden übrigen Personen in unzulässiger Weise ausgezeichnet. Von Augustinus her hatte Lombardus dieses Problem in die frühe Scholastik eingeführt[376]. Ein erster berühmter Konflikt ergab sich seinetwegen um die Trinitätslehre Abaelards, der man subordinatianistische Tendenzen vorwarf; dies trug zur Verurteilung des Magisters 1121 bzw. 1141 bei[377]. Die nachfolgenden Theologen zeigten sich darum regelmäßig bemüht, in dieser Frage jeden Verdacht des Irrtums zu vermeiden[378] und entwickelten schon vor Petrus Lombardus die Lehre von der trinitätstheologischen Appropriation, in der bestimmte allgemeine Wesensprädikate im Licht der personalen Proprietäten zugeordnet werden, ohne daß sie deshalb den übrigen Personen abgesprochen werden müßten.

Die von den Scholastikern vorgelegten Antworten auf das Problem, wie die Gleichheit der Personen angesichts der unterschiedlichen notionalen Prädikate und der aus ihnen folgenden Appropriationen zu wahren ist, stehen des weiteren in engem Zusammenhang mit der Lehre vom Formalprinzip bzw. von der Potenz, welche die jeweilige Person zum notionalen Akt befähigt. Exemplarisch wird dabei zumeist auf die Zeugungspotenz geschaut, die allein dem Vater eigen ist. Wenn geklärt ist, in welcher Weise dem Vater diese notionale Eigentümlichkeit zukommt, kann anschließend geklärt werden, inwiefern damit keine Subordinatianismus generierende Ungleichheit gegenüber den anderen Personen verbunden ist.

[375] Vgl. zum folgenden Suárez, De trin. 4.10 (I, 636b-639a).

[376] Vgl. die Bemerkungen bei DIETRICH (1967) 165, Anm. 13.

[377] Vgl. HOFMEIER (1963) 26-79 und die Literaturhinweise bei MARSCHLER (2003) I, 318f., Anm. 18. Wohl mit Recht betont HÖDL (1965) 8: „Auf diesen theologischen Entwurf der Trinitätstheologie darf die spätere Unterscheidung zwischen den Propria der göttlichen Personen und den Appropriata ebenso wenig angewendet werden wie auf Augustins Konzeption. Ja, das Eigentümliche augustinischer und abälardischer Trinitätslehre gründet gerade im vorgängigen Denken, das um diese Unterscheidungslehre noch nicht weiß."

[378] Vgl. beispielhaft Thomas, S. th. I, 42, 6 ad 3.

(aa) Aureoli und Gregor von Rimini werden als Vertreter der These genannt, nach der es für die innergöttlichen Hervorbringungen überhaupt keine vorauszusetzende „potentia" gibt. Sie kann folglich auch dem Sohn nicht fehlen, wenn er nicht zu zeugen vermag. Aureoli weiß, daß er sich mit seiner Ansicht gegen alle ihm vorausgehenden Theologen stellt[379]. Daß sie das vorliegende Ungleichheitsproblem mit einem Federstrich lösen kann, ist für ihn ein wichtiges Argument zu ihren Gunsten. Inhaltlich begründet er seinen Sonderweg jedoch damit, daß die Annahme einer „Potenz" für die Zeugung im Sinne eines Produktivprinzips deswegen überflüssig ist, da es sich bei der Zeugung überhaupt nicht um einen aus einer Potenz hervorgehenden Akt („actus elicitus") im strengen Sinn handelt – die gegenteilige, in der älteren Franziskanerschule gängige These verwirft Aureoli immer wieder. Da der Vater nur als Zeugender Vater und nur als Vater Gott ist, stehen wir bei der Frage nach dem personalen Grund der Zeugung letztlich vor der Frage nach dem Konstitutiv der göttlichen Person als solcher, das nicht in eine Handlung verlegt werden kann, sondern auf nicht weiter „gründbare" Notwendigkeits- und Relationsverhältnisse in Gott verweist[380]. Sie sucht Aureoli nicht als dynamische, sondern als statische zu erfassen, ohne im übrigen die Begriffe der „potentia" wie auch der „Hervorbringung" gänzlich zu verwerfen. Damit nähert er sich spürbar dem dominikanischen Modell der personkonstituierenden Relationen an, während er dem Worte nach dem franziskanischen „Emanationsmodell" treu bleibt[381]. Fernhalten möchte Aureoli von dem ewigen Beziehungsgeschehen zwischen Vater und Sohn

[379] Vgl. Aureoli, 1 d. 7, a. 2, nn. 53-72 (Ed. Buytaert II, 849-857).

[380] Vgl. ebd. n. 67 (854): „potentia generandi est sicut potentia qua Deus potest esse Deus, vel Pater esse Pater, et Filius esse Filius; et si liceret sic loqui, non est alia potentia generandi, quam pura potentia patrizandi. Eodem enim modo Pater se facit Patrem, et potest super paternitatem, et facit se generantem, et potest semper generare, et facit se Deum, et potest semper facere se Deum. In omnibus istis namque non sumitur potentia pro principio productivo, sed pro necessitate et actuali connexione terminorum".

[381] Dies ist klar herausgestellt bei FRIEDMAN (1997b) 309: „Aureol's claim that the emanations are unelicited is probably the most influential of all his trinitarian doctrines, adopted and contested by theologians on both sides of the channel very soon after Aureol's time at Paris was over. What is perhaps most significant about it in the context of Aureol's own trinitarian theology, however, was that it made emanations look like relations. These emanations do not ‚emanare': they take being from nothing, and give being to nothing; they simply are. From these emanations, however, and the divine essence, which is perfectly indistinct from them, result the persons." Zu dem für die Identifizierung von Ursprungsvollzug und Relation und ihre gedankliche Unterscheidbarkeit wichtigen Kategorienverständnis des Aureoli vgl. ebd. 310-317.

jede Form der scheinbar sekundären Verwirklichung[382]: „paternitas" und „generare" sind ununterscheidbar.

Der von Suárez ebenfalls angeführte Gregor von Rimini hat sich ausführlich mit Aureolis Position befaßt. Liest man seine Ausführungen in 1 Sent. d. 7, a. 1[383], trifft man auf eine durchaus differenzierte Auseinandersetzung mit den Vorgaben des Franziskaners. Ausdrücklich kritisiert Gregor dessen Ablehnung eines Produktivprinzips im Vater, weist auf Widersprüche in Aureolis Gedankenführung hin und entkräftet die angeführten Argumente. Allerdings identifiziert er anschließend um der Wahrung der Einfachheit Gottes und der Abwehr jedes Verursacht- oder Zusammengesetztseins des Vaters willen „principium quo" und „principium quod" so sehr, daß sich die Differenz zu Aureoli faktisch minimiert[384].

Insgesamt setzt sich Suárez in seinem Referat der beiden genannten Autoren mit den Begründungen für ihr Votum nicht näher auseinander. Zur Ablehnung genügt ihm die Feststellung, daß eine reale Hervorbringung, wie sie die Zeugung für ihn zweifellos ist, ohne reales Formalprinzip schwerlich gedacht werden kann[385]. Dazu wird an späterer Stelle im sechsten Buch, bei der eigentlichen Erörterung der „potentia generandi", noch ein ausführlicher Beweis nachgereicht werden.

(bb) Eine zweite Antwort zur Gesamtfrage vermag den von Suárez gegen Aureoli und Gregor geäußerten Bedenken insoweit Rechnung zu tragen, als sie eine Zeugungspotenz in Gott anerkennt. Sie wirft zugleich ein neues Problem auf, indem sie diese auf die Allmacht des Vaters zurückführt[386], was mit der Letztgründung im göttlichen Wesen, also einem Absolutum, zusammenhängt. Mit Aegidius[387], Thomas von Straßburg[388], Marsilius[389] und Bartholomé Torres[390] hat sie unter nominalistisch wie

[382] Vgl. auch Aureoli, 1 Sent. d. 20, a. 3 (Ed. Rom 1596, p. 504b).

[383] Ed. Trapp et al. II, 1-14.

[384] Vgl. ebd. 8, Z. 16-23: „Quod cum fidei sit contrarium, dicenti ‚pater a nullo est, filius vero a solo patre' restat quod ultra huiusmodi illationem necesse est confiteri principiationem et originationem, et filium principiative et originaliter esse a patre, et per consequens in patre concedere principium productivum ipsius filii seu patrem potius esse tale principium. Quod si dicatur ipsum actum generationis, quem in patre dicit esse et non a patre, esse principium filii, adhuc habetur propositum. Non enim ad praesens plus quaeritur, nisi quod in deo vere sit principium seu potentia vere productiva filii." Zur Interpretation: GARCÍA LESCÚN (1970) 75-78.

[385] Vgl. Suárez, De trin. 4.10.2 (I, 637a).

[386] Vgl. ebd. 3 (637a-b).

[387] Vgl. Aegidius, 1 Sent. d. 7 (fol. 42rb).

[388] Vgl. Thomas von Straßburg, 1 Sent. d. 7, a. 1 (48ra-50ra).

[389] Vgl. Marsilius, 1 Sent. q. 23, a. 2, dub. 2 (Ed. 1501, fol. 98ra): „nisi persona patris possit generare filium sibi aequalem: pater non esset omnipotens, quia generare filium sibi aequalem est in ea congruum seu suae convenit personalitati. Ideoque suae

thomistisch orientierten Theologen Anhänger gefunden. Suárez zweifelt die Zuordnung zur „omnipotentia" vor allem wegen der Bedeutung dieses Attributs an: Sein angemessenes Objekt ist allein das „der Erschaffung fähige Seiende" („ens creabile"). Wenn aber als allgemeine Regel gilt, daß die Potenzen auch in Gott von ihren Vollzügen her zu unterscheiden sind (und diese von den Objekten her), dann ist es zweifelhaft, ob so verschiedene Akte wie die innergöttlichen Hervorbringungen und Gottes Schöpfungswirken auf ein und dasselbe Prinzip rückführbar sind. Vielmehr legt sich die Annahme unterschiedlicher Produktivprinzipien nahe, wobei die „Allmacht" allein den Handlungen „ad extra" zuzuordnen ist. Mit diesem Argument, das sich im Kern schon bei Scotus gegen Aegidius Romanus vorgebracht findet[391], ist zugleich der Zweifel beseitigt, daß die Schöpfungstaten eine bestimmte göttliche Relation als notwendige Bedingung voraussetzen könnten; „Allmacht" und mit ihr die Schöpfungswerke sind allen drei Personen gleichermaßen zuzuschreiben[392]. Diese strenge Scheidung der notionalen Vollzüge von den durch das Wesen prinzipiierten Akten Gottes nach außen im Interesse der ungetrübten Personengleichheit ist, wie Suárez klar betont[393], das innere Prinzip des von allen Scholastikern verteidigten Axioms der „actiones indivisae ad extra".

Noch nicht umfassend geklärt ist damit freilich das Faktum der unterschiedlichen „potentia productiva" für den Fall, daß der Blick streng auf das Innere Gottes beschränkt wird. Suárez greift zur Klärung auf seine spätere Erläuterung der Hervorbringungspotenzen im einzelnen vor. Eine solche Potenz ist ihrem Formalprinzip nach etwas Absolutes (gründet also im Wesen), konnotiert aber eine Relation als notwendige Bedingung dafür, daß eine Person als Trägerin der absoluten Wesenheit tatsächlich hervorbringend sein kann oder nicht. Mit dieser Erklärung, die an die Lösung in den Spätschriften des Aquinaten anknüpft[394], vermag

omnipotentiae derogaret se hoc non posse. Hoc voluit beatus Augustinus." Vgl. MÖHLER (1949) 40f.

[390] Vgl. B. Torres, Comm. in I[am] q. 41, a. 6 (209v-221v).

[391] Vgl. die Nachweise bei WETTER (1967) 423ff. und das Fazit 425: „Unter die Allmacht fallen nur die Possibilien, also alles, was nicht notwendig existiert (...). Weil aber der Sohn notwendig existiert, gehört die Fähigkeit zu zeugen nicht zur Allmacht. Wenn also der Sohn auch keine Zeugung vollziehen kann, so ist er darum nicht weniger allmächtig als der Vater."

[392] Vgl. Suárez, De trin. 4.10.4 (I, 637b).

[393] Vgl. ebd. 5 (637b-638a).

[394] Über die Lehrentwicklung bei Thomas, die eine Veränderung von der ersten Sentenzenlesung, wo das Zeugungsprinzip als zugleich notional und essential gekennzeichnet wird, hin zu einer rein „essentialen" Fassung des gesuchten Formalprinzips seit dem Römerbriefkommentar erkennen läßt, informiert BOYLE (2000).

Suárez die Identität der Personen auch im Hinblick auf die Potenz zu innergöttlicher Hervorbringung mit der faktischen Differenz in den notionalen Akten in Einklang zu bringen. Die „potentia generandi" beispielsweise ist demnach als solche wie im Vater so auch im Sohn, doch es fehlt letzterem zur Aktuierung der Potenz die „paternitas" als notwendige Bedingung[395]. Grund dafür ist, daß das Zeugungsprinzip, wiewohl als solches allen Personen zukommend, in einem einzigen Akt seinen adäquaten Terminus erreicht (nämlich den Sohn) und folglich in Verbindung mit der darin konstituierten Personalität der zweiten Person nicht noch einmal zur Tätigkeit findet[396]. Die gegenteilige Annahme (die Zeugung eines „zweiten Sohnes") impliziert einen Widerspruch und ist darum unmöglich. Entsprechendes gilt im Blick auf den Geist. Da es sich hierbei jeweils nicht um eine absolute, sondern nur eine relative Bedingung handelt, wird durch sie kein absolutes Attribut des Sohnes oder Geistes subordinatianistisch eingeschränkt.

Mit dieser Ablehnung einer Verbindung zwischen der Zeugungspotenz und der väterlichen Allmacht kritisiert Suárez nicht bloß einen Standpunkt aus der Theologie des 14. Jahrhunderts, sondern positioniert sich auch in der Diskussion seiner Gegenwart, in der einige durchaus namhafte Theologen an der These von der „aequalitas potentiae ad intra" bzw. der Inklusion der notionalen Potenz in der Allmacht anknüpfen wollten[397]. Mit dem oft kritisierten Vázquez darf sich Suárez hier einig wissen, da dieser wie er den Begriff der Allmacht ganz auf das gemeinsame Wirken der Personen nach außen bezieht und von den notionalen Potenzen trennt[398].

### c) Das Verhältnis von Wesen und Relationen in der Gottesschau

In der theologischen Systematik des Suárez gibt es auch außerhalb der Trinitätslehre ein Themenfeld, in dem das explizit zum Verhältnis von Wesen und Relationen Erarbeitete eine entscheidende Bedeutung besitzt und zugleich aus dem Blickwinkel eines anderen Problemkontextes selbst noch einmal in vertiefender Weise verständlich gemacht wird. Es handelt

[395] Vgl. Suárez, De trin. 4.10.7 (I, 638a).

[396] Vgl. ebd. 8 (638a): „...et ita in Filio est totum id, quod est ratio, seu principium quo producendi ipsum, ipse vero non potest per illud principium generare, solum quia jam invenit adaequatum ejus terminum productum. Et idem est cum proportione de Spiritu Sancto".

[397] Vgl. etwa Ruiz, In I^am disp. 101, s. 4-5; zur Kritik an der von Suárez vertretenen These hinsichtlich der Allmacht vgl. ebd. s. 6, n. 5-30 (800a-802a); Coninck, De trin., disp. 10, n. 166 (287a-289b).

[398] Vgl. Vázquez, In I^am 165.2 (II, 356a-b).

sich um das Lehrstück von der seligen Gottesschau („visio beata"), dessen zentrale Aussagen sich bei Suárez auf die Traktate „De deo uno" und „De ultimo fine" verteilen. In ihnen lassen sich drei Aspekte unterscheiden, welche die Trinitätslehre betreffen, nämlich die Fragen, ob die unmittelbare Schau Gottes durch die Seligen von den Relationen als solchen mitverursacht ist, ob Gottes Wesen ohne die Relationen geschaut werden kann und ob die Relationen zum Gegenstand der menschlichen Seligkeit gehören, wie sie durch die Gottesschau ermöglicht ist. Da in dieser Reihung der Probleme ihr innerer Zusammenhang am besten deutlich wird, sollen sie so im folgenden zur Darstellung kommen.

aa) Eigene Wirkursächlichkeit der göttlichen Personen in der „visio beata"?

(1) In den Erörterungen zur Schau Gottes durch die Kreaturen, die traditionellerweise in der Gotteslehre bzw. dem Kommentar zur I$^a$ pars des hl. Thomas abgehandelt werden, nimmt die Frage nach der Vermitteltheit oder Unvermitteltheit dieser Schau eine wichtige Rolle ein: Geschieht sie durch ein übernatürliches, aber geschaffenes Erkenntnisbild, das Gott den Seligen eingießt, oder kann Gott selbst die Stelle dieses Erkenntnismittels einnehmen, also seiner Wesenheit nach als Erkenntnisobjekt so dem Intellekt der Menschen geeint werden, daß daraus die selige Schau resultiert? Suárez hält mit Thomas[399] und der Mehrheit der Theologen[400] die zweite der Alternativen nicht nur für eine mögliche, sondern auch für die zutreffende Erklärung der „visio"[401]. Gott kann wirkursächlich freien Einfluß auf den Erkenntnisakt nehmen, da er selbst seiner Substanz nach alle Kriterien für ein vollkommenes Erkenntnisobjekt erfüllt und da folglich das hier anzusetzende Wirken seiner Vollkommenheit nicht widerspricht, sondern diese vielmehr zum Ausdruck bringt[402]. Kreatürliche Abbilder dagegen vermögen die Kriterien für eine umfassende Repräsentation des göttlichen Wesensgehalts für das geschöpfliche Erkennen prinzipiell nicht zu erfüllen. Der dazu vorgetragene Beweis bezieht sich konsequenterweise vorwiegend auf Gottes Wesenheit als Ermöglichungsgrund der Schau. In einem gegen Ende eingefügten

[399] Vgl. Thomas, S. th. I, 12, 2 c.: „sed ex parte visae rei, quam necesse est aliquo modo uniri videnti per nullam similitudinem creatam dei essentia videri potest."

[400] Die Gegenthese wurde vor allem von Aureoli vertreten; eine ausführliche Darstellung und Widerlegung vom thomistischen Standpunkt aus bietet Capreolus, Defens. l. 4, dist. 49, q. 5 (VII, 218b-234b).

[401] Vgl. seine Thesen in De deo uno 2.12.14 (I, 89a-b) und 21 (91a-b) mit den jeweils nachfolgenden ausführlichen Begründungen.

[402] Vgl. ebd. 20 (90b-91a).

„dubium" bringt Suárez jedoch ebenfalls die früher in unserer Arbeit[403] bereits angerissene Frage zur Sprache, ob an der Erkenntnis generierenden Einwirkung neben dem Wesen auch die göttlichen Relationen als solche beteiligt sind. Auch wenn man, wie es Suárez hier tut und wie im folgenden Abschnitt exakter darzulegen sein wird, davon ausgeht, daß die Relationen auf jeden Fall zusammen mit der Wesenheit geschaut werden, scheint dennoch die Ungeteiltheit des göttlichen Wirkens gegenüber den Geschöpfen einer solchen Annahme zu widersprechen. Zu ihren Gunsten kann dagegen die ebenfalls später noch zu begründende These ins Feld geführt werden, daß eine jede göttliche Person niemals ohne die anderen geschaut wird, so daß die Gefahr eines getrennten Wirkens, das die Gleichheit der Personen gefährden könnte, gebannt scheint[404].

(2) Da wir Suárez bereits als einen sehr strengen Verfechter des Lehrsatzes vom ungeteilten Wirken Gottes in seiner Schöpfung kennengelernt haben, überrascht es nicht, daß er auch im vorliegenden Kontext eine Eigentätigkeit der Relationen ablehnt. Seiner Ansicht nach reicht allein das Wirken der Wesenheit aus, um den Seligen auch die Kenntnis der Relationen zu ermöglichen. So hatte bereits Scotus gelehrt: Die Trinität wird geschaut werden „per rationem essentiae"[405]. Zur Bestätigung seiner These beruft sich Suárez, offenbar wiederum in Anlehnung an den großen Franziskaner[406], auf die Weise der Personenerkenntnis innerhalb der Trinität selbst. Wenn der Vater alle göttlichen Personen erkennt, spielen Sohn und Heiliger Geist nicht die Rolle eigener Erkenntnisprinzipien, da sie ja an diesem logischen Punkt des trinitarischen Konstitutionsprozesses als noch gar nicht hervorgebracht zu gelten haben; die Schau des Vaters hat folglich ihren hinreichenden Grund allein in der Wesenheit als ihrem unbestrittenen Erstobjekt. Möglich wird dies durch die Tatsache, daß die Relationen „virtuell" und „wurzelhaft" in der Wesenheit enthalten sind. Dieses ontologische Zuordnungsverhältnis bedingt auch die erkenntnislogische Implikation[407].

[403] Vgl. oben Kap. 6, 3), c), aa).

[404] Vgl. Suárez, De deo uno 2.12.23 (I, 92a).

[405] Vgl. Scotus, Ord. I, dist. 1, p. 1, q. 2, n. 58 (Ed. Vat. II, 42f.): „...dico quod videbimus tres in quantum tres, hoc est formalis ratio Trinitatis videbitur, sed ipsa Trinitas non est formalis ratio videndi vel causa formalis inhaerentiae praedicati, scilicet fruitionis vel visionis, sed unitas essentiae. (...) tunc [sc. in visione beata] autem erit [sc. Trinitas] praecise cognita sicut est, et non erit ratio formalis cognoscendi, quia tunc videbitur per rationem essentiae in se praecise ut per rationem primi obiecti".

[406] Vgl. Scotus, Ord. I, dist. 1, p. 1, q. 2, n. 49 (Ed. Vat. II, 34).

[407] Vgl. Suárez, De deo uno 2.12.23 (I, 92a): „Et ratio est, quia in ipsa essentia virtute et eminenter continentur relationes, tanquam in radice, nostro modo loquendi et ideo

(3) Neben die fehlende Notwendigkeit einer Eigenwirksamkeit der Relationen im Prozeß der kreatürlichen Gottesschau, wie sie mit dem Verweis auf die immanente Trinität begründet wurde, tritt für Suárez sogar deren strikte Unmöglichkeit, die der Jesuit mit drei Argumenten herzuleiten sucht[408]. Erstens muß das Werk Gottes nach außen nicht nur in seinem Ergebnis ungeteilt sein, sondern auch im Blick auf sein Wirkprinzip: Die Personen wirken dasselbe aufgrund desselben Wesens, nicht aber aufgrund ihres je eigenen relationalen Seinsprinzips[409]. Es gibt folglich keine reale Abbildung der inneren Hervorgänge in der Schöpfung, und daran ändert sich auch im Zustand der Vollendung nichts. Zweitens spricht gegen die Annahme eines personalen Wirkprinzips die Tatsache, daß es für die Personen „konnatural" ist, der Wesenheit nachfolgend geschaut zu werden[410], was an ihren quasi-modalen Charakter erinnert. Drittens schließlich ist die Relation als solche nicht als „aktiv" zu bezeichnen. Die Person ist Subsistenz-, aber nicht Handlungsprinzip in Gott; sie ist nur konkrete Bedingung, die das wesenhaft konstituierte Handeln Gottes bestimmt[411]. Dieser Gedanke steht in klarer Entsprechung zu der uns bekannten Lehre des Suárez von der Rolle, welche die Personalitäten in den notionalen Akten einnehmen[412]. Sie findet, wie ebenfalls an früherer Stelle gezeigt, ihre deutliche Entsprechung in der suárezischen Christologie, in der jeder unmittelbare Einfluß des göttlichen Wortes auf die angenommene Menschheit über die Subsistenzvermittlung hinaus konse-

ipsa est sufficiens principium ad videndas illas, non est ergo necessaria efficientia ipsarum relationum per se ipsas, sed solum quatenus includunt essentiam."

408 Vgl. zum folgenden ebd. 24 (92a-b).

409 Vgl. ebd.: „propter rationem factam, quia efficientia ad extra est indivisa, quod est verum non solum ratione effectus, quia semper est ab omnibus personis, sed etiam ratione effectionis et principii agendi, quod est semper unum et idem in omnibus personis, nam in hoc fundant omnes sancti illud axioma. Quia, si relatio esset ratio agendi, quantum est ex parte sua, posset una efficere sine alia. Quod vero non possit videri una persona sine alia, id aliunde provenit."

410 Vgl. ebd.: „quia divinis relationibus nihil est tribuendum, nisi quod est necessarium et maxime connaturale: non est autem necessaria haec efficientia, ut ostendi, neque etiam est connaturalis, quia proprius et connaturalis modus videndi divinas personas, est per essentiam earum ita ut essentiale et primarium obiectum illius visionis sit essentia, relationes vero consequenter cum illa videantur, sicut consequuntur illam. Ergo est etiam connaturale, ut sola essentia sit principium talis visionis, per quam ipsa primo et consequenter reliqua videntur."

411 Vgl. ebd.: „Tertio addi potest, quod relatio, ut relatio non est activa: Item quod substantia praecise, ut talis est, non est ratio agendi, sed conditio et ideo relationes divinae praecise sumptae, quatenus relationes sunt, sunt rationes subsistendi, non efficiendi."

412 Vgl. dazu auch Kap. 8, 2).

quent abgewiesen wird. Die kreatürliche Schau des dreifaltigen Gottes, so kann als Fazit des ersten Frageaspektes festgehalten werden, ist ursächlich bedingt durch die Selbstmitteilung Gottes in seiner ungeteilten Wesenheit. Sie bildet darin ein Charakteristikum der intellektiven Selbsterfassung Gottes, und zwar gerade auch in seiner Dreipersonalität, ab.

### bb) Trennbarkeit von Wesens- und Personenschau in Gott?

Als eigene Konstitutionsgründe der geschöpflichen Gottesschau haben die trinitarischen Relationen neben der Wesenheit bei Suárez somit keine Anerkennung gefunden. Allerdings wäre es irrig, daraus die Schlußfolgerung zu ziehen, unser Theologe habe sie auf diese Weise – wenn auch nur der Möglichkeit nach – in materialer Hinsicht von Gott als dem Objekt der „visio" ausschließen wollen. Vielmehr gibt sich Suárez als Vertreter der Gegenposition zu erkennen, die er in einer detaillierten Argumentation gegen Alternativmeinungen begründet.

(1) An erster Stelle behandelt Suárez die von Scotus in der Anfangsdistinktion seines Sentenzenkommentars in Absetzung gegen Heinrich von Gent vertretene These, wonach Gott, verstanden als der wesenhaft in der Gottheit Subsistierende, wenigstens *de potentia absoluta*[413] ohne die Relationen geschaut werden könnte[414]. Auch die Schau zweier Relationen ohne die dritte hat der Franziskaner für möglich gehalten[415]. Vier Argumente für diese Lehrposition werden vom Jesuiten diskutiert.

(a) Die erste Begründung, die sich darauf beruft, daß die Relationen nicht zum wesentlichen Objekt der Beseligung zählen, hält Suárez für nicht besonders überzeugend. Sie vermischt, wie im folgenden Abschnitt cc) zu verdeutlichen sein wird, zwei in formaler Hinsicht nicht zusammenfallende Probleme: Wenn die Relationen keine konstitutive Rolle für die Seligkeit einnehmen sollten, dann, so argumentiert Suárez vor allem gegen die These einiger Thomisten im Gefolge Cajetans, wäre damit

[413] Daß *faktisch* die Gottesschau Wesenheit und Personen umfassen wird, bezweifelt auch Scotus nicht; vgl. Scotus, Ord. I, dist. 1, p. 1, q. 2, n. 45 (Ed. Vat. II, 38): „Quantum ad quartum articulum de facto dico quod de facto erit una visio et una fruitio essentiae in tribus personis."

[414] Vgl. Scotus, Ord. I, dist. 1, p. 1, q. 2, n. 23-50 (Ed. Vat. II, 17-35).

[415] Vgl. Suárez, De deo uno 2.23.1 (I, 133b); dazu Scotus, Ord. I, dist. 1, p. 1, q. 2, n. 42 (Ed. Vat. II, 26f.): „Quantum ad istum articulum dico quod de potentia Dei absoluta loquendo non videtur contradictio quin possibile sit ex parte intellectus et ex parte voluntatis quod utriusque actum terminet essentia et non persona vel una persona et non alia, puta quod intellectus videat essentiam et non personam vel unam personam et non aliam, et quod voluntas fruatur essentia et non persona vel una persona et non alia."

keineswegs automatisch über ihre Funktion in der „visio" entschieden. Umgekehrt müßte eine als notwendig festgestellte Verknüpfung der Wesensschau mit der Schau der Relationen nicht ipso facto bedeuten, daß die so geschauten Relationen auch zum Formalobjekt der Beseligung gehören. Suárez verweist zum Beleg auf die anerkannte Tatsache, daß in Gott selbst und den Seligen zwar die Schau der Kreaturen faktisch mit der Schau des göttlichen Wesens verbunden ist, sie jedoch in beiden Fällen offenbar nicht zum „obiectum beatitudinis" zählt[416]. Die Fragen nach dem Objekt der Schau und dem Objekt der Beseligung sind folglich der Sache nach voneinander zu unterscheiden.

(b) Ein zweites Argument zieht aus der ebenfalls von Scotus gelehrten Tatsache, daß in der „visio" die göttliche Wesenheit das primäre, die Relationen dagegen das sekundäre Objekt darstellen, die Schlußfolgerung, daß der Übergang vom ersten zum zweiten nicht notwendig ist und unterbleiben könnte[417]. Auch diese Begründung hält Suárez für nicht korrekt. Sie ist entweder zirkulär, indem sie mit dem Begriff des „Zweitobjekts" von Anfang an den erst zu erweisenden Charakter der Nichtkonstitutivität der Relationen für den vollständigen Akt der Gotteserkenntnis verbindet, oder sie übersieht bei ihrem Verständnis des „obiectum secundarium" als eines in sich, aber so erst durch ein anderes Begriffenen, daß dieses als solches notwendig mit dem primären Objekt verbunden sein muß und beide folglich nur gemeinsam erfaßt werden können. Suárez illustriert den zuletzt genannten Zusammenhang mit dem Beispiel der Erkenntnis einer Relation (im gewöhnlichen philosophischen Sinne), die ebenfalls als solche der Erkenntnis des in der Relation als Terminus fungierenden Seienden vorausgeht, ohne daß sie jedoch auf diese verzichten könnte. Man mag, um ein Beispiel zu wählen, daran denken, daß der Endpunkt einer Strecke nur dann erkannt wird, wenn die Strecke als ganze erkannt wird. Dennoch ist die Erfassung des Zielpunktes bereits in der Erfassung der Strecke als solcher niemals verzichtbar.

(c) Stützung findet die scotische These drittens in der von ihm vertretenen Formaldistinktion zwischen Relationen und Wesenheit. Scotus selbst hatte dieses Argument an den Anfang gestellt und sich zu seiner Unterstützung im vorliegenden Kontext auch auf die nicht notwendig

[416] Vgl. auch Suárez, De ultimo fine 5.3.8 (IV, 53a).

[417] Vgl. De deo uno 2.23.2 (I, 133b-134a); dazu Scotus, Ord. I, dist. 1, p. 1, q. 2, n. 43 (Ed. Vat. II, 27-30): „Hoc persuadetur sic: aliquis actus habet primum obiectum a quo essentialiter dependet, et habet obiectum secundum a quo essentialiter non dependet sed tendit in illud virtute primi obiecti; licet igitur non possit manere ibidem actus idem nisi habeat habitudinem ad primum obiectum, potest tamen manere idem sine habitudine ad obiectum secundum, quia ab eo non dependet."

zusammenfallende Erkenntnis Gottes als des einen und als des dreifaltigen im irdischen Pilgerstand berufen[418]. Hier kann sich Suárez kurz fassen, indem er auf die schon früher vorgenommene Ablehnung dieser speziellen Behauptung wie des ganzen sie tragenden Distinktionstyps verweist[419].

(d) Ausführlichere Besprechung wird einem vierten Argument zuteil, obwohl es sehr schlicht ist. Es besteht allein in der Feststellung, daß die These einer Trennbarkeit von Wesens- und Relationenschau keinen Widerspruch impliziert, und zwar auch dann nicht, wenn zwischen Wesen und Relationen selbst keine reale Unterscheidung („actualis distinctio in re") besteht[420]. Suárez nimmt diesen typisch scotischen Gedanken sehr ernst, denn eine Reihe von Versuchen, einen solchen Widerspruch nachzuweisen, hält er für unzureichend. Darunter fallen Verweise auf die Identität von Wesen und Personen in Gott und auf die notwendige Verbindung von Wesens- und Personenschau unter der Annahme eines einpersönlichen Gottes, die analog auch für die Trinität zu gelten habe. Ebenso in Betracht gezogen wird die Berufung auf die innere, untrennbare Zusammengehörigkeit von Dreipersönlichkeit und Gottesbegriff, die mit der notwendigen Verknüpfung bestimmter Wesensattribute mit dem Begriff des Menschen verglichen werden kann. Diesen Argumenten hält der Jesuit eine längere Reihe von Beweisgründen entgegen, die zunächst eher die scotische Position zu stärken scheinen. An den Anfang tritt dabei die theologische Tatsache, daß die Wesenheit in Gott ohne die Relationen weitergegeben werden kann. Neben den im Argumentationsgang unserer Studie vorerst noch auszuklammernden Erwägungen um eine absolute Subsistenz Gottes spielt für Suárez die von uns bereits dargestellte Überzeugung eine Rolle, daß es formal allein die Wesenheit ist, die dem Gott schauenden Geist des Seligen nach Art einer „species intelligibilis" geeint wird, indem sie ihn wirkursächlich affiziert[421]. Zu differenzieren ist auch der Identitätsbegriff in seiner Verwendung für das Verhältnis von Wesen und Relationen. Denn diese beiden Termini sind nicht „adäquat identisch", wie es etwa eine menschliche Person mit sich selbst ist, sondern die Relationen gehören, wie in der Trinitätslehre exakter bewiesen wurde, nicht zum Wesensbegriff Gottes[422]. Die einzelne Person ist nicht mit all

[418] Vgl. Scotus, Ord. I, dist. 1, p. 1, q. 2, n. 31 (Ed. Vat. II, 21).

[419] Vgl. Suárez, De deo uno 2.23.3 (I, 134a).

[420] Vgl. ebd. 4 (134a).

[421] Vgl. unsere Ausführungen unter aa). Das wirkursächliche Modell entspricht Suárez' generellem Verständnis der „species intelligibilis" im Erkenntnisakt; dazu SPRUIT (1995) 294-307.

[422] Vgl. Suárez, De deo uno 2.23.6 (I, 134b).

jenem identisch, mit dem das Wesen in Identität steht, und braucht darum in der Wesensmitteilung der Hervorgänge selbst nicht mitgeteilt zu werden. Schließlich kann aus der Tatsache, daß die Gottesschau intuitiv ist und Gott in seiner unverkürzten Wirklichkeit zum Zielobjekt hat, nicht abgeleitet werden, daß der sich so zeigende Gott auch in seiner personalen Trinität geschaut werden muß. Suárez begründet dies im Rückgriff auf das modale Verständnis von Subsistenz. Aus ihm läßt sich offenbar die Folgerung ziehen, daß in einer intuitiven Schau nicht jeder Modus, den ein Seiendes real besitzt, mitgeschaut werden muß. Als illustrierendes Beispiel dient die aufgrund des fehlenden Glaubens eingeschränkte Christuserkenntnis der Dämonen, die den Herrn in seiner Menschheit sehen, ohne dabei aber den „modus unionis"[423] der Menschheit im göttlichen Wort zu erkennen[424]. Es sind also eine Reihe gewichtiger Argumente, durchaus auch in spürbarer Nähe zu eigenen Positionen, die Suárez für die scotische Trennungsoption aufzubieten weiß und die das Begründungsproblem für die Gegenposition verstärken.

(2) Eine zweite Erklärungshypothese, die Suárez – wenn auch nur knapp – für das Verhältnis von Wesen und Relationen in der Gottesschau vorstellt, fußt auf einer Differenzierung der darin dem Seligen eröffneten Erkenntnis. Sie unterscheidet die reine Wahrnehmung des Gegenstandes („notitia apprehensiva") vom Urteil über das Wahrgenommene („notitia iudicativa") und knüpft damit an die übliche Zweistufigkeit der thomistischen Kognitionstheorie an[425]. Als ihr wichtigster Vertreter wird mit Domingo de Soto (1494-1560)[426] ein bedeutender Thomist aus der Schule

[423] Vorausgesetzt ist hier Suárez' Verständnis der hypostatischen Union als eines realen (näherhin substantialen) Modus; vgl. De incarnatione 8.3.8 (XVII, 347b-348b).

[424] Vgl. De deo uno 2.23.7 (I, 134b-135a).

[425] Vgl. Suárez, De deo uno 2.23.8 (I, 135a).

[426] Vgl. Soto, 4 Sent d. 49, q. 3, a. 3, concl. 2 (602a): „Quanvis per notitiam iudicativam essentia possit sine persona cognosci, atque una persona sine alia: apprehensiva tamen intuitiva neque per divinam omnipotentiam est possibile. Intuitiva inquam: quoniam per notitiam abstractivam, ut modo in via, nil vetat quominus quisque possit Deum apprehendere nil cogitando de trinitate aut de omnipotentia aut de aliquolibet attributo. Atqui de iudicio illico dicemus." Die Verbindung von Wesens- und Personenschau in der „notitia apprehensiva" belegt Soto im folgenden mit einer umfassenderen Widerlegung der scotischen Formaldistinktion, die er als der „simplicitas Dei" widersprechend erachtet. Über das von der „apprehensio" zu unterscheidende „iudicium" führt der Dominikaner erläuternd aus (603a): „At vero si de iudicio perconteris: Respondetur possibile esse ut quis iudicium formet de Deo quod sit unus, non advertendum quemadmodum gignat filium aut spiret spiritum sanctum. Quinetiam potest Deus concurrere cum uno beato ad producendum unum iudicium et non ad producendum aliud. Si modo loquamur de iudicio quod sit assensus in

von Salamanca genannt. Die Applikation auf das vorliegende Problem lautet: Während nach der ersten Hinsicht eine Wesensschau ohne Erfassung der Personen unmöglich ist, gilt dies nicht nach der zweiten Hinsicht. Der Selige, der Gott als ganzen geschaut hat, kann sich urteilend über dessen Einheit klar werden, ohne im selben Verstandesakt auch der innergöttlichen Hervorgänge gewahr werden zu müssen[427].

Suárez weist diese Lösung ab, weil er die strikte Trennung von „apprehensio" und „iudicium" im Akt der Gottesschau für unmöglich hält. Schon in einem der vorangehenden Kapitel seiner Gotteslehre hatte er die „einfache Erkenntnis" („simplex cognitio") der Seligen mit der Erkenntnisweise Gottes selbst verglichen. Wie dieser ohne Diskursivität des Verstehens in einem jeden Subjekt das Prädikat wie auch den Zusammenhang zwischen beiden erfaßt und in gleicher Weise alle Schlußfolgerungen in ihren Prämissen, so begreift der Selige in der Schau Gott, das zuhöchst einfache Erkenntnisobjekt, „in einfacher Schau"[428]. Diese aber, so führt Suárez weiter aus, ist als solche bereits auch ein „vollendetes Urteilen", weil sie Begreifen der umfassenden göttlichen Wahrheit ist. Daß im Erdenleben das Urteil ein kompositiver Akt ist, gehört nicht zu seinem Wesen, sondern zur Unvollkommenheit des hier anzutreffenden Erkenntnismodus. Die Seligen lassen ihn hinter sich, wenn sie im Himmel Anteil am Wissen und an der Erkenntnisweise Gottes selbst erhalten und darin sogar die Engel übertreffen[429]. Hier sind Schau und Reflexion eins[430], so daß eine Scheidung, wie sie Soto vornimmt, gegenstandslos

proprio genere, quos potest etiam habere beatus: nam de visione ipsa secus est." Suárez hat Soto also korrekt wiedergegeben.

[427] Vgl. Suárez, De deo uno 2.23.8 (I, 135a).

[428] Vgl. De deo uno 2.18.7 (I, 114b-115a).

[429] Vgl. ebd. 8 (115a): „nec dubitari potest quin illa visio sit perfectissimum judicium, quia per illam perfecte cognoscit beatus, v. g., quod Deus sit et quod sit perfectus, omnipotens, sed nihil aliud est per intellectum judicare de aliqua re quam cognoscere quid illi rei conveniat, seu veritatem quae in illa reperitur. Item notitia judicativa non repugnat cum simplicitate, nos enim propter imperfectionem componimus ad judicandum; Deus autem et angeli per simplices actus judicant de quacumque veritate, sive in se simplex, sive composita sit, ergo idem facient beati per illam visionem quae et est perfectior scientia quam angelica, et est eminentissima participatio divinae scientiae. Unde ad hoc judicium non oportet intelligere reflexionem illam, et quasi comparationem visionis ad obiectum, sed satis est directa cognitio perfecta ipsius obiecti de quo judicat, quod et quale sit."

[430] Vgl. ebd. 9 (115b): „Denique divina scientia eminentissime continet reflexionem et cognitionem sui cum summa simplicitate: unde valde probabile judico illam visionem intime et per se ipsam esse reflexam, ita ut non possit beatus videre Deum, quin videat, se videre."

wird. Auch auf diese Weise sind Wesen und Personen folglich in der „visio“ nicht zu trennen.

(3) Gegen die vorangehenden Ansichten erklärt die dritte These, daß die Schau der Personen im selben Modus wie die Schau des Wesens notwendig gegeben sein muß, sobald letztere erfolgt[431]. Die dafür aus der thomanischen Gotteslehre beizubringenden Belege[432] sind, wie Suárez selbst zugibt, eher schwach. Sehr klar ist dagegen eine Stelle aus dem thomanischen Glaubenstraktat, die schon Cajetan gegen Scotus nutzbar gemacht hat[433]. Thomas verbindet dort die Aussage der Untrennbarkeit von Wesen und Personen in der seligen Schau nicht nur mit dem Hinweis, daß damit ein Unterschied zur unvollkommenen (irdischen) Gotteserkenntnis „per effectus“ benannt ist, in der Wesen und Wesensattribute stets ohne die Personen erfaßt werden, sondern erinnert zugleich an die grundsätzliche soteriologische Bedeutung der Personen, wie sie sich in den Sendungen zeigt[434].

Obwohl die meisten Scholastiker das Problem nicht explizit diskutiert haben, sieht sich Suárez auf Seiten der Majorität, wenn er sich der thomanischen Lehrthese anschließt[435] und aus ihr drei Konsequenzen ableitet.

(a) Aus der dargestellten Verbindung von Wesens- und Personenschau ergibt sich erstens ihre faktische Gegebenheit in der „visio beatifica“ der Seligen, wie sie das Credo als Vollendung des expliziten Trinitätsglaubens der Christen selbstverständlich lehrt[436].

[431] Vgl. Suárez, De deo uno, 2.23.9 (I, 135a-b).

[432] Suárez selbst zitiert S. th. I, 12, 7 ad 2/3. Zwar spricht Thomas hier davon, daß Gott „ganz“ geschaut wird, aber daß damit auf jeden Fall Wesen *und* Relationen gemeint sind, ist nicht ersichtlich. Thomas geht es an dieser Stelle überhaupt nicht um eine materiale Bestimmung des Beseligungsobjekts, sondern um den Unterschied zwischen der unendlichen inneren Erkennbarkeit Gottes und dem stets endlichen Erkenntnismodus der Kreatur, aus dem die prinzipielle Inkomprehensibilität Gottes abgeleitet werden kann.

[433] Vgl. die von uns später noch zu zitierende Passage Cajetan, Comm. in II$^{am}$ II$^{ae}$, q. 2, a. 8, n. 4 (Ed. Leon. VIII, 36b).

[434] Vgl. Thomas, S. th. II-II, 2, 8 ad 3: „summa bonitas Dei secundum modum quo nunc intelligitur per effectus, potest intelligi absque trinitate Personarum. Sed secundum quod intelligitur in seipso, prout videtur a beatis, non potest intelligi sine trinitate Personarum. Et iterum ipsa missio Personarum divinarum perducit nos in beatitudinem.“

[435] Vgl. Suárez, De deo uno 2.23.9 (I, 135b).

[436] Vgl. ebd. 10 (135b). Ähnlich: De trin. 1.12.2 (I, 570b).

(b) Zweitens betont Suárez die Notwendigkeit der Verbindung[437]. Um Mißverständnisse dieser These zu vermeiden, weist der Jesuit darauf hin, daß nicht auch die Schau der leiblichen Gestalt Christi automatisch als Schau der Trinität zu qualifizieren ist, sofern man diese nicht als Konsequenz des Glaubens an Christus in seiner Gottessohnschaft deutet. Gegen Scotus wird unterstrichen, daß die Untrennbarkeit der gemeinsamen Schau aller drei Personen, wie sie auch der Franziskaner als *Faktum* zugesteht, zugleich die *notwendige Verbindung* zur Wesensschau belegt, die Scotus ablehnen will. Zum Nachweis erinnert Suárez an die Tatsache, daß der Grund der „circumincessio" der Personen kein anderer ist als deren Wesenseinheit[438], ohne daß andererseits die Unterscheidbarkeit der Personen darin verschwände. Vernunftbelege für die gemeinsame Schau von Substanz und Relationen findet Suárez in der „vollkommenen Intuitivität" der Gottesschau, in der nichts ausgeschlossen sein kann, ebenso wie in der Tatsache eines nur gedanklichen Geschiedenseins von Wesen und Personen und in der positiven inneren Hinordnung beider Größen aufeinander: Die Wesenheit verlangt aus sich selbst heraus („ex vi suae rationis essentialis") nach der „Terminierung" durch die Relationen. Damit alle Wesensprädikate, namentlich die Unendlichkeit und die (daraus folgende) Fruchtbarkeit des einen Wesens in der notwendigen Mitteilung an drei Personen, geschaut werden können, dürfen die Relationen nicht ausgeschlossen sein. Man verstünde das göttliche Wesen also nach Suárez gerade in dem es einzigartig bestimmenden und unterscheidenden Moment gar nicht, wenn man es von den Personen isolierte. Denn wie eine Person nur gemeinsam mit der sie charakterisierenden Inkommunikabilität geschaut werden kann, so die Wesenheit nur zusammen mit ihrer Kommunikabilität an (exakt) drei Personen. Weil aber die Kommunikabilität in der göttlichen Wesenheit niemals nur der Möglichkeit nach, sondern stets notwendig aktual ist, und weil folglich die Vorstellung der göttlichen Wesensmitteilung in Absehung von ihrer realen personalen Wirklichkeit bzw. Terminierung nicht sinnvoll sein kann, ist die Schau der drei Personen innerlich der Wesensschau verbunden[439].

[437] Vgl. De deo uno 2.23.11 (I, 135b): „Visio intuitiva essentiae divinae natura sua, et seclusis miraculis, necessario etiam est visio personarum."

[438] Vgl. ebd. 13 (136a).

[439] In seiner Engellehre (De ang. 2.17.6, II, 195b-196a) benutzt Suárez diesen Gedanken einmal, um die daraus folgende notwendige Verknüpfung von Wesens- und Relationenschau zum Argument dafür zu machen, daß der diesbezügliche Erkenntnisvorgang strikt übernatürlich sein muß und nicht „per naturalem speciem" erfolgen kann: „Deinde directe etiam potest demonstrari prima sequela, quia esse communicabilem tribus personis est de essentia divinae naturae, sed per cognitionem quidditativam cognoscitur quidquid est essentiale, ergo per talem actum cognoscitur divina

(c) Eine Trennung dieser beiden Aspekte der Gottesschau, so lautet die dritte Konsequenz der suárezischen Hauptthese, ist selbst auf übernatürliche Weise, durch Gottes „potentia absoluta", nicht möglich[440]. Zur Begründung reicht dem Jesuiten nicht der bloße Verweis auf den biblisch bezeugten Charakter der „visio" als Schau Gottes, „wie er ist". Vielmehr argumentiert er von der strikten Unmöglichkeit her, eine Minderung oder Einschränkung der Schau zu postulieren, da diese nur um den Preis einer realen Unterschiedenheit zwischen Wesen und Personen als ihrer ontologischen Voraussetzung zu erreichen wäre[441]. Damit wird einsichtig, daß Suárez seine Option als konsequente Folge der Ablehnung einer scotischen Formaldistinktion in der Trinitätslehre expliziert[442]. Eine gänzlich andere Art der Gottesschau, in der dieser Grundlage Rechnung getragen würde, ohne daß sie die Eigenschaften der Wesenserfassung und Intuitivität verlöre, hält Suárez für nicht vorstellbar.

(d) Es bleibt dem Doctor Eximius am Ende noch die Aufgabe, den wichtigsten Einwand gegen seine Lösungsoption zu widerlegen, der aus der Mitteilbarkeit des Wesens in Gott ohne die Personalität der jeweils hervorbringenden Person die Möglichkeit einer separaten Schau von Absolutum und Relativum abgeleitet hatte. In seiner Entgegnung unterscheidet Suárez „communicatio" und „visio" in zweifacher Hinsicht.

Erstens ist die Mitteilung bzw. Mitteilbarkeit eine Eigenschaft des Wesens, näherhin eine Folge seiner Unendlichkeit, die in keinen Gegensatz zu den Personen tritt, obgleich diese einander entgegengesetzt sind, und die eine Identität mit jeder der Personen begründet, wenn diese sich auch nicht auf alle notionalen Prädikate erstreckt. Dagegen ist das „Gesehenwerden" dem Wesen keineswegs wesentlich, sondern äußerlich, bedingt

essentia, ut communicabilis multis, et ipsamet communicabilitas quidditative cognoscitur, qualis, et quanta sit, et consequenter quod sit ad tres personas. Imo cum in Deo nihil sit potentiale, non cognoscetur ut potentialis, sed ut actualis communicatio, quam sine personis concipere nemo potest. Hoc autem totum tribuere Angelo ut illi connaturale, absurdissimum est."

440 Vgl. De deo uno 2.23.19 (I, 137b): „Dico tertio fieri non posse, etiam per potentiam Dei absolutam ut videatur clare et intuitive divina essentia, non visis eodem modo divinis relationibus."

441 Vgl. ebd. 21 (138a): „quia illa visio per eamdem entitatem omnino indivisibiliter repraesentat essentiam, et personas ex natura sua, et ideo non potest unum auferri, manente alio, quia in ipso actu sunt omnino et adaequate idem."

442 Daß der Zusammenhang zwischen der Lehre von der „visio" und der Formaldistinktion bei Scotus tatsächlich besteht, wird in den Ausführungen bei BECKMANN (1967) 206-212 deutlich.

durch den Akt des Schauenden. Folglich können Kommunikation und Schau des Wesens unter distinkten Bedingungen stehen[443].

Zweitens gilt ganz generell, daß in einer realen Einung zweier Personen oder in der Mitteilung zwischen ihnen nicht dieselbe Verbindung wirksam werden muß, wie sie in der Erkenntnis dieser Personen maßgeblich ist. Suárez erklärt hier die Trinität von der Inkarnation her, wenn er auf die Tatsache verweist, daß die Relation des Sohnes sich zwar allein der menschlichen Natur vereinen, aber zugleich nicht ohne die Relation des Vaters erkannt werden kann. Grund dafür ist die verschiedene Hinsicht des Personseins, die in dem einen und dem anderen Vorgang zum Tragen kommt. Die hypostatische Union des Sohnes geschieht allein „in Bezug auf ihn selbst“, während die Gottesschau ihn „in Beziehung zu einem anderen“ erfaßt[444]. Das gegenseitige relationale Verhältnis der drei Personen muß sich in der Erkenntnis notwendig widerspiegeln, weshalb eine Person niemals ohne die anderen begriffen werden kann: Was Sohnsein ist, erkennt man niemals, ohne auch um den Vater zu wissen. Im Blick auf eine „unio physica“ jedoch, wie sie der Sohn in der Inkarnation mit der angenommenen Menschennatur eingeht, kommt das ontologisch reale Unterschiedensein der Personen voneinander zum Tragen, deretwegen der Sohn Mensch werden kann, ohne daß dies zugleich auch von Vater und Geist ausgesagt werden müßte[445].

(4) In diesem Abschnitt, so kann zusammengefaßt werden, hat Suárez überzeugend vorgeführt, daß die scotische Formaldistinktion in der Trinitätslehre, die zunächst eine klare Stärkung der Eigenständigkeit der Relationen gegenüber der Wesenheit mit sich zu führen scheint, in Wirklichkeit um einen hohen Preis erkauft ist: nämlich die Nachordnung der Relationen hinter das sie tragende und ihnen die göttliche Identität sichernde Wesensabsolutum. Dies wird nirgends deutlicher als in den scotischen Thesen zum Ordo innerhalb der Gottesschau, der in der genannten

[443] Vgl. Suárez, De deo uno 2.23.24 (I, 139a): „quia communicatio est proprietas realis ipsius naturae quae in re ipsa convenit illi, ratione suae infinitatis ex qua habet, quod identificari possit omnibus relationibus quae cum ipsa non habent oppositionem, quamvis inter se illam habeant. Unde etiam habet, quod possit in re omnino identificari cum aliqua relatione, licet non adaequate convertatur cum illa, id est, quamvis non distinguatur ab omni illo a quo illa distinguitur.“

[444] Vgl. ebd. 25 (139a-b): „Cujus non potest esse alia ratio, nisi quia priori modo unitur quasi in ordine ad se tantum, prout est ratio subsistendi; visio autem propria necessario attingit illam secundum habitudinem ad alium.“

[445] Vgl. dazu auch De incarnatione 4.12.8 (XVII, 463b-464a) mit dem Grundsatz: „…ea, quae inter se habent mutuam habitudinem, majorem connexionem inter se habere in ordine ad claram seu quidditativam cognitionem, quam in ordine ad realem unionem, seu physicam“.

Trennbarkeitsthese für den Zugang zu „Erst-“ und „Zweitobjekten“ mündet. Ihre Vermeidung erweist sich für Suárez als Stärke der nur gedanklichen Unterscheidung beider Größen.

### cc) Die Trinität als Gegenstand der vollendeten menschlichen Glückseligkeit?

Es wurde bereits erwähnt, daß Suárez die Fragen nach dem Objekt der göttlichen Schau und dem Objekt der Beseligung in formaler Hinsicht exakt unterscheidet; beide sind prinzipiell unabhängig voneinander zu lösen. Auch die Diskussion um das Objekt der Beseligung, die der Jesuit im Traktat über die „beatitudo hominis“ zu Beginn seiner dem Aufriß der thomanischen II<sup>a</sup> Pars folgenden Morallehre plaziert, wird ganz im Schatten der scotistischen Formaldistinktion geführt. Wiederum geht es um die Trennbarkeit real verbundener Gehalte in einer bestimmten Betrachtungsperspektive sowie um die mögliche Begründung für eine solche Annahme.

(1) Bevor Suárez die Rolle der göttlichen Personen im „obiectum beatitudinis“ bestimmt, diskutiert er dasselbe Problem im Hinblick auf die göttlichen Attribute, die in ihrem Verhältnis zur Wesenheit nicht weniger als die Relationen das Distinktionsproblem evozieren.

(a) Wollte man mit Scotus die Formaldistinktion der Attribute gegenüber der Wesenheit vertreten, könnte man daraus ableiten, daß Gott auch nur exakt in derjenigen Hinsicht, die in ihm als „wesentlich“ zu identifizieren ist, Objekt der himmlischen Schau sein wird[446]. Suárez sieht diese Meinung in den Ausführungen der scotischen Ordinatio, l. 1, dist. 1, angedeutet, wie wir sie bereits im vorangehenden Abschnitt zitiert haben.

Eine andere Variante, mit Hilfe der Formaldistinktion das Objekt der Beseligung einzugrenzen, besteht in dessen Beschränkung auf ein einziges der (als untereinander formalverschieden vorgestellten) göttlichen Attribute[447]. Suárez greift zur Illustration eine Aussage im Summenkommentar des salmanticensischen Dominikaners Bartholomé de Medina (1528-1580)[448] auf, der Gott in seiner „bonitas“ als höchstes Gut des Men-

[446] Vgl. Suárez, De ultimo fine 5.3.1 (IV, 51a-b): „Juxta hanc ergo opinionem in praesenti dici potest, Deum esse obiectum nostrae beatitudinis praecise secundum eam rationem, quae in eo intelligitur esse essentialis, quia secundum illam praecise constituitur in esse Dei“.

[447] Vgl. ebd. 2 (51b).

[448] Vgl. Medina, In I<sup>am</sup> II<sup>ae</sup>, q. 3, a. 5 (106bB): „Secundo observandum est, quod cum in beatitudine sint diversa iudicia, qua beati iudicant Deum esse omnipotentem, Deum esse trinum et unum, merito dubitari potest, in quonam iudicio nostra beatitudo praecipue sit constituta? Certe ego arbitror in hoc iudicio esse praecipue sitam,

schen versteht, woraus sich eine Beseligung ebenfalls speziell „ratione bonitatis" ergibt.

(b) Suárez lehnt diese Erklärungen ab. Er hält sowohl die Trennung von Wesen und Attributen wie auch eines Attributs von den übrigen bei der strikten Formalbestimmung des Beseligungsobjektes für falsch. Seiner Ansicht nach wird Gott für die Seligen hinsichtlich all seiner Wesensattribute und absoluten Vollkommenheiten erstes und eigentümliches Objekt der himmlischen Schau sein, in der die ewige Seligkeit des Menschen liegt[449]. Die Begründungen, die der Jesuit dafür anschließt, berufen sich (abgesehen von der bekannten Ablehnung der Formaldistinktion) darauf, daß Gott als höchstes Gut des Menschen alle möglichen Vollkommenheiten, gleich ob sie „formaliter" oder „eminenter" verstanden werden, einschließen muß. Umgekehrt gilt: Die Ausklammerung irgendwelcher Vollkommenheiten müßte unweigerlich die „perfectio essentialis" des göttlichen Beseligungsobjektes schmälern[450]. Hier bildet Suárez' Überzeugung von der realen Identität aller Attribute mit der Wesenheit und ihrer gegenseitigen wesenhaften Inklusion[451] das Fundament der Argumentation. Auch die uns geläufige These von der Einheit des Urteils- bzw. Verstehensaktes in der Gottesschau kann Suárez an dieser Stelle zugunsten der unverkürzten Einheit des Objektes der Beseligung in Erinnerung rufen[452].

(2) Schwieriger stellt sich die in einem zweiten Schritt zu behandelnde Frage nach der Funktion der Relationen in der Beseligung des Menschen dar.

(a) Suárez versteht Beseligung in unserem Zusammenhang strikt im Sinne der himmlischen „beatitudo perfecta", da sich für die irdischen (Vor-)Formen der Seligkeit, ob in rein natürlicher oder in unvollkommen übernatürlicher Gestalt, das Problem gar nicht stellt. Während in einer „beatitudo naturalis", einem rein philosophisch konzipierten menschlichen Glück, die Trinität sowieso keine Rolle spielt, ist es auch in einer „beatitudo imperfecta", die aus der Offenbarung erwächst und bereits von der Gnade getragen wird, nicht notwendig, daß im Glauben an und in

*Quam bonus Israel Deus his, qui recto sunt corde.* Caetera vero iudicia quae habent beati, vel sunt praemia fidei, vel sunt necessario coniuncta. Qui enim videt Deum esse summum bonum, certe conspicit Deum esse immensum, infinitum, omnipotentem. Haec enim vel sunt eadem, vel necessario coniuncta."

[449] Vgl. Suárez, De ultimo fine 5.3.3 (IV, 51b): „Utramque opinionem falsam existimo, et sic dicendum, Deum secundum omnia sua attributa, et absolutas perfectiones esse obiectum proprium, ac primarium nostrae beatitudinis perfectae, quam speramus in futura vita."

[450] Vgl. ebd. 3-4 (51b-52b).

[451] Vgl. Suárez, De deo uno, 1.12-14 (I, 36a-43b).

[452] Vgl. De ultimo fine 5.3.5 (IV, 52b).

der Liebe zu Gott, sofern er übernatürliches Ziel ist, zugleich eine Erkenntnis der Dreifaltigkeit impliziert sein muß[453]. Grund dafür ist letztlich, daß der abstrahierende Verstand einen Begriff von Gott bilden kann, in dem dieser als „unendliches Gut" ohne die Relationen erkannt wird. Als dieses „bonum" könnte er auch beseligend sein.

(b) Kontroversen entstehen also erst dort, wo es um die Beteiligung der Relationen in der vollkommenen himmlischen „beatitudo" geht. Aus der theologischen Tradition stellt Suárez dazu die Meinungen des Scotus und des Cajetan antithetisch vor, um mit seiner eigenen Lösungsoption einen Mittelweg zwischen den Extrempositionen zu beschreiten.

(aa) Die These des Scotus setzt fort, was dieser bereits zur Stellung der Relationen in der „visio" gelehrt hatte: Objekt unserer vollendeten Seligkeit ist Gottes „essentia praecise sumpta" unter Absehung von den Relationen[454]. Wenn, so die exakte Applikation des früheren scotischen Gedankens, das Wesen ohne die Personen geschaut werden kann und in formaler Hinsicht als schlechthin unendliches Gut angesehen werden muß, das in eminenter Weise alle Vollkommenheiten einschließt, dann ist es als solches auch hinreichend beseligendes Objekt. Denn die ganze Trinität, Gott unter Einschluß der Relationen, ist kein größeres Gut als die Wesenheit unter Absehung von diesen[455]. Tatsächlich lehrt Scotus klar, daß in der himmlischen Schau, die *faktisch* die ganze Trinität erfassen wird, dennoch die „ratio formalis" der Seligkeit nicht „ipsa Trinitas", sondern die „unitas essentiae" sein wird[456]. Wie das Wesen in seinem formalen Eigengehalt separat erkennbar ist, so kann es in dieser Distinktheit auch im Prozeß der Beseligung wirksam werden.

Neben dieses Argument tritt bei Scotus ein zweites, das spezifisch trinitätstheologischen Charakter hat[457]. Der Vater ist selig durch die Schau des

[453] Vgl. ebd. 7 (53a): „similiter beatitudo imperfecta hujus vitae, etiamsi supernaturalis sit, consistere potest sine cognitione divinarum relationum, quia potest Deus, ut finis supernaturalis, fide cognosci, et charitate infusa super omnia amari, etiamsi Trinitas personarum distincte non cognoscatur."

[454] Vgl. ebd. 9 (53a). Wir können dazu auf die bereits zitierten Texte aus Scotus, Ord. I, d. 1, p. 1, q. 2 verweisen, etwa nn. 42.58 (Ed. Vat. II, 26f.42f.), wo die Fragen nach der Rolle der Relationen für „visio" einerseits und „fruitio" andererseits ungetrennt behandelt werden.

[455] Vgl. Suárez, De ultimo fine 5.3.10 (IV, 53b).

[456] Vgl. Scotus, Ord. I, d. 1, p. 1, q. 2, n. 58 (Ed. Vat. II, 42): „Et cum probatur minor secundum primum modum accipiendi ipsam dico quod videbimus tres in quantum tres, hoc est formalis ratio Trinitatis videbitur, sed ipsa Trinitas non est formalis ratio videndi vel causa formalis inhaerentiae praedicati, scilicet fruitionis vel visionis, sed unitas essentiae."

[457] Vgl. Scotus, Ord. I, d. 1, p. 1, q. 2, n. 49 (Ed. Vat. II, 34): „Ad aliud de quietatione dico quod Pater quietatur in essentia sua ut est in se; nec sequitur ‚ergo non potest

Wesens allein, nicht erst aus der Erkenntnis der Relationen; andernfalls wäre er ohne sie unvollkommen, so daß diese in irgendeiner Weise als Prinzip seiner Seligkeit fungieren müßten, er also der Zeugung und Hauchung zur Konstitution seiner Seligkeit bedürfte – was aus dem trinitarischen Hervorbringungsgeschehen einen notwendigen Prozeß zur Beförderung der väterlichen Beseligung werden ließe. Dies lehnt Scotus ab. Da die göttlichen Personen in der Erkenntnis nicht voneinander zu trennen sind, ist mit dem Ausschluß der beiden hervorgebrachten Personen aus dem Objekt der göttlichen Seligkeit dort zugleich auch die Person des Vaters (zunächst für diesen selbst) ausgeschlossen. Die Seligkeit des Vaters ist als ein der Zeugung bzw. Hauchung vorangehendes „Naturmoment" in Gott anzusehen, das nicht mit seinen notionalen Akten, sondern allein mit seinem Gottsein als solchem in innere Verbindung zu bringen ist[458]. Da, so darf man den Gedanken ergänzen, für den Vater nichts anderes gelten darf als für Sohn und Geist, steht deren Seligkeit unter gleichem Vorzeichen. Der scotische Gedanke im Referat des Suárez läuft auf die Schlußfolgerung hinaus: Wenn die Relationen als solche für die Seligkeit Gottes selbst dann keine konstitutive Bedeutung besitzen, wenn man die „beatitudo" strikt „ad personam" und nicht bloß als absolutes Wesensattribut versteht, gilt Entsprechendes auch im Blick auf die Kreatur, deren Seligkeit nur Anteilnahme an der Seligkeit Gottes ist.

(bb) Im Gegensatz zur scotischen Meinung steht die These Cajetans. Darnach gehören die Relationen zum ersten und wesentlichen Objekt unserer Glückseligkeit; ohne sie wäre das Wesen nicht als hinreichend für den Akt der Beseligung anzusehen[459]. Auch für diese Lösung nennt Suárez eine Reihe von Argumenten. Eine Schau Gottes, „wie er ist", kann nicht ohne die Relationen erfolgen, denn die Wesenheit existiert faktisch

quietari in ea ut in Filio vel in Spiritu Sancto', immo quietatur in essentia ut communicata est eis, et hoc eadem quietatione qua quietatur in essentia ut in se".

[458] Vgl. Suárez, De ultimo fine 5.3.9 (IV, 53a-b). In scotischer Tradition wird mit dem „‚signierende<n>' Gliedern eines Sachverhalts in logische Momente (*signa* oder *instantiae rationis*)" (HÜBENER [1985] 67) eine sachliche Ordnung in der Geistwirklichkeit Gottes beschrieben, die kein temporales Nacheinander kennt. „Der Begriff des instans naturae", so stellt HOFFMANN (2002) 102 fest, „entstammt demselben Denktyp wie die Begriffe der Wesensordnung und des Formalunterschiedes."

[459] Vgl. Suárez, De ultimo fine 5.3.10 (IV, 53b): „Secunda opinio est Cajetani, qui docet, relationes pertinere ad obiectum primarium et essentiale nostrae beatitudinis, ita ut sine illis non intelligatur sufficiens divina essentia ad beandum." Vgl. dazu Cajetan, Comm. in II$^{am}$ II$^{ae}$, q. 2, a. 8, n. 4 (Ed. Leon. VIII, 36b): „Ad hoc autem quod est videre Deum sicuti est, quod sufficit ad beatitudinem creaturae, exigitur quod intuitus videntis terminetur in Deum sicuti est in suo esse absque abstractione, ita ut non fiat abstractio naturae a supposito". Es folgen die bei Suárez genannten Argumente.

nicht anders als in den drei Personen. Dasselbe zeigt der Blick auf Gottes Selbsterkennen. Seine Seligkeit schließt in ihrem Objekt ebenfalls die Relationen ein, da Gott sich nur in seiner Dreifaltigkeit vollends „begreift". Folglich ist auch unsere Seligkeit als Partizipation an der Seligkeit Gottes mit den Personen verbunden. Drittens kann *per impossibile* der Fall eines einpersonalen Gottes erwogen werden. Nur gemeinsam mit der dann einzigen Personalität wäre Gott unter dieser Annahme Objekt der Seligkeit, genauso wie er nur als (die Personalität einschließender) „Gott", aber nicht als „Gottheit" Schöpfer oder erstes Prinzip sein könnte. Nämliches, so die Folgerung, hat unter der Bedingung der Dreipersönlichkeit zu gelten. Schließlich kann darauf verwiesen werden, daß der menschliche Geist, sofern er das Wesen ohne die Personen schaute, nicht wirklich zu jener vollendeten „Ruhe" fände, durch welche die Seligkeit definiert ist. Denn die nicht-suppositale Natur Gottes böte dem Schauenden Anlaß zu weiterem Fragen. Das noch unerkannte höchste Geheimnis der Gottheit stünde der endgültigen Befriedigung des Geistes in der Schau entgegen.

Diese zweite Position beruft sich somit auf die faktisch notwendige Verbindung von Wesen und Personen in Gott selbst, die zugleich das einzig einsichtige Kriterium für „vollendete" Seligkeit des Menschen in der Anschauung dieses Gottes bereitstellt.

(cc) Wie bereits angedeutet, will Suárez einen Mittelweg zwischen den beiden ihm bekannten Lösungen einschlagen. Dazu formuliert er zunächst zwei eigene Thesen, mit deren Hilfe er anschließend die Argumente seiner beiden Vorgänger Scotus und Cajetan zu entkräften sucht.

An erste Stelle setzt der Jesuit die Aussage, daß Gott als einer und dreifaltiger das angemessene Objekt der menschlichen Seligkeit ist[460]. Damit tritt Suárez grundsätzlich auf die Seite Cajetans und, so fügt er selbst an, auch der kirchlichen Tradition. Nur in der umfassenden Betrachtungsweise von Wesen und Personen ist Gott wie der erste Ursprung auch das letzte Ziel, zu dem zurückzukehren und in dem zu ruhen die menschliche Vollkommenheit ausmacht. Wie zuvor schon hinsichtlich der Schau wird nun auch hinsichtlich des Objekts der Beseligung auf unsere Gottesverehrung und –liebe hingewiesen, die sich stets explizit auf die Dreifaltigkeit (und nicht bloß die Wesenheit) richtet[461]. Die scotische Theorie wird dieser lebendigen Überzeugung christlicher Frömmigkeit nicht gerecht.

[460] Vgl. Suárez, De ultimo fine 5.3.11 (IV, 54a): „primo absolute et simpliciter dicendum, Deum trinum et unum esse primarium, et adaequatum obiectum nostrae beatitudinis."

[461] Vgl. ebd. Eine Inversion dieser Gedankenführung mit einer Schlußfolgerung vom Beseligungsobjekt her auf die Inhalte des übernatürlichen Glaubens, auch hier unter

In einer zweiten These möchte Suárez jedoch auch das scotische Anliegen zur Geltung kommen lassen. Wiewohl der „ganze“ Gott Objekt der Beseligung ist, kann doch die Wesenheit als „eigentümlich-wesenhafter Formalgrund“ identifiziert werden, der aus sich heraus hinreichend für die Bewirkung der Seligkeit ist. Ihm sind die Relationen nur beigeordnet, und zwar entsprechend ihrer Funktion innerhalb der göttlichen Wirklichkeit: sofern sie nämlich nicht das Wesen Gottes, sondern allein seine Personalität konstituieren[462]. Die Erkenntnis Gottes bildet somit in ihrer formalen Struktur die ontologische Konstitution Gottes ab, wie wir sie zumindest in gedanklicher Unterscheidung erfassen können. Hier gehören die Relationen nicht zum Wesensbegriff, wohl aber zur „constitutio personalis Dei“, durch welche die Gottheit ihre „konnaturale“ Weise der Subsistenz erhält. Ausdrücklich tritt Suárez dem Einwand entgegen, mit dieser ontologisch-erkenntnislogischen Qualifizierung könnte das substantiell göttliche Sein der Relationen, also ihre wahre Identität mit der Wesenheit, zweifelhaft werden. Dazu hebt der Jesuit vor allem den Unterschied zwischen den Relationen und den möglichen Kreaturen im Wissen Gottes hervor. Zwar werden diese wie die Relationen irgendwie notwendig durch Gott geschaut. Doch während die Ideen möglicher Geschöpfe stets nur als Wirkungen in ihrer Ursache oder als Objekte der göttlichen Allmacht präsent sind, gehören die Relationen innerlich zu Gott und tragen zumindest „in esse personali“ zu seiner Konstitution bei. Darum stehen sie auch in einer inneren und substantiellen Verbindung zum wesenhaften Beseligungsobjekt, was für die Repräsentation von Kreatürlichem oder für die freien Handlungen Gottes niemals gelten kann[463].

Dieselbe Zuordnung von Wesen und Relationen, wie sie vom Leitbegriff des „obiectum beatitudinis“ her erarbeitet werden konnte, ergibt sich auch, wenn man Gott in seiner Bedeutung als Erstursprung und Letztziel des Menschen betrachtet. In beiden Hinsichten kommt Gott in formaler Betrachtung ebenfalls allein seinem Wesen nach in den Blick, während

Heranziehung des uns schon bekannten Thomas-Zitats, finden wir in De angelis 5.6.5 (II, 591a-b): „Nam licet per se primo [sc. beatitudo angelorum] consistat in visione essentiae infinitae, et summe bonae: tamen consequenter etiam relationes, saltem in obliquo (ut sic dicam) ad beatitudinis essentialis obiectum pertinent, quatenus non potest essentia prout in se est, videri sine personis, ut recte in simili puncto dixit D. Thomas 2, 2, q. 2, a 8, ad 3; ergo etiam fides explicita illius mysterii debuit ab Angelis exigi tanquam medium necessarium ad salutem.“

[462] Vgl. De ultimo fine 5.3.12 (IV, 54b-55a): „Dico secundo: In hoc obiecto essentia est propria ratio formalis essentialis, ac de se sufficiens ad nostram beatitudinem: relationes vero etiam concurrunt tanquam intrinsece pertinentes ad substantialem quamdam, seu personalem constitutionem illius obiecti.“

[463] Vgl. dazu ausführlich ebd. 15-17 (55b-56b).

ihm die Relationen nur in *faktischer* Notwendigkeit verbunden sind[464]. Es ist diese Betonung der reinen „De facto"-Nezessität der Relationen, die in der Lehre des Suárez über Gottes Sein und Gottes Erkanntsein immer wieder auffällt und deren Differenz zur zuvor abgewiesenen These des Scotus als nicht besonders groß erweist. Bis in den höchsten Akt des eigenen wie des kreatürlichen Begreifens Gottes hinein verliert die Trinität nicht den Charakter des zum Wesen „Hinzugefügten". Sie bleibt dem ansonsten so klarer Erkenntnis zugänglichen Gottesbegriff in der streng formal-essentialen Betrachtung äußerlich, weshalb die Einpersonalität Gottes eine prinzipiell nicht minder denkbare Alternative darstellt, die Suárez häufig im Rahmen von Gedankenexperimenten heranzieht[465]. Eigentlich müßte aus diesem Befund der nur in faktischer Evidenz verknüpften Gehalte folgen, daß ihre gemeinsame Erkenntnis den Charakter der Einfachheit verliert, wie ja auch auf der ontologischen Ebene die Verbindung von Wesen und Relationen, macht man ihre Verschiedenheit stark, auf einen realen (wenn auch nur formal-realen) Unterschied hinführt. Die scotische Formaldistinktion entspricht ja in diesem Sinne ganz der scotischen Trennungsthese für die Erkenntnis- und Beseligungsobjekte. Denn wenn die Gottesschau einfach bleiben soll, muß sie auch ein einfaches Objekt haben. Dies aber ist unter der Prämisse der Trinitätslehre nur dann zu gewinnen, wenn man in der Schau entweder eine Zweistufigkeit annimmt, in der die einfache Schau zunächst die des Wesens ist (möglicherweise sogar noch einmal in Abgrenzung zur Schau der Attribute); oder indem man Wesen und Relationen – etwa über den Begriff des göttlichen Seins – so eng verbindet, daß die Schau des einen ohne das andere gar nicht denkbar wird. In die erste Richtung tendiert Scotus, in die zweite weisen die Thomisten. Suárez, der Gott ganz vom Wesen und nicht vom Sein her denkt, möchte auch hier prinzipiell den scotischen Weg gehen, ohne aber die Konsequenzen zuzulassen, zu denen sich Scotus bekennt. Da er keine Formaldistinktion in Gott (und im Erkennen Gottes) zugesteht, aber gleichfalls den göttlichen „actus essendi" als letzten Punkt der Einheit ablehnt, bleibt nur der Versuch, die Wesenheit selbst als denjenigen Grund zu benennen, der die Relationen bereits

[464] Vgl. ebd. 12 (54b): „quamvis autem Deus trinus et unus absolute sit primum principium nostrum, tamen formalis ratio, ac per se necessaria, ac sufficiens ut sit primum principium, est divinitas: relationes vero solum concurrunt, ut rationes subsistendi; quando de facto divinitas consistit in tribus, qui sunt primum principium: ergo eodem modo loquendum est de ultimo fine, et obiecto beatitudinis." Erneut ebd. 13 (55a): „Nihilominus tamen de facto quia hic Deus existit in tribus personis, quae pertinent ad intrinsecam, et personalem constitutionem ejus, ideo quaelibet illarum personarum, et omnes simul, pertinent ad obiectum, quod de facto beatificat."

[465] So etwa in der zuletzt genannten Nummer.

irgendwie mit einbegreift und dessen Ersterkenntnis darum ebenfalls von solcher Art ist, daß die Relationen in ihm – wenn nicht *formaliter*, so doch *eminenter* – bereits mitgeschaut werden[466].

(dd) Dieser subtile Positionierungsversuch zwischen den früheren Lösungsoptionen wird noch einmal durch die Argumente illustriert, die Suárez im Anschluß an seine eigenen Thesen gegen Scotus und Cajetan formuliert.

An die Adresse des Franziskaners ist zunächst die Abweisung des von ihm vorgebrachten trinitätstheologischen Arguments gerichtet. Auch zur Seligkeit des göttlichen Vaters, so unterstreicht Suárez, gehört die Schau der Personen in der zuvor beschriebenen Weise. Zwar wird Scotus zugestanden, daß zu dieser Seligkeit in formaler Hinsicht das göttliche Wesen als solches ausreicht. Weil das Wesen aber wie im Vater so auch in den anderen Personen ist, schaut der Vater den Sohn und den Geist im göttlichen Wesen *als dem seinigen* mit, ohne von den Personen *als solchen* vervollkommnet zu werden[467]. Die Seligkeit des Vaters bleibt somit ein reines Selbstverhältnis. Die anderen Personen sind darin nur insoweit eingeschlossen, als sie mit dem identisch sind, was den Vater *wesenhaft* ausmacht. Daß die Wesenheit diese Aufgabe zu erfüllen vermag, liegt an ihrer Unendlichkeit. Damit wird deutlich, daß Suárez sich noch in seiner Scotus-Kritik auf einen Gedanken stützt, der für Scotus selbst zentral ist. Zwar hat kürzlich Aza Goudriaan gegen eine allzu „scotistische" Suárez-Interpretation darauf hingewiesen, daß die „infinitas" für den Jesuiten keineswegs dieselbe Priorität in der theologischen Attributenlehre besitzt wie für den Franziskaner[468]. Trinitätstheologisch kann aber, wie wir bereits an mehreren Stellen unserer Studie sahen, an der fundamentalen Bedeutung des Prädikats in konstitutionslogischer Hinsicht kaum gezweifelt werden. „Unendlichkeit", verstanden im positiv-intensiven scotischen Sinne der Inklusion bzw. Quasi-Ursache[469] aller Vollkommenheiten im

[466] Vgl. dazu die gegen Cajetan gerichtete Aussage in De deo uno 2.23.1 (I, 133b): „(…) nam essentia, seu hic Deus essentialiter subsistens, est summum bonum et infinitum simpliciter et eminenter continens omnia etiam relationes".

[467] Vgl. De ultimo fine 5.3.13 (IV, 54b): „Nec inde fit quod accipiat beatitudinem a personis, quia divinitas est illi sufficiens ad beatitudinem suam; tamen quia haec divinitas ex infinitate sua de facto est in aliis etiam personis, pertinet suo modo ad beatitudinem Patris ut illas videat, et suam essentiam in illis, quod non accipit ab aliis, sed ex se etiam hoc habet."

[468] Vgl. GOUDRIAAN (1999) 44f., wo auf die Aseität Gottes als zentrales und erstes Attribut verwiesen wird. Umgekehrt stellt sich das Verhältnis von Infinität und Aseität Gottes bei Suárez für KAINZ (1970) 292 dar.

[469] Vgl. Suárez, DM 1.1.29 (XXV, 12a): „Quamvis ergo demus, ens, in quantum ens, non habere causas proprie et in rigore sumptas priori modo, habet tamen rationem

göttlichen Seienden[470], als Gott innerlicher und zuhöchst eigentümlicher Seinsmodus, ist bei Suárez dasjenige göttliche Wesensattribut, in dem das menschliche Verstehen nicht bloß den letzten Möglichkeitsgrund personaler Trinität suchen muß, wie angesichts der Lehre von den innergöttlichen Hervorgängen erkennbar wurde. Mit seiner Hilfe kann Suárez eine nicht formale, aber eminente Inklusion der Relationen in das Wesen immer auch dann begründen, wenn es die Priorität des Wesens in ontologischer oder erkenntnislogischer Hinsicht zu unterstreichen gilt. Gerade in diesem essentialen Inklusionsmodell meint Suárez die Trennungsoptionen des Scotismus vermeiden zu können. In keinem Naturmoment, so antwortet er auf ein weiteres der scotischen Argumente, ist der Vater selig ohne die Schau der übrigen Personen. Denn seine Ursprungspriorität („prioritas a quo") ist nicht gleichbedeutend mit einer Priorität auf der Ebene reihungsfähiger Zuschreibungsinstanzen („prioritas in quo").

In einem zweiten Angang macht Suárez gegen Cajetan aus der umgekehrten Blickrichtung das Moment der Wesenspriorität im Beseligungsgeschehen stark[471]. Noch einmal ist zu betonen, daß der Jesuit darin deswegen keinen Widerspruch zu den vorhergehenden anti-scotischen Argumenten erblickt, weil der dort behauptete Zusammenfall von Wesens- und Personenschau bzw. ihre Konvergenz im Beseligungsobjekt einzig durch eine Art materialer Integration der Relationen in die Wesenheit (näherhin deren Unendlichkeit) erfolgt war, so daß damit eine Priorität des Wesens in formaler Hinsicht nicht geleugnet, sondern vielmehr bereits angedeutet ist. Auf dieses „eminenter contineri" kann sich Suárez im vorliegenden Zusammenhang berufen, wenn er damit das Argument

aliquam suarum proprietatum; et hoc modo etiam in Deo possunt hujusmodi rationes reperiri, nam ex Dei perfectione infinita reddimus causam, cur unus tantum sit, et sic de aliis." Dazu CARRAUD (2002) 116ff.

[470] Vgl. die Ausführungen bei Scotus, Ord. I, d. 8, p. 1, q. 4 (Ed. Vat. IV, 265f.). Mit Recht stellt BOLLIGER (2003) 109 fest: „Über die Zentralstellung des Infinitätsbegriffs nicht nur in der Gotteslehre, sondern mittelbar in der gesamten Theologie Duns' Scotus besteht ein beeindruckender Konsens von den Anfängen des Scotismus selber bis hin zur neuesten Scotusforschung." Die Arbeit analysiert ausführlich die Funktion des Unendlichkeitsprädikats in der scotischen Gotteslehre und vergleicht das scotische Konzept mit den Entwürfen der vorangehenden Scholastik (ebd. 111-166). Zu einem vergleichbaren Urteil kommt DAVENPORT (1999) 24ff.275-301, der die scotische Lösung vor allem als Reaktion auf die innerfranziskanische Kontroverse um die des Tritheismus verdächtige Gotteslehre des Petrus Johannes Olivi versteht. Den Unterschied des scotischen Begriffs göttlicher Unendlichkeit von dem des Thomas, der die Infinität aus der Subsistenz des göttlichen „esse per essentiam" ableitet (vgl. S. th. I, 7, 1 c.), arbeitet COURTINE (1990) 394-401 heraus. Vgl. auch CATANIA (1993) 45-52.

[471] Vgl. Suárez, De ultimo fine 5.3.14 (IV, 55a-b).

entkräftet, eine von der Personenschau getrennte Wesensschau (hier angenommen *per impossibile*) würde den Menschen notwendig unbefriedigt lassen. Dieser Einwand ist falsch, da es nach Meinung des Jesuiten auch dann kein ungestilltes Verlangen gäbe, weil irgendwie alles, was Gott ausmacht (inklusive der Personen), bereits im Wesen zu sehen ist und die explizite Schau der Relationen nur einen graduellen, aber keinen wesentlichen Unterschied in der Seligkeit hervorbringt – ihr Erfassen ist eine Art Explikation der Wesensschau. Daß folglich mit dem Zugleich der Objekte in der Beseligung keine Gleichordnung beider in der formalen Konstitution des beseligenden Objektes behauptet ist, unterstreicht Suárez wiederum mit dem Hinweis auf die bloß faktische Notwendigkeit der trinitarischen Verfaßtheit Gottes. In dessen beseligender Schau vermag nicht die keineswegs als alternativlos evidente Dreiheit, sondern nur die auch innerlich in ihrer Notwendigkeit einsichtige Wesenheit den Ausgangspunkt zu bieten. Als unerlaubt wird das Argument Cajetans zurückgewiesen, vom angenommenen Fall der Schau eines einpersonalen Gottes Rückschlüsse auf die jetzige Erkenntnis der Trinität ziehen zu wollen. Im Falle einer einzigen Subsistenz in Gott wäre diese nämlich „de essentiali conceptu", also eine absolute Vollkommenheit, was unter Annahme dreier Personen gerade nicht der Fall ist. Vom seligen Erkennen Gottes selbst auf die geschöpfliche Gottesschau zu schließen, lehnt Suárez schließlich insoweit ab, als für das Geschöpf der allein Gott eigene Modus der „comprehensio" niemals erreichbar ist.

(3) Suárez, so zeigt sich in diesem „Anwendungsbeispiel" aus einem theologischen Traktat außerhalb von „De trinitate", denkt Gott ganz eindeutig auch als trinitarischen ganz auf der Grundlage und unter Voranstellung der Wesenserfassung. In der „visio beatifica" ebenso wie in der durch sie bewirkten „beatitudo" hat die Wesenheit vor den Relationen primäre Bedeutung. Der scotische Einfluß auf die zentralen Beweisstücke ist trotz der darin durchgehaltenen Kritik an der Formaldistinktion nicht zu übersehen. Berücksichtigt man, daß auch Scotus trotz seiner Behauptung einer formalen Nichtidentität beider Größen ihre reale Identität keineswegs angezweifelt hat, verliert die Differenz der beiden Autoren zusätzlich an Gewicht. Die letzte Konsequenz einer formalitätenlogischen Verselbständigung der Wesensbetrachtung, wie sie in der bei Suárez vorliegenden Weise sicherlich erst durch die scotische Unterscheidungslehre möglich geworden ist, wird im folgenden Kapitel deutlich werden, in dem die berühmte These der absoluten Subsistenz Gottes in ihrer suárezischen Präsentation zur Erörterung kommen soll.

## 4) Die These von der absoluten Subsistenz Gottes

### a) Vorbemerkungen

Es mag zunächst überraschen, daß Suárez gegen Ende von Buch 4 seiner Trinitätslehre noch einmal auf das Thema der göttlichen Subsistenz zu sprechen kommt, das man auf den ersten Blick ganz in die Diskussion der göttlichen Personalität verweisen möchte, wie sie bereits zu Anfang in Buch eins erfolgt ist. Suárez will diese Erörterungen keineswegs wiederholen. Es geht ihm im vorliegenden Kontext um einen weiteren Aspekt des Verhältnisses zwischen Personen und Wesenheit, nämlich die Frage, ob der Theologe berechtigterweise von einer absoluten Subsistenz des einen göttlichen Wesens sprechen darf, ohne damit die Bedeutung der Personen zu schmälern. So hat das vorliegende Lehrstück durchaus im Rahmen des Generalthemas von Buch vier, nämlich der Verhältnisbestimmung von Wesenseinheit und Relationentrinität in Gott, seinen berechtigten Platz.

„Absolute Subsistenz“ ist in der modernen Gotteslehre ein Reizwort. Rahner hat ihre Annahme als willkürliches Konstrukt bezeichnet, das in Gefahr steht, die Vorstellung einer Quaternität in Gott zu fördern[472]. Hinter dem Vater als erster Subsistenzweise Gottes dürfe „kein ‚Gott' (...) gedacht werden (...), der dieser distinkten Subsistenz vorausginge und sie erst noch anzunehmen hätte“[473]. Noch weiter reicht die Kritik derer, die mit der Annahme einer absoluten Subsistenz in Gott die drei Personen geradezu in die Funktionslosigkeit verschwinden sehen. Mit dieser Tendenz behauptete bereits Herman Schell: „Wenn es eine absolute Subsistenz in Gott gäbe, so wäre die Bedeutung der Relationen für die Subsi-

[472] Vgl. RAHNER (1967) 355. Weitere skeptische Stimmen ließen sich rasch hinzufügen; vgl. etwa MÜHLEN (1965) 38ff., hier 40: „Man schreibt der göttlichen Natur auch dann noch eine Subsistenz oder Personalität zu, wenn man unter Voraussetzung der übernatürlichen Offenbarung von der Dreiheit der Personen abstrahiert hat, und hier wird dann die Grundlage dafür gesehen, daß man auch in der Gnadenlehre den göttlichen Personen bestimmte Funktionen nur appropriieren dürfe. Der Christ tritt auf Grund seiner Rechtfertigungsgnade in diesem Verständnis nur oder doch primär zu dem unterschiedslosen Wesen Gottes in Beziehung, so daß der auch ohne die Wortoffenbarung erkennbare *Deus monopersonalis* sein ‚Du' ist. Mit Gott ist dann lediglich eine unbestimmte Gott-Person, bzw. das von der Schöpfung unabhängige, für sich seiende und in diesem Sinne ‚personale' göttliche Wesen gemeint, nicht aber ganz konkret der Vater unseres Herrn Jesus Christus, wie es der Sprechweise der Hl. Schrift entsprechen würde“; MÜHLEN (1988) 318-327.

[473] RAHNER (1967) 391.

stenz Gottes als unabhängiges und unmitteilbares Sein nicht einzusehen; sie wären mindestens entbehrlich, weniger von *konstitutiver* als von *ornamentaler* Bedeutung für die Subsistenz Gottes“[474]. Das Sein der Personen verschwindet nach Meinung der Kritiker hier so sehr im „eigentlichen“ *Wesens*-Sein Gottes, ja die Personen werden „zu hinzukommenden Bestimmungen (Sein als Akzidens) an der durch sich realen Gottnatur“, daß dieses Denkmodell geradezu „die trinitätstheologische Form von essentialistischer ‚Seinsvergessenheit'“ markiert[475]. Die „subsistentia absoluta“-These scheint somit entscheidendes Movens für eine fragwürdige, in letzter Konsequenz sogar heterodoxe Verdrängung theologischen Trinitätsdenkens durch ein philosophisches Unitätsmodell in der neuzeitlichen Gotteslehre geworden zu sein[476]. Theologen, die den Begriff absoluter Subsistenz in seiner positiven Bedeutung zu erläutern und zu verteidigen suchen, bleiben demgegenüber in der aktuellen Debatte eine seltene Ausnahme[477].

In all diesen scharfen Stellungnahmen wird häufig die Tatsache übersehen, daß die These von der absoluten Subsistenz Gottes nicht bloß „neuscholastische“ Erfindung ist, sondern Anknüpfungspunkte in der älteren Tradition christlicher Theologie und Frömmigkeit besitzt[478], und daß sie seit ihrem expliziten Erscheinen in der theologischen Debatte

[474] SCHELL (1972) 77. Vgl. auch schon SCHELL (1885) 34: „Unsere Entwicklung kann und darf nicht aus der Einheit der göttlichen Natur die Dreiheit der Personen als das begrifflich Spätere ableiten; sie kann nicht etwa von der Einheit einer fingierten absoluten Subsistenz zur Dreiheit der relativen Subsistenz, sondern nur von der unvollständig – d. i. nur als Subjekt und Objekt des göttlichen Lebens gedachten Dreieinigkeit zum vollständigen Begriff der in der eigentümlichen Gegensätzlichkeit der Personen erkannten Dreifaltigkeit fortschreiten.“

[475] SCHULZ (1997) 126.

[476] Vgl. SPAEMANN (1996) 36: „Wenn später die Neuscholastik lehrte, die ‚natürliche Vernunft' könne es zum Gedanken eines einpersönlichen Gottes bringen, so ist diese Lehre unvereinbar mit dem Gedanken einer freien Schöpfung“. Hätte diese These Recht, wäre der Gottesbegriff in Judentum oder Islam im strengen Sinne denkunmöglich.

[477] So REICHBERG (1993) 63ff.: „...il serait impropre de dire que la nature divine est subsistante en vertu seulement de sa possession par les trois hypostases divines, car dans cette perspective il y aurait trois subsistants absolus et on ne verrait plus comment cette nature peut exister dans une perfecte unicité qui permet de dire sans réserves que ‚les trois sont une seul et même Dieu'. (...) Ainsi la nature divine est à concevoir comme pleinement singulière et subsistante en elle-même et les personnes divines comme subsistantes de par leur essence commune“; OBENAUER (1997). Vgl. die Reaktion bei GRESHAKE (2001) 561.

[478] Zu denken ist hier vor allem an die Ansprache der ganzen Trinität im Gebet, die schon bei Augustinus und Gregor von Nazianz bezeugt wird (vgl. SCHMAUS [1927] 158f.) und auch in der römischen Liturgie heimisch geworden ist.

stets höchst umstritten war und darum von ihren Befürwortern mit größter Sorgfalt und penibler Abgrenzung vorgetragen wurde. Im Werk des Suárez, der zu den engagiertesten Vertretern dieser Lehre gehört, läßt sich die Diskussion mit allen Argumenten pro und contra bereits vollständig aufweisen. Schon in seinem frühen theologischen Kommentar „De incarnatione" hat der Jesuit sich zur absoluten Subsistenz Gottes bekannt. Die umfangreiche dritte Sektion von Disp. 11 bleibt die ausführlichste Behandlung des Gegenstandes in seinem Werk und wird von uns im folgenden zusammen mit einigen Passagen aus dem näheren Kontext der Inkarnationstheologie als Ausgangstext herangezogen. Suárez verweist selbst auf diese Erörterungen, wenn er zu Beginn von De trinitate 4.11 ankündigt, sich diesmal kürzer fassen zu wollen, aber dabei die frühere Darstellung einschränkungslos vorauszusetzen. Im Trinitätstraktat soll nach seinen eigenen Worten nicht noch einmal die komplette Argumentation wiederholt, sondern vielmehr in gebündelter Form präsentiert und gegen die Einwände „einiger neuerer Autoren" verteidigt werden[479], hinter denen sich, wie wir sehen werden, nicht zuletzt prominente Zeitgenossen aus dem Jesuitenorden verbergen. Folglich hat das genannte Kapitel des Trinitätstraktats gegenüber De incarnatione 11.3 subsidiären Charakter und muß – ähnlich wie einige Stellen der Metaphysik, die ebenfalls auf unser Thema zu sprechen kommen – interpretatorisch in dieser Weise gewichtet werden.

### *b) Das „esse existentiae" des göttlichen Wesens*

Suárez schickt der Frage nach einer Subsistenz des göttlichen Wesens Erörterungen über dessen „esse existentiae" voraus. Dies ist insofern konsequent, als, wie wir wissen, die beiden Begriffe in der suárezischen Metaphysik, wie sie hier Scotus folgt, in einem engen Bedingungszusammenhang stehen. Existenz, so ruft der Jesuit zu Beginn von De incarnatione, disp. 11, in Erinnerung, ist definiert als „jenes Sein, welches ein Ding besitzt, damit es etwas in Wirklichkeit bzw. eine wirkliche Entität im Unterschied zu demjenigen Seienden sei, das nur der objektiven Möglichkeit nach besteht, in Wirklichkeit jedoch nicht bzw. nichts ist"[480]. Diese Bestimmung mit ihrer klaren Abgrenzung des aktuellen Seins vom bloß möglichen ist aus der Metaphysik in analoger Weise in die Gotteslehre zu

[479] Suárez, De trin. 4.11.1 (I, 639a): „propter aliquos recentiores".

[480] De incarnatione 11, praef. (XVII, 430b): „Itaque nomine existentiae intelligimus illud esse, quod res habet ut sit aliquid in actu, seu actualis entitas distincta ab ente, quod tantum est in potentia obiectiva, actu vero non est, seu nihil est".

übernehmen[481] wie jene der Subsistenz, die als ein Modus des Existierens, nämlich das „Durch-sich-Sein", zu gelten hat. Nur wenn, so lautet die Konsequenz dieser Definitionen, dem Wesen Gottes „für sich genommen" Existenz zukommt, kann es auch „subsistierend" sein. Aber fällt beides auch zusammen? In der kreatürlichen Substanz, wie wir sie natürlicherweise kennen, ist dies der Fall: Ihr aktuelles Sein (Existieren) ist stets Subsistieren. In Gott stellt sich unter der Glaubensvorgabe der Dreipersönlichkeit bei Einheit des Wesens die Sachlage weniger eindeutig dar. So gilt es im einzelnen zu klären, wie die vorliegenden Prädikate von Existenz und Subsistenz dem Wesen einerseits und den Personen andererseits zukommen. Da wir Suárez' Aussagen zur eigenen (relativen) Existenz bzw. Subsistenz der Personen bereits untersucht haben, bleibt die Analyse hier allein mit Bezug auf das absolute göttliche Wesenssein zu leisten.

Die These einiger nicht näher identifizierter „moderni"[482], wonach das Wesen Gottes in Absehung von den Personen kein eigenes „esse existentiae" besitzt, sondern allein „In-Existenz" in jeder der Personen, vergleichbar dem alleinigen Existieren der Menschheit Christi *in* der Person des Sohnes als Folge eigener (menschlicher) Anhypostasie, lehnt Suárez schroff als „nicht weniger falsch denn neu"[483] ab und führt sie auf eine fragwürdige Vermischung von Existenz und Subsistenz in Gott zurück. Wie der Jesuit bekanntlich schon die hier zum Vergleich herangezogene

[481] Vgl. den Rückverweis auf die Erörterungen des Inkarnationstraktats in De deo uno 1.2.5 (I, 6b).

[482] Auch spätere Autoren verschiedener Schulen zitieren immer wieder diese Kritik des Suárez, ohne in der Benennung konkreter zu werden. Bañez, Comm. in I^am^ q. 40, a. 4 (939B-940D), verbindet mit den Namen der Salmanticenser Theologen Vitoria und Soto die Lehre, daß personkonstituierend die Relation ist, sofern sie nicht einmal gedanklich von der Wesenheit unterschieden wird, sondern mit ihr zusammenfällt. Die personalen Subsistenzen sind darnach im strengen Sinne die Wesenssubsistenz, was umgekehrt auch die gedankliche Untrennbarkeit letzterer von den relationalen Subsistenzen mit sich brächte. Ganz ähnlich liest man bei Vázquez, In III^am^ 27.2.4 (I, 218b), Vitoria und Soto hätten „communem subsistentiam absolutam" in Gott gelehrt. Die bei Suárez referierte These ist damit insofern aber nicht ganz präzis getroffen, als dort nicht von der Subsistenz, sondern der Existenz gesprochen wird.

[483] Vgl. Suárez, De incarnatione 11.1.1 (XVII, 431a): „imo quidam eorum ausi sunt dubitare an ita se habeant divina essentia et existentia; imo quidam eorum ausi sunt ita sentire et docere, et consequenter negare in Deo absolutum esse existentiae, et solum ponere tres existentias relativas, ita ut sicut aliquorum opinione humanitas in Christo non habet propriam existentiam creatam, sed formaliter existere dicitur per existentiam Verbi divini, ita divina natura secundum rationem praecisa, et abstracta a relationibus, non intelligatur habere existentiam increatam, sed in unaquaque persona existere per propriam illius relationem. Quae quidem sententia non minus est falsa quam nova."

These von der fehlenden kreatürlichen Existenz der Menschheit Christi nicht teilen kann, weil er jeder realen Wesenheit eigene Existenz zuerkennt, so besteht er erst recht in Gott mit der großen Mehrheit der Theologen auf der Lehre von einer absoluten Existenz der absoluten Wesenheit, die den drei Personen gemeinsam ist[484]. Die gegenteilige Ansicht kommt seiner Meinung nach einem Glaubensirrtum nahe[485]. Der Grund dafür liegt in der Gott eigentümlichen Identität von Wesen und Sein. Gottes aktuelle Existenz ist schlechthinnige Vollkommenheit und schon deswegen „absolut und wesenhaft"; selbst gedanklich wäre es unmöglich, sie von der Wesenheit zu trennen[486]. So zeigt sich „qui est", wie Suárez mit Anspielung auf die göttliche Selbstkundgabe in Ex 3, 14 betont, als Wesensname der Gottheit und weist zugleich auf deren fundamentalen Unterschied zur Kreatur hin, der das Sein niemals notwendig zukommt[487]. Als „absolute Proprietät" Gottes wird diese Existenz mit den Personen ebensowenig vervielfacht wie andere absolute Prädikate (z. B. „Unveränderlichkeit" und „Ewigkeit"). Die strikte Bindung an das Wesen ist folglich nicht aufhebbar.

Eigens zu erklären bleibt die Tatsache, weshalb diese wesenhafte Existenz Gottes nicht im Ausgang von der Existenz der drei Personen gedacht werden darf. Suárez antwortet mit dem Hinweis auf die beim Versuch gedanklicher „praecisiones" hervortretende engere Verbindung des Wesens mit dem Begriff der Existenz als mit demjenigen der Relation. Wir können Gottes Wesen unter Absehung von den Relationen als „reinstes aus sich existierendes Seiendes" („purissimum ens ex se existens") vollkommen korrekt erfassen, nicht aber in ähnlicher Weise unter Absehung von der Existenz[488]. Gleichermaßen verdeutlichen wir uns in der Lehre von den innergöttlichen Hervorgängen das individuell-aktuelle Sein einer hervorgebrachten Person dadurch, daß wir auf das von der Person, welche sie hervorbringt, besessene und kommunizierte Absolutum („rem singularem et individuam quam in se habet") blicken und jenes auf dieses zurückführen[489]. Indem also das Sein der Personen im Hervorbringungsgeschehen letztlich vom allein kommunizierten (und kommunizier-

[484] Auf diese Verbindung von „essentia" und existentia" wird im abschließenden Argument („ultimo") ebd. 5 (433b) verwiesen.

[485] Vgl. ebd. 2 (431a): „Dico igitur in Deo esse unum esse existentiae absolutum et essentiale commune tribus personis. Quae veritas tam certa mihi videtur, ut sine temeritate, et fortasse etiam sine errore negari non possit".

[486] Vgl. ebd. 4 (433a).

[487] Vgl. ebd. 3 (432a-b).

[488] Vgl. ebd. 5 (433b): „...quia mens nostra concipit essentiam Dei, etiam praecisis relationibus; non potest autem illam concipere existentia praecisa".

[489] Ebd.

baren) Wesenssein her zu verstehen ist, deutet sich nach Suárez eine innere Zusammengehörigkeit von Wesenheit und Existenz in Gott an, die logisch seinem relationalen Sein vorausliegt.

Schließlich kann auch Gottes Wirken in die Schöpfung hinein zum Argument für die Priorität des den Personen gemeinsamen absoluten Seins vor jedem sie unterscheidenden relativen werden. Nach gemeinsamer scholastischer Überzeugung gehen nämlich die Kreaturen aus Gott hervor, sofern er einer ist, und sie partizipieren am göttlichen Sein, sofern es absolut und den Personen gemeinsam ist. Für das innere Verständnis des kreatürlichen Seins ist das dreifache Person-Sein Gottes ebensowenig relevant wie dieses seinerseits in geschöpflicher Abbildung den Ausgangspunkt für die Erkenntnis der Trinität zu eröffnen vermag. Als dreifaltiger wird Gott erst in der übernatürlichen Offenbarung sichtbar, und so teilt er sich, wie wir im Kapitel über die Sendungen sehen werden, allein in Verbindung mit der heiligmachenden Gnade mit, die niemals Teil der Naturordnung ist.

### *c) Gottes absolute und wesenhafte Subsistenz*

Während der erste Schritt in Suárez' Darlegung, betreffend das „esse existentiae" der göttlichen Natur, unter den scholastischen Theologen auf nicht allzu viele Einwände trifft – die logische Vorordnung des Wesensbegriffes vor denjenigen der Subsistenz bzw. Person, der mit seiner Hilfe zu definieren ist, wird (auch im Blick auf Gott) von allen geteilt –, sieht dies für den zweiten anders aus.

(1) Die Annahme absoluter Subsistenz in Gott, so weiß Suárez, ist wesentlich umstrittener als diejenige absoluter Existenz. Wenn „Subsistenz" das entscheidende Konstitutiv der Person ist, so scheint derjenige, der in Gott Subsistenz in irgendeiner Weise von den Relationen trennt, das Trinitätsgeheimnis zu gefährden und die falsche Vorstellung einer einzigen, absoluten Person zu insinuieren. Auf die Subsistenz als ontologische Letztbestimmung des Seienden ist dessen Inkommunikabilität zurückzuführen. Wenn sie nun der absoluten Wesenheit als individueller und singulärer Substanz zugesprochen wird, wird die Annahme weiterer (relationaler) Subsistenzen offensichtlich überflüssig, ja unmöglich gemacht – das Wesen selbst wäre Person[490]. Damit sind bei Suárez die schärfsten Argu-

[490] Vgl. De incarnatione 11.3.1 (XVII, 440b): „Denique, si daretur haec subsistentia absoluta, ergo praecisis per intellectum relationibus intelligeretur manere deitas tanquam substantia individua et singularis habens intellectualem naturam, seu in illa subsistens; esset ergo persona, quia haec est personae definitio."

mente der Kritiker des 19. und 20. Jahrhunderts in ihrem Kern bereits vorweggenommen.

Vor diesem Problemhorizont stellt der Jesuit zwei gegensätzliche Meinungen zur absoluten Subsistenz Gottes vor, denen er namhafte Autoritäten aus der scholastischen Lehrtradition zuordnet. Die meisten von ihnen finden sich auch schon im Kommentar zur jesuitischen „Ratio Studiorum" von 1586 aufgeführt, die spürbar mit der „subsistentia absoluta"-These sympathisiert[491]. Wir wollen im folgenden versuchen, die Zusammenstellung des Suárez nicht bloß wiederzugeben, sondern durch einen Blick in die genannten Texte auch in knapper Weise auf ihre Überzeugungskraft zu prüfen.

(a) Einer „subsistentia absoluta" Gottes stehen dem Referat des Suárez gemäß vor allem Theologen der hochscholastischen Franziskanerschule (Alexander von Hales, Bonaventura, Richard von Mediavilla) ablehnend gegenüber[492]. Blickt man in die von Suárez angegebenen Texte, differenziert sich diese klare Zuordnung allerdings.

(aa) So erkennt die Summa Halensis in der Trinitätslehre durchaus die Möglichkeit einer essentialen Prädikation von Subsistenz in Gott an, wenn man im Ausgang von Boethius Subsistenz als Nicht-Angewiesensein auf Akzidentien zum Selbstsein versteht. Diese Subsistenz ist in Gott einzig wie das Wesen[493]. Damit hat der Summist die große Bedeutung, die in der lateinischen Tradition dem boethianischen Verständnis der göttlichen Wesenheit (als „subsistentia deitatis" – in Übersetzung des griechischen

[491] Unter den zur verpflichtenden Lehre vorgegebenen Sätzen aus der Prima Pars des Aquinaten findet sich „15. Tres sunt in Deo relativae subsistentiae; est et una communis, absoluta et essentialis; non tamen propterea sunt quatuor": Ratio atque institutio studiorum, ed. Lukács, 9. Der beigegebene „Commentariolus" weist ausdrücklich darauf hin, daß diese Lehre schon vor Cajetan unter den Theologen ein Fundament besitzt: „Definitum est, in Deo esse tres relativas subsistentias; esse etiam unam communem, absolutam et essentialem. Non defuerint fortassis, qui hanc doctrinam soli tribuant Caietano. Verum ea nihil est receptum magis apud theologos" (ebd. 28). Es folgen exakte Belege aus Scotus, Durandus, Bonaventura, Thomas von Straßburg, Marsilius, Heinrich von Gent, Albertus Magnus, Richard von Mediavilla, Cajetan, Hervaeus, Paludanus, Capreolus, die ihrerseits auf Augustinus, Boethius, Anselm und Richard von S. Viktor verweisen. Ganz im Sinne dieser Ordensdoktrin lehrt Bellarmin, Controv. de Christo l. 2, c. 15 (Op. I, 329a-331b).

[492] Vgl. Suárez, De incarnatione 11.3.2 (XVII, 440b-441a).

[493] Vgl. Summa Halensis, l. 1, n. 397 (I, 587b): „Simili modo dicendum quod intentio subsistentiae dicitur duobus modis: uno modo subsistentia ‚non indiget accidentibus ut sit', et hoc modo subsistentia dicitur essentialiter et una subsistentia, sicut una usiosis".

*ousíosis* – gegenüber den drei Hypostasen) zukommt[494], richtig erfaßt. Dennoch bleibt, worauf Suárez offenbar anzielt, Alexander selbst nicht bei einem auf die Wesenheit fokussierten Verständnis von „subsistentia“ stehen. Er setzt den Begriff, sofern er vom „actus subsistendi“ her verstanden wird, mit demjenigen der Person(en) gleich[495]. Zuzugeben ist, daß diese zweite Bedeutung trinitätstheologisch den Vorrang genießt, weshalb der Summist mahnt, man dürfe nicht von „einer Subsistenz“ in Gott sprechen wie von „einer Substanz“, da Subsistenz „mehr zur relativen Prädikation gehört“, weil der Begriff anders als derjenige der Substanz gegenüber der Relation keinen prädikamentalen Gegensatz assoziiert[496]. Da freilich das Wesen zuvor durchaus als das „ens a se“ definiert worden war, das „keines anderen zu seinem Sein bedarf“[497], fragt sich, ob Alexander hier, wenn auch nicht der klaren Terminologie, so doch zumindest der Sache nach letztlich nicht ebenjene Zweistufigkeit im Subsistenzverständnis anerkennt, wie sie Suárez vorschwebt. Dagegen scheint die Aussage in der Christologie, näherhin bei der Frage einer Unibilität der göttlichen Natur mit einer geschöpflichen in Absehung von den Personen, zu stehen, wonach unser Intellekt eine Natur niemals als aktuell seiend zu erkennen vermag außer in der „res naturae“, also in ihrem suppositalen Träger, der im Falle der göttlichen Natur die Person ist[498]. Wenn man

[494] Vgl. dazu SCHURR (1935) 72ff., der Boethius ausdrücklich eine „subsistentia absoluta“-These zuschreibt, die als „das Schibboleth der lateinischen Trinitätsauffassung“ (ebd. 74) gelten dürfe. Daß Boethius dennoch nicht der Erfinder des trinitätstheologischen Begriffsgebrauches ist, sondern dieser bis auf Marius Victorinus († nach 362) zurückgeht, ist erst in der neueren Forschung deutlich geworden; vgl. ABRAMOWSKI (1995) 474; HORN (1998) 487.

[495] Vgl. Summa Halensis, l. 1, n. 397 (I, 587b): „alio modo subsistentia dicitur ab actu subsistendi, et hoc modo subsistentia dicitur idem quod hypostasis.“

[496] Vgl. ebd.: „Ad ultimum dicendum quod substantia, quia nomen est primi praedicamenti, habet oppositionem immediatam cum relatione; subsistentia vero non ita immediate opponitur: non enim opponitur nisi quia substantia est, et ideo plus accedit ad relativam praedicationem; et ita in divinis non dicitur una subsistentia sicut una substantia, quia plus accedit ad relativam praedicationem ‚subsistentia', et propter hoc in divinis non dicitur una subsistentia, sicut una substantia.“

[497] Vgl. ebd. n. 396 (586a): „Dicendum ergo quod secundum quod nos modo utimur nomine substantiae, non debet dici ‚tres substantiae': accipitur enim nunc pro usiosi, pro re scilicet quae est ens per se, non indigens alio ut sit, et sic solum debet dici una substantia.“

[498] Vgl. Summa Halensis, l. 3, n. 12 (IV, 28b): „Praeterea, dicendum quod, abstractis personis, non potest intelligi illa unio, quia nunquam intellectus noster intelligit naturam esse in actu nisi in re naturae, sicut humanitatem esse in actu non intelligo nisi in habente ipsam. Similiter igitur nec divinitatem intelligo nisi in habente divinam naturam. Habens autem illam est persona vel hypostasis. Cum igitur per rem naturae tantum sit intelligibilis uniri, constat quod non potest intelligi uniri, si abstrahan-

diese Behauptung allerdings ganz exakt nimmt, so benennt sie zwar die Person als Erkenntnisgrund der Wesensaktualität und weist auf deren notwendige Verbindung mit suppositaler Existenz hin, sagt aber nicht, daß die personale Subsistenz damit auch formaler Grund der „actualitas essentiae" ist, die doch wohl auch hier als „esse per se" verstanden werden muß. Auch die dritte der von Suárez zitierten Stellen, wiederum aus der Christologie der Summa Halensis und wiederum mit dem Problem der „unio in re naturae (abstracta a personis)" befaßt, läßt eine eindeutig negative Entscheidung hinsichtlich der „subsistentia absoluta"-These nicht zu, sondern könnte sogar zu deren Gunsten interpretiert werden. Der Summist versteht dort die nicht eine einzelne Person bezeichnenden Begriffe „deitas" und „deus" durchaus auch noch als „res naturae"[499] und setzt damit die Annahme eines allgemeinen Quasi-Suppositum in Gott voraus, dessen ontologische Qualifikation wiederum nicht eindeutig von den „singulären Subsistenzen" her erfolgt.

(bb) Auch was Bonaventura angeht, kann die von Suárez vorgenommene Zuordnung nicht schlechthin überzeugen. Die erste der beiden als Belege angeführten Stellen der bonaventurianischen Christologie spricht überhaupt nicht von einer Subsistenz des Wesens, sondern lehnt nur ab, daß Vater, Sohn und Geist als eine einzige *Person* anzusehen sind (nämlich in dem von Bonaventura verworfenen Fall der Annahme eines einzigen Menschen durch mehrere göttliche Personen)[500]. Dabei ist die Inkommunikabilität der personalen Subsistenz, die kein Theologe bestreiten will, vorausgesetzt. Die zweite Stelle, die der Jesuit nennt[501], geht eher in seine Aussagerichtung, wenn sie dem personal nicht determinierten Wesen die Möglichkeit einer „actio" ebenso abspricht wie einen hinreichenden ontologischen Grund dafür, daß es als solches eine kreatürliche Natur annehmen könnte. Bonaventura spricht von einer „abstractio ab omni supposito", die er in seinem Gedankenexperiment vornimmt, wobei

tur personae sive res naturae ab ipsa natura, quod plenius infra videbitur". Inwiefern das Argument die Frage nach einer Einbarkeit des abstrakten Wesens beantwortet, braucht uns hier nicht weiter zu interessieren. Zum Personbegriff bei Alexander von Hales vgl. BOTTE (1965) 10-26; COURTH (1985) 124f. „Res naturae" ist im scholastischen Sprachgebrauch allgemein eines von mehreren Synonyma für „suppositum". Vgl. MICHEL (1922) 409: „L'hypostase est appelée *res naturae*, parce qu'elle est la realisation concrete par l'individu de la nature, c'est-à-dire de l'espèce".

499 Vgl. Summa Halensis, l. 3, n. 59 (IV, 87a).

500 Vgl. Bonaventura, 3 Sent. d. 1, a. 1, q. 3: „Nam plures personae divinae non possunt convenire in una persona..."; ebd. ad 4: „Unde sicut est incompossibile quod plures personae sint una persona, non propter repugnantiam personarum, sed propter inclusionem duorum oppositorum, sic in proposito est intelligendum."

501 Vgl. Bonaventura 3 Sent. d. 5, a. 1, q. 4.

„suppositum“ hier klar für die drei Personen Vater, Sohn und Geist verwendet ist. Ein völlig überzeugendes Argument gegen eine absolute Subsistenz wäre aber auch diese Stelle nur dann, wenn man mit dieser Subsistenz die Möglichkeit einer solchen „assumptio“ *notwendig* verbunden sähe. Vielleicht hat Suárez hier aus seiner eigenen Perspektive, in der, wie noch zu zeigen sein wird, diese Verbindung besteht, Bonaventura etwas voreilig interpretiert. Vor allem erstaunt es, daß er neben der Christologie nicht auch die Trinitätslehre Bonaventuras berücksichtigt hat. Dort nämlich finden sich, wie Klaus Obenauer zeigen konnte[502], eine ganze Reihe von Aussagen, die für die Tatsache sprechen, daß Bonaventura dem göttlichen Wesen als solchem (kommunikable) Subsistenz zugesprochen hat, wenn der Subsistenzbegriff bei ihm auch insgesamt keine allzu zentrale Rolle spielt.

(cc) Richard von Mediavilla unterscheidet eine doppelte Weise des Verständnisses der „circumscriptio vel abstractio personarum“, wie sie in der Frage, ob ein göttliches Wesen auch ohne die Personen eine geschöpfliche Natur annehmen könnte, ansetzbar ist[503]. Eine göttliche Natur, der jegliche Weise der Personalität fehlte, hält Richard wie zuvor Bonaventura für gänzlich unfähig, Träger einer „actio realis“, also auch einer „assumptio naturae creatae“ zu sein. Sie hätte nämlich selbst den Charakter des real (aus sich oder in einem anderen) Existierenden verloren. Anders wäre dies im Fall eines einpersonalen Gottes, der sich gleichermaßen inkarnieren könnte wie eine Person aus der Dreifaltigkeit. Man kann angesichts dieser Ausführungen, vor allem der ersten der genannten Alternativen, fragen, ob Richard den Sinn der „abstractio“ in dieser Diskussion korrekt begriffen hat; es geht dabei ja nicht um die fraglos absurde Imaginierung eines schlechthin a-personalen Gottes, sondern vielmehr um die Frage, ob im personal (sei es einpersonal, sei es dreipersonal)

[502] Vgl. OBENAUER (1996) 437-442, mit positiver Würdigung der absoluten Subsistenz bei Bonaventura im Zusammenhang seiner eigenen Interpretation einer Gleichursprünglichkeit von Einheit und Pluralität in Gott; vgl. etwa ebd. 438: „Wie der eine reine Akt nur als die verschiedenen Akte lebt, so auch das eine per se esse im je anderen Durch-sich-Sein der unterschiedenen Personen. Das subsistere des Wesensaktes ist nicht „hinter“ dem subsistere der Personen oder „in“ den Personen als das sie zu distincta subsistentia ‚Informierende‘, es ist nur als das subsistere der Personen gegeben, so wie der eine actus als actus unmittelbar durch sich selbst nur als generare oder generari (bzw. spirari) da ist“; 459f.: „Ja, das essentiale subsistere ist dieses eine subsistere nur, weil es verschiedene personale Vollzugsgestalten hat: denn höchster Selbstand (esse per se) ist nur als eine von etwas Äußerem gänzlich unabhängige Selbstidentität gegeben, mithin also als höchste Einheit (esse per se = esse per se unum)“; OBENAUER (1997) 189-193.

[503] Vgl. Richard von Mediavilla, 3 Sent. d. 5, a. 1, q. 2 (49a).

existierenden Gott das Wesen für sich allein genommen hinreichender Formalgrund einer „unio" zu sein vermag. Allerdings weist Richards Bemerkung, daß in Gott die Substanz der Wirklichkeit nach nicht früher als das Suppositum betrachtet werden darf, sondern nur in ihm bzw. mit ihm identisch real ist[504], darauf hin, daß seine Zuordnung in der vorliegenden Frage durch Suárez tendenziell korrekt ist.

(dd) Als Autoritäten der außerfranziskanischen Scholastik, die gegen eine absolute Subsistenz Gottes votieren, werden von Suárez Heinrich von Gent und Marsilius von Inghen genannt.

Der christologische Text des letztgenannten Autors läßt sich schwerlich als klare Entscheidung zu unserem Problem lesen[505]. Immerhin wird bei ihm im Kontext des ersten Sentenzenbuches mit Boethius die Subsistenz Gottes verteidigt (als einer keines anderen außer sich selbst bedürftigen Existenz), ohne daß die Personen Erwähnung fänden. Wichtig ist Marsilius dabei nur, daß diese Subsistenz nicht als „Tragen von Akzidentien" mißgedeutet wird, die es in Gott nicht gibt[506].

Dagegen darf Heinrich von Gent tatsächlich als Theologe gelten, der kaum für die spätere „subsistentia absoluta"-These ins Feld geführt werden kann. In einer ausführlichen Quaestio seines fünften Quodlibet hat Heinrich sich mit dem Begriff eines „suppositum absolutum" in Gott auseinandergesetzt und diesen eindeutig zurückgewiesen[507]. Beachtenswert ist, daß Heinrich, wie für einen christlichen Theologen selbstverständlich, nicht bloß Personalität, sondern darüber hinaus auch Subsistenz und Singularität als Zuschreibung an das Wesen als solches ablehnt. Zur Begründung führt er an, daß solche Subsistenz notwendig mit irgendeiner Form von (ontischer) Determination verbunden sein müßte. Diese aber stünde der Einfachheit und Fruchtbarkeit der göttlichen Natur entgegen. Darum ist als einzige Bestimmung in Gott, die Subsistenz hervorbringt, diejenige durch die Relationen zu betrachten, die gerade nicht mit der Absolutheit Gottes in Gegensatz stehen, sondern nur untereinander einen Gegensatz generieren und folglich die Einfachheit Gottes nicht tangieren[508]. Nur die relational konstituierten Personen sind nach den Worten Heinrichs auch als Träger des göttlichen Handelns anzusehen.

[504] Vgl. ebd. ad 1: „dicendum quod esse substantiam in actu reali non est prius quam ipsam esse in supposito, sed est idem quod ipsam esse suppositum vel in supposito."

[505] Vgl. Marsilius, 3 Sent. q. 2, a. 3, dub. 3 ad 6 (Ed. 1501, fol. 365vb-366ra).

[506] Vgl. ders., 1 Sent. q. 26, a. 4, ad dub. 2 (Ed. 1501, fol. 106vb).

[507] Vgl. Heinrich von Gent, Qdl. 5, q. 8 (Ed. Badius, 164r-167r).

[508] „Propter quod simplicitate et foecunditate naturae requirente necesse est eam relative communicari et respectibus relativis, et in suppositis relativis nullo modo absolute subsistere. Nunquam enim est ratio suppositi sine ratione alicuius determinationis, quae in deo esse non potest nisi suppositorum relativorum" (ebd. 166v).

Gerade hier ist die Vorstellung zu vermeiden, als ob in denjenigen Fällen, in denen wir ohne personale Differenzierung von einem „Handeln Gottes" sprechen, diesem irgendeine „persona communis" zugrundeläge. Vielmehr werden auch diejenigen Handlungen, die wir als „actiones essentiales" bezeichnen, von den drei Personen getragen, und zwar in gemeinsamem Handlungsvollzug. Das Wesen ist dabei nicht Suppositum, wohl aber „ratio agendi", also Formalprinzip des gemeinsamen Vollzugs[509].

(b) Suárez erkennt die Ernsthaftigkeit der eine absolute Subsistenz ablehnenden Fraktion und die Bedeutung ihrer Argumente durchaus an, wenn er zugibt, daß auch viele lehramtliche Texte, vor allem in Abgrenzung vom Sabellianismus, in dieselbe Richtung zu tendieren scheinen. Dennoch sieht der Jesuit die Mehrzahl der neueren Theologen, darunter vor allem Scotus und Thomas von Aquin samt seiner Schule, die entgegengesetzte Position unterstützen.

(aa) Besonderen Wert legt Suárez auf zahlreiche Belegstellen aus dem Werk des Aquinaten, wobei er völlig korrekt hervorhebt, daß es die Charakterisierung Gottes als des „subsistierenden Seins" („ipsum esse per essentiam" / „ipsum esse subsistens") ist, die es Thomas erlaubt, das Sein (und zwar im Sinne des Für-sich-Seins, also des Subsistierens) als mit dem göttlichen Wesen unmittelbar verbunden, ja mit ihm identisch anzusehen[510]. Eine Unterscheidung von absoluter Existenz und Subsistenz, wie er selbst sie vornimmt, so ist sich Suárez ebenfalls im klaren, ist aus dem thomanischen Seinsbegriff allerdings nicht direkt erhebbar. Die personale Subsistenz wird von Thomas insofern auf die wesenhafte zurückgeführt, als das Konstitutionselement der Person, nämlich die Relation, als solche (also als „ad aliquid") nicht subsistenzkonstituierend sein kann[511]. Statt-

[509] Vgl. ebd. ad 1 (167r).

[510] Vgl. etwa Thomas, 3 Sent. d. 6, q. 2, a. 2 ad 2: „Ad secundum dicendum, quod aliud est de Deo et de omnibus aliis rebus: quia in Deo ipsa essentia subsistens est, unde sibi secundum se debetur esse; immo ipsa est suum esse subsistens: unde essentia a persona non differt secundum rem: et ideo esse essentiae est etiam personae; et tamen persona et essentia ratione differunt. Quamvis ergo unum sit esse, potest tamen esse considerari vel prout est essentiae; et sic non unitur humanitas in esse divino, unde non unitur patri: vel potest considerari prout est personae; et sic unitur in esse divino."

[511] Vgl. nur exemplarisch Thomas, De pot. q. 9, a. 5 ad 13: „In divinis autem proprietates personales hoc solum habent quod supposita divinae naturae ab invicem distinguuntur, non autem sunt principium subsistendi divinae essentiae: ipsa enim divina essentia est secundum se subsistens; sed e converso proprietates personales habent quod subsistant ab essentia: ex eo enim paternitas habet quod sit res subsistens, quia essentia divina, cui est idem secundum rem, est res subsistens; ut inde sequatur quod sicut essentia divina est Deus, ita paternitas est pater. Et ex hoc est etiam quod essen-

dessen muß das „esse personae" mit dem einen „esse naturae" identisch sein[512]. Insofern haben spätere Thomisten völlig korrekt die konstitutionslogische Vorordnung des Wesensseins vor das personale Sein zur entscheidenden Auszeichnung Gottes gegenüber den Kreaturen erklärt[513]. Eine absolute Wesenssubsistenz *unabhängig* von den Personen ist damit im strengen Sinne jedoch nicht behauptet.

Die so zu verstehende Identität von „quod" und „quo" in Gott bringt Thomas auch in Erinnerung, wenn er dem Wesen unter Absehung von den Relationen die Fähigkeit zur „assumptio" zuspricht. Allerdings denkt der Aquinate dabei offenbar nicht wie spätere Autoren an eine Einung in der reinen Wesenssubsistenz, obwohl er die „assumptio" ausdrücklich der abstrahierten Natur zuspricht, sondern stets auch „in personalitate", da in seiner Sicht die Wesenheit ohne die Relationen gerade als subsistierende notwendig als mit absoluter Personalität ausgestattet verstanden werden müßte[514]. Anders ausgedrückt: Der *per impossibile* konstruierte Fall einer

tia divina non multiplicatur secundum numerum ex pluralitate suorum suppositorum, sicut accidit in istis inferioribus. Nam ex eo aliquid secundum numerum multiplicatur, ex quo subsistentiam habet. Licet autem divina essentia secundum seipsam, ut ita dicam, individuetur, quantum ad hoc quod est per se subsistere, tamen, ipsa una existente secundum numerum, sunt in divinis plura supposita ab invicem distincta per relationes subsistentes."

512 Vgl. Thomas, S. th. III, 17, 2 ad 3: „Ad tertium dicendum quod, sicut in prima parte dictum est, quia persona divina est idem cum natura, in personis divinis non est aliud esse personae praeter esse naturae, et ideo tres personae non habent nisi unum esse. Haberent autem triplex esse, si in eis esset aliud esse personae, et aliud esse naturae."

513 Vgl. die schöne Stelle bei Bañez, Comm. in I^am q. 40, a. 4 (939A): „Ex his sequitur, quod existentia essentialis, quae primum cum competit Deo ut Deus est, quasi secundario nostro modo intelligendi competit tribus personis divinis. Et quidem in hac parte manifestarium discrimen reperitur inter existentiam creaturarum, et existentiam divinam. Nam existere in creaturis immediate competit supposito et hypostasi et mediate essentiae et naturae (...). In divinis autem est contra, existere per se primo convenit essentiae et naturae divinae, sed quasi secundario et mediate competit personis et hypostasibus. Et ratio huius est: Quoniam existere est de essentia Dei, immo est ipsa essentia Dei, et ita primum debet referri ad essentiam et existere personarum debet computari inter essentialia, et non inter personalia multo magis, quam alia attributa misericoridiae, sapientiae etc. Quia esse est primum attributum essentiale Deo, inter alia attributa. Caeterum in creaturis existere non est essentiale, sed est quasi accidentale complementum: et ita non immediate actuat essentiam et naturam, sed suppositum et hypostasim."

514 Vgl. Thomas, S. th. III, 3, 3 ad 1: „Ad primum ergo dicendum quod, quia in divinis idem est quo est et quod est, quidquid eorum quae attribuuntur Deo in abstracto secundum se consideretur, aliis circumscriptis, erit aliquid subsistens, et per consequens persona, cum sit in natura intellectuali. Sicut igitur nunc, positis proprietatibus personalibus in Deo, dicimus tres personas, ita, exclusis per intellectum proprie-

„assumptio naturae" durch das Wesen wäre faktisch die Annahme durch einen ein-personalen Gott. Man sieht hier, daß Thomas ein zweistufiges Verständnis von Subsistenz, wie es Suárez vertreten wird, nicht kennt – was als intellektive Natur subsistiert, ist notwendig Person. Klar wird aber erneut, daß Thomas den Grund göttlicher Subsistenz nicht in den Personen als Personen, sondern in der mit dem Sein identischen Wesenheit findet. So ist dem Urteil Klaus Obenauers beizupflichten: „Der entscheidende Referenzbegriff bleibt die essentia subsistens. Erst durch die sachliche Identität der Beziehung, welche von ihrer ratio propria her kein Subsistieren besagt, mit der essentia subsistens wird klar, daß von der relatio gelten muß, was von der essentia gilt, nämlich daß sie subsistiert"[515]. Dieses Zusammenkommen von relationalem und essentialem Moment in der Person als „relatio subsistens" ist nach Thomas der Schlüssel für die Wahrung der Einheit Gottes. Wenn Thomas auch nicht den späteren Schulbegriff der „subsistentia absoluta" verwendet, ist seine Lehre für die Bestimmung des personalen Seins vom Wesen her doch so eindeutig, daß Versuche wie die von Hans Christian Schmidbaur, die Wesenssubsistenz bei Thomas ganz von den relativen bzw. personalen Subsistenzen her zu verstehen, um dadurch den Aquinaten stärker von der „lateinischen" Trinitätsauffassung wegzurücken und vor modernen Vorwürfen des Modalismus und der Trinitätsvergessenheit in Schutz zu nehmen, nicht überzeugen können[516]. Allerdings, und darin mag man die Berechtigung

tatibus personalibus, remanebit in consideratione nostra natura divina ut subsistens, et ut persona. Et per hunc modum potest intelligi quod assumat naturam humanam ratione suae subsistentiae vel personalitatis." Die Parallelfrage des thomanischen Sentenzenkommentars findet sich in 3 Sent. d. 5, a. 3 c. Daß Thomas in diesen Erörterungen keine Personalität der göttlichen Wesenheit als solcher lehrt, hat SCHMIDBAUR (1995) 651, Anm. 18 mit Recht gegen die Behauptung bei RATZINGER (1977) 219, Anm. 12 herausgestellt. Vgl. auch GRESHAKE (2001) 61.

[515] OBENAUER (1997) 199f.

[516] Vgl. (neben vielen anderen Passagen der Arbeit) SCHMIDBAUR (1995) 30: „Thomas kennt keine absolute, a-personale Subsistenz des göttlichen Wesens, die die Dreifaltigkeit der Personen gleichsam nach außen überlagert und gegenüber der Schöpfung abschließt". Weitere Stellen der Studie mit gleicher Aussagerichtung finden sich gesammelt bei OBENAUER (1997) 193, Anm. 29. Obenauer hat auch schon alles Nötige zur Kritik der These Schmidbaurs vorgetragen (vgl. bes. ebd. 193-202). Gut begründete Bewertungen dieser Studie im ganzen haben Helmut Hoping und Gilles Emery vorgelegt: ThRv 95 (1999) 400ff.; RThom 96 (1996) 690-693. Vgl. auch EMERY (2003b) 171: „The manifestation of the place of person in Trinitarian theology is here, however, taken into a framework of understanding dominated by a nearly irreducible opposition between essence and relation (to such a point that, for example, the conception of a free creation by a ‚mono-personal' God becomes in itself contradictory)". Vgl. auch GRESHAKE (2001) 116f., mit Anm. 263; SCHÄRTL (2003) 548, Anm. 252.

von Schmidbaurs Einwendungen sehen, scheint Thomas nicht wie nach ihm Scotus den Fall ins Auge gefaßt zu haben, daß im dreipersönlichen Gott die wesenhafte Subsistenz als solche, gleichsam an den personalen Subsistenzen vorbei, Formalgrund einer Tätigkeit wie der „assumptio" werden könnte. Diese These setzt wohl eine formale Unterscheidung von „subsistere" als „per se existere" (des Wesens) und „subsistere" als „incommunicabiliter existere" (der Personen) voraus, wie sie im strengen Einheitsverständnis von naturalem und personalem Sein, wie sie Thomas verficht, keinen Platz hat und erst von der scotischen Unterscheidung beider her denkbar wird.

Die ausdrücklichen Thomisten der nachfolgenden Zeit haben in Anknüpfung an die genannten Aussagen ihres Lehrers ohne Probleme vom „subsistere essentiale" Gottes, das der ganzen Trinität gemeinsam ist, sprechen können[517]. Die thomanische Unterscheidung der beiden Konstitutionsmomente göttlicher Suppositalität – „ad aliud esse" und „subsistere" – findet sich exakt auch bei Durandus wieder, der damit ein terminologisch klares Bekenntnis zu der den Personen logisch vorgängigen Subsistenz der göttlichen Wesenheit ablegt[518]. Daß Durandus daraus anders als Thomas zwei voneinander trennbare und formal aufeinander aufbauende Stufen der Einung mit einer geschaffenen Natur in Gott abgeleitet hat, nämlich einerseits „quantum ad existentiam", andererseits „quantum ad proprietatem relativam", kennen wir bereits aus dem Kontext der Persondebatte – ebenso wie die Kritik, die die meisten Theologen in der Folgezeit gegen diese Lehre vorgebracht haben[519]. Jedenfalls lehrt Durandus ausdrücklich, daß er das „subsistere absolutum" Gottes als ausrei-

[517] Von den bei Suárez genannten Autoren verweise ich nur auf Capreolus, Defens. l. 3, dist. 1, q. 1, a. 3, § 3, n. II („Ad argumentum Durandi") (V, 12).

[518] Vgl. Durandus, 3 Sent. d. 1, q. 2 (211rb-va): „In divinis vero licet suppositum sit illud quod subsistit, tamen ratio formalis suppositi non est per se subsistentia, nec fundatur in proprietate per se subsistendi, sed est ad aliud esse et ideo per aliud est suppositum et per aliud subsistit: est enim suppositum formaliter et completive per proprietatem relativam, subsistit autem non per proprietatem relativam, sed per essentiam vel substantiam. Cuius ratio est, quia esse subsistere dicit esse secundum perfectissimum modum essendi, sed perfectissimus modus essendi est esse in se vel ad se, hoc autem non convenit alicui in divinis nisi ratione essentiae, quia per omnia alia, supposita divina dicuntur ad aliud et non ad se, quare suppositum divinum subsistit per essentiam, et non per proprietatem relativam." Ähnlich auch 1 Sent. d. 13, q. 2 (48va). Von hier aus wäre zu fragen, ob FRANZELIN (1874) 380 mit seiner Kritik an der „subsistentia-absoluta"-Theorie des Durandus, die er als Fehlinterpretation von Thomas, De Pot. q. 8, a. 3 ad 7 versteht, wirklich richtig liegt.

[519] Vgl. dazu oben Kap. 3, 2), b) (2).

chend für die Annahme einer geschöpflichen Natur einschätzt, die somit allein „ratione essentiae" erfolgen würde[520].

(bb) Auch die Bezugnahme auf Scotus, wie sie Suárez für die These von der absoluten Subsistenz vornimmt, ist keineswegs willkürlich. Durch seine enge Verbindung von Wesens- und Existenzbegriff kann Scotus von einem „actu existere" der göttlichen Wesenheit unabhängig von den Personen und gewissermaßen vorgängig zu ihnen sprechen. Mit diesem Argument wird die uns schon bekannte Möglichkeit unterstrichen, daß in der Gottesschau das Wesen von den Personen prinzipiell trennbar ist[521]. Gottes Sein, so stellt Scotus mit Augustinus fest, ist (singuläres) Subsistieren, so daß das „per se esse" der Gottheit vorgängig zu den Personen zugesprochen werden kann und nicht etwa aus ihnen herzuleiten ist[522]. Vielmehr ist es das Wesen, welches den Personen ihr Sein vermittelt, denn in ihrer Unendlichkeit schließt die göttliche Natur jede „ratio suppositi" in sich ein[523]. Die Opposition dieser These zu der vorher referierten des Heinrich von Gent ist eindeutig. Die Perseität kommt der Gottheit als dem „Ozean des Seins" aus sich heraus in formaler Weise zu, was für die Existenz in diesem oder jenem relativen Suppositum nicht gilt. Der Unterschied zu Thomas liegt in der Begründungsperspektive. Während Thomas das Wesen Gottes mit dem ohne jede Beimischung von Potentialität zu denkenden reinen Sein als Aktualität identifiziert, geht Scotus

[520] Vgl. Durandus, 1 Sent. d. 1, q. 4, n. n. 12 (213vb).

[521] Vgl. Scotus, Ord. I, d. 1, p. 1, q. 2, n. 45 (Ed. Vat. II, 31): „Ad secundum, cum arguitur de essentia exsistente etc., dico quod necessarium est terminum visionis esse exsistens in quantum exsistens, non tamen oportet quod subsistentia, id est incommunicabilis exsistentia, sit de ratione termini visionis. Essentia autem divina est de se haec et actu exsistens licet non includat de sua ratione incommunicabilem subsistentiam, et ideo ipsa ut haec potest terminare visionem absque hoc quod videantur personae."

[522] Vgl. Scotus, Ord. I, d. 7, q. 1, n. 11 (Ed. Vat. IV, 110): „Deitas autem prius est in se – aliquo modo – quam intelligitur esse in persona, quia deitas ut deitas est per se esse, ita quod tres personae ipsa deitate per se sunt et non e converso (VII *Trinitatis* cap. 8: ‚ad se subsistit Deus'; et infra: ‚hoc est Deo esse quod subsistere')". Die Stellen finden sich bei Augustinus in De trin. VII, c. 4, n. 9 und c. 5, n. 10 (CCL 50, 259, Z. 136; 261, Z. 24). Vgl. auch die mit weiteren Textbelegen ausgestattete Argumentation bei CROSS (2005) 155f.176-182, der von einem „schwachen Subsistieren" des Wesens in Absehung von den Personen bei Scotus spricht, sofern damit das „per se existere", nicht aber das inkommunikable Existieren gemeint ist.

[523] Vgl. Scotus, Ord. III, d. 5, q. 1, n. 3 (Ed. Vat. IX, 225): „Praeterea, (...) quia natura, cum sit infinita, includit in se rationem omnis suppositi: igitur potest supplere vicem cuiuslibet suppositi creati, et ita personare naturam creatam." Daß Scotus auch selbst der Wesenheit die mit diesem Argument gestützte Möglichkeit nicht absprechen will, „ratio terminandi" der Annahme einer geschöpflichen Natur zu sein, gibt er kurz darauf in der Antwort auf die Frage zu erkennen (n. 13, ebd. 227f.).

vom Gedanken der Unbegrenztheit dieses Wesens aus (der sachlich auch bei Thomas nicht fehlt) und sieht darin alle weiteren möglichen Bestimmungsmomente von „Sein" bereits auf eminente Weise enthalten. Als den drei Personen gemeinsame Eigenschaft ist darum für Scotus das „per se esse" aus dem unendlichen Wesen abzuleiten, das zudem auch aus der Perspektive des Relationsbegriffes, nämlich als „fundamentum relationis", der Relation (der Person) selbst vorzuordnen ist[524]. „Hic Deus" kann somit als Bezeichnung des göttlichen Wesens in seiner Perseität gelten, ohne daß die Natur dadurch das Suppositum als Träger der notionalen Handlungen ersetzen würde[525]. Was allerdings Gottes ungeteiltes Handeln „ad extra" betrifft, geht Scotus wesentlich weiter[526]. Er behauptet, wenn auch mit einem gewissen Zögern, daß Gott, „ut deitate Deus est", also sofern er in seiner absoluten Wesenheit existiert und unter formaler Absehung von der Inkommunikabilität bzw. Suppositalität, nicht bloß bestimmte ontologische Prädikate, sondern sogar Handlungen zugesprochen werden können. Ausdrücklich genannt wird der Beispielsatz „Deus creat". Träger des Schöpferwirkens sind demnach nicht die drei Personen (als Personen) in ununterscheidbarer Einheit, sondern Gottes Wesen fungiert in formaler Hinsicht als gleichsam vorpersonales Handlungssubjekt,

[524] Vgl. Scotus, Ord. I, d. 7, q. 1, n. 85 (Ed. Vat. IV, 144f.): „Quod competit primo ex se formaliter, est aliquo modo prius extra intellectum illo quod non competit sibi ex se formaliter; *(a)* deitas est omnino prima, quia ‚pelagus', et *(b)* illi competit ex se formaliter per se esse; *(c)* non autem ex se formaliter est in hoc supposito relativo, ergo per prius per se est quam sit in isto. *b* probatur, quia idem est per se esse trium personarum, – VII *Trinitatis*; nihil est commune tribus nisi quod est primo essentiae. *c* probatur, quia fundamentum aliquo modo praecedit relationem, saltem non ex ratione sua formali habet relationem, quia est aliquid praeter eam".

[525] Vgl. Scotus, Ord. I, d. 7, q. 1, n. 75 (Ed. Vat. IV, 141): „Ergo suppositum conveniens huic actioni, est suppositum distinctum, exsistens in ista natura: in nullo tali est natura in quantum intelligitur per se esse, etsi per se sit aliquo modo antequam in persona, - et ideo non poterit ‚per se agere' ista actione."

[526] Vgl. zum folgenden Scotus, Ord. I, d. 4, p. 2, q. un., n. 11 (Ed. Vat. IV, 5): „Unicuique ‚quo' correspondet proprium ‚quod' vel ‚quis', et ideo deitati ut deitas est, respondet ‚quod' vel ‚quis'. Primo ‚Deus' deitate est ens ut deitas est, et sicut deitas de se est ‚haec', ita Deus – qui est Deus deitate – est de se ‚hic' et in isto conceptu non includitur incommunicabilitas, nec ratio personae, quia deitas communicabilis est, - et ideo Deus ut ‚deitate Deus est' non includit aliquid incommunicabile formaliter. Isti ergo sic intellecto, absque conceptu personarum seu personalium, vere possunt competere aliqua praedicata realia, quae videlicet non competunt naturae ut exsistenti in ratione suppositi, sed exsistenti in hac natura in quantum exsistens in ea: hoc modo forte ista est vera ‚Deus creat', et similes, intelligendo subiectum pro ‚hoc Deo' exsistente in natura divina, non intelligendo aliquod suppositum, neque aliquod incommunicabile in ista natura, quia incommunicabilitas non est ratio talium actuum".

auch wenn es dabei faktisch in Verbindung mit den drei Subsistenzen steht. Ein irgendwie geartetes Eigenwirken einer göttlichen Person (etwa des Sohnes) „ad extra" in Unterscheidung zum Wirken der anderen gibt es darum ebensowenig[527] wie ein notionales Bezogensein des göttlichen Wortes auf die Kreaturen[528] (was später genauer zu bedenken sein wird). Auf der Grundlage seines Verständnisses vom ontologischen Status der göttlichen „essentia" spricht sich Scotus zudem klar für die Möglichkeit aus, daß das göttliche Wesen unter Absehung von den drei Personen, also auch ohne eigene Inkommunikabilität, Träger einer geschöpflichen Natur sein könnte, nämlich insoweit es „essentia (per se) subsistens" ist[529]. Anders als bei Thomas wird hier nicht nur an den hypothetischen Fall gedacht, daß wir einen ein-personalen Gott vor uns haben, sondern Scotus erwägt die genannte Möglichkeit für die Trinität, wie sie real besteht. Genauso wie eine hypostatische Union könnte es hier unter Umgehung der personalen Subsistenzen eine Union in der absoluten Existenz Gottes geben.

Es ist diese „formale Verselbständigung" der absoluten Wesensexistenz durch Scotus, die den vielleicht unmittelbarsten und stärksten Anknüpfungspunkt für die nachfolgende Ausformung der „subsistentia absoluta"-These darstellt. Sie ist bei Scotus der Sache nach schon in jener die göttlichen Personen schwächenden bzw. relativierenden Form zu finden, wie sie die spätere heftige Kritik evoziert hat. Thomas hat sie in dieser Form niemals vertreten, und auch Suárez will, wie wir sehen werden, zumindest eine „Quasi-Personalität" der absoluten Subsistenz, wie sie in der Zu-

[527] Dies wird von Scotus ausführlich nachgewiesen in Qdl. 8 (Ed. Wadding XII, 210-225).

[528] Der als „per hypothesim" einpersönlich gedachte Gott könnte die gleichen Schöpfungswerke vollbringen wie der faktisch dreipersönliche, weil Gottes „causalitas ad extra" formal ohne Bezug zur „productio intrinseca" ist; vgl. Scotus, Ord. II, d. 1, q. 1, n. 43-48 (Ed. Vat. VII, 29ff.).

[529] Vgl. Scotus, Ord. III, d. 1, p. 1, q. 2, n. 102 (Ed. Vat. IX, 36): „Ad quaestionem dici potest distinguendo, quia aut potest intelligi primus terminus istius unionis esse persona, aut essentia subsistens communis tribus". In der ersten Weise gibt es keine Annahme einer einzigen Natur durch alle drei Personen. „Si intelligatur alio modo, quod primus terminus unionis sit ipsa natura in tribus per se subsistens, videtur possibile quod una natura assumatur a tribus quasi mediante una essentia existente in tribus, sicut una albedo potest esse in tribus corporibus, si una superficies – in qua esset – esset in eis. Quod autem ipsa essentia per se existens posset esse terminus proximus illius unionis, videtur, quia ipsa nullum esse habet a persona, sed est prius naturaliter quam sit in persona et dat esse personae: est enim natura de se 'haec' et per se subsistens, licet non incommunicabiliter; videtur autem quod incommunicabilitas non sit necessario ratio propria terminandi istud, sed subsistentia singularis" (n. 108f., ebd. 49).

schreibung von Handlungsträgerschaft kaum vermeidbar ist[530], klar ausschließen.

(cc) Mehr als der thomistische war es offenbar der scotische Impuls, der bei prominenten Theologen der Nominalistenschule in der Behauptung einer absoluten Subsistenz Gottes nachgewirkt hat, wie sie Suárez ebenfalls zu seinen Gunsten anführt. Ockham spricht von der „independentia" der Wesenheit Gottes und hat die Annahme einer geschöpflichen Natur durch sie unter Absehung von den Personen hypothetisch nicht ausgeschlossen[531]. Noch deutlicher aus der Sicht unseres Problemkontextes urteilt in der Frage der „assumptio per essentiam" Gabriel Biel. Mit Bezug auf Ockham und Scotus gibt er sehr exakt an, in welcher Hinsicht diese Diskussion zu verstehen ist – nämlich nicht als Gedankenspiel mit der Annahme eines völlig unpersonalen Gottes, sondern als Ermittlung der hinreichenden „ratio formalis" der Ein-Einung einer geschöpflichen Natur, die dabei auch von der real gegebenen (Drei-) Personalität Gottes abstrahiert[532]. Sofern sich auf diesem Wege eine „unio" konstruieren läßt, die nicht notwendig „suppositatio" sein muß, also die angenommene geschöpfliche Natur mit Gott verbindet, ohne sie zur Person zu machen, kann der göttlichen Wesenheit aufgrund ihrer „singularis existentia" und ihres „per se esse" eine solche „assumptio naturae" zugestanden werden[533].

(dd) Als Zwischenfazit des Blicks auf die verschiedenen mittelalterlichen Scholastiker in der suárezischen Autoritätenliste läßt sich festhalten: In formaler und expliziter Weise wird die Frage nach einer absoluten Subsistenz Gottes in der vortridentinischen Scholastik noch nicht gestellt. Insofern hat die suárezische Gegenüberstellung von „zustimmenden" und „ablehnenden" Stimmen einen gewissen anachronistischen Zug, und es kann nicht verwundern, daß den zitierten Autoren nicht in jedem Fall tatsächlich die eindeutige Position zu entnehmen ist, welche der Jesuit ihnen zuweisen möchte. Allerdings ist die Sachproblematik, die hinter der

[530] Vgl. MÜHLEN (1953) 88, der in Bezug auf die von uns zitierte Passage aus Scotus, Ord. I, d. 4 kommentiert: „Das gottliche Wesen muß also als das quo actionis von sich aus den Charakter eines suppositum quod agit haben", was zwar dem scotischen Text nicht exakt entspricht, aber den Schritt auf ein solches Verständnis hin markiert, dem die scotische Spekulation das Tor geöffnet hat.

[531] Vgl. Ockham, Rep. III d. 1, q. 1 ad 13 (OTh VI, 36): „Ad aliud dico quod essentia sit primo summe independens: tamen non est prima ratio terminandi istam unionem". Ebd. ad 19: „Ad aliud dico quod si possibile esset quod tota essentia divina e nulla persona terminaret unionem naturae: tunc ista natura non esset personata, propria personalitate nec alia" (Rep. III, q. 1, ebd. 38f.), vgl. ADAMS (1987) 982f.

[532] Vgl. G. Biel, 3 Sent. d. 1, q. 1, a. 3, dub. 4 (Ed. Werbeck / Hofmann III, 33f.).

[533] Vgl. ebd. (34, Z. 25f.).

Frage nach einem Subsistieren des Wesens steht, den Autoren seit dem 13. Jahrhundert nicht fremd. Sie dringt vor allem ins Bewußtsein durch die Reflexion auf den Formalgrund des ungeteilten göttlichen Handelns in seiner Schöpfung und vermittels der in der Christologie regelmäßig diskutierten Frage, ob man sich die von den relativen Proprietäten abstrahiert betrachtete Wesensnatur Gottes als ontologisch hinreichenden Träger einer geschöpflichen Natur vorstellen könnte. Wenn Thomas wie auch Scotus diese Frage bejahen, sehen sie ihre Stellungnahme ganz auf der Linie dessen, was bereits in der Lehre des Augustinus vom „ad se subsistere" der göttlichen Substanz[534] angelegt ist: Wie die göttliche Natur kraft der ihr als solcher eigenen Vollkommenheit in absoluter Weise wesenhaft existiert, so subsistiert sie in derselben Weise und muß ihre Subsistenz nicht von den Personen „erbetteln" („emendicare")[535]. Die vortridentinischen Autoren, die sich diesem Verständnis anschließen, sind klar in der Mehrheit. Es fehlt bei ihnen allen jedoch der Begriff einer „subsistentia absoluta" und ebenso eine exaktere Abgrenzung bzw. Verhältnisbestimmung von wesenhaftem und personalem Subsistieren in Gott. Im Gegensatz zu Thomas, der zwar die Subsistenz göttlicher Personalität ganz von der Subsistenz des mit dem reinen Seinsakt identischen Wesens her versteht, aber eine Trennung von absolut-wesenhaftem und inkommunikabel-personalem Subsistieren bei der Angabe der „ratio formalis" göttlichen Handelns offenbar nicht in Erwägung zieht, scheint dies bei Scotus anders zu sein. Hier könnte in der Trinität die Wesenheit als Wesenheit getrenntes Objekt der Gottesschau ebenso sein wie Handlungssubjekt und Formalgrund der Einung mit einer Kreatur. Dann ist eine Analogie zur hypostatischen Union im Sinne einer nichtpersonalen „Subsistenzunion" auf der reinen Wesensebene sogar im Falle des trinitarischen Gottes vorstellbar.

(c) Es war Cajetan, der, wie Suárez richtig sieht, die zahlreichen früheren Ansätze zu der expliziten These der absoluten Subsistenz Gottes ausformuliert und in einem geschlossenen Vernunftbeweis mit folgender Konklusionsfolge zusammengeführt hat: Die drei Personen sind ein einziger Gott, „dieser Gott" („hic Deus"). Der Begriff „dieser Gott" aber bezeichnet die subsistierende Gottheit; also gibt es eine den drei Personen gemeinsame Subsistenz[536]. Weil das „quo est" und „quod est" in Gott

[534] Auch Suárez verweist in De incarnatione 11.3.3 (XVII, 441b) auf Augustinus, De trin. l. 7, c. 4-5 (CCL 50, 255-261).

[535] Vgl. Suárez, De incarnatione 11.3.3 (XVII, 441a).

[536] Vgl. etwa Cajetan, Comm. in III$^{am}$ q. 2, a. 2, n. 6 (Ed. Leon. XI, 57b): „In Deo autem invenitur duplici ratione et modo habens naturam: scilicet habens naturam communiter, ut hic Deus; et habens naturam incommunicabiliter, ut Pater. Ac per hoc, in-

identisch sind, so lautet eine erste Begründung der Prämissen, ist mit der einen Wesenheit, die den drei Personen zukommt, auch eine einzige Subsistenz gegeben. Diese Subsistenz aber macht das Wesen als solches, unabhängig von den Personen, individuell. Hier erblickt Cajetan den entscheidenden Unterschied zwischen Gott und Kreaturen: Während im Geschöpf natürlicherweise das „individuum naturae" und die „persona" identisch sind, müssen sie in Gott unterschieden werden. Der individuelle Name „hic Deus" ist den drei Personen gemeinsam zu prädizieren und also keine Personbestimmung im strengen Sinn, die stets das Moment der Inkommunikabilität einschließen muß[537]. Vielmehr spricht Cajetan von dem „individuum naturae divinae commune tribus personis"[538]. Er geht sogar so weit, das „individuum naturae", die singuläre substantiale Natur, der allein das Inkommunikabilitätsmoment fehlt, in Gott als „unvollkommene Person" („persona incompleta") zu bezeichnen[539]. Ausdrücklich lehrt der Dominikaner, daß Gott auch unter dieser Hinsicht (und nicht bloß, sofern „hic Deus" konkret für eine der göttlichen Personen supponiert) eine kreatürliche Natur annehmen könnte[540]. Mit wünschenswerter Klarheit gibt er zu verstehen, daß er die „abstractio", von der Thomas in S. th. III, 3, 3 spricht, nicht nur auf den Fall hin auslegen will, daß auch ein nicht-dreipersönlicher Gott eine geschöpfliche Natur annehmen könnte (und dann nach Thomas notwendig einpersönlich sein müßte), sondern daß er eine „abstractio (...) solum ab actu incarnationis" in Erwägung zieht, also die Frage stellen will, ob „Gott, sofern er existiert, wie er [faktisch] ist, nämlich als einer im Wesen und dreifaltig in den Personen, auch im strengen Sinne als ‚dieser Gott' für sich genommen, und nicht als Vater, Sohn oder Heiliger Geist, [eine geschöpfliche Natur] annehmen,

venitur subsistens in natura communiter, ut hic Deus: et subsistens in natura incommunicabiliter, ut quaelibet divina persona"; Comm. in I$^{am}$ q. 29, a. 4, n. 8 (Ed. Leon. IV, 335a): „in Deo autem habens naturam dupliciter invenitur, scilicet suppositum, ut Pater vel Filius, et singulare, idest hic Deus. Itaque in divinis consideranda sunt tria, scilicet essentia, hic Deus, et supposita divina, scilicet Pater et Filius et Spiritus Sanctus. In reliquis autem duo tantum inveniuntur, puta humanitas et Socrates: non enim hic homo est aliud quam Socrates". Vgl. NIEDEN (1997) 28ff.

537 Vgl. Cajetan, In III$^{am}$ q. 2, a. 2, n. 11 (Ed. Leon. XI, 28b): „In Deo autem magna invenitur differentia inter individuum naturae divinae, hoc est, hunc Deum, et hypostasim. Nam hic Deus communis est secundum rem Patri et Filio et Spiritui Sancto: et consequenter non significat hypostasim, de cuius ratione constat esse incommunicabilitatem."

538 Ebd. n. 12 (28b).

539 Vgl. ebd. n. 15 (29a-b).

540 Vgl. ebd. n. 13 (28b).

also eine Annahme sowohl bewirken wie auch terminieren könnte“[541]. Damit hat Cajetan in die ursprüngliche thomanische Problemstellung die Frage des Scotus hineingetragen[542], und auch die Antwort entspricht der Vorgabe des letzteren: Die Personalität in Gott kann als das „per se primo terminans“ in der Annahme einer geschöpflichen Natur ausgeklammert werden, und ihre Funktion übernähme dann „hic Deus“, die Wesenssubsistenz[543]. Es ergäbe sich eine „assumptio ad subsistens commune“, nicht wie in der realen Inkarnation „ad subsistens incommunicabile“[544]. Damit setzt Cajetan fort, was er in der Auslegung von S. th. III, 2, 2 begonnen hat, indem er jene Aussagen, in denen Thomas die Annahme einer geschöpflichen Natur der Person (und nicht der Natur) zuschreibt, als für seinen *Personbegriff im weiteren Sinne* zutreffend erklärt, in dem auch die „persona incompleta“ eingeschlossen ist. Bereits damit hat er die thomanische Aussage an entscheidender Stelle verändert: Aus der Natur als dem „quo“ der Annahme ist selbst ein mögliches „quod“ geworden. „Absolut subsistent“ ist das Wesen nicht bloß, sofern es Seinsgrund der Personen ist, sondern auch, sofern es als solches Terminus einer Union werden kann. Cajetan hat seine Übereinstimmung mit Scotus im Verständnis einer Eigenentfaltung der Wesenssubsistenz übrigens offen zu verstehen gegeben[545], ohne in ihr einen Gegensatz zu Thomas erkennen zu wollen.

Das zweite bei Suárez angeführte Begründungsmoment für die These Cajetans ist durchaus thomistisch inspiriert und bedarf nach dem Vorangehenden keiner weiteren Erläuterung mehr: Die absoluten Prädikate in Gott müssen (logisch) den relativen vorgeordnet werden, so daß „dieser Gott“ in der Verstehensordnung vor den drei Relationen steht. Diese Priorität gilt ebenfalls für seine (absolute) Subsistenz[546].

541 Vgl. Cajetan, In III^am q. 3, a. 3, n. 3 (Ed. Leon. XI, 59b-60a): „Si vero abstractio fiat solum ab actu incarnationis, sensus est: An, existente Deo sicuti est, scilicet uno in substantia et trino in personis, possit hic Deus, inquantum hic Deus, secundum se, non ratione Patris aut Filii aut Spiritus Sancti, assumere, hoc est, et facere et terminare assumptionem?“

542 Cajetan selbst muß ebd. (60a) zugeben: „In secundo autem [sc. sensu], tangi quidem invenio ab Auctore aliqualiter, sed ordinate discuti minime.“

543 Vgl. ebd. n. 9-10 (61a-b). Die Person würde in diesem Fall in sekundärer Hinsicht, also nicht als formaler Terminierungsgrund, die Einung bestimmen – es läge, was diese Zuordnung angeht, exakt der umgekehrte Fall der faktischen Inkarnation vor.

544 Vgl. ebd. n. 10 (61b).

545 Vgl. ebd. n. 11 (61b): „Unde nullam video in hac materia dissensionem inter Auctoris doctrinam et Scotum, in III Sent., dist. 1, qu. 2“ (also dem von uns oben wörtlich zitierten Textstück).

546 Vgl. Suárez, De incarnatione 11.3.4 (XVII, 441b).

Zusammenfassend läßt sich sagen: An der Bedeutung Cajetans dafür, daß die Frage nach einer absoluten Subsistenz Gottes in der nachtridentinischen Theologie explizit und regelmäßig gestellt wird, kann kein Zweifel bestehen, und er war es auch, der einer bejahenden Antwort „den Weg geöffnet hat“[547]. Ob er schlechthin der Erfinder dieser These genannt werden sollte, wie es bereits Vázquez in seiner offensichtlich gegen Suárez gerichteten Polemik nahelegt, um keine der früheren theologischen Autoritäten zugunsten von dessen These anerkennen zu müssen[548], und wie es seitdem regelmäßig wiederholt wird[549], ist im Blick auf die lange Vor-

[547] Vgl. BILLOT (1910) 440, der von der „subsistentia absoluta“-Lehre bei Theologen spricht, „quibus viam aperuit Caietanus...“.

[548] Vgl. Vázquez, Comm. in I$^{am}$ 125.2.4 (II, 136b). Neben den namentlich zitierten Cajetan und Bartolomé de Carranza, genannt (de) Miranda (1503-1576; vgl. seine Summa Conciliorum, in adnotationibus ad epist. Sophronii, 6. Syn. von Konstantinopel, actio 11 [Ed. Salamanca 1551, 387]: „Unde collige subsistentiam in divinis, et personaliter, et essentialiter dici. Si personaliter accipias, tres subsistentiae sunt, si essentialiter, unica est subsistentia“), werden „recentiores nonnulli“ als Unterstützer der These von einer absoluten Subsistenz neben den personalen Subsistenzen erwähnt. Zu letzteren wird man gewiß Zumel (Comm. in I$^{am}$ q. 30, a. 1, disp. un. [742a], mit einer gewissen Kritik am „modus loquendi“ Cajetans) und dann vor allem Suárez zählen dürfen. Über die Thesenbegründung dieser Autoren heißt es recht harsch: „qui pro ea [sc. sententia] incaute referentes authores capite praecedenti citatos absque ullo fundamento affirmant hanc esse communem sententiam: cum tamen revera eam nullus praeter Caietanum, et Mirandam sequatur“. Andere Theologen hätten bestenfalls eine „communis existentia“ in Gott anerkannt, „ratione cuius natura creata a Deo assumi possit; et primo terminari, non terminante aliqua persona“. Auch wenn uns Vázquez mit seiner starken Entgegensetzung von absoluter Existenz und Subsistenz nicht Recht zu haben scheint, so kommt ihm doch das Verdienst zu, den Ursprung des ganzen Problems in der spekulativen Inkarnationstheologie, wie auch wir ihn behaupten, klar erfaßt zu haben. Vázquez selbst hat den Weg seiner fortschreitenden Loslösung von der scholastischen „subsistentia absoluta“-These durch das Studium der Väterquellen in einer interessanten autobiographischen Notiz beschrieben (ebd. 3.8, 107b): „Deinde ostendemus in sequenti capite, huic communi existentiae nomen, *Subsistentia*, nullo modo convenire: sed Scholasticos, qui sic eam appellare non dubitarunt, contra Phrasim Conciliorum, et Patrum eo nomine perperam abusos fuisse, qua quidem de causa anno 1578. publice docens in eam sententiam adductus fui, ut existimarem, nihil esse in Deo commune, quod nomine *Subsistentia*, posse significari: quod viderem communi modo loquendi Conciliorum, et Patrum praedictos Scholasticos adversari, qui quandam communem, et absolutam subsistentiam in Deo concedunt. In ea vero opinione multo magis conquievi, postquam anno 1583. iterum rem hanc publice docens, diligenter examinavi Graecorum et Latinorum Patrum sententia[m], et modum loquendi, de quibus praecedenti disputatione superque tractavi.“

[549] Vgl. jüngst SMITH (2003) 39-46 („The Source of Modern Readings: Cajetan“), der dem Dominikanerkardinal ein völliges Mißverständnis der thomanischen Lehre vorhält.

geschichte des Problems eher zweifelhaft. Cajetan ist vom originär thomanischen Verständnis der Perseität des göttlichen Wesensseins als logischem Grund des „esse personae" ausgegangen, hat jedoch mit der These, daß die Wesenssubsistenz als solche unter Absehung der personalen Subsistenzen das göttliche Handeln und vor allem die Annahme einer geschöpflichen Natur formal bestimmen kann, die ursprünglichen thomanischen Aussagen durch ein scotisches Element ergänzt. Es ist fraglich, ob diese Modifikation der Verbindung von Subsistenz und Personalität, wie Thomas sie versteht, noch gerecht zu werden vermag. Von einer „perfekten Homogenität" zwischen Cajetan und Thomas, wie sie in der älteren Forschung zuweilen behauptet wurde[550], wird man jedenfalls nicht sprechen können.

So wundert es nicht, daß die „subsistentia absoluta"-These in ihrer Ausformung durch Cajetan schon in der Zeit vor Suárez heftige Kritik erfahren hat. Es ist bemerkenswert, daß sich unter den Kritikern mit Francisco de Toledo, Luis de Molina, Gregor von Valencia und dem schon genannten Gabriel Vázquez viele prominente Theologen der frühen Jesuitenschule befinden[551]. Suárez dagegen wird, wie wir sehen werden, zu einer anderen Entscheidung kommen.

[550] Nach BERGERON (1932) 161 steht Cajetans „subsistentia absoluta"-Lehre „en parfaite homogénéité avec la doctrine de saint Thomas".

[551] Vgl. Toledus, In I$^{am}$ q. 39, a. 4 (Ed. Paria, 395a): „Ista Caietani defensio est potius offensio. Imponit enim S. Thomae unum, quod, iudicio meo, est valde periculosum, et nisi decipior, temerarium: scilicet quod essentia divina habet unam communem subsistentiam praeter tres suppositorum; quod aperte ostenditur esse figmentum". Vergleichbare Kritik trägt Molina, In I$^{am}$ q. 29, a. 2, disp. 3, concl. 1 (455bB-456aD) vor, ohne allerdings die Rede von einer absoluten Subsistenz gänzlich ablehnen zu wollen. Nach Gregor von Valencia, De trin. l. 3, c. 6 (694-700) muß die eine „res" in Gott nicht singulär durch eine einzige Subsistenz sein, sondern „per entitatem identificantem tres subsistentias in ratione absoluta"; es ist das Eine, das die drei singulären Personen „identifiziert". „Cum enim communitas illa, quae est in divinis, non sit communitas alicuius abstracti secundum rationem, sed communitas per identitatem eius, quod est commune, et eorum, quibus est commune; non oportet quaerere singularitatem in illo comuni, abstrahendo ab ipsis personis identificatis in illo" (700B-C). Die Täuschung Cajetans besteht darin, daß er „singularitatem rei communis in divinis, quasi abstractam ab ipsis personis" sucht. Erneut äußert sich Gregor mit gleicher Stoßrichtung in Comm. in I$^{am}$ disp. 2, q. 13, punct. 3 (816C-818D). Gregor zieht dort zwei Auslegungsvarianten für Cajetans These in Erwägung: entweder ein Verständnis von „subsistentia absoluta" nur als Bezeichnung für die „ratio substantialis absoluta in divinis", dem Gregor problemlos zustimmen könnte, oder aber im Sinne einer „ratio substantialis", die in unserem Verstehen der göttlichen Substanz hinzugefügt ist und sie in einer ihr als solcher noch nicht zukommenden Weise zur Singularität „kontrahiert". Zu dieser zweiten, von Gregor selbst für wahrscheinlicher erachteten Interpretation bemerkt er: „Si vero secundo modo Caietanus intelligat;

(2) Zu ihm können wir nach diesem langen Anweg nun zurückkehren. Bevor der Jesuit sich selbst einer der beiden von ihm zur „subsistentia absoluta"-Problematik unterschiedenen Fraktionen zuordnet, stellt er eine begriffliche Vorerörterung an, in der die Bedeutung von „Subsistenz" für ein Suppositum exakt geklärt werden soll[552]. Mit ihr werden uns entscheidende Aussagen aus unserem früheren Kapitel zum Personbegriff in Erinnerung gerufen.

(a) In einem ersten Schritt unterscheidet der Jesuit konkrete und abstrakte Bedeutung des Begriffs „Subsistenz". Als Konkretum bezeichnet dieser dasjenige, welches durch sich existiert, als Abstraktum aber jenen formalen Modus, von dem her ein Ding hat, daß es in dieser Weise der Existenz steht, und der auch „Grund des Durch-sich-Existierens" („ratio per se existendi") genannt werden kann. Sowohl im konkreten als auch im abstrakten Gebrauch kann das absolut und schlechthin Subsistierende vom inkommunikabel Subsistierenden unterschieden werden. Letzteres (allein) ist identisch mit der Hypostase.

(b) Es kommen bei der Beschreibung des aktuellen Suppositum also drei fortschreitend determinierende Termini zur Verwendung: „existere" – „per se existere" – „incommunicabiliter existere per se". In nuce liegt in dieser Begriffsunterscheidung, vor allem bezüglich der beiden letzten Glieder, bereits die Pointe der suárezischen „subsistentia absoluta"-These verborgen, wie sie wenig später explizit dargelegt wird. Schon jetzt sind die Nähe zu Cajetan ebenso wie die letzte Verwurzelung in Scotus[553] unübersehbar. Im Kontext der Inkarnationstheologie verzichtet Suárez darauf, die in der Schuldebatte äußerst umstrittene Verhältnisbestimmung der genannten Begriffe untereinander bzw. gegenüber den übrigen Komponenten der Substanzontologie im einzelnen vorzunehmen. In vier

sane opinio illius supervacanea est; et plus quam falsa. Supervacanea quidem; nam subsistentiae relativae, cum sint infinitae perfectionis, et adeo intimae ipsi naturae divinae, ut sint de ratione illius (...) ad omnia sufficiunt, ad quae posset aliquis imaginari, necessariam esse quartam subsistentiam absolutam" (817A). Anschließend votiert auch Gregors eigene Antwort klar gegen eine absolute Subsistenz, da er die Unendlichkeit der Wesenheit für keines eigenen Formalgrundes jenseits der mit ihr identischen relativen Subsistenzen bedürftig erachtet, mit einem solchen vielmehr jene Inkommunikabilität des Wesens notwendig verbunden sähe, die diesem in der Trinität gerade nicht zukommen darf (817C-D). Schon erwähnt wurde die Kritik durch Vázquez, In I^am^ 125.3-4 (II, 107b-110a).

552 Vgl. zum folgenden Suárez, De incarnatione 11.3.5-11 (XVII, 441b-444a).

553 Die doppelte Fassung des „subsistere" als „per se esse" einerseits und als „incommunicabiliter per se esse" andererseits findet sich explizit bei Scotus, Qdl. 4, n. 20 (Ed. Wadding XII, 104). Vgl. MÜHLEN (1953) 89f.

knapp erläuterten Thesen („suppositiones")[554] faßt er jedoch seine Grundüberzeugungen bündig zusammen, die uns aus der Debatte um die Bestimmung von „Personalität" weithin bekannt sind, aber für das vollständige Verständnis der suárezischen Argumentation unbedingt in korrekter Form präsent sein müssen. Darum seien sie hier in der Form, wie sie Suárez selbst darlegt, kurz resümiert.

(aa) Eine Substanz hat (auch im Bereich des Geschaffenen) die eigene Existenz nicht von der Subsistenz her, weder in formaler Hinsicht, wie Capreolus und andere behaupten, noch im Sinne einer Befähigung („aptitudinaliter"), wie es der Meinung des Cajetan entspricht, sondern durch ihre eigene aktuale Entität, die folglich in ontologischer Priorität zur Subsistenz zu denken ist. Für die göttliche Natur hält Suárez dies sogar für absolut sicher.

(bb) Die Inkommunikabilität, die zum Suppositum gehört, stammt weder in Gott noch in den Kreaturen im formalen Sinne von der Natur selbst oder ihrer Existenz und ist auch nicht eine bloße Negation, sondern geht aus einem positiven Seinsgrund hervor, der entweder der Sache (im Falle der Kreatur) oder unserem Verstehensmodus nach (so in Gott) als eine Hinzufügung zur Natur als solcher begriffen wird und der selbst ebenfalls wirkliche Existenz besitzt[555]. Die These von einer realontologisch begründeten Differenz zwischen Natur und inkommunikablem Suppositum besitzt in der Sicht unseres Jesuiten für die Kreaturen große Wahrscheinlichkeit, für Gott aber darf sie Sicherheit beanspruchen. Denn die göttliche Natur unter Absehung von den Personen wäre auch dann, wenn sie als solche ihre Existenz auf Grund des Wesens besäße, nicht gänzlich inkommunikabel, wie es zum Begriff des Suppositum gehört, da ansonsten die drei Personen notwendig ein einziges Suppositum darstellen müßten. Dies aber schließt der Glaube aus. Ebenso sicher ist, daß die drei Personen etwas je für sie Eigentümliches („proprias rationes") besitzen, das sie einander nicht mitteilen. Auch diese distinktiven Proprietäten müssen positiv und real sind, weil es andernfalls in Gott gar keine drei voneinander unterscheidbaren positiven Realitäten gäbe. Die Inkommunikabilität der Personen, deren genauere Bestimmung durch Suárez an dieser Stelle nicht erneut referiert zu werden braucht, muß deshalb ein positives Fundament besitzen.

[554] Vgl. Suárez, De incarnatione 11.3.6 (XVII, 442b) und folgende nn.

[555] Vgl. ebd. 7 (442a): „Deinde praemitto, illam incommunicabilitatem, quam suppositum includit, neque in Deo, neque in creaturis provenire formaliter ab ipsa natura, aut ab existentia ejus, neque esse solum negationem, sed provenire formaliter ab aliqua ratione positiva, quae vel secundum rem, vel secundum modum nostrum concipiendi intelligitur addi naturae, ut natura est, etiam actu existens."

(cc) Im geschöpflichen Bereich kommt einer Natur das „Durch-sich-Existieren" aufgrund von etwas Realem zu, das der Sache nach von ihr und ihrer Existenz getrennt ist – sei es, daß es sich dabei um eine vollständig und real von der Natur und ihrer Existenz verschiedene Entität handelt, sei es, daß nur ein der Natur nach unterschiedener positiver Modus des Seienden diese Aufgabe erfüllt. Dem ersten Fall begegnen wir im Geheimnis der Inkarnation, in welchem die menschliche Natur ohne eigene „perseitas" existiert, um im göttlichen Wort zu subsistieren, von dem sie getragen wird. Der zweite Fall liegt bei allen natürlichen (Erst-)Substanzen vor, in denen „personalitas" bzw. „suppositalitas" modal von der Natur zu unterscheiden ist. Erst mit diesem Modus geschieht die Vollendung der substantialen Existenz: Die Natur hat das Ende ihrer seinsmäßigen Bestimmbarkeit erreicht, sie ist als für sich selbst existierende inkommunikabel geworden.

(dd) Im Bereich des Geschaffenen wird das Suppositum bzw. die Person als durch sich existierend einerseits und als inkommunikabel andererseits stets durch ein und denselben positiven Modus der substantialen Natur konstituiert. „Durch sich" zu sein und „inkommunikabel" zu sein, d. h. ein subsistierendes Ding und Suppositum bzw. Person zu sein, hat den gleichen Formalgrund; unsere Unterscheidung von beidem ist höchstens gedanklicher Art. Die Frage ist nun, ob ebendies auch in Gott gilt – falls ja, wäre die These von einer Differenz zwischen absoluter Wesenssubsistenz und relational konstituierter personaler Subsistenz vom Tisch.

(c) Wir stehen hier an der Schwelle zur eigentlichen Antwort des Suárez auf das uns beschäftigende Problem. Der Jesuit selbst grenzt sich schon vor der Formulierung seiner Antwortthesen von möglichen Mißverständnissen ab[556]. Wenn gefragt wird, ob man die Wesenheit Gottes als eine solche denken kann, die formal nicht durch die Relationen (als ihre „ratio existendi"), sondern durch sich selbst als existierend konstituiert wird, muß zugleich betont werden, daß dieser wesenhaften Existenz in absoluter Hinsicht kein Grund für gänzliche Inkommunikabilität innewohnen darf. Als inkommunikabel mag das Wesen für sich genommen zwar mit Blick auf die Unmöglichkeit der Terminierung oder Vervollkommnung durch eine fremde (also geschöpfliche) Subsistenz gedacht werden. Dagegen darf „absolute Subsistenz" Gottes für einen christlichen Theologen niemals die Bedingung implizieren, daß es in Gott eine „ratio absoluta" gäbe, welche auch die Kommunikabilität des Wesens „per identitatem", also an Personen, die mit dem Wesen realidentisch sind, ausschlösse. Dieser Einwand ist, wie wir etwa bei Gregor von Valencia gelesen hatten,

[556] Vgl. ebd. 12-13 (444a-b).

bei Gegnern der Lehre von der absoluten Subsistenz gängig. Nach Suárez lautet dagegen die Frage, um die es allein in der vorliegenden Diskussion um das korrekte Verständnis des Wesens „praecisis relationibus" gehen darf: Hat die göttliche Existenz ihr „per se" allein von den Eigentümlichkeiten der Relationen her oder durch einen absoluten Wesensgrund? Ist sie nicht nur als existierende, sondern auch als „*durch sich* existierende" noch mehreren Personen kommunikabel – oder nicht, weil sie gerade als eine solche (als „für sich existierende") bereits notwendig vollkommen inkommunikabel, also Person sein müßte? Die ganze Debatte läßt sich folglich auf einen einzigen Punkt konzentrieren und reduzieren: Gibt es in Gott unterschiedliche Formalkonstitutiva für seine Perseität einerseits und seine (vollständige) Inkommunikabilität andererseits?[557]

(3) Suárez entfaltet seine diesbezügliche Lehrmeinung in zwei Schritten[558].

(a) Erstens bestätigt er, daß die wesenhafte Existenz Gottes kraft ihrer absoluten Vollkommenheit auch Grund der göttlichen Perseität ist. Die Gottheit bedarf keiner weiteren (auch nur modal verschiedenen) Entität außer ihrer selbst, um in sich und für sich selbst zu existieren[559]. Das göttliche absolute Sein ist als solches Für-sich-Sein, also nicht bloß Formalkonstitutiv, sondern auch Inhalt der göttlichen Existenz. Dadurch unterscheidet es sich vom geschaffenen Sein, in dem Existenz und Perseität nicht notwendig zusammenfallen, wie Suárez noch einmal mit dem Verweis auf die Menschheit Christi im Inkarnationsgeheimnis belegt. Der dieser darin zukommende Seinsmodus eigener Existenz, die aber gleichsam noch in Potenz für die Aufnahme eines Subsistenz schaffenden Modus oder einer sie gewährenden fremden Entität steht, bleibt mit geschöpflicher Unvollkommenheit behaftet und kann darum der göttlichen Natur, die ausgezeichnet ist durch wesenhaftes Sein, nicht zukommen. Gottes Wesen impliziert darum nicht bloß die Existenz, sondern auch den Modus des Für-sich-Existierens im Sinne einer schlechthinnigen Vollkommenheit („perfectio simpliciter simplex") des einfachhin Unendlichen, wie sie niemals durch eine Hinzufügung von etwas nicht im Wesen Eingeschlossenen, welche das zuvor Potentielle aktuierte, konstituiert zu

[557] Oder in einer Formulierung des Suárez: Gefragt ist nach der Möglichkeit einer absoluten Subsistenz im Sinne einer „ratio, qua constituitur aliquid, ut in se et per se existens, licet non incommunicabiliter" (ebd. 13 [444b]).

[558] Vgl. auch BACIERO (1972) 239f.

[559] Vgl. Suárez, De incarnatione 11.3.14 (XVII, 444b-445a): „Dico primo: existentia divina absoluta et essentialis, ex vi suae absolutae perfectionis praecise sumpta, est non tantum ratio existendi, sed etiam existendi in se et per se, ita ut divinitas, ut per illam existit modo perfecto, intelligatur per se existere, et non indigere aliquo sustentante, neque aliquo alio modo, re aut ratione distincto, ut in se ac per se existat."

werden vermag – und sei es durch die realidentische Relation[560]. Dies kann auch aus der Sicht der Personen nicht anders sein, denn der „modus per se essendi" ist ihnen, vergleichbar allen übrigen Wesensprädikaten[561], unterschiedslos gemeinsam im Sinne einer einzigen numerisch identischen Subsistenz[562]. Sie stammt in formaler Hinsicht nicht aus den Relationen selbst (denn sonst wäre sie wie deren Proprietäten je verschieden und inkommunikabel), sondern aus dem ihnen gemeinsamen Wesen[563] – in dieser These liegt wohl der tiefste Unterschied zwischen Suárez und seinen Kritikern. Zugleich entspricht Suárez damit besser als die zuvor genannten Jesuiten, die ablehnend votiert hatten, der in der „Ratio studiorum" seines Ordens vorgegebenen Lehrthese und ihrer im damals beigegebenen „Commentariolus" vorgetragenen Begründung[564]. Konsequenterweise leitet Suárez aus seinem Votum die Folgerung ab, daß bei Absehung von den Relationen „die ganze wesenhafte Vollkommenheit Gottes" unverändert erhalten bleibt[565]. Zweifel an dieser reinen Vollkommenheit und Unendlichkeit des Wesens ohne die Relationen nennt Suárez absurd und stellt sie in die Nähe des von der Kirche verurteilten „additiven" Trinitätsmodells bei Gilbert von Poitiers, in dem etwas zur „Gottheit" hinzukommen muß, damit „Gott" resultiert[566]. Was wir in den

[560] Vgl. ebd. 15 (445b). Es ist vor allem dieser Punkt, den Suárez in De trin. 4.11.3 (I, 639b) gegen den Einwand verteidigt, daß in Absehung von den Relationen in Gott nur eine nicht durch sich existierende Wesenheit (ähnlich der Menschheit Christi in Absehung vom göttlichen Wort) gedacht werden könnte: „Ego vero imprimis sentio, divinitatem per se et complete existere ex vi suae existentiae essentialis: atque adeo illam vere dici per se existentiam ex praeciso conceptu absoluto." Das Hauptargument lautet auch hier: „quia hujusmodi per se existentia pertinet ad summam perfectionem intensivam entis, est enim perfectio simpliciter simplex." Sie ist als solche den Personen gemeinsam, „una numero perseitas" (ebd. 4 [639b]).

[561] Vgl. ebd.: „ergo si haec perseitas existendi est praedicatum essentiale, debet esse idem numero realiter et non tantum ratione commune tribus personis."

[562] De incarnatione 11.3.19 (XVII, 446b) lehnt es Suárez ausdrücklich ab, etwa eine in allen Personen identische „perfectio subsistentiae" von einer in den Personen verschiedenen „subsistentia" selbst zu unterscheiden, da eine solche Differenzierung dem Wesen einer „perfectio simpliciter" widerspricht.

[563] So ebd. 18 (446b).

[564] Vgl. Ratio atque institutio studiorum (1586), ed. Lukács, 9.29.

[565] Vgl. Suárez, De incarnatione 11.3.18 (XVII, 446b): „praecisis ergo relationibus, et quidquid per eas intelligitur formaliter conferri, intelligitur manere tota perfectio essentialis Dei". Ähnlich De trin. 4.11.5 (I, 640a): „Deitas praecisis relationibus est infinite perfecta in genere entis".

[566] Vgl. ebd. 6 (640a-b). Die scharfe Abweisung scheint in erster Linie Vázquez zu treffen, der entgegen der sonstigen Gewohnheit in der vorliegenden Nummer namentlich angesprochen wird. Es sei dazu an die Lehre des Vázquez, In I$^{am}$ 121.6 (II, 86b-89a), erinnert, wonach die Relationen mit ihrer Vollkommenheit zur „Integrität" der

Ausführungen über die „visio beata" konstatiert hatten, kehrt hier wieder: Die Relationen dürfen nach Suárez in keiner Hinsicht die innere, formale Konstitution des Wesens (mit-)bedingen, auch nicht in puncto Subsistenz. Denn in Wahrheit sind die konkreten Personen für sich genommen nicht „mehr" als die abstrakt gefaßte Gottheit, und die Behauptung ist falsch, daß deren vollständiger Begriff nur unter Einschluß der Relationen zu gewinnen wäre – wir erinnern uns an die bereits besprochene These von De trin. 4.5, die hier erst ihre ganze Relevanz entfaltet. So steht für Suárez fest, daß die Kommunikabilität des Wesens an die Personen der Perseität als Vollkommenheit des unendlich vollkommenen und vollständigen Wesens nachzuordnen ist[567]. Oder anders ausgedrückt: Die Perseität ist gegenüber der Kommunikabilität in Gott die höhere Perfektion – eben „perfectio simpliciter simplex", die dadurch definiert ist, daß sie stets besser ist als alle möglichen Alternativen[568]. Darum gehört die Perseität, aber nicht die Relation (als nur *relative* Perfektion) zum Wesen Gottes. Gottes für sich seiende Infinität mit der daraus folgenden Vollkommenheit ist als letzter Grund der Mitteilbarkeit des Wesens und damit der Dreipersönlichkeit anzusehen und erweist sich so ganz generell als umfassender Grund-Begriff einer Gotteslehre in scotischer Tradition. Die Gefahr eines unitarischen Personverständnisses sieht der Jesuit mit seiner Lehre deswegen nicht befördert. Denn sie ordnet allein den „modus per se essendi" Gottes der einfachen Vollkommenheit des Wesens zu, während die Inkommunikabilität strikt in die Außer-Wesentlichkeit gehört, da sie auf die „oppositio relativa" der Personen zurückgeführt wird[569], in der nicht die Einheit und Einfachheit des Wesens, sondern, wie angedeutet, über die Fruchtbarkeit des Hervorbringungsgeschehens dessen Unendlichkeit zum Ausdruck kommt.

(b) In einem zweiten Schritt der Thesenformulierung, der nach DM 34.1 als „ziemlich wahrscheinlich und wahr" gelten darf[570], identifiziert Suárez Gottes absolute Existenz, sofern sie, wie gezeigt, ausdrücklich auch den Grund des „esse per se" wesenhaft einschließt, mit dem Begriff der

Wesensvollkommenheit Gottes beitragen. Die Kritik des Suárez an dieser These kennen wir ebenfalls schon.

[567] Vgl. Suárez, De incarnatione 11.3.16 (XVII, 446a): „Quin potius addo, si formaliter ac praecise concipiantur haec duo, per se esse tanquam ipsum esse per essentiam infinite perfectum et completum, et esse communicabilem tribus, magis illud pertinere ad infinitatem simpliciter, quam hoc secundum. Et illud esse veluti quiddam prius, hoc vero esse veluti consequens infinitatem simpliciter".

[568] Vgl. De trin. 4.11.8 (I, 640b).

[569] Vgl. De incarnatione 11.3.20 (XVII, 446b-447a).

[570] Vgl. DM 34.1.3 (XXVI, 348b): „probabilius (...) ac verius".

(absoluten) „Subsistenz“[571]. Während Suárez eine Unterscheidung der nur personalen „Subsistenz“ von einem auch dem Absolutum in Gott zuzuschreibenden „Subsistieren“, wie sie von Capreolus vorgeschlagen wurde[572], für nicht problemdienlich ansieht[573], unterstreicht er erneut, daß der entscheidende Unterschied der absoluten gegenüber der personalen Subsistenz in der allein letzterer zukommenden „incommunicabilitas“ zu suchen ist[574]. Vermutlich spiegelt sich auch in dieser Kritik die Differenz der scotisch geprägten suárezischen Theorie von der trinitarischen Seinslehre der Thomisten.

Gottes Wesen, so setzt Suárez seine Erläuterung fort, kann subsistierend und kommunikabel zugleich sein, da die Verbindung von Inkommunikabilität und Perseität der Subsistenz allein im Modus der Geschöpflichkeit notwendig ist, nicht aber in absoluter Hinsicht. Nur im Geschöpf ist das für sich Seiende „propter limitationem“ als solches auch immer Suppositum, also inkommunikabel subsistent im Sinne der ontologischen Letztdetermination. Die kreatürliche Subsistenz ist der Wesenheit proportioniert und darum in Verbindung mit ihr auf die Konstitution eines einzigen Suppositum beschränkt: „quia est finita“[575]. Da diese Inkommunikabilität der endlichen Subsistenz eine „innere und wesenhafte

[571] Vgl. De incarnatione 11.3.21 (XVII, 447a): „Dico secundo: existentia absoluta et essentialis, quatenus est ratio per se existendi, potest convenienter dici subsistentia, et deitas, ut sic per se existens, potest dici subsistens.“ Ähnlich ebd. 11.5.4 (455b): „...verum est, abstractis et praecisis per intellectum subsistentiis relativis, adhuc intelligi manere hunc Deum realiter existentem et subsistentem.“

[572] Suárez bezieht sich hier offenbar auf Capreolus, Defens. l. 1, d. 26 (II, 233b-234a): „Nunc dico ad propositum, quod formale quo subsistunt personae, est essentia; et ejus formalis effectus, est subsistere, quod nullo modo in divinis plurificatur; non enim sunt in divinis plura esse, nec plura subsistere. Subsistentia vero non dicit effectum formalem essentiae, sed illud quod habet in se illum effectum. Et si dicatur ulterius: Cum subsistentia dicatur a subsistere, et sit ejus conceptus formalis, quomodo plurificatur subsistentia non plurificato subsistere? - dico quod argumentum concluderet, si subsistentia solum diceretur a subsistere. Sed non sic est. Nam subsistentia dicit, ultra hoc, indivisionem et incommunicabilitatem. Subsistentia enim est nomen suppositi substantiae. Et ideo, in divinis, non plurificatur subsistentia, ex parte ipsius subsistere, quod est unicum in divinis; sed ex parte indivisionis, quae in divinis plurificatur secundum pluralitatem suppositorum.“

[573] Vgl. Suárez, DM 34.1.5 (XXVI, 349a-b).

[574] Wird diese exakte Bestimmung beachtet, sieht Suárez entgegen manchen Kritikern kein Problem darin, daß sich die „scholastische“ Verwendungsweise des Subsistenzbegriffs nicht immer mit derjenigen älterer Theologen deckt; vgl. De trin. 4.11.12-14 (I, 641a-b). Im Zweifelsfall soll der Hinweis auf die Kommunikabilität der göttlichen Substanz präzisierend hinzugefügt werden (vgl. DM 34.1.4, XXVI, 349a).

[575] DM 34.1.9 (XXVI, 350b).

Begrenztheit" darstellt[576], kann sie auch „de potentia absoluta", also auf übernatürliche Weise, nicht von ihr gelöst werden[577]. Darum gibt es weder die Mitteilung einer subsistierenden endlichen Natur an mehrere Supposita noch die Annahme einer zwar subsistierenden, aber nicht inkommunikablen geschöpflichen Wesenheit durch eine göttliche Person[578] – von dem einen Grundprinzip her lösen sich verschiedene Standardprobleme der spekulativen Inkarnationslehre. Daß die Sache in Gott anders liegt, daß nämlich in ihm wegen seiner Unendlichkeit eine singuläre Substanz ohne wesenhaften Einschluß von Inkommunikabilität besteht, markiert nach Suárez, ähnlich wie wir es zuvor bei Cajetan gehört hatten, den entscheidenden und eigentümlichen Unterschied zwischen Gott und Kreatur[579]. Das unendliche göttliche Seiende ist als solches nur insofern inkommunikabel zu nennen, als es keinem *fremden* Seienden in der Weise einer Zusammensetzung oder hypostatischen Union mitgeteilt werden kann, während die Mitteilung „durch innigste Identität und gleichsam durch Einschluß in dem Ding oder den Dingen, an welche die Mitteilung erfolgt"[580], der absoluten Subsistenz Gottes eigen ist und folglich dem Subsistenzbegriff schlechthin nicht widerspricht[581]. Damit bestätigen sich

[576] Vgl. ebd. 11 (351a): „incommunicabilitas autem talis subsistentiae [sc. creatae] non est aliquid ei additum, sed est intrinseca et essentialis limitatio ejus, et ideo apertam contradictionem involvit, quod maneat talis subsistentia sine incommunicabilitate."

[577] Vgl. ebd. (351a-b): „Nullo ergo modo fieri potest etiam per potentiam Dei absolutam, ut conservetur in re singularis substantia creata in ratione primae substantiae creatae, id est, subsistentis creati, quin sit etiam suppositum creatum; sunt ergo haec duo in re omnino idem."

[578] Vgl. ebd. 10-11 (350b-351b). Vgl. auch DM 34.5.56 (XXVI, 398a).

[579] Vgl. DM 34.1.12 (XXVI, 351b): „Et in hoc consistit propria differentia inter Deum et creaturas, quia in Deo ita distinguitur ratione aliqua prima substantia a divinis suppositis, ut in Deo intelligatur aliqua substantia singularis et completa in tota sua ratione essentiali absque eo quod in suo conceptu essentiali incommunicabilitatem includat, quod est proprium Dei propter infinitatem ejus." Vgl. auch DM 34.5.60 (399b).

[580] DM 34.1.11 (XXVI, 351a): „per intimam identitatem, et quasi inclusionem in re vel rebus quibus communicatur".

[581] Vgl. De incarnatione 11.3.22 (XVII, 447b): „Divina enim natura ex suo modo essendi per se, quem subsistentiam absolutam appellamus, habet, ut nulli alteri personae a se distinctae realiter seu actualiter in re ipsa possit communicari per modum compositionis, aut hypostaticae unionis, et ita potest simpliciter dici incommunicabilis alteri, et in hoc convenit cum qualibet persona; tamen non habet ex vi illius modi, quod sit incommunicabilis per identitatem, quod non est proprie communicari alteri, sed multis, cum quibus est idem, et in hoc differt a persona ut sic nec talis communicatio necessario excluditur per subsistentiam ut sic...". Ähnlich auch ebd. 11.5.11 (457a) und, die ganze Argumentation bündelnd, DM 34.5.55 (XXVI, 397b): „Unde incommunicabilitas huic communicationi opposita, convenit quidem omni

die bleibende Unterschiedenheit von so gefaßter Subsistenz und Person und die Möglichkeit dreier relativer Subsistenzen in Gott. In diesen Personen findet die Inkommunikabilität ihre vollständige Vollendung und Terminierung, da in ihnen die kommunikable Perseität des Wesens und die unmitteilbar subsistierenden Relationen zusammenfinden[582]. Gott in Absehung von den Relationen, so resümiert es Suárez in seiner Metaphysik, darf „erste"[583] und „physisch (also in der denkunabhängigen Realität des Wesens) vollständige" Substanz[584] genannt werden. Dies ist, wie Suárez mit vielen Scholastikern vor ihm betont, nicht vom Akt des „substare" her zu verstehen, denn Gottes Wesen ist anders als geschöpfliche Substanzen kein Träger irgendwelcher Akzidentien. Vielmehr leitet sich diese Charakterisierung aus der Tatsache ab, daß die göttliche Substanz durch sich selbst wesenhaft subsistiert und keiner Entität außerhalb ihrer zur Vervollkommnung ihres substantialen Seins bedarf. Wenn sich die Wesenheit den drei Personen „auf unaussprechliche Weise" mitteilt, geschieht auch diese Mitteilung nicht wegen irgendeiner Abhängigkeit ihrerseits, sondern nur, damit sie (!) ihnen ihre unendliche Vollkommenheit differenzlos kommunizieren kann[585]. Es sind solche Aussagen, in

subsistentiae finitae, non tamen ex eo praecise quod subsistentia singularis est, sed ex eo tantum quod finita est. Nam divina natura, licet sit singularis et essentialiter subsistens, realiter communis est tribus personis realiter distinctis, secundum totam suam perfectionem, et ipsammet subsistentiam absolutam; et e converso, omnis res finita, etiamsi non sit subsistens, est incapax hujus communicabilitatis respectu plurium et distinctarum rerum per identitatem; provenit ergo haec incommunicabilitas ex limitatione. Quanquam autem haec sit sufficiens ratio, et adaequata respectu creaturarum, non tamen respectu omnium rerum, quia divinae personae secundum proprias relationes seu proprietates personales sunt hoc modo incommunicabiles per identitatem, non propter limitationem, sed propter relativam oppositionem, vel originis; ab hac enim provenit distinctio divinarum personarum, et consequenter incommunicabilitas unius respectu aliarum; nam respectu inferiorum rerum potius provenit ex eminentia et infinitate, ratione cujus non possunt identificari cum rebus finitis et inferioribus, ut per se notum est."

582 Vgl. De trin. 4.11.10 (I, 641a): „Atque ita fit, ut persona secundum se totam sit perfectissime subsistens, quia et habet naturam per se existentem communicabiliter, et relationem per se etiam incommunicabiliter subsistentem."

583 Vgl. DM 34.1.4 (XXVI, 348b-349a). Suárez verteidigt dort die Kennzeichnung „prima substantia", obwohl er weiß, daß sie als solche der Vätertheologie fremd war.

584 Zur Erläuterung dieses Begriffes vgl. DM 33.1.6 (XXVI, 332a-b): „...physicum enim appellamus quidquid in re ipsa existit absque intellectus operatione. (...) substantia physice completa vocabitur illa, quae omnem perfectionem includit ad integritatem seu complementum substantiae necessariam, quod per negationes commodius a nobis explicatur...".

585 Vgl. DM 34.5.60 (XXVI, 399b) und DM 33.1.8 (332b): „solus Deus est substantia completa sine ulla compositione, quod non solum de persona divina, sed etiam de

denen die göttliche Natur auch bei Suárez wie ein ursprünglicher Handlungsträger des innergöttlichen Hervorbringungsgeschehens auftritt. Mehr noch als sonst erscheinen hier die Personen als bloße modale Bedingungen oder Zielpunkte im Selbstentfaltungsgeschehen der sich in Realidentität multiplizierenden göttlichen Natur, das Ausdruck ihrer unendlichen Fruchtbarkeit ist.

### *d) Zur Supposition des Ausdrucks „hic deus"*

(1) Wie eine Konklusion des gesamten vierten Buches nimmt sich nach Suárez' eigenen Worten das zwölfte Kapitel aus, das die theologische Semantik des Begriffs „dieser Gott" resümierend darstellt. Gottes Einheit, so läßt Suárez keinen Zweifel, ist als Fundament des gesamten Glaubens allein in eigentümlicher und nicht in übertragener Weise zu prädizieren[586]. Dies schließt jede Multiplikation des Gottesnamens („tres dii") aus. Als formaler Grund der Einheit Gottes ist nicht die zuvor bewiesene absolute Subsistenz, sondern allein die Einzigkeit der Natur anzugeben[587]. Die eine Natur allein ist es, die alle Identitätsprädikationen in Gott fundiert[588]. Damit grenzt sich Suárez nicht bloß von der seiner Meinung nach unzureichenden Begründung ab, die Cajetan der Lehre von der absoluten Subsistenz hat zukommen lassen[589], sondern weist nochmals ein „quaternistisches" Mißverständnis seiner These zurück, indem er die in der Personlehre deutlich gewordene Tendenz unterstreicht, die Natur als ontologisches Grundprinzip zu benennen, der gegenüber die (vollkommene oder unvollkommene) Subsistenz als instantiierendes oder modifizierendes Moment erscheint.

Deo ut hic Deus est et abstrahi potest a tribus personis, verum habet; est enim hic Deus substantia physice, seu reipsa completa, quia per seipsam est essentialiter subsistens, et ex se non indiget aliquo ad consummatam et absolutam substantiae perfectionem, nam, licet tribus personis communicetur, neque ab eis in re distinguitur, neque propter dependentiam aliquam in eis subsistit, vel ut ab eis complementum accipiat, sed solum ut suam infinitam perfectionem eis essentialiter, et per summam identitatem communicet...".

[586] Vgl. De trin. 4.12.3 (I, 642b).

[587] Die These findet sich auch schon in De incarnatione 11.5.2 (XVII, 455a-b) vertreten: „hic Deus ex vi sui conceptus seu ad suam unitatem non requirebat subsistentiam communem et absolutam."

[588] Vgl. dazu De trin. 4.13.1-3 (I, 643a-644a), wo im einzelnen die korrekten Formulierungen einer „Identität" zwischen den Personen („idem deus") von falschen („idem suppositum") unterschieden werden.

[589] Vgl. De incarnatione 11.5.3 (XVII, 455b).

(2) Ein besonderes Problem in der trinitarischen Suppositionslehre verbindet sich mit dem Begriff „hic deus": Wofür steht er, wenn er von den drei Personen ausgesagt wird? Damit wird die „subsistentia absoluta"-Problematik noch einmal auf den Punkt gebracht. Suárez bekennt sich dabei zur letzten von drei zur Darstellung gebrachten Thesen.

(a) Nach Heinrich von Gent muß der konkrete Begriff „Gott" notwendig und stets für eine personale Entität stehen, da es außerhalb ihrer in Gott kein Suppositum gibt[590]. Wir haben den entsprechenden Text aus Heinrichs Quodlibeta bereits oben zitiert[591]. Problematische Aussagen (wie etwa „Deus est trinitas") können in dieser Sicht mit der Annahme einer Kollektivprädikation legitimiert werden („hic deus" als Bezeichnung für die Gemeinschaft der drei Personen). Suárez zweifelt die Exklusivität dieses Suppositionsmodus in der behaupteten Form an – bei der Annahme einer absoluten Subsistenz des Wesens könnte auch dieses als „hic deus" benannt werden.

(b) Einen Schritt mehr in die von Suárez intendierte Richtung geht die zweite Ansicht, die er referiert, obwohl sie ohne die Beanspruchung einer absoluten Subsistenz auskommen will. Darnach supponiert „hic deus" für das „individuum deitatis", aber unter Absehung von Gottes Subsistenz[592]. Zur Begründung legt Suárez Texte von Capreolus und Torres vor[593]. Aber auch der Gedanke an Vázquez' Interpretation des „individuum deitatis concretum" legt sich nahe[594]. Vázquez zeigt sich einerseits von den Argumenten Cajetans überzeugt, wonach mit dem Ausdruck „hic deus" eine Realität, die „vor den Personen" steht, benannt wird, und er weist deswegen wie Suárez die Deutung des Heinrich von Gent zurück[595]. Andererseits ist er, wie wir wissen, ein strikter Gegner der absoluten Subsistenz, die er – jetzt gegen Cajetan – auch nicht als Konstitutivum des „concretum deitatis" anerkennt. So legt Vázquez ihm ausdrücklich (nur) die „communis existentia" in Gott zugrunde[596] und sieht sich auf diesem We-

[590] Vgl. Suárez, De trin. 4.14.1-2 (I, 644b).

[591] Heinrich von Gent, Qdl. 5, q. 8. Stellen mit ähnlicher Argumentationstendenz findet man bei Durandus und Aureoli.

[592] Vgl. Suárez, De trin. 4.14.3 (I, 645a).

[593] Vgl. Capreolus, Defens. l. 1, dist. 4, q. 1 (I, 220b-227b); Torres, Comm. in I$^{am}$ q. 39, a. 4, dub. 1-3 (154rb-157rb).

[594] Vgl. Vázquez, Comm. in I$^{am}$ disp. 146 (II, 287a-290b).

[595] Vgl. ebd. c. 1, n. 1 (287a-b).

[596] Vgl. ebd., n. 4 (288a): „Quod vero attinet ad communem subsistentiam, ratione cuius Caietanus constituit individuum Deitatis concretum, satis diximus supra disputatione 125. cap. 3. ubi probavimus, nihil tale commune esse, quod nomen subsistentiae mereatur, nec aliquid esse huiusmodi, ratione cuius concretum Deitatis constitui possit;

ge Cajetans These mit einer diesem gegenüber „völlig unterschiedlichen" Begründung[597] vertreten.

Nach Suárez wäre dieses Konkretum ein Abstraktionsprodukt, ebenso wie es in der Rede von Christus als „diesem Menschen" in Vorordnung zur hypostatischen Union zu finden ist, die unser Jesuit selbst zur Lösung christologischer Probleme herangezogen hat[598]. In der vorliegenden Materie lehnt er diesen Lösungsweg ab[599]. Er ist unnötig, da die Gottheit reale partikuläre Subsistenz besitzt, die allen Personen gemeinsam ist – hier wird von Seiten des Suárez die Differenz zu Vázquez greifbar. Zudem vermag in seiner Sicht die ohne Bezug zur absoluten Subsistenz konstruierte Deutung nicht alle auftretenden Problemfälle einer hinreichenden Lösung zuzuführen. Die Aussage „Deus creat" als Ausdruck realer Handlung etwa verlangt eindeutig nach dem Bezug auf Gott als „particularis res subsistens", nicht bloß als ein allgemeines Individuum.

(c) Darum bleibt als befriedigende Lösung für Suárez nur die – auch von einigen Thomisten in der Tradition des Capreolus[600] angegriffene –

quia solum est communis existentia, quam Deitas, et natura quaevis abstracta, in suo conceptu includit; ut eo loco probatum est."

597 Vgl. ebd. c. 2, n. 5 (288a): „...tametsi longe alia ratione, quam Caietanus illud asseruit".

598 Suárez verweist konkret auf die Frage „quomodo Christus in quantum hic homo, fuerit praedestinatus Filius Dei naturalis", die nur sinnvoll zu beantworten ist, wenn „homo" als Objekt der Prädestination nicht bereits den Terminus einschließt. Wenn aber „homo" personal gefaßt wird (also als Suppositum der zweiten göttlichen Person, die die Menschheit trägt), ist es unsinnig, von der Prädestination zum Sohnsein zu sprechen, da dieses Sohnsein im Suppositum Christi eingeschlossen ist. Vgl. den Lösungsansatz in De incarnatione 50.2.11 (XVIII, 534b): „Cujus praedestinationis obiectum est hic homo ut sic, in cujus proprio conceptu non includitur suppositum Filii Dei, sed solum id quod subsistit in hac humanitate...".

599 Vgl. De trin. 4.14.4 (I, 645b).

600 In De trin. 6.7.5 (687b) verweist Suárez auf Bartholomé Torres, der gegen Cajetan lehrt, „deus" supponiere stets und unmittelbar für eine der drei Personen. Der Jesuit schließt sich auch an dieser Stelle klar der Lösung Cajetans an. Vgl. dagegen B. Torres, In I$^{am}$ q. 39, a. 4, p. 2 (153ra): „Respondetur, quod cum dicit Sanc. Tho<mas> quod nomen Deus supponit pro essentia, aut natura divina, aut deitate, semper intelligendum est, quod supponat pro ea in concreto. (...) Hoc nomen Deus de se habet, quod posuit supponere pro persona, et non habet quod supponat pro essentia ex modo significandi nominis, sed tantum ex ratione divinae simplicitatis: in qua idem est in re essentia, et suppositum." Die Kritik an Cajetan erfolgt ebd. 153va-b, und zwar ganz korrekt mit Bezug auf Capreolus, der hier anders als Cajetan die ursprüngliche thomistische Lehre bewahrt. Ein weiterer heftiger Gegner Cajetans unter den Dominikanern ist zum Thema der trinitarischen Personprädikation wie auch in vielen anderen exegetischen und dogmatischen Fragen Ambrosius Catharinus Politus (1484-1553). Vgl. seine Annotationes in Commentaria Caietani, l. 4 (264): „De-

Position Cajetans übrig: „Hic deus“ kann für Gott unter Absehung von den drei Personen supponieren, und zwar aufgrund der realen Subsistenz des Wesens, wie sie den drei Personen gemeinsam ist[601]. Dieser These den Abfall in die Quaternitätslehre (mit dem Wesen als vierter Person) vorzuwerfen, hält Suárez schlicht für „frivol“. Denn der hier benannte „Gott“ ist nur gedanklich von den Personen verschieden und bezeichnet allein das ihnen Gemeinsame. Wenn wir bei Aussagen über „diesen Gott“ die Wesenheit von den Personen im Sinne einer Abstraktion bzw. negativen „Präzision“ trennen, behaupten wir keine reale Geschiedenheit beider, sondern explizieren auf der Grundlage der schon früher bewiesenen Nicht-Inklusion der Personen in der Wesenheit die Vollkommenheit des Wesens als solchen[602]. Eine ganz eigene Frage ist die Zuschreibbarkeit notionaler Akte an „diesen Gott“, wie sie an späterer Stelle des Trinitätstraktats von Suárez ausdrücklich thematisiert wird[603].

Wenn der Jesuit, wie es bereits in „De incarnatione“ geschieht, trotz der prinzipiellen Übereinstimmung mit Cajetan, die nach den vorangegangenen Ausführungen unbezweifelbar ist, dennoch eine gewisse Kritik an der Lehre des großen Dominikaners für berechtigt hält, so treffen seine Bedenken neben der Begründung, die Cajetan im einzelnen geben wollte, vor allem die sprachliche Gestalt, in die er seine These von der absoluten Subsistenz Gottes gefaßt hat. Vermeiden möchte Suárez Caje-

nique phantasticum videri potest in divinis novam personam introducere, et alterius rationis a qualibet trium, ita ut numerentur quatuor personae.“

[601] Vgl. Suárez, De trin. 4.14.5 (I, 645b): „Deum ex se, ac sine restrictione positum supponere immediate pro hoc Deo, praescindendo secundum rationem a personis, non solum secundum rationem subsistentiae communem per solam abstractionem mentis, sed etiam secundum subsistentiam realem communem.“ Unter den thomistischen Zeitgenossen des Suárez teilt diese These etwa Zumel, Comm. in I$^{am}$ q. 39, a. 4, disp. 1, concl. 3 und 4 (848a-849b).

[602] Vgl. Suárez, De incarnatione 11.5.9 (XVII, 457b): „Alio vero modo intelligimus abstrahi nunc essentiam divinam a proprietatibus relativis, non solum in modo concipiendi, sed aliquo modo ex parte rei, abstractione quodammodo negativa, non quia in re sit distinctio inter essentiam et personalitates, nec quia possit separari ab illis, sed quia non includit illas in conceptu essentiali, unde potest concipi tota perfectio essentialis Dei, excludendo relationes; et hoc modo potest concipi non tantum in abstracto haec deitas, sed etiam in concreto hic Deus, abstractis relationibus.“

[603] Vgl. De trin. 6.7.4-9 (I, 687a-688b). Der Grundsatz der Lösung, wie er dort vorgetragen wird, beruht auf der Möglichkeit, daß „hic Deus“ selbstverständlich *nicht nur* den absolut subsistierenden Gott, sondern auch die Natur als subsistierende „ut est in supposito“, also die Person, bezeichnen kann: „Actus notionales recte praedicantur de Deo significato per omnia essentialia in concreto sumpta, ut *Deus generat* etc.“ (n. 4, 687a). Umgekehrt gilt: „Actus notionales proprie et in rigore non praedicantur de Deo, ut significato in abstracto per terminum essentialem. Itaque haec est falsa locutio: Essentia vel Divinitas generat“ (ebd. 10, 688b).

tans vielgescholtene[604] Rede vom Wesen als „persona incompleta“ (bzw. „semi-persona“), da sie übersieht, daß Personalität bzw. Suppositalität untrennbar mit Inkommunikabilität verbunden ist, wie sie dem göttlichen Wesen bzw. „diesem Gott“ im christlichen Verständnis niemals zukommt[605]. Als „dieser“ ist Gott weder in vollkommener noch in unvollkommener Weise Suppositum bzw. Person, so wie auch ein Löwe deswegen, weil er ein Lebewesen ist, nicht schon „unvollkommener Mensch“ genannt werden darf[606].

Die exakte Supposition des konkreten Begriffs „deus“ beschreibt Suárez in drei Stufen. Unmittelbar steht das Wort für „dieses Subsistierende in der Gottheit, das den drei Personen real gemeinsam ist“, also für die gemeinsame Subsistenz, die der Gottheit unmittelbarer zukommt als die personale und nach Suárez eindeutig auf eine partikuläre „res subsistens“ deutet[607]. Zweitens bezeichnet der Begriff „aus sich heraus“ aber auch die Personen, denn als konkreter Terminus weist er auf das Wesen, sofern es personal existiert[608]. Darum kann „Gott“ für jedes Suppositum der göttlichen Wesenheit stehen, und es können von ihm (anders als vom abstrakten Terminus „deitas“) wie die essentialen[609] so auch alle notionalen Akte prädiziert werden. Eindeutigkeit in der Prädikation, so erläutert der Jesuit in einem dritten Schritt, wird beim Gottesbegriff nur durch determinierende Hinzufügungen erreicht, die jeweils klar auf essentiale oder notio-

[604] Vgl. aus der Jesuitenschule vor Suárez Fonseca, Comm. in Met. l. 5, c. 8, q. 5, s. 3 (II, 520B-521C), der Cajetans der vorangehenden Tradition widersprechende Ausdrucksweise kritisiert. Dies wird bei nachfolgenden Autoren regelmäßig wiederholt. Allerdings erkennt auch Fonseca ein „duplex esse divinum“ und damit absolute Subsistenz in Gott an; vgl. etwa ebd. s. 5-7 (525-531).

[605] Vgl. auch Suárez, DM 34.1.2 (XXVI, 348b), wo Cajetans These eines „suppositum incompletum“ mit Verweis auf die frühere Argumentation in der Christologie nochmals in gleicher Form zurückgewiesen wird: „Et in rigore est falsa, quia ratio suppositi repugnat cum communicabilitate divinae substantiae, ut latius in praedicta disputatione contra Cajetanum disserui.“

[606] Vgl. Suárez, De incarnatione 11.5.7 (XVII, 456b).

[607] Vgl. ebd. 5 (456a); De trin. 4.14.6 (I, 645a).

[608] Vgl. ebd. 7 (645a): „significat enim naturam ut in habente ipsam“.

[609] Vgl. zu diesem Aspekt auch DM 34.7.14 (XXVI, 416b-417a): „Quod vero in Deo creatio et aliae actiones ad extra non solum possint tribui divinis personis, aut huic Deo in concreto, sed etiam deitati, provenit, tum ex eo quod deitas est essentialiter subsistens, tum ex perfecta identitate inter divinam naturam et personas, propter quam identitatem admittitur illa locutio, quando alioqui non involvit errorem aliquem, ut contingit in actionibus ad extra, quamvis ex modo significandi terminorum non sit formalis et propria, et ideo in creaturis, ubi non est illa identitas inter naturam et suppositum, non admittitur illa locutio, neque in Deo extendi potest ad actus notionales; haec enim propositio, Essentia generat, erronea est; indicat enim distinctionem ipsius essentiae a re genita, ut latius traditur in 1 p., quaest. 39.“

nale Verwendung schließen lassen. Diese Determination muß zuweilen unmittelbar aus dem mit dem Subjekt verbundenen Prädikat erschlossen werden; so kann im Satz „Deus generat" das Subjekt nur Gott Vater bezeichnen, da ihm der Schöpfungsakt appropriiert wird. Besondere Aufmerksamkeit verdienen drittens Verwendungsweisen des Wortes „Gott", in denen es für Wesen und (gemeinsam gefaßte) Personen bzw. die ganze Trinität zugleich steht. Als Beispiele für solche „kollektive Supposition" nennt Suárez Sätze wie „Soli Deo honor et gloria" oder „Deus est Trinitas"[610].

### *e) Die absolute Subsistenz in der spekulativen Inkarnationslehre*

(1) Suárez hat die Lehre von der absoluten Subsistenz Gottes auch in seiner Inkarnationstheologie spekulativ zur Anwendung gebracht. Schon die Christologie der Hochscholastik hatte, wie uns die Analyse zum historischen Hintergrund der „subsistentia absoluta"-These deutlich machen konnte, damit begonnen, zur besseren Erläuterung der hypostatischen Union in theoretisierender Form mögliche „Alternativen" zur Annahme der individuellen menschlichen Natur durch die göttliche Person des Sohnes zu diskutieren. Bereits bei Thomas geht es im Zusammenhang von S. th. III, q. 3, aa. 3-7 nicht bloß um die klare Abgrenzung der christologischen Kernbegriffe „Natur" und „Person", wie sie in der Frühscholastik (etwa bei Petrus Lombardus gegen die „homo assumptus"-Lehre) noch klar im Vordergrund gestanden hatte[611], sondern um die Ausweitung in Richtung einer hypothetischen Inkarnationslehre, die Möglichkeiten eines Austausches oder einer Vervielfachung der göttlichen Personen in der Union ebenso diskutiert wie den Fall einer Multiplikation der mit Gott vereinten geschöpflichen Naturen. Nicht grundlos merkt Adolf Hoffmann zu den diesbezüglichen Artikeln der thomanischen Summa an, daß sie „den modernen Leser wohl sonderbar anmuten" werden[612]. Dies gilt nicht weniger für die Fortsetzung der Diskussionen in den Christologien der nachfolgenden Scholastik, wo sie noch ausführlicher gestaltet sind. Andererseits wohnt ihnen bei aller Ferne zur heilsgeschichtlichen Realität der Vorzug inne, die Termini der Inkarnationstheologie eingehend zu durchleuchten und die Erklärungsansätze bis in ihre letzten Konsequenzen verständlich zu machen.

610 Vgl. De trin. 4.14.8 (I, 646a).
611 Vgl. Petrus Lombardus, Sent. l. 3, d. 5 (Ed. Quaracchi II, 41-49).
612 Deutsche Thomas-Ausgabe, Bd. 25 (1935) 471.

(2) Wie viele Theologen vor ihm widmet sich auch Suárez dem für die Frage einer absoluten Subsistenz wichtigsten christologischen Diskussionspunkt: Kann die göttliche Natur unter Absehung von den Personen etwas (also eine andere Natur) annehmen? Wir kennen die Schlüsselstellung dieses Problems für das „subsistentia absoluta"-Verständnis, wie sie in der Entwicklung von der ursprünglichen Antwort des Thomas zu der an Scotus orientierten Interpretation durch Cajetan nachweisbar geworden ist.

Daß Suárez erwartungsgemäß der Auslegungsrichtung Cajetans folgt, wird rasch erkennbar, wenn er in De incarnatione 13.1 die Frage, ob „dieser Gott" in Absehung von den göttlichen Personen eine geschaffene Natur annehmen kann, auf den Fall einer Einung fokussiert, welche die relativen Proprietäten nicht als solche betrifft, sondern nur „ratione absoluti", in derjenigen Weise also, wie jetzt die drei Relationen in der absoluten Subsistenz geeint sind[613]. Daß die eigentlich bei Thomas formulierte Fragestellung anders aussieht, ist Suárez bekannt. Er hält sie jedoch als solche für nicht besonders ergiebig – daß auch ein einpersonal gedachter Gott eine Natur annehmen könnte, bedarf für ihn kaum der Diskussion. Stattdessen möchte er wie Scotus und Cajetan das Problem in Form des interessanteren und schwierigeren Falles einer Einung kraft absoluter Subsistenz in der real bestehenden Trinität behandeln.

(a) Der Jesuit weiß, daß dieser Annahme wichtige Autoritäten der Hochscholastik, wie etwa Bonaventura und alle Theologen, die zuvor als Gegner der absoluten Subsistenz identifiziert worden waren, klar ablehnend gegenüberstehen. Selbst auf Seiten derer, die prinzipiell eine absolute Subsistenz Gottes kennen, findet die These, daß sie auch hinreichender Grund für die Terminierung einer geschöpflichen Natur sein könnte, keineswegs nur Befürworter.

So lehnt sie, wie bereits angedeutet, Capreolus mit dem Verweis auf Thomas und dem Argument ab, daß die göttliche Natur zur Erfüllung dieser Aufgabe notwendig durch die Relation inkommunikabel gemacht, also personal sein muß. Capreolus ist damit im Vergleich zu Cajetan der ursprünglichen Intention des Aquinaten wesentlich treuer geblieben[614]. Die Absicht der „subsistentia absoluta"-These ist hier im ursprünglich thomanischen Sinn ganz diejenige, das Sein der für die Einung notwendig in erster Linie verantwortlichen Personalität auf das eine Sein Gottes, das mit dem göttlichen Wesen identisch ist, zurückzuführen. Scholastisch gesprochen: „Terminus assumptionis" bleibt immer die göttliche Person,

[613] Vgl. Suárez, De incarnatione 13.1.1 (XVII, 482a).
[614] Vgl. Capreolus, Defens. l. 3, d. 1, q. 1, concl. 3 (V, 2b-3a).

„principium" ist das Wesen[615]. Die später von Cajetan aufgegriffene gegenteilige These des Scotus, wonach im dreifaltigen Gott auch das Wesen als solches Terminus der Einung sein kann, sieht Capreolus als monophysitismusverdächtig an. Denn da es kein Suppositum in Gott gibt, das den Relationen vorausläge, müßte sich jede Einung, die nicht in der Relation als solcher erfolgt, im „esse naturae" abspielen[616].

In seiner Kritik dieser Position gesteht Suárez zwar zu, daß Capreolus sich durchaus auf thomanische Aussagen über die Personalität als notwendige Voraussetzung einer „assumptio naturae" berufen kann, erinnert zugleich jedoch scharfsinnig an seinen Einwand, den er schon an früherer Stelle gegen die Inkarnationstheorie des Dominikaners geltend gemacht hatte. Wenn dieser eine doppelte Bezüglichkeit der menschlichen Natur Christi in der Einung mit dem Wort vertritt, sofern er sie hinsichtlich ihrer Existenz von der göttlichen „existentia essentialis et absoluta", hinsichtlich der Subsistenz jedoch von der göttlichen Personalität abhängig sieht, müßte eigentlich beides prinzipiell voneinander trennbar sein. Dann aber, so wendet Suárez das Argument zu seinen Gunsten, könnte es offenbar auch eine Einung geben, die nur in der ersten Hinsicht erfolgte – also in dem, was er absolute Subsistenz nennt, unter Ausschluß der Personalitäten[617]. Suárez reißt damit die beiden Aspekte des Seins und des Subsistierens, die in der ursprünglich thomistischen Erklärung der Personkonstitution in Gott nur gedanklich unterschieden sind und folglich auch in der Inkarnationstheorie schwerlich als trennbare Stufen der Abhängigkeit bzw. Einung angesehen werden dürfen, formal auseinander.

615 Das wird ebd., concl. 4 (V, 3a-b) mit Berufung auf S. th. III, 3, 2 zum Ausdruck gebracht.

616 Vgl. ebd. ad arg. Scoti (V, 11a): „Dicitur quod, si natura humana uniretur immediate et primo naturae divinae, hoc esse non posset nisi quia traheretur ad esse naturae divinae ut est esse naturae. Si autem natura humana illo modo traheretur ad esse naturae divinae, uniretur sibi in natura; sicut corpus unietur animae in resurrectione. Et ideo sanctus Thomas sufficienter probat intentum; potissime quia in divina natura nullum est suppositum absolutum praecedens relationes, cui posset uniri natura humana; omnis autem unio, vel est in natura, vel in supposito naturae, et ad naturam, vel ad suppositum naturae."

617 Vgl. Suárez, De incarnatione 13.1.2 (XVII, 482a-b): „In alio tamen videtur Capreolus non satis consequenter loqui; ponit enim, ut supra vidimus, duplicem dependentiam naturae creatae assumptae a persona divina: alteram, quatenus per hujus personalitatem subsistit; alteram, quatenus per illius existentiam essentialem et absolutam existit: quanquam ergo prior dependentia terminari non possit, nisi ad relationem immediate, cur non posset fieri secunda sine illa priori? Atque adeo assumi natura humana, non ad subsistendum, sed ad existendum per ipsum esse essentiae divinae? Et haec obiectio procedit contra omnes Thomistas, qui dicunt humanitatem assumi, non tantum ad subsistendum, sed etiam ad existendum."

Ob er damit der Aussageabsicht der Thomisten gerecht wird, darf also bezweifelt werden; als Vorbereitung der eigenen These ist die Kritik allerdings sehr willkommen.

(b) Suárez selbst vertritt nämlich eine Lösung, die nicht nur die in seiner Sicht fragwürdige Aufspaltung der Enhypostasie vermeiden will, indem sie die Existenz des Menschen Christus klar auf die Seite der angenommenen Natur stellt, sondern darüber hinaus zu zeigen bemüht ist, daß die Subsistenz der angenommenen Menschheit nicht bloß durch eine göttliche Person, sondern auch durch die aus sich existierende Wesenheit substituiert zu werden vermag. Dabei ist Suárez – nicht zuletzt gegen den oben von Capreolus formulierten Einwand – eine exakte Unterscheidung wichtig. Nicht die göttliche Natur als Natur, also in Absehung von der eigenen und singulären Subsistenz ebenso wie von den relativen Subsistenzen, kann eine geschaffene Natur annehmen[618]. Denn daraus könnte tatsächlich bestenfalls ein monophysitisches Modell resultieren: Zwei Naturen würden sich zu einer weiteren Natur vereinen. Eine alternative Möglichkeit, nämlich die Existentsetzung der einen Natur durch die Existenz der anderen, lehnt Suárez mit Verweis auf die untrennbare Bindung zwischen Natur und je eigener Existenz ab. Auch den von Thomisten unter Führung Cajetans empfohlenen Lösungsweg, die Bestimmung der Natur durch die fremde (göttliche) Existenz nur unter der Voraussetzung ihrer vorangehenden Determination durch die Subsistenz der göttlichen Person als möglich zu erachten, hatte Suárez, wie wir wissen, schon früher verworfen[619]. Für ihn selbst steht fest: In Absehung von den Personen kann die göttliche Natur nur dann eine geschöpfliche aufnehmen, wenn man sie diese Funktion durch nichts anderes als ihre wesenhafte Subsistenz erfüllen sieht[620]. Wenn sich der Jesuit mit dieser Aussage auf der Mehrheitsseite der neueren Theologen von Scotus über die Nominalisten bis hin zu den jüngeren Thomisten sieht, so nennt er als sachliche Begründung, daß unter Annahme einer absoluten Subsistenz kein Grund besteht, diese nicht als hinreichenden Bestimmungsgrund für eine geschöpfliche Natur zu betrachten. Denn das einzige Plus der relativen

[618] Vgl. ebd. 3 (482b): „natura divina abstracta a relationibus, si praecise consideretur ut natura, seu tanquam forma nullam habens propriam et singularem subsistentiam, non potest ut sic intelligi assumere naturam creatam."

[619] Vgl. oben Kap. 3, 2), b).

[620] Vgl. Suárez, De incarnatione 11.1.5 (XVII, 483a): „natura divina, ut intelligitur abstracta a tribus personis, et esse hic Deus subsistens propria et singulari subsistentia absoluta et essentiali, potest immediate assumere naturam creatam, illam terminando per subsistentiam essentialem praecise". Vgl. auch De deo uno 2.23.5 (I, 134b): „Propter quod probabile est, posse essentialem subsistentiam uniri hypostatice naturae creatae, non unitis relationibus secundum se."

Subsistenzen, die Inkommunikabilität, ist in diesem Vollzug gerade nicht entscheidend. Das denkbare „Eigenwirken" der absoluten Subsistenz in einem Annahme-Geschehen, so gibt Suárez in seiner nachfolgenden Antwort auf Einwände der Thomisten zu erkennen, spiegelt letztlich nur die in den innergöttlichen Hervorgängen selbst offenbar werdende Trennbarkeit von Absolutem und Relativem in Gott: Der Vater kann dem Sohn das absolute Sein kommunizieren, ohne ihm die eigene Personalität kommunizieren zu müssen[621]. Also können die drei Personen in analoger Weise auch ihre absolute Subsistenz einer geschaffenen Natur kommunizieren, ohne ihr die relativen Subsistenzen als solche mitzuteilen. Im hypothetisch diskutierten Fall würde sich gegenüber der in Christus real gewordenen Inkarnation die Konstitutivfunktion zwischen absoluter und relativer Subsistenz einfach umkehren: Wie in der faktisch geschehenen Menschwerdung trotz der Identität von absoluter und relativer Subsistenz in Gott die relative Subsistenz in formaler Hinsicht Grund der Terminierung der geschaffenen Natur ist, die absolute aber nur als in der relativen eingeschlossene, so wäre umgekehrt wegen der fehlenden Inklusion der Relationen im Wesen hypothetisch auch die Annahme einer geschöpflichen Natur durch die absolute Subsistenz denkbar, ohne daß zugleich die relativen Subsistenzen mit ihr geeint werden müßten[622].

Der personale Status der so angenommenen Menschennatur wäre, so gibt Suárez zu, nicht mehr durch das ihn unmittelbar Terminierende bestimmt, da diesem ja keine Personalität zuzusprechen ist. Die absurde Konsequenz eines nicht personalen angenommenen Menschseins sieht er jedoch dadurch vermieden, daß die absolute Subsistenz kraft ihres Eingeschlossenseins in allen Personen mit diesen identisch ist. Gleichsam vermittelt, *in obliquo*, spricht der Jesuit dem kraft der absoluten Subsistenz Gottes mit diesem geeinten Menschen die Personalität aller drei göttlichen Personen gleichermaßen zu[623]. Klarer ist der Fall nach seiner negativen Seite, nämlich der Verhinderung eigenen geschöpflichen Subsistierens, die durch die aus sich selbst existierende göttliche Natur, die sich das Geschöpf eint, auch dann erfolgt, wenn sie selbst nicht als inkommunikable bzw. personale Grund der Termination ist. Denn da im Ge-

[621] Vgl. De incarnatione 11.1.6 (XVII, 483a-b).

[622] Vgl. ebd.: „Denique ex mysterio incarnationis, prout factum est, potius confirmari potest quod dicimus, quia, licet subsistentia absoluta et relativa sint idem, nihilominus relativa est ratio terminandi, et non absoluta, ut sic, sed solum ut includitur in relativa. In quo etiam est inter illas notanda differentia deserviens proposito, nam absoluta includitur essentialiter in relativis, relativa autem non ita essentialiter includuntur in conceptu absoluti, et ideo facilius intelligi potest subsistentiam absolutam uniri naturae creatae, non unitis relativis, ut sic, quam e contrario."

[623] Vgl. ebd. 10 (484a).

schöpflichen Subsistenz und Personalität notwendig identisch sind, folgt aus der Verhinderung eigener Subsistenz durch das Existieren in einem anderen, für sich Existierenden für die „natura assumpta" notwendig auch der Ausschluß eigener Personalität[624]. Da schließlich keine Verschmelzung der Naturen erfolgt, sieht Suárez in seiner These von der Annahme einer Menschennatur durch die absolute Subsistenz Gottes keinen Widerspruch zur Lehre der Väter von der Einung „in persona", auch wenn diese im vorliegenden Fall tatsächlich nicht als „hypostatische Union" im strengen Sinne, sondern als Union mit den Personen vermittels der ihnen gemeinsamen Subsistenz zu bezeichnen wäre[625]. Dabei ist zu beachten, daß Suárez im Folgekapitel des Inkarnationstraktates eigens (gegen Durandus) darauf hinweist, daß die von ihm ebenfalls für möglich erachtete Annahme einer einzigen Menschennatur durch drei göttliche Personen nicht aufgrund der ihnen gemeinsamen absoluten Subsistenz geschähe[626]; daraus läßt sich aber schließen, daß die in ebendieser Weise erfolgende „assumptio" umgekehrt nicht den Charakter einer personalen Kollektivannahme trägt. Ihr Formalgrund ist von eigener Art. Suárez geht sogar so weit, ein gleichzeitiges Terminiertwerden einer Natur durch absolute (kommunikable) Subsistenz einerseits und relative (inkommunikable) Subsistenzen Gottes andererseits für möglich zu erachten[627], wodurch die „inkarnatorische Selbständigkeit" der absoluten Subsistenz erneut unterstrichen wird.

(c) An dieser Stelle erkennen wir rückblickend deutlich den engen Zusammenhang zwischen der metaphysischen Theorie von Personalität bzw. Subsistenz im geschöpflichen Bereich, wie sie Suárez vertritt, und den Grundannahmen der suárezischen Gotteslehre und Christologie. Kreatürliche Subsistenz ist ein positiver Modus im Unterschied zur Natur, wie auch in Gott die personalen Proprietäten etwas von der Wesenheit (gedanklich) positiv Unterschiedenes darstellen und sie inkommunikabel machen. Different ist nur die Weise der Unterscheidung („distinctio modalis ex natura rei" dort, „distinctio rationis ratiocinatae" hier). Existenz ist mit der realen Wesenheit als solcher untrennbar verbunden und ist von der Subsistenz strikt zu trennen. Dies gilt im geschöpflichen Bereich, wo die Menschheit Christi eigene Existenz auch in der hypostatischen Union besitzt. Es bleibt aber ebenso in der Gotteslehre gültig, wo aus

624 Vgl. ebd. 11 (484a-b).

625 Suárez spricht ebd. 12 (484b) vom „unum aliquid cum singulis personis, licet non secundum personalia, sed secundum subsistentiam communem illis".

626 Vgl. De incarnatione 13.2.8 (486b-487a).

627 Vgl. ebd. In diesem Fall wären die drei Personen ein einziger Mensch (vgl. ebd. 13, 488a-b).

dieser Voraussetzung die These der absoluten Subsistenz Gottes resultiert, sofern Gottes Wesen den Grund seiner Existenz ganz und gar in sich selbst trägt. Untrennbar verbunden ist schließlich die „subsistentia absoluta"-Lehre in ihrer scotisch-cajetanisch-suárezischen Gestalt mit der Behauptung, daß auch im dreifaltigen Gott das Wesen allein als subsistierendes eine geschöpfliche Natur annehmen und terminieren könnte. Vázquez war gleichermaßen konsequent, wenn er mit der Prämisse auch diese Konsequenz vehement zurückgewiesen hat[628]; diese wie jene werden in der nachfolgenden Jesuitenschule kontrovers bleiben[629].

## 5) Gleichheit, Ähnlichkeit und Perichorese der göttlichen Personen als Folgen ihrer Wesenseinheit

In zwei Schlußkapiteln des vierten Buches von „De trinitate" widmet sich Suárez einigen Konsequenzen aus dem zuvor ausführlich entwickelten Verhältnis der drei Personen gegenüber dem ihnen gemeinsamen göttlichen Wesen. Dabei geht es um die Frage nach weiteren gedanklich zu konstruierenden Relationsbeziehungen[630] zwischen den Personen über die Identität (im Wesen) hinaus sowie um die ontologische Folge der Wesenseinheit für das Verhältnis der Personen untereinander, das traditionell mit dem Begriff der „circuminsessio" / „circumincessio" umschrieben wird.

(1) Nachdem Suárez schon früher die selbstverständliche Glaubensaussage expliziert hatte, daß die drei göttlichen Personen dem Wesen nach identisch sind, bleibt zu klären, ob auch noch auf andere Weise eine positive Relation zwischen ihnen festgestellt werden kann. Im Rahmen der aristotelischen Relationenlehre bieten sich für die gesuchte Verhältnisbestimmung zwei Begriffe an: Neben der eine substantielle Einheit bezeichnenden Identitätsrelation gibt es nach Met. V, 9[631] auch die Relationen der „Ähnlichkeit" und der „Gleichheit", die ebenfalls in einer bestimmten „Einheit" der zu vergleichenden Dinge gründen, nämlich in der Einheit der Qualität bzw. der Quantität[632].

[628] Vgl. Vázquez, In III$^{am}$ 27.2.4 (I, 218a-b).
[629] Einen guten Rück- und Überblick zur Diskussion vom Ende des 17. Jahrhunderts her (1689) bietet Th. Muniesa, Disputationes scholasticae de mysteriis Incarnationis et Eucharistiae 3.5.39 (83b).
[630] Vgl. allgemein zu diesem Thema Suárez, DM 54.6 (XXVI, 1039a-1041b).
[631] Vgl. dort 1021a8-12.
[632] Vgl. Suárez, De trin. 4.15.1 (646b-647a).

Schon aus dieser Bestimmung läßt sich ersehen, daß Ähnlichkeits- und Gleichheitsaussagen von den göttlichen Personen nicht in eigentlicher Weise möglich sein werden, denn die genannten Akzidentien haben in Gott keinen Platz und können folglich nicht im strengen Sinne Grundlage eines Vergleiches sein. In uneigentlicher Rede sind sie dagegen zuzulassen, sofern man anstelle der Quantität die essentiale Vollkommenheit und anstelle der Qualität die Wesensattribute zugrundelegt. Man betrachtet das im Geschöpflichen akzidentelle Fundament dieser Relationen hier, einer scotischen Vorgabe folgend, im Modus der Unendlichkeit, wie er Gott entspricht. „Qualität" und „Quantität" werden somit in einem transzendentalen Sinn verstanden, was deswegen möglich ist, weil sie mit Bezug auf die „virtus" Gottes als transgenerische Größenbestimmungen (z. B. „magnum" als „passio entis", als Gegenbegriff zu „parvum") und Vollkommenheitszuschreibungen begriffen werden können, denen widerspruchsfrei „infinitas" zuzusprechen ist[633]. Ein solches transzendentales Verständnis von Quantität und Qualität zur Begründung der Gleichheits- und Ähnlichkeitsbeziehungen in Gott findet sich auch bei Durandus[634].

(2) Auf dieser Grundlage expliziert Suárez die zur Diskussion stehenden Relationsaussagen.

(a) Wenn zwei göttliche Personen als einander „ähnlich" bezeichnet werden, wie etwa der Vater und der Sohn als sein „Abbild", ist nach Suárez die Skepsis der Väter gegenüber diesem Prädikat zu berücksichtigen, wie sie vor allem in der Zeit des Arianismusstreites zum Ausdruck gebracht wurde. Sie gründet in der Tatsache, daß der Begriff der Ähnlichkeit im strengen Sinne keine „unitas realis" zwischen den verglichenen Größen verlangt, sondern nur eine „Entsprechung" („conformitas"). Folglich könnte mit seiner Hilfe die Wesenseinheit der Personen geleugnet werden. Allerdings ist für Suárez auch ein korrektes Verständnis möglich, sofern man nur berücksichtigt, daß „Ähnlichkeit" zwar Identität nicht notwendig impliziert, sie aber ebensowenig ausschließt. Die theologisch akzeptable Lösung lautet darum: Den göttlichen Personen ist „Ähnlichkeit" im Sinne höchster Vollkommenheit zuzusprechen. Das ist die zuhöchst denkbare Nähe der Personen zueinander in der gemeinsamen Vollkommenheit, also Identität[635].

(b) Eindeutiger ist von Anfang an der Relationsbegriff „Gleichheit" („aequalitas"), den Suárez in zahlreichen Väteraussagen verwendet findet. Eingewendet werden kann höchstens, daß die numerische Reihung der göttlichen Personen bereits eine Abstufung mit sich bringt, die der

[633] Vgl. Scotus, Ord. I, d. 19, q. 1, n. 11-14.22 (Ed. Vat. V, 269-271.275f.).

[634] Vgl. Durandus, 1 Sent. d. 19, q. 1, n. 4-6 (63vb-64ra).

[635] Vgl. Suárez, De trin. 4.15.2-3 (I, 647a-b).

Gleichheit widerstreitet. Da Suárez mit Scotus[636] und gegen Thomas[637], der sich hier offenbar strikter an die vorsichtige Redeweise der älteren Theologie halten möchte[638], schon in seiner Metaphysik mit dem „ordo originis" in der Trinität eine (freilich ohne geschöpfliches Analogon dastehende) „Priorität" der jeweils hervorbringenden Person gegenüber der hervorgebrachten anerkannt hat[639], sieht er von ihr her auch keine Gefahr für die Gleichheit der Personen entstehen, da die Ursprungsrelationen keine Abstufung im Wesen mit sich bringen, mit Beziehung auf welches unser Verstand die Gleichheitsrelation herstellt[640]. Vielmehr handelt es sich nur um die von dem einen und einzigen Wesen selbst geforderte dreifach verschiedene Weise seines personalen Subsistierens, welche den bestimmten Ursprungsordo impliziert[641].

(3) Ein größerer Unterschied als in der eher den Ausdruck als die Sache betreffenden Frage nach dem Zugeständnis von „Priorität" innerhalb der göttlichen Personenordnung besteht zwischen Thomas und Scotus in der Diskussion darüber, ob die „aequalitas" der Personen eine reale oder nur gedankliche Relation darstellt[642]. Thomas vertritt die zweite der bei-

[636] Vgl. Scotus, Ord. I, d. 12, q. 2, n. 62 (Ed. Vat. V, 59-61): Erklärung des „ordo" zwischen Vater und Sohn bei der Hauchung des Geistes; Ord. I, d. 28, q. 3, n. 96 (Ed. Vat. VI, 156f.): Es gibt zwischen den korrespondierenden Relationen in Gott ein Verhältnis der Priorität bzw. Posteriorität, nämlich die „prioritas originis".

[637] Vgl. Thomas, S. th. I, 33, 1 ad 3: „ad tertium dicendum quod, licet hoc nomen principium, quantum ad id a quo imponitur ad significandum, videatur a prioritate sumptum; non tamen significat prioritatem, sed originem. Non enim idem est quod significat nomen, et a quo nomen imponitur, ut supra dictum est"; I, 42, 3 c.: „In divinis autem dicitur principium secundum originem, absque prioritate, ut supra dictum est. Unde oportet ibi esse ordinem secundum originem, absque prioritate."

[638] Auf die Nähe des Thomas zu Albert in dieser Frage weist STOHR (1928) 101 hin.

[639] Vgl. Suárez, DM 12.1.10 (XXV, 376a-377a).

[640] In De incarnatione 8.3.23 (XVII, 355a-b) vergleicht Suárez die gedanklichen Relationen der „similitudo" und „aequitas" zwischen den göttlichen Personen, die vermittels des gemeinsamen Wesens hergestellt werden, mit der Inbeziehungsetzung der beiden Naturen in Christus, die im eigentlichen Sinne ebenfalls nicht unmittelbar, sondern über das Verhältnis beider zur einen Subsistenz des göttlichen Wortes erfolgt. Zur generellen Charakterisierung der „relatio rationis" bei Suárez, die den gesamten Bereich des positiven gedanklichen Seins abdeckt, vgl. DOYLE (1987) 63-69.

[641] Vgl. De trin. 4.15.7 (I, 648b): „quia ipsamet essentia Dei ex se et natura sua postulat, ut immediate sit in Patre sine ulla processione: in Filio vero per processionem ejus ex sola prima persona: in Spiritu sancto per processionem ex utraque."

[642] Vgl. dazu auch SCHMAUS (1930b) 570ff.; BECKMANN (1967) 152-197; WETTER (1967) 419-435.

den Alternativen[643] und wird dabei von seiner Schule wie auch von führenden Nominalisten unterstützt. Ein wichtiges Argument ist diesen Theologen der zwischen Fundament und Terminus der Relation fehlende reale Unterschied: Das Sein der Personen ist kein anderes als dasjenige der göttlichen Wesenheit[644]. Allerdings ist die Darstellung der thomanischen Position durch Suárez insofern nicht ganz exakt, als er nicht darauf hinweist, daß Thomas der gedanklichen Relation ausdrücklich ein „fundamentum in re" zuspricht und sie dadurch klar von einem reinen Gedankenprodukt abhebt[645]. In der Auslegung der späteren Thomistenschule hat dies zu einigen Kontroversen geführt und Antwortversuche evoziert, die bereits in Richtung einer die rein logische Distinktion übersteigenden Unterscheidung tendieren[646].

643 Vgl. Thomas, S. th. I, 42, 1 ad 4; 4 Sent. d. 27, q. 1, a. 1, qa. 1 ad 3. Dazu: KREMPEL (1952) 542f.

644 Vgl. Suárez, DM 47.6.3 (XXVI, 819a): „Haec est sententia D. Thomae, 1 part., quaest. 42, art. 4, ad 3, ubi propter hanc causam negat aequalitatem inter divinas personas esse relationem realem; negat etiam idem referri ad seipsum relatione reali." Der zitierte Text des Aquinaten lautet im Original: „Ad tertium dicendum quod relatio in divinis non est totum universale, quamvis de pluribus relationibus praedicetur, quia omnes relationes sunt unum secundum essentiam et esse, quod repugnat rationi universalis, cuius partes secundum esse distinguuntur. Et similiter persona, ut supra dictum est, non est universale in divinis. unde neque omnes relationes sunt maius aliquid quam una tantum; nec omnes personae maius aliquid quam una tantum; quia tota perfectio divinae naturae est in qualibet personarum."

645 Vgl. Thomas, 1 Sent. d. 31, q. l, a. 1 ad 2: „Ad secundum dicendum, quod quamvis aequalitas sit secundum rationem, relatio tamen habet aliquid in re respondens, ratione cujus dicitur haereticus qui aequalitatem negat; sicut et qui negaret Deum esse dominum, quamvis illa relatio nihil secundum rem ponat in Deo." Vgl. MARTIN (1949) 110-120.

646 Vgl. HORVÁTH (1914) 49. Beispielhaft verwiesen sei auf die an Torres und anderen Vorgängern orientierte Lösung des Bañez, Comm. in I[am] q. 42, a. 1 (965D): Weil die „relatio aequalitatis", obzwar nur gedanklich, dennoch ein Fundament „a parte rei" besitzt, muß sie „einfachhin und in formaler Weise" in den göttlichen Personen „vor jeder aktualen Betrachtung des Intellekts" bestehen. Diese These steht offenbar derjenigen des Bartholomé Medina, Comm. in III[am] q. 35, a. 5 (711a-b), nahe, wonach ein Gedankending wie die Gleichheitsrelation „ex parte rei" etwas außerhalb des Intellekts sein könnte, was andere Thomisten (wie Zumel, Comm. in I[am] q. 42, a. 1, disp. 1 [921b]) heftig kritisiert haben. Ein Unterschied zu Scotus ist in solchen Formulierungen kaum noch erkennbar. Von den Jesuiten steht Molina dieser „scotisierenden" Thomasdeutung nahe und beansprucht für sie sogar gegenüber Torres Priorität. „Sententiam hanc late discussimus, id est, Physicorum, dum de privatione, quam Aristoteles tertium principium generationis constituit, nobis esset sermo, ibique antea quam Torres commentarios de gloriosissima Trinitate ederet ostendimus, quantum probabilitatis ea opinio haberet, gavisique sumus, quod eam postea viro doctissimo placuisse viderimus": Molina, Comm. in I[am] q. 42, a. 1 (540aF).

Anders als Thomas spricht Scotus sich für eine Realität der Beziehung aus, da mit der Realität von Fundament und Terminus sowie einer Nichtidentität beider alle für die Bestimmung der realen Relation nötigen Voraussetzungen erfüllt seien. Genauso wie das Fundament dieser Relation, nämlich die virtuelle Quantität Gottes, ist nach Scotus auch die Gleichheitsbeziehung als transzendentale zu begreifen, sofern sie in der Inbeziehungsetzung realer Vollkommenheiten besteht[647]; ihre Realität ist eine formale. Auch Ockham hat sich dieser Erklärung angeschlossen[648].

Suárez folgt in der vorliegenden Frage dem thomistischen Standpunkt, da für ihn der nicht-eigentliche Charakter der Gleichheitsrelation in Gott feststeht. Das Prädikat ist nicht aus der Beziehung als solcher, sondern ihrem Fundament, der vollkommenen Einheit des Wesens in den einzelnen Personen, her genommen und somit ein Produkt unseres Verstehens. Es handelt sich bei den genannten Relationen, so benutzt Suárez den nominalistischen Explikationsterminus, um gedankliche „Benennungen" („denominationes"), welche die Tatsache der Wesenseinheit, die das einzige Einheitsprinzip in Gott ist, in bestimmten Hinsichten erläutern[649].

Gerade das Fehlen einer Differenz in der Form zwischen Fundament und Terminus der Relation hat Scotus nach Suárez bei seinem Urteil zu wenig beachtet[650]. Das Verhältnis der göttlichen Personen unterscheidet sich in diesem Punkt nachhaltig von ähnlichen Fällen im geschöpflichen Bereich. So könnten nach Suárez beispielsweise zwei durch dieselbe göttliche Person terminierte Menschennaturen hinsichtlich ihrer Einung sehr wohl in einem *realen* Ähnlichkeitsverhältnis stehen, da eine Natureneinheit nicht vorläge. Dagegen ist das innergöttliche Terminationsgeschehen

[647] Vgl. BECKMANN (1967) 176 mit Verweis auf Scotus, Rep. Par. I [= Additiones Magnae], d. 31, q. 3, n. 11 (Ed. Wadding XI/1, 174b); MARTIN (1949) 131-137, bes. 135: „Die transzendentalen Beziehungen sind reale Beziehungen, die von ihrem Fundament formal verschieden sind. Dies gilt zunächst, soweit diese transzendentalen Beziehungen den göttlichen Personen zukommen. Identität, Gleichheit und Ähnlichkeit sind ja, allgemein betrachtet, göttliche Attribute und müssen daher an der allgemeinen Bestimmung des Duns Scotus teil haben, daß göttliche Attribute sich vom Wesen Gottes und voneinander nicht real, sondern nur formal unterscheiden."

[648] Vgl. ebd. 161f.

[649] Suárez unterstreicht dies hinsichtlich der Zuschreibung von „aequalitas" an die göttlichen Personen in DM 54.6.5 (XXVI, 1040a-b).

[650] Vgl. Suárez, De trin. 4.15.8 (I, 649a): „Et ideo ubi est una, et eadem forma in utroque extremo, non potest esse hujusmodi realis habitudo, quia illa potius est identitas realis et numerica".

zwischen Personen und Wesenheit durch die Beziehung reiner Identität ausgezeichnet[651].

Den Einwand, daß zumindest zwischen den drei relativen *Perfektionen*, die den Personen zuzusprechen sind, eine Gleichheit konstatiert werden könnte, die mit der vom Wesen her konstruierten Gleichheit zwischen den Personen selbst nicht identisch wäre, weist Suárez ebenfalls zurück[652]. Mehr als die Berufung darauf, daß eine Relation nicht in einer anderen gründen kann, möchte er für seine Ablehnung den Gedanken nutzbar machen, daß diese Relation nicht real zu sein vermag, weil sie nicht in einer formalen Einheit, sondern nur in einer „Entsprechungseinschätzung" („in quadam proportionali aestimatione, seu quantitate") gründet. Die Personen können als voneinander verschiedene niemals als solche und damit auch nicht in der ihrer personalen bzw. relativen Formbestimmung folgenden Vollkommenheit schlechthin als „gleich" bezeichnet werden, sondern nur, sofern man diese jeweilige Vollkommenheit in ein Verhältnis der Proportionalität stellt. Dabei aber bleibt man letztlich auf das Wesen als einziges echtes Einheitsprinzip in Gott zurückverwiesen. Die Gleichheit der relativen Perfektionen besteht nicht in ihrer je verschiedenen Eigenart, sondern in ihrer übereinstimmenden Nicht-Absolutheit bzw. ihrem Charakter als Modifikationen der Wesensperfektion.

(4) Wenn die Theologen seit der Väterzeit[653] von gegenseitiger „Einwohnung" bzw. „Durchdringung" der Personen in Gott sprechen, können Aussagen Jesu wie diejenigen in Joh 10 bzw. 14 als unmittelbarstes biblisches Fundament gelten. Der lateinische Terminus „circuminsessio", wie ihn auch Suárez benutzt, ist eine Abwandlung des ähnlichen Wortes „circumincessio", das als Übersetzung des griechischen *perichoresis* vermittels der Damascenus-Übersetzung des Burgundio von Pisa (wie zur Zeit des Suárez durchaus bekannt[654]) in die scholastische Literatur des Westens

[651] Vgl. DM 47.9.6 (XXVI, 820a-b): „Ut si duae humanitates essent unitae Verbo divino, non videtur dubium quin essent vere similes in unione hypostatica, quae non esset in eis eadem numero, sed distincta, ideoque possent sub ea ratione referri relatione reali. Non potest vero hinc argumentum sumi ad relationes divinas prout terminantes (ut nostro modo loquamur) eamdem essentiam Dei, quia non terminant per unionem, sed per simplicissimam identitatem."

[652] Vgl. De trin. 4.15.9 (I, 649a).

[653] Wohl zurecht nennt Suárez in De trin. 4.16.1 (649a) den Namen des Johannes Damascenus, der als erster Theologe gelten darf, der den ursprünglich christologisch verwendeten Begriff der „Perichorese" auf die trinitarischen Personen überträgt. Vgl. BILZ (1909) 63-67; DENEFFE (1923) 502-506; STEMMER (1983) 27ff.

[654] Vgl. Salmeron, Commentarii, Bd. 2, tract. 11 (110b): „Est etiam vox Latina Circumincessionis ab Scholasticis usurpata recentioribus magis quam ab antiquis,

Einzug gehalten hat[655]. Dort findet es sich im 13. Jahrhundert bei Albert, Bonaventura und Scotus (nicht aber bei Lombardus und Thomas) im theologischen Kontext verwendet[656]. Mit dem Wort „circumin*sessio*“ ist stärker das statische als das dynamische Element im einzigartigen Miteinander der drei göttlichen Personen betont – und dies entspricht durchaus dem Grundzug der von Vätern wie Augustinus, Hilarius oder Ambrosius[657] begründeten lateinischen Tradition zum vorliegenden Thema, die, wie kaum anders zu erwarten, von der Wesensgleichheit her denkt. Sie finden wir auch durch Suárez repräsentiert.

(a) Nach seiner Darlegung muß die trinitätstheologische Perichorese als Eigentümlichkeit der Personen gelten, insofern sie eines sind. Gefragt werden kann dann nach dem angemessenen Grund, der die „Durchdringung“ trägt. Während Thomas sich nicht mit dem Verweis auf die gemeinsame Wesenheit allein begnügt, sondern in Rückbezug auf die gegenseitigen Relationen und Ursprungsweisen zwei weitere Gründe anführt[658], halten Autoren wie Durandus oder Aureoli den Verweis auf die „essentia“ für hinreichend. Durandus argumentiert, daß die Relationen als Unterscheidungsprinzipien in Gott nicht zugleich Prinzipien der gegenseitigen Durchdringung sein können[659], Aureoli fürchtet bei der Annahme eines Prinzips der „circuminsessio“ über das unteilbare Wesen hinaus, daß sie notwendig die für Gott unangemessene Seinsweise eines

quia B. Thomas eius non meminit, eius tamen Scotus, Durandus, Okam mentionem faciunt: cum enim incidissent in Ioann. Damasceni veterem versionem, vocabulo isto minus Latino, et culto Graecum elegans *perichoreseos* expresserunt, quo personae Divinae a se invicem absque separatione distinguuntur, in se tamen absque confusione insunt, seque veluti immeant“.

655 Vgl. DENEFFE (1923) 510f.

656 Vgl. ebd. 511-515. Zu Albert auch POMPEI (1953) 199.

657 Vgl. EMERY (2004c) 354-357. Zu Bonaventura auch: OBENAUER (1996) 295ff.

658 Vgl. EMERY (2004c) 358-365, u. a. mit Bezug auf Thomas, S. th. I, 42, 5 c.: „Respondeo dicendum quod in patre et filio tria est considerare, scilicet essentiam, relationem et originem; et secundum quodlibet istorum filius est in patre, et e converso. Secundum essentiam enim pater est in filio, quia pater est sua essentia, et communicat suam essentiam filio, non per aliquam suam transmutationem, unde sequitur quod, cum essentia patris sit in filio, quod in filio sit pater. Et similiter, cum filius sit sua essentia, sequitur quod sit in patre, in quo est eius essentia. (...) Secundum etiam relationes, manifestum est quod unum oppositorum relative est in altero secundum intellectum. Secundum originem etiam manifestum est quod processio verbi intelligibilis non est ad extra, sed manet in dicente. Id etiam quod verbo dicitur, in verbo continetur. Et eadem ratio est de spiritu sancto.“

659 Vgl. Durandus, 1 Sent. d. 19, q. 3, n. 6 (64vb).

„Teils im Ganzen“ mit sich bringen würde, da Relationen und Ursprünge nicht allen Personen gleichermaßen gemeinsam sind[660].

Thomas, so deutet Suárez dessen dreischrittige Argumentation, scheint das Sich-Durchdringen der drei Personen analog zu den drei Existenzmodi Gottes in der geschöpflichen Welt (im Sinne von S. th. I, 8, 3) verstehen zu wollen: „per praesentiam, potentiam et essentiam“[661]. Es gibt dann zwischen den göttlichen Personen – unter Ausschluß aller Unvollkommenheit – Korrelativität im Erkennen, Ineinandersein durch die innergöttlichen Hervorgänge und natürlich die Wesenseinheit (als eigentlichen Grund der „circuminsessio“)[662]. Suárez übernimmt dieses Modell ohne längere Diskussion. Die Einwände, die vor allem gegen das zweite thomanische Argument für die Perichorese angeführt wurden, beruhen seinem Urteil nach entweder auf grundsätzlichen Irrtümern in der Lehre von den Hervorgängen (so bei Durandus) oder auf der falschen Einschätzung, daß die hervorbringende Person nicht zuinnerst in der hervorgebrachten da ist (Aureoli), was jedoch wegen der Ewigkeit der Zeugung und Hauchung nicht bezweifelt werden kann[663].

(b) Auch das „Wie“ der personalen Durchdringung wird bereits seit der Hochscholastik diskutiert. Durandus[664] und Heinrich von Gent[665] werden als Vertreter der These zitiert, daß eine Person zwar als ganze, aber nicht aufgrund ihrer „Ganzheit“ (aus Wesen und Relation) in einer anderen ist,

[660] Vgl. Aureoli, 1 Sent. d. 19, a. 2 (Ed. Rom 1596, 469b). Vgl. DENEFFE (1923) 516.

[661] Zum Ursprung des Ternars in der Glossa ordinaria vgl. EMERY (2004c) 448.

[662] Vgl. Suárez, De trin. 4.16.3-6 (I, 649b-650b).

[663] Vgl. ebd. 5 (650a).

[664] Durandus unterscheidet scharf zwischen dem Wesen als Formalgrund (dem „quo“) des Inseins und der Person als dem Träger (dem „quod“) des Inseins. Vgl. Durandus, 1 Sent. d. 19, q. 3, n . 7 (64vb): „Restat ergo quod una persona sit in alia ratione essentiae quae una est numero in omnibus personis. Sed persona non est ut in qua est alia ratione solius essentiae, quia tunc per idem conveniret personae esse in alio et in quo aliud, quod reprobatum est, sed convenit personae ut in ipsa sit alia, ratione totius constituti, sicut filio convenit ratione essentiae quod sit in patre, sed patri convenit ut sit in quo est filius ratione totius constituti, et similiter in aliis“.

[665] Vgl. Heinrich, Summa a. 53, q. 10 (Ed. Badius, 73r-77v). Heinrichs Argumentation in der Summa ist lang und sehr umständlich und kann darum hier nicht im einzelnen analysiert werden. Ob er tatsächlich die ihm von Scotus und Suárez unterstellte These vertritt, kann freilich bezweifelt werden (vgl. auch DENEFFE [1923] 513f.). Es kommt ihm offenbar vor allem auf die Abgrenzung der innergöttlichen „circuminsessio“ von kreatürlichen Formen des Ineinanderseins an. Die von Suárez auch angeführte q. 6 aus Heinrichs qdl. 5 (Ed. Badius, fol. 160v-163v) – wohl eine Übernahme der scotischen Zitierung – kann man höchstens als Hintergrundaussage zur vorliegenden Frage ansehen, sofern u. a. das Wesen als „Fundament der Relationen“ bestimmt wird. Schon DENEFFE (1923) 513, Anm. 4, hatte mit Recht den Verweis auf diese Stelle bei Scotus als im vorliegenden Kontext unzutreffend kritisiert.

sondern in präzisem Sinne nur dem Wesen nach. Begründet wird dies mit der Unmöglichkeit, daß eine Person mit dem, was sie zum möglichen „Ort" einer anderen Person macht, nämlich ihrer Eigentümlichkeit, selbst in einer anderen ist. Im Körperlichen entspräche den beiden Alternativen der Vergleich des totalen Enthaltenseins eines Körpers in einem anderen mit der nur teilweisen Inexistenz, die etwa dann besteht, wenn ein Mensch „an einem Ort seiend" genannt wird, an dem allein sein Fuß steht[666].

Suárez lehnt die These von einer „circumincessio", die strikt allein dem Wesen nach besteht, mit dem Verweis auf die widersprechende Theologenmajorität ab. Er kann dabei die Kritik an Heinrich von Gent aufgreifen, wie sie schon Scotus geübt hatte[667]. Darnach ist die Wesenseinheit nächster Grund der Perichorese, die sich jedoch nicht aus diesem Formalprinzip allein ergibt. Auch die Relationen als solche existieren ineinander, und zwar gemäß ihrer personalen Subsistenz, ihrem kompletten personalen Sein. Das erste Argument dafür entnimmt Suárez unmittelbar der scotischen Argumentation gegen Heinrich[668]: Wäre eine Person nur auf Grund des Wesens in einer anderen, gäbe es keinen Unterschied zum Verhältnis des Wesens gegenüber der Person selbst. Die Person hätte dasselbe „In-sein" in einer anderen Person, wie es die göttliche Wesenheit in allen Personen besitzt; Verhältnis zum anderen und Selbstverhältnis fielen gänzlich ineinander. Die Perichorese der Personen untereinander würde so ihre Unmittelbarkeit verlieren, weil sie nur als Konsequenz der Perichorese zwischen Einzelpersonen und Natur zu gelten hätte. Der zweite, nach Suárez entscheidendere Gedanke zielt auf das Wesen der Inexistenz selbst. Sie kann nichts anderes sein als eine innige Präsenz der Personen untereinander und nicht in der Wesenheit. Da eine neue Art der Einheit über die Natureinheit hinaus auszuschließen ist, weil sie in ein Kompositionsmodell der Trinität führen müßte, bleibt nur die Vorstellung einer innigen Präsenz der Personen als solcher. Suárez sieht diese gemäß den (personalen) Eigentümlichkeiten vorliegen, weil die Personen auch in ihnen (und nicht nur im Wesen) jene „Unermeßlichkeit" („immensitas") besitzen, die als Grund der Durchdringung betrachtet werden kann[669]. Dieser Gedanke einer Inanspruchnahme der räumlichen Gren-

[666] Vgl. Suárez, De trin. 4.16.8 (I, 650b).

[667] Vgl. dazu WETTER (1967) 438f.

[668] Vgl. Scotus, Ord. I, d. 19, q. 2, n. 59 (Ed. Vat. V, 294): „Primum probo, quia tunc Pater esset in se, quod est falsum, eo modo quo intelligit Salvator Patrem esse in Filio et Filium in Patre, quia sic esse ‚in' requirit distinctionem realem"; dazu auch SCHMAUS (1930b) 569f.

[669] Vgl. De trin. 4.16.11 (651a-b). Dazu auch: DENEFFE (1923) 524f.

zenlosigkeit für die Explikation der Perichorese hat, wie unser Autor selbst angibt, wiederum ihren Anhaltspunkt in der scotischen Argumentation gegen Heinrich von Gent. Scotus nämlich hat die innergöttliche „circuminsessio" mit dem In-Sein Gottes in der Schöpfung verglichen, wo ebenfalls – abstrahiert man von der stets notwendigen Erhaltung der Geschöpfe durch Gott („manutenentia"), die aus der Unvollkommenheit des Geschöpflichen resultiert – die „immensitas" als Grund der Gegenwart der göttlichen Natur sichtbar wird, so daß zumindest eine Analogie für die Weise des In-Seins zwischen den wesensgleichen Personen gewonnen ist[670]. Einen weiteren Anknüpfungspunkt könnte Suárez beim Sorbonne-Theologen Gilbert Genebrard gefunden haben, dessen 1569 erschienenes Trinitätswerk der Jesuit nachweislich benutzt hat. Auch Genebrard führt die Perichorese der drei Personen auf deren konvergierende „immensitas" zurück, ohne dafür weitere Autoritätsbelege anzuführen[671]. Nicht anders argumentiert als Zeitgenosse und Ordenskollege des Suárez Alfonso Salmeron in seinem Schriftkommentar[672]. Von einer Sonderlehre des Suárez kann hier also kaum die Rede sein.

Die Eigentümlichkeit der These unseres Jesuiten läßt sich auch durch den Hinweis darauf relativieren, daß „immensus" nach Suárez im strengen Sinne zu denjenigen Wesensattributen Gottes gehört, die nicht mit den Personen vervielfacht werden können, wenn auch an der diesbezüglichen früheren Stelle seines Trinitätstraktats eine je eigene personale „Präsenz" zugestanden ist, an die jetzt offenbar wieder angeknüpft

[670] Vgl. Scotus, Ord. I, d. 19, q, 2, n. 64 (Ed. Vat. V, 296f.): „Colligendo tamen ea quae sunt perfectionis in creaturis et tollendo ea quae sunt imperfectionis, possunt poni exempla aliqua istius modi essendi ‚in', saltem imperfecta et imperfecte repraesentantia istum modum: Primo quidem de illapsu essentiae divinae respectu creaturarum, ad quem illapsum concurrunt simul immensitas naturae divinae et eius manutenentia. Circumscribatur ergo ab illapsu ratio manutenentiae, ita quod reservetur ratio praesentiae propter immensitatem, absque ratione conservationis sive potentiae activae pertinentis ad manutenentiam: hoc circumscripto, sicut Deus – quia immensus – praesens est omni creaturae, ita tunc intelligitur praesens alicui absque hoc quod manuteneat illud; et tunc si ponatur una natura in praesente et in illo cui est praesens, propter quam naturam unam oporteat ipsum esse praesens, erit exemplum ad propositum de isto modo essendi ‚in'". Auf die Stelle weist auch DENEFFE (1923) 526 hin. Vgl. des weiteren WETTER (1967) 445f., CROSS (2005) 170ff.

[671] Vgl. Genebrard, De S. trinitate, l. 2 (162): „Nam cum Pater sit immensus infinitusque, tanti etiam sint Filius et Spiritus S. Ubicunque eorum unus est, illic alii consistant non tantum oportet, sed ut etiam se mutuo capiant atque complectantur."

[672] „Et idcirco cum Pater sit immensus, et infinitus, tanti etiam sunt Filius, et Spiritus sanctus, et ubicunque unus eorum est, illic etiam alii consistant, mutuo se capientes, et complectentes ob inconfusam personarum capacitatem": Salmeron, Commentarii, Bd. 2, tract. 11 (110b).

wird[673]. Die Erklärung der Perichorese „ratione immensitatis" weist jedenfalls letztlich auf das Wesen als Formalgrund zurück, sofern dieses in den Relationen enthalten ist.

Durch die ähnliche Konzeption bei Ruiz de Montoya wird die suárezische Lehre von der „inexistentia per immensitatem" auch in der nachfolgenden Schule präsent bleiben[674]. Bis in die Neuscholastik hinein findet sie Anhänger[675], während ihr die größere Zahl der Autoren, auch in der Jesuitenschule, eher ablehnend gegenübersteht. Schon Petavius hat sie deutlicher Kritik unterzogen[676], und noch im 20. Jahrhundert wird sie zuweilen in die Nähe tritheistischer Modelle gerückt[677].

(c) Wegen der Identität des „essentialen" und des „personalen" Grundes für die Perichorese (in beiden Fällen die „immensitas") wird nach Suárez als erste Konsequenz[678] der These einsichtig, weshalb die Durchdringung der Personen als Personen keine zweite „Einheit" in Gott neben der Wesenseinheit etabliert. Klar wird zweitens auch, warum die Personen trotz der unterscheidenden Ursprungsgründe dennoch in gleicher Weise als „sich durchdringend" bezeichnet werden dürfen: Sie sind hinsichtlich der jeweiligen Gegenwart im Verhältnis zu den anderen und der sie ermöglichenden Unermeßlichkeit gänzlich von gleicher Art. Damit sieht Suárez drittens auch aufgedeckt, wie schwach die Gründe sind, die Heinrich und Durandus gegen einen spezifisch personalen Modus der Durchdringung vorgebracht hatten. Denn weder verlieren die Personen durch die zuvor beschriebene Präsenzweise ihre Unterscheidung, noch liegt ein Widerspruch in der Annahme, daß eine Relation (Person) zugleich in einer anderen und eine andere Relation in ihr zu sein vermag. Denn hinsichtlich des hier zu beschreibenden Verhältnisses ist der Grund in

[673] Vgl. Suárez, De trin. 3.12.9 (I, 615b-616a). Über die Personen heißt es dort: „si ex propriis rationibus praecise considerentur, intelligi possunt ex se afferre praesentialitatem aliquam quasi localem, tamen excellentiam immensitatis ex se non habent, sed ut essentiam includunt."

[674] Vgl. Ruiz, De trinitate 107.7.9 (847a). Vgl. DENEFFE (1923) 525f.

[675] Vgl. MUNCUNILL (1918) 609, n. 119.

[676] Vgl. Petavius, Dogmata theol., De trin., l. 4, c. 16 (III, 76b-87b). Dazu auch STEMMER (1983) 38. Scheebens Kritik erläutert MINZ (1982) 152.

[677] Vgl. HUGON (1920) 443. Kritisch äußern sich ebenfalls FRANZELIN (1874) 233f.: „Imprimis ipsa immensitas Dei intelligitur valde improprie, quando concipitur secundum ‚immensum ubi' velut nescio quae diffusio, cum ea non sit aliud quam divinae existentiae perfectio eminens supra omnes relationes loci et spatii, vi cuius perfectionis utique repugnat, ut concipiatur creatura existens vel possibilis alicubi, ubi Deus non sit"; JANSSENS (1900) 785; VAN DER MEERSCH (1917) 591, n. 810.

[678] Vgl. zum folgenden Suárez, De trin. 4.16.12-13 (I, 651b).

beiden Außengliedern identisch: die göttliche Unermeßlichkeit, die den Relationen in ihrer Eigenart ebenso zukommt wie der Wesenheit.

Nicht in De trin. 4.16, wohl aber in seiner Metaphysik[679] weist Suárez auf eine weitere Konsequenz der innigen und notwendigen Verbindung zwischen den göttlichen Personen hin, nämlich ihre Untrennbarkeit. Sie ist insofern eigens erwähnenswert, als sie eine der insgesamt nur drei[680] Ausnahmen von der distinktionslogischen Regel darstellt, wonach alle real voneinander verschiedenen Dinge zumindest durch die Macht Gottes auch real voneinander trennbar sind[681]. In der Lehre von den Sendungen und natürlich auch im Traktat über die Inkarnation gewinnt die theoretische These von der Untrennbarkeit immer wieder konkrete Relevanz, wenn mit ihrer Hilfe begründet werden kann, daß Präsenz oder Wirken einer göttlichen Person niemals ohne Beziehung auf die anderen zu denken sind[682].

679 Vgl. DM 7.2.27 (XXV, 270b-271a).

680 Die zwei weiteren Fälle nennt Suárez ebd. 25-26 (270b): Die Kreaturen sind von Gott real unterschieden, aber können nicht ohne ihn bestehen, da sie sich gegenüber Gott in einer wesenhaften Abhängigkeit befinden. Ebensowenig vermag eine Relation ohne ihren von ihr real distinkten Terminus aufrechterhalten zu werden, da sie von diesem ebenfalls wesenhaft und gleichsam formal abhängig ist. Vgl. HURTADO (1999) 111.

681 Vgl. Suárez, DM 7.2.20 (XXV, 270a).

682 Vgl. dazu etwa De incarnatione 12.1.12-19 (XVII, 464b-466b), wo Suárez ausführlich die These verteidigt, daß aufgrund der Annahme der menschlichen Natur in die personale Seinswirklichkeit des Sohnes auch Vater und Geist einen besonderen Modus der Existenz dieser Menschheit besitzen, obwohl sie ihr als solche nicht geeint sind.

# Kapitel 7: Die innergöttlichen Relationen

## 1) Die Existenz realer Relationen in Gott

### *a) Vorbemerkungen*

Erst mit der Behandlung der göttlichen Relationen in Buch 6 von „De trinitate" beginnt nach Suárez die eigentliche spekulative Durchdringung des Trinitätsmysteriums mit der Ermittlung der personalen Proprietäten bzw. Notionen in Gott und ihrer jeweiligen Formalbestimmungen („rationes propriae"). Dazu wendet sich der Blick auf die innergöttlichen Beziehungen und damit auf den philosophischen Begriff der Relation, der in der Auseinandersetzung mit dem Arianismus von den Kappadoziern im Osten wie Augustinus im Westen zum Zentralterminus der Trinitätstheologie gemacht worden war[1]. Suárez behandelt ihn zunächst in allgemeiner Form, danach bezogen auf die drei Personen im besonderen. Im Vergleich dazu sieht der Jesuit alle vorhergehenden Erörterungen seines Trinitätstraktats kaum die „declaratio nominis", also die Ebene analytischer Urteile über den Wortlaut des Dogmas und seine Grundbegriffe, verlassen[2]. Auch wenn man diese Einschätzung als allzu bescheiden und die tatsächlichen Erkenntnisinteressen der suárezischen Trinitätslehre verschleiernd ansehen darf, steht doch außer Frage, daß der Relationsbegriff für alle scholastischen Theologen den eigentlichen Schlüssel zur christlichen Trinitätsspekulation bereitstellt. Mit der erweiterten Aristotelesrezeption im 13. Jahrhundert eröffnete sich die Möglichkeit einer vertieften spekulativen Ausfaltung. In der theologischen Applikation konnte die philosophische Vorgabe nicht unangetastet bleiben, was umgekehrt die erhebliche Relevanz der Trinitätsspekulation für die mittelalterliche Relationenphilosophie unterstreicht[3]. Daß die Relation vom aristoteli-

[1] Vgl. EMERY (2004b) 28.

[2] Vgl. Suárez, De trin., Prooem. (I, 652a).

[3] DECORTE (1996) 184 erwähnt „the tremendous importance of trinitarian doctrines for this (metaphysical) discussion".

schen Akzidens mit schwächster ontologischer Valenz[4] in der christlichen Theologie zum Begriff wurde, der das höchste Seiende in seiner personalen Letztbestimmung charakterisiert und darum bei Thomas von Aquin mit der Seinseigenschaft Gottes schlechthin, dem Subsistieren als reinem „Aus-sich-selbst-Sein" verbunden werden konnte[5], gehört, wie von den Interpreten zurecht immer wieder unterstrichen wird[6], zu den staunenswertesten Transformationsleistungen, die sich auf dem Weg des philosophisch-theologischen Denkens vom Altertum ins Mittelalter vollzogen haben.

Suárez knüpft wie in seiner ganzen Theologie auch in der trinitarischen Relationentheorie an die aristotelischen und thomanischen Vorgaben an. Gleich seinen mittelalterlichen Vorgängern muß er eine Verbindung zwischen der philosophischen Relationenlehre, für die es unbezweifelbar ist, daß „die Relationen später als das Absolute" sind[7], und der theologischen Inanspruchnahme des Begriffs für Gott selbst erreichen. Gegenüber der Zeit des Aquinaten stellt sich der engere Problemkontext zu Beginn des 17. Jahrhunderts spürbar verändert dar. Schon das späte 13. und das 14. Jahrhundert haben erhebliche Ausdifferenzierungen der ontologischen Grundentwürfe mit sich gebracht, die auch für die Relationenlehre unmittelbar wirksam wurden, namentlich für die Frage nach dem Realitätsgehalt der Relationen. Sie führen die schon bei Thomas zu beobachtende Entwicklung eines transzendentalen Relationsbegriffes, verstanden als das reine „esse ad", fort, der allen substantiellen oder akzidentellen, möglicherweise sogar realen und gedanklichen Verwirklichungsgestalten voranzustellen ist und der die Möglichkeit eröffnet, Relationalität in Gott präzis als nicht-akzidentelle und dennoch nicht formal mit dem Wesen zusammenfallende Größe begreifbar zu machen. Im folgenden sollen nur einige Grundzüge dieses Weges in Erinnerung gerufen werden, soweit sie Voraussetzung für das Verständnis der philosophischen

[4] Vgl. Suárez, DM 47, Prooem. (XXVI, 781b): „...cum Commentator, 12 Metaph., com. 19, dicat relationem inter omnia genera esse minimae entitatis".

[5] Auf die historische Entwicklung des „relatio subsistens"-Konzepts, mit dem schon bei Thomas ein gewisser Abschluß der theologischen Adaption des Relationsbegriffes erreicht wird, braucht im Kontext unserer Arbeit nicht näher eingegangen zu werden. Vgl. dazu MICHEL (1937); SCHMIDBAUR (1995) 387-447.

[6] Vgl. etwa KREMPEL (1952) 89ff.; SCHÖNBERGER (1986) 76f. Zurecht weist WERBICK (2001) 245 darauf hin, daß sich an den Grundtermini der Trinitätslehre ablesen lasse, „wie das griechische Erbe gerade verwandelt worden ist in der Intention, Gott als den sich selbst Mitteilenden und den an sich selbst (am Heil der Gottesgemeinschaft) Anteil Gebenden aussagen zu können".

[7] Suárez, DM 3.3.11 (XXV, 114b-115a): „relationes (...), quae sunt posteriores absolutis". Auf den augustinischen Hintergrund weist WEINBERG (1965) 88 hin.

Relationenlehre des Suárez sind, die der Jesuit vor allem in DM 47 zur Sprache bringt. Auf ihrem Hintergrund ist dann seine Entfaltung der trinitarischen Relationalität zu explizieren.

### *b) Die philosophische Frage nach der Existenz realer Relationen*

Die philosophischen Grundtermini für die Beschreibung von Relationen sind seit dem 14. Jahrhundert klar normiert. Die Relation ist in der Kategorienliste des Aristoteles, die für Suárez noch fast dogmatischen Charakter besitzt[8], nach Quantität und Qualität das dritte der Akzidentien[9]. Relationen, so wird seit Heinrich von Gent und Scotus regelmäßig formuliert, haben ein „fundamentum", ein Subjekt, in dem sie gründen (auch „relatum" genannt). Unter einer bestimmten Hinsicht (der „ratio fundandi relationem") bezieht sich dieses Subjekt auf einen „terminus", den Zielpunkt als zweiten Pol („extremum") der Relation. Bei der Beschreibung des ontologischen Status der Relation unterscheiden die Autoren gewöhnlich das „esse ad" als eigentliches Formalkonstitutiv jenes Seienden, dessen Sein in der Beziehung besteht[10], vom „esse in", mit dem die Relation bezeichnet wird, sofern sie (wie die übrigen Akzidentien) in ihrem substanzhaften Subjekt existiert.

Thomas hatte in der Übertragung auf Gott Wesen und Relation in ein Verhältnis gestellt, das einerseits die uneingeschränkte göttliche Seinseinheit garantiert, andererseits aber auch die personkonstituierende und –unterscheidende Funktion der Relationen absichert, da das Formalmoment der Relation in den extra-essentialen Bereich verlegt wird. Die Relationen sind „in" der Wesenheit und damit nicht akzidentell, sondern wie die Wesenheit subsistierend; aber ihr „Was" bleibt das „esse ad"[11].

Es ist bis in die neuere Forschung hinein umstritten, ob Thomas mit seinen Überlegungen bereits eine reale Unterscheidung zwischen „Fundament der Relation" und „Relation selbst" vornehmen wollte[12]. Deren Verhältnis wird in der nachthomanischen Scholastik ebenso kontrovers thematisiert[13] wie die Unterscheidung zwischen realen und gedanklichen

[8] So JANSEN (1940b) 456.

[9] Vgl. Aristoteles, Metaphysik l. 5, 1020b26-1021b11.

[10] Vgl. die Relationsdefinition bei Suárez, DM 47.5.2 (XXVI, 805b-806a): „accidens, cujus totum esse est ad aliud esse, seu ad aliud se habere, seu aliud respicere."

[11] Vgl. DECKER (1967) 392-397; SCHÖNBERGER (1994) 63-76.

[12] Vgl. etwa die Kritik bei DECKER (1967) 415, Anm. 275 an der dies bejahenden Auslegung von KREMPEL (1952) 256-259.

[13] Schon vor Suárez stellte der Thomas-Ausleger Zumel, Comm. in I[am] q. 28, a. 2, disp. 6 (723a) fest: „In quaestione hac, varius est S. Tho<mas>. Et idcirco non est eadem

Relationen und die Frage, ob es neben den prädikamentalen Relationen einen weiteren Relationstyp geben kann[14].

(1) Es war Scotus, der durch die Unterscheidung zwischen prädikamentalen und transzendentalen Relationen zugleich die klassische Alternative zwischen realen und gedanklichen Relationen, der sich Thomas noch verpflichtet sah (wenn auch mit der Differenz von „in der Sache begründeten" und „ohne Fundament in der Sache" konstruierten gedanklichen Relationen), geöffnet hat[15]. Das scotische Theoriestück wird für den geschöpflichen Bereich im folgenden auch von Thomisten gerne übernommen[16]. Relationalität tritt bei Scotus vor die Ausdifferenzierung des Seienden in seine obersten Gattungen. Als transzendentale verstanden, zählt die Relation „zu denjenigen Bestimmungen, die dem Seienden im allgemeinen (in communi), d. h. *als* Seiendem zukommen"[17]. Die transzendentale Relation ist die mit einem Seienden selbst wesenhaft gegebene Hinordnung auf etwas anderes[18]. Derart mit dem Absolutum zusammenfal-

sententia inter discipulos suae familiae." Vgl. die Zeugnisse bei KREMPEL (1952) 245-255. Bañez, Comm. in I[am] q. 28, a. 2 (769C) spricht von einer „non modica disceptatio" unter den Thomisten. Bejahend zu einem Unterschied äußerten sich darnach etwa Capreolus, Cajetan und Bañez, verneinend Soncinas.

[14] Mit Recht weist MARTIN (1949) 118ff. darauf hin, daß bei Thomas zwar Ansätze für eine Überwindung der traditionellen Zweiteilung der Relationen zu finden sind, seine Aussagen aber noch nicht zu stark im Lichte der späteren Scheidung von prädikamentaler und transzendentaler Relation gelesen werden dürfen (gegen Krempel).

[15] Vgl. MARTIN (1949) 120-137. Weitgehend das Urteil von Martin bestätigend ist HOLZER (1951), bes. 25ff.

[16] Vgl. die Dokumentation bei KREMPEL (1952) 645-670, die mit einer harschen Kritik an dieser Entwicklung verbunden ist („la déviation la plus tragique de la scholastique décadente": 670). Erneut: KREMPEL (1959a); ders. (1959b). Die Schuld sieht Krempel bei Weichenstellungen der frühen Thomisten sowie Einflüssen durch Albert und pseudo-thomanische Schriften. In Krempels eigener Interpretation bleibt bei Thomas „transzendentale Relationalität" wegen des Zusammenfalls von Absoluta und Relativa in Gott „ein göttliches Vorrecht" (KREMPEL [1959b] 174). Ganz anders sieht die Bewertung noch beim strengen Thomisten MANSER (1949) 284ff. aus. Zur Lehre Cajetans vgl. (im Anschluß an Krempel) NIEDEN (1997) 39ff.

[17] SCHÖNBERGER (1994) 157.

[18] Vgl. die Definitionen bei Fonseca, Comm. in Met. l. 5, c. 15, q. 1, s. 4: „Relata transcendentia sunt ea, quorum esse est affecta esse ad aliud, ut ad quippiam prius in genere causae…" (II, 799B). „Relata non transcendentia sunt ea, quorum essentia est affecta esse ad aliud, ut ad terminum tantum…" (799D). Vgl. KOBUSCH (1987) 399f.: „Die prädikamentale Relation ist eine akzidentelle Form eines absoluten Fundaments, so daß sie als solche nicht von Natur »intendiert« war. Sie entsteht nicht von sich aus, um eine ihr eigene Aufgabe zu übernehmen, sondern sie »begleitet« immer nur andere an sich seiende Dinge, die ihr Fundament oder ihr Terminus sind. Die transzendentale Relation, z. B. das Verhältnis zwischen Materie und Form, Sehen und Gesehenem, Wärme und dem zu Wärmenden, kommt einer Sache nicht

lend, erinnert dieser Relationstyp an die thomanische gedankliche Relation „mit Fundament in der Sache selbst". Als geläufige Beispiele[19] fungieren die Verbindung zwischen einer Potenz und ihren möglichen Aktualisierungen, das Verhältnis von Materie und Form im Substanz-Genus oder die Hinordnung der Kreatur auf Gott bzw. ihr partizipiertes Sein als Grundcharakteristikum alles Geschaffenen[20]. Aber auch die wichtige trinitätstheologische Frage nach der Relation der Gleichheit und Ähnlichkeit zwischen den göttlichen Personen wird für Scotus entscheidend[21], um zu seinem neuen Relationstypus zu finden, der die Realität der Beziehung bejaht, ohne sie notwendigerweise mit Akzidentalität verbinden zu müssen und ohne Fundament und Relation „sicut res a re" zu unterscheiden.

Was den ontologischen Gehalt der transzendentalen Relationen im scotischen Basisentwurf angeht, ist der Zusammenhang zur Lehre von der Formaldistinktion unübersehbar. Transzendentale Relationen sind nach Scotus solche, „die von ihrem Fundament nicht zu trennen und dennoch nicht vom Denken abhängig"[22] sind. Die transzendentale Relation ist von ihrem Fundament formal verschieden; eine bloße Modifikation eines Seienden durch die Relation, die von ihm ausgeht, wie sie (in nicht akzidenteller Weise) Heinrich von Gent gelehrt hatte[23] und wie sie auch bei Durandus nachweisbar ist[24], lehnt Scotus ab. Die transzendentalen Rela-

als akzidentelle Form zu, sondern stellt einen unselbständigen Bestandteil (ens incompletum) »in jener Kategorie dar, zu der jene Sache gehört, die sie aktuiert oder konstituiert« [Suarez, DM 47.4.3]."

19 Vgl. Suárez, DM 47.3.11 (XXVI, 797b-798a).

20 Vgl. ebd. 12 (798b): „Quinimo verisimile est, in entibus creatis nullum esse ita absolutum, quin in sua essentia intime includat aliquem transcendentalem respectum, saltem quatenus est ens per participationem, per se essentialiter pendens ab ente per essentiam. Nam, licet ipsa actualis dependentia sit aliquid ex natura rei distinctum ab ipso ente creato, tamen ipsa aptitudo et necessitas dependendi est intrinseca et essentialis illi; non videtur autem posse concipi, aut esse sine transcendentali respectu et habitudine ad illud a quo pendet, in quo respectu maxime consistere videtur potentialitas et imperfectio entis creati ut tale est."

21 Vgl. (mit Belegen) MARTIN (1949) 131f. Zur Sachfrage vgl. in unserer Studie Kap. 6, 5), (1)-(3).

22 BECKMANN (1967) 215. Vgl. auch MARTIN (1949) 135f.; WEINBERG (1965) 102f.; WÖLFEL (1965) 193ff.; BECKMANN (1996); BÄCK (1997) 209-216.

23 Vgl. zu seiner Lehre HENNINGER (1989) 52-58; SCHÖNBERGER (1994) 87-102; DECORTE (1997); HÖDL (2003) 374-377. Verwiesen werden kann paradigmatisch auf Heinrich, Qdl. 9, q. 3 (Op. XIII, 56): „Propter quod saepius alibi diximus quod relatio realitatem suam contrahit a suo fundamento, et quod ex se non est nisi habitudo nuda, quae non est nisi modus quidam rem habendi ad aliud, et ita non res quantum est ex se sed solummodo modus rei, nisi extendendo rem ut etiam modus rei dicatur res, secundum quod alibi exposuimus...".

24 Vgl. SCHÖNBERGER (1994) 125-131.

tionen sind also hinsichtlich ihrer Verstandesunabhängigkeit als ebenso real wie die prädikamentalen Relationen anzusehen, sofern sie alle für die Realität notwendigen Kriterien erfüllen[25]; sie unterscheiden sich von diesen jedoch im Blick auf die reale Trennbarkeit von Fundament und Terminus[26]. Letztere ist bei den niemals mit dem Fundament „adäquat identischen" prädikamentalen Relationen gegeben, während sie den transzendentalen Relationen fehlt, in denen das Subjekt niemals ohne den Terminus sein kann, auf den es ausgerichtet ist.

Auf Gott ist für Scotus allein der Begriff der transzendentalen Relation übertragbar. Diese bleibt real und von der Wesenheit als ihrem Wurzelgrund formal unterscheidbar, ohne zugleich dinghaft neben dieses Fundament zu treten und damit in ein Quaternitätsproblem („Gilbertinismus") zu führen. Was die trinitätstheologische Primärfunktion der Relation, also ihre personkonstituierende Rolle, angeht, hat Scotus, wie uns bekannt ist, deutliche Zweifel angemeldet[27]. Damit Relationen entstehen können, müssen die Relationsglieder vielmehr bereits bestehen: Das „ad se" geht dem „ad aliud" voraus. Darum tendiert Scotus zur Annahme von absoluten Personkonstituentien.

(2) Der starke Relationenrealismus des Scotus stieß im Nominalismus auf heftige Kritik.

(a) Nach Ockham sind Relationen nicht Dinge, sondern allein bestimmte Weisen, Dinge zu bezeichnen[28]. Es handelt sich um Begriffe zwei-

[25] Scotus gibt für reale Relationen folgende allgemeine Definition: „Videtur dicendum quod ad relationem realem tria sufficiunt: primo quod fundamentum sit reale et terminus realis; et secundo, quod extremorum sit distinctio realis; et tertio, quod ex natura extremorum sequatur ipsa talis relatio absque opere alterius potentiae, comparantis unum extremorum alteri": Ord. I, d. 31, n. 6 (Ed. Vat. VI, 204); Lect. I, d. 31, n. 6 (Ed. Vat. XVII, 424ff.). Zum Realismus der scotischen Relationenlehre vgl. auch KING (2003) 33-38.

[26] Vgl. BECKMANN (1967) 228: „Reale Trennbarkeit und Verstandesunabhängigkeit fallen als ontologische Kriterien nicht zusammen bzw. begrenzen nicht an derselben Stelle den Bereich des ens, sondern sie bilden die Grenzen eines *neuen Bereiches der Realität*, den des *formalen Seins*".

[27] Grundsätzlich steht für ihn fest: „... relatio – quae est essentialiter habitudo ‚ad aliud' – non habet vim constituendi aliquid ‚ad se'": Ord. I, d. 26, q. un., n. 66 (Ed. Vat. VI, 27). Vgl. auch HOFFMANN (2002) 85-89.

[28] Vgl. MARTIN (1949) 139-171; ders. (1950). Zur Relationenlehre Ockhams siehe auch: WEINBERG (1965) 103-108; ADAMS (1987) 215-276; BERETTA (1999), u. a. im Vergleich mit Burley und Crathorn. Das Gesamturteil lautet (186): „En conclusion, la théorie occamienne de la relation peut être qualifiée de nominaliste au sens large du terme et de conceptualiste réaliste". Vgl. des weiteren LOPEZ VÁZQUEZ (1988); BANNACH (2000) 105-117.

ter Intention[29]. In den früheren Annahmen über den ontologischen Status der Relationen sieht der Franziskaner ein großes Mißverständnis, ja „eine – vermutlich durch die theologische Finalisierung begründete – Kontaminierung der Theorieelemente selbst“[30]. Für die in „dieser radikalen Kritik an der Hypostasierung der Sprache“[31] geforderte Rücknahme der Relationen in die Absoluta hinein stellt der scotische Begriff transzendentaler Relationen einen willkommenen Anknüpfungspunkt dar, sofern man gleichzeitig die Vorstellung der „distinctio formalis“ verwirft. Denn die transzendentale Relation, verstanden als wesenhafte Hinordnung einer Wirklichkeit auf eine andere bzw. als ihre notwendige Verbindung mit dieser, ist dann ganz eine Aussage über die als Fundament zu erfassende Sache als solche, welcher die Relation – ohne jede ontologische Eigenbestimmung – nur „konnotiert“ wird. Suárez kann darum bei seiner Darstellung der nominalistischen Bestreitung realer Relationen (im Geschöpflichen) neben der Meinung derer, die (wie etwa Aureoli) diese Ablehnung einschränkungslos vornehmen[32], auch die These anderer zitieren, die reale Relationen allein im Sinn der „conditio transcendentalis“ anerkennen, die zwar allen Seienden innewohnen kann, aber in keinem Fall ein eigenes „genus entis“ konstituiert[33].

(b) Schon frühe Kritiker Ockhams haben hervorgehoben, daß für den vom christlichen Glauben geforderten trinitarischen Relationenbegriff ein Verständnis als „conceptus“, „nomen“ oder „denominatio“ zu wenig ist, um mit seiner Hilfe noch die Eigenständigkeit der göttlichen Personen begründen zu können[34]. Auch Ockham selbst ist dies nicht entgangen. Darum schreibt er seiner Relationenlehre eine radikale Zweiteilung ein, durch die neben der Entontologisierung der Relationen im natürlichen Bereich die Annahme realer Relationen auf dem Feld der Gotteslehre gewahrt bleibt. Indem Ockham die Übertragbarkeit der theologischen Wahrheit auf das Gebiet des Endlichen ablehnt[35], ergibt sich zwischen

[29] Dies ist gegen jede „realistische“ Interpretation der Ockhamschen Relationenlehre klar herausgestellt bei GREIVE (1967).

[30] SCHÖNBERGER (1994) 196.

[31] BANNACH (2000) 110.

[32] Vgl. Suárez, DM 47.1.8 (XXVI, 784a). Eine Darstellung der konzeptualistischen Relationstheorie Aureolis, in der die Relationen ganz unter die „fictitia et entia rationis“ fallen, bietet mit den wichtigsten Belegstellen HENNINGER (1985) und HENNINGER (1989) 158-173. Zur trinitätstheologischen Relevanz der These äußert sich FRIEDMAN (1999a) 23f.

[33] Vgl. Suárez, DM 47.1.9 (XXVI, 784a).

[34] Vgl. die Kritik Lutterells in der Darstellung bei HOFFMANN (1959) 187-204; einige Hinweise bieten auch MARTIN (1949) 105f. und BERETTA (1999) 1f.

[35] Vgl. Ockham, Ord. I, d. 30 q. 4 (OTh IV, 374).

philosophischer und theologischer Relationentheorie ein zuvor nicht gekannter Hiat. Seine Konsequenzen sind erheblich: Der Maßstab logischer Nichtwidersprüchlichkeit wird für die Theologie ebenso unsicher, wie die Philosophie die Möglichkeit verliert, „sich zu den trinitarischen Relationen in ein theoretisch produktives Verhältnis zu setzen“[36]. Während Ockham selbst spürbar bemüht blieb, die übernatürlichen Ausnahmen nicht als generelle Infragestellung der natürlichen Logik zu deuten[37], wurden in der Folgezeit die Trennungsaussagen bei nominalistischen Autoren verschärft, etwa im Werk des Dominikaners Robert Holkot[38]. Die Trinitätslehre erweist sich hier als exemplarisch für die nominalistische Grundtendenz in der Bestimmung des Verhältnisses zwischen Philosophie und Theologie, die im Interesse der Denkbarkeit der geoffenbarten Wahrheiten den Anwendungsbereich der philosophisch-natürlichen Logik beschränkte und durch eine theologisch-übernatürliche Logik zu erweitern suchte. Allerdings hat die neuere Forschung selbst einen Autor wie Holkot weitgehend gegen den Vorwurf des Irrationalismus, Skeptizismus oder Fideismus verteidigt und seine Lehre in den breiteren Strom derjenigen Theologen des 14. Jahrhunderts gestellt, die um

[36] SCHÖNBERGER (1994) 193f. Vgl. schon BECHER (1929) 391ff.

[37] Der Versuch, in Ockham das Selbstbewußtsein des Philosophen und die Demut des Theologen verbunden zu sehen, sofern er bemüht ist, sowohl dem Licht der Vernunft zu vertrauen als auch das Geheimnis des Glaubens anzuerkennen, darf wohl als weitgehender Konsens in der neueren Ockhamforschung angesehen werden; vgl. etwa ADAMS (1987) 996-1007; SCHRÖCKER (2003) 170-200. Wie weit Ockham die Trennung von philosophischer und theologischer Logik vorantreiben wollte, bleibt dagegen unter seinen Interpreten bis in die Gegenwart umstritten. So kommt Schröcker, wenn auch mit einem gewissen Zögern, zum Urteil, daß Ockham „keine Ausnahmen vom Kontradiktionsprinzip und keinen ‚a-logischen Sonderbereich' zuläßt, auch nicht in Gott“ (ebd. 199). Anders urteilt LEPPIN (1995) 243, Anm. 409, der bei Ockham klar die „Forderung nach widervernünftiger Autoritätsgefolgschaft in der Trinitätslehre“ konstatiert. Vgl. auch LEPPIN (2005) 441ff. Vermittelnd fällt die Einschätzung bei SHANK (1988) 71 aus: „Ockham did not explicitly deny the formality of Aristotelian logic in Trinitarian theology, but he took a step in that direction.“

[38] Vgl. zu seiner Trinitätslehre: GELBER (1974) 266-283.299-315; COURTENAY (1987) 278; SHANK (1988) 74-79 (mit Verweis auf Studien Smalleys zu weiteren „fideistischen“ Aussagen Holkots in seinem Weisheit-Kommentar); KENNEDY (1993) 19f.; KNUUTTILA (1993b); ders. (2003) bes. 129-134 (insgesamt zu Konzepten einer eigenen „Logik des Glaubens“ in der Schule Ockhams); RIEGER (2005) 476-485 (These: antinomische Struktur der Trinitätslehre, aber kein Gegensatz zum Widerspruchsprinzip). Skepsis gegenüber einer zu raschen Übernahme des aristotelischen Wissenschaftsverständnisses für die Theologie hat NIELSEN (1999) auch in den Antrittsvorlesungen des Petrus Aureoli nachgewiesen, u. a. mit Verweis auf das Syllogismusproblem der Trinitätslehre.

eine Modifizierung aristotelischer Prinzipien zugunsten des christlichen Dogmas bemüht waren[39]. Aber selbst wenn die Nominalisten die Kluft zwischen Vernunft und Glauben nicht aufgerissen, sondern eher konstatiert und zu überbrücken versucht haben – am Faktum als solchem besteht kein Zweifel.

(3) In den Ausführungen des Suárez zur philosophischen Relationenlehre[40] ist unübersehbar, daß er diese Aufspaltung menschlicher Rationalität vermeiden will.

(a) Nicht von ungefähr findet sich gleich zu Anfang seiner Argumentation zugunsten realer Relationen in den geschaffenen Dingen neben den bloß gedanklichen[41] der Verweis auf die theologische Relevanz eines positiven Urteils in dieser Frage: „nicht nur aus philosophischen Gründen, sondern auch, weil diese These geeigneter ist zur Erklärung des Trinitätsgeheimnisses und weil es von ihr her in höchstem Maße Bestätigung zu empfangen scheint"[42]. Weil der katholische Glaube die Realität dreier Relationen in Gott bekennt, welche die göttlichen Personen konstituieren und unterscheiden, ist es evident, daß der Begriff der Relation als solcher, und zwar in Absehung davon, ob er eine geschaffene oder ungeschaffene Realität bezeichnet, kein bloßes Gedankending sein darf. Das unbezweifelbare Realsein der Relation in Gott macht es zumindest in höchstem Maße wahrscheinlich, daß Gleiches auch im Geschöpflichen gilt. Denn wenn die reale Relation schon für Gott keine Unvollkommenheit be-

[39] Vgl. neben den Arbeiten von Fritz Hoffmann, die Holkots Logik des Glaubens zwar als nicht-aristotelisch, aber keineswegs „irrational" interpretieren – etwa: HOFFMANN (1963), bes. 632-635; HOFFMANN (1972) 26-36.340f.; HOFFMANN (1998) 113f. –, das Urteil bei GELBER (1974) 316: „There was no basic discrepancy between Holcot's use of two logical systems and Wodeham's and others' attempts to reformulate Aristotelian principles. Holcot, Wodeham and the author of the Centiloquium all looked to revealed truth as the ultimate guide in establishing any logic and in dealing with the created order as well as with God." In einer späteren Arbeit hat Gelber nachgewiesen, daß Holkot in seinen Quodlibeta die Forderung nach einer besonderen theologischen Logik für die Trinitätslehre nicht mehr erhoben hat. Vgl. GELBER (1983) 26f.; KNUUTTILA (1993a) 152ff.; SCHÖNBERGER (1994) 217ff. Insgesamt hat sich in der neueren Forschung herausgestellt, daß die Zahl derjenigen Autoren, die aus trinitätstheologischem Interesse eine nicht-aristotelische „logica fidei" postulieren, tatsächlich recht klein ist; neben Holkot lassen sich ihr Heinrich von Langenstein und Nikolaus von Dinkelsbühl sicher zuordnen. Vgl. SCHRAMA (1981) 99-106; SHANK (1988) 87-138.

[40] Vgl. dazu allgemein MAHIEU (1921) 351-367; RANGEL RIOS (1991) 136-142.

[41] Suárez verteidigt den Sinn dieser Unterscheidung gegen Vertreter einer extremen Univozitätsthese in der Relationsdefinition in DM 47.3.2-5 (XXVI, 794a-795b).

[42] Suárez, DM 47.1.10 (XXVI, 784a): „Non solum propter rationes philosophicas, sed etiam quod illa sententia aptior sit ad mysterium Trinitatis declarandum, et ex illo plurimum confirmari videatur."

zeichnet, die im Gegensatz zu seinem Wesen steht, fällt dieser Einwand auch für die Kreatur fort. Die Relation als solche kann also nicht notwendigerweise Unvollkommenheit mit sich bringen; solche erwächst höchstens aus dem ihr im Geschöpflichen anhangenden Charakter der Akzidentalität, welcher im Falle der „res creata" leicht zu akzeptieren ist[43].

Erst nach diesem „wirksam" einzusetzenden theologischen Gedanken führt Suárez auch seine strikt philosophischen Argumente zugunsten realer Relationen im Geschöpflichen auf. Darunter finden sich der Verweis auf zahlreiche unverzichtbare Beziehungsaussagen („denominationes relativae"), die ohne Gründung in einem realen Seienden nicht verstehbar sind, sowie der Rückgriff auf den relationalen „ordo universi", der offenbar nicht als bloßes Gedankending gelten kann. Allerdings wird spürbar, daß Suárez diesen Beweisgründen selbst mit einer gewissen Zurückhaltung gegenübersteht. Sie sollen vor allem jene überzeugen, denen die zuvor gegebene theologische Begründung nicht einleuchtet. Solche Stimmen in der Diskussion verweisen auf den extraprädikamentalen Charakter der göttlichen Relationen in Entsprechung zum extraprädikamentalen Status Gottes selbst und nennen als Begründung, daß unter der Annahme einer Substantialität Gottes (im kategorialen Sinn) die göttlichen Relationen als Personalitäten ebenfalls eher in die Substanzkategorie gehörten. Dann aber läßt sich von der theologischen Wahrheit realer Relationen ebensowenig auf eine Entsprechung in der endlichen Welt schließen, wie sich aus dem Begriff der göttlichen Vaterschaft ohne weiteres der geschöpfliche Vaterbegriff entwickeln läßt, wie am jeweils unterschiedlichen Abfolgeverhältnis in Sachen „Zeugung" ersichtlich ist. Man stünde erneut vor der nominalistischen Konsequenz, aus den realen Rela-

[43] Vgl. ebd. 11 (784a-b): „Docet enim fides Catholica esse in Deo tres relationes reales, constituentes et distinguentes divinas personas: ex quo fit evidens argumentum, conceptum relationis ut sic, non addendo quod creata sit vel increata, non esse fictitium, et rem aliquam referri non esse denominationem extrinsecam provenientem ex sola comparatione mentis, sed esse aliquid rei, quandoquidem in Deo aliquid rei est. Et hinc ulterius magna verisimilitudine colligitur, etiam in rebus creatis esse posse aliquid rei. Quia vel repugnaret rebus creatis ob perfectionem earum, vel repugnaret ob imperfectionem. Primum dici non potest (...) Nec vero repugnare potest ob imperfectionem, quia relatio ut relatio non dicit imperfectionem; quod si aliquid imperfectionis ei adjungitur ex eo quod accidentalis sit, talis imperfectio non est extra latitudinem rei creatae. Hoc ergo argumento Theologico efficaciter probari videtur dari posse in rebus creatis, et de facto dari respectus reales."

tionen in Gott bestenfalls die Existenz transzendentaler Beziehungen im Geschöpflichen ableiten zu können[44].

(b) Daß Suárez von den Argumenten der Nominalisten, die er bestens kennt[45], bei allem Willen zur Differenzierung und zur Widerlegung der Nichtrealitätsthese beeindruckt bleibt[46], zeigen auch die weiteren Ausführungen zum exakten ontologischen Status der Relationen in der zweiten Sektion von DM 47. Der Jesuit verwirft angesichts dieser bei Thomas noch nicht mit letzter Klarheit formulierten Problematik alle Verstehensmodelle, die eine wirkliche Unterscheidung („distinctio actualis") zwischen absolutem Fundament und Relation vertreten: sowohl die Konzepte realer Distinktion bei den „alten Thomisten" (wie Capreolus und Cajetan)[47], die auf die Unterschiedenheit und Trennbarkeit von Substanz und relationalem Akzidens verweisen, als auch die Unterscheidungsmodelle des Scotus, die durch Durandus oder Jakob von Metz in der Diskussion präsenten Vorschläge einer Modaldistinktion[48] und ihnen ähnelnde Zwi-

[44] Vgl. ebd. 13 (785a): „Ex illis ergo relationibus [sc. divinis] non videntur posse colligi relationes praedicamentales, sed ad summum respectus reales transcendentales inclusi in aliquibus entibus."

[45] Vgl. auch ebd. 1-5 (782a-783a).

[46] Schon MARTIN (1949) 173-176 stellt Suárez in sachlicher Hinsicht in enge Beziehung zu Ockham. Die Nähe des Suárez zum Nominalismus ist in dieser wie in vielen anderen Fragen in der älteren Debatte zwischen Thomisten und Suárezianern ein heikles Thema, setzt sich aber auch in der nicht mehr schulmäßig gebundenen neueren Forschung fort, etwa im Blick auf die suárezische Einschätzung des „ens rationis"; vgl. etwa LECHNER (1911) 4f.18 u.ö.; ders. (1912) (Suárez gehört in den entscheidenden Punkten der Erkenntnistheorie zur „scotistisch-nominalistischen Richtung"); DESCOQS (1927) 95-103, gegen MAHIEU (1921) XIV u. ö. und MAHIEU (1925); FUETSCHER (1933) 7 (gegen GREDT [1929] I, 307, n. 388). 47 u. ö.; DE VRIES (1945-49); GIACON (1947) 191-196.203-229; ALEJANDRO (1948) (gegen Mahieu und Giacon); GARRIGOU-LAGRANGE (1951) 75; ROIG GIRONELLA (1961) 307-310; HOERES (1962a); NEIDL (1966) 6-63; PECCORINI (1974); KOBUSCH (1987), bes. 195-208; SANTIAGO-OTERO (1998) (zum Einfluß des scotistisch-ockhamistischen Denkens des Wilhelm von Rubio).

[47] Vgl. Suárez, DM 47.2.2 (XXVI, 785b): „Prima <sc. sententia> docet relationem realem semper esse rem distinctam realiter a suo subjecto et fundamento. Haec est opinio veterum Thomistarum, Capreoli, in 1, dist. 30, quaest. 1; Cajetan, 1 part., quaest. 28, art. 2; Ferrar., 4 cont. Gent., cap. 14. Qui fundantur in verbis D. Thomae eisdem locis, et quaest. 8 de Potent., art. 1, et in 1, dist. 33, quaest. 1, art. 1, quibus locis constituit differentiam inter relationem creatam et increatam, quod prior non identificatur cum substantia, *sed est alia res et facit compositionem cum illa*, quod secus est in relatione increata." Nach NIEDEN (1997) 34 gilt: „Die These der Realdistinktion zwischen *relatio* und *fundamentum* wird auch von der neueren Forschung zu diesem Problemkreis als eine durchaus legitime Ableitung aus dem Denken des Thomas beurteilt." Zu Cajetans Relationenlehre ebd. 30-41.

[48] Vgl. DECKER (1967) 453f.

schenlösungen (Javelli, Fonseca)[49]. Zustimmung findet dagegen bei Suárez die von der Nominalistenschule sowie einigen Thomisten auf der Wende vom 13. zum 14. Jahrhundert (Aegidius Romanus, Hervaeus Natalis)[50] und auch später (B. Torres)[51] vertretene These, wonach es eine wirkliche Distinktion zwischen Fundament und Relation nicht gibt, sondern allein eine gedankliche mit Grundlage in der Wirklichkeit[52]. Daß nicht einmal eine modale Distinktion der Relation von ihren absoluten Polen anzunehmen ist, wie sie zuerst Heinrich von Gent nahegelegt hatte, begründet sich nach Suárez aus der Untrennbarkeit zwischen Beziehung und beziehungsgründenden Subjekten, sofern nur Fundament und Terminus in Wirklichkeit gesetzt sind[53], genauso wie aus der unendlichen Hinzufügbarkeit von Relationen zu einem Ding ohne Aufhebung früherer

[49] Vgl. Darstellung und Kritik der „opiniones 1-4" in DM 47.2.1-11 (783-789a). Die mit dem Begriff einer „Formaldistinktion" operierende These Fonsecas, der sich selbst u. a. auf den Thomisten Javelli beruft, findet sich im Comm. in Met., l. 5, c. 15, q. 2 (II, 818A-B): „Nobis tamen magis placet, relationes reales ad hoc praedicamentum pertinentes universe distingui a fundamento formali distinctione (...), ita ut omnes habeant proprium ac peculiare esse tum essentiae, tum existentiae distinctum ab esse fundamenti, quam sententiam plerique Thomistarum, Chrys. Iavel. 5. Metaphys. q. 22., Sot. in Praedicam. cap. de Relat. quaest. 2 et alii ut sui Auctoris placitum, veterumque cum Philosophorum, tum Theologorum doctrinam merito amplectantur". Daß es für Suárez aus prinzipiellen Gründen keine weitere Distinktion neben gedanklicher, realer und modaler geben kann, kennen wir bereits aus den Erörterungen von DM 7. Dies wird im vorliegenden Kontext wiederholt (DM 47.2.9, 788a-b).

[50] Vgl. Hervaeus, 1 Sent. d. 31, q. 1, a. 3 (132a). Für Aegidius ist die These belegt und erläutert bei HENNINGER (1989) 26-29.

[51] Vgl. B. Torres, Comm. in I^am^ q. 28, a. 2 (50vb-51ra), nach dessen Darstellung die „huius temporis Thomistae" durchweg einen realen Unterschied zwischen der Relation und ihrem Fundament ablehnen; ausdrücklich wird auf Paulus Soncinas, Qq. metaphys. l. 5, q. 28 verwiesen. Wie Torres erwähnt schon Soncinas die Unklarheit der thomanischen Vorgaben und die daraus resultierenden Differenzen unter den neueren Auslegern. Er selbst neigt der These zu „quod relatio et fundamentum sunt eadem res, sed distinguuntur tantum ratione et conceptibiliter, quia in conceptu relationis cadit terminus qui non cadit in conceptu fundamenti" (Ed. 1588, 89a). Suárez steht dieser Deutung spürbar nahe.

[52] Vgl. Suárez, DM 47.2.12 (789a-b).

[53] Vgl. ebd. 15 (790a); ähnlich argumentiert Suárez bereits in DM 7.2.4 (XXV, 262b): „Et ideo valde errant, qui existimant relationem esse aliquid reale positivum, sine quo potest fundamentum manere in re ipsa, et tamen non distingui actualiter et a parte rei ab ipso fundamento; est enim aperta implicatio contradictionis. Nam, si relatio in sua essentia aliquid reale est, et nunc est in fundamento, et postea non est, manente ipso fundamento integro in sua entitate et essentia, necesse est ut, quidquid illud est, quod est relatio, sit aliquo modo in re ipsa distinctum a fundamento; alioquin idem omnino secundum rem desineret esse, et maneret."

und anderer Beziehungen[54]. Damit soll eine überflüssige Multiplikation der „res" und „modi reales" vermieden werden, ohne daß die Realität der Relationen gefährdet würde. Denn weder möchte Suárez mit seiner These die Existenz eines Formalgrundes der Relationen leugnen noch deren bloße Äußerlichkeit postulieren. Die Relation gründet nach seiner Einschätzung in einem bestimmten Aspekt der absoluten Formalkonstitution eines Seienden, aber eben nicht, sofern dieser selbst absolut ist, sondern sofern unser Verstand vermittels seiner das Seiende als in Beziehung zu einem anderen Seienden stehend erkennt[55]. Diese „denominatio respectiva" ist nicht aus mehreren absoluten Formen gewonnen, aber sie erfordert die Koexistenz mehrerer Dinge bzw. Formen und wird in jedem der beiden Extrema von einer dieser eigentümlichen Formbestimmtheit her erkannt, sofern sie auf eine andere bezogen ist[56]. Eine solche „distinctio rationis cum fundamento in re" reicht in der Sicht des Suárez zur Konstitution einer eigenen Kategorie aus, wie sie das reale „ad aliquid" (in Absetzung vom rein gedanklichen[57]) darstellt. Wenn in der modernen Forschung zuweilen eine gewisse Nähe zwischen dem thomanischen und ockhamschen Relationsverständnis herausgearbeitet wird[58], scheint sich diese bereits Suárez in seiner Interpretation zunutze gemacht zu haben.
In dieselbe Richtung einer möglichst weitreichenden Hineinnahme der Relation in die Wesenheit des Trägers weist bei Suárez die Deutung, die den beiden Bestimmungsaspekten des „esse in" und „esse ad" zuteil wird, wie sie die an Thomas anknüpfende Tradition im Fall der prädikamenta-

[54] Vgl. Suárez, DM 47.2.16 (XXVI, 790a-b).

[55] Vgl. ebd. 22 (792b): „Sed intelligendum est, relationem quidem dicere formam aliquam realem, et intrinsece denominantem proprium relativum, quod constituit; illam vero non esse rem aliquam aut modum, ex natura rei distinctum ab omni forma absoluta, sed esse in re formam aliquam absolutam, non tamen absolute sumptam, sed ut respicientem aliam, quam denominatio relativa includit seu connotat." Ähnlich: DM 47.4.19 (804b): „Hinc ergo intellectum est, hujusmodi denominationes desumi a quibusdam respectibus resultantibus ex coexistentia plurium rerum habentium ad id sufficiens fundamentum, quorum munus solum est referre et ordinare unam rem ad aliam, ita ut una alteram respiciat ratione alicujus fundamenti quod in ea supponitur."

[56] Vgl. DM 47.2.25 (793b-794a).

[57] Vgl. DM 47.3.3 (794b-795a).

[58] Vgl. HENNINGER (1987) 507: „Thomas' [sc. theory on the ontological status of categorical relations] is a version of the fourth alternative (3d) [sc. „there exists a real relation *R*, which is nothing more (nor less) than the extra-mental fact that *a* and *b* exist in a certain way": 492], shared by the later Henry of Harclay and William of Ockham. Statements of the form *aRb* are true if and only if *a* and *b* with their foundations really exist, and exist in a certain way."

len Relation unterschieden hat[59]. Suárez lehrt im üblichen Sinne, daß es das „esse ad" ist, welches in formaler Hinsicht das Genus der prädikamentalen Relation konstituiert[60]. Dieses jedoch mit den Thomisten von einem „esse in" der Relation zu unterscheiden, das seinerseits die Identität der Relation mit dem Fundament sichern und allein für Vollkommenheit und Realität der Relationen verantwortlich sein soll, lehnt Suárez ab[61]. Die dafür notwendige reale Distinktion beider Aspekte der einen relationalen Wirklichkeit, deren Zusammengehörigkeit und Kompatibilität der Jesuit keineswegs leugnet[62], erscheint ihm unbegreiflich, da sie den Relationsbegriff in eine innere Spaltung führen müßte. In Wahrheit ist für Suárez das Bezogensein auf anderes nichts von der bezüglichen Sache selbst real Verschiedenes. So enthält das „esse ad" der Relation für Suárez notwendig das „esse in", und zwar nicht nur in der Realität, sondern auch im einfachen Begriff. Aus demselben Grunde kommt ihm als solchem Vollkommenheit und Realität zu, wie uns aus der suárezischen Position zur Debatte um die „perfectiones relativae" der göttlichen Personen und aus der Verhältnisbestimmung von Wesenheit und Relationen längst bekannt ist. Hier wie dort gilt: Das „esse ad" inkludiert in formaler Betrachtung die Wesenheit, nicht aber umgekehrt. So hat die Trinitätslehre im vorliegenden Punkt nicht bloß die allgemeine metaphysische

[59] SCHMIDBAUR (1995) 418 u. ö. spricht im Blick auf diese schon für Thomas bedeutsame Unterscheidung etwas ungewöhnlich von „Sein" und „Wesen" der Relationen. Daß die Differenzierung tatsächlich in die Mitte der trinitätstheologischen Relationenlehre des Aquinaten führt, sofern sie die reale Unterschiedenheit der Personen untereinander mit der Einheit und Einzigkeit des göttlichen Seins vermittelt und so die Identität von Wesen und Personen in Gott erklärbar macht, kann kaum bezweifelt werden. Vgl. FORMENT (1995); EMERY (2004c) 118f.

[60] Vgl. Suárez, DM 47.4.8 (XXVI, 801a-b).

[61] Vgl. DM 47.2.19-21 (791b-792b). Dazu: MAHIEU (1921) 355ff. Vgl. Scotus, Ord. I, d. 11, q. 2, n. 51 (Ed. Vat. V, 22f.): „dico quod tam secundum quiditatem quam secundum esse, manet relatio ibi. Quocumque enim modo manet secundum quiditatem, manet secundum esse eius quod est ‚esse ad aliud', quia quiditas relationis non potest esse sine ‚esse ad aliud', quia intelligendo relationem sine ‚esse ad aliud' non intelligitur relatio sed absolutum, quia – quiditas relationis non potest esse sine ‚esse ad aliud', quia intelligendo relationem sine ‚esse ad aliud', non intelligitur relatio – si est ad aliud, non est substantia, et ita si est substantia, sive ad se, iam non est relatio; quocumque enim modo transit, esse et quiditas transit, quia sicut ‚esse ad aliud' – quod est esse relationis – vere est idem essentiae, ita etiam quiditas relationis est idem essentiae: nihil enim est ibi quod non est idem. Manet ergo et quiditas et esse, quia relatio non est formaliter essentia divina."

[62] Vgl. dazu Suárez, DM 47.5.6-7 (XXVI, 806b-807a): Wenn man bei der Bestimmung der „formalis ratio relationis" sagt, daß das ganze Sein der Relation ein „esse ad aliud" ist, wird damit nicht die „ratio accidentis et inhaerentis" ausgeschlossen, sondern allein ein der Relation *als solcher* zukommendes absolutes Sein.

These über die Untrennbarkeit von Wesen- bzw. Formbestimmtheit und Existenz, sondern auch die Relationentheorie zu berücksichtigen, wie sie Suárez vorgelegt hat. Zugleich genügt unser Autor auch in dieser Frage vorbehaltlos der in der „Ratio studiorum" der Jesuiten 1586 bzw. 1591 formulierten Vorgabe[63].

(c) Dem von Suárez grundsätzlich für die Verhältnisbestimmung von Relatum und Relation benannten Distinktionstyp entspricht schließlich, daß der Jesuit auch im Falle der transzendentalen Relationen, deren Begriff er grundsätzlich anerkennt, im Gegensatz zum scotischen Entwurf eine Formaldistinktion zwischen Subjekt und „respectus" ablehnt und letzteren ganz zur Quasi-Eigenschaft seines Trägers erklärt[64]. Die transzendentale tritt anders als die prädikamentale Relation nicht sekundär und im Modus der Trennbarkeit zum Ding hinzu, sondern sofern sie als „von der Natur zuhöchst intendierte"[65] irgendeine wesenhaft notwendige Aufgabe erfüllt, die sogar in der Setzung des Relationszieles in die Wirklichkeit bestehen kann[66]. Suárez spricht im Falle der transzendentalen Relation von einem „modus essentialis" im Sinne einer Wesens- oder Formdifferenz[67]. Dieser Begriff bestätigt nicht nur die von uns an früherer Stelle geäußerte Vermutung, daß die Modaldistinktion bei Suárez häufig die Funktion übernimmt, die bei Scotus die Formaldistinktion innehat, sondern markiert auch noch einmal den Unterschied zur prädikamentalen Relation, die nicht das Wesen einer Sache modifiziert, son-

[63] Ratio atque institutio studiorum (1586), ed. Lukács, 9, als verpflichtend zu lehrender Satz: „16. Divina relatio, etiam secundum esse Ad, est ens reale." Vgl. ebenso in der Ratio 1591 (ebd. 317, n. 13).

[64] Nach DM 47.4.2 (XXVI, 799b) ist die transzendentale Relation zu bestimmen als „quasi differentia constituens et complens essentiam illius rei, cujus respectus esse dicitur". Von hier aus ergibt sich auch die Unterscheidung zur prädikamentalen Relation (ebd. 11, 802a-b): „Sic ergo explicata illa differentia, vera et universalis esse videtur, recteque explicare proprium munus relationis praedicamentalis, quod est referre formaliter seu respicere aliud, a genere et officio respectus transcendentalis, quod est constituere formam vel naturam, aliquid causantem, vel operantem aliquo modo circa rem ad quam dicit habitudinem, vel e converso." Vgl. MARTIN (1949) 173-176; CASTELLOTE CUBELLS (1981) 94ff.

[65] Suárez, DM 47.4.12 (XXVI, 802b): „At vero respectus transcendentalis saepe est per sese maxime intentus a natura...".

[66] Vgl. ebd. 13 (802b-803a): „Respectus autem transcendentalis convenit alicui formae vel entitati, aut modo entis, quatenus a natura per se est institutus et ordinatus ad aliquod peculiare munus, quod potest per se intendi per aliquam actionem; et ideo ille etiam respectus potest per se fieri per actionem, ut inclusus in forma dicente talem respectum".

[67] Vgl. ebd. 15 (803a). Von der „essentialis differentia" ist bereits in DM 47.4.3 (799b) die Rede.

dern es in akzidenteller und ihm äußerlicher Weise auf etwas anderes bezieht[68]. Gewahrt bleibt in diesem suárezischen Verständnis die ontologische Fundierung der transzendentalen Relation. Ihre bei anderen Autoren häufiger anzutreffende Identifizierung mit der „relatio secundum dici" lehnt der Jesuit darum ab[69].

Suárez hat dem Faktum der transzendentalen Relationen letztlich eine ordo-theologische Deutung gegeben: In den wesenhaften Ausrichtungen, die Seiendem auf anderes Seiendes hin zueigen ist, enthüllt sich die zielgerichtete Regelhaftigkeit des Kosmos, in dem die Entitäten der Einzeldinge von Anfang an so eingerichtet und bemessen sind, daß sie ihren „Erstzweck" („finis primarius") im Zusammenspiel mit anderen Dingen zu erfüllen vermögen[70].

(d) Was läßt sich aus diesem knappen Blick auf den philosophischen Grundansatz der suárezischen Relationenlehre bereits für deren theologische Umsetzung feststellen? Indem Suárez anders als die Nominalisten an der Existenz realer Relationen festhalten will, bleiben Philosophie und Theologie in dieser Frage prinzipiell einander zugeordnet. Als kompatibel erweisen sich, wie bereits erwähnt, philosophische und theologische Relationsaussagen vor allem in der Bestimmung des Inklusionsverhältnisses der Größen Relation und Wesen. Ebenso scheint ein für die theologische Nutzbarmachung günstiges Moment in der bloß gedanklichen Unterscheidung zwischen Subjekt und prädikamentaler Relation zu liegen, wenn man an die Heranziehung der „distinctio rationis cum fundamento in re" im Verhältnis zwischen Wesen und Relationen in Gott denkt. Suárezianer haben stets für sich in Anspruch genommen, daß die philosophischen Prämissen ihres Meisters hier leichter auf die Trinitätstheologie zu

[68] Vgl. ebd. 16 (803b): Den prädikamentalen Relationen ist jeweils ein spezieller Modus „pure referendi rem quam afficiunt" eigen.

[69] Vgl. DM 47.3.9 (797a-b). Möglicherweise denkt Suárez an den ebd. 7 (796a) zitierten Heinrich von Gent in qdl. 3, q. 4, dem die Lehre zugeschrieben wird, „relationem secundum dici, esse illam quae solum habet esse in intellectu, et convenit rebus quae non sunt simpliciter et absolute ad aliquid, sed solum secundum quod ab intellectu concipiuntur." Dagegen faßt Suárez ebd. 8 (796b) die „relatio secundum dici" weiter als die „relatio rationis" und bestimmt sie so: „dicitur de quacunque reali re, cujus esse sit absolutum, et a nobis non nisi per modum habitudinis seu relationis relativae explicatur." Diese „sogenannte" Relation umfaßt auch alle diejenigen Fälle, in denen wir ein Absolutum mit Hilfe bzw. in Analogie zu einer Relation erläutern, wie es etwa im Blick auf die göttliche Allmacht geschieht. Ein „ens rationis" wird bei dieser „Als-ob-Relation" nicht angesetzt.

[70] Vgl. ebd. 13 (798b-799a): „Unaquaeque autem res accipit modum entitatis accomodatum suo primario fini et institutioni; quia ergo omnes hae res per se primo ordinantur ad alias, ideo talem modum entitatis accipiunt, ut intime includant habitudinem ad aliud, et haec est propria habitudo seu respectus transcendentalis".

applizieren sind als die des Thomas, sofern man ihn (mit der älteren Thomistenschule) als Vertreter eines Realunterschieds zwischen Fundament und Relation ansieht[71].

Nichtsdestotrotz weist Suárez schon in seiner philosophischen Relationenlehre deutlich auf die Andersheit der Relationen in Gott hin, durch die eine bloße Verlängerung der philosophischen Verstehensmodelle ausgeschlossen ist. Der entscheidende Unterschied liegt in Substantialität und Unendlichkeit der göttlichen Relationen. Diese Charakteristika bedingen nicht bloß die Eigentlichkeit der hier anzusetzenden Relationsprädikation – es geht um Relationen „secundum esse" und nicht nur „secundum dici"[72] –, sondern verhindern zugleich auch eine unmittelbare Einordnung in die Kategorie der prädikamentalen Relationen, da letztere notwendig Akzidentien sind[73]. Jener unvollkommene Seinsmodus, der sich für die prädikamentalen Relationen im Geschöpflichen durch die Resultanz aus Fundament und Terminus ergibt, ist den göttlichen Relationen fremd. Diese bestehen vielmehr aus sich selbst (wie die Vaterschaft

[71] Vgl. DESCOQS (1924) 151; DESCOQS (1925) 472 (bes. gegen Michel und Mahieu).

[72] Suárez weicht nicht grundsätzlich von der thomanischen Bestimmung dieses Begriffspaares ab, wie sie sich in De pot. q. 7, a. 10 ad 11 findet; vgl. EMERY (2004c) 107f. Es geht dabei also nicht um die Frage nach Realität bzw. bloßem Gedachtsein einer Relation, sondern um die Frage, ob eine wirkliche Relation oder ein in Verbindung mit bzw. nach Art einer Relation expliziertes Absolutum vorliegt. Vgl. Suárez, DM 47.3.6 (XXVI, 796a): „Secunda divisio relationis est in relationem secundum esse, et secundum dici. Quae divisio fundamentum habet in Aristotele, cap. de Ad aliquid, ubi prius tradit definitionem communem relativis secundum dici, postea vero tradit propriam definitionem relativorum secundum esse. Relatio ergo secundum dici, definiri solet, quod sit res quae concipitur et explicatur, seu dicitur per modum respectus, cum in re ipsa verum respectum non habeat; relatio autem secundum esse dicitur, quae revera habet proprium esse cum habitudine ad aliud." In der folgenden Nummer wird die Gleichsetzung der „relatio secundum dici" mit der „relatio rationis", wie sie Suárez etwa bei Heinrich von Gent ausmacht, ausdrücklich abgewiesen. Ebenso lehnt der Jesuit, wie schon erwähnt, die ebenso häufig zu findende Identifikation der „relatio secundum dici" mit der transzendentalen Relation ab, indem er die letztgenannte als rein denominativ beschreibt. Ob er sich auch dabei auf Thomas berufen kann, bleibt deswegen schwer zu entscheiden, da Thomas den Begriff der transzendentalen Relation noch nicht kennt. Es fällt allerdings auf, daß das von Thomas im genannten Zitat aus De potentia für die „relatio secundum dici" beigebrachte Beispiel der „scientia" (gemeint ist offenbar: im Verhältnis zu ihrem Objekt) bei Suárez in DM 47.4.8 (801a) u. ö. klar als Fall der „relatio transcendentalis" expliziert wird, jedenfalls was den geschöpflichen Bereich angeht (zu der im Verhältnis zu ihren Objekten nicht transzendental-relationalen „scientia Dei" vgl. DM 47.4.4, 800a). Es spricht somit einiges dafür, daß bei Thomas „relatio secundum dici" auch den später unter dem Titel der „relatio transcendentalis" beschriebenen Phänomenbereich umgreift.

[73] Vgl. DM 47.5.21 (805a).

als „Relation des Hervorbringenden") oder sind mit ihrer eigenen Hervorbringung identisch, sofern sie den jeweiligen Ursprüngen zugeordnet werden können. Suárez spricht darum den göttlichen Relationen ein Sein zu, das den uns im Endlichen bekannten Relationstypen überlegen ist, sofern es in einer höheren Weise („eminenter") alles umfaßt, was die prädikamentalen wie auch die transzendentalen Relationen an Vollkommenheit besitzen, um eine reale Beziehung zu begründen[74]. In Gott gibt es nur Bezogensein, das sich selbst Fundament ist und zugleich seinen eigenen Terminus setzt, also die wesenhafte Subsistenz Gottes in je inkommunikabler relationaler Gestalt. Indem Suárez aber hier (anders als viele spätere Jesuiten[75]) die transzendentale Form von Relationalität nicht zum einzigen Verständnisparadigma für die innergöttlichen Relationen erklärt, unterstreicht er deren Eigen-Sein und arbeitet der nominalistischen Tendenz, sie ins Wesensabsolutum zurückzunehmen, entgegen[76].

### *c) Reale Relationen in Gott*

(1) Nach dem bereits Gesagten ist es fast überflüssig zu erwähnen, daß die Existenz „realer" Beziehungen in Gott für Suárez wie die gesamte scholastische Tradition vor ihm eine zuerst und unmittelbar durch den Glauben abgesicherte Tatsache ist. Schon für Thomas hat die Verbindung des Relationsbegriffes mit dem in trinitätstheologischer Hinsicht auf die göttliche Substantialität hinweisenden Adjektiv „real" keinen gefährlichen, da tritheismusverdächtigen Nebenklang mehr, sondern ist vielmehr notwendig, weil durch den Relationsbegriff die Personunterscheidung

[74] Vgl. ebd. (805a-b): „sed sunt, vel ex se, ut relatio producentis, verbi gratia, paternitas, vel per se producuntur per propriam productionem, aut (ut juxta nostrum modum concipiendi loquamur) comproducuntur, et, formaliter loquendo, per se attinguntur per ipsas origines, ut filiatio, et processio passiva. Sunt ergo illae relationes altioris ordinis, eminenter complectentes quidquid perfectionis et proprietatis necessariae ad verum respectum realem reperitur in respectu transcendentali, et praedicamentali, seclusis imperfectionibus." Das in DM 47.1.13 (784b-785a) genannte Verständnis der göttlichen Relationen allein vom Begriff der „relatio transcendentalis" aus ist Teil eines Referats verschiedener Thesen und stellt damit nicht unmittelbar die Lehre des Suárez selbst dar.

[75] Vgl. etwa Th. Compton Carleton, Theologia scholastica, tom. 1, 52.1.4 (258a-b); P. de Bugis, De trinitatis mysterio 5.1.3 (279a); F. de Lugo, Theologia scholastica in I[am] 21.6.2 (784a-b), mit Berufung auf F. Albertini; A. Bernaldo de Quiros, Selectae disput. de trin. 42.1.3 (267b).

[76] Nicht ohne Grund hat Ruiz, De trin. 9.1.6 (84a) hinter dem Verständnis der göttlichen Relationen „ad instar relationum transcendentalium" eine versteckte Infragestellung ihrer Realität erkannt.

gewährleistet werden kann, ohne daß die Einheit der Personen (in der ihre Seinsrealität begründenden Substanz) infragegestellt würde[77]. Zwar fehlt in den einschlägigen Aussagen des Lehramts der explizite Terminus „relatio realis", doch ist nach Suárez das Realitätsmoment in den theologischen Wahrheiten über die Relationen und den durch sie konstituierten Unterschied der Personen in Gott sicher impliziert. Zudem sind die notwendigen Voraussetzungen für reale Relationen in Gott klar aufweisbar: die reale Unterscheidung der Beziehungslieder, als Formalgrund der wirkliche Hervorgang einer Person aus der anderen sowie das gemeinsame Wesen als „hinreichendes reales Fundament"[78]. Der Rückgriff auf die drei Bedingungen für reale prädikamentale Relationen, wie sie Suárez schon in der Metaphysik mit Scotus formuliert hatte, ist hier unübersehbar[79].

(2) Ein prinzipieller Einwand gegen diese Feststellung läßt sich aus einer Aussage des Boethius in seinem bekannten Opusculum über die Dreifaltigkeit konstruieren[80]. Dort wird die Relation als dasjenige der aristotelischen Akzidentien bezeichnet, welches nicht in substantieller Prädikation auf Gott übertragbar ist. Thomas hatte diese Kritik dadurch entschärft, daß er sie allein auf Gottes Beziehungen „ad extra" bezog[81], die er selbst ebenfalls als nicht real ansah. Suárez schließt sich dieser Lösung nicht unmittelbar an, weil er befürchtet, daß auf gleichem Wege auch die Realität von Relationen in den Kreaturen in Zweifel gezogen werden könnte. Für den Jesuiten ist wahrscheinlicher, daß Boethius über Gott „ut unus est" sprechen wollte. Der Sinn seiner Aussage bestünde dann darin, in Gott reale Beziehungen zu Gegenständen auszuschließen, die von ande-

[77] ABRAMOWSKI (1995) 477f. sieht im Ausdruck „relatio realis" Thomas in deutlichem Unterschied zu Augustinus: „Während Augustin also die Relation einführt, um die Konsequenz verschiedener Substanzen (Naturen) für die verschieden bezeichneten Personen auszuschalten, sehen wir Thomas, für den die eunomianische Problematik nicht mehr akut ist, umgekehrt damit beschäftigt, die substantia in die relatio (gegen deren Begriff) hineinzubringen" (478). Ein Widerspruch ergibt sich durch diese unterschiedlichen Intentionen nicht.

[78] Vgl. Suárez, De trin. 5.1.3 (I, 653a-b).

[79] Vgl. DM 47.4.2 (XXVI, 799a).

[80] Vgl. Boethius, De trinitate c. 4 (Ed. Elsässer, S. 14, ZZ. 9ff.): „Ad aliquid vero omnino non potest praedicari; nam substantia in illa non est vere substantia, sed ultra substantiam".

[81] Vgl. Thomas, S. th. I, 28, 1 ad 1: „Non ergo per hoc excludere voluit [sc. Boethius] quod relatio non esset in deo, sed quod non praedicaretur per modum inhaerentis secundum propriam relationis rationem, sed magis per modum ad aliud se habentis."

rer Natur als er selbst sind. Die trinitarischen „relationes ad intra" blieben davon unberührt[82].

Ein zweiter von Suárez diskutierter Einwand betrifft nicht prinzipiell die Realität der innergöttlichen Relationen, sondern ihre exakte ontologische Begründung. Näherhin geht es um die oben im allgemeinen Kontext schon angedeutete These von Thomisten wie Capreolus[83] oder Cajetan[84], wonach die Realität nicht im „esse *ad*", sondern nur im „esse *in*" der Relationen, welches kein anderes als das „esse subsistens" des göttlichen Wesens ist, begründet liegt, so daß ein von diesem gedanklich abstrahiertes „esse ad" seinen Realitätsstatus verlöre. Die genannten Thomisten machen sich mit ihrem Lehrer hier bewußt die generelle Eigentümlichkeit des Relationsterminus zunutze, sowohl einen realen wie auch einen bloß gedanklichen Sachverhalt bezeichnen zu können[85]. Auf ihr läßt sich die Doppelaspektivität der Relation in Gott gründen: Die Relation als Relation ist etwas bloß Gedankliches, ihre Realität aber erwächst aus der Identität des personalen Seins mit dem „esse essentiae", das nichts anderes ist als das eine und unteilbare Sein Gottes.

Dieser für die Trinitätslehre des Aquinaten fundamentale Gedanke hat, wie etwa die scharfe Kritik bei Bartholomé Torres gegen Capreolus

[82] Vgl. Suárez, De trin. 5.1.4 (I, 653b).

[83] Vgl. neben vielen anderen Stellen Capreolus, Defens. d. 33, q. 1, a. 2, Ad arg. Aureoli, ad 5 (II, 343a): „sed [sc. esse Patrem] non sic habet quod sit reale ex parte relationis, sed ex parte fundamenti relationis".

[84] Vgl. – auch hier nur exemplarisch – Cajetan, In I^am q. 28. a. 1, n. 6 (Ed. Leon. IV, 319b): Das „ad aliquid" als solches ist begrifflich nicht auf Substantialität oder Akzidentalität, Realität oder rein gedankliche Existenz festgelegt, sondern liegt diesen allen als „commune" voraus. Der reale Charakter einer Relation stammt folglich nicht aus dem „ad aliquid" als solchem, sondern aus seinem In-Sein in einem realen Träger.

[85] Die von Suárez in De trin. 5.1.5 (654a) zitierte Aussage findet sich sinngemäß bei Thomas, S. th. I, 28, 1 c. In der Formulierung bei Cajetan, In I^am q. 28. a. 1, n. 3 (Ed. Leon. IV, 319a): „Ratio primi est differentia inter *ad aliquid* et alia genera: quoniam caeterorum generum omnia sunt secundum rem; *ad aliquid* vero aliqua sunt secundum rationem tantum, et aliqua secundum rem." Cajetan hat dies so radikal gedacht, daß er das reine „ad aliquid" als von der bloß gedanklichen oder realen Existenz der Relation abstrahierbar ansah. Dagegen protestiert Bañez, Comm. in I^am q. 28, a. 1 (761D-762A): Da der Seinsbegriff der erste aller Begriffe sei und er nicht von realem und gedanklichem Seienden abstrahiert werden könne, sei folglich ein gleichermaßen univoker Relationsbegriff erst recht unmöglich. „Est ergo pura imaginatio dicere quod proprius modus distinctivus praedicamenti ad aliquid abstrahat ab ente reali" (762A). Thomas benutze darum äquivoke Begriffe, wenn er von Relationen „secundum rationem" und „secundum rem" spreche.

bezeugt[86], auch unter den sich selbst der Thomistenschule zurechnenden Theologen im 16. Jahrhundert keine einhellige Unterstützung mehr gefunden. Suárez steht ihm ebenfalls ablehnend gegenüber. Da er die Frage nach dem „esse relationis“ anders beantworten will, muß er, wie wir schon hörten, aus philosophischen Erwägungen auch die Unterscheidung zwischen „esse in“ und „esse ad“ in Gott als eine reale zurückweisen. Es gibt seiner Ansicht nach ein je eigenes „esse personale“, das nicht in Entsprechung zur Wesenheit, sondern zu den drei Relationen steht, so daß „esse ad“ und „esse in“ nicht auseinanderfallen, sondern dieses in jenem eingeschlossen ist. Ganz ähnlich wie vor ihm schon Torres[87] beruft sich Suárez bei der Rede über die drei relativ-seienden Personen auf den Grundgedanken der Transzendentalienlehre: Wie jede Entität als solche eigenes Sein besitzt, weil „ens“ als transzendentales Prädikat ihr nicht abzusprechen ist, so auch die göttlichen Relationen, wenn hier das personale Sein auch faktisch mit dem „esse essentiae“ identisch ist[88], so daß die Transzendentalität des Seins in Gott für die Personen die Identität mit dem unendlichen Wesenssein bedeutet. Aus philosophischer Sicht kommt für Suárez hinzu, daß er die genannte, hinter der thomistischen Trennung von „esse in“ und „esse ad“ stehende These von der Besonderheit der Relationskategorie, die darin liegt, daß sie anders als die übrigen Relationen neben realem Sein auch bloß gedankliches umfaßt, nicht teilen mag. Weshalb dies so ist, wissen wir bereits: Suárez erkennt zwar gedankliche Relationen unter den „entia rationis“ an, lehnt die Zuschreibung prädikamentalen Seins an sie jedoch ab. Wichtiger als die exakte Begründung für dieses Urteil, wie sie in der Metaphysik mit Rückgriff auf das aristotelische Grundverständnis von Seinskategorialität gegen Cajetan

[86] Vgl. B. Torres, Comm. in I$^{am}$ q. 28, a. 2, disp. 3, pars 1 (62vb-63va). Torres sieht die These des Capreolus, wiewohl er um ihr Fundament in thomanischen Aussagen weiß, in die offen häretische Konsequenz münden, daß in Gott allein das Wesen real, die Relationen als Relationen aber „nichts“ sind (ebd. 63ra).

[87] Vgl. ebd. (64vb): „sicut ens comparatur ad omnia entia, et includitur intrinsecus, et essentialiter in omnibus: ita divina essentia ad omnia divina, tum absoluta, tum relativa: igitur relationes, et relativa divina sunt intrinsecus, et essentialiter ipsa divina essentia: ac perinde infinitum ens.“ Torres selbst weist auf die Wichtigkeit dieser These für seine ganze Trinitätstheologie hin (ebd. 65ra: „...ut saepe diximus...“). Der prägende Einfluß auf Suárez kann nur unterstrichen werden, wenn Suárez auch, wie wir sahen, in seiner Lehre von der Multiplikation der transzendentalen Prädikate im Blick auf die drei Personen deren ontische Selbständigkeit gegenüber der Wesenheit noch verstärkt hat. Torres spricht immerhin in unserem Zusammenhang bereits ausdrücklich davon, daß Wesenheit und Personen mit ihren „diversae definitiones“ auch „diversa esse“ besitzen (65ra).

[88] Vgl. Suárez, De trin. 5.1.7 (I, 654a). Vgl. mit ähnlicher Kritik an der thomistischen These Vázquez, Comm. in I$^{am}$ 114.2-3 (II, 44b-48a).

vorgetragen wird[89], sind für uns drei spezifisch trinitätstheologische Argumente, mit denen Suárez in „De trinitate" seine Kritik an den Thomisten unterstreicht[90].

Da das „esse ad" zum innersten Wesen des Mysteriums gehört, hält es Suárez erstens für problematisch, es aus der Formalbestimmung der Realität der Relationen ausschließen zu wollen. Es ist die Relation als solche, welche die Personen multipliziert; darum ist sie auch als solche, also in ihrem „ad aliud", real. Zweitens weist der Jesuit auf den Zusammenhang zwischen Personunterscheidung und Beziehungskonstitutiv hin. Weil die Unterscheidung zwischen den Personen real ist, darum auch das „esse ad" als ihr Ausdruck. Schließlich kann auf das unvermittelte Verhältnis der göttlichen Personen zueinander verwiesen werden. Um diese „habitudo" (etwa des Vaters zum Sohn) als real zu erkennen, bedarf es keiner Vermittlung über das beiderseitige Verhältnis zur Wesenheit, wie sie in der Abstraktion des „esse in" für die Relationen vorgenommen wird. Es ist gewissermaßen die „Individualität" und formale Eigenprägung der Relationen, in denen ihre Realität greifbar wird.

(3) Bei seiner genaueren Beschreibung der realen Relationen in Gott kann Suárez einerseits scholastisches Allgemeingut, andererseits bereits zuvor von ihm begründete Sondermeinungen vortragen[91].

Reale Relationen sind in Gott nur diejenigen „secundum originem"; andere Relationen wie die der Ähnlichkeit kommen, wie schon gezeigt, nicht in Frage, da sie wegen der höchsten Identität des Fundaments in beiden Vergleichsgrößen, bestehend im gemeinsamen Wesen, nur für unser Verstehen existieren. Aus den zwei innergöttlichen Hervorgängen ergeben sich insgesamt vier Relationen, von denen drei realdistinkt sind, nämlich Vaterschaft, Sohnschaft und passive Hauchung. Jede der drei göttlichen Personen ist eine subsistente Relation und wird durch diese in ihrem personalen Sein konstituiert bzw. von den anderen unterschieden. In ihrer Unterschiedenheit haben die Personen, wie in Buch drei ausführlich bewiesen, je eigene Vollkommenheit sowie einen eigenen Formal-

[89] Vgl. Suárez, DM 47.5.3 (XXVI, 806a). Suárez lehrt im übrigen, daß die „entia rationis cum fundamento in re" strikt auf die Relationskategorie beschränkt bleiben; dies ist in ihrer besonderen Konstitution als „esse ad" begründet. Vgl. DM 54.4.4 (XXVI, 1029b): „Et hinc est, ut ens rationis, quod ut positivum accidens cogitatur, semper concipiatur per modum relativi, et non per modum absoluti, quia ipsum esse ad aliud, cum ex se non dicat inhaerere, cogitari potest ut affixum seu quasi adjunctum per rationem, non tamen potest cogitari ut quid absolutum et inhaerens, quia inhaerere ex proprio conceptu intrinseco dicit aliquid reale." Molina scheint eher zur Gegenthese zu tendieren; vgl. In I$^{am}$ q. 28, a. 1 (427aE-bB).

[90] Vgl. Suárez, De trin. 5.1.6 (I, 654a).

[91] Vgl. zum folgenden De trin. 5.2.1-6 (654b-656a).

grund der inkommunikablen Existenz (Subsistenz)[92]. Die besondere Stellung der vierten, nicht personkonstituierenden Relation, nämlich der aktiven Hauchung, wird Suárez in den Kapiteln vier bis sieben der vorliegenden Sektion von Buch fünf sowie später in Buch zehn seines Trinitätstraktates ausführlich erörtern.

(4) Divergierende theologische Ansichten kann Suárez wieder bei der Frage vorstellen, wie sich die Relationen als personale Proprietäten von den Personen selbst unterscheiden. Allerdings weist der Jesuit darauf hin, daß alle Thesen, die dazu in der Diskussion vertreten werden, jeweils unmittelbar durch die Einschätzung vorbestimmt sind, die ihr Urheber zum Verhältnis von Relation und Wesenheit vertritt; die Entscheidung fällt also bereits im Vorfeld der eigentlichen Fragestellung. Auf die Modelle von Realunterscheidung (Gilbert) und Formalunterscheidung (Durandus und andere) geht Suárez hier nicht nochmals näher ein[93].

Von Bedeutung ist ihm nur die Verhältnisbestimmung der eigenen Lösung gegenüber derjenigen des Thomas. Der Jesuit möchte keinerlei realaktuellen Unterschied zwischen Relationen und Personen angesetzt wissen. Die Relation ist nämlich keine Addition zur Person, so daß aus beiden etwas Zusammengesetztes entstünde. Sie setzt die Person in keiner Weise voraus, sondern konstituiert sie erst, so daß die Person als sowohl mit der Wesenheit wie auch mit der von ihr real ungeschiedenen (relativen) „proprietas constituens“ identisch gedacht werden kann[94]. Diese Lehrmeinung scheint nicht unmittelbar identisch mit der thomanischen These einer gedanklichen Unterscheidung zwischen abstrakten Relationen und konkreten Personen in Gott zu sein[95]. Darum ist deren korrekte Deutung notwendig, die der Jesuit im Vergleich dreier Interpretationsoptionen zu identifizieren sucht.

Ein gedanklicher Unterschied könnte zum einen in der Weise vorgenommen werden, daß man die Person als die Relation (und neben ihr die Wesenheit) einschließend betrachtete[96]. Suárez mißfällt nicht bloß, daß damit ein größerer Unterschied zwischen Person und personaler Proprietät als zwischen „Gott“ und „Gottheit“ angenommen würde, die nicht in einem Inklusions-, sondern in einem Identitätsverhältnis stehen. Er sieht darin zudem die falsche Ansicht vertreten, daß die abstrakt verstandene

[92] Vgl. ebd. 5 (655b): „Addo igitur, tres illas relationes reales inter se distinctas tales esse, ut unaquaeque propriam perfectionem in suo genere, propriamque rationem existendi et subsistendi incommunicabiliter secum afferat.“

[93] Vgl. De trin. 5.3.2 (656a).

[94] Vgl. ebd. 3 (656a-b).

[95] Vgl. ebd. 4 (656b).

[96] Vgl. ebd. 5 (656b-657a).

Relation die Wesenheit nicht einschließt. Da er zuvor bereits das Gegenteil bewiesen hat, folgt, daß die Wesenheit nicht zur Relation hinzukommen muß, um mit ihr zusammen die Person zu konstituieren. Zustimmen kann Suárez einem zweiten Erklärungsmodus, der „Person" und „Relation" nur als zwei Begriffe für den exakt gleichen Gegenstand versteht, der so allein nach Art unseres Verstehens unterschieden wird. Eine dritte Auslegung differenziert nach einem doppelten Verständnis der göttlichen Person, deren erstes das komplette Suppositum aus Gottheit und personaler Proprietät, das zweite dagegen die Relation („Pater ratione Paternitatis") in Absehung von der Wesenheit in den Blick nimmt. Je nach Wahl käme man auch so wiederum zur ersten oder zweiten der schon geschilderten Auslegungsvarianten. Suárez kann sich wiederum auf die Untrennbarkeit von Relation und Wesen in Gott berufen, wenn er die Verbindung beider Möglichkeiten in einer einzigen These als in sich widersprüchlich ablehnt. So bleibt am Ende die zweite der Thomas-Deutungen als mit der eigenen Aussage übereinstimmend übrig: Person und Relation sind – ähnlich wie Gott und Gottheit – allein unserem Verstehensmodus nach, wenn auch mit sachlichem Fundament, unterschieden[97]. Hier greift dieselbe „Virtualdistinktion", wie sie in Buch vier für das Verhältnis von Wesen und Personen festgestellt worden war.

## 2) Die Sonderstellung der aktiven Hauchung

Das eigentümliche Problem, das der Trinitätsspekulation angesichts der aktiven Hauchung des Heiligen Geistes durch Vater und Sohn gestellt wird, besteht darin, daß diese Relation im allgemeinen einerseits als real angesehen wird, daß sie andererseits aber im Gegensatz zu den drei übrigen realen Relationen in Gott keine eigene Person bestimmt, da durch sie weder Vater und Sohn erst als solche ermöglicht werden noch ein von ihnen verschiedener personaler „Haucher" („spirator") konstituiert wird.

### *a) Die Realität der aktiven Hauchung*

(1) Die einfachste Lösung für das genannte Problem bestünde darin, die Realität der „spiratio activa" generell in Frage zu stellen.

[97] Vgl. ebd. 9 (657b).

Als prominentester Vertreter dieses Weges wird bei Suárez Gregor von Rimini genannt[98]. Seine These kann sich nicht bloß auf die fehlenden Väterbelege für eine vierte, a-personale Relation in Gott berufen, sondern auch auf das Argument, wonach die Beziehung eines Prinzips zum Prinzipiierten nicht in jedem Fall real sein muß, wie das Verhältnis Gottes zur Schöpfung beweist. Daß ebendies auch in der Beziehung der hauchenden Personen zum Heiligen Geist der Fall ist, könnte seinen besonderen Grund entweder in der Tatsache haben, daß die durch eine Relation konstituierte Person (hier konkret: der Sohn) selbst nicht Bezugspunkt einer weiteren realen Relation sein kann, oder aber darin, daß eine reale Relation Gott nicht gleichsam nachträglich („per resultantiam") zuschreibbar ist, sondern ursprünglich („per se") zukommen muß, um keine Unvollkommenheit mit sich zu bringen[99]. Damit könnte die erst mit der Zeugung des Sohnes entstehende Relation der aktiven Hauchung als nicht real qualifiziert werden.

(2) Gegen diese Minderheitsthese verteidigt Suárez in üblicher Weise die Inanspruchnahme von Realität für die aktive Hauchung als theologisch sicheres Urteil. Drei häufig dafür vorgebrachten Argumenten steht er in unterschiedlicher Weise gegenüber[100].

(a) Für wenig überzeugend, da aus unsicheren Prämissen hervorgehend, hält der Jesuit den Verweis darauf, daß die Hauchkraft in Vater und Sohn nicht auf den Willen als Bestandteil des göttlichen Wesens beschränkt werden darf, sondern darüber hinaus ein beiden gemeinsames

[98] Vgl. De trin. 5.4.3 (658b) mit Verweis auf Gregor von Rimini, 1 Sent. d. 26. Vermutlich bezieht sich Suárez auf Gregors Aussagen in dieser Distinktion über die Identität der Beziehung des Vaters zu Sohn und Geist sowie auf den Ausschluß jeder „entitas" in den Personen außer der Wesenheit (womit auch personbildende Proprietäten im strengen Sinne ausgeschlossen werden); vgl. Gregor, Lectura I, d. 26-27 (Ed. Trapp et al. III, 66, Z. 6-8. 15-17): „Ad secundum dico quod pater refertur ad filium et ad spiritum sanctum una relatione tantum secundum rem, quae tamen est in pluribus speciebus relationis seu cui conveniunt rationes plurium specierum relationis. (...) Sic in proposito eadem entitas simplicissima, quae est pater, est spiratio et paternitas, et correspondet filiationi in filio et spirationi coopposita in spiritu sancto." Ebd. (72, Z. 29f.): „Non igitur in personis divinis praeter communem essentiam sunt aliquae speciales et propriae entitates excogitandae, ut est ex dictis ostensum." Die bei Suárez im Anschluß referierte Argumentation gegen eine Realität der „spiratio activa" als Relation findet sich bei Gregor im vorliegenden Abschnitt nicht. Vgl. aber Gregors Identifizierung von „filiatio" und „spiratio activa" in d. 11, q. 1, Additio 74 (Ed. Trapp et al. II, 179-183). Dazu: GARCÍA LESCÚN (1970) 107ff. Auf die Verbindung von Gregors Lehre über das Hauchprinzip zu seiner umfassenden Skepsis gegenüber Distinktionen in Gott weist LEFF (1961) 77-90 hin.

[99] Vgl. Suárez, De trin. 5.4.4 (I, 658b).

[100] Vgl. zum folgenden ebd. 6-7 (659a-b).

personales Erkennungsmal („notionale") beinhalten muß, das in einer Relation besteht, weswegen die dadurch konstituierte Fähigkeit wie die implizierte Relation real sein soll. Seine Kritik kündigt Suárez für einen späteren Zeitpunkt (in Buch sechs und sieben) an.

(b) Als beste Begründung wird die zweite qualifiziert. Da nach Durandus[101] die aktiven Ursprünge der Personen identisch mit den Relationen der hervorbringenden Personen sind (im konkreten Beispiel: Die aktive Hauchung ist identisch mit Vaterschaft und Sohnschaft), müssen die Ursprünge (unter ihnen die aktive Hauchung) etwas Reales sein, da ansonsten Ursprung und Terminus der Relation nicht mehr voneinander unterscheidbar wären.

(c) An dritter Stelle nennt der Jesuit das einzige Argument, das in seiner Sicht schon beim hl. Thomas zu finden ist. Wenn Ursprung und Hervorgebrachtes in derselben Seinsordnung stehen (von derselben Natur sind), besteht zwischen ihnen eine gegenseitige reale Relation („relatio realis mutua"). Ebendieser Fall ist im Verhältnis von Vater und Sohn zum Geist erfüllt, so daß die „spiratio activa" vermittels des Wesens als reale Relation gelten darf[102]. Durch sie erst wird die Vollkommenheit des Geistes gesichert, da sie jeden Zweifel darüber behebt, ob er nicht irgendwie „außerhalb" von Vater und Sohn anzusiedeln ist (und folglich als mit diesen nicht wesensgleich zu gelten hätte).

(3) Aus den Gegenargumenten geht Suárez vor allem auf die Frage ein, ob überhaupt die Gründung einer (realen) Relation in einer anderen als möglich zu erachten ist, wie sie in der Annahme einer in Vaterschaft und Sohnschaft gründenden aktiven Hauchung vorausgesetzt scheint.

(a) Es ist dies eine Frage, die auch schon im philosophischen Diskurs von DM 47 für die geschöpfliche Welt zur Sprache kommt. Unmittelbarer Kontext ist die Erörterung desjenigen Formalgrundes, der etwas aktuell Seiendes dazu befähigt, Zielpunkt einer bestimmten Relation zu sein. Zu klären ist, ob der absolute oder relative Charakter eines Seienden dabei Bedeutung besitzt. Die Diskussion vor Suárez hat in der Darstellung unse-

[101] Vgl. Durandus 1 Sent. d. 13, q. 2 (47vb-49rb). Vgl. auch IRIBARREN (2005) 140f.251ff.

[102] Vgl. Suárez, De trin. 5.4.7 (I, 659a-b), mit Verweis auf Thomas, S. th. I, q. 32, a. 2-3, bes. etwa I, 32, 2 c.: „Sed in patre oportet esse relationem realem qua refertur ad filium et spiritum sanctum, unde secundum duas relationes filii et spiritus sancti quibus referuntur ad patrem, oportet intelligi duas relationes in patre, quibus referatur ad filium et spiritum sanctum. Unde, cum non sit nisi una patris persona, necesse fuit seorsum significari relationes in abstracto, quae dicuntur proprietates et notiones."

res Autors zu diesem Thema drei unterschiedliche Lösungen vorgelegt[103], die allesamt die Prämissen teilen, daß es sowohl wechselseitige als auch nicht-wechselseitige Relationen gibt und daß, wie exemplarisch Thomas von Aquin nachgewiesen hatte, die Gott-Welt-Relation unter den zweiten Relationstyp einzuordnen ist, da andernfalls eine Abhängigkeit Gottes von seiner Schöpfung (inklusive Verendlichung und Verzeitlichung) droht.

(aa) Cajetan[104] bestimmt den „terminus formalis" einer jeden (wechselseitigen wie nicht-wechselseitigen[105]) Relation als ein Relativum, da nur so die Relate ihnen entsprechende Korrelate erhalten (z. B. die „Sohnschaft" in Entsprechung zur „Vaterschaft") und die logische Gleichzeitigkeit der Beziehungsglieder gewahrt ist. In Probleme gerät diese gegen Scotus gerichtete[106], selbst aber offenbar unter nominalistischem Einfluß stehende[107] These erwartungsgemäß bei der Erklärung, wie auch das nicht-wechselseitige Verhältnis zwischen Gott und Kreaturen, das in eine der Richtungen nur gedanklich existiert, als *Kor*relation anzusehen ist, ohne dabei als ganzes seiner Realität beraubt zu werden. Aristoteles hatte die Problematik selbstverständlich noch nicht in dieser theologischen Variante, wohl aber im Blick auf das Verhältnis zwischen einem seelischen Vermögen des Menschen und seinen Objekten diskutiert[108]. Cajetan knüpft an den Text des Philosophen, wie er auch bei Thomas zitiert wird[109], an, wenn er vorschlägt, den Terminus der kreatürlichen Beziehung zu Gott nicht in der gedanklichen Relation von Seiten Gottes zur Kreatur zu suchen, sondern in der Tatsache, daß Gott Zielpunkt der realen Hinordnung der Kreatur auf ihn selbst (also der „creatio passiva") ist und inso-

[103] Vgl. dazu Suárez, DM 47.16.3-5 (XXVI, 848a-b). Von den Autoren vor Suárez sei auf die ausführliche parallele Erörterung bei Fonseca verwiesen: Comm. in Met., l. 5, c. 15, q. 4 (II, 826C-844C).

[104] Vgl. Cajetan, Comm. in I$^{am}$ q. 13, a. 7 (Ed. Leon. IV, 154-157); dazu: HALLENSLEBEN (1985) 113ff.

[105] Bei den üblicherweise von der aristotelischen Relationsunterteilung ausgehenden Scholastikern sind das die „relationes primi et secundi generis" einerseits und die „relationes tertii generis" andererseits. Vgl. Scotus, Ord. I, d. 30, q. 1-2, n. 31 (Ed. Vat. VI, 181f.), mit Verweis auf Aristoteles, Metaph. V, c. 15, 1021a26-30.

[106] Vgl. GIACON (2001) 46.

[107] Vgl. Ockham, Ord. I, d. 30, q. 5 (OT IV 388): „immo dico quod semper in omnibus relativis est mutua relatio si convenienter assignentur". Zum Kontext: KOBUSCH (1987) 40ff.

[108] Vgl. Aristoteles, Metaph. V, c. 15, 1021a30.

[109] Vgl. Thomas, S. th. I, 13, 7 c.: „Unde Philosophus dicit in 5 Metaph., quod non dicuntur relative eo quod ipsa referantur ad alia, sed quia alia referuntur ad ipsa." Vgl. zum Problem bei Thomas auch LISKE (1985).

fern, also als eine „denominatio extrinseca" seitens einer realen Relation empfangend, selbst gewissermaßen „real" Schöpfer und Herr ist[110].

(bb) Gegen diese subtile Lösung des berühmten Dominikaners stehen zwei andere Versuche. Der Thomist Ferrariensis schränkt die strenge Korrelativität allein auf die gegenseitigen Relationen ein, während er bei nicht gegenseitigen Relationen wie derjenigen der Welt zu Gott den Terminus als Absolutum beschreibt und ihn auch nicht aufgrund einer bloß gedanklichen Relation selbst als *relativen* Formalgrund der Relation bestimmen möchte[111]. Dagegen bekennen sich die Scotisten, aber nach Suárez auch einige Schüler des hl. Thomas (wie Capreolus) zu der Ansicht, daß in allen (kreatürlichen) Relationen Fundament und Terminus Absoluta sein müssen. Nichts wird „relativ" dadurch, daß es formal von einem „correlativum" als Terminus her bestimmt wird – für Scotus wäre dieser Weg zirkulär, da die Definition des Relativen vom Terminus her nicht das (Kor-)Relative schon voraussetzen kann, sondern auf ein ihm vorausgehendes Absolutum bezogen sein muß[112].

[110] Vgl. Cajetan, Comm. in I^am q. 13, a. 7, n. 10 (Ed. Leon. IV, 155a-b): „Inter relativa ergo per se, differentia ponitur, quoad esse reale quod ponunt (non quod supponunt), in hoc quod quaedam relativa sunt, quae ideo entia realia sunt, quia ipsa sunt in rerum natura talia entia, quod ad aliud se habent: quaedam vero non sunt entia realia quia ipsa rerum natura sint ad aliud, sed hac sola ratione inter realia numerari possunt, quia alia realia dicuntur ad ipsa. Ita quod differentia consistit in hoc: per se relativorum quaedam sunt relativa realia per denominationem seu praedicationem intrinsecam; quaedam vero per denominationem extrinsecam; ab alterius enim realitate relativa, ipsa quoque inter realia relativa connumerantur. (...) Singulare ergo est in relativis tertii modi, quod alterum ideo tantum est in re *ad aliquid*, quia reliquum est ad ipsum." Die Applikation auf das Gott-Welt-Verhältnis erfolgt ebd. ab n. 13 (156a).

[111] Der offenbar von Scotus übernommene Grund für das Urteil liegt darin, daß eine gedankliche Relation, wie sie in Gott gegenüber der Kreatur allein als Korrelativum zur realen Beziehung der Kreatur zu Gott in Frage käme, auch letztere davon abhängig machen würde, daß es einen Intellekt gibt, der die gedankliche Relation von Seiten Gottes herstellt. Vgl. Ferrariensis, In CG II, c. 11 (35f.): „...in relativis vero tertii modi non oportet, ex parte termini relationis realis, esse relationem, cum non sit in ipso causa aliqua relationis ad relativum quod ad ipsum terminatur. Propter quod dicitur in V. Metaph., quod in hoc genere unum extremorum dicitur relative, non quia ipsum ad aliud dicatur, sed quia aliud dicitur ad ipsum. Unde in uno ponitur tantum relatio rationis, quamvis in altero sit relatio realis. Constat autem quod relatio rationis non est actualiter in re nullo intellectu considerante, et tamen, nullo intellectu considerante illud extremum, est id ad quod dicitur aliud relativum reale. Ideo oportet dicere, quod in huiusmodi, terminus in quo non est realis relatio terminat ratione absoluti tantum, non autem ratione alicuius relationis existentis in ipso, aut secundum rem aut secundum rationem."

[112] Vgl. Scotus, Ord. I, d. 30, q. 1-2, n. 35 (Ed. Vat. VI, 183): „Hoc etiam probatur generalius per omnia relativa, quia nullum relativum refertur primo ad correlativum ut

Wichtig zu bemerken ist, daß auch die zweite und dritte der genannten Thesen nicht abstreiten, daß es eine reale Relation der Welt zu Gott und eine gedankliche Relation Gottes zur Welt gibt; sie wollen jedoch vermeiden, den Formalgrund der nicht-wechselseitigen Beziehung darin festzumachen, daß die jeweiligen Termini wenigstens gedanklich als Relativa zu behandeln sind. Die scotische These dehnt diese Einschätzung auch noch auf die wechselseitigen Relationen aus.

(cc) Während in der Suárez vorangehenden Jesuitenschule Fonseca (gegen Scotus und Ferrariensis) klar an der formalen Korrelativität aller relationalen Verhältnisse festhält und (gegen Cajetan) sogar in Kauf nimmt, daß bei nicht-wechselseitigen Beziehungen reale und gedankliche Relation einander korrespondieren[113], schließt Suárez selbst sich grundsätzlich der dritten, also der scotischen Meinung an: Sowohl in der nicht-wechselseitigen wie auch in der wechselseitigen Relation ist der Formalgrund der Beziehung im Zielpunkt ein absoluter[114]. Für den ersten der beiden Relationstypen kann dies leicht durch die Beziehung der Kreatur zu Gott erwiesen werden, die offensichtlich auf diesen selbst und nicht auf eine andere Beziehung abzielt, die zudem im Falle Gottes, der in keiner realen Relation zum Geschöpflichen steht, nur eine gedachte sein könnte – was, wie bei Ferrariensis zu lesen war, auch die Relation seitens der Kreatur in ihrer Realität gefährdet, falls man von einem die gedankliche Relation aus Gottes Sicht konstatierenden Intellekt absieht[115]. Das reale Verhältnis der Kreatur zu Gott, so hatte bereits Scotus argumentiert, gründet nicht darin, daß irgendein Intellekt (und sei es der göttliche selbst) eine gedankliche Relation Gottes zur Kreatur ausbildet[116]. In dieser

ad terminum, in creaturis. Probatio: relativum, in quantum relativum, primo definitur per terminum ad quem refertur, – ergo terminus ‚ut terminus' est prior definitione relativo ut relativum."

[113] Vgl. Fonseca, Comm. in Met., l. 5, c. 15, q. 4, s. 4 (II, 832B-833D).

[114] Vgl. Suárez, DM 47.16.6 (XXVI, 848b-849a): „Dico ergo primo: in relativis non mutuis ratio quae est in uno extremo ad terminandam relationem alterius, non est aliqua relatio opposita relationi alterius, sed est ipsa entitas, vel proprietas aliqua absoluta talis termini." Ebd. 14 (851a-b): „Dico secundo: etiam in relationibus mutuis formalis ratio terminandi est non relatio opposita, sed aliqua ratio absoluta, quae est fundamentum formale relationis oppositae."

[115] Vgl. ebd. 9 (XXVI, 849b).

[116] Vgl Scotus, Ord. I, d. 30, q. 1-2, n. 39-40 (Ed. Vat. VI, 185f.): „Hoc etiam potest declarari in proposito de Deo, quia licet essentia divina possit comparari ad creaturam, et hoc tam per actum intellectus creati quam increati, et sic in ea causare relationem rationis, tamen illa non erit ratio terminandi relationem creaturae ad ipsum. (...) Absolute ergo dico quod, propter terminationem relationum in creaturis ex tempore ad Deum, non oportet ponere aliquam relationem in Deo, nec novam nec antiquam, quae sit ratio terminandi relationem creaturae."

konsequenten Denklinie lehrt Suárez, daß in Gott nicht einmal eine gedankliche Beziehung zur Kreatur bestehen muß, damit andererseits die Kreatur real auf Gott als ihren Herrn bezogen sein kann[117]. Nicht anders muß bei wechselseitigen Relationen gelten, daß der absolute Formalgrund im Fundament seine Entsprechung in einem ebensolchen des Terminus findet: Zwei weiße Gegenstände sind durch nichts anderes als das ihnen jeweils zukommende Weißsein ähnlich[118]. Auch dieses Beispiel ist unmittelbar von Scotus übernommen[119]. Die Entsprechung der Relationen im Ausgang vom Fundament einerseits und dem Terminus andererseits entsteht nicht durch gegenseitige formale Determination (also durch ein Sich-Bestimmen der Relate), sondern nur beiläufig („per concomitantiam"), sofern sie beide durch Absoluta gegründet sind[120]. Wo nun ausdrücklich eine Beziehung unter dem formalen Gesichtspunkt einer in beiden Gliedern vorhandenen Relation konstruiert wird, wie es etwa beim Vergleich zweier Väter im Blick auf die ihnen jeweils eigene Vaterschaft geschieht, übt die erste Relation ihre konstitutive Funktion für die neue Relation dennoch nicht in relativer Weise aus, sondern verhält sich, als wäre sie eine absolute Form[121].

(b) Schon im Rahmen dieser philosophischen Erwägungen legt sich Suárez selbst den Einwand vor, wie es um die Erklärung der trinitarischen

[117] Vgl. Suárez, DM 47.16.30 (XXVI, 855b). Die Beziehung zur Kreatur ist für Gott eine reine „denominatio extrinseca" bzw. „connotatio", also bloß eine aus der Unvollkommenheit unseres Denkens resultierende Als-ob-Beziehung. Für das Bestimmtwerden des göttlichen Wissens durch die Kreatur gilt: „...hoc terminari non ponit dependentiam aliquam in illa scientia a creatura, sed solum eminentem et intellectualem repraesentationem, in qua nos fundamus denominationem seu relationem rationis, secundum quam dicimus illam scientiam terminari ad tale obiectum. Neque etiam sequitur scientiam illam habere propriam specificationem, aut habitudinem transcendentalem ad talia obiecta, quia per se non ordinatur ad illa, neque est instituta (ut sic dicam) propter illa, sed ex se et propter se tantum est; illa vero omnia, quae sunt extra se, solum quasi consequenter et ex eminentia perfectionis attingit." Vgl. auch CASTELLOTE CUBELLS (1981) 86-89. Ob und inwieweit diese Lehre im Widerspruch mit der von Suárez vertretenen These steht, daß das göttliche Wort aus der Erkenntnis der möglichen Kreaturen hervorgeht, braucht an dieser Stelle nicht erörtert zu werden. Ein solcher Vorwurf wurde jedenfalls schon in der Suárez nachfolgenden Jesuitenschule des 17. Jahrhunderts laut; vgl. DOYLE (1984) 141f., mit einem Beleg aus Diego Alarcón.

[118] Vgl. Suárez, DM 47.16.18 (XXVI, 853a).

[119] Vgl. Scotus, Ord. I, d. 30, q. 1-2, n. 69 (Ed. Vat. VI, 199): „Ratio autem quare relatio realis consequitur, non est nisi quia hoc est hoc et illud est illud: sicut ratio quare albedinem et albedinem – positas – consequitur relatio realis (ut ‚similitudo'), non est nisi haec albedo et illa albedo".

[120] Vgl. Suárez, DM 47.16.16 (XXVI, 852a).

[121] Vgl. ebd. 14 (851b).

Relationen steht, bei denen es ganz offensichtlich ist, daß sie nicht aufgrund von etwas Absolutem, das sie als solche konstituiert, sondern vermittels gegenseitiger Bestimmung qua Relationen miteinander in Beziehung stehen. In dieser theologischen Perspektive scheint die eben referierte scotisch-suárezische Lösung den stärker „korrelativ“ ausgerichteten thomistischen Alternativmodellen auf den ersten Blick unterlegen zu sein.

Das Problem ist in der Sicht des Jesuiten dadurch zu klären, daß man sich des grundlegenden Unterschiedes in der formalen Konstitution bewußt wird, der bei den göttlichen Relationen gegenüber allen geschöpflichen festzustellen ist. Er liegt darin, daß die Relationen in Gott kein anderes Fundament außer sich selbst besitzen, weil sie substantiell und „ex propriis terminis“ subsistierend sind. Wie sie sich aber gleichsam selbst tragen, ohne daß es ein von ihnen real verschiedenes (absolutes) Fundament gäbe, so bestimmen sie auch aus sich selbst ihren jeweils entsprechenden (korrelativen) Terminus[122]. Gott bildet also nicht insoweit eine Ausnahme von der allgemeinen Relationenlehre, als diese besagt, daß das Fundament einer Relation Bestimmungsgrund der jeweiligen Kon-Relation ist – so ist auch in Gott das Fundament der Vaterschaft Bestimmungsgrund der Sohnschaft. Das Einzigartige besteht vielmehr darin, daß das Fundament der göttlichen Vaterschaft kein von ihr zu scheidendes Absolutum ist, sondern die Vaterschaft selbst, wie auch das Fundament der Sohnschaft kein anderes als diese selbst ist. Die Unvollkommenheit unseres Verstehens zeigt sich in der trinitarischen Relationenlehre darin, daß wir trotzdem nicht umhin kommen, auch hier wenigstens *begrifflich* zwischen Fundament und Terminus zu unterscheiden[123]. Zwar kann Suárez darauf verweisen, daß wir schon in der Beschreibung der geschöpflichen Relationen eine inadäquate Begriffsunterscheidung in Anspruch nehmen, wenn wir Fundament und Terminus gleichsam real voneinander trennen, obwohl sie doch in der, wie wir früher sahen, vom Nominalismus geprägten Sicht des Jesuiten in Wahrheit identisch sind. Dennoch stellt sich das Problem in der Gotteslehre insofern noch schwieriger dar, als wir mit der Unterscheidung von Fundament und Relation zugleich gezwungen sind, den Bestimmungsgrund der einen Relation nicht in der anderen Relation als solcher zu sehen, sondern ihn in deren je eigenem Fundament suchen müssen. Suárez erläutert dies am Verhältnis von Vaterschaft und Sohnschaft in Gott, sofern man es nach einem konsequent Fundament und Relation unterscheidenden Modell versteht, nämlich dem bonaventurianisch-franziskanischen Trinitätskonzept, das

[122] Vgl. ebd. 35 (857a): „et ideo mirum non est quod, sicut seipsis fundantur (ut ita loquar), ita unaquaeque seipsa terminet suum correlativum.“

[123] Vgl. ebd. 36 (857b).

die Konstitution der göttlichen Personen von den Ursprüngen her begreift, die Ursprünge als Fundament also von den Personen als den durch sie konstituierten Relationen unterscheidet. Man ist dann gezwungen, den formalen Terminus der Vaterschaft als passiven Ursprung im Sohn zu beschreiben, und umgekehrt den Terminus der Sohnschaft als aktive Zeugung im Vater – eine gegenseitige Bestimmung von Vaterschaft und Sohnschaft qua Relationen schließt dieses Paradigma aus. Aber auch bestimmte thomistische Lösungsansätze versagen nach Suárez an diesem schwierigen Punkt der Erklärung. So kommt, wer mit Cajetan[124] die Vaterschaft „ut conceptam" (also „in sich begriffen" und gleichsam absolut genommen) von derjenigen „ut exercitam" (d. h. als den Beziehungsakt zum Sohn hin „ausübend" und diesen so zeugend) unterscheidet und die erste Hinsicht als der zweiten logisch vorgeordnet ansieht, so daß in jener die *Person* des Vaters, in dieser aber seine *Beziehung zum Sohn* begründet ist, nicht an der Konsequenz vorbei, daß die „relatio ut exercita" von der „relatio ut concepta" terminiert wird und umgekehrt. Damit aber stünde man auf einem begrifflichen Umweg vor demselben Ergebnis wie im bonaventurianischen Modell: daß sich nämlich nicht die Relationen als solche gegenseitig terminieren, sondern sie jeweils von einem irgendwie absolut verstandenen Fundament hergeleitet werden, selbst wenn man dieses „*relatio* ut concepta" nennt. Es handelt sich nämlich auch dann um eine Relation nur insofern, als sie in sich „etwas" ist, das die Fähigkeit besitzt, die Beziehung zu einem anderen zu begründen. Der Bestimmungsgrund der Beziehung (ihre „ratio terminandi") bleibt auf jeden Fall von der Relation selbst unterschieden[125]. Offenbar stehen wir hier vor einer prinzipiellen Grenze unseres theologischen Begreifens, die in den verschiedenen Schulen gleichermaßen spürbar bleibt, wie im Ringen um das Verständnis der väterlichen „innascibilitas" innerhalb einer relationalen Trinitätslehre der Scholastik durchweg deutlich wird.

Damit kommen wir auch zu unserer eigentlichen Ausgangsfrage, nämlich dem Problem zurück, ein adäquates Verstehensmodell für die Realität der aktiven Hauchung zu finden[126]. Vater und Sohn sind vor und außer dieser Hauchung durch eigene Relationen zu beschreiben, durch

[124] Vgl. die schon früher zitierte Aussage bei Cajetan, In I$^{am}$ q. 40, a. 4, n. 12 (Ed. Leon. IV, 419b-420a). Dieser Theorie schließen sich später prominente Thomisten wie Johannes a S. Thoma und Billuart an; vgl. GARRIGOU-LAGRANGE (1951) 112. In neuerer Zeit hat LONERGAN (1968) 207 das Problem insofern zu entschärfen gesucht, als er es nicht mehr auf die Proprietät des Vaters als solche, sondern einzig auf die systematische Ordnung unserer Begriffe bezogen wissen wollte. Allerdings klingt diese Antwort ein wenig „nominalistisch".

[125] Vgl. Suárez, DM 47.16.36 (XXVI, 857b-858a).

[126] Vgl. ebd. 37 (858a).

welche sie in ihrem personalen Sein bestimmt werden, und sie sind gemeinsames Prinzip der Hauchung des Heiligen Geistes nur als so bestimmte. Die Relation der aktiven Hauchung konstituiert darum nicht die beiden Personen und hat keine eigene Subsistenz. Folglich ist Terminus der passiven Hauchung in formaler Hinsicht auch nicht die aktive Hauchung, sondern es sind der Vater und der Sohn, sofern sie ein einziges Hauchprinzip darstellen („unum principium spirans" mit einer gemeinsamen „virtus spirandi"[127]), von dem nach unserem Verstehen die Relation der aktiven Hauchung zu prädizieren ist. Mit der Fähigkeit, den Heiligen Geist hervorzubringen, haben Vater und Sohn „concomitanter" einen Bezug zum Heiligen Geist, nicht aber umgekehrt ist ihre Beziehung zum Heiligen Geist der formale Grund, weswegen sie die Relation des Heiligen Geistes terminieren können. Es ist diese gedankliche Vorordnung der je eigenen Konstitution von Vater und Sohn vor den Hauchungsakt und zugleich die Realidentität des gemeinsam gebildeten Ursprungs der aktiven Hauchung mit den zuvor als vollkommen und real konstituierten Relationen der hervorbringenden Personen als solchen, die Suárez in De trin. 5.4.6 mit Durandus zum Argument für die Realität auch der „spiratio activa" gemacht hatte. Trinitätstheologische und philosophische Erwägungen greifen auch an diesem Punkt schlüssig ineinander, wenn man nur die Inadäquatheit unseres Verstehens für die Tatsache anerkennt, daß in Gott die Relationen als solche subsistieren, daß sie *als subsistierende* miteinander in Beziehung stehen und daß darum die von uns unweigerlich vollzogene begriffliche Unterscheidung zwischen Ursprüngen und Relationen ebenso der eigentlichen Wirklichkeit Gottes nicht gerecht wird wie unser Rückgriff auf je eigene Formalkonstitutive der hervorbringenden Relationen in Differenz zu den hervorgebrachten.

(c) Nur noch am Rande sei bemerkt, daß Suárez mit den Aussagen vom DM 47.16.35-38 nicht nur einen wichtigen Hinweis für die in Buch zehn von „De trinitate" ausführlich zu klärende Frage nach dem Ursprungsprinzip des Heiligen Geistes gibt, sondern bereits auch die Position andeuten kann, die er in der nicht minder berühmten Diskussion über das Differenzprinzip zwischen Sohn und Geist vertreten wird. Die gesuchte Unterscheidung erfolgt nicht in erster Linie durch die Relation der aktiven Hauchung, sondern durch die Sohnschaft, durch welche der Sohn dem Hauchungsakt vorausgehend in vollkommener Weise in seinem personalen Sein konstituiert und folglich von jeder anderen Person unterschieden wird. Und dennoch bleibt es wahr, daß der Sohn nicht vom Heiligen Geist unterschieden wäre, wenn er diesen nicht hervorbrächte,

[127] Vgl. auch De trin. 5.4.9 (I, 660a).

denn andernfalls wäre die Sohnschaft nicht Fundament der aktiven Hauchung und Terminierungsgrund des passiven Hervorgangs, so daß keine „oppositio originis" vorläge. Dies wird ebenfalls später in der Trinitätslehre ausführlich zu begründen sein[128].

### *b) Die reale Unterscheidung der aktiven Hauchung von den personalen Relationen in Gott*

Im vorangegangenen Abschnitt wurde bereits erwähnt, daß die „spiratio activa" in Gott zwar als reale Relation, nicht jedoch als für sich personal subsistierend anzusehen ist. Diese für einen christlichen Theologen, der nur drei und nicht vier Personen in Gott kennt, selbstverständliche Aussage gilt es im folgenden eingehender zu erläutern. Die Erörterung, die Suárez über das Verhältnis zwischen der Hauchung des Geistes und den personalen Eigentümlichkeiten von Vater und Sohn aufwirft, erweist sich im einzelnen als Auseinandersetzung mit den diesbezüglichen Thesen von Durandus und Scotus.

(1) Deren Lösungsversuche konvergieren in der Forderung, daß die Hauchung vom Vater- bzw. Sohnsein (also von der aktiven bzw. passiven Zeugung) durch mehr als eine gedankliche Distinktion unterschieden sein muß. Somit gibt es vier reale und untereinander real verschiedene Relationen in Gott. Es ist das Grundthema „distinctio rationis" vs. „distinctio formalis / modalis", das hier in einer neuen Variante zur Entscheidung steht. Eine zuweilen als entgegengesetzte Extremposition verhandelte These, nämlich die reale Identifizierung von Vaterschaft und Hauchung bei Ockham[129] bzw. Aureoli[130], wird von Suárez nicht diskutiert.

(a) Durandus lehrt eine reale Unterschiedenheit der „spiratio activa" gegenüber Vater und Sohn, so daß der göttlichen Vaterschaft und Sohnschaft jene reale Identität mit der aktiven Hauchung abzusprechen ist, wie sie etwa mit der Wesenheit besteht. Die passive Zeugung des Sohnes ist eine notwendige Bedingung der aktiven Hauchung, aber fällt mit ihr nicht zusammen[131]. Als Begründung formuliert der Dominikaner[132], daß

[128] Vgl. De trin. 11.5-6 (I, 784b-793b).

[129] Vgl. Ockham, Ord. I d. 27, q. 1 (OTh IV, 191, ZZ. 16-19): „dico (...) quod paternitas et spiratio non sunt plures relationes quia non differunt realiter; secundo quod non sunt idem formaliter."

[130] Vgl. Aureoli, 1 Sent. d. 13, q. 1, a. 4 (Electronic Scriptum / Ed. Rom 1596, 381a-384b) und die Kritik bei Capreolus, Defensiones, l. 1, d. 13, q. 1, a. 2 (II, 37a-38b).

[131] Vgl. zur weiteren Erläuterung der These bei Durandus KOCH (1927) 124f.; IRIBARREN (2005) 127ff. Als weiterer Vertreter wird gelegentlich der Scotusschüler

der Relation als Relation die Unendlichkeit des göttlichen Wesens fehlt, aufgrund derer dieses verschiedene Relationen ohne Zerstörung der eigenen Einheit inkludieren kann[133]. Nach der Darstellung des Suárez zweifelt Durandus des weiteren daran, daß eine einzige Relation zu zwei unterschiedlichen Zielpunkten zu tendieren vermag[134]. Ist dies schon in dem Falle auszuschließen, da diese Punkte beide hervorgebrachte sind (Vater zu Sohn und Heiligem Geist), so wird es noch unwahrscheinlicher, sobald es sich um einen hervorbringenden und einen hervorgebrachten Terminus handelt (Heiliger Geist zu Vater und Sohn)[135]. Suárez scheint mit diesem Referat auf die These des Durandus anzuspielen, daß die Relationen „durch sich selbst verschieden sind": Die Beziehung des Vaters zum Sohn ist als solche nicht identisch mit der des Vaters zum Geist, ohne daß nach Ansicht des Durandus auf der suppositalen Ebene daraus eine Unterschiedenheit resultieren müßte, da der Gegensatz zwischen Zeugung und Hauchung (anders als der zwischen Zeugen und Gezeugtwerden) kein direkter, sondern nur ein indirekter und „konkomitativer" ist. Das bedeutet für das konkrete trinitätstheologische Problem: Die Sohnschaft als Herkünftigkeit vom Vater kann nicht real identisch mit der Hauchung als Bezogenheit auf den Geist sein, aber der Haucher ist dennoch keine andere Person als der Zeuger. Die Verschiedenheit der beiden Relationen ist zweifellos größer als jene, die zwischen den Relationen und der Wesenheit besteht und die Durandus in einer deutlichen Ähnlichkeit zur scotischen Formaldistinktion bestimmt hatte. Sie ist jedoch nach Durandus nicht von der Art, daß aus ihr eine Quaternität in Gott auf personaler Ebene – und nur so wird sie von den Konzilien ausgeschlossen[136] – folgen

Johannes a Bassolis zitiert; vgl. Bañez, Comm. in I$^{am}$ q. 32, a. 1 (832C). Die diesbezügliche Bassolis-Interpretation durch VOLZ (1969) 283-297 reflektiert das Verhältnis zu Durandus nicht.

[132] Vgl. Durandus, 1 Sent. d. 13, q. 2 (47rb-49rb).

[133] Vgl. ebd. n. 26 (48va): „Ad tertium dicendum quod non est simile de essentia respectu relationum et de communi spiratione respectu paternitatis et filiationis, quia essentia est quid absolutum, communis autem spiratio est relatio, magis tamen implicat oppositum quod una relatio sit duae relationes quam quod unum absolutum sit plura relata quanquam utrunque sit ad intelligendum nimis difficile, adhuc essentia divina secundum rationem suam et absolutorum suorum est infinita, propter quod potest plures relationes cum sua unitate includere, sed nulla relatio secundum propriam rationem est finita vel infinita (ut alias efficaciter probatum est)".

[134] Das Argument findet sich bei Durandus (ebd. n. 14, 48ra-b) zwar im Referat einer These und nicht in der ausdrücklichen eigenen Stellungnahme, aber da Durandus sich der These anschließt, ist es sicher nicht falsch, ihm auch die begründende Argumentation zuzuschreiben.

[135] Vgl. Suárez, De trin. 5.5.4 (I, 660b).

[136] Dies betont Durandus in 1 Sent. d. 13, q. 2, n. 29-30 (48vb-49ra) mit Nachdruck.

müßte. Insgesamt ist die Stellungnahme des Durandus als Plädoyer für eine strikt „formale" Betrachtung der Relationen zu verstehen. Die vier Relationen in Gott sind *als Relationen* nicht miteinander identisch. Da, wie wir bei der Frage nach der Inklusion der Wesenheit in den Relationen gesehen haben, Suárez eine derartige präzisive Behandlung der Relationen in Gott ablehnt (d. h. die Relation niemals getrennt von der Wesenheit in den Blick nehmen will), ist es evident, daß er sich der These nicht wird anschließen können.

(b) Die dem durandischen Standpunkt nah verwandte Unterscheidungsthese des Scotus, die im Nominalismus ein gewisses Echo fand[137], präsentiert Suárez an zweiter Stelle[138]. Wenn sie ebenfalls dafür plädiert, die „spiratio activa" formal von „paternitas" und „filiatio" zu unterscheiden, beruft sie sich vor allem darauf, daß keine wechselseitige Prädikation der Begriffe voneinander möglich ist.

(c) Beide zuvor genannten Thesen sind im Vergleich zu der drittens als thomistisch präsentierten Lösung[139] in der scholastischen Debatte Minderheitsvoten geblieben. Nach ihr sind Vaterschaft und Sohnschaft nur gedanklich bzw. virtuell von der aktiven Hauchung zu unterscheiden[140]. „Virtuelles Unterschiedensein" und „gedankliches Unterschiedensein mit sachlichem Fundament" werden von Suárez dabei gleichgesetzt, so daß sich eine weitere Differenzierung der diesbezüglichen Lösungen, wie sie etwa Toledo mit Blick auf Capreolus[141] einerseits und Cajetan[142] andererseits vornimmt, erübrigt. Immerhin zeigt sich in solchen Differenzen der

[137] Vgl. Gabriel Biel, 1 Sent. d. 13, q. un., concl. 3 (Ed. Werbeck / Hofmann I, 392): „Tertia conclusio: Generatio et spiratio passio distinguuntur realiter seipsis."

[138] Vgl. Suárez, De trin. 5.5.5 (I, 660b-661a), mit Verweis auf Scotus, qdl. 5, q. 2, n. 17 (Ed. Wadding XII, 131); dort wird die Aussage „paternitas est spiratio" ausdrücklich negiert.

[139] Vgl. Suárez, De trin. 5.5.6-9 (I, 661a-662a).

[140] Ebd. 6 (661a): „Nihilominus vera sententia est, Paternitatem, et spirationem (idemque semper intelligatur dictum de filiatione) non distingui actualiter in re ipsa, sed solum virtute, aut fundamentaliter, actualem vero distinctionem inter illas ratione compleri."

[141] Vgl. Capreolus, Defensiones, l. 1, d. 13, q. 1, a. 2 (II, 54b-58b), bes. „secunda conclusio": „spirare et generare differunt ratione" (54b).

[142] Vgl. Cajetan, Comm. in I$^{am}$ q. 32, a. 2, n. 16 (Ed. Leon. IV, 354a): „Affirmare vero quod [sc. paternitas et spiratio activa] sunt duae formaliter secundum rationem tantum, non quietat multorum intellectum: quia esse duo secundum rationem, non est esse duo, sed intelligi duo; sicut esse quantum secundum rationem, non est esse quantum, sed intelligi quantum. Unde, cum nulla sit actualis distinctio praeter realem aut rationis, restat quod sint duae virtualiter: idest perinde se habent ac si essent duae."

thomistischen Schule[143], daß die Lehre des Aquinaten in diesem Punkt letzter Eindeutigkeit entbehrt. Thomas hat die Frage nach der exakten Art der Unterscheidung der beiden Relationen an keiner Stelle seines Werkes explizit gestellt (sieht man von der selbstverständlichen Verneinung einer „oppositio relativa" zwischen Vaterschaft bzw. Sohnschaft und Hauchung ab[144]). Zweifelsohne zugeschrieben werden kann ihm nur, daß er die „communis spiratio" mit den Personen von Vater und Sohn identifiziert[145]. Erst angesichts der Herausforderung durch Durandus und Scotus haben seine späteren Kommentatoren die Position des Aquinaten zur These von der gedanklichen bzw. virtuellen Unterscheidung ausformuliert. Zurecht merkt Suárez an, daß sie sich ausdrücklich auch bei spätmittelalterlichen Autoren anderer Schulen finden läßt[146].

Das Hauptargument für die deutliche Zurückweisung aller formalen oder quasi-formalen Unterscheidungen zwischen den genannten Relationen gründet in der Befürchtung, vermittels ihrer werde die aktive Hauchung als ebenfalls substantiale und inkommunikable Relation in eine derartige ontologische Eigenständigkeit gesetzt, daß daraus notwendig ihr personbildender Charakter und folglich eine Quaternität statt Trinität in Gott resultieren müßte. Stattdessen soll das Verhältnis in einer gewissen Analogie zur Verhältnisbestimmung der personalen Konstitutionsprinzipien, also Relation und Wesenheit, in Gott beschrieben werden. Wie dort das Prinzip leitend ist, daß eine Person in sich selbst keine aktuale

[143] Die Vielfalt der Auslegungen ließe sich vermutlich noch vermehren. So zitiert etwa B. Torres, Comm. in I$^{am}$ q. 32, a. 2, pars 3 (96ra) einen nicht namentlich genannten Thomaskommentator, der sich für eine Unterscheidung zwischen Vaterschaft und aktiver Hauchung „realiter, sed non ut res" ausgesprochen habe. Auch in dieser Frage sind die Thomisten scotischen Einflüssen gegenüber offenbar nicht unempfänglich geblieben.

[144] Vgl. Thomas, S. th. I, 30, 2 c.: „Relinquitur ergo quod spiratio conveniat et personae patris et personae filii, utpote nullam habens oppositionem relativam nec ad paternitatem nec ad filiationem." Dasselbe ergibt sich, wenn Thomas die „spiratio activa" zwar unter die Notionen zählt, eine Qualifikation als „notio personalis" (also personbildender Notion) aber ausdrücklich ausschließt; vgl. S. th. I, 32, 3 c. Vaterschaft und Hauchung verhalten sich deswegen nicht wie „zwei Dinge" („duae res"), obwohl sie als Relationen zu unterscheiden sind: 1 Sent. d. 27, q. 1, a. 1.

[145] Vgl. etwa Thomas, 1 Sent. d. 12, q. 1, a. 1 ad 1.

[146] Verwiesen wird u. a. auf Gregor von Rimini, 1 Sent. d. 26, q. 1, a. 2 (Ed. Trapp et al. III, 66), wo es heißt: „Ad secundum dico quod pater refertur ad filium et ad spiritum sanctum una relatione tantum secundum rem, quae tamen est in pluribus speciebus relationis seu cui conveniunt rationes plurium specierum relationis. Quapropter optime potest correspondere distinctis specie coopposits. Exemplum: Socrates eadem relatione est similis Platoni albo, et dissimilis Ciceroni nigro; nam eadem albedo Socratis est similitudo ad Platonem et dissimilitudo ad Ciceronem, cum nec similitudo nec dissimilitudo sit res superaddita qualitati…".

Unterscheidung zuläßt und folglich Relation und Wesenheit nur virtuell verschieden sein können, so muß Gleiches auch zwischen den Hervorbringungsinstanzen von Vaterschaft und aktiver Hauchung gelten, die gleichermaßen in der Person des Vaters geeint sind.

(d) Seine auffallend ausführliche Auseinandersetzung mit den Grundprinzipien des durandischen Arguments, die sich anschließt, nimmt Suárez zum Anlaß, nochmals in zweifacher Hinsicht die Stellung der aktiven Hauchung im innergöttlichen Beziehungsgeschehen zu explizieren.

(aa) Eine erste traditionell im vorliegenden Kontext diskutierte Frage zielt darauf ab, ob es sich bei der „spiratio activa" in den beiden Personen von Vater und Sohn um eine einzige, einfache Relation handelt oder eine zweifache. Gegen die Annahme, daß die Zweiheit der Relationssubjekte (Vater und Sohn) auch die Beziehung zum einen Terminus (dem Heiligen Geist) real verdoppeln oder zumindest eine einzige Relation als „Kollektiveinheit" zweier Teilelemente entstehen lassen könnte, vertritt Suárez mit Nachdruck die Einheit und Einfachheit der in Frage stehenden Relation, die folglich in ontologischer Betrachtung als „una res relativa (simplex)"[147] bezeichnet werden muß, die mit Vaterschaft und Sohnschaft gleichermaßen identisch ist[148]. Vater und Sohn erweisen sich als ein einziges Prinzip der Hauchung, dem die Scholastiker den Kunstnamen „spirator" geben. Gemäß dem trinitätstheologischen Grundprinzip, wonach in Gott Differenz nicht als rein numerische, sondern einzig und allein durch die Beziehungsgegensätze auftritt, entbehrt angesichts der fehlenden „oppositio" zwischen Vater und Sohn in der Hauchung jede Spekulation über eine doppelte aktive Ursprungsbeziehung zum Geist eines hinreichenden Fundaments, zumal das Zweite Konzil von Lyon und in seinem Gefolge das Florentiner Unionsdekret eindeutig den Ursprung des Geistes „nicht wie aus zwei Prinzipien, sondern wie aus einem einzigen" gelehrt hatten[149]. Eine bloße Zusammensetzungseinheit ist gleichermaßen ausgeschlossen, denn sie widerspricht hier wie auch sonst der Einfachheit

[147] Damit knüpft Suárez an die Terminologie des Scotus an, wie sie dieser gegen das modale Relationsverständnis des Heinrich von Gent zum Einsatz gebracht hatte; vgl. DECORTE (1995) 407f.

[148] Suárez, De trin. 5.6.5 (663a).

[149] Vgl. Wohlmuth / Alberigo, Dekrete, Bd. 2, 314: „Fideli ac devota professione fatemur, quod Spiritus sanctus aeternaliter ex Patre et Filio, non tanquam ex duobus principiis, sed tanquam ex uno principio, non duabus spirationibus, sed unica spiratione, procedit" (Lugdunense II, 6. Sitzung); ebd. 526: „...sicque omnes profiteantur, quod Spiritus sanctus ex Patre et Filio eternaliter est, et essentiam suam suumque esse subsistens habet ex Patre simul et Filio, et ex utroque eternaliter tanquam ab uno principio et unica spiratione procedit..." (Florentinum, 6. Sitzung). Ähnlich: 11. Sitzung (ebd. 571).

Gottes und läuft letztlich wieder auf die Unterscheidung zweier Einzelhinsichten hinaus, die zuvor ausgeschlossen worden war[150]. Man kann die hiermit konstatierte Einheit der aktiven Hauchung nach Suárez besser verstehen, wenn man ihre Existenz im Sohn ganz von der vorgängigen Existenz im Vater her begreift. Als gewissermaßen im Vater präexistierend, wird diese Relation (verstanden im Sinne der sie begründenden „virtus spirandi") dem Sohn in der Wesenskommunikation übergeben, und zwar näherhin in bzw. mit dem Willen als ihrem nächsten Fundament. Der dem Sohn mitgeteilte essentiale göttliche Wille ist zugleich Wurzel der auch vom Sohn zu vollziehenden Hauchung. Diese ist darum zwischen beiden Personen derart „eins" wie das kommunizierte göttliche Wesen selbst[151]. Blickt man auf den Vollzug der Hauchung, gibt es keine Vor- oder Nachordnung zwischen Vater und Sohn, so daß die aktive Hauchung in formaler Betrachtungsperspektive in beiden zugleich zu suchen ist. Mit dem Ausschluß einer zeitlichen Ordnung ist hier auch jeder Subordinatianismus zu Ungunsten des Sohnes abgewiesen, ohne daß die Stellung des Vaters als Erstprinzip geleugnet werden müßte.

(bb) Hat man so die Einheit der aktiven Hauchung begriffen, kann man noch einmal deren Verhältnis zu den sie tragenden Relationen von Vaterschaft und Sohnschaft in den Blick nehmen. Durandus hatte der These einer bloßen Virtualunterscheidung zwischen aktiver Hauchung und Vater- bzw. Sohnschaft vorgeworfen, daß sie notwendigerweise in eine Identitätsaussage münden muß, was er wegen der Verschiedenheit von Vater und Sohn für bedenklich hielt. Einige Autoren wie Gregor von Rimini[152] oder Gabriel Biel[153] haben die von Durandus angesprochene Konklusion bestätigt, sie jedoch geradezu in eine entgegengesetzte Argumentationsrichtung umgewendet[154]: Nur durch die Identität der vater- bzw. sohnschaftlichen Ursprungsrelation mit der Hauchung, durch welche die Zahl der realen Relationen in Gott auf drei beschränkt wird, können jene unerwünschten Konsequenzen vermieden werden, die mit einer ontologischen Partikularisierung der „spiratio" gegeben wären. Diese ist exakt wegen ihrer Identität mit Vaterschaft und Sohnschaft von den übrigen drei Relationen nicht real unterschieden, mit der Wesenheit kommunikabel und folglich nicht personbildend. Daß es solche Bezüglichkeit

[150] Vgl. Suárez, De trin. 5.6.6 (I, 663a-b).

[151] Vgl. ebd. 8 (663b-664a).

[152] Vgl. neben der oben zitierten Passage Gregors Aussagen zum Prinzip der aktiven Hauchung in Lectura I, d. 12, q. un. (Ed. Trapp et al. II, 190-196). Dazu auch GARCÍA LESCÚN (1970) 99-105.

[153] Vgl. FARTHING (1988) 15f.

[154] Vgl. Suárez, De trin. 5.7.1-2 (I, 664a-b).

einer einzigen Relation (wie etwa der „paternitas“) auf zwei formalverschiedene Termini hin geben kann, halten die genannten Autoren anders als Durandus wegen der erhabenen, unendlichen Perfektion der göttlichen Relationen generell für möglich.

Suárez zeigt für diese Argumentation Sympathie[155], wenn er sich, wie oben dargestellt, auch bereits früher gegen Gregor den wichtigsten Scholastikern im Gefolge von Thomas oder Scotus angeschlossen hatte, die bei einer eigenen Realität der aktiven Hauchung und damit bei der Annahme von vier realen Relationen in Gott bleiben wollen. Suárez sieht an dieser Stelle eher ein Sprach- denn ein Sachproblem vorliegen. Während die Vertreter der „Vier-Relationen-These“ die Realität und Zählung der Relationen ganz vom formalverschiedenen Bezogen-Sein, dem „esse ad terminum“ her verstehen[156], kann man die „Drei-Relationen-These“ als Konsequenz einer realontologisch konzipierten Kriteriologie lesen, in der die Zählung unterschiedlicher „res“ deren Absolutheit als für sich seiende, realdistinkte Entitäten voraussetzt. Modal- oder Formalunterschiede haben dann keine multiplikative Valenz[157]. Daß Suárez hier unbewußt auf eine Beschreibungsfigur rekurriert, die der von ihm eigentlich kritisierten thomistischen Unterscheidung von „esse in“ und „esse ad“ der Relationen sehr ähnlich ist, sei nur beiläufig angemerkt.

Genauso wie auf dieser Grundlage Wesenheit und Relation in Gott jeweils nur eine einzige (personal subsistente) „res“ bilden, die den absoluten wie respektiven Aspekt gleichermaßen in sich birgt, so sind auch Vaterschaft und aktive Hauchung in ontologischer Perspektive (nämlich als ununterschieden dieselbe Wesensunendlichkeit Gottes einschließend) eine einzige „res respectiva“, die dennoch in einfacher Weise eine doppelte Hinsicht auf real unterschiedene Zielpunkte umfaßt. In diesem Sinn spricht dann die Mehrheit der Scholastiker von einer „doppelten Relation“, obwohl real nur ein einziger Sachverhalt vorliegt. Wenn Suárez sich

[155] Ebd. 3 (664b) nennt er sie eine „sententia non (…) improbabilis“.

[156] Auf das trinitätstheologisch so wichtige Axiom „relationes multiplicantur ex terminis“ greift Suárez auch in den schwierigen Erörterungen über das göttliche Erkennen der endlichen Dinge zurück: Obwohl es in Gott real keine Vielzahl von Ideen der Kreaturen gibt, läßt sich doch der eine, vollkommene Erkenntnisakt Gottes als ein solcher beschreiben, in dem die Bezugsfähigkeit auf verschiedene Kreaturen miterfaßt wird, so daß unsere Rede von „vielen Ideen in Gott“ gerechtfertigt ist. Zur Unterscheidung von „Ideen“ in Gott und „Possibilien“ vgl. RAST (1935) 350: „Subjektiv ist die göttliche Idee der Erkenntnisakt Gottes und also Gott selbst, die Possibilien aber sind subjektiv gar nichts. Objektiv (als erkannt) oder im Inhalt decken sich diese mit der göttlichen Idee inadäquat, sind in jener eminenter enthalten. D. h. mit jener sind auch sie in ihrem objektiven Sein gegeben.“

[157] Vgl. Suárez, De trin. 5.7.3 (I, 665a).

dem üblicheren Sprachgebrauch anschließt, dann vor allem deswegen, weil dieser mißverständliche Vermischungen der innergöttlichen Hervorgänge umgeht, wie sie sich aus der Identitätsthese ableiten lassen. Eine Aussage wie „generatio est spiratio" etwa ist zu vermeiden[158]. Eine Unterscheidung von „paternitas" und „spiratio" im Sinne zweier „Arten" der Relation, wie wir sie sinnvollerweise vornehmen, wenn wir an einem gemeinsamen, quasi-generischen Relationsbegriff in Gott festhalten wollen, ist nur möglich, wenn die Terminologie im oben differenzierten Sinne „präzis" ist, also von den formalverschiedenen Relationshinsichten her bestimmt bleibt[159], die als solche niemals gleichgesetzt werden dürfen. „Und darum", so das Fazit des Suárez, „muß im Verhältnis der Relationen zueinander, wenn die eine von der anderen prädiziert wird, immer der formale Sinn gewahrt werden"[160].

(2) Mit einem zusammenfassenden Vergleich schließt Suárez seine Verhältnisbestimmung der innergöttlichen Relationen unter besonderer Berücksichtigung der aktiven Hauchung ab. Alle vier Relationen stimmen in dem überein, was zum allgemeinen Begriff der „relatio divina" gehört: Sie besitzen reales Sein, haben einen Terminus, zu dem eine Beziehung aufgebaut wird, und es kommt ihnen je eigene Vollkommenheit in ihrem Bezogensein zu. Da mit dem göttlichen Wesen identisch, sind sie anders als prädikamentale Relationen im Geschöpflichen nicht akzidentell, sondern substantiell[161]. Freilich unterscheidet sich innerhalb dieses gemeinsamen Rahmens die aktive Hauchung in sechs Punkten von den übrigen drei Relationen. Sie ist erstens anders als diese mehreren Personen kommunikabel, kommt der Vaterschaft und Sohnschaft „wie eine sie affizierende Form"[162] zu. Da für Personen definitionsgemäß Inkommunikabilität gefordert ist, liegt gerade in diesem Umstand begründet, daß die Hauchung nicht personbildend sein kann. Daraus ergibt sich zweitens, daß die „spiratio activa" keine eigene Subsistenz besitzt, wie sie ebenfalls mit der Personalität verbunden ist bzw. sogar durch die personalen Relationen konstituiert wird. Wiederum erscheint die Hauchung als etwas „Hinzukommendes" zu dem, was bereits personale Letztbestimmtheit trägt („advenit iam constitutis")[163]. Wenn man auch von der Hauchung

[158] Vgl. ebd. 8 (665b-666a).

[159] Vgl. ebd.: „…quia Paternitas et spiratio distinguuntur a nobis sub genere relationis, tanquam duae species ejus (more nostro loquendo), ergo una species non potest praedicari de alio sub terminis praecisis, ac formalibus, ut sunt illi abstracti."

[160] Ebd. 9 (666a): „Ac propterea inter relationes, dum una de alia praedicatur, semper est servandus formalis sensus."

[161] Vgl. ebd. 5.8.2 (666b).

[162] Ebd. 5 (667a): „tamquam forma quaedam afficiens ipsas".

[163] Ebd. 6 (667a).

sagt, daß sie „subsistiert", so kommt ihr dieses Prädikat doch nur vermittels der von ihr vorausgesetzten personalen Relationen zu. In die gleiche Richtung deutet drittens die Beschreibung der Hauchung als „etwas Resultierendes" auf dem Wege „indirekter Folge"[164]. Auch hier ist daran gedacht, daß sie selbst keine personkonstituierende Form darstellt, sondern nur aufgrund eines nicht unmittelbar mit dem göttlichen Wesen verbundenen Hervorgangs unter Voraussetzung von bereits bestehenden Personen wirklich wird, wenn im Begriff des „Resultierens" auch jede Äußerlichkeit des Hinzutretens ausgeschlossen ist. Die Differenz zu den personbildenden Relationen kann man viertens im Ausgang vom (relationalen) „Fundament" illustrieren, das allein die aktive Hauchung in den bereits inkommunikabel subsistierenden Personen von Vater und Sohn besitzt. Vor allem der Unterschied zum göttlichen Vater tritt dabei hervor, dem seine „paternitas" nicht Folge, sondern bereits Voraussetzung des eigenen Zeugens ist und dem als Vater somit eine (im geschöpflichen Bereich nirgends zu findende) Selbstursächlichkeit zukommt[165], die in der nicht weiter erklärbaren Notwendigkeit des göttlichen Wesens wurzelt. Während fünftens der Vergleich der zu unterscheidenden Relationen mit ihrem jeweiligen „Prinzip" („potentia spirandi" vs. „potentia generandi") aus einer weiteren Perspektive den hinzukommenden Charakter der Hauchung in Absetzung zu der dem Zeugungsprinzip zuinnerst inhärierenden Vaterschaft unterstreicht, kann der an sechster Stelle vorgenommene Vergleich mit dem Relationsterminus zeigen, daß anders als im Verhältnis des Vaters zum Sohn, wo aktiver und passiver Hervorgang sich gegenseitig terminieren, im Verhältnis von Vater und Sohn zum Geist das Konstitutionsverhältnis nur einseitig ist. Der passive Hervorgang des Geistes terminiert nicht den „spirator", da nicht er es ist, der die hauchenden Personen von Vater und Sohn konstituiert. Es ist hier wie in den vorangehenden Argumenten immer wieder der nicht-personbildende Charakter, der, aus den verschiedenen Blickwinkeln des Relationsgeschehens betrachtet, die „spiratio activa" von den übrigen realen Relationen in Gott unterscheidet.

[164] „At vero spiratio est in Deo quasi per resultantiam quamdam, seu indirectam consecutionem": ebd. 7 (667b).

[165] Vgl. ebd. 8 (668a). Allerdings macht Suárez an anderer Stelle klar, daß eine derartige Priorität nicht im Sinne einer realen Trennbarkeit der Relation von ihrem „actus referendi" verstanden werden darf; vgl. DM 47.5.9-13 (XXVI, 807b-808b).

# Kapitel 8: Notionen, notionale Akte und Proprietäten

## 1) Grundlegende Begriffsbestimmungen und -abgrenzungen

Während die vorangehenden Ausführungen die innergöttlichen Relationen vor allem im Hinblick auf ihren ontologischen Status (ihre Realität) in den Blick genommen hatten, stehen die beiden anschließenden Bücher des Trinitätstraktates (sechs und sieben) vor der Aufgabe zu zeigen, wie das Beziehungsgeschehen in Gott als einziger Grund innergöttlicher Unterscheidung die eindeutige Bestimmung und Charakterisierung der drei Personen erlaubt, die der Glaube bekennt. Neben dem Begriff der Relation sind es drei weitere Termini, welche alle Scholastiker für diese Aufgabe zu Hilfe nehmen. Sie gilt es im folgenden kurz in ihrer eng miteinander verwobenen Bedeutung zu definieren, bevor im Anschluß daran die spekulative Ausfaltung nachgezeichnet werden kann, die Suárez ihnen zuteil werden läßt. Da diese Lehrstücke allesamt – wenigstens im 17. Jahrhundert – eher zur Konsensmaterie der Trinitätstraktate zählen, bietet sich eine gestraffte Darstellung an.

(1) Mit dem Begriff der „Notion" werden diejenigen eigentümlichen Beschaffenheiten benannt, die es erlauben, eine göttliche Person von den übrigen zu unterscheiden[1]. Sie sind den individuierenden Eigenschaften ähnlich, die uns im geschöpflichen Bereich die Unterscheidung verschiedener Personen voneinander erlauben. Von solchen „Erkennungsmalen" hatte im trinitätstheologischen Kontext schon Augustinus gesprochen[2]. Während im 12. und frühen 13. Jahrhundert die scholastischen Theologenmeinungen über Zahl und Bedeutung der Notionen noch erheblich differierten[3], setzte sich auf Dauer die Lehrmeinung des Lombarden und seiner Schule durch. In der späteren Scholastik, auf die Suárez zurück-

[1] Vgl. die klassische Definition bei Thomas, S. th. I, 32, 3 c.: „Notio dicitur id quod est propria ratio cognoscendi divinam personam."

[2] Vgl. etwa Augustinus, De trinitate l. 5, c. 6 (CCL 50, 211, Z. 21).

[3] Vgl. ARNOLD (1995) 192-205.

blickt, ist die Debatte um die Notionen auf wenige Einzelprobleme beschränkt geblieben.

(a) Nach Suárez können mit dem Terminus sowohl die Formalbegriffe, mit deren Hilfe unser Intellekt seine unterscheidenden Urteile formuliert, wie die ihnen zugrundeliegenden „objektiven Begriffe", also die begriffenen „res" selbst als Objekte unserer Aussage, bezeichnet werden[4]. Damit grenzt sich der Jesuit von der nominalistischen These des Gregor von Rimini ab, der die Notionen nicht in den gänzlich einfachen Personen selbst, sondern allein in unseren Aussagen über sie lokalisieren wollte[5]. Die Reduzierung der Trinitätslehre auf eine trinitarische Grammatik

[4] Suárez nennt in De trin. 5.9.2 (I, 669b) die Notion „conceptum formalem, quem nos de propria conditione alicuius personae formamus". Kurz darauf fügt er hinzu: „Verumtamen quia huic conceptui formali obiectivus respondet, non fictus, sed verus et in re ipsa suo modo existens, ideo rationes obiectivae, quae illis conceptibus formalibus respondent, notiones etiam merito appellantur et ipsis divinis personis vere attribuuntur." In allgemeinerer Form spricht Suárez von bestimmten „rationes seu proprietates", die uns die Personunterscheidung in Gott ermöglichen. Zur Unterscheidung von „formalem" und „objektivem" Begriff vgl. die bekannten Ausführungen des Suárez in DM 2.1.1 (XXV, 64b-65a): „Supponenda in primis est vulgaris distinctio conceptus formalis et obiectivi; conceptus formalis dicitur actus ipse, seu (quod idem est) verbum quo intellectus rem aliquam seu communem rationem concipit; qui dicitur conceptus, quia est veluti proles mentis, vel quia formaliter repraesentat menti rem cognitam; vel quia revera est intrinsecus et formalis terminus conceptionis mentalis, in quo differt a conceptu obiectivo, ut ita dicam. Conceptus obiectivus dicitur res illa, vel ratio, quae proprie et immediate per conceptum formalem cognoscitur seu repraesentatur; ut verbi gratia, cum hominem concipimus, ille actus quem in mente efficimus ad concipiendum hominem, vocatur conceptus formalis, homo autem cognitus et repraesentatus illo actu dicitur conceptus obiectivus, conceptus quidem per denominationem extrinsecam a conceptu formali, per quem obiectum eius concipi dicitur, et ideo recte dicitur obiectivus, quia non est conceptus ut forma intrinsece terminans conceptionem, sed ut obiectum et materia circa quam versatur formalis conceptio, et ad quam mentis acies directe tendit, propter quod ab aliquibus, ex Averroe, *intentio intellecta*, appellatur; et ab aliis dicitur ratio obiectiva."

[5] Vgl. De trin. 5.9.1 (I, 669a-b) mit Bezug auf Gregor von Rimini, 1 Sent. d. 26, q. 1, a. 2 (Ed. Trapp et al. III, 61-78), der u. a. ausführt. „His praemissis pono ad quaestionem absque assertione tamen et sine praeiudicio melioris sententiae quattuor conclusiones: Prima est quod nullis proprietatibus, qualitercumque sumantur proprietates, personae divinae constituuntur. Secunda, quod personae divinae distinguuntur personaliter suis proprietatibus primo modo acceptis proprietatibus, id est se ipsis. Tertia, quod divinae personae non distinguuntur personaliter aliquibus proprietatibus secundo modo acceptis. Quarta, quod distinguuntur proprietatibus tertio modo acceptis, intelligendo tamen eas distingui per illas proprietates secundo modo praemisso, id est quod ex illis proprietatibus potest concludi et cognosci quod ipsae personae ab invicem distinctae sunt, non autem distinguuntur per eas primo modo, id est tamquam per rationes vel principia distinctiva" (ebd. 61f.). In der Erläuterung

unter Verzicht auf den Anspruch, unmittelbare Aussagen über die Realität Gottes selbst zu formulieren, weist Suárez zurück. Daß jedoch die Notionen in formaler Hinsicht ein durch unser Verstehen gebildetes Bestimmungsmoment implizieren, so daß ihre Zahl größer sein kann als die der Personen in Gott, auf welche sie sich real beziehen[6], gibt auch der Jesuit problemlos zu.

(b) Die sichersten Unterscheidungsmerkmale im trinitarischen Bereich sind die drei personbildenden Relationen, da sie gleichsam die jeweilige Person als solche (als Vater, Sohn oder Geist) „spezifizieren“ bzw. „individuieren“[7]. Jedoch zählen die Theologen mit Thomas ebenso die nicht personbildende Relation der aktiven Hauchung zu den Notionen, da sie zumindest nicht allen Personen zukommt und so trotz ihres im vorigen Kapitel thematisierten „hinzukommenden“ und „aposteriorischen“ Charakters für uns zur Unterscheidung der ersten beiden Personen von der dritten dienen kann[8]. Obwohl damit eine materiale Identität zwischen den Relationen und Notionen in Gott aus Sicht der erstgenannten besteht – alle Relationen sind auch Notionen –, bleibt doch der formale Unterschied zu beachten, daß „Relation“ der Begriff für die real-ontische Beziehungswirklichkeit als solche ist, während „Notion“ gleichsam als Begriff zweiter Intention die Funktion der Relation für unser Trinitätsverstehen benennt[9].

Als fünfte Notion gilt den meisten Scholastikern das negative Prädikat der „innascibilitas“, die Unfähigkeit, durch eine andere Person hervorgebracht zu werden, als eigentümliche Charakterisierung des göttlichen Vaters. Wie den beiden Hervorgängen in Gott eine nicht hervorgebrachte Person vorausgehen muß, so muß es auch eine Notion geben, welche die erste Person in ebendieser Prinzipstellung[10] in Hinordnung auf weitere produzible Personen kennzeichnet und sich insofern auch vom rein ne-

zur vierten Konklusion heißt es dann: „Notandum autem quod, quamvis proprie huiusmodi proprietates non nisi complexe valeant significari, aliquando tamen invenimus eas significatas fore in scripturis incomplexis nominibus et abstractis. Sed tunc talia nomina aequivalent in significando praedictis complexis et orationibus“ (ebd. 75). „Complexa“ sind Urteile, „incomplexa“ einfache Begriffe; vgl. zum Begriffspaar ROTH (1936) 326ff.

[6] Vgl. Suárez, De trin. 5.10.9 (I, 673b).

[7] Vgl. ebd. 5.9.3 (669b): „quia sunt proprietates ita propriae singularum personarum, ut sint velut specificantes et individuantes unamquamque in ratione talis personae“.

[8] Vgl. ebd. 5 (670a-b).

[9] Vgl. ebd. 7 (671a): „Relatio enim dicitur secundum respectum realem, quem in se habet. Notio autem vocatur eadem relatio, quatenus per eam distinctio alicujus personae notificatur.“

[10] Vgl. De trin. 5.10.4 (671b-672a).

gierenden „Nicht-Hervorgebrachtsein“ des für sich betrachtet stets kommunikablen göttlichen Wesens unterscheidet. So wenig Suárez mit der Negativität dieses Prädikats die dadurch auszudrückende personale Würde des Vaters gefährdet sieht oder sich an seiner Identität mit der „paternitas“ stört, so wenig möchte er der These des Scotus folgen[11], der in Absetzung gegen Heinrich von Gent[12] und den früheren Theologenkonsens als sechste, ebenfalls negative Notion eine „Unhauchbarkeit“ („inspirabilitas“) des Sohnes für die Aufnahme in das Notionenensemble in Erwägung gezogen hatte[13]. Suárez begründet seine Ablehnung damit, daß ein solches Prädikat (anders als zuvor die „innascibilitas“) tatsächlich nicht mehr das entscheidende Kriterium erfüllt, eine einzigartige personale Dignität auszudrücken und damit wahrhaft personcharakterisierend zu sein. Vielmehr ist es wie weitere negative Notionen, die man nach seinem Vorbild konstruieren könnte, jedoch im Gegensatz zur Innaszibilität des Vaters, in den notionalen Relationen bereits enthalten. So bleibt es bei fünf Notionen, von denen vier positiv sind (nämlich die drei personbildenden und die eine nicht personbildende Relation), eine weitere aber negativ (in Gestalt der Improduzibilität des Vaters).

(2) Innerhalb der Notionen werden als „Proprietäten“ diejenigen personalen Kennmale bezeichnet, die auf Relationen weisen, durch welche eine Person und sie allein in ihrer Eigenart bestimmt wird („paternitas, filiatio, spiratio passiva“)[14]. Die „innascibilitas“ des Vaters scheidet hier aus, weil sie letztlich auf die „paternitas“ zurückgeführt werden kann[15], ebenso die „spiratio activa“, weil sie nicht personbildend ist. Aus diesem

[11] Vgl. das Referat des Suárez in De trin. 5.10.7 (672b).

[12] Vgl. Heinrich, Summa a. 60, q. 10, arg. l et arg. in opp. (Ed. Badius II, fol. 172A).

[13] Vgl. Scotus, Ord. I, d. 28, q. 1-2, n. 31-34 (Ed. Vat. VI, 124f.). Scotus spricht von einer „gleichen Würde“ des Vaters und des Sohnes im „Nicht-Gehauchtwerden“. Daß gegen die „communis opinio“ der Theologen die Rede von einer sechsten Notion statthaft sein kann, begründet er mit den Fortschritten, welche auch in der Vergangenheit die trinitätstheologische Terminologie immer wieder gemacht hat. MINGES (1930) II, 234 weist darauf hin, daß die Parallelstelle der „Reportatio“ diese Lehre nicht vertritt. Dies bestätigt der Vergleich der verschiedenen unter dem Namen des Scotus bekannten Texte zur Frage bei WETTER (1967) 446-451 mit dem Fazit, Scotus sei bis zuletzt „nicht zu einer befriedigenden Lösung“ gelangt (ebd. 451). Mehr als zur Abfassungszeit von Wetters Studie wird man mittlerweile in Betracht ziehen müssen, daß hier wie anderswo die Unklarheiten auch auf abweichende redaktionelle Erweiterungen des nicht mehr greifbaren scotischen Ursprungstextes zurückgehen könnten.

[14] Vgl. Suárez, De trin. 5.9.6 (I, 670b). Die exakte (Drei-)Zahl der Proprietäten hatte sich im Laufe des 12. Jahrhunderts herausgebildet; vgl. SCHNEIDER, J. (1961) 172-180.

[15] Die exakte Begründung dafür liefert Suárez in De trin. 8.2.9-12 (I, 716b-717a).

Grunde ist jede Proprietät Notion, aber nicht umgekehrt. Erst mit der Proprietät der hervorbringenden Person begreifen wir jenen Akt der Hervorbringung, der in einem „realen Einfluß“ auf den Hervorgebrachten besteht[16]. Eine exaktere Bestimmung des Proprietätsbegriffs nimmt Suárez in Buch sieben von „De trinitate“ vor, dessen Inhalt uns im folgenden noch beschäftigen wird.

(3) Die innergöttlichen Ursprünge der Personen bzw. Relationen („origines“) werden, wie wir sahen, nicht im eigentlichen Sinne unter die Notionen gezählt. Sie sind nicht wie die Relationen „gleichsam beständige Formen“[17], sondern ähneln „Wegen“, die „zu ihnen hinführen“, verhalten sich also wie unselbständige Beschreibungsmomente des sich vollziehenden interpersonalen Geschehens. Darum sind sie nicht eigentlich abstrakte Begriffe der Personencharakterisierung, wie sie die Notionen darstellen (z. B. „paternitas“), sondern lassen sich auf die Relationen zurückführen, in denen der innergöttliche Verhältnisordo als vollständig konstituierter greifbar wird. Freilich bedeutet diese Einschränkung der Ursprünge in ihrer notionalen Funktion keineswegs, daß sie irgendwie „neben“ den Relationen anzusiedeln wären. Da die im kreatürlichen Bereich unverzichtbare Unterscheidung zwischen dem Akt des Hervorgebrachtwerdens (dem passiven Ursprung) und der daraus folgenden Relation des Hervorgebrachten zum Hervorbringenden in Gott wegen dessen höchster Einfachheit keinen Platz hat, was analog für das Verhältnis von aktiven Ursprüngen und der Relation des Hervorbringenden gilt, sind die Ursprünge mit den Relationen identisch: Die Zeugung ist die Vaterschaft ebenso wie das Gezeugtwerden die Sohnschaft ist; die Hervorbringung des Geistes ist die aktive Hauchung und sein Hervorgebrachtwerden die passive Hauchung[18]. Daraus folgt, daß Suárez, ähnlich den meisten anderen Scholastikern, mit der Realunterscheidung der Personen auch eine solche der mit ihnen zusammenfallenden aktiven bzw. passiven Hervorgänge lehrt. Die Hervorbringungen in Gott, so hatte uns Suárez bereits im ersten Buch seiner Trinitätslehre erklärt, sind aus der Sicht des Kreatürlichen wie Handlungen zu begreifen, aus denen der Faktor „Veränderung“ entfernt ist: Es bleibt dann die reine gerichtete Relation[19]. Zwar betrachtet der Begriff des Ursprungs diese Relation (aktiv) als aus der hervorbringenden Person entspringend bzw. (passiv) die hervorgebrachte Person setzend, doch verhindert die rein relationale Betrachtung der Personen zugleich, daß zwischen ihnen eine Abhängigkeitsbeziehung

[16] Vgl. De trin. 6.2.8 (677b-678a).
[17] Ebd. 5.9.3 (670a): „quasi permanentes formae“.
[18] Vgl. ebd. 6.1.4-5 (675a-b).
[19] Vgl. ebd. 6 (675b-676a).

angesetzt wird, wie sie im Kreatürlichen zwischen „principium" und „terminus" eines Handlungsvollzuges besteht. Statt ihrer gibt es in Gott denselben Akt des Erkennens oder der Liebe zwischen den Personen, der „ex parte producendi" der Hervorbringungsgrund, „ex parte termini" aber der Empfangsgrund oder das formale Hervorbringungsziel ist[20].

Als Begriffe für Vollzüge, die an je bestimmte Personen gebunden sind und auf deren Eigentümlichkeiten hindeuten, behalten Ursprünge freilich auch als Nicht-Notionen (im strengen Sinn) notionalen Charakter in einem weiteren Verständnis des Wortes, weshalb die scholastischen Autoren meist „origines" und „actus notionales" synonym verwenden[21]. Suárez greift diesen Sprachgebrauch zustimmend auf, fügt aber präzisierend hinzu, daß diese Identität nur dann gilt, wenn man die Ursprünge „per modum actualis potentiae", also als Begriffe für die in ihrem Vollzug verstandenen personspezifischen Wirkvermögen („generatio, dictio, spiratio") in Gott nimmt und nicht „per modum principii quo", als Bezeichnungen für die diesen Vollzügen gemäß der psychologischen Trinitätslehre zugrundeliegenden Vermögen („intellectio, dilectio"), da diese als Wesensattribute Gottes nicht im strengen Sinne, sondern nur konnotativ (über die Verbindung mit den jeweiligen göttlichen Personen) notional sind[22].

Wir werden dem Problem der Verhältnisbestimmung zwischen Relationen und Ursprüngen bei der Frage nach den Personkonstitutiva noch einmal begegnen und auch dort den von Thomas übernommenen Vorrang des „statischen" vor dem „dynamischen" Betrachtungsmoment feststellen können, wie er die Konzeption des Suárez prägt.

[20] Vgl. ebd. 6.2.7 (677b): „Secundo explicatur hoc amplius, quia loco illius dependentiae, quae in re creata esse solet inter terminum, et principium, est in divinis personis unus et idem actus intelligendi, aut amandi, qui ex parte principii est ratio producendi et ex parte termini est ratio recipiendi, seu formalis terminus productionis, et ideo habitudines, quae in re creata solent comitari dictam dependentiam in hoc mysterio non sunt aliae quam relationes producentis, et producti: ergo illas etiam sunt, quae debent concipi per modum originis activae et passivae."

[21] Vgl. ebd. 6.1.2 (674b).

[22] Vgl. ebd. 3 (675a): „Actus ergo notionalis hoc modo sumptus non dicit de formali relationem, nec potest cum illa adaequate identificari, quia actus intelligendi semper est quid absolutum, et notionaliter sumptus non variat rationem formalern intellectionis, sed connotat modum existendi in Patre sine origine, et conjunctum esse Paternitati, sicut supra dictum est, et idem infra dicemus de potentia generandi, de qua eadem est ratio."

## 2) Zum exakteren Verständnis des innergöttlichen Ursprungsgeschehens als des Vollzugs der notionalen Akte

Die innergöttlichen Hervorgänge als solche wurden bereits in den Anfangserörterungen des Trinitätstraktates betrachtet. Jetzt kommen sie erneut in den Blick, sofern man sie als „notionale Akte“ zur Kennzeichnung der hervorbringenden Personen verwenden kann. Damit ist bei Suárez jene Trennung beibehalten, die sich schon in der thomanischen Summa zwischen den Themen von q. 27 und q. 41 der I^a^ pars findet[23]. Das „Wie“ dieser Akte kann unter der vorliegenden Hinsicht ebenso zum Thema werden wie die Formalbestimmung von Prinzip und Ziel. Am Ende steht für Suárez ein Ensemble fester Regeln, die der Prädikation der notionalen Akte im Kontext der Trinitätstheologie zugrundegelegt werden können[24]. In ihnen spiegeln sich resultativ viele der Debatten um eine angemessene trinitarische Suppositionstheorie mit ihrer exakten Beschreibung und Abgrenzung personaler und essentialer Suppositionsmodi wider, wie sie lebhaft seit Abaelards Zeiten bis ins 14. Jahrhundert hinein geführt wurden[25].

(1) Daß es in Gott personale Hervorgänge gibt, ist nach der Lehre aller Theologen so notwendig wie die Trinität selbst.

(a) Sofern in der scholastischen Theologie das „Natürliche“ nichtkontingente, jedem Zufalls- und Freiheitsgeschehen entzogene Notwendigkeit bezeichnet, sind die ewigen und unveränderlichen Akte der Sohneszeugung und Geisthervorbringung in Gott als ein „Werk der Natur und nicht des Willens“ („opus naturae, non voluntatis“) zu bezeichnen[26]. Sie sind so notwendig wie Gottes Erkenntnis der höchsten Wahrheit und seine Liebe zum höchsten Gut, wie jene Geistvollzüge also, in denen Gott

[23] Nach LONERGAN (1957) 169 läßt sich der sachliche Grund für die Scheidung folgendermaßen verstehen: „Processiones enim concipi possunt si solummodo praesupponitur unus Deus intelligens, sciens, volens; sed ad actus notionales concipiendos ulterius requiruntur relationes reales realiter inter se distinctae, subsistentes, et cum substantia divina realiter identicae“.

[24] Vgl. Suárez, De trin. 6.7 (686b-690b).

[25] Das wohl bekannteste Beispiel ist die Frage nach der Berechtigung bzw. korrekten Auslegung des Satzes „Deus genuit Deum“; zur Geschichte der Debatte vgl. BROWN (1993).

[26] Vgl. Suárez, De trin. 6.3.1 (I, 678b). Ähnlich ist die Argumentation in der Relectio de libertate voluntatis divinae 1.2.16 (XI, 404a-b): Die innergöttlichen Hervorgänge geschehen „naturali necessitate“, sie sind „voluntariae quidem, non tamen liberae, et ideo non ex consilio“. In De incarnatione, q. 1, n. 15 (XVII, 37a) bringt Suárez die Tatsache, daß „alles, was in Gott ist, natürlich ist“, mit dem Fehlen jeglicher „potentia passiva“ in Verbindung. In Gott gibt es darnach niemals nicht-aktuierte Seinsmöglichkeiten, über deren Verwirklichung Gott frei entscheiden könnte.

sich in einer invariablen Weise zu sich selbst verhält. Jegliche „libertas indifferentiae“ ist dabei für die göttlichen Personen auszuschließen, da sie im Falle von Zeugung und Hauchung weder über die Existenz der Akte (ihr „exercitium“) noch deren Beschaffenheit (die „specificatio“) frei bestimmen. Wie der göttliche Wille sich selbst lieben muß, so muß der Vater den Sohn zeugen und dies auch mit Notwendigkeit wollen[27].

Was die Zeugung angeht, so hat Suárez historisch Recht, wenn er die antiarianische Stoßrichtung der Formel „per naturam“ unterstreicht. Sie wurde, wie Michael Schmaus feststellt, „von den voraugustinischen Verteidigern des Nicaenums, insbesondere von Athanasius verwertet (...) und <ist> letztlich aus Aristoteles geschöpft“[28]. Als Teil der ins 5. Jahrhundert zurückreichenden „Fides Damasi“ besaß sie auch lehramtliches Gewicht[29]. Der theologische Sinn liegt auf der Hand: Da Freiheit entscheidendes Merkmal der göttlichen Schöpfungstätigkeit ist, muß sie explizit ausgeschlossen werden, wo es um die Hervorbringung des Sohnes geht, der „wahrer Gott vom wahren Gott“ ist und kein Geschöpf. „Die Zeugung des Sohnes ist ein rein naturhafter Akt und geht in keiner Weise aus dem Willen hervor“[30], da dessen Tun stets unter der Indifferenz von Vollzugsalternativen steht. Suárez faßt diese Aussage so streng, daß er sogar die Annahme eines *notwendigen* Wollens (des Vaters) im Zeugungsgeschehen explizit ausschließt, wie sie in Aussagen des Richard von St. Viktor anzuklingen scheint[31]. Das hier sich vollziehende „natürliche“ Tun stammt

[27] Vgl. dazu Suárez, Relectio de libertate voluntatis divinae 2.1.3 (XI, 409b): „Duobus enim modis potest voluntas subdi necessitati in ordine ad aliquem actum: primo simpliciter, ut exerceat et habeat illum, quomodo voluntas divina necessario amat ipsum Deum, et Pater aeternus necessario vult producere Filium, voluntate concomitante; et Pater et Filius necessario volunt et producunt Spiritum Sanctum sua voluntate; et omnes qui clare vident Deum, eodem modo illum amant. Quae necessitas vocatur quoad exercitium, quia necessario exercetur seu elicitur talis actus; et quoad specificationem, quia non potest talis actus ex necessitate exerceri, quin in tali specie fiat. Haec ergo necessitas omnem propriam libertatem indifferentiae excludit. Aliquando vero potest voluntas esse libera ad exercendum vel non exercendum actum...“.

[28] SCHMAUS (1930b) 117. Es versteht sich von selbst, daß diese antiarianische Deutung zur Zeit des Suárez Allgemeingut ist; verwiesen sei nur auf die Vorgabe bei Thomas, S. th. I, 41, 2 c. und Cajetan, Comm. in I$^{am}$ q. 41, a. 2, n. 2 (Ed. Leon. IV, 423a).

[29] Vgl. DH 71: „Pater Filium genuit, non voluntate, nec necessitate, sed natura.“ Vgl. MICHEL (1932) 1191.

[30] Suárez, De trin. 6.3.3 (I, 678b): „Generatio filii est actus mere naturalis et a voluntate nullo modo procedit“.

[31] Vgl. etwa Richard von St. Viktor, De trin., l. 3, c. 6 (Ed. Ribaillier, 141, ZZ. 6-9): „Majestatis itaque sue consorte carere noluit persona que summe bona fuit. Absque dubio autem esse oportuit quod esse voluit, cujus voluntas omnipotens fuit; quod ve-

überhaupt nicht aus einem Befehls- oder Applikationsakt des Willens und verdankt sich nicht freiheitlicher Vermittlung und Wahl, sondern ist – wie auch kreatürliche Naturvollzüge – unmittelbar auf das einzige ihm korrespondierende Ziel gerichtet[32].

In den Zusammenhang einer psychologischen Trinitätslehre läßt sich diese These recht einfach integrieren, da die Zeugung dem göttlichen Erkennen zugeordnet ist. Der Erkenntnisvollzug aber ist in Gott nach Suárez gänzlich unabhängig vom Wollen und diesem vorangehend: notwendige Schau eines erkennbaren Gegenstandes[33]. Suárez lehnt darum mit der Mehrheit der Thomisten die bei Scotus ebenso wie bei Cajetan vorfindliche These[34] ab, nach der ein Wollen (der Zeugung) in Gott deswegen zumindest dem Begriff nach der Zeugung selbst vorausgeht, weil das Wollen als Wesensvollzug, sofern es die hervorzubringenden Personen als Objekte anzielt, jedem notionalen Vollzug vorgeordnet ist, wenn es auch nicht als „principium generandi" fungiert. Der Jesuit hält dagegen, daß in der Betrachtung einer konkreten göttlichen Person eine sol-

ro semel voluit, semper voluit, cujus voluntas incommutabilis fuit". Vgl. auch ÉTHIER (1939) 91f.

32 Vgl. Suárez, De trin. 6.3.5 (I, 679a).

33 „Immo in Metaphysica, tractando de divino intellectu, ostendi, in illo non inveniri actus proprie imperatos a voluntate, neque etiam illos, qui videntur esse liberi, quia solum habent indifferentiam ex parte obiecti: posito autem obiecto scibili, ad perfectionem divinae scientiae spectat, ut necessario intueatur illud ab intrinseco et independenter ab applicatione voluntatis" (ebd.).

34 Vgl. Scotus, Ord. I, d. 6, q. un., n. 15 (Ed. Vat. IV, 92f.): „Dico ergo de quarto, quod hoc modo Pater gignit volens, quia in primo signo originis Pater intelligit formaliter, et tunc etiam potest habere actum volendi formaliter; in secundo signo originis gignit Filium: nec tamen vult illam gignitionem volitione sequente illam gignitionem, sed volitione habita in primo signo originis, qua Pater formaliter vult, praesupponendo iam aliquo modo intellectionem qua Pater intelligit, non autem gignitionem Verbi". Ähnlich ebd. n. 27 (Ed. Vat. IV, 102). Voraussetzung dieser konkret gegen Gottfried von Fontaines formulierten These ist die scotische Unterscheidung des essentialen „Erkennens" vom notionalen „Sprechen". Dem essentialen Erkenntnisvollzug muß ein ebensolcher Willensvollzug korrespondieren, der folglich ebenfalls vor dem notionalen Akt anzusetzen ist und als solcher auch nach der in einem zweiten logischen Moment anzusetzenden Zeugung erhalten bleibt. Daß dadurch der Wille nicht zum „principium productivum" der Zeugung erklärt wird, stellt Scotus im folgenden klar (ebd. n. 16, p. 96). Cajetan greift in seinem Kommentar zu S. th. I, 41, 2 die scotische Argumentation auf und erklärt sie ausdrücklich als mit der Lehre des hl. Thomas übereinstimmend (n. 4: Ed. Leon. IV, 423b). Als Begründung führt er die Vorgängigkeit der absolut-gemeinsamen vor den notionalen Prädikaten in der Trinität an: „Constat autem quod velle generationem Filii, sicut etiam velle essentiam divinam, est absolutum, communeque toti Trinitati: ergo prius Pater vult generationem Filii, quam generet." Das suárezische Referat ist hier also rundum korrekt.

che Priorität des Essentialen vor dem Notionalen, wie sie in abstrakter Betrachtung Gottes angesetzt werden mag, keine Rolle spielt: Der Vater „erkennt" nicht früher als er „zeugt". Wie wir aus vorangehenden Erörterungen wissen[35], lehnt Suárez gegen Scotus jede auch nur gedankliche Unterscheidung zwischen essentialem und notionalem Erkennen ab – dieses ist jenes, sofern es mit der „paternitas" verbunden ist. In dieser Verbindung – in der personalen „Kontraktion" der Wesensprädikate – ist das Zeugen nicht später als das Erkennen[36] und gibt es kein dem Zeugen selbst vorauszusetzendes Zeugen-Wollen.

Damit ist allerdings nicht behauptet, daß die Zeugung des Sohnes nicht in einem weiter gefaßten Sinn „willentlich" genannt werden dürfte. Wie der Vater sein göttliches Sein affirmiert, so auch die damit notwendig bedingte Zeugung. Er will letztere jedoch nicht mit dem „Wollen der Begierde" („voluntas desiderii"), das in der Anwendung auf Gott Unvollkommenheit bedeuten müßte, da es die Überwindung eines Noch-nicht-Habens anzielte, sondern „mit dem vollendeten Wollen des Wohlgefallens" („voluntas complacentiae"), das die Existenz und den Besitz des geliebten Gutes ebenso schon voraussetzt wie die Erkenntnis desselben Gutes *als* eines existierenden und erkannten. Also folgt die Liebe des Vaters der Zeugung des Sohnes nach und kann die Zeugung „willentlich" genannt werden, wenn man dabei an eine „voluntas consequens" denkt[37]. Dies ist die Selbstaffirmation des als hervorbringend zu verstehenden väterlichen Selbsterkennens. Suárez folgt damit in der vorliegenden Frage der Mehrheitsthese seiner Zeit[38]. In einer ähnlichen Weise hatte er in der Metaphysik bereits ein „natürliches Streben" zwischen den göttlichen Personen anerkannt[39], wobei er es gleichfalls von jeder Vorstellung einer Bedürftigkeit oder Perfektibilität in Gott abgerückt hatte.

35 Vgl. dazu oben Kap. 4, 2), b).

36 Vgl. Suárez, De trin. 6.4.4 (I, 680a): „Unde licet essentialia praecise et abstracte concepta dicantur priora notionalibus, sola illa prioritate, quae dicitur subsistendi consequentia, tamen essentialia concepta iam, ut conjuncta, et quasi contracta ad aliquam personam, non sunt priora notionalibus illius personae". Mit der Aussage „essentialia sunt priora notionalibus" wird unmittelbar Scotus zitiert; vgl. Rep. (= Additiones magnae) prol. q. 1, n. 48 (Ed. Wadding XI/1, 13).

37 Vgl. Suárez, De trin. 6.4.5 (I, 680b): „Est ergo illa generatio voluntaria voluntate quasi consequente ipsammet generationem".

38 Vgl. die Bemerkung bei Zumel, Comm. in I^am q. 41, a. 2, disp. 2 (899b): „Adde etiam, quod apud Theologos nostrae aetatis vera iudicatur sententia magisque consentanea doctrinae Sancti Thomae, quod illa voluntas solum concomitatur generationem, et appellatur voluntas complacentiae, qua Pater sibi complaceat in generatione filii." Debattiert werde allein, ob dieser Wille rein essential oder auch teilweise notional zu verstehen sei.

39 Vgl. Suárez, DM 30.16.4-6 (XXVI, 184b-185b).

(b) Etwas schwieriger stellt sich die Affirmation von „Naturalität" im Blick auf die Hervorbringung des Heiligen Geistes dar, wie sie die Scholastiker im Gefolge des Aquinaten[40] wenigstens der Sache nach ebenfalls vertreten. Zwar besteht an der Notwendigkeit auch dieser zweiten Hervorbringung in Gott kein Zweifel, doch scheint die übliche Zuordnung zum Wollen bzw. zur Liebe einer Kennzeichnung „per modum naturae" entgegenzustehen[41]. Suárez sieht die Lösung in der Unterscheidung einer „voluntas ut libera" von einer „voluntas ut natura", auf die schon Thomas von Aquin zurückgegriffen hatte, um für den Willen des Menschen eine der freien Wahl vorgängige Grundtendenz auf das Gute behaupten[42] und zudem die Möglichkeit Gottes absichern zu können, den menschlichen Willen in einer seiner Natur nicht widersprechenden Weise zu bewegen. Für die thomanische Lehre vom natürlichen wie übernatürlichen „concursus divinus" ebenso wie für die Christologie liegt darin eine ganz entscheidende Prämisse[43]. Hier deutet sich ein verborgener Zusammenhang zwischen Trinitäts- und Gnadenlehre an, der eingehender reflektiert zu werden verdiente. Vorerst können wir beim eigentlich trinitätstheologischen Problem verbleiben. Der Hervorgang des Geistes unterscheidet sich nach Suárez dadurch von der Zeugung, daß er nicht erst wie diese durch einen von ihm selbst zu unterscheidenden, nachfolgenden Akt „willentlich" wird, sondern diese Kennzeichnung als er selbst verdient. Dies ergibt sich daraus, daß die Hervorbringung des Geistes als „productio amoris" anzusehen ist, die zwischen Vater und Sohn mit höchster Willigkeit und Freude verbunden sein muß[44]. Suárez lehrt in diesem Zusammenhang in der Tradition Augustins, daß jeder Akt der Liebe nicht bloß die affirmierende Ausrichtung auf das zu liebende Objekt beinhaltet, sondern darüber hinaus selbstaffirmierend ist. Liebe zu einem bestimmten Gegenstand ist immer auch Liebe der Liebe, ohne daß dieses Sich-Wollen der Liebe jedoch stets notwendig als reflex-eigenständiger Akt zum ursprünglichen Willensakt hinzutreten müßte[45]. Vielmehr ist der Liebe diese Refle-

[40] Vgl. Thomas, S. th. I, 41, 2 ad 3: „Spiritus autem sanctus procedit ut amor, inquantum Deus amat seipsum. Unde naturaliter procedit, quamvis per modum voluntatis procedat."

[41] Vgl. Suárez, De trin. 6.3.6 (I, 679a-b).

[42] Vgl. etwa Thomas, S. th. I-II, 10, 1.

[43] Suárez verweist mit Recht auch auf S. th. III, 18, wo es um die Konformität des wahrhaft menschlichen Willens Christi mit dem Willen Gottes geht.

[44] Vgl. Suárez, De trin. 6.4.7 (680b): „Quis enim dicat Patrem et Filium non se voluntarie amare? At amando se, producunt Spiritum sanctum; ergo voluntarie producunt."

[45] Vgl. ebd. 9 (681a): „Nam qui amat, vult amare, nec aliter amare potest, nisi volendo amare, est ergo amor semper voluntarius. Et tamen necesse non est, ut quis semper cum amat, velit amare per actum volendi distinctum ab ipso amore. Potest quidem

xivität innerlich[46], ohne daß zwischen direktem und reflexem Akt in Gott eine konstitutive Zweistufigkeit angenommen werden müßte. Darum ist auch die gegenseitige Affirmation von Vater und Sohn nicht früher oder später als die Hauchung des Geistes. Beide Vollzüge durchdringen sich, und es kann von den ersten beiden Personen gesagt werden: „volendo se spirant et spirando se diligunt“[47].

Scotus nun hatte – ähnlich wie zuvor Richard von St. Viktor, aber anders als der späte Thomas – die Hervorbringung des Geistes im Gegensatz zur Zeugung des Sohnes als „freien“ Akt bezeichnet[48]. Nur mit dieser konkret in der Kritik an Heinrich von Gent erarbeiteten These[49] glaubte er, dem Wesen der Liebe und des Wollens gerecht werden und zudem eine überzeugende Formaldifferenz zwischen den ihnen jeweils entsprechenden Produktionsprinzipien gewinnen zu können. Scotus dachte dabei allerdings an eine Vollzugsweise der Freiheit, die nicht mit Kontingenz oder Beliebigkeit zusammenfallen soll, sondern eine eigene, nur eben nicht „naturhafte“ Notwendigkeitssignatur trägt[50]. Schon früh war diese These in der Thomistenschule, aber ebenso von Ockham[51] kritisiert worden. Auch Suárez lehnt sie ab, weil er die Vereinbarkeit der Begriffe „Freiheit“ und „Notwendigkeit“, wie sie die scotische Lösung zu behaupten scheint, für schlichtweg unmöglich ansieht. Freiheit impliziert, so betont er sicher nicht ohne Seitenblick auf die Gnadenlehre der Thomisten und die Debatte „de auxiliis“, ein irreduzibles Moment der Indifferenz in der Willensentscheidung: „Frei ist, was so vom Willen stammt, daß es auch nicht sein könnte, wenn alle Bedingungen für das Wollen gesetzt sind“[52]. Diesem Anspruch wird die Hauchung als naturhaft-determiniertes Geschehen nicht gerecht, weshalb sie nicht „frei“, sondern (nur) „notwendig“ zu nennen ist. Die Hauchung des Geistes, so lautet die thomani-

id facere, si velit elicere actum reflexum, non est tamen semper necessarium, alioqui procederetur in infinitum. Ergo semper amor et velle per se ipsum voluntarium est.“

46 Vgl. ebd.: „Quamvis ergo non se habeat actus amoris, seu voluntatis per modum obiecti ad quod directe tendit voluntas, nihilominus intrinsece includit reflexionem in se ipsum, ratione cujus vere et proprie voluntarius dicitur.“

47 Ebd. 10 (681b).

48 Vgl. etwa Scotus, Ord. I, d. 10, q. un., nn. 12.57-58 (Ed. Vat. IV, 344.363); Qdl. XVI, n. 11-12 (Ed. Wadding XII, 455f.).

49 Zur Position Heinrichs mit Berücksichtigung der scotischen Kritik vgl. FLORES (2006) 81-89.

50 Vgl. mit weiteren Textbelegen SCHMAUS (1930b) 161-165; HOERES (1962b) 84ff.; WETTER (1967) 196-202.

51 Nachweise bei LEFF (1975) 428f.

52 Suárez, De trin. 6.4.11 (I, 681b): „liberum enim est, quod ita est a voluntate, ut possit non esse, positis omnibus requisitis ad volendum“.

sche Prämisse im Hintergrund, ist ebenso der freien Verfügung des Willens entzogen wie Gottes Bejahung seiner selbst als des höchsten Gutes und letzten Zieles, die ihrerseits der Notwendigkeit des göttlichen Selbsterkennens korrespondiert[53].

Allerdings möchte Suárez mit seinem Plädoyer für den thomanischen Sprachgebrauch anders als manche Autoren der thomistischen Richtung[54] keinen allzu großen Unterschied zwischen den beiden Schulhäuptern konstatieren und keinen übermäßigen Vorwurf gegen Scotus verbunden wissen. Dessen Redeweise läßt sich dadurch erklären, daß in ihr „Freiheit" nicht als Gegenteil zu „Notwendigkeit", sondern zu „Zwang" verstanden wird[55]. Man denkt unwillkürlich an das berühmte Kapitel zur Definition von „Freiheit" in Molinas „Concordia", in dem (unter ausdrücklichem Verweis auf das trinitätstheologische Beispiel!) ebendieser Begriff von Freiheit erwähnt, aber als Voraussetzung für die Zurechenbarkeit einer Handlung als zu schwach abgewiesen wird[56]. Wenn sich Scotus auf ihn im vorliegenden Kontext beruft, bleibt unverständlich, weshalb der Franziskaner gleichzeitig die „Naturalität" des Hervorgangs nicht zugestehen wollte, an der für Suárez kein Zweifel besteht[57]. So konstatiert die Scotus-

53 Vgl. Thomas, S. th. I, 41, 2 ad 3: „etiam voluntas, inquantum est natura quaedam, aliquid naturaliter vult; sicut voluntas hominis naturaliter tendit ad beatitudinem. Et similiter deus naturaliter vult et amat seipsum; sed circa alia a se voluntas dei se habet ad utrumque quodammodo, ut dictum est. Spiritus autem sanctus procedit ut amor, inquantum deus amat seipsum. Unde naturaliter procedit, quamvis per modum voluntatis procedat."

54 Eine grundsätzliche Differenz zwischen Thomas und Scotus im Verständnis der göttlichen Selbstaffirmation und im Verhältnis von „Freiheit" und „Natur" möchte ausgehend von der vorliegenden Frage B. Torres, Comm. in I$^{am}$ q. 41, a. 2, pars 2 (197rb) erkennen: „Respondemus sane Scoti opinionem longe aliam esse a Sancti Thomae opinione. Nam secundum Sanctum Thomam voluntas Dei, sicut necessario amat Deum, ita naturaliter amat ipsum. (…) Scotus autem affirmat, Deum nullo pacto naturaliter amare se ipsum: diversa igitur sententia est Scoti a S. Thomae sententia, quamvis verbis videatur aliquo pacto concordare."

55 In der späteren Diskussion taucht an dieser Stelle in der wohlwollenden Scotus-Interpretation die merkwürdige Unterscheidung einer „metaphysischen" von einer „praktischen" Freiheit auf; vgl. Caramuel y Lobkowitz, Theologia moralis, l. 1, disp. 2, n. 104 (21a): „Nec adorior Scotum asserentem Spiritum procedere actu libero, quia illa libertas qua Pater et Filius producunt libertas speculativa est infinite praedeterminata, talis ut sit falsum dicere *Spiritus sanctus non procedere potuit*: hic autem agimus de libertate practica, quae habet indifferentiam ad utrumque, et causat effectum dependentem, quem non causare possit."

56 Vgl. Molina, Concordia, disp. 2 (Ed. Rabeneck, 13f.).

57 Vgl. Suárez, De trin. 6.4.13 (I, 682a).

Kritik des Suárez an dieser Stelle eher ein Problem der angemessenen Terminologie als eine abzulehnende Sachposition[58].

(2) Während mit den vorangehenden Ausführungen die Modalität der notionalen Akte hinreichend beschrieben ist, bleibt die Frage ihres Formalgrundes noch zu klären. In gewisser Weise wiederholt sich damit in einer generelleren Sichtweise die Fragestellung, die uns bereits in der Diskussion der Formalprinzipien der beiden innergöttlichen Hervorgänge im einzelnen beschäftigt und die zu ihrer Unterscheidung nach „intellectio" und „volitio" geführt hatte. Mit einer häufig im 17. Jahrhundert anzutreffenden terminologischen Präzisierung könnte man sagen: Während im Blick auf die Hervorgänge im einzelnen nach dem „principium formale quo" gefragt wurde, geht es jetzt um das „principium radicale quo" der notionalen Akte in Gott[59], wobei sich selbstverständlich die Stellungnahmen zur ersten Hinsicht in den nun zu untersuchenden Lösungsvorschlägen widerspiegeln.

Warum das vorliegende Problem überhaupt diskutiert wird, läßt sich leicht erläutern. In der geschöpflichen Welt steht fest, daß jedem Aktvollzug ein selbst reales Vermögen zugrunde liegen muß, das ihm im wirkenden Subjekt vorauszusetzen ist. Die Scholastiker sprechen vom „actus secundus", der durch einen „actus primus" ermöglicht ist, welcher auch die Natur eines wirkenden Dinges (als Prinzip aller suppositalen Vollzüge) selbst sein kann. Nun ist unbezweifelbar, daß im Falle der innertrinitarischen Hervorgänge keine „actiones" im Sinne von Aktualisierungen einer Potenz vorliegen können, da es in Gott ein Werden als Veränderung nicht gibt. Aureoli hatte deswegen hier auf den Begriff einer „potentia realis" ganz verzichten wollen[60]. Während Thomas und seine Ausleger sich über die nur analoge Verwendbarkeit der Begriffe ebenfalls im Klaren sind, halten sie dennoch an einer Erklärung der trinitarischen Hervorgänge in Entsprechung zu „actiones secundae" fest, die dann in gleicher Weise die Frage nach Formalprinzipien der notionalen Akte rechtfertigt[61]. Da es in Gott neben dem Absolutum der Wesenheit nur die Relationen gibt, sind die möglichen Alternativen für die nähere Bestimmung dieser Akte nicht allzu zahlreich. Schon im 13. und 14. Jahrhundert waren sie den Autoren größtenteils bekannt und bot ihre Darstellung den

[58] Ähnlich urteilt Vázquez, Comm. in I$^{am}$ 161.2.4 (II, 338b): „Ecce iam cum Scoto de verbis solum contentio est."

[59] Vgl. beispielhaft Viva, Cursus theologicus p. I, 5.3.2 (129b).

[60] Vgl. Aureoli, 1 Sent. d. 7, s. 19, n. 72 (Ed. BUYTAERT II, 856): „Sic igitur patet quid est potentia generandi. Est enim ipsummet generare, non elicitum nec profluens, sed necessario in Deo existens et Patrem constituens."

[61] Vgl. Suárez, De trin. 6.5.2-3 (I, 682b-683a).

Rahmen für die jeweilige eigene Positionierung. Diese klassische Debatte führt Suárez fort, indem er drei Antwortversuche verwirft, bevor er sich einem vierten anschließt[62].

(a) Einzig Gregor von Rimini gilt in der scholastischen Diskussion als Befürworter der Ansicht, daß die hervorbringende Person vom Formalprinzip des Hervorgangs gar nicht zu unterscheiden ist[63]. Im Hintergrund steht die typisch nominalistische Identifizierung der Geistvollzüge in Gott mit dem Wesen[64]. Gregor will so die absolute Einfachheit der Personen verteidigen, die seiner Meinung nach durch die Annahme eines nicht formal mit der Person identischen Hervorbringungsprinzips gefährdet wäre. Da Suárez in dieser Argumentation nur eine Konsequenz der bereits widerlegten These sieht, nach der in Gott keine Unterscheidung zwischen Konkretum (der subsistierenden Person) und Abstraktum (der sie konstituierenden Personalität) vorzunehmen ist, kann ihn diese Gleichsetzung von „principium quod" und „principium quo" der notionalen Akte nicht überzeugen.

(b) Eine zweite These, als deren Vertreter Bonaventura und (mit noch größerem Recht) Durandus aufgeführt werden[65], identifiziert die gesuchte

[62] Vgl. zum folgenden ebd. 3-6 (682b-683b).

[63] Vgl. Gregor von Rimini, 1 Sent. d. 7, q. 1, a. 2 (Ed. Trapp et al. II, 16, ZZ. 18-22): „Principium producens filium se ipso primo producit; igitur non est aliquod principium quo aliud a principio quod producit. Consequentia patet; si enim sit aliud principium quo producens producit et aliud principium ipsum producens, iam non se ipso primo producit sed alio principio." Vgl. GARCÍA LESCÚN (1970) 75ff. Auf die Kritik des Capreolus gegen die These weist MÜLLER (2004) 161f. hin.

[64] Vgl. WERNER (1883a) 155.

[65] Vgl. Bonaventura, 1 Sent. d. 7, q. 1 (105b), wo Bonaventura der dritten der referierten Ansichten zustimmt, nach der die Zeugungspotenz in Gott ein „ad aliquid" bezeichnet. Zur Begründung wird angeführt: „Nam potentia generandi non videtur dicere nisi fecunditatem ad actum generationis; et illa est proprium personae, unde similiter et potentia." Allerdings zählt Bonaventura ebd. ad 4 (196b) die „potentia generandi" unter die „essentialia personaliter dicta", so daß das personale Moment eher denominativ eingebracht zu sein scheint. Durandus betont in 1 Sent. d. 7, q. 2, n. 26 (33va), daß das Wesen als das allen Personen unterschiedslos Zukommende nicht Prinzip der personalen Unterscheidung in Gott sein kann; das gesuchte Prinzip muß vielmehr dem philosophischen Axiom „propter quod unumquodque tale et illud magis" entsprechen. Darum folgert er: „Videtur ergo necessarium quod potentia generandi quae est principium quo generans generat, sit sola relatio paternitatis quae sola distinguitur secundum suppositum a filio et filiatione (...); necessitas autem huius opinionis patet ex eo quod principium quo generans generat, distinguitur necessario in divinis secundum suppositum a termino productionis ut statim probatum est" (ebd. n. 29, fol. 33va). Fast zu zurückhaltend sind die bestätigenden Ausführungen bei DECKER (1967) 345-349, die von einem „Übergewicht" der relationalen Betrachtungsweise in unserer Frage sprechen. Auf jeden Fall liegt Suárez' Re-

Potenz mit der je eigentümlichen Relation der hervorbringenden Person. Die Proprietät, das Formalprinzip der Person als solcher, wäre dann zugleich dasjenige der ihr eigentümlichen (also notionalen) Handlung. Suárez widerspricht der Erklärung, die vor allem dann logisch erscheint, wenn man den Ansatz der psychologischen Trinitätslehre ablehnt. In seiner Sicht kann die als Proprietät anzusehende Relation diese Funktion nicht erfüllen, da nicht sie selbst Prinzip des personalen Wirkens ist. Es gilt die allgemeine Maxime: Personen handeln aufgrund ihrer Natur, aber nicht ihrer Personalität. Man darf die Bedeutung des Satzes vor allem durch die Christologie verifiziert sehen, für welche die Vorstellung eines Handelns Christi gemäß der „personalitas Verbi" und nicht der göttlichen bzw. menschlichen Natur gefährliche Folgen in Richtung eines Monergismus mit sich brächte und aus der Perspektive Gottes zudem die Einheit seines Handelns „ad extra" gefährdete. So wird durch die durandische Lösung die Rolle der Wesenheit ungebührlich ausgeblendet, die wie im geschöpflichen Bereich so auch in Gott das Prinzip sein muß, „durch welches" die Person wirkt. Insgesamt möchte Suárez, wie seine Kritik zeigt, hier den aristotelisch-thomanischen Denkrahmen nicht verlassen, der durch die durandische These prinzipiell in Frage gestellt wird.

(c) Noch einmal in sich differenziert tritt die dritte Lösungsoption auf, der gemäß Wesenheit und Relation gemeinsam das Formalprinzip der notionalen Akte bilden. Man kann auf dieser Grundlage die entscheidende Prinzipalität entweder der Person zuschreiben, wie es nach Suárez Heinrich von Gent tut[66], um die Ähnlichkeit zwischen Prinzip und Prinzipiiertem in den Hervorbringungsakten verständlich zu machen, oder aber umgekehrt den Schwerpunkt auf die Prinzipalität des Wesens legen, zu der die Relation (ganz in Entsprechung zu ihrer ontologischen Funkti-

ferat hier nicht falsch. Allerdings kann Decker auch nachweisen, daß sich Durandus, anders als ihm seine Zensoren vorwarfen, gegen die thomanische Lehrmeinung ebenfalls nicht gänzlich abgeneigt zeigte (ebd. 349f.; EMERY [1997] 197ff.). Deutlich wird die Lehre von der Relation als Produktivprinzip Durandus von IRIBARREN (2005) 130ff. zugeordnet. Die Studie weist zudem auf die Nähe zu Bonaventura hin und zeichnet die Bedeutung der These im Zensurierungsstreit nach.

[66] Die dazu angegebene Stelle – Summa, a. 57, q. 7 – gibt es nicht, da der Artikel nur vier Quästionen hat. Blickt man auf Heinrichs qdl. 6, q. 1 ad 2 (Op. X, 31f.) scheint es sowieso fraglich, ob man dem Magister tatsächlich eine solche These zuschreiben darf. Er lehrt dort klar, daß die „ratio productiva", also das Formalprinzip aller göttlichen Akte inklusiv der notionalen, die Wesenheit ist, wenn auch „sub ratione alicuius attributi vel proprietatis fundatae in ipsa". Vgl. SCHMAUS (1930b) 73f. Diese Aussage ist kaum weit entfernt von der thomanischen Lehre, wie sie Suárez teilt, wonach die Zeugungspotenz das allen gemeinsame Wesen ist, welches aber nur mit „Konnotation" der väterlichen Proprietät wirksam wird (vgl. Thomas, S. th. I, 41, 6 c. / ad 3).

on in der Personkonstitution) wie eine „letzte Determination" hinzutritt, welche die Kommunikation des Wesens gleichsam personal eingrenzt und spezifiziert. Beide Varianten dieses Ansatzes, der auch im Frühwerk des Thomas vertreten zu sein scheint[67], lehnt Suárez ab und verweist dabei auf die schon angesichts der vorhergehenden These vorgetragenen Argumente, die nicht bloß gegen eine totale, sondern auch gegen eine partielle Prinzipienfunktion des Relational-Personalen für die notionalen Akte Verwendung finden können. Die Anknüpfung an Scotus, der gegen Heinrich von Gent vor allem die Unmöglichkeit einer Auto-Prinzipalität der hervorbringenden Relationen in Gott und die notwendige Gleichartigkeit der Formalbestimmung in Hervorbringendem und Hervorgebrachtem eingewandt hatte[68], ist offensichtlich.

(d) Nach diesen letzten Bemerkungen und mit Blick auf die logisch überhaupt möglichen Positionen läßt sich die Erklärung des Jesuiten selbst unschwer erschließen: Die fragliche „potentia" ist allein die göttliche Wesenheit[69]. Bezieht man die Aussagen mit ein, die schon im Kapitel über die innergöttlichen Hervorgänge zur Abgrenzung der notionalen Akte in Gott gegenüber kreatürlichen Veränderungsprozessen gemacht wurden, und beachtet man das ebenfalls schon früher dargelegte Faktum, daß Wesen und Personen in Gott nur gedanklich verschieden sind, so daß die notionalen Akte niemals als „actiones" im strengen Sinne qualifiziert werden dürfen[70], kann man die Rede von „Potenz" in diesem Zusammenhang am ehesten mit dem suárezischen Begriff der realen, aktiven transzendentalen Potenz in Beziehung bringen, der in einem umgreifenden Sinne für alles Seiende gebraucht wird, das in irgendeiner Weise „principium agendi" sein kann und zu der Suárez ausdrücklich etwa die Allmacht Gottes zählt[71]. Eine passive Potenz in Gott ist sowieso in jeder Hinsicht auszuschließen[72].

Bedingung dafür, daß aus dieser mit dem Wesen identischen „potentia" der jeweilige notionale Akt hervorgeht, ist das Vorhandensein, die Konnotation derjenigen Relation, die der hervorbringenden Person ei-

[67] Vgl. EMERY (1997) 198. Thomas steht hier offenbar noch in der Nähe seines Lehrers Albert.

[68] Vgl. Scotus, Ord. I, dist. 7, q. 1, n. 35-42 (Ed. Vat. IV, 122-125). Dazu: CROSS (2005) 206-209.

[69] Vgl. Suárez, De trin. 6.5.6 (I, 683b).

[70] Vgl. ausdrücklich DM 48.4.12 (894a-b).

[71] Vgl. Suárez, DM 43 prooem. (XXVI, 633a-b). Von einer „potentia infinita" Gottes wird in diesem Sinne immer wieder gesprochen, vgl. nur ebd. 43.4.17 (650a). Zur Unterscheidung zwischen prädikamentaler und transzendentaler Potenz bei Suárez vgl. zusammenfassend GONZALEZ TORRES (1957) 1-7.

[72] Vgl. Suárez, DM 43.4.10 (XXVI, 647b); ebd. 43.5.9 (654b).

gentümlich ist[73]. Somit ist das „principium quo" der notionalen Akte vollständig zu bestimmen als „essentia connotata proprietate". Obwohl nicht wörtlich aufgegriffen, wird so die Lösungsformel des thomanischen Spätwerks, die eine Relevanz der Relation wenigstens „in obliquo" beibehalten hatte[74], gegen radikale Rückführungen der Zeugungspotenz auf das Wesen verteidigt, die, wie etwa bei Aegidius Romanus, ohne jede Erwähnung der Relationen auskommen wollten. Dies ist seit Cajetan die thomistische Standardlösung, der man sich auch unter den Jesuiten gern angeschlossen hat[75]. Daneben bleibt das „principium quod" selbstverständlich die konkrete, einzelne hervorbringende Person[76], gemäß der philosophischen Regel: „Actiones sunt suppositorum". Eine Möglichkeit, die notionalen Akte auch von der abstrakt gefaßten Wesenheit zu prädizieren, weil und sofern sie als deren Formalprinzip fungiert, ist explizit auszuschließen[77]. Damit Aussagen wie „Deus generat" akzeptabel werden, muß man darin das Subjekt als durch das notionale Prädikat personal „restringiert" (im Beispiel konkret: auf das göttliche Vatersein eingeschränkt) betrachten[78]. Wie diese Regel mit der These von der absoluten Subsistenz Gottes zu vermitteln ist, brauchen wir an dieser Stelle nicht zu wiederholen.

Für seine Lösung kann Suárez neben den beiden Schulhäuptern Thomas und Scotus[79] eine breite Palette von Unterstützern aus unterschiedlichen Epochen und Lehrrichtungen der Scholastik ins Feld führen. In sachlicher Hinsicht ist damit das Formalprinzip der Hervorbringungen vom Maßstab der Ähnlichkeit zwischen hervorbringenden und hervorgebrachten Personen her ermittelt worden, wie ihn die kommunikable göttliche Natur darstellt[80]. Die an früherer Stelle explizierte Grundidee der psychologischen Trinitätslehre, wonach es nicht das Wesen als solches, sondern *in concreto* Intellekt bzw. Wille sind, durch die der Sohn einer-

[73] Vgl. Suárez, De trin. 6.5.8 (I, 684a).

[74] Vgl. Thomas, S. th. I, 41, 5: „Et ideo potentia generandi significat in recto naturam divinam; sed in obliquo relationem." Dazu: VANIER (1953) 85-88.

[75] Vgl. mit weiteren Angaben Vázquez, Comm. in I$^{am}$ 164.3.11 (II, 353a).

[76] Vgl. dazu Suárez, De trin. 6.7.2-3 (I, 686b-687a): „Actus notionales propriissime, ac verissime praedicantur de singulis personis, propriis nominibus significatis in concreto, respective, seu distributione accommodata, ut *Pater generat, Filius generatur.* (...) Actus notionales non praedicantur de proprietatibus in abstracto significatis, id est, non dicimus: *Paternitas generat,* etc."

[77] Vgl. ebd. 11 (688b-689a). Zur exakteren Unterscheidung von indifferenter und restringierter Supposition in diesem Fall vgl. ebd. 4-9 (687a-688b).

[78] Vgl. ebd. 15 (689b).

[79] Vgl. WÖLFEL (1965) 227-231, mit Berufung auf Scotus, Ord. I, d. 26, q. un., n. 32-55 (Ed. Vat. VI, 10-22).

[80] Vgl. Suárez, De trin. 6.5.7 (I, 683b-684a).

seits und der Heilige Geist andererseits hervorgehen, verbindet Suárez mit seiner These dadurch, daß er die Natur zwar als „principium principale" der notionalen Akte bezeichnet, die beiden in der Wesenheit real verbundenen und entsprechend der bekannten Regel von der Virtualdistinktion gleichsam „confuse" enthaltenen Vermögen aber als „principium proximum" der jeweils durch sie bestimmten Hervorgänge kenntlich macht[81]. Die Proprietäten der hervorbringenden Personen sind bei dieser Frage nach dem Formalprinzip zunächst ausgeklammert. Wenn sie, die eigentümlichen Relationen, dennoch als notwendige Bedingungen für Zeugung bzw. Hauchung benannt werden[82], so ist damit die schwächste aller möglichen Formen gewählt, um die unleugbare Tatsache zu erklären, daß nicht jede Person in gleicher Weise eine andere hervorzubringen vermag. Damit die Wesenheit beispielsweise zeugen kann, bedarf sie notwendig des „modus existendi in Patre"[83]. Die Natur als entscheidende Hervorbringungspotenz ist darnach zwar in jeder Person gleichermaßen vorhanden, nicht aber diejenige personale Relation, die als Bedingung für den Vollzug hinzutreten muß und die somit als positiver Faktor im Geschehen und nicht etwa als ein die Potenz in bestimmten Personen bindendes bzw. verhinderndes Negativmoment anzusehen ist[84].

(3) Wie das formale Prinzip haben die Scholastiker auch den formalen Zielpunkt („terminus formalis") der notionalen Akte zum Problem gemacht. Wieder steht die Frage „Wesen oder Relationen / Personen" im Raum.

(a) Vor allem einige Nominalisten hatten die Behauptung erhoben, daß die Wesenheit als Terminus nicht in Frage kommt, da sie nach den eben angestellten Überlegungen den Hervorgängen vorausgesetzt ist (gleich einer durch eine „Form" zu determinierenden „Materialvorgabe") und somit nicht zugleich deren Ergebnis sein kann. Als formalen Ziel-

[81] Vgl. ebd. 10 (684a-b). Durch die in ihrer Aktualität begriffenen Vermögen „intelligere" und „velle" werden bezeichnet „proprie rationes, sub quibus essentia est principium singulorum actuum, quamvis illae rationes essentiales sint ipsi essentiae, et inter eas intelligere formalius quam velle" (684b). Die Unterscheidung von nächstem und entfernterem Fundament der innergöttlichen Hervorbringungen findet sich in der Thomistenschule schon seit Thomas von Sutton; vgl. KREMPEL (1952) 545f. Wenn MINGES (1930) II, 199 einwendet, daß die Gleichsetzung von Scotus und Thomas in diesem Punkt falsch sei, da Scotus nicht wie Thomas die Wesenheit, sondern die „memoria Patris" als Zeugungsprinzip sehe, läßt sich dagegen ebenfalls die Differenzierung zwischen einem „nächsten" und einem „wurzelhaften" Prinzip geltend machen.

[82] So Suárez, De trin. 6.5.8 (I, 684a): „conditio necessaria".

[83] Vgl. De trin. 6.7.11 (689a).

[84] Vgl. ebd. 6.5.9 (684a).

punkt hatten sie darum entweder die hervorgebrachte Person als solche oder die diese konstituierende Relation vorgeschlagen[85].

(b) Suárez zeigt sich durch solche Argumente nicht überzeugt. Die Wesenheit selbst, freilich *als* der jeweils hervorgebrachten Person mitgeteilte, ist, so wird mit Berufung auf Thomas festgestellt, Zielpunkt der notionalen Akte; erneut tritt die Relation als notwendige Bedingung hinzu. Zur Begründung führt der Jesuit das allgemeine philosophische Axiom an, wonach in jeder Hervorbringung als Zielpunkt diejenige Form bzw. Natur angesehen wird, in welcher das Hervorgebrachte dem Hervorbringenden ähnlich ist[86]. Diese Feststellung wird Suárez nicht bloß für die später vorzulegende Lösung der alten Kontroversfrage benötigen, wie man die Zeugung des Sohnes von der Hervorbringung des Geistes unterscheiden kann[87]. Hier kommt vielmehr noch einmal ein ganz grundlegendes Moment in der suárezischen Lehre von den innergöttlichen Hervorgängen zum Ausdruck, wie es schon an früheren Stellen des Trinitätstraktates und auch in den „Disputationes metaphysicae" greifbar gewesen ist[88]. Wenn eine göttliche Person eine andere hervorbringt, ist es nicht das relative Sein als solches, das mitgeteilt wird, sondern das absolute und wesenhafte Sein. Der Hervorgang des Sohnes aus dem Vater ist darum in erster Linie, in formaler Hinsicht der Hervorgang von „Gott aus Gott", also Kommunikation der göttlichen Natur, während die Relation als notwendige Proprietät zur Konstitution einer unterschiedenen Person hinzutritt. Nach Suárez, der dabei wiederum an eine scotische Argumentation gegen Heinrich von Gent anknüpft[89], ist nicht die Natur das durch die Persona-

[85] Vgl. De trin. 6.6.1 (684b-685a).

[86] Vgl. ebd. 2 (685a).

[87] Vgl. dazu De trin. 11.5 (784b-790b).

[88] Vgl. zum folgenden DM 12.2.8 (XXV, 386a).

[89] Vgl. Scotus' Darstellung des henricianischen Verständnisses vom Verhältnis zwischen Wesen und Hervorgängen in Ord. I, dist. 5, pars 2, q. un., n. 52 (Ed. Vat. IV, 41), mit Rückgriff auf Heinrich, Summa, a. 54, q. 3 ad 7 tertii princ. (Ed. Badius, II, fol. 84rE-F): „In ista quaestione dicitur quod sicut in substantia creata generabili aliquid est potentiale, quod praesupponitur generationi, ut materia, – et aliquid inductum per generationem, ut forma, – et ex eis productum, quod est generatum, ita proportionaliter correspondent quasi tria similia in divinis: persona quippe est quasi-compositum, et relatio quasi-forma, et essentia quasi-materia. Est ergo Filius genitus de substantia Patris sicut de quasi-materia." Darauf das erste Argument in der Kritik des Scotus, Ord. I, dist. 5, pars 2, q. un., n. 64 (Ed. Vat. IV, 47): „Contra istam opinionem arguo. Primo sic: essentia est terminus formalis productionis et generationis Filii, ergo non quasi-materia." Vgl. zur ausführlicheren Erläuterung WERNER (1881) 349ff.; WETTER (1967) 119f.; FRIEDMAN (1997b) 228f.; CROSS (2005) 172-176.

litäten „zu formende Material" der Hervorgänge[90], sondern vielmehr fungiert das relationale Moment in seiner Bedingungshaftigkeit als ein „quasi materiale". Andernfalls würde die reine Akthaftigkeit der göttlichen Natur in ihrer Freiheit von jeder Potentialität ebenso verkannt wie die ontologische Funktion der Relationen in der göttlichen Personbestimmung[91], die, wie wir wissen, keineswegs formale (also ihrerseits wiederum naturale) Größen sind, sondern jeweils die Aufgabe des „terminus substantialis" für die quasi-modale Letztbestimmung des einzigen Wesens hin zum personalen Subsistieren übernehmen. Man kann den Hervorbringungsvorgang in Gott nach Suárez mit der Zeugung eines Menschen vergleichen, bei der ebenfalls in erster Linie die menschliche Natur mitgeteilt wird und in zweiter Hinsicht eine Personalität als notwendige Bedingung gefordert ist[92]. Als schlagenden Beleg für diese Behauptung kann der Jesuit die Zeugung Christi als eines Menschen anführen. Sie war eine wahrhaft menschliche Zeugung wegen des wahren Seins der darin mitgeteilten menschlichen Natur, obgleich die Personalität, in welcher diese Natur subsistieren sollte, von anderer, nämlich göttlicher Art war. Formales Ziel der Zeugung war nicht die Hervorbringung der für sich präexistierenden und keiner kreatürlichen Hervorbringung fähigen göttlichen Person, sondern der in dieser subsistierenden menschlichen Natur.

(c) Den anfangs erwähnten Einwand einiger Autoren, daß die Voraussetzung der Wesenheit für die notionalen Hervorbringungen gegen ihre gleichzeitige Inanspruchnahme als Zielpunkt derselben spricht, weist Suárez mit dem Hinweis zurück, daß Vergleichbares auch im geschöpflichen Bereich vorkommen kann. Entscheidend ist dabei, daß sich die Hinsicht ändert, unter der dasselbe einerseits Prinzip und andererseits Terminus eines Geschehens ist. So geht etwa die menschliche Seele in ihrer Existenz der leiblichen Auferstehung voraus, obgleich die Auferstehung zugleich auf sie hinzielt. Allerdings fungiert die Seele als „terminus resurrectionis" nicht rein als solche („secundum se"), sondern nur, insofern sie mit der Materie des Leibes geeint ist[93]. Es ist hier der hinzukommende Modus der Einung, der die Argumentation vom Vorwurf der Zirkularität befreit. Ähnlich verhält es sich im trinitätstheologischen Kontext. Auch

[90] Daß Heinrich etwa in Summa, a. 53, q. 3 (Ed. Badius II, fol. 63vZ) das Wesen als Quasi-Materiale für die Beziehungen (als Quasi-Formale) versteht, hängt mit seinem Grundmodell von Relationalität als Wesensmodalität zusammen, in dem das Wesen allein Quelle der Realität ist (gerichtet gegen Aegidius Romanus, der den Relationen als Relationen „res"-Charakter zuschreiben will); vgl. FRIEDMAN (1996) 160; FRIEDMAN (1997b) 112.

[91] Vgl. Suárez, De trin. 6.6.6 (I, 685b-686a).

[92] Vgl. DM 12.2.8 (XXV, 386a).

[93] Vgl. De trin. 6.6.4 (685b).

hier muß die Wesenheit unter verschiedenen Hinsichten betrachtet werden, wenn sie einerseits Formalprinzip, andererseits Zielpunkt der notionalen Akte ist. Diese Hinsicht differenziert sich nach den in konditionaler Form zu konnotierenden Relationen der hervorbringenden und hervorgebrachten Personen, die zwar nicht wie im zuvor beigebrachten geschöpflichen Fall den Gegenstand in ontologischer Hinsicht „modifizieren", ihn wohl aber als einen solchen, der nicht in strenger Hinsicht derselbe ist, zugleich Voraussetzung und Zielpunkt sein lassen[94].

## 3) Der Begriff der personalen Proprietäten und sein Funktion

Obwohl bereits festgestellt wurde, daß die einzelnen Proprietäten nichts anderes sind als die Relationen oder Ursprünge, widmet Suárez dem exakten Nachweis dieser Behauptung eine gesonderte Behandlung in einem eigenen Buch (sieben) seines Trinitätstraktates. Besondere Originalität ist hier nicht zu erwarten, da die Debatte seit dem Hochmittelalter kaum neue Aspekte hervorzubringen vermochte. Die Erörterung über das, was den Personen eigentümlich ist und sie folglich nach Art einer Form bestimmt, wird von Suárez verbunden mit der Frage nach dem Formalkonstitutiv der göttlichen Personen. Die besondere Position der Nominalisten hatte zumindest in diesem Teil der Problematik eine gewisse Belebung mit sich gebracht, wie bei unserem Jesuiten erkennbar bleibt.

Thomas hatte in der Summa noch die Grundaussagen über die Proprietäten im Zusammenhang mit dem trinitarischen Personbegriff erörtert (I, 32, 2-4), das Verhältnis zwischen Personen und Proprietäten (und damit das Konstitutionsproblem) aber an deutlicher späterer Stelle plaziert (I, 40). Grund dafür ist, daß Thomas nach der Erarbeitung der abstrakten Grundbegriffe der Trinitätslehre (Hervorgang, Relation, Person) deren Verhältnisbestimmung hinter die Kapitel über die drei Personen im einzelnen rückt, die damit die Mitte seiner Erörterung bilden[95].

[94] Vgl. ebd.: „in praesenti vero essentia est terminus formalis, ut communicata personae: ad hoc autem non additur illi novus modus ab ea distinctus, sed sola relatio, et ideo illa est conditio necessaria, ut essentia in tali persona habeat rationem hujusmodi termini."

[95] Vgl. EMERY (2004c) 65.

Suárez dagegen stellt die komplette „abstrakte" Trinitätslehre inklusive aller Vergleichszugänge den Büchern über Vater, Sohn und Geist und über die auch bei Thomas am Schluß behandelten Sendungen voran. Das ist ein durchaus konsequentes Verfahren, verstärkt aber die Theoretisierungstendenz des Trinitätsdiskurses, sofern es die Aussagen über die heilsgeschichtlich geoffenbarten Personen im einzelnen ganz wie einen Anwendungsfall des zuvor komplett abstrakt entworfenen theologischen Regelwerkes erscheinen läßt, was die thomanische Anordnung wenigstens teilweise vermeiden kann.

### *a) Die Unterscheidbarkeit personaler Proprietäten von den konkreten Personen*

Schon vor Thomas von Aquin hatten sich die scholastischen Theologen bei der Erläuterung des Proprietätsbegriffes gegen die (bereits ältere Traditionen fortsetzende[96]) Behauptung des frühscholastischen Magisters Praepositinus von Cremona († kurz nach 1210) abgegrenzt, wonach abstrakte personale Eigentümlichkeiten (wie „paternitas") wegen der Einfachheit der göttlichen Wesenheit mit den konkreten Personen vollkommen identisch sind und bestenfalls als „modi loquendi" zugelassen werden können[97]. Damit verschwinden sie weitgehend in der göttlichen Substanz[98]. Thomas hatte gegen diesen Ansatz den zweifachen, abstrakten wie konkreten, Weg der Personbenennung mit dem Hinweis auf die Irreduzibilität unseres doppelten Erkenntniszugangs verteidigt, die darin besteht,

[96] Vgl. SCHNEIDER, J. (1961) 172-180.

[97] Vgl. SCHMAUS (1930b) 388f.; SCHNEIDER, J. (1961) 161; ANGELINI (1972) 120-130.163-170.181ff.; EMERY (2004b) 36f.; ders. (2004c) 46; VALENTE (2005). Die Referenzstelle aus der Summa Praepositins lautet (12.2.7-10; ed. ANGELINI [1972] 277): „Dicimus ergo quod cum dicitur: paternitas est in patre, vel: pater paternitate distinguitur a filio, modi loquendi sunt, et est sensus: paternitas est in patre, i.e. pater est pater. Sicut cum dico: diligo dilectionem tuam, i. e. te dilectum. Et in similibus similiter." Der Name des Praepositinus wird auch in der nachtridentinischen Scholastik immer noch mit dieser These verbunden, obgleich niemand mehr die Schriften dieses „antiquus scholasticus" (Vázquez, Comm. in I$^{am}$ 136.2.3 [II, 165a]) selbst kennt, sondern nur noch das bei Thomas zu findende Referat.

[98] ANGELINI (1972) 183 urteilt: 183: „Il postulato pregiudiziale della semplicità è immutabilità dell'essenza divina conduce alla riduzione di tutti i nomi che vi si riferiscono ad una pratica sinonimia. I nomi molteplici non sono più mezzi parziali onde quell'unica essenza, misteriosa ed ineffabile, è resa manifesta sotto prospettive molteplici, come molteplice e la creatura che di Dio parla; ma divengono cifre convenzionali, fungibili l'una con l'altra, di una ‚cosa', la cui conoscenza è presupposta a prescindere dalla molteplicità dei nomi di cui si afferma che la significano."

daß wir auch in der Rede über Gott niemals jene Prädikationsweise hinter uns lassen können, die unserem Verstand in der Begegnung mit den ihm eigentümlichen Objekten der sinnlichen Welt eröffnet ist[99].

„Wir benennen etwas, wie wir es verstehen", heißt sein sprachtheologisches Grundaxiom[100], dessen Leitfunktion für den ganzen Trinitätstraktat Timothy L. Smith jüngst überzeugend herausgestellt hat[101]. Allerdings konnte die thomanische Stellungnahme nicht verhindern, daß im Nominalismus die Praepositinus-These eine gewisse Renaissance erfahren hat. So ist für Gregor von Rimini[102] die abstrakte Proprietät nichts anderes als die „intransitive" Sprachfassung eines trinitätstheologischen Urteilssatzes (wie: „Die Zeugung des Sohnes ist Eigentümlichkeit des Vaters"), der als solcher Produkt unseres Verstehens ist, nicht aber im eigentlichen Sinn auf eine personale Eigenschaft zurückweist. Nur auf diesem Wege glaubt Gregor, den Verdacht einer irgendwie gearteten Zusammensetzung der göttlichen Person aus Wesen und Proprietät – egal ob man diese Entität „als Ding, Formalität, Quiddität, Modalität oder sonstwie"[103] bezeichnen will – abweisen zu können. Da Gregor selbst die Personen mit den Relationen gleichsetzt und in seiner Relationenlehre Relation und Relationsfundament für identisch erklärt, erscheint ihm die Annahme einer von der Person selbst verschiedenen abstrakten Proprietät auch aus diesem Blickwinkel überflüssig[104].

Gegen diese Behauptung stellt Suárez zunächst die Überzeugung der überwältigenden Mehrheit der Theologen und das klare Zeugnis des Sprachgebrauchs kirchlicher Tradition. Sachlich ist die Annahme von Proprietäten dadurch gefordert, daß jede Unterscheidung von Dingen

[99] Vgl. Thomas, S. th. I, 32, 2 c. Zu Deutung und Kontext der thomanischen Lehre vgl. auch SCHMAUS (1930b) 396-403.

[100] Vgl. Thomas, S. th. I, 32, 2 c.: „secundum quod intelligimus, sic nominamus".

[101] Vgl. SMITH (1999) 605-611; SMITH (2003), bes. 160-203.

[102] Vgl. Gregor von Rimini, 1 Sent. d. 26, q. 1, conclusio tertia (Ed. Trapp et al., III, 69-74) und GARCÍA LESCÚN (1970) 178f.; Suárez, De trin. 7.1.1 (I, 691a). Daß sich die Thesen von Praepositinus und Gregor ähneln, bemerkt schon B. Torres, Comm. in I$^{am}$ q. 32, a. 2, pars 1 (94va-b). Zu Gregor vgl. GARCIA LESCÚN (1966) 56ff.

[103] Vgl. Gregor, 1 Sent. d. 26, q. 1, concl. tertia (Ed. Trapp et al., III, 72, ZZ. 5-6).

[104] Vgl. GARCIA LESCÚN (1966) 85f., der (auch gegen Schmaus) betont, daß Gregor damit nicht zu einem Verfechter absoluter personaler Proprietäten wird und keineswegs dem Begriff der Proprietät jede Bedeutung abspricht. In seiner Interpretation ist Gregor eher als Autor anzusehen, der in besonders deutlicher Weise die eigentlich traditionelle These von der realen Identität zwischen Relationen und Personen betont und darum jedes weitere Konstitutionselement ablehnt. Ähnlich verhält es sich später auch bei Marsilius von Inghen; vgl. MÖHLER (1949) 72. Die bei Suárez gegen Gregor geführte Debatte beträfe damit eher ein Ausdrucks- als ein Sachproblem.

vermittels nicht-gemeinsamer Eigenschaften derselben erfolgen muß. Dieses je Eigentümliche heißt im Falle der göttlichen Personen „proprietas" und wird zurecht mit abstrakten Begriffen beschrieben[105]. Eine Einschränkung der göttlichen Einfachheit kann der Jesuit darin nicht erkennen, sondern er betrachtet die Verwendung der für unser Verstehen gegenüber den konkreten Termini „einfacheren" abstrakten Begriffe sogar als eine Hilfe für das Verständnis der göttlichen Vollkommenheit[106]. Noch einmal treffen wir auf den Vergleich der Proprietäten mit „Formen", die wir der nicht zuletzt aus apologetischen Gründen geforderten begrifflich klar explizierbaren Personunterscheidung in Gott zugrunde legen können[107].

Aus dieser Prämisse folgt bereits die oben schon erwähnte Feststellung, daß die Zahl der Proprietäten der Zahl der Personen in Gott exakt entsprechen muß. Die Proprietät ist identisch mit der Personalität, der positiven „Formbestimmtheit" einer Person, und ihr kann folglich all das zugesprochen werden, was von den drei Personen, Personalitäten bzw. Relationen prädiziert wird[108]. Konkrete Person und abstrakte Personalität als Proprietät werden nicht real, sondern nur „virtuell" unterschieden[109]. Die Unterscheidung ist Werk unseres Verstandes, der dazu sachlich jedoch deswegen berechtigt ist, weil die personale Wirklichkeit in Gott als konkret subsistierende selbst zugleich Grund ihres inkommunikablen und spezifischen Subsistierens ist. Die Notion der „innascibilitas" des Vaters, die etwa der junge Thomas von Aquin in seinem Sentenzenkommentar noch unter die Proprietäten gerechnet hatte[110], scheidet aus ihrem dergestalt umgrenzten Kreis ebenso aus wie angebliche Kennmale der Personen, die von anderen konkreten Personnamen als den drei unmittelbaren herrühren (z. B. für den Sohn: „imago", „Verbum" u. ä.), sich aber in Wahrheit auf die Proprietäten zurückführen lassen[111]. Ganz praktische

[105] Vgl. Suárez, De trin. 7.1.3-5 (I, 691a-692a).

[106] „Nam imprimis conceptio divinarum proprietatum in abstracto non repugnat divinae simplicitati, quin potius, quia abstracta concipiuntur a nobis, ut simpliciora, videtur modus concipiendi magis consentaneus Deo..." (ebd. 5, 691b-692a).

[107] Vgl. ebd. 6 (692a): „ad hoc ergo assignantur proprietates in abstracto, ut intelligamus, quibus quasi formis distinguantur personae, quae in essentia habent unitatem."

[108] Vgl. De trin. 7.2.3 (693a).

[109] Suárez spricht ebd. 6 (693b) von einer „distinctio rationis" mit dem uns trinitätstheologisch bekannten Zusatz „cum virtuali fundamento in re".

[110] Vgl. Thomas, 1 Sent. d. 26, q. 2, a. 3 c. Hintergrund dieser These könnte die augustinische Lehre sein, wonach der Vater auch dann noch „innascibilis" hätte genannt werden können, wenn er nie einen Sohn gezeugt hätte; vgl. Augustinus, De trinitate V, 6, 7 (CCL 50, 211f.)

[111] Vgl. Suárez, De trin. 7.2.5 (I, 693a-b).

Bedeutung erhalten diese theoretischen Abgrenzungen für Suárez an einer Stelle seiner Sakramentenlehre, wo er es ablehnt, in der trinitarischen Taufformel statt der drei auf die eigentlichen Proprietäten bezogenen Namen von Vater, Sohn und Geist irgendwelche Äquivalente aus dem Bereich der notionalen oder gar appropriativen Prädikate zuzulassen[112].

### *b) Die Proprietäten als Formalkonstitutiva der Personen*

Ein zweiter großer Erörterungsschritt des Suárez blickt auf die Art und Weise der von uns den Proprietäten zuzuschreibenden Konstitutivfunktion für die konkreten Personen.

(1) Da die Frage eine unverkennbare Ähnlichkeit zu der früher behandelten nach dem Formalgrund der notionalen Akte hat, verwundert es nicht, daß wie dort auch hier die These des Gregor von Rimini an den Anfang gestellt ist, der mit einem abstrakten Prinzip der innergöttlichen Hervorgänge auch ein ebensolches der Personen überhaupt neben den konkreten Subsistenzen in Gott ablehnt. Genauso wenig überrascht, daß Suárez sich auf den Gegenstandpunkt stellt und mit der Majorität der Autoren die Proprietät als diejenige abstrakte Größe postuliert, durch welche „wie durch eine determinierende Form" die jeweilige Person zu ihrem personalen, also inkommunikabel subsistierenden Sein bestimmt wird[113].

(2) In eine gewisse Nähe zur Gregor-These stellt Suárez die Erklärungsoption der Thomisten, da sie zwar grundsätzlich die konstitutive Funktion der Proprietäten anerkennen, diese jedoch nur als gedankliche und nicht als reale Konstitutions- und Distinktionsgrößen zugeben wollen[114]. Diese Annahme kann nach Suárez als zu schwach kritisiert werden,

[112] Vgl. De sacramentis 21.4 (XX, 361a-363a).

[113] Vgl. De trinitate 7.3.2 (I, 694a), wo Suárez von einer Konstitution durch die Proprietät „tanquam per formam determinantem personam ad tale esse, seu subsistere incommunicabile" spricht.

[114] Vgl. ebd. 4 (694b): „Discipuli enim D. Thomae convicti argumento Gregorii, dicunt esse constitutionem rationis, non realem. Ita Cajetanus, quaest. 40, art. 2, et ibi Torres et alii, Ferrariensis, in 4. contra Gentes, c. 26." Als Beleg sei wörtlich die genannte Stelle bei Cajetan (In I[am] q. 40, a. 2, n. 15 [Ed. Leon. IV, 415b]) zitiert: „In responsione ad primum, adverte quod de personis divinis possumus loqui dupliciter. Scilicet *secundum se*: et sic verum est quod distinguuntur seipsis; ut Praepositivus et Gregorius ab Arminio tenent. Et hoc expresse concedit s. Thomas in I Sent., dist. XXVI, qu. 2, a. 1, ad 3. – Si autem considerentur *ut notae et significatae nobis*, sic, cum non distinguantur a relationibus nisi in modo significandi, constituuntur et distinguuntur relationibus; sicut Deus constituitur et distinguitur *deitate* a reliquis."

ja man kann in ihr sogar die Realität der göttlichen Personen selbst gefährdet sehen. Wenn letztere real sein sollen, so lautet das vom Jesuiten gegen die Thomisten referierte zweischrittige Hauptargument, muß dies auch für ihre Konstitution gelten, und wenn die Konstitution real sein soll, muß es auch die konstituierende Form sein und zugleich deren Unterscheidung von dem durch sie Konstituierten, also der Person[115]. Die Thomisten dagegen, die die Unterscheidung allein in das menschliche Verstehen setzen, scheinen wie Gregor den Unterschied von den Proprietäten weg in die Personen selbst zu verschieben. Dies ist allerdings fragwürdig, da Vater, Sohn und Geist als solche mit der einen göttlichen Wesenheit identisch sind; was sie allein zu unterscheiden vermag, ist das Prinzip ihres personalen Eigenseins, also die jeweilige Proprietät, die darum von der Person real zu unterscheiden ist. Daß diese Lösung nicht die Einfachheit Gottes bedroht, sieht Suárez mit dem Verweis auf die Unterscheidung der innergöttlichen Hervorgänge nach Intellekt und Wille gewährleistet. Denn wie diese Geistvermögen als reale Hervorbringungsprinzipien der zweiten und dritten Person anzusehen sind, obwohl sie sich als absolute Attribute von der Wesenheit nur gedanklich unterscheiden, so kann auch die jeweilige Proprietät reales Konstitutionsprinzip ihrer Person sein, ohne von der Wesenheit als einheitsstiftendem und -sicherndem Prinzip in Gott mehr als gedanklich unterschieden werden zu müssen.

(3) Mit dem grundsätzlichen Bekenntnis zu einer realen Konstitution der Personen durch die Proprietäten bleibt noch die exakte Weise anzugeben, wie dies geschehen soll. Klar abgelehnt wird von Suárez der allzu starke Unterscheidungsrealismus des Durandus, der infolge seiner realen Distinktion zwischen Wesenheit und Personen die Gefahr mit sich brächte, letztere als „zusammengesetzt" aus ihren metaphysischen Komponenten zu denken[116]. Stattdessen bietet sich an dieser Stelle das Denkmodell einer Virtualdistinktion zwischen Wesen und eigentümlicher Relation an, deren Verbindung nicht additiv, sondern irgendwie determinativ

Von einer rein gedanklichen Differenz spricht unter Berufung auf die zitierte Stelle Cajetans dann B. Torres, In I$^{am}$ q. 40, a. 2, p. 3 (179rb).

[115] Diese gedankliche Folge ergibt sich aus der Kombination des ersten und vierten der De trin. 7.3.5 (I, 694b-695a) aufgeführten Argumente.

[116] Ähnlich argumentiert zuvor schon Molina gegen Durandus bzw. Scotus; vgl. Comm. in I$^{am}$ q. 28, a. 2, disp. 5 (438aE): „si relationes divinae ex natura rei distinguerentur formaliter ab essentia, aliquid esset in deo, nempe Pater, constitutum ex rationibus formalibus distinctis inter se formaliter, videlicet, ex essentia et relatione, ex quobus non secus tamquam ex rationibus formalibus formaliter inter se distinctis constaret, quam Angelus ex genere et differentia tamquam ex rationibus formalibus inter se distinctis constat: id vero pugnat profecto cum divina simplicitate".

gedacht werden muß, nämlich als Verhältnis von „allgemeiner" und „eigentümlicher" Entität bzw. Formalität[117]. Während die Wesenheit als „allgemeine" Bestimmung die wahre Einheit der Personen sichert, führt sich das eigentümliche Sein jeder Person auf die sie mit-konstituierende „formalitas relativa" zurück. Genau diese zweifache Entfaltungswirksamkeit des real ununterschiedenen Prinzips gehört ja zur Eigenart der durch Virtualdistinktion zu erklärenden metaphysischen Konstitutionsvorgänge: Die Wirklichkeit Gottes ist Wesen, sofern sie die Einheit der drei Supposita, ihr gleiches Gottsein konstituiert; sie ist zugleich Proprietät des Vaters, des Sohnes und des Geistes, sofern sie gleichermaßen das Prinzip personalen Eigenseins in sich birgt. Den Anforderungen einer *realen* Konstitution wird durch die nur virtuelle Distinktion der beiden konstituierenden Formalitäten kein Abbruch getan[118], denn es gehört zur Begriffsbestimmung des Virtualdistinkten, daß es als solches dieselben Vollzüge begründet wie ihm entsprechende plural-realdistinkte Prinzipien.

(4) Man könnte im Blick auf die häufige Benutzung der Virtualdistinktion für trinitätstheologische Problemaspekte und die unter (b) genannten recht deutlichen Argumente gegen die Thomistenthese erwarten, daß sich Suárez der zuletzt referierten Erklärung vorbehaltlos anschließt. Tatsächlich weist er jedoch im Trinitätstraktat darauf hin, daß sich seine in einer früheren Phase seiner Lehre klar geäußerte Zustimmung mittlerweile zu einer differenzierteren Antwort fortentwickelt habe. Der spätere Suárez ist den Thomisten insofern einen Schritt näher gekommen, als er deren Position wenigstens aus einem bestimmten Blickwinkel für akzeptabel erklärt, auch wenn der Alternativoption weiterhin ein Erklärungsvorrang eingeräumt wird[119]. Entscheidend ist dabei das Verständnis des Begriffes „constitutio". Sobald man in ihm echte „Zusammensetzung" impliziert wissen will, kann man das mit ihm bezeichnete Geschehen nach Art der Thomisten nur als „gedanklich" existent betrachten – was im übrigen auch die Mehrheitsposition innerhalb der frühen Jesuitenschule

[117] Vgl. Suárez, De trin. 7.3.7 (I, 695a): „...sed satis esse quod in re ipsa vere sit aliqua entitas communis et aliqua propria, cum distinctione virtuali inter commune et proprium."

[118] „Nam de ratione constitutionis non est propria unio, sed salvari potest cum vera unitate inter constituentia, dummodo respectu constituti ita se habeant, ut ex formalitate unius habeat proprium esse, ex formalitate autem alterius solum commune: Hoc autem ita est in divina persona: nam in illa simplicissima entitate et est formalitas relativa et ab hac habet illa persona suum esse proprium et ab illa tantum esse commune: et ideo secundum relativam formalitatem distinguitur, non secundum absolutam. Hoc satis est ad constitutionem realem" (ebd. 8, 695b).

[119] Vgl. zum folgenden ebd. 9 (695b-696a).

wiedergibt[120]. Als „real" ist es jedoch dann zu verstehen, wenn man die Personkonstituentien „per modum formae" wirksam sieht, da in diesem Fall, wie oben dargelegt, der „Kompositionsverdacht" von Anfang an vermieden wird. Man kann in dieser fortentwickelten Position des Suárez einen Beleg dafür erkennen, wie sehr sich die von den Jesuiten präferierte Rede von einer „Virtualdistinktion" und das thomistische Modell einer „gedanklichen Unterscheidung mit Fundament in der Sache" in dem Bemühen ähneln, in unserem Begreifen des göttlichen Geheimnisses reale Sachgemäßheit und das Zurückbleiben im analogieverhafteten „modus significandi" gleichermaßen terminologisch zum Ausdruck zu bringen. Die göttliche Wirklichkeit, welche die dem Dogma verpflichtete religiöse Sprache als Einheit in drei Personen bekennt und damit als für beide Größen gleichermaßen realkonstitutiv betrachtet, entzieht sich unserem Verstehen in dem Augenblick, da es die doppelte Realkonstitution in ihrem eigenen innerlich-gemeinsamen Konstitutivgrund einzusehen sucht – dieses Eingeständnis verbindet beide trinitätstheologische Sprachformeln, die gleichermaßen das Geheimnis mehr zu benennen als zu ergründen vermögen.

Keinen Zweifel läßt Suárez bei seiner Differenzierung an der grundsätzlichen Doppelpoligkeit der personalen Konstitutionsprinzipien in Gott aufkommen. Obgleich sich der Jesuit, wie wir wissen, selbst zur These von der Inklusion der Wesenheit in der Relation bekennt, möchte er aus ihr doch nicht wie einige Thomisten folgern, daß bei der Rede von der Personkonstitution der Blick auf die Relation als „personalitas" allein genügt und von der Wesenheit gänzlich abgesehen werden kann. Wie wir nämlich im kreatürlichen Bereich die Person „ex natura et suppositalitate" zusammengesetzt verstehen, so müssen wir analog in Gott ebenfalls beide Glieder des Konstitutionsgeschehens, das Wesen und die (hier relative) Suppositalität, explizit heranziehen, auch wenn wir um das real obwaltende Implikationsverhältnis wissen[121].

(5) Zu einer Grundeinsicht der suárezischen Transzendentalienlehre führt die Verhältnisbestimmung zurück, die unser Autor zwischen dem konstituierenden und dem distinguierenden Funktionsaspekt der Proprietäten in Gott vornimmt. Gegen thomistische Versuche, zwischen ih-

[120] Vgl. Gregor von Valencia, Comm. in I$^{am}$ disp. 2, q. 14, punct. 2, bes. assertiones 2-3 (832D-834C); Molina, Comm. in I$^{am}$ q. 40, a. 2, disp. 1, concl. 2 (518aF-bA); Vázquez, Comm. in I$^{am}$ 158.2.5 (II, 313a-b). Unter den Jesuiten nach Suárez lehnen dagegen viele die Qualifizierung als „ens rationis" ab.

[121] Vgl. Suárez, De trin. 7.3.11-12 (I, 696a-b) mit der Konklusion: „Nam ad concipiendam integram constitutionem necesse est utrumque extremum expresse concipi" (12, 696b).

nen einen Unterschied festzustellen, die sich darauf berufen, daß die „filiatio" als Konstitutivgrund für sich allein und ohne die aktive Hauchung den Sohn nicht hinreichend klar vom Geist zu unterscheiden vermag, hält Suárez an der Identität von „constituens" und „distinguens" fest[122]. Daß dies eine gewisse Konzession an die scotische These von der Unterscheidung der beiden innergöttlichen Hervorgänge allein durch ihre Formalverschiedenheit ist, wie sie sich in der Antwort des Doctor Subtilis auf die Frage, ob der Sohn vom Heiligen Geist unterschieden werden könnte, wenn dieser nicht (auch) aus ihm hervorginge, manifestiert, liegt auf der Hand. Die von Suárez vorgelegte Begründung dafür, daß die eine Person konstituierende Proprietät zugleich deren hinreichende Unterscheidungsform gegenüber allen anderen Personen ist, arbeitet ebenfalls mit dem Verweis auf die distinktive Funktion des inneren Seinsgrundes, indem sie auf die Identität der Transzendentalien „ens" und „unum" hinweist: Was ein Ding in seinem Sein konstituiert, konstituiert es zugleich als „eines". Die transzendentale Einheit aber ist nicht nur Identitätsprinzip (als Negation inneren Geteiltseins), sondern zugleich Differenzprinzip, sofern sie ein Seiendes „von anderem abteilt". Gerade deswegen wird, wie wir an früherer Stelle bereits erwähnten, die Annahme eines eigenen transzendentalen Prädikats „aliquid" (im Sinne des Alterität indizierenden „aliud quid") für den Jesuiten überflüssig[123]. Diese Doppelerklärung des „unum", wie sie Suárez mit Capreolus und Soncinas, aber gegen Fonseca vertritt[124], kombiniert ohne Implikation irgendwelcher Unvollkommenheit exakt jene beiden Aspekte, die unser Autor auch in den trinitarischen Proprietäten verbunden wissen will. Ihr Konstituiertwerden durch ein Relativum, so führt Suárez gegen einen Einwand der Thomisten aus[125], hindert nicht daran, daß ebendieses Konstitutionsprinzip sie „eins" und damit „von anderem unterschieden" macht – im Falle einer Person (auch der relational konstituierten göttlichen) ist dies um so deutlicher, als das personkonstituierende Letztmoment nichts anderes als die Inkommunikabilität und damit ein klar ausgewiesenes Distinktionsprinzip ist. Daß die durch sie in Gott bedingte Unterscheidung keine bloß formale sein kann, sondern notwendig real sein muß, steht unter den Bedingungen göttlichen Seins außer Frage.

[122] Vgl. De trin. 7.4.2 (697a) mit Verweis auf Scotus, Ord. 1, d. 7.

[123] Vgl. DM 3.2.10 (XXV, 110a): „Et similiter aliquid, et unum, ex prima impositione distinguuntur, quod unum ex negatione divisionis in se, aliquid vero ex negatione identitatis cum alio dicta sunt; in re vero eamdem passionem significant, quia illa duo ad perfectam unitatem requiruntur."

[124] Vgl. DARGE (2004a) 213f.

[125] Vgl. Suárez, De trin. 7.4.6-7 (I, 698a).

Denn da hier die Relationen substantiell und somit anders als alle geschöpflichen prädikamentalen Relationen nicht bloß Modi oder Formalitäten, sondern Entitäten im eigentlichen Sinn sind, kommt ihnen auch als personalen Konstitutionsprinzipien die gesuchte entitative Einheit mitsamt ihrer Distinktionsvalenz zu[126]. Ein noch klareres Äquivalent aus dem geschöpflichen Bereich für diese Aussagen über den Zusammenfall von Konstitutiv- und Distinktionsprinzipien in den göttlichen Relationen, als es sich von den prädikamentalen Relationen her gewinnen läßt, bieten die transzendentalen Relationen, da sie wie die Beziehungen in Gott real sind und darum reale Entitäten zu konstituieren vermögen[127].

Das von den Thomisten der Einheit von Konstitutions- und Distinktionsprinzip entgegengehaltene Problem der mangelhaften Unterscheidbarkeit von Sohn und Geist in Absehung von der Hauchung durch den Sohn wird von Suárez an späterer Stelle eigens thematisiert werden. Darum können wir die im vorliegenden Kontext dazu gemachten Bemerkungen vorerst übergehen.

### *c) Die personkonstituierende Form in Gott: Absolutum, Ursprung oder Relation?*

Hat man die Proprietäten als Formalkonstitutiva für die trinitarischen Personen grundsätzlich anerkannt, kann noch einmal die Frage gestellt werden, mit welchen der trinitätstheologisch zur Verfügung stehenden Größen diese konstitutiven Prinzipien im einzelnen zu identifizieren sind. Im Erörterungsgang des Suárez ist diese Frage eigentlich längst beantwortet: Es sind die personbildenden Relationen, die ihrerseits mit den Ursprüngen identisch sind. Wenn der Jesuit in den vier Schlußkapiteln des siebten Buches von „De trinitate" dazu dennoch eine vergleichsweise umfangreiche Diskussion vorlegt, hat dies nicht zuletzt historische Gründe. Wie vor allem Michael Schmaus nachgewiesen hat, wurde die Konstitutionsfrage seit der Väterzeit, mit vermehrter Intensität seit der Frühscholastik und dann bei praktisch allen mittelalterlichen Autoren in großer Breite behandelt. Dem Münchener Dogmenhistoriker gilt sie sogar als die schwierigste Frage im Zentrum der ganzen Trinitätsspekulation[128]. Überblickt man das gewaltige Material, das Schmaus dazu aus scholasti-

[126] Vgl. ebd. 8 (698b).

[127] Als Beispiel nennt Suárez ebd. das Sehvermögen, das durch die Beziehung des Sehenden zu den Objekten des Gesichtssinnes konstituiert und durch diese „habitudo" zugleich von allen anderen Sinnen unterschieden wird.

[128] Vgl. SCHMAUS (1930b) 385.

schen Texten von den Anfängen bis in die Neuscholastik zusammengetragen hat[129], so erkennt man freilich rasch, daß die Bandbreite der Lösungsmodelle in systematischer Perspektive recht begrenzt und überschaubar bleibt und sich die Unterschiede in sehr subtile Einzelgewichtungen verlagern. Da zur Zeit des Suárez alle grundlegenden Ansätze bereits vorlagen, können wir uns zur Erfassung der Problemlage auf seine Darstellung stützen.

(1) Als eindeutiger Vertreter einer Lehre von absoluten personkonstituierenden Proprietäten in Gott gilt der Theologie seit dem Spätmittelalter durchweg der Franziskanermagister Johannes a Ripa, der in den 1350er Jahren in Paris lehrte und in dieser Zeit seinen erhaltenen Kommentar zum ersten Sentenzenbuch verfaßte. Wenn Suárez ihm die These zuschreibt, daß die göttlichen Personen absolute suppositale Seinsgrundlagen besitzen, während ihren Relationen nur „referierender", aber nicht „konstituierender" Charakter zukommt, kennzeichnet er damit die Lehre des „Doctor Supersubtilis" in den Distinktionen 25-26 seines Kommentars zum ersten Buch der Sentenzen durchaus zutreffend[130], obwohl er die Texte kaum selbst gelesen haben dürfte, sondern nur Wissen der Schule präsentiert. Historisch korrekt ist ebenfalls Suárez' Einschätzung, wonach zuvor auch Scotus eine solche Ansicht als „wahrscheinlich" verteidigt hat[131]; schon im Kapitel über die innergöttlichen Hervorgänge hatte der

[129] Vgl. ebd. 385-569.

[130] Vgl. die ausführliche Darstellung der Lehre von der Personkonstitution bei Johannes a Ripa durch BORCHERT (1974) 445-494.

[131] Vgl. Suárez, De trin. 7.5.1 (I, 699a-b) und Scotus, Ord. I, d. 26. q. un. (Ed. Vat. VI, 1-61). Siehe vor Suárez die Einschätzung bei Toledo, In I$^{am}$ q. 40, a. 2 (Ed. Paria, 403b): „immo Scotus multis argumentis probat istam sententiam d. 26. Quamvis solvat omnia; non tamen aperuit mentem suam, sed citavit sententias, et singularum argumenta solvit. Videbatur inclinare in hanc, sed timebat, ne ab Ecclesia damnaretur." Dieses Motiv für das zurückhaltende Urteil des Scotus behauptet schon Cajetan, Comm. in I$^{am}$ q. 40, a. 2, n. 3 (Ed. Leon. IV, 414a): „nisi timeret Ecclesiae contradicere...", was bei späteren Thomisten gerne wiederholt wird. Die Einschätzung moderner Scotus-Forscher fällt zumindest im Blick auf den Inhalt der scotischen Lehre ähnlich aus. So gilt nach SCHMAUS (1930b) 497: „Auch wenn Skotus nach dem Waddingtext loyal alle Einwände gegen die opinio communis und alle argumenta principalia gegen die Lehre von relativen Proprietäten löst, so läßt sich doch nicht verkennen, daß seine innerste Neigung der Theorie von absoluten Proprietäten gehört." Die Analyse der Texte zeigt, „daß sich Skotus niemals rundweg für den absoluten Charakter der konstitutiven Prinzipien ausspricht. Er stellte diese Lehre nur als wahrscheinlich hin und hielt sie für dogmatisch einwandfrei" (ebd. 552f.). Daß die Annahme absoluter Proprietäten in systematischer Perspektive gut in die scotische Lehre paßt, haben HOERES (1962b) – mit Verweis auf die Entsprechung von idealen Inhalten und realen Gehalten bei Scotus (20) –, WÖLFEL (1965) 215-218 und neuerdings Russel Friedman bestätigt; vgl. FRIEDMAN (1997b) 201-227;

Jesuit diesbezügliche Argumente des Franziskaners kritisch diskutiert. Über den weiteren historischen Kontext der scotischen Lehre macht Suárez keine Angaben. Wie die moderne Forschung gezeigt hat, besitzt sie in der Scotus vorangehenden Franziskanerschule Anknüpfungspunkte und hat ihre Wurzeln in der ersten Hälfte des 13. Jahrhunderts bei Autoren wie Robert Grosseteste († 1253) oder Wilhelm von Auvergne († 1249). Indem sie die konstitutive Funktion der Relationen zurückweisen bzw. zu einem bloßen Verstandesding erklären, stehen sie der Lehre des Praepositinus von der Identität der göttlichen Personen und Proprietäten ebenso nahe wie deren späteren Varianten in der Trinitätstheologie des Nominalismus (bei Gregor von Rimini, Adam Wodeham oder Robert Holkot), die von einer Unterscheidung der göttlichen Personen unmittelbar „durch sich selbst" sprechen[132].

Suárez sieht den sachlichen Grund für die Behauptung absoluter Personkonstitutiva vor allem in einer zu raschen Übertragung von Verstehensmodellen geschöpflicher Relationsverhältnisse auf die Dreifaltigkeit Gottes. Im geschöpflichen Bereich nämlich begründet eine Relation nie-

FRIEDMAN (1999a) 22 (m. Anm. 14); HUCULAK (2002) 691ff. Dagegen lehnt es BOTTE (1968) 102f. rundum ab, Scotus den Befürwortern einer solchen These zuzuzählen. WETTER (1967) 371f.388 hat eine weitere Differenzierung durch den Nachweis vorgenommen, daß Scotus nur in der „Lectura prima" klar von der erwähnten größeren Wahrscheinlichkeit spricht, während er in der „Ordinatio" eine solche Stellungnahme unterdrückt; Scotus scheint darnach im Laufe der Zeit seine Sympathie eher in Richtung relativer Proprietäten gelenkt zu haben. Diese Einschätzung unterstützt die neuerliche Analyse der Texte durch CROSS (2005) 183-202. Demnach hat Scotus seit Buch I der Reportatio die Lehre von den relativen Proprietäten nicht nur wegen ihrer stärkeren Verankerung in der theologischen Tradition, sondern auch aus sachlichen Gründen unterstützt. Anders urteilen auf der Grundlage ihrer editionskritischen Prämissen LEIBOLD / RICHTER (2002) 278f.: Während die Neigung des Scotus zu absoluter Personkonstitution als ursprüngliche Position des Opus Oxoniense gelten darf (bestätigt durch den „Liber propugnatorius"), ist die Abschwächung in den Reportata eher aus späteren Hinzufügungen zu erklären. Vgl. schon RICHTER (2000) 159f.; dort wird auch Richters Gesamtthese zur literarkritischen Einordnung der verschiedenen unter dem Namen des Scotus überlieferten Sentenzenkommentierungen erläutert (161f., mit der Kernthese: „Der ‚echte' Scotus dürfte vornehmlich in der Grundschrift der Ordinatio sichtbar sein. Wesentliche Wandlungen in seinem Denken sind nicht zu erwarten").

[132] Vgl. SCHMAUS (1930b) 568: „Wie ich jedoch keine große geistige Entfernung zwischen Präpositins Anschauung und der Theorie von absoluten Proprietäten sehe, so glaube ich aus dem gleichen Grund, daß starke geistige Verbindungslinien von ihr zu der im Nominalismus vorherrschenden Theorie hinüberführen, daß die Personen durch sich selbst unterschieden sind. Von absoluten Proprietäten zu deren voller Leugnung ist der Weg kürzer als von relativen zu absoluten Proprietäten." Vgl. auch MÖHLER (1949) 72f.

mals die Unterscheidung ihrer Extrema, sondern setzt sie voraus; diese müssen folglich selbst irgendwie absolute Größen sein. Wenn man diese Prämisse auch in der Trinitätslehre übernehmen will, mag man sich zusätzlich auf die Schwierigkeiten angesichts der Konstituierung der ersten Person berufen: Beim göttlichen Vater scheint besonders klar gefordert zu werden, daß er zunächst als Person sein muß, bevor er zeugend tätig werden kann[133]. Wie wir an früherer Stelle gesehen haben, greifen darum auch Theologen, die gewöhnlich die relationale Trinitätskonstitution unterstützen, auf Momente der „absoluten" Modelle zurück, wenn sie auf den Vater blicken.

(2) Obwohl Suárez noch weitere Argumente kennt, die Scotus und einige seiner Ausleger[134] für die von ihm mit Wohlwollen betrachtete Konstitutionsthese vorlegen, läßt er sich von ihnen nicht überzeugen. In der Trinität, so lautet seine Gegenmeinung, gibt es keine absoluten Proprietäten, sondern die Personen werden durch ihre personalen Relationen konstituiert und unterschieden[135]. Dieses auch in der „Ratio studiorum" der Jesuiten zu findende Urteil[136] ist im 16. und 17. Jahrhundert eine längst fast einhellig vertretene Selbstverständlichkeit. Neben den Zeugnissen aus der Schrift, die in der durch Augustinus geprägten theologischen Tradition als eindeutige Belege dafür verstanden wurden, daß nichts außer den Relationen in Gott real multipliziert werden darf, ist für Suárez vor allem der Hinweis auf eine Aporie entscheidend, in die man mit der Ansetzung absoluter Proprietäten geraten müßte. Jede absolute Proprietät in Gott, so argumentiert der Jesuit[137], bezeichnet notwendigerweise eine „perfectio simpliciter simplex"; sie muß also ebenso vollkommen und einfach sein wie das göttliche Wesen selbst. Dieses Kriterium aber ist für eine personale Proprietät im strengen Sinne nicht zu erfüllen, da sie inkommunikabel und somit Gott nicht wesenhaft ist. Die exaktere Begründung dafür lautet: Inkommunikabilität entsteht aus innerer Begrenztheit eines Seienden oder aus Entgegensetzung („oppositio") zu einem anderen. Beides liegt im Fall einer (absoluten) Wesenssubsistenz nicht vor, weshalb sie kommunikabel bleibt. Wäre also die Subsistenz des

[133] Vgl. Suárez, De trin. 7.5.3 (I, 699b).

[134] B. Torres, Comm. in I$^{am}$ q. 40, a. 2, pars 2 (177va-b) nennt Franciscus Lychetus als Verteidiger des Scotus in seiner Hinneigung zu absoluten Proprietäten. Vgl. Lychetus, 1 Sent. d. 26, q. un. (151rb-153rb).

[135] Vgl. Suárez, De trin. 7.5.5 (I, 700a).

[136] Ratio atque institutio studiorum (1586), ed. Lukács, 9: „17. Nemo dicat, esse probabile, divinas personas constitui proprietatibus absolutis; nec doceat, constitui relationibus sub absoluto conceptu, sed relativo." Ähnlich in der Version von 1591: ebd. 317, n. 14.

[137] Vgl. zum folgenden Suárez, De trin. 7.5.7 (I, 701a).

Vaters gleichermaßen absolut wie die des Wesens, müßte sie dem Sohn kommuniziert werden können, was nicht behauptet werden darf. Nimmt man zu dieser Überlegung noch den nicht minder schwer zu ignorierenden Einwand hinzu, daß neben den absoluten Proprietäten die bloß als „referierend" gedachten relativen in die Nähe rein äußerlicher „Denominationen" geraten, da ihnen ja echte Konstitutivfunktion nicht zuerkannt wird, erhält die Ablehnung der Johannes a Ripa-These weiteres Gewicht. Von ihr her kann Suárez noch einmal die Grenzen aufzeigen, an die unsere Vergleiche von göttlichen und kreatürlichen Relationen notwendig stoßen[138]. Es hängt mit der Substantialität der göttlichen Relationen und der daraus resultierenden Perseität zusammen, daß sie anders als die akzidentellen geschöpflichen Beziehungen nicht eines Fundamentes bedürfen, von dem her sie sich sekundär entfalten. Die einzige den trinitarischen Relationen vorauszusetzende Größe ist die göttliche Natur, aber auch sie fungiert nicht als Fundament der göttlichen Ursprungsrelationen, sondern nur als deren „Wurzel", als durch sie zur inkommunikablen Subsistenz bestimmte Natur. So ist nicht etwa die Relation in der göttlichen Natur wie in ihrem Träger, sondern umgekehrt ist die subsistierende Relation jenes konkrete Subjekt, das die Natur inkludiert, und das (für unser Verstehen) als Person Beziehungsglied, Ausgangs- und Zielpunkt eines Verhältnisses, ist[139] und in dieser Hinsicht als Quasi-Absolutum betrachtet wird. Um die konkrete Relevanz dieser Feststellung zu begreifen, braucht man nur daran zu erinnern, daß nach Suárez die „proprietas relativa" als solche (nicht etwa vermittelt durch die absolute Wesenssubsistenz) der Formalgrund ist, durch den das göttliche Wort in der Inkarnation die angenommene Menschheit terminiert[140]. Es ist die thomanische Lehre von den subsistierenden Relationen, an der Suárez uneingeschränkt festhält und die er in ihrer spekulativen Kraft geltend zu machen sucht, soweit das Geheimnis dies erlaubt. Einen Unterschied zur thomistischen Position markiert freilich, daß Suárez, wie wir wissen, die Subsistenz der Personen als eigenständig relative formal nicht mit der absoluten Subsistenz Gottes ineins fallen läßt.

[138] Vgl. ebd. 11-13 (701b-702a).

[139] Vgl. ebd. 13 (702a): „Denique non supponere extrema, quae referant, nec distinctionem eorum, ut resultent, sed ipsas esse, quae referuntur secundum rem, ac proinde easdem constituere personas relatas nostro modo concipiendi, et consequenter illas distinguere".

[140] Vgl. Suárez, De incarnatione 12.2.4 (XVII, 467a): „formalis ratio, per quam Verbum primo ac per se terminat humanitatem, est proprietas ejus relativa." Darum geschieht die hypostatische Union nicht in irgendeinem Absolutum, sondern allein im Relativum und im Absolutum nur, sofern es in diesem eingeschlossen ist (vgl. ebd. 10, 468a-b).

(3) Sobald man sich zum nicht-absoluten, relativen Charakter der personbildenden Proprietäten in Gott bekennt, bleibt als Folgeproblem die Klärung der Frage aufgegeben, ob man die Konstitutionsfunktion mit der Relation in ihrer „statischen“ oder „dynamischen“ Betrachtungsweise verbinden will, ob man sie also der Relation im engeren Sinne oder den Ursprüngen zurechnet. Obwohl sich Suárez der Tatsache bewußt ist, daß die längst erwiesene Realidentität beider Aspekte[141] die Frage überflüssig erscheinen lassen könnte, legt auch diesmal das Erbe einer langen scholastischen Debatte eine begrifflich exakte Klärung nahe. Es ist das hier zur Erörterung stehende Problem, das bis in die neueste Forschung hinein als entscheidender Differenzpunkt zwischen den Trinitätstheologien des Bonaventura und des Thomas von Aquin, wie sie repräsentativ für zwei gegenläufige Denkströme in franziskanischer bzw. dominikanischer Schultradition insgesamt anzusehen sind[142], herausgestellt wird[143]. Indem

[141] Schon Thomas spricht ja von einem bloß im „modus significandi“ liegenden Unterschied (S. th. I, 40, 2) und sagt klar, daß die Zeugung die Relation nach Art einer Tätigkeit bezeichnet („generatio significat relationem per modum operationis”: 1 Sent. d. 20, q. 1, a. 1 ad 1). Vgl. auch das Gesamturteil in S. th. I, 41, 1 ad 2: „Quia tamen de divinis et intelligibilibus rebus loqui non possumus nisi secundum modum rerum sensibilium, a quibus cognitionem accipimus; et in quibus actiones et passiones, inquantum motum implicant, aliud sunt a relationibus quae ex actionibus et passionibus consequuntur, oportuit seorsum significari habitudines personarum per modum actus, et seorsum per modum relationum. Et sic patet quod sunt idem secundum rem, sed differunt solum secundum modum significandi.”

[142] FRIEDMAN (2003) 101 spricht in diesem Zusammenhang von „two very broad approaches to trinitarian theology“. Zur historisch exakteren Charakterisierung der beiden Schultraditionen vgl. FRIEDMAN (1997a); ders. (1999a) 14-24 und vor allem ders. (1997b).

[143] FRIEDMAN (1997b) 59 faßt diesen Unterschied so zusammen: „For Thomas, apparently, dynamic, motion terminology and concepts could not be used to describe pure act, and this is manifest in his emphasis on and prioritizing of the relations: Aquinas' notion of the trinity is fundamentally static. Bonaventure, and following him Henry of Ghent as well as much of the Franciscan trinitarian tradition, seems to see eternal, immutable production and process as pure act, and hence he stresses the emanations: God's dynamism and activity is emphasized. Thus, Bonaventure was able to emphasize God's dynamism at the level of conceptualization, without having to reject the relation account of personal distinction proposed by Augustine and Boethius, and prevalent in his trinitarian milieu.“ Vgl. auch GARRIGOU-LAGRANGE (1951) 49: „Principalis differentia inter S. Bonaventuram et S. Thomam videtur esse ista: pro S. Thoma, Deus est actus purus, in hoc sensu pura actualitas; pro S. Bonaventura, Deus est potius pura activitas, suprema activitas; item pro eo unitas suprema est activa, magis dynamica quam statica; et praesertim bonitas est essentialiter suiipsius diffusiva. Sic activa suprema unitas non est solum absoluta, sed etiam importat quandam relationem ad aliud, in notione diffusionis seu fecunditatis ipsius viventis.“

Suárez es aufgreift, hofft er, die beiden darin entgegengestellten Begriffe schärfer erfassen und so das Trinitätsmysterium als ganzes weiter ausleuchten zu können[144]. Seine Bemerkung, daß die gesuchte Unterscheidung nur eine „unserer Art des Verstehens"[145] zuzurechnende sein kann, macht jedoch von Beginn an deutlich, daß die Thematik zu seiner Zeit offenbar nicht mehr das gleiche Gewicht besitzt wie für die Theologen des 13. oder 14. Jahrhunderts.

Nachdem eine schon von Thomas abgewiesene These, in der Ursprünge und Relationen als unterschiedene Formalprinzipien für „Hypostasen" einerseits und „Personen" andererseits betrachtet werden, von Suárez nicht mehr eingehender diskutiert wird, da die ihr zugrundeliegende Begriffsdistinktion längst keine Anhänger mehr besitzt, konzentriert sich die Diskussion auf die bereits genannte Alternative „Ursprünge oder Relationen"[146].

(a) Wenn Bonaventura die göttlichen Personen durch die Ursprünge konstituiert sein läßt, behauptet er zugleich deren konstitutive Priorität gegenüber den Relationen im Bereich der personalen Proprietätszuschreibungen[147]. Der Vater ist darnach dem Sohn verbunden, *weil* er ihn zeugt[148]. Die kritische Entgegnung der Thomisten, daß dieses Modell

[144] Vgl. Suárez, De trin. 7.6.2 (I, 702b).

[145] Vgl. ebd.: „ex modo concipiendi nostro". Vgl. zuvor mit ähnlicher Tendenz Gregor von Valencia, De trin. l. 2, c. 15 (600D), der im Anschluß sogar den Vorrang der Konstitution durch die Relationen, wie sie Thomas vertritt, zugunsten einer strikten Ko-Prinzipalität von Relationen und Ursprüngen zurückweist (614D-616D).

[146] Vgl. dazu die zusammenfassende Gegenüberstellung bei OBENAUER (1996) 137: „Bei *Bonaventura* ist die Person das Beziehung und Wesenheit zusammensetzungslos in sich Vereinende, dergestalt, daß das ‚esse ad' sowohl im Verhältnis zur Wesenheit als auch zur Person einen modus darstellt, während die Person dadurch, daß ihr Sein das ‚esse in' der Beziehung darstellt, *bestimmt* ist, während für die Wesenheit nur ein Identitätsverhältnis zum ‚esse in' der Beziehung vorliegt. Das ekstatische Moment der Beziehung bleibt der Person äußerlich, es bestimmt sie aber insofern, als sie durch jenes auf ihre Mitperson bezogen und so von ihr unterschieden ist. Bei *Thomas* erscheinen ‚esse in' und ‚esse ad' mehr als zwei Seiten einer Medaille. Die Beziehung umgreift beide Momente, jene Beziehung, die als subsistente verstanden wird, was darin gründet, daß sie das substantiale Sein des Wesens besitzt. Diese subsistente Beziehung ist dann die Person selbst".

[147] Vgl. Suárez, De trin. 7.6.4 (I, 703a).

[148] Vgl. etwa Bonaventura, 1 Sent. d. 27, p. 1, a. un., q. 2 c.: „Et propterea est alia opinio, quod ideo est pater, quia generat. Et quod illud sit bene dictum, patet per differentiam assignatam inter generationem et ‚esse patrem'. Nam secundum propriam rationem generatio dicit emanationem sive originem, paternitas dicit habitudinem. Constat autem, quod origo est ratio habitudinis, non habitudo ratio originis est. Et ideo generatio est ratio paternitatis, non e converso." Dazu: SCHMAUS (1930b) 448-454; OBENAUER (1996) 89: „Der Stellung, die im trinitarischen Denken Bona-

ebenfalls nicht ohne die Vorordnung einer konstituierenden Form vor den aktiven Ursprung auskommen kann, da jede Hervorbringung eine hervorbringende Person voraussetzt, erkennt Suárez nicht an. Es ist seiner Ansicht nach eine Frage der Perspektive, ob man einen notionalen Akt wie den des Zeugens als personales Sein der hervorbringenden Person („esse personale") oder in gedanklicher Hinsicht nur als von ihr ausgehendes Wirken („actio fluens ab ipsa") ansehen will[149]. Möglich ist beides, denn Erkennen und Wollen Gottes, die mit den Hervorbringungen verbunden werden, sind wesenhafte und notionale Vollzüge gleichermaßen, und selbst wenn wir in Analogie zur Vorordnung des Seins vor das Handeln im geschöpflichen Bereich die notionalen Akte nach Art eines „actus secundus" denken, wissen wir doch stets, daß ihnen in Wirklichkeit nichts von der Vollkommenheit und Notwendigkeit fehlt, die wir den Wesensattributen Gottes als Kennzeichen des „actus primus" seines Wesensvollzuges zuschreiben. Es ist also wiederum Zeichen einer falschen Verhaftung an die kreatürlichen Denkbedingungen, wenn man mit dem genannten thomistischen Einwand Bonaventuras These dadurch kritisieren wollte, daß man in ihr das Fehlen eines personal vollständig konstituierten Trägers für die aktiven Ursprünge anmahnte.

(b) Dennoch wird Suárez mit diesem vermittelnden Hinweis kein Parteigänger des franziskanischen Lösungsmodells. Als wahre Ansicht zu unserer Problematik stellt er die schon bei Albert angelegte[150] und auf einem breiten patristischen Fundament ruhende[151] thomistische These vor, nach der es nicht die Ursprünge sind, welche die Personen konstituieren und formal unterscheiden, sondern die personalen Relationen, sofern sie in Gott als subsistierend anzunehmen sind. Suárez votiert also klar für das thomanische Modell der subsistenten Relationen als personalen Konstitutionsprinzipien, das in der theologischen Summe des Aquina-

venturas die Aktualität Gottes hat, entspricht auch sein Konzept von den die Personen unterscheidenden Proprietäten. Auch hier präferiert Bonaventura ganz entschieden deren dynamische Konzeption als origines gegenüber ihrer statischen Fassung als relationes bzw. habitudines, das oriri ist gegenüber dem Ad-alterum-sehabere das eigentliche die Person in ihrer Distinktheit Konstituierende". Zur spekulativen Erläuterung dieser Lehre vgl. bes. ebd. 102ff.

149 Vgl. Suárez, De trin. 7.6.5 (I, 703a-b).

150 Vgl. die Hinweise bei EMERY (2001) und EMERY (2004c) 113f. mit Verweis auf RUELLO (1955). Deutlich konturiert ist Alberts trinitätstheologischer Gebrauch der Relationskategorie bereits bei POMPEI (1953), z. B. 227.350f.

151 Vgl. EMERY (2004c) 101-106.

ten zur konsequenten Durchsetzung gekommen ist[152] und in seinem Grundsatz auch bei Scotus gefunden werden kann[153].

Die Begründung zielt in negativer Hinsicht vor allem darauf, für die als subsistierend begriffenen Personen eine konstituierende Form einzufordern, der ein „beständiges", „festes Sein" („forma permanens" mit „esse fixum"[154]) zuzuschreiben ist. Die dynamische Größe des passiven Ursprungs kommt dafür nicht in Frage. Die Berufung auf ihre Priorität gegenüber der Person, wie sie bei Bonaventura erfolgt war, wird von Suárez zum Gegenargument gewendet, indem diese Art der Priorität als Kriterium für die gesuchte Konstitutionsform der Person ausgeschlossen wird. Denn eine Form als „quo" des Konstituierten geht diesem gerade nicht voraus, auch dann nicht, wenn sie (wie die Personalität im Geschöpflichen) nur als „modus essentiae" gedacht wird. Darum ist die personale Subsistenz schaffende Suppositalität im Falle der geschöpflichen Person ebenfalls nicht als dieser vorgängig zu denken, sondern als metaphysisches Konstitutionselement *an* ihr. Das Verhältnis ist dann das eines bestenfalls in ein logisches „Früher" und „Später" auflösbaren „Zugleich". Der Ursprung – bei geschöpflichen Personen stets die Zeugung – ist dagegen, wie mit Thomas gesagt wird[155], „Weg" hin zu der so innerlich ermöglichten Person und kann folglich problemlos als „notwendige Bedingung" derselben anerkannt werden, ohne dabei „forma constituens" sein zu müssen[156].

(4) Nachdem die abweisende Argumentation deutlich gemacht hat, daß die Ursprünge ebensowenig wie irgendeine absolute Größe für die Aufgabe der Personkonstitution in Frage kommen, möchte Suárez in positiver Hinsicht erläutern, wie die Relationen diese Funktion zu erfüllen vermögen. Das Problem besteht erneut darin zu zeigen, wie die Relation, beispielsweise der Sohnschaft, eine göttliche Person (hier konkret: den Sohn) zu konstituieren vermag, obwohl sie anders als die diese Person hervorbringende Person (der Vater) ihr weder gedanklich noch dem Ursprung nach vorausgehen soll.

Thomas hatte an dieser Stelle auf die Unterscheidung von zwei Sinn- bzw. Funktionsaspekten im Relationskonzept zurückgegriffen[157]. Als per-

[152] Vgl. den ausführlichen Nachweis bei VANIER (1953) 55-88.

[153] Vgl. mit weiteren Differenzierungen CROSS (2005) 190-195.

[154] Vgl. Suárez, De trin. 7.6.7 (I, 704a).

[155] Vgl. Thomas, S. th. I, 40, 2 c.: „Origo autem alicujus rei non significatur ut aliquid intrinsecum, sed ut via quaedam a re, vel ad rem; sicut generatio significatur ut via quaedam ad rem genitam, et ut progrediens a generante."

[156] Vgl. Suárez, De trin. 7.6.6-8 (I, 703b-704a).

[157] Vgl. Thomas, S. th. I, 40, 4 c., bes. im Referat der ersten Position. Dazu: VANIER (1953) 84f.

sonale Proprietät (d. h. als mit der Wesenheit identisches personales Abstraktum) ist die Relation personkonstitutiv, als Relation im eigentlichen Sinne (dem bloßen „ad aliud" nach, in Absehung von der Realidentität mit der Wesenheit) dagegen nur referierend. Freilich ist diese Aussage, wie der an ihr anknüpfende Auslegungsstreit gerade auch innerhalb der Thomistenschule beweist, alles andere als unmittelbar überzeugend und einleuchtend. „Dieses Problem pflegt die Thomisten auf üble Weise zu quälen", gibt Bartholomé Torres offen zu, „und sie diskutieren dazu eine Vielzahl von Meinungen"[158]. Suárez greift aus diesen thomistischen Erklärungsvarianten zwei heraus[159], um in der Auseinandersetzung mit ihnen seine eigene Lösung zu entwickeln.

(a) Cajetan legt die genannte thomanische Disjunktion nach der geläufigeren Unterscheidungsalternative von „relatio ut concepta" und „relatio ut exercita" aus[160]. In der ersten Hinsicht wird die Relation als Quasi-

[158] „Haec nempe dubitatio moleste solet torquere Thomistas, circa quam plane multiplices opiniones versantur": B. Torres, Comm. in I^am^ q. 40, a. 4, p. 3 (189va).

[159] Nicht berücksichtigt ist hier eine Lösungsoption, die Bañez, Comm. in I^am^ q. 40, a. 4 (930C) ausgerechnet aus der (ungedruckten) Trinitätslehre des Juan Mancio de Corpus Christi O. P., bei dem Suárez selbst studiert hatte, referiert. Sein Vorschlag für eine Differenzierung des Relationsbegriffs zur Erklärung der Konstitution der ersten göttlichen Person vorgängig zur aktualen Zeugung durch Rückgriff auf eine im Wesen gründende „aptitudinale" Zeugungsrelation erinnert im Grundansatz an früher schon zitierte Gedanken Heinrichs von Gent: „Prima sententia asserit, divinas personas constitui per relationem non actualem, sed aptitudinalem. Itaque paternitas constituit personam patris non prout habet esse actu, sed in virtute, et quasi in potentia. Hanc sententiam ita explicabat sapientissimus Mantius, quod divina essentia quatenus in virtute, et radice continet relationem paternitatis constituit personam patris. Et quatenus continet in radice et virtute relationem filiationis constituit filii personam etc." Mit Scotus kritisiert Bañez an dem Ansatz, daß er letztlich auf die Annahme eines absoluten Personkonstitutivs (zu identifizieren mit dem die Proprietäten virtuell enthaltenden Wesen) hinausläuft.

[160] Vgl. Suárez, De trin. 7.7.3 (I, 705b); dazu Cajetan, In I^am^ q. 40, a. 4, n. 12 (Ed. Leon. IV, 419b-420a): „...sicut apud logicos relatio dupliciter significatur, scilicet ut concepta et ut exercita, et tamen unamet relatio est; ita in proposito paternitas, ut exercita, consequitur actum generationis; et ipsamet, sub expressa ratione paternitatis ut concepta, praecedit generationem, et constituit hypostasim. Unde non coincidunt membra". Nach Suárez vertritt auch B. Torres in etwa („fere": De trin. 7.7.3, I, 705b) diese Position; ähnlich hatte auch Bañez, Comm. in I^am^ q. 40, a. 4 (930D-931A), geurteilt. Nun findet sich bei Torres die terminologische Unterscheidung „relatio ut exercita" vs. „relatio ut concepta" nicht und wird auch Cajetan nicht namentlich zitiert; vgl. Comm. in I^am^ q. 40, a. 4, p. 3 (bes. 190ra-191rb). Nach Kritik an Capreolus spricht Torres die Konstitutivfunktion der göttlichen „relatio ut relatio" zu, also der Relation, sofern sie das eine auf das andere bezieht und zudem, wie mehrfach unterstrichen wird (vgl. etwa 190vb), den vom einen wesenhaften Sein Gottes herstammenden Subsistenzaspekt einschließt, nicht aber der Relation, sofern sie den „actus

Eigenschaft ihres Trägers betrachtet. So konstituiert sie in trinitarischer Hinsicht als Proprietät die Person und kann dem Ursprung vorgeordnet werden. Damit fallen das Konstitutivum der ersten Person und das Prinzip der Hervorbringung bzw. Distinktion gegenüber den anderen Personen auseinander[161]. Der Aspekt der hypostatischen Form wird gewissermaßen aus dem Gesamtumfang der relationalen Bedeutung isoliert und wie ein Absolutum behandelt, das nur als Möglichkeitsbedingung relationaler Gegensatzbestimmungen, aber nicht schon als deren Vollzugsmoment zu bestimmen ist. Erst in der zweiten Weise kommt die Relation als Ausrichtung auf einen Zielpunkt in den Blick, als zwei Pole verbindende (und damit zugleich unterscheidende) Größe. Da diese Überwindung der Strecke zwischen zwei Punkten ein dynamisches Geschehen ist, muß hier der Ursprung als der Relation vorausgehend gedacht werden.

Suárez bezweifelt die Tragfähigkeit dieser Auslegung vor allem hinsichtlich der Konstruktion des ersten Bedeutungsaspektes. Seine Kritik zielt zunächst darauf, daß in der cajetanischen „relatio ut concepta" tatsächlich die Relation als Relation gar nicht begriffen wird, weil deren entscheidende Formalwirkung, die in der Beziehung des Trägers auf ein anderes (im „referre ad alium") besteht, in der quasi-absoluten Betrachtungsweise des Thomasauslegers untergeht[162]. Eine Relation gibt es folglich für Suárez gar nicht anders denn „als vollzogene" im Sinne Cajetans, denn auch das „Im-Träger-Sein" der Relation bedeutet nur, daß sie ihm inhäriert, *insofern* sie ihn auf ein anderes bezieht[163]. Zweitens macht der Jesuit Cajetan den Vorwurf, daß sein Modell letztlich eine Konzession an Bonaventuras Forderung nach Vorordnung der Ursprünge vor die Relationen ist. Denn nach Suárez zieht sich Cajetan nicht nur die schon gegen Bonaventura selbst erhobene Kritik zu, in nicht zulässigem Umfang kreatürliche Vorstellungen auf Gott zu übertragen, sondern erreicht auch sein Argumentationsziel nicht, da unter der bonaventurianischen Prämisse die Ursprünge der „vollzogenen" wie der „begriffenen" Relation gleicherma-

referendi" bezeichnet, der so bereits die konstituierten Relationsglieder voraussetzt. Völlig deckungsgleich mit Cajetans Vorschlag scheint diese Erklärung, die sich auf Durandus beruft (190ra), nicht zu sein, da Torres offenbar die Reduktion der personkonstitutiven Relationalität auf eine quasi-absolute Form, wie sie bei Cajetan vorgenommen wird, vermeiden will und den Unterschied zwischen einer „statisch" verstandenen Relation einerseits und einer „dynamisch" konzipierten Relation andererseits ansetzt. Wenn diese Deutung stimmt, stünde Suárez näher an der Torres-Lösung, als er selbst zugibt.

[161] Dies ist klar gesehen bei Bañez, Comm. in I$^{am}$ q. 40, a. 4 (934A-D, „tertia conclusio").

[162] Vgl. den ähnlichen Einwand bei Molina, Comm. in I$^{am}$ q. 40, a. 2, disp. 2, membr. 2 (521bE-F).

[163] Vgl. Suárez, De trin. 7.7.5 (I, 705b-706a).

ßen vorauszusetzen wären und damit die thomistische Aspektdifferenzierung neutralisiert würde.

(b) Angesichts solcher Probleme ist es nicht verwunderlich, daß der Erklärungsversuch Cajetans unter den Thomisten nicht ohne Konkurrenz geblieben ist. Allerdings ist der bei Suárez diskutierte Alternativvorschlag, der auf Johannes Capreolus, Ferrariensis und andere Mitglieder der Schule zurückgeführt wird, der Lösung des Kardinals insoweit ähnlich, als auch er dem Grundansatz einer Unterscheidung zweier Aspekte im Relationsbegriff folgt. Schon Bañez hat sie deshalb zurecht als im Kern mit der cajetanischen Antwort identisch beurteilt[164]. In den beiden Gliedern der ursprünglichen thomanischen Distinktion sieht Capreolus einerseits die „relatio ut subsistens", die Relation unter dem Gesichtspunkt des bloßen Subsistierens, die als solche vorgängig zu den Ursprüngen steht und die Person konstituiert, und andererseits die Relation unter der Hinsicht des „esse ad", die referierenden Charakter hat und nur nachfolgend zu den Ursprüngen bzw. Personen gedacht werden kann[165]. Wir erkennen hier die Unterscheidung zwischen dem subsistenzvermittelnden „esse in" der Relation und dem persondifferenzierenden „esse ad" wieder, wie es im innersten Zentrum des ursprünglichen thomanischen Trinitätsdenkens mit seiner These vom einen, ungeteilten wesenhaften Sein Gottes steht, das zugleich das Sein der drei Personen ist.

Da wir die Vorbehalte kennen, mit denen Suárez diesem Kerngedanken des Aquinaten gegenübersteht, kann die Kritik nicht wundern, mit der er auch dieser zweiten thomistischen Lösungsoption begegnet[166]. Wiederum bezweifelt er, daß die hier mit der Konstitutivfunktion belegte „Relation", sofern sie unter Ausschluß des eigentlichen Relationsmomentes allein unter dem Subsistenzaspekt betrachtet werden soll, überhaupt noch ein inhaltlich sinnvoll gefüllter Begriff ist. Die dabei vorzunehmende Abstraktion ist nämlich derart radikal, daß am Ende nicht mehr als eine gewissermaßen transzendental verstandene Subsistenz übrig bliebe, die sogar von Absolutheit oder Relativität absehen müßte. Damit aber könnte sie nicht mehr als jene partikuläre und individuelle Größe gedacht werden, wie sie zur Konstitution einer ebensolchen Person nötig ist. In die Aporie gerät der Lösungsvorschlag der zweiten Thomistenfraktion nach Suárez auch dann, wenn man nach dem Formalgrund jener Subsistenz fragt, die der „relatio ut subsistens" dergestalt eigen sein soll, daß sie diese befähigt, personkonstituierend zu sein. Denn die absolute Subsistenz Gottes konstituiert nicht die Personen, sondern nur „Gott" (ver-

[164] Vgl. Bañez, Comm. in I$^{am}$ q. 40, a. 4 (933B).
[165] Vgl. Suárez, De trin. 7.7.6 (I, 706a).
[166] Vgl. zum folgenden ebd. 7-8 (706a-b).

standen als „hic Deus"). Denkt man dagegen an relative Subsistenzen, ist damit der Beziehungsaspekt als „propria ratio relationis" entgegen dem Willen der Thomisten gerade nicht ausgeschlossen, sondern muß auch im personkonstitutiven Relationsbegriff mitberücksichtigt werden.

(c) Wenn es also nach Suárez keine überzeugende Möglichkeit gibt, in der göttlichen Relation das subsistenzhafte Moment so vom referierenden zu trennen, daß allein das erste als personkonstitutiv angesehen werden kann, bleibt nur die Alternative, die Relation in ihrem eigentümlichen Charakteristikum des „Bezogenseins-auf-anderes" zum Formalkonstitutiv der göttlichen Personen zu erklären. Tatsächlich ist das die erste Behauptung in der eigenen Lösung, die Suárez seiner Kritik an den Thomisten anfügt[167]. Für ihn ist es nicht vorstellbar, daß angesichts des dualen Charakters, wie ihn die Relation nach Thomas besitzt, allein das Wesen Realitätsgrund sein soll. In gewissem Sinne deutet Suárez die thomanische Lehre damit in einer Tradition aus, wie sie auf der Wende vom 13. zum 14. Jahrhundert bereits durch Aegidius Romanus angestoßen wurde und der die Tendenz innewohnt, sich nicht mit dem Verweis auf die göttliche Seinseinheit als Quelle der relationalen Realität in Gott zu begnügen[168].

(aa) Die Relationalität ist dasjenige, welches als der Wesenheit (gedanklich) Hinzugefügtes und sie zur inkommunikablen Subsistenz Bestimmendes selbst das innere, formale Bestimmungsmoment der Personen darstellt. Weil sie durch Relationen, sofern sie Relationen sind, konstituiert werden, hat Thomas sie „relationes subsistentes" genannt. Durch diese Formel wird das Konstitutivelement („relatio") ebenso zum Ausdruck gebracht wie der Grund dafür, daß in Gott die Relation keines ihr vorauszusetzenden Fundaments bedarf (sie ist „ex se subsistens")[169]. Es ist die Subsistenz der Relationen, die sie in ihrer Konstitutivität früher als die Ursprünge sein läßt, die ihrerseits im Rahmen eines Hervorbringungsgeschehens verstanden werden müssen, in dem ein Hervorbringendes auf nichts anderes als ein „relativum subsistens" zielt.

(bb) Daß die Personkonstitution in dieser Weise erfolgt, macht es für uns nach Suárez keineswegs unmöglich, diese Personen in einer Weise zu begreifen und zu benennen, in der das Konstitutionsmoment (also die

[167] Vgl. ebd. 9 (706a): „Relatio divina constituit personam secundum propriam rationem relationis." Daß Suárez in diesem Punkt der Lösung des B. Torres sehr nahe steht, erwähnten wir schon.

[168] Vgl. FRIEDMAN (1997b) 73f.: „Giles takes Aquinas' lead in order to explain how it can be said that a relation has being or is a thing from its order to a term. For Giles, it is relation's quiddity as exhibited in its ratio that gives it being, just as Aquinas had argued that the way that a relation can be different from the essence in being is on account of its being as quiddity."

[169] Vgl. Suárez, De trin. 7.7.11 (I, 707a-b).

Relationalität) unberücksichtigt bzw. ausgeklammert bleibt. Insofern greift Suárez die Grundidee der thomistischen Unterscheidungsversuche vom Standpunkt seines eigenen transzendentalen Bestimmungsmodells her auf. In solchen Prädikationen haben wir es nicht mit dem „conceptus proprius" der jeweiligen Person zu tun, sondern nur mit einem „conceptus confusus", der allein durch eine ihm hinzugefügte Negation oder Konnotation zur Bezeichnung für ebendiese Person wird[170].

Suárez möchte mit dieser zweiten These seines Lösungsvorschlags vor allem dem Problem gerecht werden, das in unserem Begreifen der ersten göttlichen Person entsteht. Wenn wir sie „Vater" nennen, haben wir damit einen Begriff gewählt, der wegen unseres Unvermögens, das Göttliche in sich selbst zu verstehen, in Analogie zu einer geschöpflichen Wirklichkeit steht. Als solcher impliziert der Vaterbegriff jene Vorordnung des personalen Seins gegenüber dem die Vaterschaft begründenden Zeugungsvollzug, die in Gott gerade nicht zuzugeben ist. Weshalb das Zeugen in Gott nicht Formalkonstitutiv der Vaterschaft sein kann, hat Suárez im achten Buch seines Trinitätstraktates eingehender zur Darstellung gebracht[171]. Wir umgehen diese Problematik in gewissem Sinn, wenn wir einen „konfusen" Begriff zu Hilfe nehmen, der nicht exakt und in positiver Weise den Relationsaspekt, sofern er personkonstitutiv ist, angibt, sondern die bezeichnete Person in ihrem möglicher absoluter oder relationaler Konstitution vorausliegenden allgemeinen Begriffsgehalt betrachtet: Wir sprechen von der „ersten Person" der Gottheit und geben damit das personale Konstitutionsmoment nicht näher an als durch die Vorlage des Allgemeinbegriffs „personalitas", der nur noch auf dem Wege einer negativen Einschränkung („prima personalitas", d. h. nicht zweite oder dritte) näher charakterisiert ist[172]. Eine solche Prädikation ist zulässig, wenn man sich ihres eingeschränkten Bedeutungsumfangs bewußt bleibt.

Eine vollständige Antwort darauf, wie der Vater tatsächlich relational (also „als zeugender", durch die „paternitas") konstituiert wird, entwirft Suárez an der vorliegenden Stelle nicht, sondern verweist auf die erwähnte spätere Erörterung des achten Buches. Dort wird er darlegen, daß sich

[170] Vgl. ebd. 11 (707b): „Quando aliqua persona divina concipitur a nobis, non ut relata ad aliam, non concipitur proprio, et distincto conceptu, nec secundum expressam, ac formalem constitutionem suam, sed conceptu confuso, addita aliqua negatione, vel connotatione."

[171] Vgl. De trin. 8.1.3 (712a) und ebd. 12 (714a-b) (gegen Bonaventura).

[172] Indem Suárez diese „zählende" Bestimmungsweise mit einem unpräzis-konfusen Begriff von Personalität verbindet, bringt er in reflektierter Form jenen semantischen Vorbehalt zum Ausdruck, der sich bei Thomas in der weitgehenden Vermeidung der Ausdrücke „erste, zweite, dritte" Person, vor allem in der Summa, niederschlägt. Vgl. EMERY (2004c) 166f.

für uns die Existenz der ersten, zeugungsmächtigen Person in Gott nur in engster Verknüpfung mit der Fruchtbarkeit des göttlichen Wesens selbst verstehen läßt. In solcher Beschaffenheit bedarf die göttliche Natur irgendeiner ersten Person, aus der als „principium quod" die weiteren Personen hervorzugehen vermögen. Weitere Gründe für die Gleichursprünglichkeit dieses ersten Subsistenzmodus der Natur mit der Natur als solcher gibt es nicht[173].

(5) In seinem Schlußkapitel des siebten Buches[174] faßt Suárez die Ergebnisse zusammen, die sich aus der Erörterung der personalen Proprietäten in Gott für den trinitätstheologischen Personbegriff ergeben. Damit schlägt er am Ende des „allgemeinen Teils" seines Trinitätstraktates zugleich den Bogen zum Anfang. Was dort über die göttlichen Personen festgestellt worden war, hat im Licht der durchreflektierten Trinitätslehre seine Bestätigung und Vertiefung gefunden.

(a) Die Personen in Gott sind in formaler Hinsicht positive und reale Größen, denn sie werden durch positive und reale Proprietäten (ihre „personalitates") konstituiert. Die Personalität fungiert in Gott als letzter Terminus der Konstitution einer inkommunikablen Subsistenz und verhält sich dabei analog zu einer „Form", die das materiale Element der göttlichen Natur in ihre ontologische Letztbestimmung führt. Natur wie Personalität sind daher zugleich in die trinitarische Persondefinition aufzunehmen[175].

(b) Diese Feststellung verschärft noch einmal die Frage, ob es überhaupt einen Geschaffenes und Ungeschaffenes umgreifenden allgemeinen Personbegriff geben kann, da doch das Formalkonstitutiv der „personalitas" im einen Fall ein Absolutum (die modale Subsistenz), im anderen Fall aber ein Relativum (die personkonstituierende eigentümliche, in Gott als subsistent anzusetzende Relation) ist. Suárez bejaht die Frage mit Nachdruck und verweist wie schon früher auf die Entsprechung eines solchen Personbegriffs zu den zweifellos anerkannten transzendentalen Begriffen „ens" oder „substantia", die gleichermaßen von absoluter oder relativer Seinsweise absehen, weil sie in identischer Weise als in absoluten wie relationalen Entitäten inkludiert erkennbar sind. Es ist das entscheidende Charakteristikum derartiger präzisiv gewonnener Begriffe, daß sie

[173] Vgl. Suárez, De trin. 8.1.7 (I, 713a-b): „Dico ergo, hanc primam proprietatem immediate consequi ad divinam naturam, hoc solo, quod talis natura substantialis est." Ebd. 10 (713b) spricht Suárez von einer „proprietas (...) per se immediate conjuncta et quasi dimanans a divina natura".

[174] Vgl. zum folgenden De trin. 7.8 (708b-710b).

[175] Vgl. ebd. 3 (709a): Persona est „substantia constans intellectuali natura et personalitate".

als solche den genannten Modi indifferent gegenüberstehen und durch den einen wie den anderen „kontrahiert“ und partikularisiert werden können. In exakt dieser Weise verhält sich der Personbegriff, wenn wir ihn „die inkommunikable Subsistenz einer rationalen Natur“[176] bezeichnen lassen, ohne daß über den absoluten oder relativen Charakter dieser Subsistenz bereits eine Aussage getroffen würde.

(c) Nur noch einen Streit um die Redeweise sieht Suárez in dem von vielen Autoren diskutierten Problem, ob der so gewonnene abstrakt-transzendentale Personbegriff in seiner Anwendung auf die göttlichen Personen in formaler Hinsicht ein Absolutum oder ein Relativum bezeichnet. Schon die vorthomanische Scholastik hatte zu diesem Problem praktisch alle kombinatorisch denkbaren Möglichkeiten durchgespielt[177], und auch unter den Thomasauslegern hatte sie je nach Gewichtung verschiedener Aussagen ihres Meisters eine gewisse Uneinigkeit hervorgerufen[178]. Während die neuere Thomas-Interpretation betont, daß der Aquinate selbst die Rede über göttliche Personalität streng mit dem relationalen Formalkonstitutiv verbunden wissen wollte und damit die Authentizität der Deutung Cajetans unterstreicht[179], will Suárez auch der zweiten möglichen Betrachtungsperspektive ihr Recht nicht aberkennen. Wie man sich in der vorliegenden Frage entscheiden will, hängt seiner Wertung nach davon ab, in welcher Weise von „formaler“ Bedeutung gesprochen wird – über sie sollte man sich klar sein, um nicht in eine Äquivokation zu geraten. Beim Vergleich der Relation mit der Wesenheit Gottes muß Person in formaler Hinsicht die Relation bezeichnen, während beim Vergleich zwischen eigentlichem und allgemein-konfusem Personbegriff die Relation nur in materialer Hinsicht in den Blick gerät, nämlich als bestimmtes Element in der Konstitution der unmittelbar angezielten subsistenten göttlichen Natur (näherhin „sub ratione formae hypostaticae talis naturae“)[180]. Mit dieser Unterscheidung ist noch einmal ausgedrückt, daß nicht jede Rede über göttliche Personen in formaler Hinsicht auch deren relationale Konstitution berücksichtigen muß. Wir können über die „personalitas divina“ sprechen, ohne zugleich den exakten, Gott *de facto* eigentümlichen Begriff der „personalitas relativa“ vor Augen zu haben.

[176] Vgl. ebd. 7 (710a): „Ita ergo persona in illa communitate sumpta de formali nihil aliud significat, quam subsistentiam <in>communicabilem naturae rationalis, quae ratio abstrahit ab absoluta et respectiva, modo explicato.“

[177] Vgl. die Übersicht bei EMERY (2004c) 141-148.

[178] Vgl. dazu VANIER (1953) 77-80 (zu Cajetan).

[179] So EMERY (2004c) 155f., der als Konsequenz des thomanischen Konzepts das Urteil formuliert: „si notre pensée supprime les relations, toute la realité divine s’évanouit dans notre esprit“ (156).

[180] Vgl. Suárez, De trin. 7.8.9 (I, 710a-b).

Der abstrakte Personbegriff wäre auch dann noch zu gebrauchen, wenn man *per impossibile* eine relationslose, absolute inkommunikable Subsistenz in Gott oder umgekehrt eine relative Subsistenz im kreatürlichen Bereich zu beschreiben hätte; denn Absolutheit oder Relativität gehören nicht zu seinem formalen Begriffsgehalt, sondern fallen in den Bereich der näheren Bestimmungen, deren Grund nicht im Personalitätsbegriff als solchem zu suchen ist. Die umfassende Universalisierbarkeit erweist sich als zentrale Stärke dieses „conceptus confusus et generalis" von Personalität, wie ihn Suárez in Entsprechung zu seinem grundsätzlichen Modell transzendentaler Begriffsexplikation gewonnen hat.

# Kapitel 9: Über die göttlichen Personen im einzelnen

Nach dem allgemeinen Teil seines Trinitätstraktates, der bislang auf die drei göttlichen Personen nur anläßlich der Behandlung derjenigen Begriffe eingegangen ist, die ihnen gemeinsam sind, entfaltet Suárez in den Büchern acht bis elf die Lehre über ihre Notionen und personalen Proprietäten im besonderen. Daß der Jesuit damit zwar ein originäres Aufbauelement der thomanischen Summa beibehält, gegenüber Thomas diesen zweiten Teil aber stärker vom ersten getrennt und ihm konsequent nachgeordnet hat, wurde bereits erwähnt. Damit ist der grundlegende Aufbau der thomanischen Trinitätslehre, deren Übergang von einem ersten, eher analytischen in einen zweiten synthetischen Reflexionsgang man als eine bewußte Zirkelbewegung „von den Hervorgängen zu den Hervorgängen" identifizieren kann[1], beim Jesuiten so nicht mehr gewahrt. An ihre Stelle ist eher die Abfolge von „allgemeiner" und „besonderer" Trinitätslehre getreten. Suárez ist sich in der Ausgestaltung des zweiten Erörterungsganges bewußt, daß eine strikt nach den drei Personen gesonderte Behandlung der Proprietäten wegen ihres relationalen Charakters kaum durchführbar ist und sich die Ausführungen vielmehr wechselseitig ergänzen[2]. Da zudem manche der nachfolgenden Themen schon in den vorangegangenen Büchern vermehrt zur Sprache gekommen sind (wie etwa die sowieso nicht besonders ausführlichen Erörterun-

[1] So die beachtenswerte Interpretation bei GARRIGOU-LAGRANGE (1951) 174 (vor Beginn des Kommentars zu S. th. I, 39): „Primo aspectu quibusdam videtur S. Thomas rursus incipere id quod jam dixerat in prima parte hujusce tractatus, agendo de personis absolute in communi, postquam de duabus processionibus et de relationibus in eis fundatis. Revera S. Thomas non rursus incipit tractatum de Trinitate; sed ea quae prius consideraverat quasi analytice, primo in communi, secundo in speciali, nunc considerat synthetice, scil. comparando ad invicem ea omnia quae prius sub lumine revelationis theologice determinata sunt. Et sic tractatus iste est quasi circulus seu circumferentia, quae incepit a processionibus, pervenit ad personas, et redit ad terminum a quo, scil. ad processiones divinas, secundum contemplationem quam vocaverunt circularem, quaeque videtur idem semper considerare, sed quae profundius suum obiectum penetrat, sicut dum aquila in summo aeris pluries describit eundem circulum, considerando supra se solem et sub luce solis magnam terrae regionem."

[2] Vgl. Suárez, De trin. 8, prol. (I, 711a).

gen zur Person des Vaters) und anderes zum wenig umstrittenen Gemeingut der gesamtscholastischen Lehrtradition zählt, kann unsere Analyse sich auf die wichtigsten und interessantesten Stücke beschränken und die übrigen Aussagen diesen zuordnen bzw. in einer eher kursorischen Lektüre abhandeln.

### 1) Der Sohn als „Wort“ des Vaters und seine Hervorbringung im göttlichen Erkenntnisakt

Unter den vier Namen für die zweite Person der Dreifaltigkeit, auf die sich nach Suárez alle weiteren zurückführen lassen und die alle dieselbe Relation unter verschiedenen Hinsichten bezeichnen, nämlich „Sohn“, „Wort“, „Bild“ und „Weisheit“[3], ist in spekulativer Hinsicht der Begriff „Verbum“ zweifellos der interessanteste. Daß er dem göttlichen Sohn in eigentümlicher Weise zuzuschreiben ist, bezweifelt angesichts des trinitätstheologischen Spitzentextes Joh 1 in der Scholastik fast niemand. Auch Nominalisten wie Ockham oder Biel haben trotz ihrer generellen Skepsis gegenüber der psychologischen Trinitätslehre wenigstens um der „auctoritas fidei“ willen an dieser Lehre festgehalten[4]. Die einzige Ausnahme stellt – wenigstens nach der Deutung Cajetans[5], der sich Suárez im Unterschied zu manchen Zeitgenossen (wie Molina[6]) anschließt – Durandus dar[7]. Dieser hat darauf verwiesen, daß nicht alles, was aus einem In-

[3] Vgl. De trin. 9, prol. (719a-b).

[4] Vgl. FRIEDMAN (2003) 116ff. Vgl. zu Biel auch das Resümee bei SCHRAMA (1981) 281: Biel „verschmäht den Erkenntnisvorgang beim Menschen als Mittel, um die Zeugung zu erklären. Nur dort, wo er den Unterschied zwischen Zeugung und Hauchung zu erläutern versucht, nimmt er seine Zuflucht zum Erkenntnis- und Willensmodell der psychologischen Trinitätslehre Augustins. Es handelt sich dann jedoch um eine relative, keine absolute Erläuterung: das göttliche Erkennen ist nicht das Prinzip der Zeugung und das göttliche Wollen nicht das der Hauchung. Sonst würden auch der Sohn und der Geist hauchen und zeugen, da auch sie erkennen und wollen; denn Erkennen und Existieren sind in Gott eins und nicht zu unterscheiden. Das menschliche Erkenntnismodell gibt also auf Gottes Vollkommenheit keine Antwort.“

[5] Vgl. Cajetan, Comm. in I^am q. 34, a. 1, n. 5 (Ed. Leon. IV, 367a): „Quia autem verbi ratio formalis in intellectu sine dependentia a verbo vocis, in voce autem cum dependentia est a verbo cordis, ideo prius de verbo cordis quam de verbo vocis dicitur: formaliter tamen, ut dictum est, et non secundum extrinsecam denominationem, ut Durandus putavit.“

[6] Vgl. Molina, In I^am q. 27, a. 1, disp. 6 (403bD).

[7] Vgl. Durandus, 1 Sent. d. 28, q. 3 (79ra-vb); dazu: PHILIPPE (1947) 265ff.; FRIEDMAN (1997b) 283-288, mit dem Gesamturteil ebd. 286: „Durand has taken the Do-

tellekt hervorgeht, „Wort“ sein muß (nur der Manifestationsaspekt des geistigen Begriffs wird eigens mit dem Terminus „Wort“ bezeichnet), und er bezweifelt im besonderen Fall der Erkenntnis Gottes, daß der Sohn für den Vater die Funktion erfüllt, die das Wort für einen Erkennenden hat: nämlich denjenigen, aus dem es hervorgeht, aktuell verstehend zu machen und ihm etwas zu repräsentieren, das verstanden werden soll. Da demgegenüber der Vater alles in sich selbst erkennt, scheint er eines solchen Wortes nicht bedürftig zu sein[8]. Durandus lehrt, daß Gott auch dann, wenn es in ihm keine „emanatio“ (des Wortes) gäbe, vollkommen verstehend wäre. Wenn der Dominikaner vom „Wort“ in Gott spricht, gilt es ihm nicht als „etwas Hervorgebrachtes“, sondern als der „actus intelligendi“ selbst bzw. etwas von ihm nur gedanklich Unterscheidbares (eben der genannte Manifestationsaspekt). Folglich ist „Wort“ im strengen Sinne wesenhaft zu prädizieren[9] und allein appropriativ, im Sinne einer äußeren (d. h. konkret: vom menschlichen Geist gewonnenen) Denomination personal dem Sohn zuzuweisen[10]. Wir kennen diese These aus dem Kontext der durandischen Kritik am Grundansatz der psychologischen Trinitätslehre ebenso wie die Nähe des Durandus zu Formulierungen im thomanischen Frühwerk, die in der für die spätere Debatte normativen „Summa theologiae“ aufgegeben wurden[11].

Es zeigt sich damit, daß die trinitätstheologische Spekulation an diesem Punkt wieder einmal in enger Beziehung zu einem philosophischen Lehrstück steht, nämlich dem Verständnis vom „verbum mentis“. Tatsächlich ist es die inhaltliche Konzeption von „verbum“, die Suárez neben vielen Traditionsbelegen in Anknüpfung an Joh 1, 1[12] für bedeutsam

minican stress on relation to a highpoint with his outright declaration that the psychological model is metaphorical, and not even particularly useful as an aid to our understanding the trinity.“

[8] Vgl. Suárez, De trin. 9.2.4 (I, 723b).

[9] Vgl. Durandus, 1 Sent. d. 28, q. 3, n. 6 (79rb): „Intelligere enim non est producere intellectionem tamquam rem distinctam, sed est habere intellectionem, et dicere non est producere verbum realiter distinctum, sed est habere in se verbum, et haec in Deo nullam realem distinctionem habent, quare patet quod verbum de vi vocis et proprie non dicat aliquid personale, sed potius essentiale sicut et amor.“

[10] Vgl. PHILIPPE (1947) 266: „On pourrait presque dire que dans la théologie de Durand, le verbe n'est attribué que d'une façon extrinseque à la seconde Personne comme Personne. Il ne lui est qu'approprié en raison de l'usage. En définitive on doit même dire que c'est uniquement en raison de l'image créée qu'on peut la dénommer telle.“ Analoges gilt für den zweiten Hervorgang.

[11] Bereits Cajetan hat diese Veränderung in der thomanischen Rede über das „verbum“ bemerkt; vgl. Comm. in I$^{am}$ q. 34, a. 3, n. 10 (Ed. Leon. IV, 371b).

[12] Mit anderen Autoren seiner Zeit weist Suárez das Vorgehen des Erasmus zurück, in der lateinischen Übertragung des berühmten Verses „verbum“ durch „sermo“ zu er-

erachtet, damit an Christus als „Wort“ des Vaters gegen die Kritik festgehalten werden kann. Suárez selbst erwähnt dabei als wichtige Bezugsquelle die Auseinandersetzung mit Erasmus im Thomaskommentar von Bartholomé Torres[13]. Wie Torres in seinen langen Kapiteln über das „verbum“[14] nähert sich auch der Jesuit der Bestimmung des ewigen Wor-

setzen: De trin. 9.2.7 (I, 724a-b). B. Torres, In $I^{am}$ q. 27, disp. 6 (26rb) sieht bei Erasmus zwar einen Irrtum, aber keine Häresie vorliegen. Vgl. auch Molina, In $I^{am}$ q. 27, a. 1, disp. 6 (402E-F); Salmeron, Commentarii, Bd. 2, tract. 3 (17b-23b).

[13] Die massive Abneigung der Schultheologen gegen Erasmus ist nicht nur eine Folge des häufig mit scharfem Spott einhergehenden „verheerenden Gesamturteil<s>“ (WALTER [1991] 258) des Humanisten über die scholastische Theologie, sondern hat ihren Anknüpfungspunkt in den konkreten dogmatischen Einwendungen, denen sich Erasmus schon zu Lebzeiten in Spanien ausgesetzt sah, nicht zuletzt wegen der durch seine „Annotationes“ hervorgerufenen trinitätstheologischen Verunsicherungen. Im Jahr 1527 wurde auf Geheiß von Papst Clemens VII. der Spanische Generalinquisitor Alonso Manrique mit einer Überprüfung der immer wieder beargwöhnten erasmianischen Lehre beauftragt. Manrique ließ sich von verschiedenen spanischen Ordenstheologen mögliche Vorwürfe zusammentragen. Im Sommer 1527 beriet sich die Kommission über die beanstandeten Sätze in Valladolid. Vor allem Theologen aus Salamanca zeigten die Neigung, für eine Verurteilung des Erasmus zu plädieren. Trinitätstheologisch relevant waren Vorwürfe wegen seiner Kritik am „Comma Joanneum“, wegen der Änderung des Begriffs „verbum“ aus Joh 1,1 in „sermo“ und subordinatianistischer Tendenzen in der Rede über Christus. Die Konferenz von Valladolid ging ohne Ergebnis auseinander, die Anklage wurde von der Inquisition nicht weiter verfolgt, was die Erasmianer als Stärkung ihrer Sache in Spanien verbuchten. Erasmus selbst antwortete mit einer „Apologia ad monachos Hispanos“. Vgl. SÁNCHEZ-BLANCO (1977) 53f.; RUMMEL (1989) 83-105. Die genannten Vorwürfe wurden auch in der nachfolgenden scholastischen Trinitätstheologie des 16. und 17. Jahrhunderts immer wieder gegen Erasmus geltend gemacht. Vgl. B. Torres, In $I^{am}$ q. 27, a. 1, disp. 1, p. 2 (4b-6b); dazu auch TEMIÑO SAIZ (1940) 116-119; Possevino, Bibliotheca selecta, l. 1, c. 20 (I, 91-92); zu seiner Erasmuskritik im „Apparatus sacer“: MAHLMANN-BAUER (2004) 325f.; Gregor von Valencia, De trin. l. 1, c. 9 (90-94). Der Scholastikkritiker Erasmus gilt den Schultheologen des 16. und 17. Jahrhunderts generell als kaum versteckter Subordinatianist und Mazedonianer. Bellarmin zitiert ihn als „Vorläufer seines Propheten Servetus“ und „berühmten Patron der Arianer, der sie von der Häresie verteidigt und für gelehrter als die Katholiken erklärt“, um anschließend eine ganze Reihe heterodox klingender Passagen seines Werkes aufzuführen (Controv. de Christo, Praef. [Op. I, 240f.]). Salmeron verteidigt gegen Erasmus die Authentizität des „Comma Joanneum“: Commentarii, Bd. 2, tract. 8 (49a-52a). Suárez nennt Erasmus in Sachen Arianismus „suspekt“ (De trin. 2.3.9 [I, 580a]). Auch bei Vázquez erscheint der Humanist ganz unverhohlen als subversiver Autor, „qui omnia fidei nostrae fundamenta clanculum evertere moliebatur“: Comm. in $I^{am}$ 109.2.13 (19b); von Bañez wird seine angebliche Leugnung der Göttlichkeit des Heiligen Geistes „erroris et haeresis censura dignissimum“ genannt: Comm. in $I^{am}$ q. 27, a. 3 (737C). Zur erasmianischen Christologie vgl. auch KOHLS (1966) 98-115.

[14] Vgl. B. Torres, In $I^{am}$ q. 27, a. 1, disp. 2-6 (11vb-31ra).

tes in der Trinität über eine allgemeine Darlegung dessen an, was philosophisch im Ausgang von der geschöpflichen Realität über den Begriff des Wortes und seine verschiedenen Sinnaspekte festgestellt werden kann.

### *a) Das Wesen des ungeschaffenen Wortes*

Es ist unschwer zu erkennen, daß Suárez über das „Wort" in den Kategorien jener Zeichenlehre spricht, wie sie bei Augustinus grundgelegt wurde und in ihrer Systematisierung durch Anselm von Canterbury Eingang in die mittelalterliche Scholastik gefunden hat[15]. Deren wichtigstes Anliegen war die Verbindung des augustinischen Grundmodells mit der aristotelischen philosophischen Psychologie bzw. Noëtik. Der Rezeptionsprozeß präsentiert sich bei Suárez in einem knappen Schema ergebnishafter Einordnungen.

(1) In gattungstheoretischer Hinsicht ist ein Wort seinem allgemeinen Verständnis nach, wie es im geschöpflichen Bereich begegnet, unter die „Zeichen" einzureihen und bildet in seiner „repräsentierenden" Funktion das Grundelement des Sprechens bzw. der Rede. Es ist dabei auf ein Objekt, das bezeichnet wird, ebenso wie auf den Intellekt, die „facultas rationalis", als sein Prinzip verwiesen; letzteres unterscheidet das Wort von einer rein abbildenden Repräsentation sinnlicher Gegenstände, wie sie auch Tieren möglich ist[16].

(2) Um dieses Begriffsverständnis systematisch herzuleiten, muß man von der philosophischen Grundunterscheidung zwischen „äußerem" und „innerem" Wort ausgehen.

Jenes ist ein sinnlich wahrnehmbares Zeichen, das der Mensch mit Hilfe „äußerer Körperglieder" formt, während dieses durch innere Vermögen des Menschen zur Ausbildung kommt[17]. Das „verbum externum", das sich seinerseits nochmals in „gesprochenes" und „geschriebenes" unterteilen läßt („verbum vocale" / „verbum scriptum"), ist wahres Wort, wenn Suárez auch in augustinischer Tradition[18] zugesteht, daß ihm das Wortsein vielleicht nur analog oder partizipativ aus seiner Beziehung zum inneren Wort zuzuschreiben ist, das es sinnenfällig kundtut.

[15] Vgl. PERINO (1952) 82-100; BOULNOIS (1999) 114-117.
[16] Vgl. Suárez, De trin. 9.2.9 (I, 724b-725a).
[17] Vgl. ebd. 10 (725a).
[18] Vgl. Augustinus, De trin. XV, 1 (CCL 50A, 486): „Verbum quod foris sonat, signum est verbi quod intus lucet, cui magis verbi competit nomen".

Dieses „verbum internum" erfährt ebenfalls eine Subdivision[19], sofern als hervorbringende innere Vermögen sowohl die Phantasie bzw. die Imagination als auch der Intellekt in Frage kommen. Im ersten Fall wird innerlich bloß ein äußeres Wort ein- oder nachgebildet, wenn dieser Akt beim Menschen auch anders als beim Tier nie ohne eine gewisse Beziehung zur Rationalität stattfindet. Nur im zweiten Fall jedoch kommt es zur Hervorbringung eines eigentlichen Verstandeswortes („verbum mentale" / „verbum intellectus"), das die Logiker noch einmal in das „verbum vocis" als bloßen inneren Stellvertreter eines äußeren Wortes bzw. unvollkommenen Begriff und das „verbum mentis proprie et simpliciter" als Begriff im Vollsinn differenzieren. Allein letzteres kommt als Vergleichsparadigma für das „ewige Wort" Gottes in Frage.

(3) Stellt man so geschöpfliches „verbum mentis" und „verbum divinum" nebeneinander, sind nach Suárez entscheidende Gemeinsamkeiten, aber auch signifikante Unterschiede zu notieren.

(a) Der Jesuit setzt hier Grundaussagen über das geschöpfliche „verbum mentis" voraus, wie er sie vor allem in seinem „De anima"-Traktat im Rahmen der Schöpfungslehre entwickelt hat[20]. Auf die trinitätstheologische Bedeutung des Themas wird dort so deutlich hingewiesen[21], daß man von einer theologischen Finalisierung des philosophischen Gedankengangs sprechen kann.

(aa) Das geschöpfliche „Geistwort" bestimmt Suárez als inneres Ziel („terminus intrinsecus"[22]) eines jeden Erkenntnisprozesses. Es ist näherhin jene vom Erkenntnisakt als solchem nur modal verschiedene[23] Qualität bzw. Formbestimmung des Geistes, in welcher dieser Akt ergebnishaft und statisch („in facto esse") zur Darstellung kommt[24]. Suárez

[19] Vgl. Suárez, De trin. 9.2.11-12 (I, 725a-b).

[20] Vgl. Suárez, De anima 3.5.7-11 (III, 632a-634a).

[21] Vgl. ebd. 7 (632a): „...verbum produci, communis est sanctorum Patrum, et theologorum, quae fuit via ad explicandam generationem Verbi divini per actum cognitionis aeterni Patris, nam sicut ibi verbum substantiale producitur per actum substantialem, ita in nobis producitur accidentale verbum, quia actio est accidentalis..."

[22] Vgl. ebd. 4 (631a). Ähnlich Molina, Comm. in I$^{am}$ q. 27, a. 1, disp. 8, membr. 3 (411aC): „Species vero expressa inservit, ut sit terminus cognitionis, quia cognoscere non est aliud, quam vim cognoscentem in se vitaliter rei cognoscendae imaginem exprimere."

[23] Hier findet sich nach MÜLLER (1968) 154ff. eine Parallelität zu den Conimbricensern, die allerdings statt von einer modalen von einer formalen Distinktion sprechen. Eine ähnliche Aussage Molinas hatten wir schon an früherer Stelle zitiert.

[24] Vgl. Suárez, De anima 3.5.7 (III, 632a): „Per omnem actionem cognoscendi in fieri producitur verbum, vel aliquid illi proportionale, quod realiter et formaliter est ipse actus cognoscendi in facto esse, seu ut est qualitas, distinguitur tamen modaliter ab illa actione, ut est productio...".

spricht darum vom Geistwort auch als „conceptus formalis", also demjenigen Begriff, den unser Geist akthaft-real wie sein „Kind" („proles mentis") gebiert[25], um in ihm das Erkenntnisobjekt (den vom „conceptus formalis" unterschiedenen „conceptus obiectivus", die nur im Sinne einer äußeren Benennung[26] in der Terminologie intramentaler Wirklichkeit faßbare „res cognita", das im Erkenntnisakt repräsentierte Seiende als so erkanntes selbst[27]) intentional zur Darstellung zu bringen[28]. Somit ist das

[25] Eine schöne und ausführliche Explikation des Vergleiches unseres Erkenntnisaktes mit Geburt und Empfängnis findet sich (mit thomistischem Akzent) bei B. Torres, In I$^{am}$ q. 27, a. 1, disp. 3 (13rb-va). Vgl. auch Molina, In I$^{am}$ q. 27, a. 2 (414bD-E).

[26] Vgl. DARGE (1999a) 357, mit Bezug auf DM 2.1.1 (XXV, 65a): „...per denominationem extrinsecam a conceptu formali...".

[27] Vgl. KOBUSCH (1987) 207: „Der objektive Begriff ist also irgendwie die Sache selbst, allerdings insofern sie unter einem bestimmten, also begrenzten Aspekt betrachtet wird. Es liegt an der Endlichkeit und Begrenztheit des menschlichen Intellekts, daß durch seinen objektiven Begriff von einer Sache, z. B. vom Menschen, dieser nicht in jeder Weise, d. h. in seiner vollen Bestimmtheit, wie er in der Realität existiert, repräsentiert wird." Wichtig ist Kobuschs Hinweis auf eine Aussage in DM 25.1.29 (XXV, 907b), die deutlich macht, daß der „conceptus obiectivus" tatsächlich das reale Ding unter einer bestimmten Erkenntnishinsicht (also das Objekt, sofern es dem Verstand „objiziert" ist) bezeichnet: „nam conceptus obiectivus, si sit omnino proprius et adaequatus rei faciendae, non distinguitur ab ipsamet re." Kobusch urteilt: „Mit dieser Lehre vom objektiven Begriff, der nicht mehr als Begriff im eigentlichen Sinne, sondern als die Sache selbst verstanden wird, ist die nominalistische Auffassung von der Unvermitteltheit unseres Erkennens gewissermaßen schulphilosophisch besiegelt" (208). Dieses Anliegen wird durch Kant „aufgenommen und zu Ende gedacht" (268). FORLIVESI (2002) 3 nennt die Unterscheidung zwischen formalem und objektivem Begriff, in welcher das Erkenntnisobjekt vom Erkenntnisakt abhängig wird, sogar „le nœud de la transition et de la continuité entre scolastique et philosophie moderne".

[28] Vgl. Suárez, DM 2.1.1 (XXV, 64b-65a): „conceptus formalis dicitur actus ipse, seu (quod idem est) verbum quo intellectus rem aliquam seu communem rationem concipit; qui dicitur conceptus, quia est veluti proles mentis; formalis autem appellatur, vel quia est ultima forma mentis, vel quia formaliter repraesentat menti rem cognitam, vel quia revera est intrinsecus et formalis terminus conceptionis mentalis, in quo differt a conceptu obiectivo, ut ita dicam." Wie H. J. Müller gezeigt hat, ist dieses Verständnis vom „conceptus formalis" nicht bloß für Suárez, sondern für weite Teile der spanischen Scholastik charakteristisch: „Die Faktizität des Aufgefangenseins der Erkenntnistätigkeit im verbum mentis, dem conceptus formalis, ist das Zentralthema der Lehre vom verbum mentis in der spanischen Scholastik" (MÜLLER [1968] 159). Zur Abgrenzung von „objektivem" und „formalem" Begriff bei Suárez gibt es mittlerweile zahlreiche Interpretationsbeiträge. Vgl. MAHIEU (1921) 80-95; RAST (1935) 343f.; DALBIEZ (1939); ELORDUY (1948a) 368-371; NEIDL (1966) 69-72; SEIGFRIED (1967) 94-99, mit Abweisung der Interpretationen von Gilson und Siewerth; DOYLE (1969) 225-228; GNEMMI (1969) 61-64; GARCIA LOPEZ (1969) 139ff.; LEINSLE (1985) 125f.; SANZ (1989) 17-22; RANGEL RIOS

„verbum mentis" für Suárez – im Gegensatz zur Lehre prominenter Thomisten[29] – untrennbarer Bestandteil einer jeden Erkenntnis, unabhängig von deren abstraktivem oder intuitivem Charakter (und damit von der Nähe oder Ferne des Erkenntnisobjekts), ja sie ist diese selbst im angegebenen Sinn. Sie gilt als „Frucht des intentionalen Strebens der Erkenntnistätigkeit"[30] und nicht etwa als medial bzw. instrumental eingesetztes Erkenntnisbild[31], das „mangels eines Objekts" bzw. an dessen Stelle im geistigen Prozeß anzunehmen wäre und darum im intuitiven Erkennen nicht gebraucht würde. Für Suárez ist das „verbum mentis", dergestalt als innerer Terminus untrennbar mit dem Erkenntnisakt verknüpft, selbst für die sich selbst erfassenden Engel oder die in der unverhüllten Anschauung Gottes stehenden Seligen des Himmels, wie angesichts vieldiskutierter Fragen geantwortet wird, notwendig anzunehmen[32].

(1991) 43-55; rundum überzeugend: GRACIA (1991b); GRACIA (1998b) 110-118, gegen WELLS (1993); FORLIVESI (2002) 12-15 (mit einem vermittelnden Urteil zur Debatte zwischen Gracia und Wells); PEREIRA (2004) 684f. Zum Verhältnis Suárez-Fonseca in unserer Frage: ELORDUY (1955) 513f.

29 Nach Bañez, Comm. in I[am] q. 27, a. 1 (721A) hat auch Cano diese Ansicht vertreten; Bañez selbst teilt sie nicht (vgl. ebd. 722bD, sexta concl.) und kann dabei etwa auf Ferrariensis verweisen.

30 MÜLLER (1968) 154.

31 Vgl. Suárez, De anima 3.5.9 (III, 633a): „Denique species ipsa non cognoscitur: ergo neque res in specie, ut supra dicebamus: igitur verbum neque species impressa est, neque distinctum aliquid ab actu intelligendi: est ergo actus ipse." Molina, Comm. in I[am] q. 27, a. 1, disp. 8, membr. 3 (409bF-410aA) verweist in diesem Kontext als Beleg für das Nicht-Erkanntwerden des Wortes auf die jedem Menschen zugängliche Erkenntniserfahrung: „Ac sane quando non esset aliud argumentum, quam experientia ipsa, qua quivis, dum intelligit, in se ipso experitur, non intelligere se imaginem obiecti, et in imagine obiectum ipsum, sed immediate solum obiectum, id plane deberet esse sufficientissimum, ut haec nobis sententia probaretur. Ut enim probe argumentatur Durandus, numquam latet cognoscentem se cognoscere rem, quam cognoscit: quare cum nullus, dum quodvis obiectum intelligit, experiatur se cognoscere verbum eius obiecti, neque ut qualitatem, neque ut imaginem: dicendum proculdubio erit, non ea ratione verbum constitui, ut sit quid cognitum, in quo obiectum, cuius est imago, cognoscitur." Noch einmal rekurriert Molina auf diese „experientia" ebd. 411aF.

32 Vgl. auch Suárez, De deo uno 2.11.9 (I, 85a): „Sed impossibile est etiam de potentia absoluta actionem esse sine intrinseco termino, ut calefactionem sine calore, ut ex Metaphysica constat, ergo impossibile est, actionem creatam videndi Deum esse sine proportionato termino, qui terminus est verbum creatum, ut ostensum est, vel aliter, impossibile est intellectum creatum constitui formaliter actu videntem Deum sine forma creata, cujus formalis effectus sit constituere actu intelligentem, sed forma illa essentialiter est verbum, ergo." Vgl. auch De angelis 2.4.22 (II, 113a) und – ganz allgemein über die Notwendigkeit eines „terminus intrinsecus" immanenter Akte (im

Unmittelbare Objektgegenwart macht die Hervorbringung des Wortes im Erkennen nicht überflüssig – es ist dies ein Gedanke in der scotisch-jesuitischen Erkenntnistheorie, von dem aus der Brückenschlag zur Trinitätstheologie besonders leicht gelingt, wo zwischen dem Vater und dem Gegenstand der Erkenntnis, aus dem das Wort hervorgeht, nicht nur Nähe, sondern reine Identität besteht[33].

Nicht verwechselt werden dürfen nach Suárez die ontische Beschaffenheit des Begriffs und diejenige des in ihm Begriffenen: Der formale Begriff als „das akthafte Moment"[34] in einem Erkenntnisvorgang ist als er selbst nicht nur von allen anderen Begriffen verschieden, sondern immer etwas Positives und Individuell-Singuläres, während das in ihm Erkannte auch ein bloßes Gedankending und real mit anderem identisch sein kann[35]. Daß dennoch der Unterschied zwischen formalem und objektivem Begriff bei Suárez nicht aufgehoben wird, ist gegen radikal mentalistische Deutungen seines Erkenntnismodells hervorzuheben[36].

In diesen Ausführungen wird deutlich, daß Suárez, ähnlich wie viele andere Theologen seiner Epoche, trotz aller angeblichen Belegzitate aus Thomas nicht dem originär thomistischen Modell folgt, für das Geistwort und Erkenntnisakt zwei verschiedene Dinge sind, da das Wort „nicht als Terminus der Erkenntnistätigkeit erforderlich <ist>, sondern als ein Spiegel und ein Bild, in dem die Sache selbst erkannt wird"[37]. Wir haben dies bereits früher in unserer Studie beim Blick auf Suárez' Erörterung der innergöttlichen Hervorgänge feststellen können[38]. Stattdessen folgt

Sinne einer transzendentalen Hinordnung des Aktes auf seinen Terminus) – DM 48.2.16-19 (XXVI, 878a-879b).

33 Vgl. Molina, Comm. in I$^{am}$ q. 27, a. 1, disp. 8, membr. 3 (410aF): „Id quod possumus confirmare efficaciter, quia Pater aeternus intelligendo se producit Verbum: cum ergo nullum obiectum possit esse magis coniunctum, ac praesens potentiae, quam Pater aeternus sit suo intellectui: fit, ut praesentia obiecti neque in Angelo, dum intelligit propriam substantiam, neque in sensu externo impediat productionem speciei expressae aut verbi."

34 KOBUSCH (1987) 204.

35 Vgl. Suárez, DM 2.1.1 (XXV, 65a), dazu: HELLIN (1962) 426-432. Gemeint ist also: Ein Begriff, etwa derjenige der Blindheit, hat *als Begriff* möglicherweise eine andere ontische Bestimmtheit als sein Gegenstand.

36 Vgl. HELLIN (1962), gerichtet vor allem gegen SIEWERTH (1987) 184-196, der Suárez eine Gleichsetzung von „noesis" und „noema", einen Zusammenfall von erkanntem Gegenstand und dessen mentaler Repräsentation unterstellt und Suárez dadurch zum Prae-Cartesianer bzw. -Kantianer erklärt.

37 MÜLLER (1968) 166. Eine ausführliche Begründung der thomistischen Position u. a. in Auseinandersetzung mit Scotus, Durandus und Aureoli bietet B. Torres, In I$^{am}$ q. 27, a. 1, disp. 4 (16vb-20rb).

38 Vgl. Suárez, De trin. 1.6.4 (I, 552b-553a). Dazu oben Kap. 4, 2), b), (2).

die spanische Barockscholastik weithin dem augustinisch-anselmisch-scotischen Verständnis, das ebenfalls schon Erkenntnistätigkeit und inneres Wort identifiziert hatte. Zugelassen wird dann nur eine gedankliche (oder vielleicht formale bzw. modale) Unterscheidung zwischen beiden Größen[39]. Gegenüber dem thomanischen Modell ist diesem Konzept eine „essentialistischere" Tendenz eigen: Da das Erkennen als solches in Gott stets wesenhaft zu denken ist, wird auch die Wesensidentität des mit dem Erkennen real zusammenfallenden Wortes unterstrichen. Daß Scotus den daraus in der Gotteslehre erwachsenden Schwierigkeiten durch seine Unterscheidung von „intelligere" und „dicere" entgegenzuwirken suchte, ist uns bekannt; sofern sie von Suárez zurückgewiesen wird, verstärkt sich der Impuls, das Personale Gottes im Ausgang vom Wesenhaften zu denken, wenigstens aus der Sicht des erkenntnistheoretischen Modells bei ihm noch.

(bb) Allerdings ist darauf hinzuweisen, daß jenes Verstehensparadigma, wie es bei Suárez und vielen seiner Ordensgenossen zu finden ist, nicht von den Jesuiten eingeführt wurde, sondern seinen entscheidenden Impuls durch die Gründungsväter der Salmanticensischen Thomistenschule erhalten zu haben scheint. Ein wertvolles Zeugnis dafür bietet der Trinitätstraktat des Bartholomé Torres, in welchem der Frage nach dem „verbum mentale" ausführlich Raum gegeben wird[40]. Torres zitiert die These, wonach das Wort „terminus" des Erkenntnisaktes ist und zwischen beiden nur ein gedanklicher Unterschied (bei realer Identität) besteht, ausdrücklich als „thomistischen" Lösungsversuch und gesteht ihr auch selbst „Wahrscheinlichkeit" als genuiner Auslegung der thomanischen Lehre zu. Als Vertreter der Lehrmeinung nennt Torres die „gravissimi doctores" Francisco de Vitoria und Domingo de Soto[41]. Vitoria, so referiert Torres über seinen Lehrer, habe als Begründung angegeben, daß die Annahme

[39] Vgl. MÜLLER (1968) 86-97 (zu Scotus, bes. Ord. I, d. 27) und das Gesamturteil ebd. 169: „Die verbum mentis-Lehre der spanischen Scholastiker ist grundsätzlich nicht der thomistischen Lehrtradition verpflichtet, sondern offenbar der augustinisch-skotistischen Schule verbunden." Bestätigend: RIVA (1979) 687-698, bes. 694-699. Ausdrücklich nennt Suárez Scotus (neben Durandus und Gabriel Biel) als Vertreter der anschließend auch von ihm selbst affirmierten These in De creatione 3.5.3 (III, 631a). Aus der Jesuitenschule vor Suárez kann man etwa verweisen auf Toledo, In I^am q. 27, a. 1 (Ed. Paria I, 308): „Secunda conclusio. Verbum intellectus nostri est ipsamet intellectio; sola ratione distinguuntur; similiter intelligere est dicere."

[40] Vgl. zum folgenden B. Torres, Comm. in I^am q. 27, a. 1, disp. 4 (16vb-20ra); auf die Stelle weist schon TEMIÑO SAIZ (1940) 101 hin.

[41] Die gleiche Zuordnung findet sich auch bei Bañez, Comm. in I^am q. 27, a. 1, dub. 3 (729B), der allerdings Torres benutzt hat. Vgl. auch Zumel, Comm. in I^am q. 41, a. 1, disp. 2 (897b-898a).

einer bloß gedanklichen Unterscheidung hinreichend zur Erklärung der thomanischen Aussagen sei und zudem aufs beste der Analogie zwischen innergöttlichen Hervorgängen und dem Prozeß des geistigen Verstehens entspreche, wie sie Thomas mit Augustinus heranzieht[42].

Als philosophische Hintergrundprämisse führt Torres eine bei Vitoria und Soto gegenüber den früheren Thomisten veränderte Sicht des Verhältnisses zwischen „agens" und „actio" an. Während die Mehrzahl der Thomisten lehrt, daß eine „actio" als „entitas absoluta" formal nicht nur in dem sie Aufnehmenden, sondern auch im Tätigen selbst präsent ist, indem sie ihn als eine Potentialität aktualisierende Wirklichkeit (modal) bestimmt und vervollkommnet und so als echte Realität das Fundament der Beziehung des Tätigen zu dem die Tätigkeit Aufnehmenden bzw. Erleidenden bildet, haben Vitoria und Soto die Tätigkeit formaliter ganz in das sie Aufnehmende verlagert, so daß sie dem Handelnden selbst nur noch uneigentlich („secundum denominationem") zuzusprechen ist[43]. Damit bleiben sie eng dem aristotelischen Grundsatz verbunden, wonach „actio" und „passio" im Vorgang einer Bewegung sachlich identisch und (als zwei „rationes" derselben) nur formal bzw. gedanklich verschieden sind, wobei die eigentliche Realität im Bewegten liegt[44]. Eine Bewegung ist real im Bewegten und wird dem Bewegenden nur vom Bewegten her zugesprochen. In dieser Sicht gibt es beispielsweise im Feuer als dem etwas anderes Erwärmenden realiter nichts außer seiner substantialen Form und der Wärme, durch die es etwas erwärmt. Die Tätigkeit, das

42 Vgl. B. Torres, Comm. in I$^{am}$ q. 27, a. 1, disp. 4, pars 1 (17vb): „Haec plane sententia probabilis est in doctrina divi Thomae, et eam tutantur gravissimi doctores Franciscus Victoria, et Dominicus Soto, qui nostra tempestate religione, et doctrina maxime clareunt: quam quidem praefatus magister Victoria probabat, primo quia omnia divi Thomae verba, quibus insinuat, actum intelligendi, et verbum mentale differre, probe intelliguntur, et explicantur de distinctione rationis: non ergo asserendum est, ea re ipsa distingui, ne dentur plura entia sine necessitate."

43 Vgl. Soto, Super octo libros Physicorum Aristotelis Quaestiones, l. 3, c. 1 (40va): „Quapropter non opus fuit dare duas diffinitiones actionis et passionis. Neque opus est quod actus proprius agentis sit subiective in ipso agente: licet aliquando id per accidens contingat in actionibus immanentibus, ubi idem est agens et patiens: videlicet in cognitionibus quae recipiuntur in potentiis cognoscitivis: et in frigiditate aquae tepidae reducentis se ad frigiditatem: et in nutritione viventium. Enimvero agens denominatur ab extrinseco, scilicet ab actu quem producit in passo." „In agente nihil aliud est quam agens ipsum et virtus agendi. Hanc conclusionem addiderim propter aliquos Thomistas qui putant in igne verbi gratia quando calefacit, praeter formam substantialem et calorem, qui est virtus calefaciendi, esse adhuc nescio quam entitatem absolutam quae est productio activa caloris quae est fundamentum relationis agentis" (40vb).

44 Vgl. Aristoteles, Physik, l. 3, c. 3, 202a13-15 und die anschließenden Explikationen.

Erwärmen selbst jedoch ist keinerlei absolute Entität im Erwärmenden, sondern nur die Relation des Feuers zu dem, was es kraft seiner Wesensform erwärmt. Im Erwärmten ist die Bewegung allein in eigentlicher Weise zu finden und wird von ihm her dem Erwärmenden als der Ursache uneigentlich zugesprochen.

Wenn man diese Vorgaben auf den Erkenntnisvorgang anwendet, wird der Unterschied zwischen den beiden sich gleichermaßen als thomistisch verstehenden Positionen vollends deutlich. Da es sich im Erkennen um eine „actio immanens" handelt, sind „agens" und „patiens" anders als beim vorangehenden Beispiel identisch; die gedankliche Zuordnung der „actio" zu beiden oder nur einem bleibt trotzdem möglich.

Für Autoren wie Cajetan und Capreolus, die die Tätigkeit im Tätigen nicht bloß denominativ fassen, sondern hier (und nicht im Erleidenden) in eigentlicher Weise lokalisieren, ist der Erkenntnisvollzug (der „actus intelligendi", die „intellectio") real identisch mit dem Erkennen selbst (dem „intellectus intelligens") und nur gedanklich von ihm zu unterscheiden[45]. Zwischen Erkenntnisakt und Wort jedoch besteht ein realer Unterschied wie zwischen Ursache und Wirkung. Von den drei Größen „Träger des Erkennens", „Erkenntnisvollzug" und „Erkenntnisprodukt" werden die ersten beiden eng miteinander verbunden, während die letzten beiden stärker geschieden werden. Die aristotelische Realidentität zwischen „actio" und „passio" ist in dieser Sicht modifiziert. Manche Autoren nehmen stattdessen explizit ein „duplex genus actionum" an, nämlich aktiven und passiven Erkenntnisakt, die voneinander so real verschieden sind wie Erkenntnisvermögen und Erkanntes. Der Intellekt und der mit ihm real-identische „actus intelligendi" (= actio [1]) steht dem durch dieses Erkennen hervorgebrachten „verbum mentale", das identisch mit dem Erkanntwerden ist und „productio passiva" (= „actio" [2]) genannt werden kann, in realer Verschiedenheit gegenüber. Domingo Bañez zitiert in seinem Kommentar den prominenten Vitoria-Schüler Melchor Cano als Vertreter dieser Ausdeutung[46].

[45] Vgl. B. Torres, Comm. in I$^{am}$ q. 27, a. 1, disp. 4, pars 2 (18rb-18va): „Ex quorum opinione colligitur, actionem intellectus (quae, ut dicimus, est intellectio, seu intelligere, aut actus intelligendi) esse idem re cum intellectu. Est enim ipse intellectus, ut agit, et intelligit, quemadmodum actio ignis, quae est in eo formaliter, re ipsa est ignis agens: quamvis ratione ab eo diversa sit."

[46] Vgl. Bañez, Comm. in I$^{am}$ q. 27, a. 1, dub. 3 (730A-B): „Ad quartum respondet Magister Cano, quod productio activa verbi realiter distinguitur a productione passiva ipsius verbi, quia arbitrabatur, quod intellectio, ut actio non distinguitur tanquam res a re ab ipso intellectu, productio vero passiva verbi identificatur cum ipso verbo producto, neque putabat hoc peculiare esse in intellectione sed aiebat universaliter esse verum omnem actionem, quatenus actio est, identificari cum potentia agentis,

Für Vitoria und Soto dagegen ist der eine und einzige „actus intelligendi" identisch mit der vom Intellekt hervorgebrachten Wirkung und nichts Reales im Intellekt selbst. Da aber die Wirkung, die der Intellekt hervorbringt, das Wort ist, folgt, daß die Erkenntnisbewegung in „passiver" Betrachtung mit dem „verbum mentale" real zusammenfällt[47]. Die aristotelische Vorgabe, betreffend das Verhältnis von „actio" und „passio", ist damit erkenntnistheoretisch strikt umgesetzt. Auf den scotisch-nominalistischen Einfluß, den man in dieser Erklärung erkennen kann, braucht kaum noch einmal eigens hingewiesen zu werden. Während Torres wie der bereits zitierte Melchor Cano und auch Domingo Bañez im Grundsatz für die ältere thomistische Erklärung votiert haben, knüpft Suárez eher – wie expliziter vor ihm schon Molina[48] – an die neuere Lehre der Salmanticenser Thomisten Vitoria und Soto an. Die eigene Ausgestaltung, wie sie eine formale Unterscheidung zwischen „aktivem" und „passivem" Erkenntnisvollzug in der Jesuitenschule des späteren 17. Jahrhunderts zur trinitätstheologischen Distinktion zwischen Vater und Sohn erfahren wird[49], ist bei ihm noch nicht angelegt.

Man erkennt an diesen subtilen Profilierungen der Thesen nicht nur exemplarisch, wie differenziert die „Thomistenschule" gerade in nachtri-

omnem autem passionem identificari cum forma recepta in subiecto, vel cum ipso termino, qui producitur; v. g. calefactio ut actio identificatur cum potentia calefactiva secundum illius opinionem. Calefactio vero ut passio identificatur cum calore producto." Bañez, der grundsätzlich bezüglich der Realdistinktion von „intellectio" und „verbum" mit Cano übereinstimmt, gesteht der These Wahrscheinlichkeit zu, möchte aber im Erkennen Vermögen und Vollzug („intellectus" und „intellectio") nicht miteinander identifiziert wissen. Seine eigene Antwort lautet: „...quod actio prout est perfectio actuans agentem, non identificatur cum passione, intellectio autem actualis perfectio est potentiae intellectivae, et ideo realiter distinguitur tanquam res a re a passiva productione verbi, sicut et ab ipso verbo" (730C).

[47] Vgl. B. Torres, Comm. in I^am^ q. 27, a. 1, disp. 4, pars 2 (18va): „at actus intelligendi est actio intellectus, et verbum est eius effectus, ergo actus intelligendi, et verbum sunt idem re." Tatsächlich lehrt Soto, Super octo libros Physicorum Aristotelis Quaestiones, l. 3, c. 1 (41ra): „Nec certe productio conceptus quam vocant alii actum intelligendi, si accipiatur passive, est aliud quam ipsa notitia: et si active, aliud quam intellectus."

[48] Vgl. Molina, Comm. in I^am^ q. 27, a. 1, disp. 8, membr. 2 (408D-E), mit Verweis auf Ausführungen des eigenen Physikkommentars. Während Molina in dieser These einen „formalen" Unterschied zwischen Hervorbringungsakt und Hervorgebrachtem bei realer Identität anerkannt sieht, spricht Suárez, wie wir wissen, von einem „modalen" Unterschied.

[49] Die These wird ausführlich entfaltet im Trinitätstraktat des in Spanien und am Collegio Romano lehrenden Antonio Perez S.J. (1599-1649): Comm. in I^am^, De trin., disp. 3, c. 2-3 (486b-492b). Vgl. auch S. Mauro S.J., Quaestiones theologicae de Deo trino, q. 92, n. 3 (416f.).

dentinischer Zeit zu beurteilen ist, sondern auch, daß erst eine umfassende Kenntnis der Lehrpositionen, wie sie in der ersten und zweiten Generation der salmanticensischen Thomasausleger vorgetragen wurden, die historisch korrekte Einordnung späterer Autoren wie Suárez ermöglichen wird. Angesichts der (gerade im Blick auf die ungedruckten Kommentare zur I[a] pars) weiterhin sehr unzureichenden Editions- und Forschungssituation sind wir davon momentan leider noch weit entfernt.

(b) Kehren wir zurück zum unmittelbaren suárezischen Argumentationsgang. Zwischen dem auf die eben dargestellte Weise bestimmten geschöpflichen und dem göttlichen Wort kann Suárez eine Reihe von Gemeinsamkeiten festhalten: Beide sind geistig und beständig (im Gegensatz zum flüchtigen „verbum vocale"), beide dem Erkennenden immanent, beide repräsentieren ihren Inhalt nicht beliebig, sondern „natürlich", also von der Natur der Sache selbst bedingt. Sofern beide mit dem Prozeß des Erkennens, aus dem sie hervorgehen, innerlich und unmittelbar verknüpft, ja identisch sind, sind sie mehr als bloße Akzidentien oder beiläufige Phänomene in diesem Vollzug[50].

(c) Ebenso deutlich sind jedoch die zwischen geschaffenem und ewigem Erkenntniswort feststellbaren Differenzen. Das geschaffene Wort hat sein Sein nicht aus sich selbst, sondern ist akzidentell, während das ewige subsistierend ist wie Gottes Wesenheit selbst. Das geschöpfliche Wort ist eine Form, die den Verstehenden „in actu secundo" konstituiert, also sein bereits bestehendes Erkenntnisvermögen in einer konkreten Weise bestimmt; das ewige Wort als „res subsistens" dagegen kann nicht Form von irgendetwas anderem sein. Während somit das kreatürliche Wort aufgrund einer Bedürftigkeit des Verstehenden hervorgebracht wird, insofern nur auf diesem Wege sein Verstehensvermögen von der bloßen Potentialität in die Aktualisierung tritt, fehlt dem Hervorgang des ewigen Wortes jeder Ursprung aus einer Bedürftigkeit oder Potentialität. Es entspringt vielmehr der höchsten Perfektion und Fruchtbarkeit seines Hervorbringenden und setzt diesen folglich nicht bloß „in actu primo", im Zustand des unrealisierten Vermögens, sondern bereits in vollendeter Entfaltung des Vollzugs („in actu secundo") als Erkennenden voraus. Schließlich liegt im geschöpflichen Bereich stets eine Differenz vor zwischen der das Wort als solches prägenden Form, die Suárez „forma re-

[50] Vgl. Suárez, De trin. 9.2.13 (I, 726a): „Conveniunt itaque primo, quia utrumque spirituale est et permanens, et non transitorium, ut est verbum vocale. Secundo, utrumque est immanens intra ipsum intelligentem. Tertio, utrumque repraesentat non ad placitum, sed naturaliter, neque ex accidenti, ut sic dicam, seu concomitanter, sed per se et ex vi suae processionis, quia utrumque est ipsummet intelligere ejus, a quo procedit."

praesentativa" nennt, und jener Form, die Prinzip seines Hervorgangs ist. Was den Sprechenden beim Sprechen des Wortes subjektiv bestimmt, so scheint damit intendiert zu sein, ist niemals identisch mit demjenigen, wodurch das von ihm Ausgedrückte als ebendieses ist, was es ist. Wenn sich nach Suárez beide zueinander wie „actus primus" und „actus secundus" verhalten, weist dies darauf hin, daß das Wort zwar den Erkenntnisakt des Erkennenden real werden läßt und vollendet, aber ihn niemals im strengen Sinn als solchen zu objektivieren vermag[51]. Sobald unser Denken in ein „Etwas" aktualisiert ist, weiß es sich zugleich als mit dem repräsentierten Gehalt nicht selbst vollends identisch und erfaßt. Demgegenüber fallen zwar auch im innergöttlichen Hervorbringungsgeschehen „producens" und „productum" nicht zusammen, doch ist hier die Formbestimmung des Hervorbringenden (in der Funktion der „ratio producendi") keine andere als die des hervorgebrachten Wortes (in der Funktion der „ratio repraesentandi"). Es ist nicht „*etwas* Gedachtes", das der Vater sich erkennend als Sohn gegenüberstellt, sondern die zweite Person ist sein dem erkannten Wort mitgeteiltes Erkennen selbst und als solches. Die hier stattfindende Mitteilung ist keine andere als die des unteilbar-identischen göttlichen Seinsaktes, die es nur in dieser „unendlichen Form" überhaupt zu geben vermag[52].

(d) Das Fazit, das Suárez aus dieser Gegenüberstellung ziehen kann, lautet: Das göttliche Wort erfüllt alle Bedingungen, um gemäß der zuvor gelieferten Definitionsbestimmung als eigentliches und nicht bloß metaphorisch verstandenes „Wort" bezeichnet werden zu dürfen. Denn was das geschöpfliche Wort von ihm unterscheidet, sind allein verschiedene „Unvollkommenheiten", die in den Begriff des Wortes als eines solchen nicht aufzunehmen sind. In einer dichten Definitionsformel wird das ewige Wort von unserem Autor bestimmt als ein „unmittelbar aus sich durch den Erkenntnisakt hervorgebrachter Terminus, der kraft seiner Hervorbringung ebendas Erkennen der hervorbringenden Person empfängt, durch welches auf geistige Weise der Gegenstand jener Erkenntnis nach Art eines darstellenden Sachverhalts konstituiert wird"[53]. Der Vater

[51] Vgl. ebd. 14 (726a).

[52] Vgl. ebd. (726a-b): „In productione autem divini verbi, quamvis producens sit distinctum a producente, tamen forma, quae in verbo producto est ratio repraesentandi, eadem est cum forma, quae in producente est ratio producendi, nam est ipsummet intelligere Patris communicatum verbo. Ratio autem est eadem, quae tacta est, quia haec productio non est quasi transitus de potentia in actum, sed est communicatio ejusdem purissimi actus, quae non habet locum, nisi in forma infinita."

[53] Vgl. ebd. 15 (726b): „...quia est terminus per se primo productus per actum intelligendi, recipiens ex vi suae productionis ipsummet intelligere personae producentis,

spricht untrennbar mit dem Vollzug seines Erkennens ein Wort aus, das darin aufgeht, das von ihm Erkannte ganz und gar zum Ausdruck zu bringen, das sich dabei aber selbst als Träger ebenjenes Erkennens erweist, aus dem es hervorgeht. Das Wodurch der Hervorbringung ist zugleich das mitgeteilte Sein des Hervorgebrachten.

(4) Zu dem schon in den Erörterungen über die innergöttlichen Hervorgänge diskutierten Unterscheidungsproblem zwischen essentialem und notionalem Erkennen in Gott führt die Frage zurück, ob „Wort“ ein wesenhaftes oder personales Prädikat des göttlichen Sohnes ist oder beides gleichermaßen. Gegen Durandus, der aufgrund seiner Ablehnung der psychologischen Trinitätslehre der ersten Antwort zuneigt[54], und gegen einige Thomisten (Capreolus[55], Ferrariensis[56]), die der dritten These zustimmen, weil sie im Rückgriff auf die frühe Lehre des Aquinaten im SK[57] das notionale Aussprechen des Wortes auf der Grundlage des allen Personen gemeinsamen essentialen Worterkennens konzipieren, schließt sich Suárez der zweiten Lösung an, die, nicht zuletzt durch ihre Bezeugung in der reifen Theologie des hl. Thomas seit der „Summa contra Gentiles“[58], quer durch alle scholastischen Schulen die meisten Anhänger gefunden hat und zudem die beste Verankerung im Sprachgebrauch der Patristik nachweisen kann[59]: Vom „Wort“ wird in Gott nur „personaliter“ gesprochen, weil das reale Hervorgebrachtsein unter seine unverzichtbaren Konstitutionselemente zählt. Dieses aber kommt unter den göttlichen Personen allein dem Sohn zu. In unmittelbarer Parallelität zum Wortverständnis wird auch das Verb „dicere“ als Bezeichnung des eine Ur-

quo constituitur in ratione rei repraesentantis intellectualiter obiectum illius intellectionis“.

[54] Vgl. die oben bereits zitierte Quästion Durandus, 1 Sent. d. 28, q. 3 (79ra-vb).

[55] Vgl. Capreolus, Defens. I, d. 27, q. 2, concl. 4 (II, 244b): „Quarta conclusio est quod, licet verbum in divinis possit sumi essentialiter, tamen, proprie loquendo, est nomen personale et non essentiale.“

[56] Vgl. Ferrariensis, Comm. in CG IV, c. 13 (bes. 78f.).

[57] Vgl. Thomas, 1 Sent. d. 27, q. 2, a. 2, qa. 1, sol.: „Et ideo dicendum est cum aliis, quod hoc nomen ‚verbum‘ ex virtute vocabuli potest personaliter et essentialiter accipi. Non enim significat tantum relationem, sicut hoc nomen ‚Pater‘, vel ‚Filius‘, sed imponitur ad significandum rem aliquam absolutam simul cum respectu…“.

[58] Vgl. Thomas, S. th. I, 34, 1 c.: „Unde oportet quod nomen Verbi, secundum quod proprie in divinis accipitur, non sumatur essentialiter, sed personaliter tantum.“ Vgl. die grundlegende Studie von PAISSAC (1951), bes. 162-207; daran anschließend: FLOUCAT (2001) 71-94; PINI (2003) 213ff.; EMERY (2004d) 172-177. Wichtige Hinweise gibt auch schon DONDAINE (1943) I, 214-227.

[59] Vgl. Suárez, De trin. 9.3.2 (I, 727a).

sprungsbeziehung inkludierenden göttlichen Erkennens trinitätstheologisch allein im notionalen Sinn gebraucht[60].

(5) In einem letzten Schritt der inhaltlichen Bestimmung des „Wortes" in der Trinität überprüft Suárez dessen Beziehung zu den beiden anderen Grundbegriffen Relation und Proprietät.

Bei der Frage nach dem „relationalen" Charakter des Wortes ist in seinem Urteil eine doppelte Blickrichtung denkbar. Entweder kann die Beziehung zum Sprechenden thematisiert werden oder die (quasitranszendentale) Beziehung zu denjenigen Gehalten, die im Wort ihren Ausdruck finden. Nur die zweite Hinsicht möchte unser Jesuit in die eigentliche Formalbestimmung des Wortbegriffs aufgenommen wissen[61]. Den Grund dafür bietet die oben vorlegte Definition, nach der die (reale) Beziehung des Wortes zu dem es hervorbringenden Sprecher eher die Bedingung dafür ist, daß das Wort in formaler Betrachtung, seiner strengen Eigenbestimmung nach (und zwar letztlich vermittels der ihm mitgeteilten identischen göttlichen Wesenheit) ebenjene Objekte darzustellen vermag, die der das Wort Sprechende zum Objekt seiner Erkenntnis nimmt und auf die darum das repräsentierende Zeichen des Wortes, wenn auch nur gedanklich, nämlich *als* sie „intellectualiter" vergegenwärtigend, doch zugleich in strikt formaler Hinsicht bezogen ist.

Weil somit das „Wort" in seinem realen Bezogensein auf den Erkennenden bzw. Sprechenden exakt das Verhältnis des Sohnes zum Vater abbildet, ohne einen neuen Beziehungsaspekt zur ersten Person einzubringen, erschließt sich mit diesem Begriff keine von der Sohnschaft real verschiedene Proprietät. Das Verhältnis des Wortes zu dem es Hervorbringenden *ist* das Verhältnis des Sohnes zum Vater, in gleicher Realität, wenn auch unter einer verschiedenen Betrachtungshinsicht.

### *b) Die Hervorbringung des göttlichen Wortes im Erkennen des Vaters*

Was erkennt der Vater, wenn er den Sohn als sein Wort hervorbringt? Diese Frage gehört zu den am meisten und ausführlichsten diskutierten Problemen in der spätscholastischen Trinitätstheologie. Während das Thema bei Thomas und Scotus noch eher am Rande behandelt wird, füllt es bei Suárez bereits vier ganze Kapitel im neunten Buch seines Traktats, und seine Zeitgenossen widmen ihm nicht weniger Raum. Wie in einem

[60] Vgl. ebd. 7 (728a-b).

[61] Vgl. ebd. 4 (727b): „Si autem duos illos respectus inter se conferamus, censeo respectum rationis, vel potius fundamentum ejus, seu repraesentationem obiecti, formalissime pertinere ad rationem Verbi."

Brennglas bündeln sich in dem Problem noch einmal die schon zuvor behandelten Fragen nach dem Verhältnis von wesenhaftem und notionalem Erkennen und damit von Wesen und Personen überhaupt, nach der relationalen Personkonstitution in Gott und der Gleichheit der göttlichen Personen. Zudem liegt hier sowie in der korrespondierenden Abhandlung über die Objekte der göttlichen Liebe, sofern sie Hervorbringungsakt des Heiligen Geistes ist, diejenige Stelle vor, an dem das Freiheitsproblem als eines der spekulativen Hauptthemen der gesamten nachtridentinischen Scholastik am Rande auch in die Trinitätstheologie Einzug hält.

(1) Das Koordinatenfeld, innerhalb dessen die Bestimmung der „productio Verbi“ nach ihrem Objektbezug vorgenommen werden kann, ist von seinen Eckpunkten her nicht allzu schwer überschaubar. Objekt der göttlichen Erkenntnis kann entweder Gott selbst oder etwas von ihm Verschiedenes, also Geschöpfliches sein[62]. In Gott selbst läßt der Glaube allein die Unterscheidung von Absolutem und Relativem, näherhin von Wesenheit und (drei) relational konstituierten Personen zu. Da Gott als einer und dreifaltiger gleichermaßen ewig und notwendig existiert, braucht eine weitere modale oder zeitliche Ausdifferenzierung dieser Selbsterkenntnis nicht in Erwägung gezogen zu werden. Dies sieht im Blick auf Gottes Erkenntnis der Geschöpfe anders aus. Gottes Verhältnis zu ihnen wird in der frühneuzeitlichen Scholastik gewöhnlich in einer dreifachen Verschiedenheit der Hinsichten konzipiert, die in einer dreifachen ontologischen Modalität der Kreaturen gründen. In der „scientia simplicis intelligentiae“ erfaßt Gott sie in jener strikten Notwendigkeit, die mit ihren Wesenheiten gegeben ist. So sind die Geschöpfe Gott als Ideen seit Ewigkeit präsent, unabhängig davon, ob sie durch den freien Schöpfungsakt tatsächlich jemals ins reale Dasein überführt werden. Die genauere Verhältnisbestimmung dieser Possibilien zum göttlichen Erkenntnisakt gehört ebenso wie die Klärung ihres ontologischen Status zu den besonderen spekulativen Herausforderungen der scholastischen Gotteslehre[63]. Geht es im Gegensatz dazu um Gottes Blick auf die Schöp-

[62] In DM 30.15.19 (XXVI; 176a) spricht Suárez von drei Klassen erkennbarer Dinge, wie sie als Gegenstände für Gottes Erkennen in Frage kommen: „In prima sit tantum Deus ipse, et quae intra ipsum sunt; in secunda creaturae possibiles, seu factibiles ab ipso Deo; in tertia res omnes existentes, seu futurae in aliqua differentia temporis, seu in tota aeternitate.“

[63] Um die Frage nach Sein und Notwendigkeit der möglichen Dinge im göttlichen Intellekt bei Suárez hat sich in den letzten Jahrzehnten eine anhaltende Forschungskontroverse entfaltet; vgl. etwa COURTINE (1990) 293-321; WELLS (1997) (Vergleich Suárez-Zumel); GOUDRIAAN (1999) 115-124; CANTENS (2000); COOMBS (2003); SCHMUTZ (2003) 497-508; SCHMUTZ (2004), der Suárez eine zwischen logischer Entscheidung der Frage (intrinsisches Fundament der Possibilien

fung, sofern sie von ihm frei in die Existenz gesetzt ist, wird von der „scientia visionis" gesprochen. Sie umfaßt die gesamte Fülle der realisierten Kreaturen, eingeschlossen ihre zeitliche Entwicklung, also den faktischen Welt- und Geschichtsverlauf. Mit der Existenz frei handelnder Geschöpfe wird schließlich eine dritte Betrachtungsebene konstruierbar. Sofern nämlich jede geschöpfliche Freiheitsentscheidung nichtdeterminierte Wahl aus mehreren Alternativmöglichkeiten in einer einmaligen Handlungssituation ist, entsteht der Bereich des „bedingt Zukünftigen" („futura contingentia"), in dem die Fülle der in gegenseitiger Abhängigkeit stehenden denkbaren Entscheidungswege zusammengefaßt ist. Auch dieses unendlich verästelte Gefüge der in alle ihnen möglichen Zukunftsgestaltungen hinein projizierten Freiheiten hat eine intentionale Präexistenz im göttlichen Geist – entweder, wie es die Thomisten verstehen, als in den göttlichen Willensdekreten eingeschlossenes Wissen oder in Gestalt der „scientia media", die das Herzstück des jesuitischen Molinismus darstellt. Sie ist der Versuch, als Voraussetzung göttlicher Gnadenzuweisung ein unfehlbares Wissen Gottes von den bedingt zukünftigen menschlichen Freiheitstaten (in ihrer Verbindung mit den Gnadenhilfen) zu denken, das diese Taten zwar vom ewigen Standpunkt Gottes her erfaßt und begleitet, aber nicht determiniert. Gott gleicht darin einem unendlich vollkommenen Schachspieler, der alle möglichen Züge und Reaktionsvarianten seines endlichen Gegenübers im Blick hat und zu jedem Zug einen entsprechenden Antwortzug parat hält, der in eine zuvor festgelegte Gesamtstrategie (repräsentiert in Gottes „Totaldekret") paßt und sie zur Durchsetzung bringt. Damit ist das Spiel der Freiheiten von Anfang an entschieden[64].

Wo diese subtile begriffliche Ausdifferenzierung der göttlichen Erkenntnisformen einmal vorgenommen ist, kann sie auch zum Leitfaden unserer vorliegenden trinitätstheologischen Frage werden: Ist es tatsächlich der so zu umschreibende gesamte Umfang des göttlichen Erkennens, aus dem der Sohn als göttliches Wort hervorgeht, oder womöglich nur ein Teil davon? Und wie läßt die Einheit des unendlichen göttlichen Begreifens eine mögliche Einschränkung zu? Oder aus der Objektperspektive formuliert: Die Erkenntnis welcher Gegenstände durch Gott kann man

durch ihre Nicht-Repugnanz, scotistische Lösung) und theologischer Entscheidung (extrinsisches Fundament durch Gottes Schöpfungsakt, thomistische Lösung) schwankende Position zuschreibt. Aus der älteren Literatur: RAST (1935) 351-368.

64 Vgl. etwa RAMELOW (1997) 54-59.259ff.430 u. ö. Ramelow weist mit Recht auf eine gewisse Nähe des „scientia media"-Kalküls zum späteren Okkasionalismus hin. Zu unterschiedlichen Formen des göttlichen Wissens bei Suárez vgl. auch RANGEL RIOS (1991) 240-247.253-268.

nur dann denken, wenn man ihn als dreipersonal vollständig konstituiert voraussetzt? Welche Objekte dagegen sind so beschaffen, daß sie als Inhalt derjenigen Erkenntnis gelten dürfen, die im Vater notional der Hervorbringung des Wortes vorausgeht, so daß der Sohn als Wort diese Objekte repräsentiert, sie aber nicht notwendig selbst als Person in der göttlichen Erkenntnis (mit-)setzt? Wie die meisten seiner Zeitgenossen legt auch Suárez seine Antwort vor, indem er der Reihe nach die eben vorgestellten Weisen der göttlichen Selbst- und Fremderkenntnis in den Blick nimmt. Dabei beschränkt er sich auf die größeren Lösungsmodelle und vermeidet die Diskussion allzu subtiler Varianten, wie sie bei anderen Zeitgenossen zu finden ist.

(2) Der erste zu betrachtende Bereich von Erkenntnisobjekten beinhaltet dasjenige, das „formaliter“ in Gott ist, also zum Begriff Gottes (sofern er Wesen und Personen zugleich umfaßt) selbst gehört.

(a) Alle absoluten Attribute Gottes sind wie die „essentia divina“ in diesem Zusammenhang völlig unproblematisch[65]. Es ist nach Suárez nicht zu bezweifeln, daß das göttliche Wort durch einen Erkenntnisakt gebildet wird, der auf sein ursprüngliches Objekt („obiectum primarium“) bezogen ist. Dieses aber ist nichts anderes als die Gottheit, also die göttliche Wesenheit. Die Selbsterkenntnis Gottes ist im strengen Sinne er selbst[66]. Er ist das zuhöchst erkennende Subjekt und zuhöchst erkennbare Objekt in innigster Verbindung, so daß es für ihn keinen früheren Erkenntnisgegenstand als ihn selbst – „seine Natur und alles, was darin eingeschlossen ist“ – geben kann[67]. Seine „scientia sui ipsius“ ist jeder anderen Selbsterkenntnis überlegen[68]. Die Erkenntnis aller absoluten, wesenhaften Attribute ist in diesem Akt notwendig eingeschlossen[69], da sie nach der Lehre

[65] Vgl. Suárez, De trin. 9.4.1 (I, 728b-729a).

[66] Vgl. zur Begründung auch DM 30.15.20-21 (XXVI, 176a-b). Suárez weist als Konsequenz u. a. auf den Zusammenfall von direktem und reflexem Erkennen in Gott hin.

[67] Vgl. Suárez, De deo uno 3.1.2 (I, 195a): „…haec omnia maxime convenire divinae scientiae, quatenus est de ipsomet Deo, ejusque natura, ac de omnibus, quae intra ipsum vere, ac realiter sunt.“

[68] Vgl. ebd. (195a-b): „Primarium ergo obiectum divinae scientiae est Deus ipse, quia se per seipsum intelligit et sibi est conjunctissimus cum summa actualitate et immaterialitate, ideoque nihil intelligere potest prius, quam se, se autem aliquo modo prius saltem ratione cognoscit, quam caetera, ut infra dicemus. Item nullum est obiectum ita intelligibile, sicut Deus, nec tam intimum suae intellectioni, cui est omnino necessario conjunctum. Maxime ergo Deus habet scientiam sui ipsius.“ Ähnlich DM 30.15.16 (XXVI, 174b): „Item primarium obiectum illius scientiae est infinite perfectum et supremum obiectum intelligibile, nam est ipsamet essentia divina, et illa scientia est adaequata tali obiecto, nam est comprehensiva illius; est ergo essentialiter summe perfecta.“

[69] Vgl. ebd.: „Scit ergo Deus per illam scientiam, quidquid in ipso est.”

des Suárez nur gedanklich von der Wesenheit unterschieden sind. Selbst in der scotischen Lehre, die von einer Formalverschiedenheit von Wesen und Attributen ausgeht, wird die Einbeziehung der Attribute in das notionale Erkennen offenbar nicht als Problem betrachtet, da sie selbstverständlich der Vollkommenheit des Wesens zugehörig sind.

(b) Auseinandergehende Meinungen finden sich bereits im Blick auf den zweiten möglichen Gegenstand der hervorbringenden Erkenntnis, nämlich die Relationen[70].

(aa) Es war Scotus, der die Personen ausdrücklich aus dem primären Objekt des göttlichen Erkennens ausgeschlossen hatte. Seine Begründung lautet nach Suárez: Der Vater kann den Sohn nicht aus seiner Erkenntnis *als* Vater gezeugt haben, da in dieser auch schon der Sohn, der ihn erst zum Vater macht, vorausgesetzt sein müßte. Dann aber wäre das Wort Prinzip seiner selbst, was absurd ist. Die Zeugung erfolgt allein aus der Erkenntnis der „essentia divina" als dem Erstobjekt des väterlichen Intellekts: Nur die unendliche Wesenheit vermag als erkannte eine unendliche Person als Terminus dieses Erkennens hervorzubringen[71]. „Einige moderne" Theologen, die Suárez nicht näher benennt, sehen ein Problem einzig in der Einbeziehung des Heiligen Geistes in das gesuchte Erkennt-

[70] Vgl. zum folgenden De trin. 9.4.2-3 (I, 729a-b).

[71] Vgl. Scotus, Ord. II, d. 1, q. 1, a. 2, n. 23-31 (Ed. Vat. VII, 13-18), bes. n. 25 (14): „Item, non tantum Pater novit creaturas formaliter, sed etiam novit Filium formaliter; ergo si de omnibus ut notis Patri gignitur Verbum, de Verbo ut noto Patri gigneretur Verbum, et ita de se gigneretur Verbum"; n. 30 (16f.): „In primo instanti naturae, stando in ipso, habetur persona perfecta, habens memoriam perfectam essentiae divinae (videlicet habens intellectum cui essentia divina est praesens in ratione obiecti actu intelligibilis), et ista persona memoria ista essentiae divinae potest et formaliter operari et formaliter producere, sicut dictum est in primo libro [Ord. I, d. 2, n. 311, Ed. Vat. II, 314]; prius autem aliquo modo intelligitur ista persona operari ista memoria quam producere, et in illo priore intelligitur ista persona in se perfecta, et est beata in actu intellectus sui intelligendo essentiam divinam sicut obiectum suum. Eadem etiam persona producendo ista memoria, producit notitiam adaequatam huic obiecto, et hoc obiectum cum sit infinitum, producit personam formaliter infinitam per se subsistentem; et illi personae communicatur voluntas ut actus primus, non habens adhuc terminum adaequatum productum"; Qdl. 14, n. 14-16 (Ed. Wadding XII, 376f.), bes. 15 (376). Die von Scotus hier gelehrte „Adäquanz" zwischen dem unendlichen Erkenntnisobjekt und der unendlich-subsistenten „persona producta" als seinem „Begriff" hat Suárez durchaus übernommen; vgl. De deo uno 3.1.3 (I, 195b): „Quia in intellectu perfectio magna est, semper in actu esse, maxime vero hoc est necessarium in scientia Dei, ut est de ipsomet Deo, quia Deus est obiectum summe intelligibile et ipsum intelligere Dei etiam est ex se necessarium et invariabile, cum sit esse per essentiam: ergo illud intelligere, quatenus est scientia talis obiecti, est summe necessarium, ac invariabile. Et ideo per illud procedere potest verbum infinitum et immutabile, quod sit verus Deus, ut infra videbimus."

nisobjekt, da dieser dem Ursprung nach später als der hier gezeugte Sohn ist. In diesem Referat läßt sich die Lehre des Vázquez wiedererkennen, der in dieser eingeschränkten Form Scotus folgen will, um wenigstens zu vermeiden, daß der Sohn als aus der Erkenntnis des Geistes hervorgehend zu dessen Bild erklärt werden könnte[72]. Daß in der Erkenntnis des Vaters der Heilige Geist, obgleich nicht notwendig, so doch beiläufig („comitanter“) eingeschlossen ist, möchte auch Vázquez damit nicht negieren[73].

(bb) Suárez bleibt trotz dieser Einwände in der thomistischen Linie der Antwort und grenzt sich damit zugleich von Vázquez ab[74]. Das göttliche Wort geht aus der Erkenntnis der ganzen Trinität hervor, die alle relativen wie absoluten Bestimmungen gleichermaßen umfaßt („omniumque relativorum simul cum absolutis“)[75]. Das Wort, so begründet der Jesuit seine Stellungnahme, wird vom Vater „aus der vollkommensten, komprehensiven und intuitiven Erkenntnis seiner Gottheit“[76] hervorgebracht. Wie im „intuitiven“ Begreifen die dreifache personale Subsistenzweise Gottes nicht fehlen darf – man erinnert sich hier an die schon früher gegen Scotus gerichtete, aus der Zurückweisung der Formaldistinktion zwischen Wesen und Relationen erwachsende suárezische Ablehnung einer Trennbarkeit von Wesens- und Personenschau[77] –, so verlangt der

[72] Vgl. Vázquez, Comm. in I$^{am}$ 142.4.16 (II, 204b): „Ego vero censeo, Spiritum sanctum non posse comparari ut obiectum per se requisitum ad productionem verbi, quam sententiam colligo ex Scoto locis allegatis in 2. capit. eamque sic probo, quia alioquin sequeretur, verbum esse imaginem Spiritus sancti: est enim nunc similitudo illius ipsum repraesentans, quia est verbum illius, et tunc insuper ab illo saltem, ut obiecto procederet, quod satis est ad rationem imaginis“. Es folgen weitere ausführliche Begründungen.

[73] Vgl. ebd. 19 (205a).

[74] In einem verteidigenden Schreiben an Ordensgeneral Aquaviva, das Suárez in Coimbra am 12.2.1600 als Antwort auf dessen deutliche Ermahnung an die beiden streitenden Patres verfaßt hat, nennt unser Jesuit die vázquezische Lehre, wonach das göttliche Wort weder aus der Erkenntnis des Heiligen Geistes noch derjenigen möglicher Kreaturen hervorgehe, ausdrücklich in einer Liste von Thesen, von denen dem General Kenntnis zu geben er sich „im Gewissen verpflichtet“ sieht; vgl. den Text bei SCORRAILLE (1912-13) II, 481f. (App. I).

[75] Vgl. Suárez, De trin. 9.4.4 (I, 729b).

[76] Vgl. Suárez, De trin. 9.4.5 (I, 729b): „ex cognitione perfectissima, comprehensiva et intuitiva suae divinitatis“. Die Betonung des „intuitiven“ Charakters erfolgt gegen die entgegengesetzte, eine abstraktive Erkenntnis behauptende These „einiger“ (vgl. Suárez, De trin. 9.5.8 [734b]), die sich nach Vázquez, Comm. in I$^{am}$ 142.2.6 (II, 202b) auf Cajetans Kommentar zu S. th. I, 34, 3 (Ed. Leon. IV, 370f.) stützen. Dort ist allerdings kaum ein klarer Anknüpfungspunkt für diese Ausdeutung erkennbar.

[77] Suárez unterstreicht dies in der Antwort auf einen Einwand in De trin. 9.5.2 (I, 732b): „De ipso vero actu intelligendi [Ed.: intelligendo] ut sic, dicendum est, non

„komprehensive" Charakter der Erkenntnis, daß unter allen Attributen und Vollkommenheiten auch die göttliche Fruchtbarkeit („foecunditas") als Wurzel des dreipersonalen Lebens erfaßt wird, was ohne Bezug auf die realen Personen nicht möglich ist. In positiver Wendung bedeutet dies: Wenn der Vater sich selbst erkennt, erkennt er auch den Sohn, da dieser nichts anderes ist als sein vollkommenes Bild, und des weiteren erkennt er in sich jede seiner notionalen „Möglichkeiten", also auch die „potentia spirandi" und damit den aus ihr hervorzubringenden Heiligen Geist[78]. Vor allem im Blick auf letzteren führt Suárez ein Argument an, das auch bei nachfolgenden Autoren in unserer Debatte immer wieder vorgebracht werden wird: Die Posteriorität einer göttlichen Person hinsichtlich ihres Ursprungs schließt nicht aus, daß sie gleichzeitig mit den früheren und durch diese erkannt werden kann[79]. Denn solche Erkenntnis gründet nach Suárez nicht in der tatsächlich im Zeugungsakt noch nicht existenten Hauchung als Relation, sondern allein in dem Hauchungsvermögen, das der Vater vorgängig zur eigentlichen Hauchung und sogar vorgängig zur Zeugung des Sohnes als des Mit-Hauchenden besitzt. In seinem Wort erkennt der Vater bereits jene dritte Person, die er doch erst gemeinsam mit dem Wort hervorbringen wird[80]. Etwas später spricht Suárez in diesem Zusammenhang von einer Erkenntnis „ex vi essentiae" und setzt sie in Analogie zu Gottes Erfassung der noch nicht existierenden Kreaturen[81]. Hintergrund dieser These ist die uns bekannte Lehre vom „eminenten" Enthaltensein aller personalen Vollkommenheiten in der göttli-

concomitanter, sed per se, et quasi unico simplicissimo intuitu attingere essentiam et relationes." Die beiden Erkenntnishinsichten (auf Wesen und Personen) dürfen nach Suárez in keiner Weise so abgestuft werden, daß die eine Erkenntnis der anderen nachgeordnet oder gar als ein Resultanzgeschehen aus dieser qualifiziert würde. Das Begreifen von Wesen und Personen erfolgt stattdessen „eodem quasi intuitu et respectu" (ebd.). Wenn wir die Elemente voneinander trennen, liegt das allein in unserer unvollkommenen Erfassung Gottes begründet (ebd. 3, 732b-733a). In logischer Hinsicht kann allerdings die Priorität des Wesens vor den Personen im Erkenntnisprozeß durchaus anerkannt werden, sofern man diese nämlich „ex parte obiecti" und nicht „ex parte actus" betrachtet (vgl. ebd. 4, 733a-b). Gemeint ist: Innerhalb des einen und selben Erkenntnisaktes ist zwischen den Gegenständen eine logische Ordnung festzustellen.

78 Vgl. De trin. 9.4.6 (I, 730a).

79 Vgl. ebd. 8 (730b).

80 Vgl. ebd. 12 (731b).

81 Vgl. De trin. 9.5.3 (733a): „Nam si Deus potest intueri futuras creaturas prius duratione, imo aeternitate, quam ipsae existant, cur non poterit Deus ut sic, videre personas prius ratione, vel origine, quam producantur?"

chen Wesenheit[82]. Damit kann allen Spekulationen Einhalt geboten werden, denen gemäß die „productio Verbi“ von einer Nichtexistenz des Heiligen Geistes (*per impossibile*) unberührt bleibt oder der Geist in der Zeugung des Sohnes diesem gegenüber mit geringerer Nezessität erfaßt wird. Ebensowenig aber resultiert nach Suárez aus seiner Lösung die von Scotus zurecht als absurd bezeichnete These, daß der Heilige Geist als Objekt und Prinzip der zur Zeugung führenden Erkenntnis zugleich deren Ursprung und damit indirekt auch sein eigenes Prinzip wäre. Denn in der Erkenntnis des Vaters übt der Geist als Objekt nicht etwa seine Bestimmungsfunktion dadurch aus, daß er als er selbst im Sinne eines „principium quo“ diese Erkenntnis bewegte, so wie in unserem Erkennen ein äußerer Gegenstand vermittels eines Erkenntnisbildes den Intellekt formt. Vielmehr hat der Vater, wie bereits dargelegt, die ursprüngliche Erkenntnis der beiden hervorzubringenden Personen (falls man sie als notwendige Seiende überhaupt mit diesem Zeitlichkeit assoziierenden Attribut belegen darf[83]) „kraft seiner Gottheit“, so daß sie präzis ausgedrückt nur „obiectum terminativum“, aber nicht „obiectum motivum“ der das Wort zeugenden intuitiven Erkenntnis sind[84]. Eine Zirkularität im Hervorbringungsgeschehen ist nach Suárez damit vermieden.

(3) Zweites umstrittenes Objekt der zur Zeugung führenden Erkenntnis des Vaters sind die möglichen Kreaturen in Absehung von ihrer realen Verwirklichung oder Nichtverwirklichung im Schöpfungsakt.

(a) Erneut ist es Scotus mit seiner Schule, der gegen Thomas auch diese Gegenstände aus der vorliegenden Erkenntnis ausschließen will[85]. Damit findet die Abstufung, wie sie Scotus als unmittelbare Folge seiner

[82] Vgl. ebd. 7 (734a). Vgl. dazu die frühere ausführlichere Begründung in De trin. 3.10.7 (609a-b).

[83] Vgl. dazu Suárez’ einschränkende Bemerkungen in De trin. 9.5.9 (734b-735a).

[84] Vgl. ebd. 6 (733b-734a).

[85] Vgl. etwa Scotus, Ord. I, d. 1, p. 1, q. 2, n. 43 (Ed. Vat. II, 27-30; der Text argumentiert mit der Zweistufigkeit des Objekts im göttlichen Erkennen, weist allerdings Streichungen und Interpolationen auf); n. 49 (II, 34) u. ö.; Ord. I, d. 2, nn. 393ff. (Ed. Vat. II, 351ff.); d. 32, q. 1-2, n. 36 (Ed. Vat. VI, 240f.): „Spiritus autem Sanctus ex vi principiationis suae neque primo neque concomitanter est amor creaturae, quia creatura tantum contingenter amatur a Deo“; Qdl. 14, n. 15 (Ed. Wadding XII, 377): „Completo autem toto isto processu originis respectu primi termini, scilicet essentiae divinae communicandae: sequitur ordo aliquis respectu termini secundi essentiae, scilicet creabilis“. Damit wird der notionale Akt in Gott klar von jeder Beziehung Gottes auf Kontingentes geschieden. Schon die erste Stufe in der Schau des „Erschaffbaren“, nämlich die „intellectio simplex omnis intelligibilis“, also die Possibilienerkenntnis, vollzieht sich nach Scotus in Gott „schon in den drei Supposita“.

Formaldistinktion unter den göttlichen Erkenntnisobjekten vornimmt[86], trinitätstheologisch einen weiteren Ausdruck. Allerdings gibt es eine „virtuelle" Intelligibilität der Dinge in der Wesenheit Gottes, deren Modus bei Scotus reichlich dunkel bleibt[87]. Für die „memoria perfecta" des Vaters gilt unter dieser Voraussetzung, daß sie die göttliche Wesenheit als selbst formell intelligible, das intelligible Sein der Geschöpfe, wie es realidentisch mit ihrem Möglich-Sein ist, dagegen nur als in dieser Wesenheit virtuell (mit-)enthalten umfaßt. „Diese Unterscheidung ermöglicht es Scotus, einen ersten Naturmoment anzunehmen, in dem die trinitarischen Produktionen stattfinden, und einen zweiten Naturmoment, in dem Gott das Sekundärobjekt erkennt"[88].

Unter den „moderni", die Suárez, ohne genauer zu werden, als Parteigänger dieser These nennt, darf wiederum mit Sicherheit Vázquez identifiziert werden[89]. Nach Suárez ruht die von ihnen gestützte ablehnende Ansicht auf zwei sachlichen Fundamenten. Sie legt eine Differenzierung innerhalb der Objekte des göttlichen Wissens nahe, die gewissermaßen das ontologische Verhältnis zwischen Gott und Kreatur abbildet. Darnach ist erstens in Gott formal unendlich (und damit auch hinreichend beseligend) allein die primäre Erkenntnis seiner selbst, aus welcher der Sohn hervorgeht, während die Erkenntnis des Geschöpflichen als des „Zweitobjekts" („obiectum secundarium") diese Zeugung bereits vorauszusetzen hat, da eine göttliche Person nicht aus dem Wissen um Dinge hervorgehen kann, welche ihr gegenüber ontologisch „später" sind[90]. Zweitens verbindet sich mit der genannten These eine Nachordnung der Kreatur gegenüber Gott selbst auch in ihrem Möglichsein: Die Kreaturen sind nicht bloß sekundäres, sondern gleichsam akzidentelles Erkenntnisobjekt; denn Gott bedarf ihrer (auch als möglicher) in keiner Weise. Die „Möglichkeit" als ewiger Seinsstatus der Kreaturen in Gott ist folglich nicht auf

[86] Während die göttliche Wesenheit, die in ihrer Unendlichkeit jede Perfektion einschließt, als Primärobjekt zu gelten hat, sind die intelligiblen Gehalte der möglichen Geschöpfe nur sekundäres Objekt. Vgl. HOFFMANN (2002) 41: „Der tiefere Grund für diese Teilung in ein Primärobjekt (das motivum und terminativum ist) und in ein Sekundärobjekt (das nur terminativum ist) liegt darin, daß die Intelligibilien endlicher Natur sind, während Gottes Intellekt unendlich ist. Etwas Endliches kann aber etwas Unendliches nicht bestimmen. Zudem ist die Unterscheidung zwischen einem Primär- und einem Sekundärobjekt in Gott dadurch motiviert, daß Gott zunächst durch die Erkenntnis seiner eigenen Wesenheit beseligt wird; die Erkenntnis der geschöpflichen Intelligibilien fügt dieser Glückseligkeit nichts hinzu."

[87] Vgl. ebd. 105-108.

[88] Ebd. 106.

[89] Vgl. Vázquez, Comm. in I[am] 143.3-5 (II, 208b-212b).

[90] Vgl. Suárez, De trin. 9.6.2 (I, 735a-b).

der gleichen Notwendigkeitsebene anzusiedeln wie die wesenhafte „Wirklichkeit“ Gottes oder die Hervorbringung einer göttlichen Person wie der des Sohnes. Darum sind auch auf der Erkenntnisebene die Kreaturen als Sekundärobjekte zu charakterisieren, von denen der Vater im Zeugungsakt auf keinerlei Weise abhängig ist, ja die hypothetisch sogar komplett wegfallen könnten, ohne daß der Hervorgang des Wortes aus dem Vater irgendeine Minderung erführe[91]. Wenn man dem Stein seine mögliche Existenz absprechen müßte, so Vázquez, bräuchte daraus nicht die Unmöglichkeit Gottes oder das Fehlen einer ihm innerlichen Vollkommenheit gefolgert zu werden. Ebensowenig würde damit der wortgenerierenden Erkenntnis in Gott ein notwendiges Objekt genommen[92] – alles andere wäre eine absurde Vorstellung, die Gottes ausschließlich sich selbst begründende Perfektion zerstören müßte[93]. Das scotische Grundanliegen der unbedingten Wahrung der Souveränität Gottes und seiner Unterscheidung gegenüber der Kreatur prägt an dieser Stelle auch die Trinitätslehre, und dies führt vor allem bei Vázquez zu der fast paradoxen Konsequenz, daß die Ordnung der Possibilien, die um der Absolutheit des göttlichen Selbstbezugs willen jede notwendige Relation zu Gott verliert, dadurch selbst in eine Quasi-Absolutheit entlassen wird, sofern ihre idealen Gehalte dann nur als durch sich selbst konstituiert verstanden werden können[94]. Was diese These für die in der frühen Neuzeit fortschreitende Trennung der Ontologie von ihrem theologischen Fundament bedeutet, ist eigenen Bedenkens wert[95].

Daß die genannte Sicht trinitätstheologisch erhebliche Folgen für die Beziehung zwischen dem göttlichen Wort und den (möglichen) geschöpflichen Dingen hat, wie sie noch für Thomas von großer Bedeutung

[91] Vgl. ebd. 3 (735b).

[92] Vgl. Vázquez, Comm. in I^am^ 143.5.22 (II, 212a).

[93] Spätere Jesuiten haben die Problematik noch zugespitzt, indem sie in der These vom Notwendigkeitskonnex zwischen Gott und den Possibilien eine unvorstellbare Abhängigkeit Gottes von der Idee der Chimäre oder sogar der „möglichen Sünde“ ausgemacht haben; vgl. das Referat im trinitätstheologischen Kontext bei A. Bernaldo de Quiros, Selectae disput. de trin. 37.1.5 (246a).

[94] Vgl. Vázquez, Comm. in I^am^ 143.5.23 (212b), wo Vázquez eine solche „universale“ Priorität der Possibilien explizit zugesteht: „…dicamus, personarum productiones intra Deum omnino absolutas esse a creaturis possibilibus, nec creaturas ordine originis esse ullo modo priores. Consulto dixi, ordine originis: nam alio genere prioritatis intelligi possunt priores, eo scilicet, quo essentialia et quae essentialia, consequuntur, intelliguntur priora personalibus quae prioritas est veluti universalis, qua dicitur prius id, a quo non valet subsistendi consequentia…“.

[95] Vgl. dazu SCHMUTZ (2002a).

ist[96], liegt auf der Hand. Vázquez gibt dies auch offen zu erkennen, wenn er schreibt, daß sich ebenso akzidentell, wie die Erkenntnis der möglichen Kreaturen für die Hervorbringung des Wortes ist, umgekehrt die Hervorbringung des Wortes und damit die gesamte Trinität Gottes für die Erschaffung der Kreaturen darstellt. Denn wie im Falle eines bloß einpersönlichen Gottes die Schöpfung ihre Möglichkeit nicht einbüßen würde, so gilt im Blick auf die göttliche Trinität in ihrer inneren, ursprungsbedingten Konstitution, daß für sie die mögliche Schöpfung nur akzidentell bedeutsam ist[97]. Gottes inneres Leben und sein Handeln „ad extra" stehen miteinander zwar in einem faktischen[98], aber nicht in einem inneren konstitutiven Konnex. Man sieht hier klar, daß sich mit der scotischen Lehre vom formalen Erkenntnisgrund des göttlichen Wortes, wie sie die nachfolgende Scholastik dauerhaft beschäftigt und wenigstens teilweise entscheidend beeinflußt hat, das Band zwischen Trinitäts- und Schöpfungslehre, welches durch die allgemeine Betonung des Axioms von den „opera indivisa ad extra" schon schwach genug war, weiter gelockert hat. Wo die Geschöpfe bereits als bloße Possibilien – geschweige denn ihrer

[96] Diese Feststellung gehört zu den zentralen Thesen der Interpretation, die die thomanische Trinitätslehre durch Gilles Emery gefunden hat: Das göttliche Wort ist nicht bloß „Ausdruck" der Geschöpfe, sondern als solches sogar ihre „hervorbringende Ursache". Vgl. EMERY (2004c) 234-241 mit Rückgriff auf EMERY (1995).

[97] Vgl. Vázquez, Comm. in I$^{am}$ 143.5.20-21 (II, 211b): „Sicut enim ex eo, quo, manente Deo secundum unitatem, creaturae possent produci, sequitur Trinitatem accidentarie se habere ad earum productionem, et creaturas posse solum produci a Deo, quatenus unus, non quatenus trinus est: sic etiam ex eo, quod produceretur verbum, etiamsi non essent possibiles creaturae recte infertur, possibiles creaturas non spectare per se ad productionem verbi. Nam si per se pertinerent creaturae ad productionem verbi, et Trinitas ad productionem creaturarum optime colligeretur, ablatis possibilibus creaturis, auferri verbum, et ablata Trinitate de medio etiam tolli creationem: ablato enim eo, quod est per se, aufertur id, quod ex eo per se nascitur." Vázquez betont, daß durch solcherart „suppositio ex impossibili" die *formaliter* entscheidenden Elemente erhoben werden können, wie sie auch den faktischen Fall einer Schöpfung durch die Trinität bestimmen: „ergo utraque illa conditionalis recte iudicat, neque creaturas possibiles per se spectare ad productionem verbi, nec ad Trinitatem productionem creaturarum, etiamsi simul producantur a tribus, et in ipsa productione verbi simul creaturae intelligantur a patre, et ipso verbo patris dicantur" (ebd. 22, 212a). Wie die Schöpfung also faktisch durch die Trinität geschieht, ohne daß dieses Faktum sich prägend in der Schöpfung niederschlägt, so geht auch das göttliche Wort faktisch aus einer Erkenntnis hervor, in der die möglichen Kreaturen einbegriffen sind, ohne daß sie diese hervorbringende Erkenntnis in formaler Hinsicht zu bestimmen vermöchten. Vgl. auch ebd. 6.31-34 (214a-b).

[98] In diesem Sinne bestreitet auch Vázquez nicht, daß das göttliche Wort „ratione essentiae et proprietatis" eine Beziehung zu den Kreaturen aufweist; vgl. ebd. 144.2.6 (II, 216a).

realen Verwirklichung nach – in formaler Hinsicht aus dem Ursprung des göttlichen Wortes ausgeschlossen werden, ist eine Entsprechung zwischen Schöpfung und Wort ebenfalls nicht mehr gegeben. Daß die Welt aus dem nach der Ordnung der innergöttlichen Ursprünge zu verstehenden gemeinsamen Wirken von drei Personen und nicht bloß einer einzigen hervorgeht, ist dann eine bloße Offenbarungstatsache ohne echten theologischen Erkenntniswert. Von einem schöpferischen Handeln des Vaters *durch den Sohn* und einer Verbindung zwischen „processus temporalis“ der Schöpfung und „processus aeternus“ des Wortes kann in einem strengen, eigentlichen Sinn nicht mehr die Rede sein.

(b) So weit wie Vázquez will Suárez in diesem Punkt nicht gehen. Er unterstützt wiederum die Scotus entgegenstehende thomistische These: Das Wort geht auch aus der Einsicht des Vaters in die möglichen Kreaturen hervor, wie sie mit der Erkenntnis der göttlichen Wesenheit zugleich gegeben ist[99]. Wichtigstes Argument ist neben der Bestätigung durch die Autoritäten Augustinus, Anselm und Thomas[100] noch einmal der Verweis auf den umfassenden Inhalt der göttlichen „comprehensio“, der unverkürzt im Wort zu finden sein muß. Die Erkenntnis der möglichen Kreaturen, sofern sie in der göttlichen Allmacht eingeschlossen sind, läßt sich mittelbar auf die Selbsterkenntnis Gottes zurückführen[101]. „In einem einzigen, einfachen Akt schaut Gott sich selbst und in sich die Kreaturen, in der Weise, daß, wenn jener Akt der Selbsterkenntnis von uns als auf die

[99] Vgl. Suárez, De trin. 9.6.4 (I, 735b-736a): „Nihilominus secunda sententia affirmat, Verbum procedere ex sententia simplicis intelligentiae creaturarum possibilium.“ Vgl. dieselbe These bei Thomisten wie Cajetan, Comm. in I, 34, 3, n. 6-7 (Ed. Leon. IV, 371a): „S. Thomas autem, ut hic patet, tenet Verbum Dei natum esse ex omnibus quae sunt in scientia Patris, ex omni alio intelligibili simplici (quod dico propter scita a Deo scientia visionis). (…) Verum tamen est quod Verbum *principaliter* exprimit essentiam, et *secundario* creaturas; sicut et Deus Pater principaliter intelligit essentiam suam, et secundario creaturas; ita quod ly principaliter et ly secundario nihil aliud significant nisi *in se* et *in alio*; creatura enim in essentia divina, ipsa autem essentia in se intelligitur et exprimitur“; Bart. Torres, In I[am] q. 27, a. 5, disp. un., pars 3 (45ra-vb).

[100] Vgl. Thomas, 1 Sent. d. 34, a. 1 ad 3; a. 2-3; De ver. q. 4, a. 5.

[101] Vgl. dazu auch Suárez, DM 43.6.4 (XXVI, 656b-657a): Deus „primo ac per se cognoscit seipsum, qui necessario actu existit; deinde, licet cognoscat creaturas possibiles independenter ab actuali existentia earum, non tamen cognoscit illas nisi per seipsum et virtutem suam cognitam ut eminenter continentem in sua actualitate omnes creaturas possibiles. Quia licet Deus non accipiat scientiam a rebus extra se, accipit (ut ita loquamur) scientiam rerum extra se a seipso, ut a primario obiecto cognito.“ Ausführlich erklärt wird der Zusammenhang von göttlicher Selbsterkenntnis und Possibilienerfassung zuvor schon in DM 30.15.22-27 (176b-178b) sowie im Zusammenhang mit der Lehre über das Wissen Christi in De incarnatione 26.3 (XVIII, 26a-33b).

Kreaturen übergehend begriffen wird, er nicht als neuer Akt zu verstehen ist, der auch nur gedanklich [vom ersten] verschieden wäre, sondern als derselbe Begriff nach seinem doppelten Terminus, erstem und zweitem"[102]. Damit bleibt die göttliche Erkenntnis ein ungeteilter Akt, in welchem das Sekundärobjekt (die mögliche Kreatur) formal im Primärobjekt (dem göttlichen Wesen) eingeschlossen ist, nämlich in eminenter Weise wie eine Wirkung in ihrer Ursache, vergleichbar im geschöpflichen Bereich der Erkenntnis eines Objekts in seiner Potenz, die zu ihm in einer transzendentalen Relation steht. In seiner Wesenheit schaut Gott alles mit, was an dieser Wesenheit auf geschöpfliche Weise Anteil zu nehmen vermag. In der eigenen Notwendigkeit leuchtet Gott die Möglichkeit des Kreatürlichen auf[103]. Suárez erachtet dieses Verstehensmodell als der göttlichen Einfachheit und Vollkommenheit besonders angemessen[104]. Wichtig ist dem Jesuiten dabei, daß die möglichen Geschöpfe derart eng mit dem Wesen Gottes verbunden werden, daß jeder Anschein von Diskursivität, sei es auch nur in „virtueller" Weise („discursus virtualis"), im göttlichen Erkennen vermieden und die höchste Einfachheit des Erkenntnisaktes gewährleistet wird[105]. Unsere Unterscheidung ihrer Objekte expliziert folglich nur verschiedene Hinsichten, die in derselben einfachen Wirklichkeit eingeschlossen sind[106]. Gottes Wissen ist ein einziges, wiewohl sich unser Denken ihm nur differenzierend, mit Hilfe verschiedener aspekthaft erfassender Begriffe („conceptus inadaequati") anzunähern vermag[107].

[102] Suárez, De deo uno 3.2.13 (I, 199b): „Alio modo intelligi potest Deus unico et simplicissimo actu, intueri se, et in se creaturas, ita ut quando actus ille quo se intelligit, concipitur a nobis transire ad creaturas, non intelligitur esse quasi novus actus etiam ratione distinctus, sed idem conceptus secundum utrumque terminum, quem habet, primarium et secundarium."

[103] Vgl. ebd.: „Et hic est optimus et verus modus concipiendi in Deo scientiam, quam habet de creaturis in se, quia unico complexu simplicissimo (ut Dionysius dixit) videndo suam essentiam videt omnes alias essentias participabiles ab illa et videndo suam necessitatem essendi, videt possibilitatem aliorum entium."

[104] Vgl. De trin. 9.6.8 (I, 736b-737a).

[105] Vgl. ebd. 12 (737b-738a), wo ein „simplicissimus modus cognoscendi effectus in causa" zur Sprache kommt. Vgl. auch DM 30.15.35 (XXVI, 180b); De deo uno 3.2.13 (I, 199b): „Hic ergo modus scientiae est simplicissimus et perfectissimus carens omni umbra discursus etiam secundum rationem...".

[106] Vgl. De trin. 9.6.13 (I, 738a).

[107] Vgl. DM 30.15.34 (XXVI, 180a): „in Deo una tantum est scientia, eaque simplicissima, formaliter et eminenter continens omnem perfectionem simpliciter intellectualis virtutis, secundum quam in plures scientias per rationem, et conceptus inadaequatos a nobis distinguitur."

Von dieser Grundlage aus möchte Suárez auch erklären, weshalb die Erkenntnis der möglichen Kreaturen in Gott nicht weniger notwendig ist als das ewige Wort selbst, um damit das Hauptargument der gegnerischen These zu entkräften. Diese hatte sich ja darauf berufen, daß die Schau der möglichen Kreaturen gegenüber der göttlichen Selbsterkenntnis einen quasi-akzidentellen Charakter hat: Sie fügt ihr keine reale Perfektion hinzu, beruht auf einer bloß gedanklichen Relation Gottes zu diesen Objekten und bleibt darum auch der Hervorbringung des Wortes äußerlich[108]. Suárez lehnt diese These ab, weil die darin beschriebene Kreaturenerkenntnis einerseits nicht die für Gott geforderte höchste Vollkommenheit zu besitzen scheint, wie sie allein einer Erkenntnis der Wirkungen in ihrer Ursache zukommt, und weil mit ihr andererseits unverständlich bleibt, aus welchem Grunde Gott die möglichen Kreaturen zwar „durch sich selbst und wegen seiner eigenen Vollkommenheit" erkennen soll, aber nicht aufgrund einer Verknüpfung mit seiner eigenen Wesenheit und ohne Hinzufügung einer weiteren Perfektion[109]. Wenn die Erkenntnis der „creaturae possibiles" irgendwie notwendig mit der Selbsterkenntnis Gottes verbunden ist – und das scheint auch die Gegenthese nicht abstreiten zu können –, dann muß sie im göttlichen Wort repräsentiert sein. Und weil dieses Wort immer „verbum adaequatum" des in ihm Enthaltenen sein muß, ist jedes von ihm umfaßte Wissen mit derjenigen Notwendigkeit gegeben, die dem Wort selbst zukommt, und das bedeutet: „kraft seines Hervorgangs"[110]. Mit dieser Aussage bekennt sich Suárez zu der ewigen Notwendigkeit jenes Ideenwissens in Gott, das die möglichen Kreaturen als Gott gleichsam konnaturale Möglichkeits- und Erkenntnis-

[108] De trin. 9.6.14 (I, 738a) charakterisiert Suárez dieses Modell so, daß es die Erkenntnis der Kreaturen in Gott erkläre allein „per simplicem repraesentationem ipsarum creaturarum, quae in Deo ultra cognitionem sui nullam realem perfectionem addat: sed solum respectum rationis ad creaturas."

[109] Vgl. ebd. 15 (738b).

[110] Vgl. ebd. 17 (739a): „Unde hanc repraesentationem habet ex vi suae processionis, quia ex vi illius totam scientiam Dei habet, secundum absolutum esse illius." Gegen Aureoli fügt Suárez etwas später noch präzisierend hinzu: Die „repraesentatio rerum" kommt dem Wort in formaler Hinsicht von seinem Wesen her („ratione essentiae") zu, wie das Wissen um die Dinge auch im Vater kraft des Wesens, nämlich der göttlichen Allmacht, gegeben ist. Allein der „modus habendi" dieser Befähigung zur Dingrepräsentation ist (wie ja auch der „modus habendi" des Wesens selbst) dem Sohn als Wort unverwechselbar eigentümlich: sofern es ihm nämlich kraft seines Hervorgangs aus dem Vater zukommt, die endlichen Dinge in ihrer Möglichkeit zu bezeichnen. „Unde repraesentare intellectualiter creaturas, non est proprium Verbi, sed commune omnibus personis, ut convincit ratio facta, habere autem hanc repraesentationem, ut communicatam ex vi suae formalis processionis, est proprium Verbi, et ideo in hoc involvitur proprietas ejus." (ebd. 22, 740b).

gehalte betrifft. Die möglichen Kreaturen sind nicht etwa eine kausale Folge der göttlichen Selbsterkenntnis im Wort oder dieser temporal nachfolgend, sondern gründen mit ihrer objektiven Möglichkeit bzw. Nicht-Repugnanz unmittelbar in der Gottheit als solcher, nämlich in der Vollzugspotenz ihrer Allmacht, die zu den Wesensattributen zählt. Als Gegenstände des göttlichen Wissens sind sie mit diesem selbst und so mit dem göttlichen Wesen derart eng verbunden, daß man sie nicht als etwas „extra Deum" auffassen darf, zu dem Gott in realer Beziehung stünde (und sei es auch nur in einer transzendentalen)[111]. All dies spricht dafür, daß der mit Allmacht ausgestattete Vater um die möglichen Dinge bereits weiß, da er den Sohn zeugt („quia cognoscit, producit"[112]), und daß der Sohn als Wort aus dem Wissen um die möglichen Kreaturen ebenso hervorgeht wie aus dem Wissen um Wesen und Relationen in Gott[113]. Damit verliert für Suárez zugleich jener weitere Einwand an Überzeugungskraft, der die möglichen Kreaturen deswegen aus der zeugenden Erkenntnis ausschließen will, weil man sich ein vollkommenes göttliches Wort auch ohne die Existenz irgendwelcher möglicher Kreaturen in Gott vorstellen könnte – weil also Gott als dreifaltig-vollkommener denkbar bliebe, auch wenn es nicht einmal der Möglichkeit nach endliches Sein gäbe. Der Jesuit verschließt sich diesem Gedankenexperiment nicht, erklärt es jedoch in der vorliegenden Problematik für bedeutungslos und letztlich in einen Irrtum auslaufend. Die Notwendigkeit des Kreaturenwissens liegt nicht im Wort als Wort, das immer nur abbildet, was der Vater erkennt – insofern stimmt es, daß unter der Prämisse der Nicht-Möglichkeit von Kreaturen auch das göttliche Wort nicht aus dem Wissen um sie hervorgehen müßte. Doch ist die Prämisse in sich falsch. Denn die faktisch gegebene „possibilitas creaturarum" liegt ja in Gott selbst begründet, dem man mit der Leugnung möglicher Kreaturen seine Allmacht und so eine positive Vollkommenheit nähme, die untrennbar zur Konstitution des göttlichen Seins

[111] Vgl. DM 47.4.4 (XXVI, 800a): „...scientia vel amor Dei non dicit respectum realem etiam transcendentalem ad ipsum Deum, ut ad primarium obiectum, sed potius illa scientia et amor sunt absolutissima ab omni respectu reali, quia per se primo non respiciunt aliquod obiectum extra se. Unde, sicut ibi non distinguuntur actus et obiectum nisi ratione, ita nullus intervenit respectus actus ad obiectum, nisi rationis."

[112] De trin. 9.7.7 (I, 742b).

[113] Vgl. De trin. 9.6.18 (739a-b): „nam creaturae, ut sint possibiles, non pendent per se a Verbo, ut Verbum est, sed a Deo ut sic, et ab omnipotentia ejus, quae est prior origine in Patre, ergo etiam possibilitas creaturarum secundum se est, ut ita dicam, origine prior: ergo etiam actualis repraesentatio earum in scientia Patris est prior origine, ergo illa repraesentatio est tam necessaria, ac Verbi emanatio est origine posterior."

gehört[114]. Weil Gott allmächtig ist, erkennt er alle Possibilien, nicht umgekehrt – die Possibilienerkenntnis ist Ausdruck der Allmacht als göttlicher Wesensvollkommenheit[115]. Da Gott mit allem, was er von Ewigkeit ist, erkennt, will und als das absolut notwendige Wesen beschrieben werden muß, ist es sinnlos, die in ihm notwendige Möglichkeit der Kreaturen auch nur hypothetisch durch den Rekurs auf einen „Alternativgott“ umgehen zu wollen. Wer die Möglichkeit der Schöpfung leugnet, vergeht sich an der Vollkommenheit Gottes selbst.

Daß für Suárez aus dem notwendigen Einschluß der Possibilien in der zeugenden Erkenntnis des Vaters folgt, daß die möglichen Geschöpfe auch in der Gottesschau der Kreaturen, die „in Verbo“ erfolgt, notwendig enthalten sein werden, sei hier nur angedeutet. Der Jesuit hat die These in seiner Gotteslehre eigens ausführlich begründet[116].

(4) Unter den prinzipiell möglichen Objekten des göttlichen Erkennens bei der Zeugung des Sohnes ist schließlich in einem dritten Schritt der Blick auf die geschaffenen Dinge zu werfen, sofern sie nicht bloß in Gott seit Ewigkeit her möglich sind und als solche durch die „scientia simplicis intelligentiae“ erfaßt werden, sondern darüber hinaus durch Gottes Schöpfungsakt reales Sein erhalten haben. Da der im vorliegenden Kontext interessierende Moment der Wortzeugung vor aller Zeit liegt, wäre eine Erkenntnis der realen Geschöpfe darin eine Erkenntnis Gottes von Zukünftigem unter der Bedingung des freien Schöpfungsratschlusses, also in scholastischer Terminologie „scientia visionis“.

Tatsächlich kennt Suárez vor allem aus neuerer Zeit Theologen, zumeist aus der Thomistenschule, die auch dieses Wissen als beteiligt im Hervorgang des Wortes ansehen. Das göttliche Wort geht darnach auch aus der göttlichen Erkenntnis hervor, „sofern sie die zukünftigen Kreaturen ihren Existenzen in den unterschiedlichen Zeitmomenten nach betrifft“[117]. Behauptet ist also, daß das göttliche Wort auf die Geschöpfe auch in ihrem tatsächlichen Sein bezogen ist, wie es erst aus dem freien Ratschluß Gottes hervorgehen kann. Als Begründung einer solchen Explikation führt Suárez vor allem das Argument an, daß eine einschränkungslos vollkommene Selbsterkenntnis, wie sie für Gott zu fordern ist,

[114] Vgl. ebd. 20 (739b-740a).

[115] Vgl. die ausführlichere Begründung dieser Aussagen durch Suárez in De deo uno 3.2 (I, 196a-202a) ; in n. 11 (199a) wird die These formuliert: „quia Deus est omnipotens, ideo scit omnia possibilia“.

[116] Vgl. De deo uno 2.26 (I, 158a-165a).

[117] „Nonnulli ergo moderni docent, Verbum procedere ex divina scientia etiam sub hoc respectu spectata, id est, ut attingit creaturas futuras in qualibet differentia temporis secundum existentias earum“: De trin. 9.7.1 (740a).

die realen Kreaturen nicht ausschließen darf. Nicht die Existenz der Kreaturen ist damit für notwendig erklärt, wohl aber das Wissen um sie, das faktisch so notwendig ist wie auch alles übrige Wissen in Gott. Als prominenten Vertreter einer solchen Lösung aus der Jesuitenschule vor Suárez kann man Gregor von Valencia anführen[118].

Suárez vermag sich dieser These nicht mehr anzuschließen und folgt damit an diesem Punkt der Majorität aus Scotisten wie Thomisten. Er begründet seine Ablehnung mit dem nicht kompatiblen Seinsmodus der Hervorbringung des Wortes gegenüber der „scientia visionis": Während jene schlechthin und einfachhin notwendig ist, ist diese kontingent; sie könnte, absolut gesprochen, auch nicht in Gott sein und ist darum schlechthin später als der Hervorgang des Wortes anzusetzen. Die faktische Schöpfung entspringt einem freien Willensratschluß Gottes. Als solcher setzt er den Hervorgang aller drei Personen voraus und kann aus diesem Grunde ebensowenig wie das aus ihm resultierende (Voraus-) Wissen allein im Vater vor der Zeugung des Wortes (und der Hauchung des Geistes) angesetzt werden[119]. Wie die Handlungen Gottes nach außen ungetrennt allen Personen zukommen, so auch seine Willensratschlüsse bzw. frei gefaßten Dekrete, welche die Grundlage dieser Handlungen bilden. Darum faßt der Vater keinen Entschluß, „bevor" es den Sohn gab. Er teilt ihm nicht bereits entschiedene Dekrete mit, sondern allein jenen göttlichen Willen, aus dem dieses Dekret anschließend durch alle Personen frei hervorgeht. Die Beziehung des Wortes auf die realen Geschöpfe ist somit nicht unmittelbar kraft seines Hervorgangs (also gleichsam „formaliter") gegeben, sondern eher „materialiter" und „wurzelhaft", wie man auch sagen kann, daß die Relation der aktiven Hauchung „wurzelhaft" in der Hervorbringung des Sohnes mitgesetzt ist, sofern diese ihre Voraussetzung darstellt[120]. Es gilt generell: Die göttlichen Hervorgänge

[118] Vgl. Gregor von Valencia, Comm. in I^am^ disp. 2, q. 8, punct. 2 (758aC): „concedo, Verbum procedere etiam ex cognitione creaturarum, quoad existentias. Neque enim hoc est absurdum, etiamsi talis cognitio sit libera. Non enim libera dicitur, quia potuerit secundum suam realem perfectionem non esse; sed ob id solum quod potuit non terminari obiective a creaturis secundum existentiam ipsarum".

[119] „Nam fundamentum scientiae visionis est decretum liberum voluntatis Dei, quo vult, talem rem esse, vel saltem permittit, ut fiat, volendo concurrere ad illius factionem: Hoc autem decretum, ut tale est, non intelligitur esse in Deo, donec et Filius, et Spiritus sanctus sint producti": Suárez, De trin. 9.7.4 (I, 741b).

[120] Vgl. ebd. 5 (742a): Die „scientia visionis" ist im Wort „wie in ihrer Wurzel" gegeben, „quia [sc. Verbum] recipit talem scientiam, quae statim repraesentabit creaturas, ut existentes eo ipso, quod futurae sint, absque ulla nova perfectione, sed solum ex vi illius [sc. perfectionis], quam habet receptam per suam processionem." Damit hängt zusammen, daß Suárez im Traktat über die „visio beatifica" durchaus lehren kann,

als „natürliche" Akte sind in Gott (logisch) früher als die „freien" Akte der Willensratschlüsse und folglich von diesen (wie von dem Wissen um sie) in keiner Weise bedingt[121]. Wie immer sucht Suárez seine These im Rekurs auf den hl. Thomas zu begründen[122], wenn er auch zugibt, daß er die eigene Meinung weniger in den „unentschiedenen" konkreten Aussagen des Aquinaten als solchen als in einer bestimmten Interpretation derselben bestätigt findet, welche die Rede von der „scientia creaturarum" strikt auf die „scientia creaturarum *possibilium*" hin auslegt.

Daß damit die Aussageabsicht des Thomas tatsächlich getroffen wird, darf mit Blick auf Texte wie S. th. I, 45, 6 c. bezweifelt werden[123]. Dort wird klar eine Prägung der Tätigkeiten Gottes nach außen durch den „ordo" der innergöttlichen Hervorgänge gelehrt, die in der suárezischen Betrachtungsweise abzulehnen ist, welche das Hervorgangsgeschehen als in sich abgeschlossenes vor den Schöpfungsratschluß stellt. Aus diesem Grunde fehlt auch der immanenten Trinitätslehre bei Suárez jene Beziehung zur Schöpfungsökonomie, die, wie bereits erwähnt, für Thomas in der neueren Forschung ganz besonders herausgestellt worden ist[124].

(5) Daß die zuletzt im Blick auf die real-zukünftigen Geschöpfe formulierte These erst recht für das bedingt Zukünftige und das mit ihm zusammenhängende Wissen in Gott (die „scientia contingentium conditio-

daß die Seligen „im Wort" nicht bloß die Possibilien, sondern auch „res existentes" zu schauen vermögen. Auch Christus als Mensch vermag darum „alles im Wort zu schauen, was Gott in seiner ‚scientia visionis' schaut." Vgl. De deo uno 2.27 (I, 165a-170a), das letztgenannte Zitat ebd. 10 (168a).

[121] Vgl. dazu auch Suárez, De incarnatione 11.5.10 (XVII, 457a).

[122] Vgl. De trin. 9.7.3 (I, 741a).

[123] Vgl. Thomas S. th. I, 45, 6 c.: „Respondeo dicendum quod creare est proprie causare sive producere esse rerum. Cum autem omne agens agat sibi simile, principium actionis considerari potest ex actionis effectu, ignis enim est qui generat ignem. Et ideo creare convenit Deo secundum suum esse, quod est eius essentia, quae est communis tribus personis. Unde creare non est proprium alicui personae, sed commune toti Trinitati. Sed tamen divinae personae secundum rationem suae processionis habent causalitatem respectu creationis rerum. Ut enim supra ostensum est, cum de Dei scientia et voluntate ageretur, Deus est causa rerum per suum intellectum et voluntatem, sicut artifex rerum artificiatarum. Artifex autem per verbum in intellectu conceptum, et per amorem suae voluntatis ad aliquid relatum, operatur. Unde et Deus pater operatus est creaturam per suum verbum, quod est filius; et per suum amorem, qui est spiritus sanctus. Et secundum hoc processiones personarum sunt rationes productionis creaturarum, inquantum includunt essentialia attributa, quae sunt scientia et voluntas." Dazu: BRINKTRINE (1954) 68ff.174f.

[124] Vgl. beispielhaft die Arbeiten von LAVALETTE (1959) 43-73; BAILLEUX (1961) 38ff.; MARINELLI (1969); WALKER (1993) und besonders EMERY (1995). Zu berücksichtigen ist dabei auch die thomanische „imago Dei"-Lehre in ihrer schöpfungs- und gnadentheologischen Dimension; vgl. CARBONE (2001).

natorum“ bzw. „scientia media“[125]) gilt, kann Suárez in einem Korollar zum vorangehenden Kapitel eher beiläufig festhalten[126]. Implizit kann man damit eine bei Molina zu findende Ausdeutung zurückgewiesen sehen, die im Hervorgang des Wortes zwar nicht die „scientia visionis“, wohl aber das Wissen um bedingungsweise Freiheitsentscheidungen impliziert sieht[127]. Die damit verbundene Behauptung, die „mittlere“ Wissensform setze kein freies Willensdekret Gottes voraus, sondern nur die Wahrheit der gewußten Gehalte („veritas obiecti“), so daß die „scientia media“ eher mit dem Possibilienwissen als mit der „scientia visionis“ zu vergleichen wäre, lehnt Suárez ab. Denn auch wenn die „scientia media“ tatsächlich aus einer Art Möglichkeitsschau besteht, die für jede endliche Freiheit alle Alternativen in der konkreten Kette der vorstellbaren Entscheidungsfolgen kennt, so ist doch die Existenz solcher endlicher Freiheit im Gefüge ihrer Bedingungen ein kontingentes Faktum[128]. Damit aber fehlt dem Wissen um die „futura contingentia“ in Gott jene Notwendigkeit, die dem Wissen um die bloß möglichen Geschöpfe zukommt und die für das Wissen, aus dem das Wort hervorgeht, notwendig ist. Wie die ganze „scientia media“-Lehre ruht auch diese Argumentation des Suárez auf der durch Scotus in die Spekulation eingeführten (und von den Thomisten meist bekämpften) Annahme verschiedener Stufen bzw. logisch, nicht zeitlich abfolgender Momente („signa rationis“, „instantia“), die wir in Gottes Erkennen unterscheiden. Suárez ist sich in der ganzen Diskussion allerdings bewußt, daß sie Produkte unserer Abstraktion sind, die in der Realität in einem einzigen ewigen und untrennbaren Akt zusammenfallen[129]. Die Scheidung der Erkenntnisobjekte, die an der Hervorbrin-

[125] Zu ihrem exakten Verständnis bei Suárez vgl. DUMONT (1936) 155-235.

[126] Vgl. dazu Suárez, De trin. 9.8.8-9 (I, 743a-b).

[127] Vgl. Molina, Comm. in I$^{am}$, q. 34, a. 3 (480a-b)

[128] Vgl. Suárez, De trin. 9.8.9 (I, 743b): „Unde in ipsis creaturis obiective cognoscendis, prius simpliciter est, esse absolute possibiles quam esse futuras, etiam sub hac, vel illa conditione. Et ita non est verum, in quocumque signo aeternitatis praecedere illas veritates conditionatas, nam prius est (ut ita loquar) signum possibilitatis, quam futuritionis conditionatae.“

[129] Vgl. mit ausdrücklicher Bezugnahme zum vorliegenden trinitätstheologischen Problem die Aussage in Suárez' Opusculum „De scientia quam habet Deus de futuris contingentibus“ 2.8.9 (XI, 374a): „advertendum est haec signa rationis, quae in aeternitate distinguimus, non esse cogitanda tanquam quaedam instantia in quorum uno aliquid intelligitur esse, quod non est in alio, sed potius explicanda esse quasi per abstractionem praecisivam, vel per independentiam aut praesuppositionem secundum rationem formalem praecisam; hoc ergo sensu verum est scientiam, per quam Verbum generatur, ratione antecedere scientiam futurorum etiam conditionatam; et in illo signo non habere futura contingentia, tam absoluta quam conditionata, determinatam veritatem, quanquam illud non tam sit signum in quo, quam a quo,

gung des Wortes beteiligt sind, bleibt darum unser unvollkommener Versuch, der Realität Gottes in Analogie zu unserem eigenen, zeitlich voranschreitenden und diskursiv gebundenen Denken näher zu kommen. Die von Suárez vorgelegte vermittelnde Lösung stellt auch in der Folgezeit die Mehrheitsmeinung innerhalb der Gesellschaft Jesu dar, ohne daß die entschiedener an Scotus / Vázquez anknüpfende Position einerseits und der Einschluß der „contingentia" andererseits gänzlich aus der Diskussion verschwunden wären[130].

## 2) Vater und Sohn als gemeinsames Hervorbringungsprinzip des Heiligen Geistes

Vor die Kapitel über den Heiligen Geist stellt Suárez in Gestalt des zehnten Buches von „De trinitate" die recht ausführlichen Erörterungen über das Prinzip des Geisthervorgangs. Hinter dem scholastischen Kunstwort „spirator" in seinem Titel verbergen sich Vater und Sohn, sofern sie zusammen diese Prinzipfunktion ausfüllen. Darum ist die nachfolgende Abhandlung auch als gemeinsamer Abschluß derjenigen Diskussionen zu lesen, die bislang den ersten beiden Personen Gottes gewidmet waren.

### *a) Der historische Blick auf den „filioque"-Streit*

An den Anfang der Darstellung tritt bei Suárez der Blick auf die entscheidende historische Kontroverse um das sog. „filioque" zwischen lateinischer und griechischer Kirche bzw. Theologie.

seu independentiae et majoris necessitatis. Per haec ergo nihil aliud significatur, quam futura contingentia non habere illam necessitatem quam habet scientia, per quam Verbum producitur; tamen in eodem sensu, verum etiam est posse intercedere signum rationis in aeternitate, inter illud primum necessariae scientiae, et aliud in quo videtur intuitive decretum liberum, tanquam actu jam habitum seu existens; tale autem signum est illud in quo cognoscuntur futura libera etiam in voluntate ipsa Dei, ex aliqua hypothesi, quae si nunquam sit ponenda in esse, scientia manet pure conditionata; si vero conditio sit jam posita, illa scientia desinit esse conditionata, et transit in absolutam."

130 Als Resümee der Debatte kann man z. B. ihre ausführliche Behandlung beim späteren Jesuitengeneral T. González de Santalla († 1701), Selectae disputationes ex universa theologia, Bd. 2, disp. 5 (67-95), heranziehen.

In seiner ansonsten eher spekulativ als positiv ausgerichteten Trinitätslehre findet sich an dieser Stelle, ähnlich wie in den meisten anderen Trinitätstraktaten der Zeit, eine relativ ausführliche historische Argumentation zur Rechtfertigung des lateinischen Verständnismodells[131]. Ihre entscheidenden Themen sind die Auslegung der einschlägigen Schriftstellen, die Interpretation vor allem der griechischen Konzilien- und Väteraussagen und schließlich die dogmatische Beurteilung der „filioque"-Hinzufügung zum Nicaeno-Constantinopolitanum. Suárez' zusammenfassende Deutung des Traditionsbefundes lautet: Während die Zeugnisse der Konzilien von Konstantinopel, Ephesus und Chalcedon noch keine eindeutige Verurteilung der griechischen Position als häretisch zulassen, da deren Aussagen im vorliegenden Punkt nicht klar genug sind und außerdem formelle Definitionen zur Trinitätslehre gar nicht in der Intention der genannten Synoden lagen, gibt es klare Aussagen gegen sie seit der siebten Synode von Nicäa (gemeint ist wohl das als siebtes ökumenisches Konzil gezählte zweite Konzil von Nicäa 787) und dann in den entscheidenden Konzilien des Mittelalters, die freilich schon nach der Kirchenspaltung liegen. Bezug genommen sein dürfte konkret auf das Synodalscheiben des Konstantinopolitanischen Patriarchen Tarasius, der in einer Paraphrase des Bekenntnisses von Konstantinopel von einem Hervorgang des Geistes „aus dem Vater durch den Sohn" gesprochen hatte[132]. Während diese Formel in der unmittelbaren Reaktion der westlich-karolingischen Theologen zunächst heftig kritisiert worden war[133], forderte die schon durch Papst Hadrian I. († 795) vollzogene und auch im 9. Jahrhundert unterstrichene Anerkennung der Synode als ökumenisches Konzil durch den Westen eine positive Rezeption durch die lateinische Theologie, wie sie im 11. Jahrhundert greifbar wird[134]. Die den ursprünglichen Text des Nicaenums offen interpretierende Formel des Tarasius wird nun zum Beleg für die westliche Lehre vom „filioque" erklärt. In dieser die Ausdrücke „per Filium" und „filioque" harmonisierenden Auslegungstradition des lateinischen Mittelalters, für die beispielhaft auf Thomas von Aquin verwiesen werden kann[135], steht Suárez wie

[131] Vgl. Suárez, De trin. 10.1 (I, 753a-757b).

[132] Conc. Nic. II, actio III (Mansi XII, 1121CD); Zitat und Erläuterung bei GEMEINHARDT (2002) 108f.

[133] Vgl. ebd. 81-88.

[134] Vgl. ebd. 369.

[135] Vgl. Thomas, S. th. I, 36, 3 c. Dazu SIMON (1994), bes. 26-63; McCABE (2001) 554ff.; OBERDORFER (2001) 186-202, bes. 189. Schon die Lombardussschule vor Thomas urteilte ähnlich; vgl. SCHNEIDER, J. (1961) 76ff. Scotus spricht ebenfalls von einer „contrarietas non veraciter realis": Ord. I, d. 11, q. 1, n. 9 (Ed. Vat. V, 3, Z. 7f.).

die gesamte frühneuzeitliche Scholastik, wobei gegenüber den mittelalterlichen Theologen die Bemühung um historische Absicherung der eigenen These neben der bloß spekulativen Begründung, wie sie als unumgängliche Konsequenz eines psychologischen Trinitätsmodells[136] natürlich nicht aufgegeben wird, deutlich in den Vordergrund gerückt ist[137]. Mit ähnlichem Interesse erfolgt bei Suárez die – historisch begründete[138] – Auslegung der griechischen Väter, unter deren Vertretern bis zum ephesinischen Konzil er ebenfalls die lateinische Position bestätigt oder zumindest nicht bestritten findet. Dies wird tendenziell auch für die späteren Vätertheologen des Ostens mit Ausnahme von Theophylakt behauptet; sogar der von Thomas klar der extremeren griechischen Position zugeordnete Damascenus wird bei Suárez eher harmonistisch gelesen[139]. Ziel dieser Argumentation ist es stets, den „modernen Schismatikern" des Ostens mit ihrer photianischen Deutung des Sachverhalts die Grundlage in ihrer eigenen Tradition abzusprechen und ihnen somit die sachliche Schuld am Schisma von 1054 zuzuweisen. Dabei ist dem Jesuiten durchaus bewußt, daß das „filioque" nicht zum ursprünglichen Textbestand des nicänischen Symbolums zählte; anderslautende Vermutungen weist er als historisch unbegründet zurück. Suárez verweist auf die Lombardussentenzen, die berichten, daß Papst Leo III. noch um 800 den Bekenntnistext ohne die Erweiterungsformel feierlich niederschreiben konnte[140]. Um die durch die neuere Forschung aufgedeckte innerwestliche Querele hinsichtlich des „filioque" in dieser Epoche wie überhaupt um die geschichtlichen Details zu Entstehung und Verlauf des Streits hat unser Autor aber offenbar nicht

[136] Diesen Zusammenhang betont mit Recht MARX (1977) 115, während SIMON (1994) 134 unterstreicht, daß der Beweis nur durch die Verbindung von psychologischem Modell und Relationenlehre gelingt.

[137] Wie EMERY (2004c) 330 bemerkt, ist aber auch schon bei Thomas im Verlauf seines Werkes eine zunehmende Bemühung um Erweiterung des patristischen Belegmaterials zu konstatieren.

[138] Vgl. etwa SCHEFFCZYK (1967) 193f., der zum Urteil kommt, daß „zwischen diesen beiden Aussageweisen keine grundsätzlichen sachlichen Differenzen bestanden haben können."

[139] Vgl. Suárez, De trin. 10.1.13 (I, 756a), allerdings mit der Bemerkung: „...nobis aliquod negotium facit". BILZ (1909) 154-175 schließt sich ganz dieser von Suárez unterstützten Lesart an, nach der Damascenus trotz einiger schroff klingender Einzelaussagen insgesamt klar die Lehre eines Hervorgangs des Geistes aus dem Vater *durch* den Sohn unterstützt, die mit der lateinischen filioque-Tradition in der Kernaussage vereinbar ist. Die trinitätstheologische Autorität des Damascenus ist seit 1215 auch im Westen unumstritten; vgl. ARNOLD (1995) 31f.

[140] Vgl. Suárez, De trin. 10.1.17 (I, 757a) mit Berufung auf Petrus Lombardus, Sent. l. 1, d. 11, c. 1, n. 3 (Ed. Quaracchi, 115); zur exakten historischen Bezugssituation vgl. GEMEINHARDT (2002) 141-146.

gewußt. Einen exakten Zeitpunkt für die ursprüngliche „additio" vermag er darum nicht anzugeben; als Datum der ersten sicheren Bezeugung gilt ihm das achte Konzil von Toledo (653)[141], was auch aus heutiger Sicht eine akzeptable Feststellung ist[142]. Wie der Vergleich mit den detaillierteren Ausführungen bei Bellarmin[143], Valencia[144] oder Vázquez[145] zeigt, ist Suárez in seinen historischen Darlegungen insgesamt aber nicht auffällig gründlich oder originell.

Entscheidend für die Rechtfertigung des Zusatzes ist bei Suárez letztlich nicht der Rekurs auf die Theologiegeschichte, sondern das systematische Argument. Es ist darnach das Recht von Papst und Konzilien, eine solche Hinzufügung vorzunehmen, wenn neue Umstände (etwa bislang unbekannte Häresien) den Schritt notwendig machen. Nicht anders hatte in Übereinstimmung mit seinen ekklesiologischen Grundüberzeugungen schon Thomas von Aquin argumentiert, als er in Rückgriff auf die Ausführungen Anselms[146] das „Filioque" als päpstlich-autoritative Explikation der im Nicaenum implizit enthaltenen Lehre gegen den „error Graecorum" gerechtfertigt hatte[147]. So sehr man begrüßen mag, daß damit in der Debatte zwischen Lateinern und Griechen das letztlich entscheidende Moment klar zum Vorschein gebracht ist, nämlich die Unterschiedlichkeit des ekklesiologischen Kontinuitätsprinzips („formale" Kontinuität kirchlicher Existenz durch das lebendige Lehramt versus „materiale" Kontinuität durch das unveränderte Symbolum[148]), so sehr wird man die Ideologisierung und Erstarrung der Debatte bedauern, die daraus folgte. Eine Sensibilität gegenüber dem dogmatischen Anliegen und Selbstverständnis der Griechen, wie sie die Lateiner in der Kompromißformel des Florenti-

[141] Vgl. De trin. 10.1.18 (I, 757b): „Quando vero primum addita fuerit non constat: certum autem est, certe antiquissimam. Nam in Concilio Toletano octavo habebatur in symbolo, et dicitur, iam multo ante fuisse consuetudinem in Hispania, ut cum illa additione decantaretur symbolum publice in Ecclesiis."

[142] Nach GEMEINHARDT (2002) 54 findet sich „spätestens vom VIII. Toletanum (653) an das Filioque durchgehend in der konziliaren Fassung des NC." Auch Suárez' Hinweis auf die spanische (westgotische) Tradition des „filioque"-Gebrauchs ist korrekt; vgl. ebd. 51f.

[143] Vgl. Bellarmin, Controv. de Christo, l. 2, cc. 20-29 (Op. I, 336a-358a).

[144] Vgl. Gregor von Valencia, De trin. l. 2, c. 6 (446D-491A).

[145] Vgl. Vázquez, Comm. in I$^{am}$ 146 (II, 226a-234b).

[146] Vgl. zu Anselm: PERINO (1952) 136-162; GEMEINHARDT (2002) 434-495; NGIEN (2005) 23-50.

[147] Vgl. Thomas, S. th. I. 36, 2; De pot. q. 10, a. 4 ad 13; CG IV, c. 25. Vgl. BOUCHÉ (1938) 76f.; EMERY (2004c) 337; umfassender: NGIEN (2005) 76-114.

[148] Darin, so die Kernthese der Arbeit von MARX (1977) 354f. u. ö., liegt der tiefste Grund für das Scheitern des Konzils von Florenz.

nums noch aufzubringen bemüht waren[149], ist zur Zeit des Suárez kaum mehr erkennbar, wenn auch die theologische Grundidee der Florentiner Einungsformel aus lateinischer Sicht – „die Griechen glauben einschlußweise, im Herzen dasselbe wie die Lateiner, auch wenn sie es nicht klar zum Ausdruck bringen“[150] – nicht vergessen ist. Entscheidend ist jetzt freilich die Betonung der Differenz geworden. Sie fordert den Nachweis, daß im „filioque“ die theologisch einzig korrekte Auslegung des Nicaenums greifbar ist, und diesen bemüht sich Suárez zu präsentieren, wenn er die alte Frage nach der Unterscheidbarkeit von Sohn und Heiligem Geist zur Erörterung bringt.

### *b) Der Hervorgang des Geistes aus dem Sohn als Erfordernis für die Unterscheidung von zweiter und dritter Person in Gott*

Ob der Heilige Geist noch vom Sohn zu unterscheiden wäre, wenn er (aus lateinischer Sicht *per impossibile*[151]) nicht aus ihm hervorginge, ist für die Scholastik die spekulative Testfrage für die Richtigkeit ihrer Lehre vom Hauchungsprinzip gegenüber deren griechischer Variante[152]. Auch wenn der allzu hypothetische Charakter der Frage aus theologischer Perspektive zuweilen kritisch kommentiert wurde[153], haben sich ihr die mei-

[149] Mit Einschränkungen bestätigt dies OBERDORFER (2001) 256: „Zwar ließen sich die Lateiner anders als in Lyon in der Tat auf eine intensive und in gewisser Hinsicht auch ergebnisoffene Diskussion ein und kamen auch prozedural den griechischen Paritätsforderungen weit entgegen; mangelnde Fairneß kann man ihnen nicht nachsagen. Doch zeigen die Ergebnisse eindeutig lateinische Handschrift; der von der Intention her durchaus vorhandene Respekt vor der griechischen Tradition schlägt sich in den Dokumenten nicht nieder.“

[150] MARX (1977) 351.

[151] Das spätmittelalterliche Denken hat nicht zuletzt in dieser trinitätstheologischen Frage ihr Betätigungsfeld für die Argumentationsfigur der „positio impossibilis“ gefunden; vgl. KNUUTTILA (1993b).

[152] Ein späterer Jesuitentheologe bringt diese Intention exakt auf den Punkt, wenn er formuliert: „in hac quaestione quaeritur, utrum error Graecorum (...) possit legitime confutari ratione ducente ad impossibile“ (S. Mauro, Quaestiones theologicae de Deo, l. 2, q. 106, n. 8, 638).

[153] Vgl. etwa B. Torres, Comm. in I[am] q. 36, a. 2, pars 2 (128vb): „Pro cuius explicatione advertendum maxime est, ad theologum nempe pertinere, ut sciat Spiritum sanctum a filio procedere, sed parum ad ipsum theologum spectat scire, quid sequatur dato hoc impossibili, videlicet, Spiritum sanctum non procedere a filio: et an sequatur inde, eos non distingui inter sese.“ Ein wenig ironisch fährt Torres fort: „Quocirca non oportet theologos circa huiusmodi disputationem esse anxios, et torqueri: verum ut tempori aliquid demus, in hac materia aliquantulum immorabimur.“

sten scholastischen Autoren recht ausführlich zugewandt. Immer wieder werden schon in alter Zeit Klagen über die kaum überschaubare Vielzahl der Lösungsansätze laut[154]. Das Interesse braucht nicht zu verwundern, denn mit dem vorliegenden Problem ist exemplarisch noch einmal der komplette Ansatz einer relationalen Trinitätskonstruktion in der Absetzung gegenüber absoluten Personkonstitutiva auf den Prüfstand gestellt.

An der streng dogmatischen Relevanz des „filioque" möchte Suárez mit der Mehrzahl der westlichen Theologen nicht zweifeln. Er bringt das Problem zur Sprache, bevor er sich der Beschreibung des „spirator" im einzelnen zuwendet. Da wir Suárez in Buch sieben bei der Lehre über die Proprietäten als einen Theologen kennengelernt haben, der (mit Scotus gegen die Thomisten) strikt an der Einheit von Konstitutions- und Distinktionsprinzip der Personen in Gott festhält, interessiert es um so mehr, ob und wie er auf dieser Basis nun die offensichtlich nicht personkonstitutive aktive Hauchung als für die Sohn-Geist-Unterscheidung unverzichtbar verstehen will.

(1) Für die Minderheitsthese einer Unterscheidbarkeit der beiden genannten Personen auch bei hypothetischer Ausklammerung des „filioque" stehen seit der Hochscholastik vor allem die Namen des Heinrich von Gent und des Duns Scotus[155]. Wie schon Joseph Slipyj zeigen konnte, hat diese Meinung gewisse Wurzeln bei Autoren der Frühscholastik, welche die Proprietäten ohne relationale Explikation für personunterscheidend ansehen[156]. Explizit vertreten findet sie sich erstmals bei Thomas' Zeitgenossen und Gegenspieler im Mendikantenstreit, Gérard d'Abbeville († 1272)[157]. In der Folgezeit haben sich ihr außer Scotus weitere Autoren der franziskanischen Schulrichtung, namentlich mit nominalistischer Prä-

[154] Vgl. etwa Zumel, Comm. in I^am^ q. 36, a. 2, disp. 2 (808b): „Sunt adeo variae Theologorum sententiae circa illius propositionis sensum (...) ut pene sit infinitus labor eas omnes explicare et commemorare."

[155] Zu Heinrich von Gent und seinen in diesem Zusammenhang zentralen Texten Qdl. 5, q. 9 (von 1280) und Summa, a. 54, q. 6 (Ed. Badius II, 92rF) vgl. bes. SLIPYJ (1927) 15-19; KNUUTTILA (1993b) 283f.; FRIEDMAN (1996) 165f.; FRIEDMAN (1997b) 119-123; HÖDL (2002) 180-186; HÖDL (2004) 125f. Zu Scotus, der das Problem in Ord. I, dist. 11, q. 2 (Ed. Vat. V, 9-24) behandelt: SLIPYJ (1927) 12ff.; SCHMAUS (1930b) 252ff.; FRIEDMAN (1997b) 236-246; CROSS (2005) 191-195.

[156] Vgl. SLIPYI (1927) 8, der auf Gandulphus von Bologna und Petrus Pictaviensis verweist.

[157] Vgl. ebd. 13: „Primus qui affirmative ad propositam quaestionem respondet est Gerhardus de Abbatis villa..."; FRIEDMAN (1997b) 81-85; FRIEDMAN / SCHABEL (2002) 22; im Anhang des letztgenannten Aufsatzes ist der hier bedeutsame Text Gérards (Qdl. 7, q. 2) ediert, den auch schon SLIPYJ (1927) 13ff. in seinen Kernaussagen wiedergegeben hatte.

gung, angeschlossen[158]. Sie berufen sich auf die schlichte formale Unterschiedenheit der beiden Relationen und Hervorgänge in sich, die als solche nicht von diesem oder jenem Hervorbringungsprinzip bzw. dem innertrinitarischen Beziehungsgefüge als ganzem abhängig zu machen sind, da sie allein in den unterschiedlichen Proprietäten als ihren Konstitutivprinzipien gründen[159]. Je näher ein Autor der Bejahung absoluter Personkonstitutiva steht, desto eher wird konsequenterweise ein Rekurs auf das „filioque" für die Unterscheidung der beiden hervorgebrachten Personen verzichtbar. Sehr deutlich ist in dieser Denklinie auch der bloß hinzukommende Charakter der aktiven Hauchung[160], die den Sohn in keiner Weise personal konstituiert und folglich auch nicht in eigentümlicher Weise bestimmt. Der Sohn bliebe als Sohn derselbe auch ohne Hauchung des Geistes. Für Scotus ist dabei als Argument von Bedeutung, daß die Annahme eines einzigen einfachen Prinzips für mehrere real verschiedene Hervorgänge keinen inneren Widerspruch mit sich bringt[161]. Das heißt konkret: Es ist innerlich widerspruchslos denkbar, daß der Vater allein zugleich Prinzip des Sohnes wie des von ihm formal verschiedenen Geistes wäre. Ein Zweifel an der *faktischen* Beteiligung des Sohnes bei der Hauchung ist mit diesen theoretischen Erwägungen, die im Sinne der „positio impossibilis" als durchaus gebräuchlicher logischer Argumentationsfigur verstanden werden konnten und so im 14. Jahrhundert auch gehandhabt wurden[162], weder bei Scotus noch bei Heinrich verbunden,

[158] Unter ihnen können etwa vor Scotus Wilhelm von Ware, 1 Sent. d. 11, q. 1 (Ed. bei SLIPYJ [1927] 2-12, der auch den Einfluß des Heinrich von Gent nachweist; vgl. auch SCHMAUS [1930a] 328), nach ihm Gabriel Biel, 1 Sent. d. 11, q. 2, a. 2, concl. 3 (Ed. Werbeck / Hofmann, I, 367f.) und Aureoli, 1 Sent. d. 11, q. 1, a. 2 (Ed. Rom 1596, 354a-362b/Electronic Scriptum) genannt werden, wenn sie sich auch im Detail von Heinrich und Scotus unterscheiden. Vgl. (mit weiteren Textbelegen) SCHMAUS (1930b) 302-311; DECKER (1967) 362; FRIEDMAN (2003) 110f.

[159] Daß es von diesen Prämissen aus kein allzu großer Schritt mehr zu einer Lehre von absoluten Proprietäten ist, wie sie in der franziskanischen Schule tatsächlich auch vorgetragen wurde, liegt auf der Hand.

[160] Scotus spricht in Ord. I, d. 26 von der „spiratio activa" als „proprietas adventicia" (Ed. Vat. IV, 17f.); vgl. MINGES (1930) II, 236; FRIEDMAN (1997b) 238.

[161] Vgl. Heinrich von Gent, qdl. 5, q. 9 (Ed. Badius II, fol. 167); Scotus, Ord. I, d. 11, q. 2, n. 46 (Ed. Vat. V, 19f.); Suárez, De trin. 10.2.2-5 (758a-b). Nach Zumel, Comm. in I^am q. 36, a. 2, disp. 2 (811b), hat auch Soto die „incompossibilitas" der Personen zum hinreichenden Grund ihrer „oppositio" erklärt.

[162] Vgl. FRIEDMAN (1997b) 121; KNUUTTILA (1997), mit der allgemeinen Charakterisierung 283: „The theologians began to apply the positio impossibilis rules in another way, thinking that one could investigate the interrelations between certain doctrinal propositions by assuming the denial of a doctrinal statement and seeing what follows. This became quite a popular approach in treatises on certain Trinitarian topics. The impossible *positum* was then understood as a doctrinal impossibility."

wenn die rationale Begründung für diese von der lateinischen Kirche sicher gelehrte Tatsache auch mit den Prämissen der beiden Autoren erschwert wird. Für Scotus steht fest, daß Vater und Sohn den Geist hauchen, weil beide nach den Gesetzen der Intellekt und Wille unterscheidenden Zweistufigkeit der psychologischen Trinitätslehre dieselbe Hauchungspotenz (den Willen) dem Ursprung nach vor der Geisthauchung besitzen und sie folglich auch gemeinsam ausüben[163]. Ähnlich hatte zuvor schon Heinrich die im natürlichen Ordo der Geistvollzüge geforderte Konstitution des hauchungsbereiten Willens im Akt der Zeugung „per intellectum" untrennbar mit der Hervorbringung der zweiten, gemeinsam mit dem Vater hauchungsfähigen Person des Sohnes gesehen[164]. Allerdings wird die Hauchung durch diese eher das Faktum der Glaubensaussage wiederholenden als spekulativ erklärenden Argumente stärker in den Bereich des Unerkennbaren und Geheimnisvollen gerückt und werden generell die beiden Hervorgänge in Gott ihrer jeweiligen „ratio formalis" nach strenger voneinander getrennt, als es bei den Vertretern der entgegengesetzten Position der Fall ist.

(2) Zu ihnen gehören Thomas und die Mehrzahl der übrigen Theologen verschiedenster Schulen, wenn auch die Begründungen nicht unerheblich differieren. Für Thomas hat entscheidende Bedeutung der Grundsatz des hl. Anselm, wonach in Gott alles eins sein muß, sofern nicht die Ursprungsrelationen Differenzierung schaffen[165]. Offen bleibt in dieser Formel freilich das exakte Wie der Differenzierung sowie die Frage, ob das Axiom weiterer rationaler Durchdringung zugänglich oder als

[163] Vgl. Scotus, Ord. I, dist. 11, q. 1, n. 7 (Ed. Vat. V, 27): „In ista quaestione planum est quod Pater et Filius sunt unum principium Spiritus Sancti. (…) Ratio huius veritatis est ista, quia ut dictum est distinctione 10, Pater prius origine habet actum fecunditatis intellectus quam voluntatis: in illo priore communicatur Filio fecunditas eadem quae est in Patre, quia in illo signo originis – in quo Filius producitur per fecunditatem intellectus – communicatur sibi a Patre quidquid sibi non repugnat, et ita fecunditas voluntatis; ergo in alio signo originis, quando producitur persona per actum fecunditatis secundae (scilicet voluntatis), producitur a Patre et Filio omnino ut ab uno principio, propter unam fecunditatem principii productivi in eis." Weitere Darstellung und Belege bei CROSS (2005) 212-215.

[164] Vgl. Heinrich von Gent, Summa a. 60, q. 5 ad 2 (Ed. Badius, fol. 173r). Dazu: FLORES (2006) 89-103.

[165] Vgl. bes. Thomas, 1 Sent. d. 11, q. 1 und S. th. I, 37, 2. Dazu: SLIPYJ (1927) 10-13; DECKER (1967) 360f. Die weiteren Argumente, die der Aquinate mit einer auffälligen Detailliertheit in der Summa entfaltet (vgl. EMERY [2004c] 339-344), etwa seinen Verweis auf die notwendige Nachordnung des Wollens gegenüber dem Erkennen, klammert Suárez aus. Seine eigene Lösung wird zeigen, daß dies sehr bewußt geschieht, denn diese ist nichts anderes als eine konsequente Entfaltung des anselmischen Axioms, die der weiteren thomanischen Gedanken nicht bedarf.

reines Offenbarungsfaktum zu behandeln ist. Bei Vertretern der Thomistenschule wird darum eine spekulative Erklärung angeschlossen, die davon ausgeht, daß relationale Unterscheidungen als strikt *korrelationale* zu deuten sind. Für die Sohnschaft bedeutet dies, daß sie als solche allein von der sie begründenden Vaterschaft unterschieden wäre, nicht aber vom Geisthervorgang, da dieser anders als die Vaterschaft nicht der Sohnschaft als Sohnschaft korrelational korrespondiert. Darum ist für die zweite Unterscheidung als notwendige Bedingung auch die „spiratio activa" (also die Tatsache, daß der Geist auch aus dem Sohn hervorgeht) hinzuzunehmen[166]. Anders ausgedrückt: Was den Sohn als Sohn konstituiert, unterscheidet ihn zwar hinreichend vom Vater, aber nicht vom Heiligen Geist – ein Plädoyer für die Trennung von Konstitutions- und Distinktionsprinzip der Personen in Gott, wie es uns als thomistisches Anliegen bereits bekannt ist[167].

(3) Suárez lehnt ähnlich anderen Jesuitenautoren der Zeit[168] diese Ausdeutung ab. Schon an früherer Stelle, nämlich im Zusammenhang mit der diesem Votum entgegengesetzten These von der zugleich konstituierenden und distinguierenden Funktion der Proprietäten für die Personen der Trinität, hat er dazu eine Begründung geliefert, die unmittelbar auf sein philosophisches Relationsverständnis zurückweist[169]. Wir erinnern hierzu an die Argumentation gegen Cajetan und Ferrariensis, die wir im Kontext der Frage, wie Vaterschaft und Sohnschaft die aktive Hauchung begründen, ausführlich referiert haben[170]. Als Ergebnis können wir übernehmen, daß eine Relation als solche nicht bloß real von ihrem relationalen Gegensatz unterschieden werden kann, sondern stets auch von ihrem Terminus, der im kreatürlichen Bereich stets ein Absolutum ist[171]. Im genannten früheren Kontext hatte Suárez bereits auf jenen Fall aufmerk-

[166] Vgl. Suárez, De trin. 10.2.9 (I, 759b): „quia relatio non distinguit realiter, nisi a suo correlativo, cui opponitur, ergo filiatio ut sic non distinguitur realiter a processione: ergo nunc de facto distinguitur ab illa per spirationem activam, ergo si Spiritus sanctus non procederet a Filio, non distingueretur, quia auferretur a filio forma distinguens ipsum."

[167] Vgl. dazu schon früher Suárez, De trin. 7.4.1 (696b-697a).

[168] Vgl. etwa Vázquez, Comm. in I$^{am}$ 147.5.22 (II, 239a-b).

[169] Vgl. zum folgenden Suárez, De trin. 7.5.9-10 (I, 698b-699a).

[170] Vgl. oben Kap. 6, 2) a).

[171] „Addo insuper, etiam si gratis demus, relationem ut sic, solum distinguere realiter a suo opposito, hoc intelligendum esse non tantum de opposito, ut correlativo, sed etiam de opposito, ut termino. Nam (juxta veram Metaphysicam doctrinam, quam supra insinuavi et ad hoc mysterium applicui) illa duo distincta sunt, ut patet in relatione creata, quae non tendit per se ad correlativum, ut ad terminum, sed ad absolutum" (Suárez, De trin. 7.5.9, 698b).

sam gemacht, da eine korrelationale Unterscheidung völlig scheitert, nämlich in der Beziehung der Kreatur zu Gott. Diese Relation ist von ihrem Terminus (Gott) als absoluter Größe unterschieden, nicht aber von einem ihm inhärenten „oppositum correlativum" – denn eine reale Beziehung Gottes zur Kreatur gibt es nach thomistischem wie auch suárezischem Verständnis nicht. Die Unterscheidung der Relation von ihrem Terminus als solchem rückt somit schlechterdings vor die Frage, ob sie darin etwas Absolutes oder Relatives anzielt.

Für die vorliegende Problematik der Trinitätslehre bedeutet dies: Die Sohnschaft für sich betrachtet, also als personkonstituierende Proprietät, kann den Sohn nicht nur korrelativ von der Vaterschaft, sondern ebenso vom Hervorgang des Geistes unterscheiden, der ihr „nur" als „terminus formalis" gegenübersteht (sofern der Geist auf den Sohn ebenso wie auf den Vater als sein Hervorgangsprinzip zurückweist). Die Folgerung, die Suárez aus dieser Argumentation zieht, ist unmißverständlich: Auch wenn man „per impossibile" annehmen wollte, daß die Relation der Hauchung als reale bloß einseitig, nur passiv und nicht aktiv als wirklich anzusehen wäre, sie also vom Geist zum Sohn, aber nicht umgekehrt bestünde, wären die Proprietäten beider Personen unverändert hinreichender Grund ihrer Unterscheidung, da die „processio" von der „filiatio" als ihrem Terminus unterscheidbar bliebe[172]. Die „oppositio", auf die es hier ankommt, ist keine „korrelative".

(4) Dennoch möchte Suárez mit der für den kreatürlichen wie den göttlichen Bereich als uneingeschränkt gültig anerkannten These vom Zusammenfall von formalem Konstitutions- und realem Distinktionsprinzip zwischen Seienden[173], die auf Scotus zurückweist, nicht zugleich die daraus scheinbar resultierende Konsequenz des Franziskaners teilen, den Hervorgang des Geistes aus dem Sohn nicht unter die schlechthin notwendigen Unterscheidungskriterien für diese beiden Personen zu rechnen. Stattdessen will Suárez mit seiner scotischen Grundprämisse in der

[172] „Et quoniam de caeteris res est clara, quae ab adversariis etiam admittitur, in Filiatione explicatur. Nam paternitati opponitur correlative, processioni autem opponitur tanquam terminus formalis, ad quem Spiritus sanctus refertur. Procedit enim Spiritus sanctus a Patre et Filio immediate, et ut constitutis paternitate et filiatione, ut infra ostendemus et ideo immediate ad illos refertur tamquam ad principium suum. Ergo ex vi illius oppositionis habent sufficientem rationem distinctionis. Ita ut licet per impossibile intelligeremus in Filio non resultare relationem realem spirationis activae ad Spiritum sanctum, sed esse inter illos relationem non mutuam: nihilominus esset inter eos realis distinctio ex vi suarum proprietatum, quatenus Filiatio est quasi ratio terminandi habitudinem processionis ad Filium" (ebd. 10, 698b-699a).

[173] Vgl. dazu oben Kap. 8, 3) b) (5).

vorliegenden Frage dem thomistischen Weg folgen, der selbstverständlich für einen starken Begründungsanspruch der lateinischen Theologie gegenüber den Griechen der willkommenere ist. Suárez hält damit eine rational befriedigende Entscheidung in der vorliegenden Frage für möglich[174], wenn er auch einen gegenüber anderen Autoren unterschiedlichen Weg der Begründung einschlägt, der in seinem Ansatz gewisse Ähnlichkeiten mit nominalistischen Argumentationsfiguren aufweist[175].

(a) Suárez' Gedanke nimmt den folgenden Weg. Der Jesuit setzt das Faktum des Dogmas in seinem lateinischen Verständnis voraus: Der Geist geht aus Vater *und* Sohn hervor. Würde, wie die Hypothese zur vorliegenden Frage behauptet, der Heilige Geist allein aus dem Vater hervorgehen, wären Geist und Sohn nicht numerisch identisch mit den beiden Personen, wie wir sie unter der „filioque"-Prämisse vor uns haben. Die „spiratio passiva" hätte in diesem Fall nämlich einen anderen Terminus (nur den Vater, nicht Vater und Sohn), und auch die „filiatio" wäre nicht numerisch dieselbe, da ihr die Fähigkeit fehlte, eine auf sie gerichtete Hervorgangsrelation zu terminieren. Mit der formalen Bestimmung der Relationen müßten sich also notwendig auch die durch sie konstituierten Personen verändern[176]. Gezeigt ist damit, daß unter Ausklammerung des „filioque" ein entscheidendes Kriterium nicht mehr erfüllt ist, damit die angezielte unmittelbare Gegenüberstellung der Hervorgangsmodelle überhaupt sinnvoll vorgenommen werden kann: nämlich die Identität der Vergleichsgrößen[177]. Das ist eine für die Diskussion unserer „positio im-

[174] Anders sah dies nach dem Referat bei Bañez, Comm. in I^am q. 36, a. 3 (871D) Melchor Cano, der in genereller Form die Möglichkeit angezweifelt hat, von der Basis einer „positio impossibilis" aus die Resultanz kontradiktorischer Schlußfolgerungen (der des Thomas und des Scotus) zu vermeiden: „magister Cano in hoc articulo dicit, non esse mirum, quod dato uno impossibili sequuntur duae contradictoriae verae, scilicet, dato hoc impossibili, quod Spiritus sanctus non procedat a Filio, et vera est opinio Div. Thomae, et vera est opinio Scoti".

[175] Vgl. etwa Gregor von Rimini, 1 Sent. d. 11, q. 1, a. 2 (Ed. Trapp et al. II, 186-189), der im vorliegenden hypothetischen Fall auf die Nicht-Identität, ja sogar auf eine Nicht-Existenz von Sohn und Geist schließen möchte und betont, daß die Annahme zu kontradiktorischen Schlußfolgerungen führt.

[176] Vgl. Suárez, De trin. 10.2.11 (I, 760a): „Unde tandem concluditur tertia pars, nam illa hypothesis intrinsece, ac formaliter tollit habitudinem inter processionem et filiationem, quae inter relationem et terminum formalem intercedit. At haec habitudo est de intrinseco et formali conceptu harum numero relationum, ut explicatum est, ergo illa hypothesis per locum intrinsecum necessario destruit has relationes, ita ut non possint esse eaedem numero."

[177] Suárez vergleicht darum in seinem Inkarnationstraktat das vorliegende Problem einmal mit der nicht weniger hypothetischen und die faktischen Begriffsvorgaben verlassenden Frage, ob unter gedanklicher Absehung von der Personalität des göttli-

possibilis" nicht unerhebliche Prämisse. Unter Ausklammerung des „filioque" hätten wir es mit einem anderen Verhältnis zwischen Sohnschaft und Hervorgang zu tun, wodurch diese Wirklichkeiten selbst, sofern sie durch das Hervorgangsgeschehen innerlich als Relationen berührt sind, verändert würden. Damit aber erweist sich die hypothetische Fragestellung, um die es geht, in ihren Termini als äquivok gegenüber der jetzigen Aussage des Glaubensbekenntnisses. Das bedeutet: Aus der Perspektive von Sohn und Heiligem Geist läßt sich die Distinktionsfrage bei Annahme veränderter Konstitutionsbedingungen nicht angemessen stellen. Die einzig sinnvolle Variante, die es für eine solche „quaestio hypothetica" geben kann, muß nach Suárez lauten: Ist es denkbar, daß ein göttlicher Vater als alleiniges Prinzip „Wort" und „Liebe" dergestalt hervorbrächte, daß beide (wie auch immer zu verstehende) hervorgebrachte Personen voneinander unterscheidbar blieben? Verglichen werden hier nicht mehr die (in Wahrheit als äquivok) erwiesenen Relationen der zweiten und dritten Person mit und ohne „filioque"-Prämisse, sondern es wird die griechische Hervorgangsthese gleichsam apriorisch auf ihre innere Widerspruchslosigkeit und die Kompossibilität ihrer Teilstücke untersucht. Zu prüfen ist dabei vor allem die von Scotus bejahte Frage, ob es zwei real personaldistinkte Hervorgänge aus ein und demselben Hervorgangsprinzip geben könnte, ob also der Vater, wie er unter Annahme des „filioque" hervorbringendes Prinzip von Sohn und Geist als realdistinkten Personen ist, ebendieses unter Ausklammerung des „filioque" bleiben könnte.

(b) Suárez entwickelt seine Prämissen zu zwei Argumenten zugunsten der Scotus widersprechenden These fort.

(aa) An die erste Stelle setzt der Jesuit die Aussage, daß die Akte des Erkennens und des Liebens als solche die erforderliche Distinktion nicht zu leisten vermögen, da sie in Gott real identisch sind. Zwar sind die beiden Vollzüge für unser Verstehen formal distinkt, aber in Wirklichkeit stehen sie zueinander nicht in einem Gegensatz „ex natura rei". Folglich wäre auch das Produkt dieser Akte „secundum rem" identisch, wenn es darüber hinaus zwischen ihnen nicht einen weiteren Ursprungsgegensatz gäbe. Fehlte er, hätte der real identische „actus intelligendi et amandi" der einen „persona intelligens et amans", nämlich des Vaters, auch nur einen einzigen, realidentischen relationalen Terminus, den wir allein *gedanklich* formal nach den beiden Hinsichten „verbum et amor" unterscheiden könnten[178]. Die psychologische Trinitätsanalogie, so lautet also der Kern dieses Arguments, behält nur dann einen Erklärungswert für die

chen Wortes eine Einung mit der Menschheit auch vermittels der göttlichen Natur erfolgen könnte; vgl. De incarnatione, Comm. ad q. 3, a. 3, n. 3 (XVII, 472b).

[178] Vgl. De trin. 10.2.13 (I, 760b).

trinitätstheologische Personendistinktion, wenn sie mit der These von der Ursprungsverschiedenheit in den beiden Hervorgängen kombiniert wird; ansonsten scheitert sie an der Realidentität der Geistvermögen in Gott. Damit liefert Suárez eine nicht bloß auf der Ebene der Wahrscheinlichkeitsargumentation, sondern im strikten Sinne zu verstehende Widerlegung des griechischen Hervorgangsmodells, in deren Kern die Ablehnung der Formaldistinktion als einer Distinktion „ex natura rei" steht, wie sie Scotus annahm. Sie ähnelt dabei Argumentationen, wie sie bereits im frühen 14. Jahrhundert entwickelt wurden[179].

(bb) Eine zweite, kürzere Begründung für dieselbe Konklusion, die Notwendigkeit des „filioque", schließt sich an, nun aber im Ausgang vom Ursprungs-Begriff[180]. Wenn Sohn und Geist beide nur vom Vater hervorgingen, müßte entweder der eine Hervorgang real dem anderen vorzuordnen sein, oder es läge zwischen ihnen eine nur gedankliche Priorität bzw. Posteriorität vor. Im ersten Fall ist nach dem bereits angeführten anselmischen Axiom auch der Sohn notwendig Prinzip des Geistes, denn eine reale Abstufung der Hervorgänge ist nur über eine „oppositio relationis" zwischen den beiden hervorgebrachten Relationen zu gewinnen, die sich durch den Ursprung aus ein und demselben Prinzip nicht ergibt. Im zweiten Fall aber würde sich der bloß gedankliche Charakter der Ursprungsverschiedenheit auch zwischen den hervorgebrachten Personen wiederfinden, womit man beim gleichen Widerspruch zum Glauben angelangt wäre, wie ihn das erste Argument aufgedeckt hatte.

(c) Suárez' Begründungsweg ist insgesamt als spekulative Ausfaltung des thomanischen Hauptgedankens zur vorliegenden Frage zu charakterisieren, der kein anderer ist als das auf Boethius und Anselm zurückweisende trinitätstheologische Zentralaxiom: „In deo omnia sunt unum, ubi non obviat relationis oppositio", das seit Thomas in der lateinischen Theologie „axiomatische und dogmatische Bedeutung"[181] und durch die Aufnahme im Florentiner Konzil[182] auch lehramtliche Bestätigung erfah-

[179] Vgl. etwa Durandus, 1 Sent. d. 11, q. 2, nach DECKER (1967) 377.

[180] Vgl. Suárez, De trin. 10.2.14 (I, 760b-761a).

[181] HÖDL (2002) 178; der Aufsatz legt genauer dar, wie die Rezeption des anselmischen Satzes unter dem Einfluß der aristotelischen Metaphysik im 13. Jahrhundert erfolgte und wie er in den Pariser Schulen der Zeit seine endgültige Fassung erhielt. Ergänzend: HÖDL (2004) 124ff.; HÖDL (2006). Thomas argumentiert mit Berufung auf Anselm etwa in 1 Sent. d. 29, a. 3, sc.; S. th. I, 36, 2. Vgl. BOUCHÉ (1938) 78ff.; MÜHLEN (1965) 43-53; MÜHLEN (1988) 313-318; IRIBARREN (2005) 24-27. Der Aquinate hat das Axiom gleichermaßen auf Boethius zurückgeführt; vgl. BOUCHÉ (1938) 73.

[182] Vgl. Konzil von Florenz, 11. Sitzung (Unionsbulle mit den Kopten): Wohlmuth / Alberigo, Dekrete, Bd. 2, 571.

ren hat. Es ergibt sich folgende Schlußkette: Der Glaube fordert eine reale Verschiedenheit zwischen Sohn und Geist. Reale Verschiedenheit in Gott folgt allein aus einem Gegensatz der Relation bzw. des Ursprungs. Ein solcher Gegensatz ist nicht zwischen zwei Relationen vorhanden, die gleichermaßen aus ein und demselben göttlichen Prinzip hervorgehen, da in Gott auf der Ebene der Formalverschiedenheit niemals weiter als bis zu einer gedanklichen Distinktion zu gelangen ist, wie sie zwischen den göttlichen Personen als zu gering angesehen werden muß. Also folgt, daß der unterscheidende Gegensatz hier nur auf dem Wege des Ursprungs der zweiten hervorgebrachten Person aus der ersten zu gewinnen ist. Genau dies aber ist der Sinn des lateinischen „filioque", und dies hatten nach Suárez die Väter des Florentinums im Auge, als sie lehrten, dem Sohn sei mit der ganzen Gottheit vom Vater auch die „virtus spirandi" mitgeteilt worden[183]. Würde sie dem Sohn fehlen, wäre sein Hervorgebrachtwerden von dem des Geistes nicht mehr unterscheidbar.

Für das Verhältnis zu Scotus bedeutet dies, daß Suárez zwar wie der Franziskaner für die Personen die Einheit von Konstitutions- und Distinktionsprinzip lehrt, aber an dieser Stelle das bei Scotus latent stets durchscheinende absolute Verständnis der Proprietäten, die voneinander qua reiner Formalbestimmung unterschieden sind, ausschließt. Denn weil in Gott absolute Formen untereinander keinen realunterscheidenden Gegensatz generieren, muß jede Proprietät die Möglichkeit relationalen Verschiedenseins von den anderen in sich tragen. Darum kann der Sohn im dreifaltigen Gott nur ein solcher sein, der wie der Vater die „virtus spirandi" besitzt und ausübt.

### *c) Die exakte Bestimmung des Geisthervorgangs aus Vater und Sohn*

Nachdem Suárez aus den Autoritäten die Berechtigung und spekulativ sogar die Notwendigkeit des „filioque" in der Lehre vom Hervorgang der dritten Person erwiesen hat, kann er sich den Problemen zuwenden, die sich mit der Bestimmung der Art und Weise verbinden, wie Vater und Sohn gemeinsam „spirator" des Geistes sind.

[183] Vgl. Suárez, De trin. 10.2.15 (I, 761a). Vgl. Konzil von Florenz, 6. Sitzung (Wohlmuth / Alberigo, Dekrete, Bd. 2, 526): „Et quoniam omnia, quae Patris sunt, Pater ipse unigenito Filio suo gignendo dedit, praeter esse Patrem; hoc ipsum, quod Spiritus sanctus procedit ex Filio, ipse Filius a Patre eternaliter habet, a quo etiam eternaliter genitus est."

(1) In einem ersten Schritt wird die Grundsatzfrage aufgeworfen, ob beide Personen „unmittelbar und in gleicher Weise“ Prinzip der Hauchung genannt werden dürfen[184].

„Unmittelbarkeit“ in einem Wirken läßt sich nach Suárez auf doppelte Weise verstehen, nämlich einerseits als „immediatio virtutis“ (es ist die eigene, nicht eine fremde Kraft mit deren Hilfe jemand eine Wirkung hervorbringt) und als „immediatio suppositi“ (es ist diese Person selbst, nicht ein anderer an seiner Stelle bzw. in mittlerischer Funktion, der wirkt). Da unter der Prämisse des „filioque“ an der doppelten Unmittelbarkeit des Sohnes in der Hauchung nicht gezweifelt werden kann, da er vom Vater, wie früher dargestellt, die Hauchungskraft mit der göttlichen Wesenheit, näherhin mit dem göttlichen Willen in seiner hervorbringenden „Fruchtbarkeit“[185], selbst mitgeteilt bekommen hat und zwischen ihm und dem Geist keine weitere vermittelnde Person stehen kann[186], stellt sich das Problem nur hinsichtlich des Vaters, und hier auch nur im Blick auf den zweiten Aspekt, da das Vorliegen der Hauchungspotenz aufgrund des göttlichen Wesens auch bei ihm nicht zu bezweifeln ist. Fraglich ist also nur, ob der Hervorgang des Geistes vom Vater „durch den Sohn“ so zu verstehen ist, daß der Vater als Person nur mittelbar Prinzip des Geistes ist, nachdem er dem Sohn die „virtus spirandi“ übergeben hat. Er stünde dann zum Geist wie ein Vater zu seinem Enkel, den dieser ebenfalls gewissermaßen „durch seinen Sohn“ zeugt[187].

Selbstverständlich lehnt Suárez eine solche Deutung ab, ja verwirft sie sogar als dem Glauben unmittelbar widersprechend. Da der Vater die Hauchungskraft dadurch, daß er sie dem Sohn kommuniziert, ebensowenig verliert wie sein göttliches Wesen und seinen göttlichen Willen, ist zu folgern, daß er sie auch weiterhin unmittelbar ausübt[188]. Die einzige negative Bedingung für eine göttliche Relation, Prinzip der Hauchung sein zu können, nämlich selbst nicht durch Hauchung hervorgebracht zu sein, erfüllen Vater und Sohn ebenfalls gleichermaßen[189]. Daß in positiver Hinsicht die gemeinsame Hauchung aufgrund der Gemeinsamkeit des Willens erfolgt, erklärt Suárez mit dem Hinweis auf das ungeteilte Handeln Gottes „ad extra“, das ebenfalls in der Gemeinsamkeit des einen, unge-

[184] Vgl. Suárez, De trin. 10.3.1 (I, 761b).

[185] Vgl. dazu auch ebd. 7 (763a).

[186] Dieser Gedanke erinnert stark an die Argumentation des Scotus in Ord. I, d. 11, q. 1, nn. 11-13 (Ed. Vat. V, 4f.). Vgl. dazu SCHMAUS (1930b) 251f.

[187] Vgl. Suárez, De trin. 10.3.3 (I, 762a). Natürlich ist bei diesem Vergleich an die aktive Rolle einer Mutter im Zeugungsgeschehen noch nicht gedacht.

[188] Vgl. ebd. 6 (762b-763a). Vgl. zur Unvermitteltheit der „foecunditas spirandi“ im Vater etwa Scotus, Ord. I, d. 3, p. 3, q. 4, n. 584 (Ed. Vat. III, 345f.).

[189] Vgl. Suárez, De trin. 10.3.8 (I, 763b).

teilten Willens in allen Personen wurzelt. Was aber schon in diesem freien Wirken gilt, muß erst recht für das naturnotwendige Wirken „ad intra" zutreffen[190]. Hier wie dort ist das Wirkvermögen in den Personen absolut identisch, verschieden ist allein dessen „Woher", also der „modus originis"[191]. In letztgenannter Hinsicht hat der Sohn das Vermögen zur Hauchung ebenso wie seine Schöpferkraft „vom Vater", während dieser sie „aus sich" besitzt. Die griechische Formel („Pater spirat per Filium") kann Suárez darum problemlos anerkennen und in seine Ausführungen integrieren. Sie ist Ausdruck dafür, daß dem Sohn über das gemeinsame und unmittelbare Hauchen mit dem Vater hinaus auch ein gewissermaßen vermitteltes zugesprochen werden kann, sofern er die dazu notwendigen Faktoren „virtus" und „voluntas" vom Vater empfangen hat, der damit in besonderer Weise als „Prinzip und Quelle" der ganzen Trinität hervorgehoben wird. Ähnlich deutet Suárez (mit Thomas[192]) einige bei Augustinus[193] und von ihm her vor allem in der franziskanischen Linie der Trinitätstheologie, aber auch bei Albert[194] anzutreffende Aussagen, die eine primäre Rolle des Vaters bei der Hauchung betonen (in Aussagen wie: „Spiritum sanctum principaliter procedere a Patre")[195]. Angeschlossen wird nur die Mahnung, daß eine „vergleichende Rede" („locutio comparativa") im Blick auf die Personen insoweit zu vermeiden ist, wie sie deren Ungleichheit insinuieren könnte.

(2) Eine noch subtilere, aber ebenfalls seit dem 13. Jahrhundert gängige Frage schließt sich im suárezischen Erörterungsgang an zweiter Stelle an: Muß man Vater und Sohn, sofern sie gemeinsam den Heiligen Geist hervorbringen, als ein einziges Prinzip in der Weise denken, daß zwischen ihnen als Personen und dem durch sie gebildeten Hauchungsprinzip nur eine gedankliche Unterscheidung möglich bleibt? Der „spirator" wäre in einer solchen Sicht von dem gemeinsam vollzogenen notionalen Akt her

[190] Vgl. ebd. 7 (763a): „Adde, quod etiam in actibus liberis impossibile est, postquam illa voluntas intelligitur esse in tribus personis, aliquid velle unam, quod non velit alia propter indivisibilem voluntatem, et actum volendi, ergo multo magis id erit necessarium in naturali productione per illum actum, quoad eas personas, in quibus talis voluntas invenitur ante talem productionem."

[191] Vgl. ebd. 11 (764a).

[192] Vgl. S. th. I, 36, 3 ad 2; zuvor schon 1 Sent. d. 12, exp. text. Vgl. EMERY (2004c) 346, mit Anm. 1 (u. a. mit dem Hinweis auf Augustinus, De trin. XV,17,29).

[193] Vgl. Augustinus, De trin. l. 15, c. 17 (CCL 50A p. 504): „et tamen non frustra in hac trinitate non dicitur uerbum dei nisi filius, nec donum dei nisi spiritus sanctus, nec de quo genitum est uerbum et de quo procedit principaliter spiritus sanctus nisi deus pater". Dazu: SCHMAUS (1927) 134.

[194] Vgl. Albert, 1 Sent. d. 12, a. 4-5.

[195] Vgl. Suárez, De trin. 10.3.10 (I, 763b-764a).

als Quasi-Person zu behandeln, gedanklich konstituiert durch Wesenheit und die (nicht real personbildende) Relation der aktiven Hauchung und so dem Geist ursprunghaft vorausgehend[196]. Sein Begriff stünde nicht nur in Analogie zu dem der übrigen göttlichen Relationen, die ebenfalls mit dem ihnen jeweils entsprechenden Konkretum identifiziert werden („paternitas" = „Pater"), sondern auch zu demjenigen des „einen Gottes" („hic deus"), wie er ebenfalls quasi-personal (als „principium quod") eingesetzt wird, wenn es um die Beschreibung des gemeinsamen Handelns der drei Personen nach außen geht. Wir haben hier gleichsam die lateinische Variante für das Problem des ungeteilten Geistursprungs[197] vor uns, das die Griechen zur Ablehnung des „filioque" bewegt. Während diese die Lösung im einheitlichen personalen Ursprung suchen, verweisen die Lateiner auf die Einheit des formalen Hervorbringungsprinzips, in dem Vater und Sohn ununterscheidbar sind – bis hin zur Gefahr einer quaternitätsverdächtigen Personalisierung dieser Konvergenz auf der Prinzipebene.

Suárez sieht den Ursprung der These, die den Hervorgang des Geistes wenigstens in der genannten gedanklichen Form als durch eine individuelle Instanz vermittelt betrachtet, in der nominalistischen Trinitätstheologie (Ockham, Gabriel Biel[198]). Daß sie tatsächlich älter ist, hätte Suárez in seiner Scotus-Lektüre bemerken können, denn bereits der Franziskaner setzt sich mit ihr (in einer offensichtlich auf Richard von Mediavilla zu-

[196] Die These lautet in der Formulierung von De trin. 10.4.1 (764b) „dari quoddam constitutum, immediate subsistens, et constans ex essentia, et relatione spirationis activae, quod est prius origine, quam persona Spiritus sancti, et immediatum principium ejus."

[197] Bekanntlich argumentierte Photius: Entweder geht der Geist aus allen drei Personen (und damit zugleich aus der göttlichen Natur) hervor oder nur aus einer einzigen (gemäß ihrer Proprietät); ein an die personale Proprietät *zweier* Personen gebundenes Handeln wird strikt verworfen. Vgl. CONGAR (1982) 369.

[198] Vgl. Ockham, Rep. I d. 12, q. 1 (OTh III, 387, ZZ. 11-15): „Sed spiratio activa est eadem realiter tam cum paternitate quam cum filiatione, et ideo non constituit suppositum distinctum ab eis, quamvis constituat aliquod unum quod non est formaliter Pater nec Filius, sicut ipsa spiratio activa non est formaliter nec paternitas nec filiatio." Bei Gabriel Biel, 1 Sent. d. 12, q. 1, a. 3, dub. 4, erscheint die „spiratio activa" als „terminus non supponens primo et immediate pro essentia nec pro persona nec pro relatione praecise, sed pro constituto ex essentia et relatione, quod non est formaliter persona, licet sit realiter et essentialiter duae personae" (Ed. Werbeck / Hofmann I, 378, ZZ. 34-37). Das Referat des Suárez ist also zutreffend. Allerdings grenzt Biel mehrfach sein Verständnis vom „spirator" gegen eine mögliche Quaternitätskonsequenz ab und unterstreicht zudem, daß er seinen Vorschlag „sine temeraria assertione (…) humili cum submissione" vorlegen will (ebd. 380, Z. 19). Dazu: SLIPYJ (1926) 75-80; LEFF (1975) 432f.; SCHRAMA (1981) 185-194.

rückweisenden Form) auseinander[199]. Wichtiger als die Frage nach dem historischen Ursprung war für Suárez jedoch, daß die Meinung auch in neuerer Zeit (unter den „moderni") teils vehemente Verteidiger gefunden hat. Dabei dürfte er in erster Linie seinen Ordensgenossen Luis de Molina im Blick gehabt haben, der die „ratio spiratoris" exakt in dem zuvor referierten Sinne („individuum subsistens" aus Wesenheit und aktiver Hauchung, in Analogie zur absoluten Wesenssubsistenz) auslegt[200] und Ockham und Biel gegen Vorwürfe zu verteidigen sucht[201]. Auch Vázquez zeigt Sympathie für die These, die er vor allem auf Gregor von Rimini zurückführt und deren innere Verbindung zu „subsistentia absoluta"-Modellen er klar erkennt[202]. Noch manche andere Autoren, darunter prominente Thomisten, haben ähnlich gedacht[203].

Suárez steht dieser Auslegung kritisch gegenüber. Ein wichtiges Argument gegen sie ist ihm die erwähnte implizierte Quaternitätsgefahr – es

[199] Vgl. Scotus, Ord. I, dist. 12, q. 1, n. 49 (Ed. Vat. V, 53): „Quomodo haec est vera ‚Deus creat', vel ‚Deus est Pater et Filius et Spiritus Sanctus', ita ponitur quod est aliquis ‚hic spirator', cui primo conveniat – id est adaequate – spirare, qui praeintelligitur aliquo modo in Patre et in Filio, quibus convenit actus spirandi, quia uterque est ‚hic spirator': et tunc diceretur quod illius ‚per se exsistentis', quod est quasi commune quoddam in re ad Patrem et Filium, est una actio, licet illud non sit unum suppositum (id est incommunicabile), sicut nec Trinitas est unum suppositum, una tamen creatione creat." Auch die Parallele zum göttlichen Handeln „ad extra" findet sich somit bereits bei Scotus. Siehe dazu: CROSS (2005) 221f.

[200] Vgl. Molina, Comm. in I[am] q. 36, a. 4, disp. 2 (498bA-B): „Est ergo ratio spiratoris unum per se, constitutum ex essentia et spiratione activa, ac proinde est quippiam subsistens: non quidem in ea acceptione, qua subsistens et suppositum idem sunt, sed in ea, qua divinam essentiam dicimus esse quid subsistens, hoc est existens, independens a quocunque alio, cui quasi inexistat. Etenim quod divinam essentiam includit subsistens hoc modo est: quare si spiratoris ratio essentiam divinam includit, subsistens erit in acceptione, de qua loquimur. Possumusque idem confirmare, quoniam si per impossibile non esset in Deo ratio Patris et Filii, nec processio per intellectum sed solum per voluntatem, non minus spirator active subsisteret sine Patre ac Filio, quam modo subsistat Spiritus sanctus." Molina verbindet seine Erklärung also mit der These daß das Wesen zum Begriff einer jeden göttlichen Relation zählt. Ebd. disp. 5 (507bD) lehrt Molina nochmals „Spiritum sanctum procedere a Patre et Filio, quatenus sunt unum individuum communicabile secundum rationem spiratoris". Vgl. SLIPYJ (1926) 88f.

[201] Vgl. Molina, Comm. in I[am] q. 36, a. 4, disp. 2 (499aF-500bE)

[202] Vgl. Vázquez, Comm. in I[am] 149.4.8 (II, 251a-b).

[203] Capreolus spricht immerhin von einer „konfusen" Supposition des „spiratio activa"-Prädikats, sofern es für zwei Personen zugleich steht: Defensiones, I, d. 12, q. 1 (I, 43a-b). B. Torres, Comm. in I[am] q. 38, a. 4, pars 2 (134va-135rb) verteidigt klar die Einheit des Hauchprinzips, ohne sich aber der umstrittenen Redeweise anzuschließen. Bei Gregor von Valencia, De trin. l. 2, c. 8 (514D-515B.516C-517B) wird sie zumindest gebilligt.

ist schwierig zu erklären, weshalb in der vorgelegten Sicht die aktive Hauchung nicht personbildend sein soll. Den Begriff „hic spirator" will Suárez damit aber nicht generell ablehnen – er kann auch korrekt verstanden werden. Dazu vermag der Jesuit auf seine eigene frühere Erklärung der absoluten Subsistenz in Gott zu verweisen, welche die Möglichkeit bestätigt, etwas Subsistierendes in Gott zu identifizieren, dem Inkommunikabilität als Personkonstitutiv fehlt[204]. Wenn Suárez dennoch die „spirator"-These im Sinne der Nominalisten verwirft, liegt dies daran, daß sie seiner Meinung nach das Geschehen der Hauchung nicht korrekt beschreibt. Der Heilige Geist geht nämlich nicht aus einem Konstitutionsprinzip hervor, das aus der unmittelbaren Verbindung von aktiver Hauchung und Wesenheit resultiert, sondern setzt Vater und Sohn als Hauchende voraus, also zwei ihrerseits aus einer Relation in Vereinigung mit der Wesenheit konstituierte Personen[205]. Es gibt folglich keine unmittelbar aus der Wesenheit entfließende notionale bzw. relative Subsistenz des „spirator" außerhalb der personalen Subsistenzen von Vater und Sohn, die vermittels ihres gemeinsamen göttlichen Willens hauchen – Suárez will wie die Mehrheit der Autoren über eine „Kopulativsupposition" des „spirator"-Begriffs nicht hinausgehen. Die einzige auch der „spiratio activa" zukommende Substantialität bzw. Subsistenz ist diejenige, die alles in Gott Seiende umfaßt.

Es ist Suárez wiederholt wichtig hervorzuheben, daß die aktive Hauchung bereits die vollständige personale Konstitution der Haucher Vater und Sohn zur Bedingung hat und diese nicht etwa in irgendeiner Weise erst mitbegründet. Dies ist besonders sorgfältig für die „paternitas" zu erläutern, da sie allein bei der Hervorbringung zweier Personen beteiligt ist. Die Vaterschaft ist Prinzip der Zeugung in der Weise, daß sie dabei keinen Teilhaber zuläßt – die zweite Person geht nur aus einer einzigen hervor. Dagegen ist die Vaterschaft Prinzip der Hauchung zusammen mit einem anderen, denn der Vater zeugt einen Sohn, der seinerseits das „principium quod" der Hauchung zu komplettieren vermag. Den Unterschied begreift man, wenn man exakt fragt, inwieweit die Proprietät der ersten Person als solche in diesen beiden notionalen Akten beteiligt ist. Die „paternitas", so ist zu antworten[206], konstituiert nicht bloß den Vater

[204] Vgl. Suárez, De trin. 10.4.3 (I, 764b-765a). Der Quaternitätsvorwurf wird im vorliegenden Kontext schon von Gregor von Rimini, 1 Sent. d. 12, formuliert (Ed. Trapp et al. II, 192). Er bleibt auch bei Kritikern nach Suárez das wichtigste Argument; vgl. Ruiz, De trin. 70.3 (602a-603b).

[205] Suárez, De trin. 10.4.5 (I, 765b): „Non igitur constitutum aliquod commune, sed Pater et Filius immediate spirant".

[206] Vgl. zum folgenden De trin. 10.4.9 (766a-b).

als subsistierenden, der fähig zur Zeugung ist, sondern setzt ihn auch in Beziehung zur gezeugten Person des Sohnes. Ebenfalls konstituiert seine Proprietät den Vater als eine Person, die fähig zur Hauchung ist. Aber als sie selbst (d. h. als „paternitas“) setzt sie den Vater nicht in Beziehung zum Terminus des zweiten Hervorgangs. Dies geschieht allein durch eine neue, von der als Proprietät benennbaren gedanklich zu unterscheidende Relation, die in der ersten Person aus dem Hervorgang des Geistes resultiert („spiratio activa“). Analoges gilt für die Person des Sohnes. Auch hier setzt die Sohnschaft den Sohn zwar in Beziehung zum Vater, aber nicht unmittelbar zum Heiligen Geist. Dies geschieht ebenfalls nur durch eine Relation, die aus dem Hervorgang des Geistes resultiert und mit der aktiven Hauchung des Vaters identisch ist. In diesem Punkt steht Suárez in einer spürbaren Distanz zu dem in der Thomistenschule gegen den Scotismus zu beobachtenden Versuch, die beiden Hervorgänge in Gott in möglichst enger Verbindung zueinander zu sehen[207].

(3) Die Ablehnung eines einzigen Hauchers mit eigener Individualität und absoluter Subsistenz hindert Suárez nicht daran, die Einheit der Hervorbringungsprinzipien im Hauchungsakt eingehender zu reflektieren. Zu fragen ist näherhin, ob es nur eine einzige „virtus spirandi“ gibt, wie sich die Zweiheit der Personen zu der einen Hauchung verhält und wie die Rede vom einen „spirator“ aufrechtzuerhalten ist.

(a) Die Einheit der „virtus spirandi“ ist nach Suárez unbestreitbar[208]. Nur so kann die Hauchung ein einziges Prinzip haben und die irrige Vorstellung vermieden werden, es gebe getrennte Hauchkräfte, die sich wie zu addierende Teilkomponenten verhielten[209]. Positiv ist die behauptete These abzusichern durch den Verweis auf die Identität der „virtus spirandi“ mit dem Willen bzw. der Liebe Gottes, die wegen ihrer Unendlichkeit, die wiederum Resultat der Identität mit der göttlichen Wesenheit ist, nicht vervielfacht werden können. Weil das an sich absolute Attribut „Wille“ bzw. „Liebe“ eine personale Relation konnotiert, kann es Prinzip des Geisthervorgangs sein. Als zu konnotierende Relationen kommen dabei eben diejenigen in Frage, die selbst nicht „per voluntatem“ hervorgebracht sind, nämlich Vaterschaft und Sohnschaft. Einheitsprinzip der Hauchung bleibt aber das formale Element, die „virtus spirandi“, nicht die in den hauchenden Supposita jeweils damit verbundene, personal unterschiedliche Bedingung[210].

[207] Vgl. EMERY (2004c) 349f.
[208] Vgl. De trin. 10.5.3 (767a-b).
[209] Suárez weist dies erneut zurück in De trin. 10.6.8 (770a-b).
[210] Vgl. De trin. 10.5.6 (768a).

(b) Im Blick auf den zweiten Aspekt, das Verhältnis der zwei hauchenden Personen zum einen Akt, unterscheidet Suárez die Positionen des Scotus und Durandus einerseits und zahlreicher Thomisten andererseits, zu denen man in diesem Punkt auch jesuitische Autoren wie Gregor von Valencia[211] oder Vázquez[212] zählen darf, mit denen sich Suárez also im folgenden ebenfalls ohne explizite Nennung auseinandersetzt. Auffälligerweise wird die durch Richard von St. Viktor begründete[213] und in der Frühscholastik wie der älteren Franziskanerschule höchst einflußreiche Lehre, daß der Heilige Geist aus der gegenseitigen Freundschaftsliebe zwischen Vater und Sohn hervorgeht, wodurch im strikten Sinne eine Zweizahl der hervorbringenden Personen erforderlich wird[214], von Suárez nicht mehr als eigene These, sondern nur noch später in ihrer abgeschwächten thomistischen Rezeption diskutiert – allein dies mag als Beleg dafür gelten, daß in der von den beiden Schulautoritäten Thomas und Scotus mit ihrer Augustinusauslegung[215] beherrschten Debatte des Spätmittelalters und der frühen Neuzeit ein strikt personalistisches Trinitätsmodell nicht mehr in der Diskussion stand.

(aa) Für Scotus[216], der hier nicht nur mit der Vorgabe des Heinrich von Gent, sondern mit den früheren Traditionslinien der franziskanischen Theologie insgesamt bricht[217], steht fest, daß die Hauchung aus Vater und Geist gemeinsam nicht vollkommener ist, als es diejenige wäre, die durch eine Person allein vollzogen würde. Denn entscheidend ist das Formalprinzip der „virtus spirandi", das in beiden Fällen unverändert gleich wäre. In dieser Argumentation ist folglich die Duplizität der Hauchprin-

[211] Vgl. die Argumentation gegen Scotus bei Gregor von Valencia, Comm. in I$^{am}$ disp. 2, q. 10, p. 5 (794D-796D).

[212] Vgl. Vázquez, In I$^{am}$ 150.2.6 (II, 253a): „Multo probabilior sententia est, Spiritum S. per se quarto modo procedere a duobus habentibus eandem vim spirandi: ita ut si illa virtus in uno tantum esset, Spiritus S. secundum eandem characteristicam proprietatem non procederet".

[213] Vgl. zum Gedanken der „condilectio" in der aktiven Hauchung bei Richard WIPFLER (1965) 218-221; PURWATMA (1990) 73f.

[214] Vgl. die Nachweise bei SLIPYJ (1926) 37-53.

[215] Bei Augustinus erweist sich ebenfalls das Paradigma der Selbstliebe trinitätstheologisch stärker als das der Freundschaftsliebe; vgl. SCHMAUS (1930b) 278; VON BALTHASAR (1985) 164.

[216] Für Scotus folgt diese These aus der Einsicht, daß das Hauchungsprinzip (die „voluntas divina") in Vater und Sohn absolut identisch ist und nicht etwa, wie es Richard von St. Viktor nahezulegen schien, die Wechselseitigkeit der Liebe zwischen Vater und Sohn als solche irgendwie formalbestimmend in den Hauchungsakt eingeht; vgl. Ord. I, dist. 12, q. 1, nn. 8-41 (Ed. Vat. V, 28-48). Dazu: SCHMAUS (1930b) 263-266; 322ff.

[217] Vgl. SLIPYJ (1926) 66-71; MINGES (1930) II, 207-211.

zipien für den Akt selbst akzidentell, die „Freundschaft“ zwischen Vater und Sohn für die Geisthauchung irrelevant. Suárez vergleicht die in dieser These gelehrte formale Bestimmung der Hauchung durch die den Personen gemeinsame Hauchkraft darum (ein schon von Augustinus entwickeltes Argument aufgreifend[218]) mit dem göttlichen Schöpfungsakt, der ebenfalls durch die eine Allmacht Gottes bestimmt wird und folglich nach außen hin als eine einzige Wirkung erscheint, ohne daß die faktische Dreizahl der ihn tragenden Personen eine Rolle spielte[219].

(bb) Gegen diese Behauptung stellen die Thomisten – bei aller grundsätzlichen Bejahung der Einheit des Hauchprinzips in Gott, durch welche sich schon Thomas von der älteren, vor allem richardisch-franziskanischen Berufung auf den „amor mutuus“ abgegrenzt hatte[220] – die These, daß die Zweiheit der hervorbringenden Personen in irgendeiner innerlichen Form für den Hervorgang des Geistes gefordert sein muß[221]. In starker Form findet sie sich unter den Zeitgenossen des Suárez bei Gregor von Valencia behauptet[222]. Zwei Argumente sind dabei nach Suárez für ihre Begründung entscheidend[223].

Zum einen weisen ihre Vertreter auf die Ordnung der innergöttlichen Hervorgänge hin, die nach dem Modell der psychologischen Trinitätslehre in der notwendigen Abfolge von Intellekt und Wille im menschlichen Geistvollzug gründet: Die Hervorbringung durch die Liebe setzt die Hervorbringung durch den Verstand voraus. So hatte der reife Thomas in der Summa argumentiert, um die Einheit des Hauchprinzips und zugleich eine notwendige Zweiheit der „spirantes“ lehren zu können, ohne auf den Gedanken des „amor mutuus“ zwischen den Personen zu rekurrieren[224]. Suárez macht sich gegenüber dieser Begründung die scotische Kritik an Heinrich von Gent zueigen, nach der zwar in absoluter Sicht der Intellekt

[218] Vgl. Augustinus, De trin. l. 5, c. 15 (CCL 50, 180f.); Thomas, S. th. I, 36, 4 ob. 7 / ad 7; DONDAINE (1946) II, 328 [Anm. 50].

[219] Vgl. Suárez, De trin. 10.6.1 (I, 768a-b).

[220] Vgl. SLIPYJ (1926) 55-59, der Thomas in diesem Punkt weiter von Bonaventura entfernt sieht, als dies bei STOHR (1923) 68 behauptet wird. Die neuere Bonaventura-Interpretation bei NGIEN (2005) 115-143, die seine richardische Tendenz in der Interpretation des „amor mutuus“-Motivs betont, geht in Slipyjs Richtung.

[221] Verwiesen werden kann hier auf Cajetan, Comm. in I^am q. 36, a. 4, n. 4 (Ed. Leon. IV, 385a): „Est igitur hic dubium, an ipsa spiratio per se sit a duobus; an non, sed quasi per accidens, ut creatio est a tribus.“ Cajetan schließt sich – wenn auch mit einem gewissen Zögern – der affirmierenden Antwort an, weil sie bei Thomas, 1 Sent. d. 11, q. 2, klar gelehrt zu werden scheint. Es folgen anschließend im wesentlichen diejenigen Argumente, die Suárez als die „thomistischen“ referiert.

[222] Vgl. Gregor von Valencia, In I^am disp. 2, q. 10, punct. 5 (795a-b), gegen Scotus.

[223] Vgl. Suárez, De trin. 10.6.3-4 (I, 7668b-769a); dazu auch SLIPYJ (1926) 107-111.

[224] Vgl. bes. Thomas, S. th. I, 36, 2 c.

Priorität vor dem Willen besitzt, daraus aber keineswegs zwingend zu folgern ist, daß es eine „fruchtbare Liebe“ ohne vorhergehenden „fruchtbaren Intellekt“ nicht geben könnte[225]. Stattdessen könnte eine hervorbringende Liebe denkbar bleiben, auch wenn ihr der Intellekt „als zeugungsunfähiger“ vorausginge. Ebenso ist in der Trinität im strengen Sinne nicht das Wort „als hervorgebrachtes“, sondern „als erkennendes“ Prinzip des Geistes und folglich nicht seiner notionalen Seite nach an der Hauchung beteiligt.

In einem zweiten Argument verweisen die Thomisten darauf, daß es zum inneren Wesen des Geistes gehört, aus zwei sich gegenseitig liebenden und in Freundschaft verbundenen Personen hervorzugehen, da die Liebe des Geistes traditionell als „Band“ („nexus“) zwischen beiden bezeichnet wird. Dies ist nun explizit die Grundidee der personal-dialogischen Trinitätsauffassung Richards von St. Viktor und der älteren Franziskaner, wie sie bei Thomas zwar nicht mehr in der Summa, wohl aber noch in früheren Werken wie dem SK oder „De potentia“ akzeptiert wurde[226]. Vermittels dieser Texte blieb der Gedanke auch in der thomistischen Schule präsent[227], ja konnte sogar mit einer Metaphorik der Affektivität in bernhardischer Tradition verbunden[228] und in neuerer Zeit als Argument in einer „personalistischen“ Interpretation der thomanischen Trinitätstheologie fruchtbar gemacht werden[229].

[225] Vgl. Scotus, Ord. I, d. 11, q. 1, nn. 15-18 (Ed. Vat. V, 5-7).

[226] Vgl. Thomas, 1 Sent. d. 29, q. 1, a. 4 ad 2; De pot. q. 9, a. 9 sc.

[227] Vgl. beispielhaft: Cajetan, In I[am] q. 36, a. 4, n. 7 (Ed. Leon. IV, 385a-b): „Spiritum Sanctum esse charitatem Patris et Filii, tenendum esse arbitror, quod principium spirativum ut quod in quantum huiusmodi exigit pluralitatem, quod dualitas est conditio spiratoris nullam addens perfectionem supra unitatem suppositi sed secunda persona addit solam condicionem requisitam ad principium quod. Ob cuius defectum (negative sumendo defectum) una sola persona non spiraret sicut ob eius abstractionem a perfectione et imperfectione nulla imperfecte sed singula quaeque perfecte spirat... Modus autem procedendi ut nexus, communio atque mutuus amor unitivus, qui convenire dicitur Spiritui Sancto, intelligi non potest nisi sit a duobus ad minus: ac per hoc oportet per se pluralitatem invenire in spirativo principio quod“.

[228] Noch Johannes a S. Thoma spricht von der affektiven Reziprozität echter Freundschaftsliebe und vom Heiligen Geist als „Kuß“ zwischen Vater und Sohn: Cursus theologicus In I[am] disp. 35, a. 4 (Ed. Solesmes IV, 279ff.). Dazu: SIMON (1989) 118-121; zum Kuß-Motiv bei Bernhard: STICKELBROECK (1994) 83-118.

[229] Vgl. etwa MALET (1956) 69-160, bes. die Zusammenfassung 151-160, die betont, daß die Theologie des Thomas einen Mittelweg zwischen dem griechischen Apophatismus und dem bei einigen Lateinern drohenden Rationalismus gesucht habe; BOURASSA (1970) 150-161.

Mit diesem Modell kann Suárez erst recht nicht zufrieden sein. Wenn der Heilige Geist „nexus" genannt wird, ist damit seiner Meinung nach nicht notwendig ein in der Proprietät des Geistes selbst wurzelndes und ihm darum formal zuzuschreibendes Attribut angegeben. An dieser Stelle offenbart sich eine sehr grundlegende Haltung des Jesuiten in seiner Einschätzung der Interpersonalität, die er nicht schlechthin als Vollkommenheit der Liebe ansieht. Die durch Thomas und noch mehr durch Scotus[230] geförderte Ersetzung der „partnerschaftlichen" durch die „egoistische" Liebe, des richardischen[231] „amor mutuus" durch den aristotelischen „amor reflexus" als Formalprinzip der Hervorbringung in Gott, hat sich hier vollends durchgesetzt. Die Gegenseitigkeit der Liebe zwischen zwei Personen trägt nichts über die affirmierende Selbstbeziehung einer einzigen Person hinaus bei – das gilt nicht für die Kreaturen in ihrer Unvollkommenheit, wohl aber für den unendlich vollkommenen Gott, in dem der Vater nicht erst der Zeugung des Sohnes bedarf, um unendlich glücklich (und damit letztlich: erst Gott) zu werden. Wenn Gott Vater sich selbst ohne den Sohn lieben könnte, wäre diese Liebe nach Suárez nicht weniger vollkommen als die faktisch bestehende wechselseitige Liebe zwischen Vater und Sohn. Dann aber läßt sich von ihr her kein Argument dafür gewinnen, daß nicht auch der Vater prinzipiell allein den Geist „per amorem" hervorbringen könnte[232], so daß die faktische Beteiligung des Sohnes wiederum nichts Entscheidendes hinzuzufügen scheint.

(cc) Schon die Darstellung der vorangehenden Thesen über das Prinzip des Geisthervorgangs läßt eine vermittelnde eigene Antwort des Suárez erwarten, wie sie tatsächlich auch erfolgt. Der Jesuit unterscheidet darin eine mögliche doppelte Betrachtungsweise. In formal-abstrakter Hinsicht bedarf die Hervorbringung der Liebe, also des Heiligen Geistes, in Gott keiner Mehrzahl von Personen – insofern ist Scotus mit seinen Argumenten Recht zu geben. Suárez illustriert dies zusätzlich an einem Vergleich aus der geschöpflichen Welt: Hier ist es auch nur ein einziges Geistgeschöpf, das sowohl das Wort als auch die Liebe hervorzubringen

[230] BAILLEUX (1961) 35 rechnet Scotus wegen seiner Haltung zur vorliegenden Frage ausdrücklich unter die Autoren „qui semblent bien atténuer les particularités de l'ordre personnel, sous prétexte de mieux assurer l'unité de l'ordre essentiel".

[231] Vgl. etwa SCHNIERTSHAUER (1996) 126ff. Mit Blick auf Augustinus ist – wohl mit Recht – bezweifelt worden, ob sein Verständnis von Liebe eine vergleichbare dialogische Ausrichtung besitzt; vgl. GRESHAKE (2001) 97ff.

[232] Vgl. Suárez, De trin. 10.6.4 (I, 769a): „Neque etiam hoc formaliter pertinet ad rationem, vel perfectionem amoris, amor enim Patris quatenus diligit se ipsum, non minus perfectus est, quam sit amor Patris et Filii, quatenus se mutuo diligunt, ergo si esse posset Pater prima persona se ipsam diligens, absque Filio, non minus esset productiva per amorem, quantum est perfectione amoris."

vermag. Wenn in Gott die notionale Liebe faktisch aus zwei Personen hervorgeht, ist der Grund dafür nicht in der Vollkommenheit der Liebe als solcher zu suchen, sondern in der Tatsache, daß in Gott anders als im Geschöpf das der Liebe vorausgehende Wort so vollkommen ist, daß es selbst personal subsistiert und mit dem Vater im einen göttlichen Willen übereinstimmt[233]. Damit ist bereits der zweite Teil der suárezischen These klar: Der Heilige Geist, wie er tatsächlich existiert („in hac numero personali proprietate quam nunc habet"[234]), fordert tatsächlich als seine notwendige Bedingung die in zwei Personen zugleich wirkende Hauchkraft, denn der Geist ist aus seiner Eigentümlichkeit Beziehung zu den je für sich, aber vermittels einer gemeinsamen „virtus" hauchenden Personen von Vater *und* Sohn und nicht bloß zu einem einzigen „spirator"[235]. Suárez beruft sich somit schlicht auf die Entsprechung zwischen Ursprung und Terminus der Relation der aktiven Hauchung, die er in ihrer faktischen Beschaffenheit aus den vorangegangenen Kapiteln übernimmt. Einen echten spekulativen trinitätstheologischen Erklärungswert hat dieses Argument nicht mehr. Die Beteiligung des Sohnes klärt den Geisthervorgang in formaler Hinsicht nicht weiter auf, obgleich sie, wie wir bereits in einem vorangehenden Abschnitt sahen, nach Suárez (anders als nach Scotus) für die Unterscheidung der zweiten und dritten Person in Gott von unverzichtbarer Bedeutung bleibt.

(c) Während Suárez in den soeben referierten Ausführungen den relationalen Doppelcharakter der aktiven Hauchung betont hat, steht am Ende des ganzen diesbezüglichen Kapitels noch einmal die Frage, inwie-

233 Vgl. ebd. 5 (769b): „Denique ex creaturis possumus argumentum sumere: nam in eis est processio amoris et verbi, et utraque est ab una persona tantum, propterea, quod verbum productum a creatura imperfectum est, neque est persona amans, nec intelligens, quod ergo in Deo processio amoris sit a duabus personis, non est formaliter, ac praecise ex perfectione amoris, sed ex eo, quod verbum productum est perfectum, ac personaliter subsistens et eadem voluntate cum Patre amans." Vgl. SLIPYJ (1926) 106f. Scharfe Kritik an diesen suárezischen Ausführungen übt D'ALÈS (1934) 208: „Mirum est potuisse Suaresium in una consideratione coniungere S. Thomam et Scotum inter se contradicentes, et fundare argumentationem in supposito absurdo: si enim supponatur Spiritus a Patre solo spirari, iam non ut reciprocus amor spirabitur. Magis mirum est illum ex infirma condicione processionis psychologicae in homine ausum esse condicionem processionis divinae conicere."

234 Suárez, De trin. 10.6.6 (I, 769b).

235 Vgl. ebd. 7 (770a): „ergo Spiritus sanctus, sicut sua proprietate immediate respicit Patrem, et Filium, quatenus tales sunt, ita ab illis per se procedit." Da der Ursprung des Geistes nur aus diesen Personen erfolgen kann, nicht aber aus der absolut subsistierenden Wesenheit („hic Deus subsistens essentialiter"), ist der oben als Einwand zitierte Vergleich mit dem Hervorgang der Schöpfung aus Gott ohne personalen Einzelbezug unzulässig.

weit dennoch von einem einzigen „Haucher“ gesprochen werden darf. Die allzu rasche Verwerfung des Begriffs bei einigen Scholastikern – hier hat man wohl in erster Linie an Gregor von Rimini zu denken[236] – weist Suárez als leichtfertig zurück, da dieser sowohl durch konziliare Aussagen wie auch durch entscheidende scholastische Autoritäten, allen voran Thomas und Scotus[237], unterstützt wird. Von der Sache her erinnert der Jesuit an seine frühere Argumentation zugunsten der Rede von einer „Einheit“ der göttlichen Personen, die von dem nun wiederum heranzuziehenden Prinzip ausgegangen war, daß sich eine „unitas substantivi“, also im grammatikalischen Sinn die Einheitlichkeit bei der Benennung verschiedener Objekte, nicht nach der Vielheit der in Frage kommenden Supposita, sondern nach der Einheit der sie bestimmenden Form bemißt[238]. Wie also die drei Personen kraft der ihnen allen gemeinsamen „deitas“ gleichermaßen „Gott“ sind, so sind Vater und Sohn kraft der ihnen gemeinsamen göttlichen „virtus spirandi“ beide in gleicher Weise „Prinzip des Heiligen Geistes“ und zusammen „ein Haucher“[239].

(d) Doch selbst nach dieser Erklärung bleibt unklar, wofür „unus spirator“ tatsächlich supponiert – das Postulat eines „subsistens commune“ hatte Suárez ja kurz zuvor selbst eindeutig verworfen.

[236] Vgl. Gregor, 1 Sent. d. 12, q. 1 (Ed. Trapp et al. II, 193-196). Zwar muß Gregor der Redeweise der Tradition ein gewisses Recht zugestehen, vertritt aber selbst eine andere Meinung, vgl. bes. ebd. 195, Z. 16-19: „Si tamen inniteremur proprietati sermonis, secundum quam termini pluraliter addito termino numerali vere praedicantur, cum actualiter supponunt pro pluribus, tunc dici deberet quod pater et filius sunt duo principia Spiritus sancti, sicut dicimus quod sunt duo qui principiant spiritum sanctum.“ Dazu: SLIPYJ (1926) 80-85.

[237] Während Thomas in S. th. I, 36, 4 ad 7 die Rede „einiger“ von „duo spiratores“ zwar nicht schätzt, aber sie auch nicht gänzlich verwirft, ist die Ablehnung bei Scotus, Ord. d. 12, q. 1, nn. 42-47 (Ed. Vat. V, 48-52), deutlicher. Immerhin gesteht auch er die Möglichkeit zu, die Redeweise in einer richtigen Form zu interpretieren (ebd. n. 47, p. 52).

[238] Vgl. Suárez, De trin. 10.7.2 (I, 771a): „Ratio est supra late tractata, disputando de unitate personarum in Deitate, ubi ostendimus ad unitatem substantivi sufficere unitatem formae, etiamsi supposita immediata multiplicentur, hic autem principium Spiritus sancti substantivum quid est, et ostendimus, formam, seu virtutem ejus esse unam, ergo principium est unum, licet illa virtus sit in pluribus suppositis.“ Siehe etwa De trin. 3.3.8-9 (592b-593a).

[239] Suárez findet De trin. 10.7.3 (I, 771a) sowohl das adjektivische „spirantes“ wie das substantivische „spirator“ bei Thomas vor, wobei er die erste Redeweise dem Sentenzenkommentar zuordnet (1 Sent. d. 11), die zweite der Summa (S. th. I, 26, 4 ad 7), so daß die Trinitätslehre des Aquinaten hier eine terminologische Entwicklung aufweist. Dieselbe Beobachtung findet sich mit exakt gleicher Gewichtung in der neuesten Thomasforschung wieder: vgl. EMERY (2003c) 347, mit Anm. 3.

Für nicht überzeugend sieht der Jesuit die von Seiten der Thomisten vorgebrachte Deutung des „spirator" als eines Kollektivterminus an, der von Vater und Sohn nur gemeinsam Geltung besäße, dann aber für beide einzeln nicht in exakter Weise auszusagen wäre[240]. In der letztgenannten Konsequenz liegt für Suárez der Fehler dieser These, der sich seiner Meinung nach noch dadurch verstärkt, daß eine Kollektivbezeichnung niemals die strenge Identität des Prinzips, wie sie hier vorliegen muß, auszudrücken vermag.

Trotz dieser Ablehnung greift Suárez' eigene Lösung ein Element der vorherigen These auf, allerdings unter Transformation in eine differenzierende Distinktion[241]. „Spirator" supponiert darnach in einer ersten, unmittelbaren und bestimmten Weise für ein „in der Hauchungskraft Subsistierendes", das von diesem Vermögen her (und natürlich ebenfalls von der aus seinem Vollzug resultierenden Relation) betrachtet als eine singuläre Entität anzusehen ist. Unter dem Aspekt der Subsistenz ist die Prädikation durch den Begriff des Hauchers freilich nicht exakt und unmittelbar, sondern konfus und allgemein zu nennen, da in der Perspektive der Subsistenz die mit der Hauchungskraft ausgestatteten Supposita von Vater und Sohn nicht *als solche* exakt begriffen sind.

Diese Lösung beruht auf der Möglichkeit, das personale Hauchungsprinzip nicht nur unter Berücksichtigung all seiner notwendigen Bedingungen benennen zu können (also als in Vater und Sohn subsistierend), sondern auch abstrahierend allein unter der Hinsicht des „Hauchenkönnens". Dann aber kann von dem einen „spirator" gesprochen werden, der *als solcher* nicht von Vater und Sohn zu unterscheiden ist, so daß die unkorrekte Rede von zwei (mehr als virtuell bzw. begrifflich) verschiedenen Prinzipien der Hauchung[242] vermieden wird.

[240] Vgl. Suárez, De trin. 10.7.5 (I, 771b).

[241] Vgl. ebd. 6 (771b): „Dico ergo, Spiratorem immediate ac determinate supponere pro subsistente in hac virtute spirandi, ita ut ex parte virtutis dicat singularitatem: ex parte vero subsistentiae, communiter et confuse dicat subsistens in illa virtute cum conditione sufficienti ad spirandum. Et ideo potest de Patre et Filio tam simul quam sigillatim praedicari, quamvis de Patre et Filio simul nulla persona determinate, ut talis est, possit praedicari."

[242] Vgl. zu diesem Aspekt den Nachweis ebd. 8 (772a-b), bei dem sich Suárez erneut auf das Axiom „quod substantiva non multiplicantur, nisi multiplicatis suppositis et formis" beruft.

### 3) Der Hervorgang des Heiligen Geistes als göttlicher Liebe

Suárez beginnt seine Ausführungen über die dritte göttliche Person in Buch elf des Trinitätstraktates mit einem Blick auf die drei wichtigsten Namen, die ihr traditionell aus theologischer Sicht zugesprochen werden. Während „Heiliger Geist" die Beziehung zum „hauchenden" Prinzip und „Gabe" das Verhältnis zur Kreatur bezeichnet, weist „Liebe" auf die Art und Weise hin, wie der Geist innertrinitarisch hervorgeht[243]. Da die mit dem zuletzt genannten Namen verbundene Frage des Hervorgangs auch hier der spekulativ interessanteste Aspekt ist, obgleich die Bezeichnung selbst biblisch gar nicht eindeutig dem Geist zugeordnet werden kann[244], richtet sich auf ihn das Hauptinteresse der suárezischen Kapitel über den Heiligen Geist. Dieser Schwerpunktsetzung folgt unsere Darstellung.

(1) Wenn von der Hervorbringung des Geistes gesprochen wird, ist nicht bloß das grundsätzlich schon in Buch eins erarbeitete Ergebnis vorauszusetzen, wonach sich dieser notionale Akt „per voluntatem" vollzieht, sondern zudem auf die ebenfalls schon vorgelegten Ausführungen zum Hervorgang des göttlichen Wortes / Sohnes als unmittelbare Referenz zu verweisen. Im Vergleich mit ihm hat es den Auslegern im Blick auf den göttlichen Willen gewöhnlich größere Mühe bereitet, den eigenständigen personalen Charakter der durch ihn konstituierten Aktrelation zu begründen – der Hervorgang des Geistes, so wird in langer scholastischer Tradition immer wieder unterstrichen[245], ist für uns „dunkler" als der des Sohnes, was auch Suárez zu Beginn seiner Überlegungen betont[246]. Der sachliche Grund für dieses Urteil ist darin zu suchen, daß es schwerer gelingt, im Akt des Liebens einen eigenständigen Terminus auszumachen, der von diesem selbst unterschieden werden kann, als dies im Falle des Verstehensaktes und des aus ihm hervorgehenden Wortes möglich ist. Suárez läßt an der trinitätstheologisch bedeutsamen Parallelisierbarkeit zwischen Wort- und Geisthervorgang keinen Zweifel aufkommen. Wie der Sohn in der Zeugung vom Vater alles empfängt, was in formaler Hinsicht zum Intellekt zählt, so erhält der Heilige Geist in der Hauchung alles, was zum Willen gehört, vor allem die Liebe. Im Unterschied zum „Wort", in dem die Relation des Hervorgebrachten zum Hervorbringenden greifbar ist, bezeichnet „Liebe" nach Suárez eher eine hervorgebrachte Qualität. Da „amor" den Akt der Hervorbringung wie auch dessen Produkt („terminus") bezeichnen kann, ist der Begriff zur personalen Bezeichnung des

[243] Vgl. De trin. 11 prooem. (773a).
[244] Vgl. De trin. 11.1.4 (774b-775a).
[245] Vgl. etwa STOHR (1928) 37.
[246] Vgl. Suárez, De trin. 11.1.1 (I, 774a).

Geistes geeignet[247]. Der Vollzug, der diesen „terminus" hervorbringt, müßte zutreffender „amatio" genannt werden, wird jedoch traditionell ebenso mit dem Begriff „amor" erfaßt[248]. Nachdem Thomas im Blick auf die hervorgebrachte Liebe von einer „impressio rei amatae in affectu amantis" gesprochen hatte[249], explizieren dies prominente Vertreter der Thomistenschule (Cajetan, Capreolus, Ferrariensis, Torres, Bañez[250]) mit Bezeichnungen wie „affectio" oder „qualitas". Damit grenzen sie sich gegen Autoren wie Durandus ab, die überhaupt keinen „terminus" der Willenstätigkeit annehmen wollten[251], aber auch gegen Scotus, der in der Willensproduktion eine ähnliche Zweistufigkeit wie zwischen „intelligere" und „dicere" angesetzt und darum die Hervorbringung nicht mit der selbst produkthaft verstandenen „volitio" als solcher, sondern mit dem akthaft verstandenen und dem eigentlichen Wollen vorangehenden „elicere volitionem" verbunden hatte[252].

[247] Vgl. Suárez, De trin. 11.1.5 (I, 775a-b). Sofern „Liebe", wie sie in der Person des Geistes notional, „formalissime et ex vi suae processionis", eingeschlossen ist, den ersten Grund jedes freien Geschenkes ausmacht, läßt sich daraus auch „Gabe" („donum") als weiterer Name des Heiligen Geistes ableiten; vgl. De trin. 11.4.6 (784a). Eine breite Dokumentation der scholastischen Thesen zur Identifizierung des Geistes mit der innergöttlichen Liebe bietet SEGOVIA (1986); Suárez wird ebd. 143 nur knapp erwähnt.

[248] Vgl. Suárez, De trin. 11.1.5 (I, 775a-b): „Imo vox amoris maxime videtur terminum ipsum significare, qui nos constituit formaliter amantes, et formaliter voluntatem inclinat, et impellit in rem amatam. Nam actio, qua ille terminus producitur, magis esset dicenda amatio, quam amor, sed quia prior vox usitata non est, dicitur etiam amor, vel dilectio."

[249] Vgl. Thomas, S. th, I, 37, 1 c.

[250] Vgl. Cajetan, In I$^{am}$ q. 27, a. 3, n. 5 (Ed. Leon. IV, 312a), der ebenfalls im Rückgriff auf Thomas vom „amor" als einer „affectio" spricht. Capreolus, Defens. I, dist. 27, q. 2 (252b) bleibt enger beim Begriff der „impressio". Ferrariensis, Comm. in ScG, l. 4, c. 19 (138) erklärt ausführlich, weshalb das „Produkt" der Liebe mit dem gleichen Wort bezeichnet wird wie der „Akt": „Vult ergo sic s. Thomas arguere: Amatum est in amante secundum quod amatur, idest per affectionem actu amandi productam, qua amans in amatum inclinatur, et quodammodo impellitur: sed esse ipsius affectionis est amari, idest actus amoris passivae productionis modo significatus: et ipsum amari est actus qui dicitur amare ex parte voluntatis, et amari ex parte affectionis productae: ergo esse amati secundum quod est in amante, est ipsum amare". Der Ausdruck „qualitas" begegnet bei B. Torres, In I$^{am}$ q. 27, a. 1, disp. 5, dub. 5 (24rb-25rb), hier 24vb: „Et ista opinio est amplectenda, nempe quod per actum voluntatis producitur quaedam qualitas, quae est terminus eius actionis: ut per actum amandi amor, per actum odiendi odium, quae sunt qualitates, et termini earum actionum". Vgl. Bañez, Comm. in I$^{am}$ q. 27, a. 3 (739ff.).

[251] Nach Bañez ebd. (738D) hat auch Melchor Cano eine solche These vertreten.

[252] Vgl. dazu Molina, In I$^{am}$ q. 27, a. 3, disp. 2 (416aD-bF).

Indem sich Suárez in die Erklärungslinie der Thomisten einordnet, scheint er ihnen hinsichtlich der Liebe als „Willensfrucht" näher zu stehen als bei der Bestimmung des „verbum", der Hervorbringung des Intellekts. Dies liegt sicherlich daran, daß bei der Beschreibung der hervorgebrachten Liebe auch die Thomisten gewöhnlich eine weniger starke Unterscheidung zwischen Hervorbringendem und Hervorgebrachtem postulieren als bei der Beschreibung des Erkenntnisvorgangs und außerdem bezüglich des „amor" näher an jenem nicht „instrumentalen", sondern „terminativen" Verständnis stehen, das die Jesuiten bereits für das „verbum" vertreten.

Als produkthafte Qualität ist die Liebe in Gott nach Suárez wesenhaft prädizierbar, ohne daß damit aber eine notionale Form der Liebe ausgeschlossen würde, die durch das Moment des Hervorgangs und der damit verbundenen Unterscheidung von Hervorbringendem und Hervorgebrachtem konstituiert ist[253]. In der letztgenannten Hinsicht kann die „Liebe" sowohl den Akt der Hauchung als auch den Gehauchten selbst bezeichnen. Folglich werden hier notdürftig[254] mit einem einzigen Wort drei Aspekte abgedeckt, die in der vergleichbaren Analyse des göttlichen Erkennens meist in terminologisch differenzierter Form präsentiert werden[255]. Suárez beruft sich bei diesen Ausführungen ausdrücklich auf Thomas, S. th. I, 37, 1, der die beiden Hervorgänge in Gott auffallend stark parallelisiert, erinnert aber gegen Fehldeutungen an die schon im Kapitel über die Hervorgänge unterstrichene Lehre, daß wesenhafte und notionale Vollzüge nicht formal verschieden, sondern identisch sind und die notionale Prinzipienfunktion einzig durch die Konnotation der zur Hervorbringung entscheidenden Personen, die als notwendige Bedingungen fungieren, ermöglicht ist.

(2) Die Entsprechung zur Hervorbringung des Wortes bringt es mit sich, daß auch hinsichtlich des Geisthervorgangs die Frage nach den Objekten des göttlichen Wollens gestellt werden kann, die darin angenom-

[253] Vgl. Suárez, De trin. 11.1.5 (I, 775b): „Verum est, per nomen amoris etiam in creaturis non significare formaliter relationem producti, sed qualitatem ipsam, quae producitur, in quo differt vox, Amor, a nomine, Verbum, et ideo potest amor in Deo dici essentialiter, sicut intelligere. Nihilominus tamen, quia potest amor esse productus etiam in Deo, ideo potuit illa vox accommodari ad significandum illum amorem secundum eam proprietatem, et ita factum est, ideoque sub illa significatione nomen illud personale est Spiritus sancti."

[254] Vgl. ebd. 6 (775b): „propter nominum penuriam".

[255] Dort steht „intelligere" für den Wesensakt („actus essentialis"), „dicere" für den notionalen Akt, „Verbum" für das im notionalen Akt Angezielte und Hervorgebrachte.

men werden dürfen. Die Ähnlichkeit der Antwort, wie sie Suárez gibt, kann kaum überraschen.

(a) Erstes Objekt der Liebe von Vater und Sohn ist die göttliche Wesenheit[256]. Suárez betont erneut, daß es die fruchtbare wesenhafte und unendliche Liebe Gottes als solche sein muß, die, sofern sie im Vater und im Sohn besteht, zugleich jene Liebe ist, aus welcher der Geist hervorgeht[257]. Gott liebt nichts mehr als seine eigene Güte, wie sie in seinem Wesen zu finden ist; er liebt sie ursprünglich, unmittelbar und naturalnotwendig[258]. Diese wesenhafte Liebe ist „principium quo" des Geisthervorgangs, die hauchenden Personen sind „principium quod".

(b) Den zweiten Fragepunkt, der auf die Präsenz der göttlichen Personen im Objekt der hauchenden Liebe abzielt, behandelt Suárez in zwei Schritten.

(aa) Was Vater und Sohn betrifft, so steht fest, daß sie den Geist hervorbringen, indem sie jeweils sich selbst wie auch den anderen lieben. Suárez erkennt dabei in augustinischer Tradition[259] der Selbstliebe den Primat zu, folgert aber aus der Korrelativität von Vaterschaft und Sohnschaft, daß in der „dilectio sui" die Liebe zum jeweils anderen notwendig eingeschlossen sein muß: Der Vater kann sich nur bejahen, wenn er zugleich den Sohn bejaht[260]. Diese Liebe schließt die höchste Form von Freundschaft[261] ein, in der Liebe und Gegenliebe notwendig sind. Gewissermaßen als Korollar aus dieser Argumentation leitet Suárez ab, daß sich Vater und Sohn nicht nur als solche, sondern auch als den Heiligen Geist hauchend bzw. zu ihm in Beziehung stehend lieben, so daß ihre vollkommene Liebe auch die „spiratio activa" umfaßt[262].

Den Heiligen Geist selbst schließt Suárez gleichermaßen nicht aus den Objekten der notionalen Liebe aus, wie er ihn ja zuvor ebenfalls zusam-

[256] Vgl. De trin. 11.2.2 (776a): „Dico primo: Pater, et Filius diligendo divinitatem suam producunt Spiritum sanctum. Est certa, et communis assertio...".

[257] Vgl. ebd. (776b): „Est ergo amor ille foecundus ipsemet essentialis, seu per essentiam, ut antecedit originem, cujus ipse est principium quo, estque notionalis, ut est in aliqua persona, quae possit esse principium quod talis originis, seu productionis."

[258] Vgl. dazu De deo uno 3.6.3-6 (I, 214b-215b).

[259] Vgl. SCHMAUS (1927) 227ff.

[260] Vgl. Suárez, De trin. 11.2.3 (I, 776b-777a).

[261] Die Frage nach einer „Freundschaft" zwischen den göttlichen Personen hatte Suárez bereits in DM 30.16.60 (XXVI, 203b) gestellt, ihre Beantwortung aber in die Trinitätslehre verwiesen. Ob es zwischen den Personen angesichts der Einheit göttlicher Liebe im strengen Sinne „Freundschaft" geben kann (und damit „tres amici"), ist unter den barockscholastischen Autoren ebenso umstritten wie die Frage, ob alle Personen „dicentes" heißen dürfen. Vgl. die einflußreiche ablehnende Position bezüglich der „amicitia" bei V. de Herice, Tractatus, 14.3.17-19 (247a-248a).

[262] Vgl. Suárez, De trin. 11.2.5 (I, 777b).

men mit den anderen Personen im Wort hatte erkannt sein lassen. Wie dort die notwendig anzunehmende Vollkommenheit des Erkenntnisaktes als Argument gedient hatte, so nun hier die zu postulierende Vollkommenheit des Willensaktes: Beide Male wird die Gottheit nur erschöpfend erfaßt, wenn auch alle drei untrennbar mit ihr verbundenen Personen eingeschlossen sind. Als „Band" („nexus") der Liebe zwischen Vater und Sohn kann der Geist aus dieser Liebe selbst nicht ausgeschlossen sein[263].

(bb) Wie zuvor beim Wort so läßt Suárez auch beim Geist den Einwand nicht gelten, daß er zum Zeitpunkt seiner Hervorbringung selbst noch gar nicht existent war und folglich auch gar nicht als solcher, sondern bestenfalls „als zukünftiger" bzw. „per modum desiderii" geliebt werden konnte[264]. Der Jesuit weist an dieser Stelle die unter Scotisten beliebte Konstruktion eines solchen virtuellen Nacheinanders in Gott unter Zuhilfenahme der Trennung aufeinander folgender „Momente" („signa") mit Blick auf die Personen zurück. Da jede von ihnen als wesenhaft notwendig Seiendes („ens actu per essentiam") verstanden werden muß, ist der Hervorbringungsprozeß nicht nach Art eines zeitlichen Weges zu explizieren, sondern hinreichend ist gewissermaßen eine dynamisierte Betrachtung des Relationsordo ohne die Vorstellung zeitlicher Abfolge. Eine Analogie dazu findet Suárez in der schon früher erwähnten selbstreflexiven Struktur menschlichen Liebens vor: Liebe ist niemals bloß Affirmation eines Objekts, sondern dabei zugleich Affirmation der Liebe als solcher[265].

Wenn Suárez die Liebe in uns „als durch sich selbst freiwillig" nennt, mag man darin eine Vorform dessen erkennen, was in der Moderne seit Kant gelegentlich als „transzendentale Freiheit" bezeichnet wird. Wie in der göttlichen Erkenntnis koinzidieren auch hier direkter und reflexer Akt. Dieser Zusammenfall von Objekt- und Aktbejahung findet sich in Gott noch viel ausdrücklicher und „formaler" als im Menschen. Für die vorliegende Problematik erhellt daraus, daß die Liebe zum göttlichen Wesen, das auch die göttliche Liebe selbst einschließt, nicht getrennt werden kann von der Liebe zu derjenigen göttlichen Person, in der diese Liebe in personaler Gestalt real wird. Darum können sich Vater und Sohn in ihrem gemeinsamen göttlichen Wesen nur gegenseitig lieben, indem

[263] Vgl. ebd. 4 (777a-b).

[264] Vgl. ebd. 6 (777b-778a).

[265] Vgl. ebd. (778a): „Cujus rei vestigium in nostro amore habemus, nam producendo illum, amamus non solum obiectum, sed etiam amorem ipsum, qui nobis per se ipsum voluntarius est, ut supra dicebamus. Quamvis hic modus amandi amorem in nobis non sit tam expressus, et formalis (ut sic dicam) quam est amor Patris, et Filii ad Spiritum sanctum, quo illum producunt, quia est longe perfectior, et immaterialior, et ex cognitione clariori procedit."

sie vermittels der Wesenheit auch den Heiligen Geist lieben, der personale Frucht ihres Liebesdialogs ist.

(c) Was die Kreaturen als Objekte desjenigen göttlichen Wollens betrifft, aus dem der Geist hervorgeht, so wird zumindest in einem Detail die Parallelität zum Worthervorgang infragegestellt. Vorbehaltlos bejaht der Jesuit nur die beiden Aussagen, daß die Geschöpfe als eminent im schöpferischen göttlichen Wesen eingeschlossene unzweifelhaft Teil des Hauchungswollens sind, als real zeitlich-zukünftig existierende und so von Gott vorausgesehene dagegen davon ausgeschlossen werden müssen[266]. Im ersten Fall sind die Geschöpfe nichts anderes als Momente in der göttlichen Selbstliebe, deren Anerkennung zuvor bereits erfolgt war; im zweiten Fall dagegen setzt die Liebe den freien Schöpfungsratschluß voraus, der wie alle „opera ad extra" den drei Personen ungeteilt zuzuschreiben ist und folglich deren Konstitution voraussetzt[267]. Während diese beiden Thesen gleichermaßen analog in der Hervorbringung des Wortes galten, hatte Suárez die Geschöpfe in das dafür anzunehmende Wissen auch insofern aufgenommen, als sie in sich selbst möglich (im Sinne von innerlich nicht-repugnant) sind und so von Gott geschaut werden. Diese im Vergleich zu den beiden erstgenannten Formen gleichsam intermediäre intentionale Seinsweise der Kreaturen möchte Suárez in dem zur Hauchung führenden Wollen nicht mehr ohne weiteres berücksichtigen. Die zu dieser trinitätstheologischen Konklusion führende Abweisung einer notwendigen Liebe Gottes zu den möglichen Kreaturen hat

[266] Vgl. ebd. 7-8 (778a-b).

[267] Vgl. die scotische Vorgabe in Ord. I, d. 32, q. 1-2, n. 36 (Ed. Vat. VI, 240f.): „Ad ultimum dico quod non oportet concedere Patrem et Filium diligere creaturam Spiritu Sancto sicut diligunt se Spiritu Sancto, quia iste modus diligendi – ut sumitur principiative – videtur esse primo illius termini dilectionis cuius ipsa dilectio est formaliter, ex hoc quod est principiata: sic enim diligere obiectum, est principiare amorem, qui – ut principiatus – est formaliter illius obiecti; Spiritus autem Sanctus ex vi principiationis suae neque primo neque concomitanter est amor creaturae, quia creatura tantum contingenter amatur a Deo. Licet autem ex vi productionis suae primo sit amor essentiae, tamen concomitanter potest dici amor Filii, quia illae personae sunt ‚in natura primo amata' ex necessitate illius naturae; et ideo posset concedi quod Pater non diligit creaturam Spiritu Sancto eo modo quo Filium, quia non producit amorem qui ex vi productionis sit amor creaturae, immo completa productione necessaria illius amoris, adhuc est contingentia illius amoris ut sit creaturae, – et hoc est in potestate non tantum producentis hunc amorem, sed illius amoris producti, quia ita contingenter amat Spiritus Sanctus creaturam sicut Pater et Filius."

Suárez in ausführlicher Form bereits in seiner Metaphysik[268] und in geraffter Gestalt in „De Deo uno"[269] vorgetragen.

Suárez' Urteil in dieser kontroversen Frage, deren positive oder negative Beantwortung der Jesuitenorden seinen Theologen in den Studienordnungen von 1586 und 1591 ausdrücklich freigestellt hat[270], besitzt eine deutliche Stoßrichtung gegen Cajetan[271] und vor allem gegen Vázquez, der eine Notwendigkeit des göttlichen Wollens der Possibilien in seinem Summa-Kommentar mit Berufung auf Scotus für wahrscheinlich erklärt[272]. Zur Begründung weist Vázquez auf die transzendentale Gutheit aller möglichen Geschöpfe hin, die so ewig ist wie diese selbst und einziges schlüssiges Motiv für den Bezug des göttlichen Willens auf sie als seine Objekte darstellen kann. Als real mit der göttlichen Wesenheit identisch, nimmt die mögliche Schöpfung gleichsam teil an der Reinheit göttlicher Selbstliebe, auf die allein sich Gott notwendig ausgerichtet sieht. Weil aber in diesem „amor simplicis complacentiae" bzw. „simplex affectus" jeder Bezug auf die aktuale Existenz (sc. „extra causas"[273]) fehlt, bleibt die faktische Schöpfung Gottes, die einen Teil der Possibilien real existierend werden läßt, uneingeschränkt frei. Allerdings resultiert für Vázquez aus dieser notwendigen Liebe Gottes zu den Possibilien trinitätstheologisch keinerlei Konsequenz. Nicht nur die von Gott durch freie Wahl in die Existenz gesetzte, sondern auch die mögliche Schöpfung gehört für ihn nicht zu denjenigen Objekten des göttlichen Wollens, aus denen der Heilige Geist hervorgeht. Selbst in ihrer reinen Möglichkeit (und als so notwendig geliebte bzw. gewollte) zählt die Schöpfung nicht zum Formalkonstitutiv des trinitarischen Gottes, das nichts anderes sein kann denn Gott *als* er selbst, von ihm selbst geliebt[274]. Vázquez bleibt hier

[268] Vgl. Suárez, DM 30.16.37-42 (XXVI, 194b-197b).

[269] Vgl. Suárez, De deo uno 3.6.10 (I, 216a-b).

[270] Vgl. Ratio atque institutio studiorum (1586), ed. Lukács, 7, n. 8; (1591), ebd. 320, n. 8.

[271] Vgl. Cajetan, Comm. in I$^{am}$ q. 34, a. 3, n. 7 (Ed. Leon. IV, 371b).

[272] Vgl. Vázquez, Comm. in I$^{am}$ 79.2 (I, 485a-486b). Dazu: RAMELOW (1997) 334.

[273] Die Formel ist als typisch für ein avicennisch-scotisches Existenzverständnis anzusehen; vgl. SCHÖNBERGER (1986) 332. Sie steht auch im Zentrum der suárezischen Metaphysik; vgl. SANZ (1989) 208-242.

[274] Sehr scharfsinnig weist RAMELOW (1997) 332 auf die Nähe und gleichzeitige Verschiedenheit solcher Denkfiguren im jesuitischen Rationalismus zu Fénelons Konzept des „amour pur" hin: „Allerdings wird hier [sc. bei den scholastischen Theologen, Th. M.] die Reinheit der Liebe gerade nicht durch eine Durchstreichung ihres *Subjektes*, sondern ihres *Objektes* erreicht. *Gerade dies* aber begründet die Selbstlosigkeit gegenüber dem Objekt. Spontaneität wird nicht durch einen geistlichen Reflexionstod, der die Reflexion auf das Eigeninteresse abbricht, erreicht, sondern durch die *Vollendung* der Reflexion, durch die reine Selbstbezüglichkeit der Liebe."

auf derselben Linie der Argumentation, die er auch schon in der Frage nach den Erkenntnisobjekten in der „productio Verbi" verfolgt hatte.

Suárez kann in der Frage nach einer notwendigen Liebe Gottes zu den Possibilien zu einer unterschiedlichen Folgerung kommen, weil er bereits auf der Prämissenebene andere Akzente setzt. Seine entgegengerichtete Argumentation geht von der Forderung aus, eine klare Grenze zwischen den sich notwendig vollziehenden notionalen Akten des Erkennens und Liebens einerseits und den unter dem Vorzeichen der freien Wahl stehenden schöpferischen Taten Gottes andererseits zu ziehen. Bezüglich der „creaturae possibiles" verläuft diese Grenze in der göttlichen Erkenntnis etwas anders als im göttlichen Wollen. Im Wissen Gottes nämlich werden die Kreaturen ihren eigentümlichen Wesenheiten nach repräsentiert und damit in einer formal von der Wesenheit Gottes selbst verschiedenen Weise; darum terminieren sie auch gewissermaßen in eigener, gegenüber dem Wesen als Erkenntnisobjekt formalverschiedener Hinsicht objektiv die „scientia simplicis intelligentiae Dei", aus der das Wort hervorgeht. So schließt dieses Wissen notwendig alle Kreaturen ihrem Möglichsein nach ein. Die Liebe dagegen, mit der Gott sich selbst liebt, zielt auf die Kreaturen nicht, wie sie in sich selbst möglich, sondern allein wie sie in Gott sind und für seine Allmacht möglich sind. Eine objektive, essentiale Verschiedenheit der möglichen Kreaturen von der Wesenheit zeigt sich in dieser göttlichen Selbstliebe anders als im Selbsterkennen nicht. Dem notwendigen Possibilien-Wissen entspricht kein gleichermaßen notwendiges Possibilien-Wollen, weshalb Gott sich selbst nicht ohne Einbeziehung der möglichen Kreaturen erkennen, wohl aber lieben kann. Die meisten Theologen nehmen darum mit Blick auf die göttliche Liebe keine Distinktion in Analogie zur Unterscheidung von „scientia simplicis intelligentiae" und „scientia visionis" vor, wie sie für das göttliche Wissen anzusetzen ist[275]; denn im göttlichen Willen fehlt jene notwendige Reprä-

[275] Vgl. Suárez, De trin. 11.2.10 (I, 779a-b): „Mihi vero nunc placet, constituendam esse in hoc aliquam differentiam inter scientiam et voluntatem. Quia per scientiam revera repraesentantur creaturae secundum suas proprias essentias et naturas, quatenus concipiuntur distinctae essentialiter ab essentia creatoris et ut sic, terminant obiective ipsam scientiam simplicis intelligentiae Dei, et ex tali scientia ut sic terminata intelligitur procedere Verbum divinum, quod etiam necessario repraesentat omnes creaturas possibiles, etiam ut condistinctas essentialiter a Deo, et in hoc sensu in se ipsis. Amor vero, quo Deus necessario se amat, non ita terminatur ad creaturas secundum se, sed solum ut sunt in Deo, et ut denominantur possibiles ab omnipotentia Dei, quod totum vere non est aliud, quam amare id, quod est in Deo. Et ideo theologi, licet distinguant scientiam Dei de creaturis, in scientiam simplicis intelligentiae et visionis, amorem creaturarum nunquam proportionali modo distinxerunt."

sentation geschöpflicher Objekte als solcher, die eine Form der Liebe analog zur ersten dieser beiden Wissensarten begründen könnte[276]. Der von manchen Theologen (unter ihnen Vázquez) postulierte Begriff einer „simplex complacentia" ist nach Suárez mit Recht zurückgewiesen worden, weil er (aus der Objektperspektive geurteilt) den Gegenstand der notwendigen Selbstliebe Gottes mit einem kontingenten Moment vermischt bzw. (aus der Perspektive des Aktes) die auf freiem und schöpferischem Wollen beruhende Liebe auf einen effektlosen Notwendigkeitsakt, die notwendige Bejahung von notwendig Möglichem, reduziert, wenn der Terminus nicht gar auf einer schlichten Verwechselung von Willens- und Urteilsakt beruht[277].

Obwohl Suárez selbst bemerkt, daß das ganze Problem vielleicht eher auf der Ausdrucks- als auf der Sachebene liegt, sofern es davon abhängt, wie man das „Möglichsein der Dinge in Gott" exakt verstehen will[278], muß

[276] Vgl. DM 30.16.37 (XXVI, 195a): „Et in hoc est differentia inter voluntatem et scientiam; nam voluntas creaturarum existentium est in se formaliter libera quoad talem determinationem, et non resultat necessario ex aliqua priori suppositione; scientia autem divina, etiam prout terminatur ad creaturas existentes, non est in se formaliter libera, sed necessario convenit Deo, supposita futura existentia talis obiecti; ex quo fit ut omne obiectum scibile, etiam creatum, necessario sciatur a Deo; non autem omne diligibile necessario diligatur. Ratio autem huius discriminis propria est quia voluntas est formaliter libera, scientia vero non est formaliter libera; nam inde fit ut scientia naturaliter ac necessario repraesentet quidquid repraesentabile aut scibile est, voluntas vero non necessario amet quidquid amabile est."

[277] Vgl. ebd. 39-40 (195b-196b) und De deo uno 3.6.10 (I, 216b): „Quamobrem duo hic breviter dico: unum est, si Deus habet talem actum [sc. simplicis complacentiae creaturarum possibilium], illum esse debere absolute necessarium; quia non potest intelligi actus liber in voluntate divina, nisi quatenus per illud aliquid facit, vel vult in obiecto quod absque tali voluntate Dei non esset, sed circa creaturas possibiles, ut sic, nihil tale intelligi potest, nam priusquam intelligantur ullo modo volitae a Deo, sunt possibiles, et ex vi affectus qui circa illas, ut sic, tantum versatur, nihil illis confertur nec ordinatur ad aliquid ad quod ex se non habeant necessariam habitudinem: ergo nullus actus liber voluntatis Dei potest circa illas, ut sic versari. Si ergo Deus talem actum habet, ille necessarius erit."

[278] Insofern kann Suárez durchaus eine wohlwollende Interpretation der zugunsten einer notwendigen Possibilienliebe argumentierenden These, wie er sie etwa bei Cajetan an der zitierten Stelle aus In I$^{am}$ q. 34, a. 3, vorfindet, anerkennen; vgl. DM 30.16.42 (XXVI, 197a): „Quod si quis ita priorem sententiam interpretetur quod Deus, amando omnipotentiam suam, necessario amat et gaudet quod creaturae sint possibiles, quia non potest ipse esse omnipotens quin creaturae sint possibiles, et hunc vocet simplicem amorem creaturarum possibilium, nihil dicet improbabile, sed reipsa verissimum." Allerdings ist dieser „amor" dann ebenfalls nicht auf bloß Mögliches bezogen, sondern auf real Existierendes – nämlich die aktuelle Existenz der göttlichen Allmacht, um deren Liebe (als Moment des göttlichen „amor sui") es hier in Wirklichkeit geht.

man seine Antwort doch als Versuch bewerten, den schwierig genug zu fassenden Begriff eines „notwendigen Wollens bzw. Liebens" strikt auf den einen und einzigen Fall jenes „amor sui" in Gott zu begrenzen, aus dem der Heilige Geist hervorgehen kann. Allein ein *notwendiges* Objekt vermag vom Willen ohne Indifferenz der Freiheit geliebt zu werden, die ansonsten zu seiner Vollkommenheit gehört. Auf die Kreaturen als Kreaturen wendet sich Gottes Wille (anders als sein Intellekt) niemals ohne Bezug zu deren aktueller Existenz[279] und darum stets in einem Akt echter Freiheit. Dieser Akt ist für die Geschöpfe Ursache ihrer Existenz – im Gegensatz zum Akt der göttlichen Erkenntnis der Dinge in ihrem Möglichsein einerseits, wie er dem Existenz begründenden Wollen als notwendiges Begreifen aller denkbaren Effekte aus ihrer Ursache unter Absehung von deren realer Existenz vorausgeht („scientia simplicis intelligentiae"), und in ihrem realen Existieren andererseits, wie er das von Gott Gewollte im Resultat schaut, wiederum ohne es dadurch in formaler Hinsicht als existierend zu begründen („scientia visionis"). Während die Trennung von Erkenntnis- und Freiheitsgeschehen im ersten Fall die Rolle der Possibilien in der Trinitätskonstruktion ermöglicht, ist mit der Trennung im zweiten Fall letztlich die Vereinbarkeit von göttlichem Vorherwissen und menschlicher Freiheit zu erklären.

(3) Als letztem Problem im Themenkreis „Hervorgang des Heiligen Geistes" wendet sich Suárez der Prüfung des Satzes „Vater und Sohn lieben sich oder anderes im Heiligen Geist" zu, der auf Augustinus zurückgeht[280] und schon seit der Ursprungsepoche scholastischer Theologie Gegenstand diverser Auslegungskontroversen gewesen ist[281]. Es geht dabei nicht noch einmal um die bereits positiv beantwortete Frage, ob der Geist Objekt der die Hauchung begründenden Liebe (näherhin ihr Materialobjekt) ist, sondern vielmehr darum, ob er selbst im strengen Sinne mit dem Formalprinzip dieser Liebe identifiziert werden darf, diese Funktion also für die Verbindung der ersten beiden Personen erfüllt, wie sie im Vollzug der Hauchung sichtbar wird[282].

(a) Für die Korrektheit der die Liebe mit dem Geist selbst identifizierenden These spricht nach Suárez neben einem großen Strom der theo-

[279] Dies wird ebd. 40 (196a-b) im Ausgang von der entsprechenden Erfahrung im menschlichen Wollen begründet.

[280] Vgl. Augustinus, De trin. XV, 17, 27; 19, 37 (CCL 50A, 501.513f.).

[281] Vgl. ARNOLD (1995) 228-238. Petrus Lombardus, Sent. l. 1, dist. 32, c. 2, n. 2 (Ed. Quaracchi, I/2, 233, Z. 15f.) hatte schlichtweg erklärt: „Haec quaestio insolubilis est, humanum superans sensum, in qua auctoritates sibi occurrunt."

[282] Vgl. zur theologiegeschichtlichen Einordnung unter besonderer Berücksichtigung der thomanischen Position BOURASSA (1962).

logischen Tradition seit Augustinus vor allem die Parallele zum Vorgang der Zeugung, in welcher der Vater ebenfalls nicht bloß das Wort ausspricht, sondern sich selbst *im Wort* erkennt. In ebendieser Weise könnte verstanden werden, daß sich Vater und Sohn auch gegenseitig *im Heiligen Geist* lieben[283].

Allerdings gibt es daneben Scholastiker – Suárez nennt ausdrücklich Gottfried von Fontaines und unter den neueren Autoren Bartholomé Torres[284], man könnte von den Jesuiten Molina hinzufügen[285] –, die diese Redeweise im strengen Sinn für falsch halten und darum nur in einer abgeschwächten Interpretation anerkennen wollen. Die Parallelisierung von Zeugung und Hauchung im Argument der Gegenpartei erkennen sie nicht an: Der Vater ist aus sich selbst und nicht erst durch die gezeugte Weisheit weise, und entsprechend lieben sich Vater und Sohn auch nicht *in* oder *durch* den Heiligen Geist, der allein als „terminus productionis", aber nicht als Formalkonstitutiv der gegenseitigen Liebe zu betrachten ist. In beiden Fällen wird ausgeschlossen, daß die hervorbringenden Personen in formaler Hinsicht etwas von der hervorgebrachten empfangen. Vielmehr sind Erkennen bzw. Liebe formale und innerliche Vollkommenheiten der Personen, die als Grundlage der Hervorbringungen angesehen werden müssen, ohne mit deren wesenhaften Prinzipien formal identifizierbar zu sein. „Im / durch den Heiligen Geist" (also notional) lieben sich Vater und Sohn weder dann „gegenseitig", wenn man dieses

[283] Vgl. Suárez, De trin. 11.3.2 (I, 780a).

[284] Torres, der – völlig korrekt, vgl. PHILIPPE (1947) 249f.; EMERY (1999) 691f. – den bei Suárez nicht erwähnten Durandus, 1 Sent. d. 32, q. 1 (87va-88rb) als Gegner eines notionalen Verständnisses der Vater und Sohn verbindenden Liebe anführt, hält die vorliegende Debatte nicht für besonders wichtig. Vgl. Torres, Comm. in I$^{am}$ q. 37, a. 2 (139vb-141vb). Seine eigene Meinung geht ähnlich wie die des Durandus dahin, die Liebe zwischen Vater und Sohn mit der göttlichen Wesenheit zu identifizieren. Das Sich-Lieben der beiden ersten Personen „im Heiligen Geist" deutet Torres als dessen Hervorbringung durch die (wesenhaft verstandene) Liebe, ohne Liebe und Hervorbringung begrifflich notwendig miteinander verbunden zu sehen. Die Deutung des Thomas wird deutlicher Kritik unterzogen. Eine ähnliche Argumentation hatte gegen Thomas bereits Aegidius Romanus gerichtet: Wenn der Aquinate in der Summa die Zeugungspotenz allein im Wesen gesehen hat, hätte er nach Aegidius konsequent sein und auch den Liebesakt in einem rein essentialen Sinne betrachten müssen. Vgl. Aegidius, 1 Sent. d. 32, qq. 1-3 (fol. 166vK-L); Thesen und Belege bei LUNA (1988) 19-27.

[285] Vgl. Molina, Comm. in I$^{am}$ q. 37, a. 2 (510bA): „...praedicta propositio in rigore mihi etiam falsa videtur: videnturque autoritates Sanctorum exponendae, ut Durandus eas exponit." Molina beruft sich vor allem darauf, daß das notionale Erkennen des Vaters ebenfalls nicht „im Wort" geschieht, sondern das Wort nur als Ziel und Ergebnis dieses Erkennens gelten kann. Analoges muß für die Hauchung gelten: Vater und Sohn bringen den Geist hervor, indem sie sich mit wesenhafter Liebe lieben.

Lieben ursprunghaft versteht – denn so lieben die beiden Personen nicht sich, sondern allein den aus ihnen hervorgehenden Geist –, noch dann, wenn man ein Verständnis dieser Liebe als „principium quo" voraussetzt, da das Wesen und nicht der Heilige Geist Grund dafür ist, daß Vater und Sohn lieben können, und da er ebenfalls nicht die Bedingung dafür setzt, daß dieses Lieben notional wird – diese ist allein in den Relationen der ersten beiden Personen als solchen zu suchen[286].

(b) Suárez schickt seiner eigenen Stellungnahme die Bemerkung voraus, daß die umstrittene Formulierung wegen ihres fehlenden biblischen Ursprungs nicht mit allzu großem Aufwand verteidigt zu werden braucht. Allerdings stellt er sich selbst auf die Seite derer, die an ihrem positiven Sinn festhalten wollen. Dies, so gibt er den Anhängern der zweiten zitierten Position zu, ist auch dann im Prinzip möglich, wenn man die mit dem Geist verbundene Liebe rein essential versteht und darauf verweist, daß sie als Wesensattribut selbstverständlich auch der dritten Person kraft ihres Hervorgangs zuzusprechen ist[287]. Allerdings wäre damit die *Identifizierung* der Liebe gerade mit dem Geist mehr oder weniger beliebig geworden, letztlich eine bloße Appropriation, wie sie im vorliegenden Fall schon durch Theologen des 13. Jahrhunderts vor Thomas angenommen worden war[288].

Aus den Erklärungsversuchen, welche die Formel in einem strikteren Sinn ernstnehmen wollen, greift Suárez einen thomistischen Gedanken auf[289]. Auch hier ist der Heilige Geist nicht im strengen Sinn das Formalkonstitutiv der wechselseitigen Liebe zwischen Vater und Sohn, sondern vielmehr deren Ausdruck und Ergebnis, die „Liebe" als Produkt bzw. Frucht des im Sinne des notionalen Aktes verstandenen „Liebens". Die beiden ersten Personen, so sagt es Suárez in einem aus Thomas entnom-

[286] Vgl. Suárez, De trin. 11.3.4 (I, 780a-b): „...nam cum Pater, et Filius dicuntur se diligere Spiritu sancto aut verbum *diligere* sumitur notionaliter, pro ipsa origine, ita ut sit idem quod spirare, et sic inepte, et falso construitur cum illo relativo, *se*, quia sic diligere notionaliter est producere, Pater autem et Filius non producunt se, unde non possunt dici spirare se (...). Quod si diligere notionale non dicat actualem originem, sed principium quo: sic etiam includit aliquo modo respectum ad terminum, unde reflecti non potest supra principium productionis cum additione ipsius termini. Quia, quod illa dilectio sit notionalis formaliter, non habet a termino, sed a propriis relationibus Patris, et Filii. Quod autem sit dilectio, habet ex eo, quod est ipsamet dilectio essentialis."

[287] Vgl. Suárez, De trin. 11.3.5 (780a-b).

[288] Vgl. EMERY (2004c) mit Verweis auf die Summa fratris Alexandri, l. 1, n. 460 (Ed. Quaracchi I, 657).

[289] Vgl. Thomas, S. th. I, 37, 2 c. Vgl. auch Thomas 1 Sent. d. 32, q. 1. a. 3 und DONDAINE (1946) II, 333f. 393-409; EMERY (1995) 430-443.

menen[290] Vergleich ohne Berücksichtigung der daran durch Scotus geübten Kritik[291], lieben sich „durch den Geist" nicht so, wie das Feuer „durch die Wärme" warm ist (formalkonstitutive Funktion), sondern wie ein Baum „durch seine Blüten" in einem „aktiven" Sinn (er)blüht, sofern sich in den Blüten das Blühen zeigt und abschließend vollendet[292], was man als „resultatives" oder „effektives" Verständnis der Formel bezeichnen könnte. Nach Art eines solchen „effectus formalis" hatte Thomas den Heiligen Geist im vorliegenden Kontext gedeutet. Im Gegensatz zur Beschreibung des Hervorbringungsaktes mit dem Verb „spirare" („Pater et Filius spirant Spiritum sanctum") wird also in der hier zur Diskussion stehenden Aussage mit dem Verb „diligere" („P. et F. diligunt se Spiritu s.") nicht bloß das Verhältnis der hervorbringenden Personen zur hervorgebrachten ausgedrückt, sondern zugleich Bezug genommen auf die „Materie" des Hervorbringungsaktes. Sofern dieser Gehalt des notionalen Aktes denjenigen Subjekten formal zuzuschreiben ist, die den Akt prinzipiieren, kann der Aktvollzug von ihnen auch reflexiv ausgesagt werden („Der Vater liebt sich", bei zwei Subjekten entsprechend von beiden: „Vater und Sohn lieben sich"). Im effektiv zu verstehenden Ablativ („durch den / im Heiligen Geist") wird dabei der Terminus als Produkt des Aktvollzugs mitgenannt[293]. Wie durch den Akt des Liebens selbst, den Vater und Sohn in dieser Sichtweise nicht formal durch den Heiligen Geist, sondern aus sich, aus ihrem die Liebe implizierenden Wesen heraus selbst setzen, können die beiden Personen zugleich durch das Produkt ihrer Liebe als miteinander verbunden betrachtet werden: Wenn sich Liebende lieben, ist es stets „die Liebe", welche sie verbindet[294]. Diese Einung „im Geist" ist nicht als eine formgebende, sondern als „terminative", vom Ziel der Liebe her konzipierte, zu begreifen und kann mit dem Zusammentreffen zweier Linien in einem gemeinsamen Punkt verglichen werden. In diesem notionalen Sinn ist der Geist „Band" allein zwischen Vater und

[290] Vgl. ebd.

[291] Scotus wendet vor allem ein, daß „florere" kein transitives Verb ist, also nicht die Hervorbringung von irgendetwas bezeichnet, weshalb es als Vergleich für den vorliegenden Fall nicht taugt: Ord. I, dist. 32, q. 1-2, n. 22 (Ed. Vat. VI, 228ff.).

[292] Vgl. Suárez, De trin. 11.3.7 (I, 781a-b).

[293] Vgl. ebd. 8 (781b): „*Diligere* vero non solum dicit habitudinem ad terminum, sed etiam ad obiectum, seu materiam circa quam, et ideo potest reflecti supra ipsum principium, si sub obiecto dilectionis contineatur, et dicitur: *Patrem diligere se*, et potest construi cum suo termino in casu ablativo, seu effectivo, quod indicat denominationem formalem. Ita ergo dicuntur Pater, et Filius diligere se Spiritu sancto, sicut etiam posset arbor dici florere se (si Verbum illud active sumatur), floribus, quia se veluti adornat floribus."

[294] Vgl. ebd. 10 (782a).

Sohn, nicht aber zwischen ihm selbst und einer anderen Person, da er nur als von jenen beiden hervorgebrachter (d. h. als Zielpunkt des doppelten notionalen Aktes) dieses Prädikat verdient.

Eine echte Gegenseitigkeit der Liebe zwischen Vater und Sohn, wie sie Richard von Sankt Viktor der Hauchung des Geistes zugrundelegen wollte, spielt in der Erklärung unserer Formel durch Suárez ebensowenig noch eine Rolle wie zuvor bei Thomas[295] oder Scotus. Hier hat sich der augustinische Blick von der Einheit des gemeinsamen Hauchprinzips her durchgesetzt, und der Unterschied einer Position wie der suárezischen zu einer solchen, die das notionale Verständnis der Vater und Sohn verbindenden Liebe ganz in den Bereich der uneigentlichen Rede verlegen will, ist eher gering.

In welchem Umfang man darüber hinaus auch noch von einer Liebe der ersten beiden Personen zu den Kreaturen „durch den Heiligen Geist" sprechen möchte, hängt für Suárez wiederum ganz davon ab, wie weit man diese Geschöpfe in der innergöttlichen Liebe bereits als gegenwärtig ansetzt. Unser Theologe bestätigt im vorliegenden Zusammenhang noch einmal seine Mittelposition zwischen Scotus, der alles Kreatürliche aus dem erkennenden und liebenden Selbstbezug Gottes ausschließt, und Thomas, der nicht bloß die möglichen, sondern irgendwie auch schon die real-zukünftigen Geschöpfe darin inkludiert wissen will[296]. In der Sicht des Jesuiten gibt es zwar keine absolute Notwendigkeit für Gott, die Kreaturen bereits „im Heiligen Geist", also in dessen ewiger Hervorbringung, zu lieben, doch ist die Liebe Gottes zu den Kreaturen, wenn sie denn durch freies Dekret erfolgt, *faktisch* keine andere als diejenige Liebe, aus der auch der Geist hervorgegangen ist. In diese (allerdings kaum formal zu nennende) Identität der Liebe „im Heiligen Geist" mag man auch die Kreaturen eingeschlossen sehen.

### 4) Zur Unterscheidbarkeit von Sohn und Heiligem Geist mit Hilfe des Begriffes „Zeugung"

Die scholastische Tradition kennt einen doppelten Ort für die Frage, in welcher Weise die beiden hervorgebrachten Personen in Gott voneinander unterscheidbar sind.

[295] Nach KRAPIEC (1950) 478f. hat sich bei Thomas vom Früh- zum Spätwerk hin bei der Erklärung der „spiratio" durch Vater und Sohn eine Verschiebung von einem eher richardischen hin zu einem stärker augustinischen Denken vollzogen; vgl. auch MÜHLEN (1988) 144f.148f.152.

[296] Vgl. Suárez, De trin. 11.3.12 (I, 782a-b).

Der eine ist, wie wir sahen, die Verteidigung des „filioque" im lateinischen Credo gegen die Griechen, in der die Unverzichtbarkeit dieses Zusatzes für eine Differenz der zweiten und dritten Person vom Ursprung her das entscheidende systematische Argument darstellt. Ein zweiter Ort für die Behandlung desselben Problems eröffnet sich aus dem Vergleich der beiden Hervorgänge als solcher, die in der Frage konkret wird, was den Hervorgang des Sohnes, aber nicht denjenigen des Geistes „Zeugung" („generatio") sein läßt und was folglich entscheidend dafür ist, daß nur die zweite, aber nicht die dritte Person „Sohn" genannt werden darf. Petrus Lombardus hatte in Anknüpfung an Überlegungen Augustins die Frage in d. 13 seiner Sentenzen aufgeworfen, aber sich mit dem bloßen Referat der augustinischen Antwort begnügt, wonach man das Problem überhaupt nicht lösen kann. Der einzige Unterscheidungsgrund zwischen den Personen ist im Hervorgang des Sohnes aus dem Vater allein, des Geistes aber aus Vater und Sohn zu suchen[297]. Die an Lombardus anschließenden Autoren haben sich mit dieser Kapitulation vor dem Mysterium nicht zufriedengegeben. Ein Weg aus der Aporie wird dabei vor allem durch eine möglichst exakte Analyse des die Sohnschaft konstituierenden Hervorgangs gesucht. In der Definition von „generatio" unter den Prämissen des psychologischen Modells bemüht man sich, Bestimmungselemente zu identifizieren, die eine ausschließliche Zuweisung an die zweite, aus dem Akt der göttlichen Selbsterkenntnis hervorgehende Person einsichtig machen können. Den Leitfaden bietet dafür in der Epoche der Barockscholastik durchweg die Zeugungs-Definition des Thomas von Aquin.

Es legt sich auf diesem Hintergrund nahe, zunächst in Kürze Suárez' Ausführungen zur Zeugung des Sohnes in Erinnerung zu rufen, die wir in der Lektüre von „De trinitate", Buch neun, wo sie eigentlich zu finden sind, bewußt ausgespart haben. An sie knüpft der suárezische Unterscheidungsversuch für die Personen von Sohn und Geist, mit dem Buch elf des Trinitätstraktates schließt, unmittelbar an.

(1) Wenn Suárez die theologisch selbstverständliche These vorstellt, daß der Hervorgang des göttlichen Wortes „Zeugung" genannt werden darf, sucht er seine Belege nicht nur in verschiedenen Aussagen der Schrift und der Vätertradition[298], sondern unmittelbar anschließend im Verständnis von „generatio" bei Thomas. Während eine naturphilosophische Definition, wie sie der Aquinate aus Aristoteles, „De generatione", für das Hervorgehen „aller Dinge, die entstehen und vergehen", kennt,

[297] Vgl. Petrus Lombardus, Sent. l. 1, d. 13, c. 3, n. 4 (Ed. Quaracchi, I/2, 123), mit Zitierung aus Augustinus, Contra Maximinum, c. 14, n. 1 (PL 42, 770f.).

[298] Vgl. Suárez, De trin. 9.1.2-3 (I, 720a-b).

im trinitätstheologischen Kontext ausscheidet[299], kann an eine zweite Formulierung (ebenfalls mit aristotelischen Wurzeln[300]) angeknüpft werden, die in speziellerer Weise allein für die Hervorbringung („nativitas") lebendiger Wesen Geltung besitzt. Zeugung erweist sich hier als „Hervorgang eines Lebendigen aus einem Lebendigen, das ihm auf eine Ähnlichkeit in der Natur hin verbunden ist"[301]. Neben der selbstverständlichen Lebendigkeit von Hervorbringendem und Hervorgehendem unterstreicht die Definition die beiden Tatsachen, daß der Gezeugte nicht aus einer dem Zeugenden äußerlichen Materie, sondern irgendwie „aus seiner Substanz" entspringt, und daß er kraft des Zeugungsaktes selbst zum Zeugenden in Naturähnlichkeit steht. Da in trinitätstheologischer Perspektive alle diese Bedingungen im Hervorgang des Sohnes aus dem Vater erfüllt sind, und zwar in höchstem Maße, sofern die Ähnlichkeit zwischen beiden in Wirklichkeit vollkommene Natureinheit aus der hier statthabenden Wesensmitteilung ist, kann die Bezeichnung des Sohneshervorgangs als „Zeugung" und die sich daraus ergebende Benennung der zweiten Person als „Sohn" nicht bezweifelt werden[302]. Zu achten ist nur auf die Analogizität dieses Begriffs wie auch aller anderen Termini, die gleichermaßen von Gott und den Kreaturen ausgesagt werden[303].

(2) Doch aus welchem sachlichen Grund ist der Sohn nicht bloß „genitus", sondern darüber hinaus „*uni*genitus" und damit *in seinem Gezeugtsein* auch vom Geist unterschieden? Suárez weiß, daß sich die Ratlosigkeit angesichts dieser Frage, wie sie von mehreren prominenten Vätern geäußert wird und vermittels der genannten Autoritäten Augustinus[304] und

[299] Vgl. Thomas, S. th. I, 27, 2 c.: „[Generatio est] mutatio de non esse ad esse"; Suárez präferiert die exaktere Formel „productio substantiae ex praeiacente materia" (De trin. 9.1.3, 720b).

[300] Vgl. etwa Aristoteles, Ethic., l. 8, 1161b11-21.

[301] Vgl. Thomas, S. th. I, 27, 2 c.: „processio viventis a vivente coniuncto in similitudinem naturae".

[302] Vgl. Suárez, De trin. 9.1.5-6 (I, 721a-b).

[303] Vgl. ebd. 14 (722b).

[304] Vgl. die schon erwähnte berühmte Passage Contra Max. 2, 14, 1 (PL 42, 771): „quaeris a me, «si de substantia patris est filius, de substantia patris est etiam spiritus sanctus; cur unus filius sit, et alius non sit filius». ecce respondeo, siue capias, siue non capias. de patre est filius, de patre est spiritus sanctus: sed ille genitus, iste procedens: ideo ille filius est patris, de quo est genitus; iste autem spiritus utriusque, quoniam de utroque procedit. sed ideo cum de illo filius loqueretur, ait, «de patre procedit»; quoniam pater processionis eius est auctor, qui talem filium genuit, et gignendo ei dedit ut etiam de ipso procederet spiritus sanctus. nam nisi procederet et de ipso, non diceret discipulis, «accipite spiritum sanctum»; eumque insufflando daret, ut a se quoque procedere significans, aperte ostenderet flando, quod spirando dabat occulte. quia ergo si nasceretur, non tantum de patre, nec tantum de filio, sed

Lombardus[305] auch bei einigen Scholastikern zu finden ist[306], selbst unter Rückgriff auf die thomanische „generatio"-Definition nicht automatisch auflöst – scheint diese doch ohne weiteres auch auf den Geist anwendbar zu sein, an dessen Hervorgang aus einem „verbundenen, lebendigen" Prinzip ebensowenig Zweifel bestehen kann wie an der durch die Wesensgleichheit mit Vater und Sohn garantierten Naturähnlichkeit.

(a) Diese Skepsis versucht bereits Thomas in seinen späten Schriften zu überwinden, indem er die Naturähnlichkeit *kraft des Hervorgangs* („vi processionis") zum maßgeblichen Unterscheidungsmoment erklärt und sie so allein in der Entstehung des Sohnes aus der Erkenntnis gegeben

de ambobus utique nasceretur; sine dubio filius diceretur amborum. ac per hoc quia filius amborum nullo modo est, non oportuit nasci eum de ambobus. amborum est ergo spiritus, procedendo de ambobus. quid autem inter nasci et procedere intersit, de illa excellentissima natura loquens explicare quis potest? non omne quod procedit nascitur, quamuis omne procedat quod nascitur; sicut non omne quod bipes est homo est, quamuis bipes sit omnis qui homo est. haec scio: distinguere autem inter illam generationem et hanc processionem nescio, non ualeo, non sufficio. ac per hoc quia et illa et ista est ineffabilis, sicut propheta de filio loquens ait, «generationem eius quis enarrabit»?" Auch in De trin. 15, 50 (CCL 50A, 533) verzichtet Augustinus auf eine letzte Erklärung: „unde cum sit communio quaedam consubstantialis patris et filii amborum spiritus, non amborum, quod absit, dictus est filius. sed ad hoc dilucide perspicueque cernendum non potes ibi aciem figere. scio, non potes. uerum dico, mihi dico, quid non possim scio."

305 Vgl. Petrus Lombardus, Sent. l. 1, dist. 13, c. 3 (Ed. Quaracchi, I/2, 122): „Inter generationem vero Filii et processionem Spiritus Sancti, dum hic vivimus, distinguere non sufficimus."

306 Suárez nennt in De trin. 11.5.3 (I, 785b) neben Johannes Major (vgl. 1 Sent. d. 13, q. un. [46v]) auch Gabriel Biel, 1 Sent. d. 13, q. un. (Ed. Werbeck / Hofmann 386f.; allerdings zitiert Biel Holkots skeptische Position, ohne sich ihr gänzlich anzuschließen). Mit einer gewissen Einschränkung wird ebenso Scotus, Ord. I, d. 13, q. un., nn. 77-81 (Ed. Vat. V, 105-108) dieser Fraktion zugezählt, weil er Zeugung und Hauchung zwar als durch sich selbst „formaliter" verschiedene Hervorgänge erklärt, aber dafür keinen echten Sachgrund angibt. Vgl. auch SCHMAUS (1930b) 172ff., der auf den Ursprung der scotischen Ansicht in der Lehre Bonaventuras hinweist (ebd. 187). Auch Ockham vermag „in statu isto" keinen hinreichenden Grund für die Unterscheidung von Zeugung und Hauchung zu nennen; vgl. LEFF (1975) 434. In der Jesuitenschule vor Suárez findet sich der Verzicht auf eine spekulative Begründung der Differenz beider bei Francisco Toledo, In I$^{am}$ q. 27, a. 4 (Ed. Paria, I, 325a): „Nulla harum [sc. rationum doctorum] est convincens; ob id merito Athanasius et alii docuerunt, id esse incognitum, et sola fide tenendum." Der Thomist Zumel schreibt zwar auf vielen Seiten Lösungsvorschläge zusammen, gibt aber dennoch zu verstehen, daß uns eine „plane et evidenter" verfahrende Unterscheidung der beiden Personen nicht gelingt (Comm. in I$^{am}$ q. 27, a. 4, disp. 1 [678b]). Ähnlich: Gregor von Valencia, De trin. l. 2, c. 5 (441C). Weitere Scholastikerzeugnisse mit dieser Tendenz werden bei Vázquez, Comm. in I$^{am}$ 113.3.15 (II, 33a), zitiert.

sieht[307]. Nur der Intellekt strebt nach Verähnlichung des erkannten Gegenstandes mit sich, nicht aber der Wille, der vielmehr auf Dinge als solche abzielt bzw. sich ihnen zuneigt. Der Modus des Hervorgangs bringt darum nur im Falle des Sohnes *formaliter* jene Ähnlichkeit hervor, wie sie für eine Zeugung laut Definition notwendig ist, nicht aber im Falle des Geistes, dessen Ähnlichkeit mit den ihn Hervorbringenden nur *materialiter* besteht, nämlich kraft der nicht durch die Hauchung als Hauchung bewirkten durchgängigen Naturidentität alles innergöttlich Hervorgebrachten. Der Fortschritt dieser Argumentation des Aquinaten gegenüber vorangehenden scholastischen Verhältnisbestimmungen von Sohn- und Geisthervorgang[308] kann nicht bezweifelt werden und ist auf die Integration des Ähnlichkeitsaspekts in die Zeugungsdefinition zurückzuführen. Der Lösungsversuch ist seiner Grundidee nach von der Thomistenschule aufgegriffen und vertieft worden[309] und hat ebenso in der Jesuitenschule vor Suárez Zustimmung gefunden[310]. Auch Suárez diskutiert im folgenden das ganze Problem allein im Horizont der thomanischen Zielrichtung, also vermittels der Suche nach einem Unterscheidungskriterium für die beiden Hervorgänge, das irgendwie aus der inneren Beschaffenheit der Hervorgangsmodi selbst herrührt.

(b) Bevor Suárez zu der thomistischen Majoritätsthese Stellung nimmt, weist er auf einen anderen Weg hin, den in neuerer Zeit Bartholomé Torres eingeschlagen hat. Er erkennt dem Geist wie dem Sohn Ähnlichkeit „vi processionis" zu, verlegt aber stattdessen den Unterschied in den der dritten Person fehlenden Hervorgang „per modum imaginis": Nur das Wort geht aufgrund seiner Bildung durch den Intellekt „ad repraesentandum" hervor, nicht aber der Geist[311]. Nur das Wort erweist sich dem

[307] Vgl. Thomas, S. th. I, 27, 4 c.: „Respondeo dicendum quod processio amoris in divinis non debet dici generatio. Ad cujus evidentiam considerandum est quod haec est differentia inter intellectum et voluntatem, quod intellectus fit in actu per hoc quod res intellecta est in intellectu secundum suam similitudinem: voluntas autem fit in actu, non per hoc quod aliqua similitudo voliti sit in volente, sed ex hoc quod voluntas habet quandam inclinationem in rem volitam. Processio igitur quae attenditur secundum rationem intellectus, est secundum rationem similitudinis; et intantum potest habere rationem generationis, quia omne generans generat sibi simile." Nach SCHMAUS (1930b) 172 liegt hier eine Änderung gegenüber dem SK vor, wo Thomas die Unterscheidung noch allein in den Ursprungsrelationen, nicht aber in der Differenz des Hervorgangs „per intellectum" und „per voluntatem" gesucht hatte.

[308] Siehe das Beispiel des Wilhelm von Auxerre bei ARNOLD (1995) 83-88.

[309] Am einflußreichsten war hier Cajetan, Comm. in I^am q. 27, a. 4, bes. n. 2-3 (Ed. Leon IV, 314a).

[310] Vgl. Molina, In I^am q. 27, a. 4 (422a-b).

[311] Vgl. Suárez, De trin. 11.5.6 (I, 786a). Vgl. B. Torres, Comm. in I^am q. 27, a. 2, p. 5 (36va): „Respondemus igitur, divinum verbum esse filium, ac subinde eius produc-

Betrachter als Abbild dessen, der es hervorgebracht hat, während dies im Falle der Liebe weniger klar zutrifft bzw. der Abbildcharakter zumindest nicht als formales Hervorbringungsziel auszumachen ist. Mit dieser Explikation sieht Torres das bei Thomas in der Definition der Zeugung enthaltene Moment der „Naturähnlichkeit" erfaßt und treffend ausgedeutet[312]. Sie dürfte sich nicht zuletzt einem Impuls Anselms verdanken[313], der in den trinitätstheologischen Ausführungen des Aquinaten über den notionalen Charakter des Begriffs „imago" und seiner exklusiven Zuschreibung an den Sohn bewahrt ist[314]. Daß der im Imago-Prädikat liegende Distinktionsaspekt, wie ihn Torres nutzbar macht, nicht nur durch weitere Thomisten wie Bañez oder Zumel[315], sondern auch durch den Jesuiten Vázquez für die Begründung der Einzigkeit göttlicher Sohnschaft aufgegriffen wurde[316], wird Suárez nicht entgangen sein, obgleich er es nicht explizit erwähnt. Wie sein Gewährsmann Torres beruft sich Vázquez darauf, daß allein der Sohn, aber nicht der Geist „Bild" des Vaters im Sinne einer „similitudo expressa ad repraesentandum" ist, die nicht mit

tionem esse generationem: quoniam de ratione filii est procedere per modum imaginis a patre quo pacto divinum ipsum verbum procedit a patre: Spiritum sanctum autem non esse filium, et eius productionem generationem non esse: quoniam non procedit a patre, et filio per modum imaginis." Vgl., mit einigen Hinweisen zur Wirkungsgeschichte der These, TEMIÑO SAIZ (1940) 127-131.

312 Vgl. auch Thomas, ScG IV, 11.

313 Vgl. Anselm, Monologion, c. 55 (Op. I, 67): „Quid ergo? Cum hic amor pariter habeat esse a patre et filio, et sic similis sit ambobus ut nullatenus dissimilis sit illis, sed omnino idem sit quod illi: numquid filius eorum aut proles aestimandus est? Sed sicut verbum mox <ut> consideratur, se prolem eius esse a quo est, evidentissime probat, promptam praeferendo parentis imaginem: sic amor aperte se prolem negat, quia dum a patre et filio procedere intelligitur, non statim tam perspicuam exhibet se contemplanti eius ex quo est similitudinem; quamvis ipsum considerata ratio doceat omnino idipsum esse quod est pater et filius." Torres verweist auf Anselm in Comm. in I^am q. 27, a. 2, p. 5 (37va).

314 Vgl. Thomas, 1 Sent. d. 28, q. 2, a. 3 c.: „Ita etiam dico quod filius ex ratione processionis suae habet quod sit imago, et inquantum procedit ut filius, quia filius dicitur ex hoc quod habet naturam patris; et inquantum procedit ut verbum, quia verbum, ut dictum est, dist. 27, quaest. 2, art. 1, est quaedam similitudo in intellectu ipsius rei intellectae. Sed spiritus sanctus non habet hoc ex ratione suae processionis, quia procedit ut amor; et ideo sicut non dicitur filius, quamvis accipiat sua processione naturam patris; ita nec imago, quamvis habeat similitudinem ad patrem." Ähnlich S. th. I, 35, 2 c., wo Thomas zudem auf die besondere Schwierigkeit hinweist, daß die „doctores Graecorum" im allgemeinen kein Problem in der Bezeichnung des Geistes als „imago Patris et Filii" sähen.

315 Vgl. Bañez, In I^am, q. 27, a. 4, dub. 1 (336a-b). Als „probabilis" wird die Lösung auch bei Zumel, Comm. in I^am q. 27, a. 3 (675b) eingestuft.

316 Vgl. Vázquez, Comm. in I^am 113.7 (II, 39b-41a).

der bloßen Ähnlichkeit aufgrund des Wesens zusammenfallen kann, wie sie selbstverständlich in allen Personen identisch vorliegt[317]. Zu diesem speziellen Repräsentationsaspekt des Sohnes wird in der Trinitätslehre des Vázquez, wie uns bekannt ist, ein Verständnisweg in besonderer Weise dadurch gebahnt, daß der Sohn allein aus der Erkenntnis des göttlichen Wesens und der Person des Vaters hervorgeht – denn ebendiesen Gehalt bildet er ab. Der Geist dagegen repräsentiert ausdrücklich keine andere Person für irgendeine andere; er ist niemandes Bild[318].

Suárez zeigt sich durch diese Argumente wenig beeindruckt. Die Ansicht von Torres-Vázquez weist er vielmehr umgehend zurück, da er die darin behauptete Unterschiedenheit von „Ähnlichkeit" und „Bild(haftigkeit)" weder in der Tradition noch von der Sache her als gerechtfertigt ansieht[319]. Nach Augustinus ist das „Bildsein" Konsequenz der Ähnlichkeit[320] und nichts außerhalb ihrer. Die Skepsis unseres Jesuiten speist sich zudem aus dem Zweifel daran, ob gerade der Bildbegriff in der Lage ist, ein Distinktionselement bereitzustellen, das zwischen Sohn und Geist sicherer unterscheidet, als es die Kontrastierung der bloßen Personennamen tut. Denn der Aufweis fehlt, daß der Sohn etwas bildhaft repräsentiert, das sich nicht auch im Geist findet, und beide nicht bloß durch die Einheit des Wesens in gleicher Weise einander Bild sind – hier macht sich gegenüber Vázquez der Unterschied in der Haltung geltend, die Suárez zur Frage nach den Objekten der Erkenntnis bzw. Liebe im Hervorgang der göttlichen Personen einnimmt.

(c) Da sich der Vorschlag von Torres somit als unzureichend erwiesen hat, kehrt Suárez zur ursprünglichen Thomas-These zurück. Ihre Gültigkeit entscheidet sich daran, ob der Nachweis zu führen ist, daß und wieso aus dem unendlichen und ungeschaffenen Erkennen, das mit dem Sein Gottes realidentisch ist und aus dem der Sohn hervorgeht, eine größere Ähnlichkeit zwischen Hervorbringendem und Hervorgebrachtem erwachsen soll als aus dem ebenfalls mit dem göttlichen Sein identischen und ebenfalls ewig-ungeschaffenen Wollen. Für Suárez hängt an diesem Nachweis mehr als nur die Verteidigung einer Theologenmeinung. Wenn es nicht gelingt, die Personen über die Formalbestimmung der Hervor-

[317] Vgl. Vázquez, Comm. in I$^{am}$ 145.5.12-13 (II, 221b).

[318] Vgl. ebd. 14-15 (222a). Auch in der späteren Jesuitenschule wird diese These trotz der an ihr durch Suárez geübten Kritik präsent bleiben. Vgl. mit weiteren Belegen: Ruiz, De trin. 6.1.2 (40b); A. de Herrera († 1684), De trin. 11.5 (293-297).

[319] Vgl. Suárez, De trin. 11.5.7 (I, 786a-b).

[320] Vgl. Augustinus, Quaestionum libri septem 5, 4 (CCL 33, 277): „si autem patri filius similis sit, etiam imago recte dicitur, ut sit pater prototypus, unde illa imago expressa uideatur."

gänge zu unterscheiden, wird die Annahme von personalen Proprietäten und damit das Glaubensgeheimnis der Trinität selbst, das ohne eine Unterscheidbarkeit der Personen nicht auskommt, zweifelhaft. Denn in diesem Fall gäbe es nichts mehr, das kraft des Hervorgangs und mit dem identischen Wesen der einen göttlichen Person und nicht zugleich der anderen mitgeteilt würde[321]. Daß die Möglichkeit absoluter Personalproprietäten, die Suárez an früherer Stelle ausgeschlossen hat, hier nicht als Alternative ins Spiel gebracht wird, liegt auf der Hand. Das kriteriologische Postulat für jeden Lösungsvorschlag zur vorliegenden Frage, das die Konstitutionsordnung der Trinitätstheologie von den Hervorgängen zu den Relationen korrekt berücksichtigt, lautet darum: Bewiesen werden muß, „daß die eine Person kraft ihres Hervorgangs irgendetwas besitzt, das die andere nicht hat, nicht nur im Blick auf die Relationen, sondern auch im Blick auf das, was ihnen von der Wesenheit her zukommt; denn erst von hier aus ergibt es sich, daß auch die Relationen als solche verschieden sind“[322].

Suárez versucht, in Anknüpfung an die thomanische Lösung diesen Beweis zu führen, und zwar mit Hilfe ihrer Verdeutlichung in zwei Punkten.

Erstens muß klar sein, was unter dem Zusprechen einer personalen Eigenschaft „kraft des Hervorgangs“ exakt verstanden werden soll. Grundlage dafür ist die bekannte Annahme einer Virtualdistinktion zwischen den verschiedenen absoluten, „in re“ identischen Attributen Gottes. Wie mit Hilfe dieser Distinktion im Wirken Gottes „ad extra“ unterschiedliche Handlungen nach verschiedenen Formalprinzipien unterscheidbar werden (Gott straft „aus Gerechtigkeit“, aber hilft „aus Barmherzigkeit“), so können ebenfalls „ad intra“ nicht nur die Hervorgänge nach den virtual unterschiedenen Wesensvollzügen „Erkennen“ und „Wollen“ differenziert werden, sondern auch die Produkte dieser Hervorgänge, sofern sie in formaler Hinsicht mit diesem oder jenem Attribut in Verbindung gebracht werden[323]. Etwas „ex vi processionis“ zu besitzen, bedeutet dar-

[321] Vgl. Suárez, De trin. 11.5.9 (I, 787a).

[322] Ebd. 10 (787b): „Necessario ergo in omni opinione concedendum est, aliquid habere unam personam ex vi processionis suae, quod non habet alia, non solum quantum ad relationes, sed etiam quantum ad ea, quae habent ratione essentiae, imo hinc provenit, quod relationes ipsae diversae rationis sint.“

[323] Vgl. ebd. 11 (787b-788a): „In processionibus item ad intra est hoc certissimum, nam prima producit secundam intelligendo, non autem amando, et e converso producit tertiam amando, non vero intelligendo, ut in primo libro probatum est. Sic ergo ex parte termini producti ad intra potest idem inveniri. Potest ergo terminus unius processionis formaliter produci sub ratione unius attributi, et non alterius, quia non est major repugnantia ex parte terminorum, quam principiorum quo, et alioqui est

nach, es als etwas zu besitzen, das als formaler Zielpunkt des Hervorgangs in seiner virtualdistinkten Besonderheit betrachtet wird, nicht aber als etwas, das bloß einschlußweise, „materialiter" ebenfalls vermittelt wird, ohne daß der Hervorgang in formaler Weise darauf gerichtet wäre[324]. Als Beispiel aus der geschöpflichen Welt führt Suárez an, daß hier ein und dieselbe Seinsbestimmung entweder durch natürliche Zeugung oder durch göttliche Schöpfung real werden kann; diese Entitäten wären nicht als solche unterschieden, wohl aber durch die unterschiedliche Relation zu ihrem jeweiligen Hervorbringungsprinzip, das im Falle der Schöpfung durch Gott das bestimmte Seiende erst *als Seiendes überhaupt* begründet, während es im Falle der natürlichen Hervorbringung das Seiende nur *als so oder so bestimmtes* setzt[325]. Überträgt man dies auf die innergöttlichen Hervorgänge, so gilt: Durch beide von ihnen wird objektiv die gesamte göttliche Wesenheit kommuniziert, freilich nicht „aeque formaliter" in jeder Hinsicht – „kraft des Hervorgangs" kann sich das Verhältnis von Hervorbringendem und Terminus trotz Wesensgleichheit beider Termini unterscheiden. Da beide objektiv das Gleiche besitzen, nur eben in unterschiedlicher Weise „gemäß der Formalität dieses oder jenes Attributs", ist eine Verschiedenheit ermöglicht, die keine Unvollkommenheit für die Personen mit sich bringt[326].

Auf der Grundlage dieser Explikation kann Suárez zweitens die thomanische Erklärung dafür verteidigen, daß nur eine der beiden hervorgebrachten göttlichen Personen „Sohn" ist. Entscheidend ist der Gedanke, daß allein die Hervorbringung der zweiten Person, des Wortes aus dem göttlichen Verstand, in formaler Hinsicht, also nach dem eben entfalteten Verständnis „ex vi processionis", auf Ähnlichkeit mit dem Hervorbringenden abzielt und damit das entscheidende Definitionskriterium dafür erfüllt, „Zeugung" genannt zu werden[327]. Gegen diese Feststellung

eadem ratio, seu proportio, nam illud, quod est ex parte producentis principium formale producendi, est etiam forma per se, et formaliter communicata termino producto...".

[324] Vgl. ebd. 12 (788a): „Habere ergo aliquid ex vi processionis, est habere illud tanquam formalem terminum, seu rationem, sub qua talis processio ad illum tendit...".

[325] Vgl. ebd.: „Distinguuntur ergo actiones, quia una dicitur attingere ens in quantum ens, alia in quantum tale ens, et ideo magis per se fit per unam illarum actionum ipsa ratio entis, quam per aliam, quamvis in re non distinguatur ratio entis, et talis entis."

[326] Vgl. ebd. 13 (788a-b): „Si enim quaelibet earum in re habet per se, et essentialiter perfectionem omnium attributorum, quid interest ad illius perfectionem quod secundum formalitatem hujus, vel illius attributi illam habeat?"

[327] „Satis ergo est, quod productio Verbi secundum communem rationem intellectionis tendat formaliter, ad similitudinem, ut in particulari talis intellectio formaliter, ut sic

läßt sich nicht einwenden, daß die Ähnlichkeit des göttlichen Sohnes „natürlich und vollkommen" ist, während im geschöpflichen Bereich die Ähnlichkeit des Verstehenden mit dem im Erkennen ergriffenen Objekt nicht über eine „similitudo intentionalis", also eine Ähnlichkeit in gedanklicher Repräsentation, die ontologisch stets vom Objekt verschieden bleibt, hinauskommt. Denn entscheidend ist das *Streben* nach totaler Assimilation, das Suárez in jedem Erkennen gegeben sieht, auch wenn es tatsächlich nur in Gott wegen der Vollkommenheit der Erkenntnis im Erkennenden und der Intelligibilität im Erkenntnisobjekt zum Ziel findet: Im seinsgleichen Wort des Vaters gibt es keinen Unterschied zwischen vollendeter ontischer und intellektiver Repräsentation. Weil das Wort seinem substantialen Sein nach mit dem Vater identisch ist, erkennt sich dieser in ihm nach jeder Hinsicht seines Erkennens.

Daß auch der Heilige Geist objektiv, nämlich seinem Wesen nach, dem Vater vollkommen ähnlich ist, wird mit dieser Lösung nicht bestritten. Allerdings erhält der Geist dieses Wesen nicht kraft des göttlichen Erkennens, sondern aus dem Vollzug der Liebe. In der Liebe aber wird anders als im Erkennen die Natur (also das Ähnlichkeitsprinzip) nicht als solche in formaler Hinsicht kommuniziert, sondern allein „per identitatem", sofern nämlich alles in Gott real mit dem einen Wesen identisch ist. Den Grund dafür erblickt Suárez nicht allein in der verähnlichenden Beschaffenheit des Erkennens, sondern auch in der dem Willen vorgeordneten Bedeutung, die wir dem Intellekt für die göttliche Wesenskonstitution zuschreiben[328]. Wenn wir nämlich Gott als wesenhaft „lebendigen" bezeichnen[329], dann meinen wir damit notwendig sein Leben auf der höchsten Stufe allen Lebens, nämlich Leben als selbstreflexiv erkennendes („in gradu intellectuali"), das eine reine Vollkommenheit darstellt, so daß Gott „intellectio ipsa per essentiam"[330] genannt werden darf. Suárez wiederholt damit einen Gedanken, den er bereits in der Metaphysik[331] und in seinem Gottestraktat, dort sowohl im Rahmen der analogen Aussagen über Gottes Wesen wie auch in den speziell der „scientia Dei" gewidmeten Kapiteln, entwickelt hatte: Gottes Erkennen und Wissen sind nicht bloß identisch mit seinem Wesen, sondern in ihrer unveränderlichen, stets aktualen

dicam, contracta intra latitudinem intellectionis, vim habeat perfecte assimilandi, et consequenter attingat veram rationem generationis" (ebd. 14, 788b).

[328] Vgl. ebd. 16 (789a).

[329] Vgl. auch Suárez, De deo uno, 1.3.11 (I, 11a): „Deum esse essentialiter viventem, unde cum vivere in viventibus sit esse, necesse est ut esse Dei sit vivere substantialiter".

[330] Suárez, DM 30.14.15 (XXVI, 169b).

[331] Vgl. DM 30.14.3-15 (166a-169b).

Subsistenz für dieses geradezu letztkonstitutiv[332]. Zwar ist auch für den Willen nicht zu bezweifeln, daß er wie das Erkennen zum Wesen Gottes gehört und mit ihm identisch ist. Dennoch halten wir zwischen beiden mit Recht einen Unterschied fest. Das Wollen setzt nämlich für uns ein bereits erkennendes Subjekt voraus, und dies bedeutet im Falle Gottes: ein durch das Erkennen bereits im höchsten Grade des Lebens konstituiertes Seiendes. Ebendiese prinzipielle Konstitutivfunktion, die dem Erkennen zukommt, fehlt dem nachfolgenden Wollen[333]. Auf diese Prämisse der psychologischen Trinitätslehre stützt sich Suárez in entscheidender Weise, wenn er in „De trinitate" die formale Ähnlichkeit und damit die Sohnschaft allein der zweiten göttlichen Person zu beweisen sucht. Nur dem Wort wird das die göttliche Wesenheit konstituierende Erkennen „formalissime", im eigentlichen Sinne kraft des Hervorgangs, mitgeteilt – und damit unter ebendieser Hinsicht auch die göttliche Natur selbst. Die „intellectio" als Formalkonstitutiv der göttlichen Wesenheit ist dafür verantwortlich, daß der in ihr wurzelnde Hervorgang des Wortes „Zeugung" genannt werden darf und daß diese Zeugung gedankliche Priorität vor der Hauchung besitzt, deren Hervorgang durch die göttliche Liebe be-

[332] Vgl. DM 30.15.14 (XXVI, 173b): „divina scientia non solum est ipsamet Dei substantia, sed formaliter est de essentia ipsius Dei, et quasi ultimo constituens illam in ratione talis naturae vel essentiae"; ebd. 15 (174a): „At hoc [sc. habere vitam intellectualem per essentiam] non est aliud quam quod divina essentia sit intellectualis, non per modum principii aut radicis intellectualis, sed ut ipsamet intellectio subsistens; sed intellectio et scientia Dei idem formalissime sunt; ergo actualis scientia per essentiam est veluti ultimum essentiale constitutivum divinae naturae." „Sic igitur scire Dei formalissime constituit et quasi specificat ejus essentiam" (ebd., 174b). Vgl. De deo uno, 1.3.13 (I, 11b): „Deum esse essentialiter viventem intellectuali vita purissima...". Auf die zitierten Aussagen nimmt Bezug De deo uno 3.1.1 (I, 195a): „Addi vero potest (...) Deum ita esse essentialiter intellectualem, ut per essentiam habeat omnem actualitatem intelligendi, quia in omni perfecta ratione entis et praesertim in illo gradu, est perfectissimus actus. Ex quo principio intuli in citato loco Metaphysicae, non esse in Deo scientiam per modum actus ut primi, sed per se et connaturaliter esse in actu secundo, vel potius esse ipsum actum secundum, non elicitum vere ab actu primo, sed per essentiam, ac per se subsistentem."

[333] Vgl. DM 30.16.12-14 (XXVI, 187a-188a), etwa ebd. 14 (188a): „At secundum nostrum modum concipiendi est aliquale discrimen, nam ipsum scire tale est ut absque illo non intelligatur illa natura distincte ut constituta in proprio gradu et perfectione essentiali, et cum illo sufficienter intelligatur formaliter constituta in illo gradu et in excellentia eius. Velle autem non intelligitur ut sic constituens naturam, nam iam praeintelligitur constituta, ipsum autem velle intelligitur ut quid consequens, vel certe intelligitur tale esse quale extitit ipsum intelligere." Diese These wird in der nachfolgenden Jesuitenschule häufig, aber nicht immer übernommen. Kritisch etwa sind F. de Zuñiga, De trin. disp. 2, dub. 20, membr. 8, nn. 1-5 (132-135); Ruiz, De trin. 8.5.4-33 (71b-75a); L. Maeratius († 1664), Disputationes, tom. 3, 44.4 (206-207).

stimmt ist, die gemäß dem Axiom „appetitus consequitur esse rei" dem Erkennen nachfolgt. Diese gedankliche, aber in der Sache selbst begründete Priorität („prioritas rationis cum fundamento in re") reicht aus, um vom Erkennen als dem „Grund" („ratio") des Wollens bzw. Liebens und als von dessen „Wurzel" („radix") zu sprechen[334]. Weil also der Hervorgang aus dem Willen nicht als primär wesenskonstitutiv gedacht wird, ist er anders als derjenige aus dem Erkennen nicht als „per modum naturae"[335] erfolgend zu qualifizieren und damit auch nicht als Zeugung zu bezeichnen[336].

(3) Suárez schließt in einem eigenen Kapitel[337] an diese subtile Distinktionslehre im Ausgang von der Zeugungsdefinition den Versuch an, über den Begriff des „Bildes" („imago") den Sohn vom Geist zu unterscheiden und damit seine Erklärung als eine solche herauszustellen, die auch die zuvor in ihrer speziellen Darbietung zurückgewiesene Explikationsidee bei Torres und Vázquez problemlos zu integrieren versteht. Der Ausgangspunkt ist ein ähnlicher wie zuvor: Weil die Naturgleichheit zwischen Sohn und Geist ein Verhältnis höchster Ähnlichkeit mit sich bringt, scheinen beide Personen gleichermaßen „Bild" genannt werden zu dürfen.

(a) Tatsächlich findet Suárez für diese doppelte Verwendung Referenzen sowohl in der Vätertheologie als auch in der Scholastik. Suárez nennt in diesem Zusammenhang Durandus und Aureoli, wobei die Überprüfung an den Texten das Urteil vor allem in Bezug auf den letztgenannten zweifelhaft erscheinen läßt.

(aa) Durandus weist, ähnlich wie im Falle des Begriffs „Verbum", so auch im Blick auf „imago", jede eigentliche notionale Zuordnung an eine göttliche Person zurück. Denn die göttlichen Personen sind einander hinsichtlich ihrer Ursprünge nicht ähnlich, sondern unähnlich, hinsichtlich des Wesens aber sind sie sich ebenfalls nicht ähnlich, sondern sind vielmehr identisch[338]. Von Bildsein oder Ähnlichkeit kann man darum bestenfalls in einem uneigentlichen Sinn sprechen, wenn man den Begriff

[334] Vgl. Suárez, De trin. 11.5.17 (I, 789a-b).
[335] Der Begriff meint hier nicht „natürlich" als Gegenbegriff zu „frei(willig)" (denn so sind beide Hervorgänge als „natürlich" zu bezeichnen) und auch nicht „natürlich" als „(unmittelbar) aus der göttlichen Natur hervorgehend" (das wäre der Irrtum des Durandus, der eine Unterscheidung der Hervorgänge nach Intellekt und Willen ablehnt). Vielmehr ist „per modum naturae" in unserem Zusammenhang gleichbedeutend mit: „per modum intellectus, quia modus intellectus est, quasi constitutivus illius [sc. Dei] naturae" (ebd. 19, 790a).
[336] Vgl. ebd. 18 (789b).
[337] Vgl. Suárez, De trin. 11.6 (790b-793b).
[338] Vgl. Durandus, 1 Sent. d. 28, q. 3, n. 5 (81va).

„für die höchste Übereinkunft in einer einzigen Form und Natur" verwendet. In dieser Weise wird er, und zwar ausschließlich „personaliter", gebraucht als Bestimmung für eine hervorgebrachte Person im Verhältnis zur hervorbringenden. Es stimmt mit dem suárezischen Referat überein, daß Durandus sagt, in dieser Weise komme das Bildsein sowohl dem Sohn als auch dem Heiligen Geist zu, da „jedes auf Ähnlichkeit und Gleichheit zu einem anderen hin Hervorgebrachte dessen Bild ist"[339]. Da allerdings dieser Ähnlichkeitsaspekt allein im Namen des Sohnes ausdrücklich impliziert ist, wird auch nur ihm (und nicht dem Geist) der Begriff „imago" appropriiert.

(bb) Was Aureoli angeht, stützt sich Suárez offensichtlich auf die von diesem an Thomas geübte Kritik, in welcher der Franziskaner äußert, daß der Heilige Geist, sofern er in seinem Hervorgang als Liebe betrachtet wird, demjenigen ähnlich sein muß, von dem er hervorgeht; folglich ist er „Bild"[340]. Allerdings scheint dieses Argument doch insgesamt kaum aus seinem polemischen Kontext gelöst werden zu dürfen, denn unmittelbar danach wendet sich Aureoli nicht nur gegen die „opinio Durandi", sondern äußert in seiner eigenen Lösung ganz ausdrücklich, daß allein der Sohn in Gott „Bild" heißt, und zwar „ratione proprietatis personalis", nicht aber der Heilige Geist, der trotz seiner Ähnlichkeit mit Vater und Sohn in allen Wesensattributen nicht „ut apparentia" hervorgebracht wird und damit das entscheidende Kriterium für Bild-Sein, nämlich den ausdrücklichen Repräsentationseffekt, nicht erfüllt[341].

(b) Damit gehört auch Aureoli in Wahrheit zu der von Suárez nachfolgend erwähnten breiten Mehrheit der Theologen, die ein Bild-Sein des Geistes zurückweist und dieses Prädikat allein dem Sohn in notionaler

[339] Vgl. ebd. n. 7 (81vb): „Circa tertium notandum quod esse imaginem convenit tam filio quam Spiritui sancto, filio tamen magis competit per appropriationem. Primum patet, omne productum in similitudine et aequitate ad alterum est eius imago. In hoc enim consistit ratio imaginis, sed Spiritus sanctus producitur in similitudine et aequalitate ad patrem sicut filius, ergo quilibet potest dici imago patris unus sicut alius. Et hoc sic expresse dicit Damascenus et doctores Graeci."

[340] Vgl. Aureoli, 1 Sent. d. 27, p. 2, a. 3 (Ed. Rom 1596, 631b-632a / Electronic Scriptum).

[341] Vgl. ebd. (632b-633a): „Tertia quoque propositio est quod licet Spiritus Sanctus in essentialibus omnibus similis sit Patri et Filio, non est tamen Imago, quia sua proprietas non est realis apparentia, non enim producitur ut apparentia, sed magis ut latio seu amorosus impulsus. Unde sola illa quae ordinata sunt ad exhibendum aliud in esse praesenti et apparenti dicuntur imagines. (...) Spiritus autem Sanctus non emanat in tali esse praesenti, et ut faciat apparere, sed est potius impulsus quidam amorosus. Unde non potest dici imago."

Hinsicht zuspricht. Sie stützt sich auf mehrere Begründungen, aus denen Suárez drei referiert und kritisch kommentiert.

(aa) Richard von St. Viktor und Bonaventura[342] wollen vom Geist deswegen die Bezeichnung als Bild fernhalten, weil er im Vergleich zum Sohn eine geringere Ähnlichkeit mit dem Vater besitzt: Ihm fehlt die „virtus producendi ad intra“[343] und damit die Ähnlichkeit mit dem Vater in der hervorbringenden Fruchtbarkeit. Nach Suárez ist diese Behauptung bereits durch Thomas widerlegt worden, der die „proprietates notionales“ strikt aus allen Ähnlichkeitsaussagen ausschließt. Der Jesuit kann zudem auf seine zuvor entfaltete Lehre über die „virtus spirandi“ verweisen, in der diese ausdrücklich ihre Formalbegründung in der göttlichen Wesenheit und nicht etwa in der „spiratio activa“ gefunden hatte, da die Personen von Vater und Sohn als hauchmächtige (und darin sich ähnliche) der aktiven Hauchung vorauszusetzen sind und durch diese in keiner Weise konstituiert werden. Eine besondere Ähnlichkeit von Vater und Sohn über die Wesensähnlichkeit hinaus, die man für die Zusprechung des Bildbegriffes allein an den Sohn nutzbar machen könnte, ergibt sich darum aus dem gemeinsamen Hauchungsvollzug nicht[344].

(bb) Noch weniger überzeugt Suárez ein zweiter, Rupert von Deutz († 1129/30) zugeschriebener Lösungsversuch: Nur der Sohn ist „Bild“, da er „Bild eines einzigen“ ist (konkret: des Vaters); der Heilige Geist dagegen darf nur „Ähnlichkeit“ genannt werden, wie sie auch gegenüber mehreren (hier: Vater und Sohn) vorliegen kann[345]. Der Jesuit hält dagegen,

[342] Vgl. Richard von St. Viktor, De trin. l. 6, c. 19 (Ed. Ribaillier, 254f.), wo allerdings ein expliziter Bezug auf die „virtus producendi“ fehlt; Bonaventura, 1 Sent. d. 31, p. 2, a. 1, q. 2 c., wo die Hauchkraft zum Kriterium dafür genommen wird, daß nur der Sohn und nicht der Geist „imago Patris“ zu nennen ist. Ähnlich lehrt auch Alexander von Hales: Summa, l. 1, n. 417ff.

[343] Vgl. Suárez, De trin. 11.6.4 (I, 791a).

[344] Vgl. De trin. 11.6.4 (791a): „nam in virtute spirandi duo includuntur, unum formaliter, quod est essentia, et voluntas divina, et quoad hoc ita communicatur Spiritui sancto sicut Filio; aliud de connotato, quod est proprietas aliqua prior origine Spiritu sancto, et hanc quidem accipit Filius, non tamen omnino similem proprietati Patris, sed solum quoad illam proprietatem originis, nam talis proprietas in Filio est Filiatio, et in Patre Paternitas, ut supra dixi, quia relatio spirationis activae non pertinet ad virtutem spirandi, sed consequitur productionem Spiritus sancti, ergo etiam in illa virtute non est inter Patrem, et Filium specialis similitudo, quae ad rationem imaginis quidquam conferat.“

[345] Vgl. Rupert von Deutz, De sancta Trinitate et operibus eius, Gen. II, 2 (Ed. Haacke, CCM 21, 187): „Quia profecto Filius, sicut non Patris simul et Spiritus sancti sed solius Patris Filius est, sic non Patris et eiusdem Spiritus sancti sed solius Patris imago est.“ LEICHTFRIED (2002) 94 bestätigt in seinem Kommentar zu dieser Passage, daß Suárez korrekt referiert: „Dies ist eine der wenigen Stellen in der gesamten Tri-

daß der Geist Vater und Sohn nur in ihrer Einheit als Haucher ähnlich ist, so daß die bei Rupert vorgeschlagene Differenzierung gegenstandslos wird[346].

(cc) Eine dritte Argumentation geht auf Thomas zurück und wird von seiner Schule unterstützt. Darnach ist allein der Sohn „Bild", weil er nicht nur objektiv, sondern auch „der Weise seines Hervorgangs nach" als dem Vater ähnlich zu bezeichnen ist, nämlich durch den auf Verähnlichung angelegten Intellekt. Dagegen bringt der Akt der Liebe formal betrachtet nicht eine Ähnlichkeit hervor, sondern eine Hinneigung zum Objekt, so daß der Geist kraft seines Hervorgangs weder Ähnlichkeit besitzt noch Bild ist.

Auch diesmal stellt sich Suárez auf die Seite der Thomisten. Da das vollkommen gemeinsame Wesen und seine objektiv betrachtete Repräsentation in den einzelnen Personen allein kein Kriterium bietet, um einer der Personen das „Bildsein" abzusprechen, bleibt nur das Argument „ex formalitate processionis" übrig[347], das Suárez gegen verschiedene Einwände verteidigt[348]. Dem Wort wird kraft seines Hervorgangs die göttliche Natur mitgeteilt, *sofern* sie eine geistige ist, d. h. gemäß ihrer eigentümlichen wesenhaften Charakterisierung, hinsichtlich derer man von einer „natürlichen Ähnlichkeit" in Gott sprechen muß. Es ist also wie schon im vorangehenden Diskussionspunkt die primäre Konstitutivfunktion der Intellektualität für das göttliche Wesen, die eine exklusive Ähnlichkeitszuschreibung für die zweite Person begründet. Sie resultiert aus dem ersten Hervorgang, der dem Vollzug der Intellektualität – wenn auch als einem „naturalen" und nicht „intentionalen"[349] – zuzuordnen ist. Dem Heiligen Geist dagegen wird die göttliche Natur nur in Form der Liebe übergeben, die nicht in derselben formalen Hinsicht und „per se" die göttliche We-

nitätsschrift, an der Rupert dezidiert die immanente Trinität bedenkt und zur Sprache bringt. Er unterscheidet die immanenten Hervorgänge von Sohn und Geist nicht auf abstrakte Weise, sondern thematisiert die konkreten Relationen: Der Sohn ist Sohn nur des Vaters, nicht zugleich des Geistes (in klassischer Terminologie: der Sohn wird »gezeugt«), er ist das Bild des Vaters. Vom Geist hingegen wird nicht ausdrücklich ein Hervorgang (»Hauchung«, spiratio) ausgesagt, sondern dessen Zuordnung zu Vater *und* Sohn, insofern er deren gemeinsame Ähnlichkeit, bzw. – mit Augustinus gesprochen – beider Güte oder Liebe ist (communis bonitas / dilectio / caritas)."

346 Vgl. Suárez, De trin. 11.6.5 (I, 791b).

347 Vgl. ebd. 14 (793a-b).

348 Vgl. ebd. 7-13 (791b-793b).

349 Vgl. ebd. 7 (792b): „In praesenti autem materia divinarum productionum non est attendenda ratio ex intentione producentis, quia nulla procedit, sed sunt ex foecunditate, et quasi propensione talis naturae, ideoque merito semper consideratur formalis ratio et vis processionis."

senheit konstituiert. Darum geht der Geist kraft seines Hervorgangs nicht „similis in natura“ hervor und ist im Gegensatz zum Sohn nicht „Bild“ zu nennen[350].

[350] „Ratio igitur discriminis quoad hoc inter Verbum, et Spiritum sanctum ex formalitate processionis sumenda est, ut in simili dictum est capite praecedenti…“ (ebd. 14, 793b).

# Kapitel 10: Die Sendung der göttlichen Personen

Das Kapitel über die „Sendungen" ist in der scholastischen Trinitätstheologie das wichtigste Scharnier zwischen der Lehre von der immanenten Trinität und ihrer ökonomisch-heilsgeschichtlichen Offenbarung. Die Sendungen sind auch für Suárez die einzigen im Zusammenhang mit der zeitlichen Schöpfung stehenden Prädikate, die den Personen notional, also ihrer jeweiligen unverwechselbaren Eigentümlichkeit entsprechend, zuzuschreiben sind – alles übrige Wirken Gottes in die Welt hinein ist als ungeteiltes Wirken aller drei Personen der Trinität, das allein in der gemeinsamen Natur gründet, anzusehen und bestenfalls appropriativ zuzuordnen. Wenn Suárez das Axiom von den „opera indivisa" als „catholicum dogma"[1] so betont an den Anfang des zwölften und abschließenden Buches des Trinitätstraktates stellt, das den Sendungen gewidmet ist, wird der Leser auf das Vorzeichen aufmerksam gemacht, unter dem auch diese Abhandlung steht. Zugleich ist der Unterschied hervorgehoben, der die „missiones" von allen Schöpfungswerken abhebt.

Die Darlegung der Lehre von den Sendungen hat bei Suárez eine leicht erfaßbare Gliederung. Nach einer allgemeinen Bestimmung des Begriffs wird diskutiert, welche Personen gesandt werden bzw. selbst senden können. Anschließend kommt nach dem seit Petrus Lombardus gebräuchlichen, letztlich auf Augustinus zurückverweisenden Schema[2] die Differenz zwischen sichtbaren und unsichtbaren Sendungen und ihre jeweilige Charakteristik zur Sprache. Das alles bleibt ganz im Rahmen der traditionellen Vorgaben. Zwar gehört die Abhandlung über die Sendungen zu den kürzeren der zwölf Bücher im suárezischen Gesamttraktat, doch läßt sich allein von hier aus nicht schon eine Marginalisierung des Themas konstatieren, wie sie bei anderen Autoren des 17. Jahrhunderts vorliegt, die es bestenfalls in einer Art Appendix abhandeln oder gänzlich übergehen. Vielmehr sind die bei Thomas erörterten Aspekte[3] bei Suárez ohne Abstriche erhalten.

[1] Vgl. Suárez, De trin. 12, prol. (I, 794b).

[2] Vgl. Petrus Lombardus, Sent. l. I, dist. 16, c. 1 (Ed. Quaracchi I/2, 138ff.); SCHMAUS (1927) 166-169.

[3] Vgl. zur thomanischen Lehre von den göttlichen Sendungen: CHAMBAT (1943) 63-174; SCHMIDBAUR (1995) 645-667; EMERY (2004c) 425-481. Zu erinnern ist, daß

Da die Lehre von den Sendungen die eigentliche spekulative Trinitätslehre, wie sie Thema unserer Studie ist, übersteigt und in verschiedene andere theologische Traktate (Christologie, Gnadenlehre) hineinragt, beschränken wir uns auf eine stärker zusammenfassende Darstellung.

## 1) Wesen und Subjekte der Sendungen

(1) Da der Begriff der „Sendung“, der vor allem in der johanneischen Christologie und Pneumatologie seine biblischen Anknüpfungspunkte besitzt, aus dem geschöpflichen Bereich genommen ist und dadurch verschiedene Unvollkommenheiten impliziert, die für Gott nicht in Frage kommen (Veränderung des Gesandten und vielleicht auch des Sendenden durch die Sendung, räumliche Trennung im Sendungsvorgang, Unterordnung des Gesandten unter den Sendenden), kann die theologische Verwendung des Begriffs nur in übertragener Weise erfolgen. Nach Suárez sind dabei zwei Möglichkeiten zu unterscheiden. Eine göttliche Person kann einerseits gesandt werden hinsichtlich einer von ihr angenommenen geschöpflichen Natur, mit der ihre göttliche Natur in Idiomenkommunikation steht – so wäre die Sendung Christi in die Welt zu verstehen, die seiner Menschennatur nach erfolgt[4]. Durch die hier implizierte Beziehung auf eine geschöpfliche Wirklichkeit kann der Einschluß von Unvollkommenheit (wie Beziehung zu Raum und Zeit) in Kauf genommen werden. Von Sendung spricht man in einem etwas weiter gefaßten Sinn andererseits im Blick auf eine göttliche Person als solche, und zwar dann, wenn sie von einer anderen Person ausgeht, um so ohne hypostatische Union eine bestimmte Tätigkeit im Geschöpflichen zu vollziehen oder eine Wirkung zu setzen[5]. In diesem Fall, den Suárez für die (nicht inkarnatorische) Sendung des Heiligen Geistes annimmt, ist jede Unvollkommenheit in der genannten Weise auszuschließen. Klar ist in beiden Formen der Begriffsverwendung, daß das „Senden“ oder „Gesandtsein“ für die göttliche Person eine „Benennung“ („denominatio [extrinseca]“) aus

die Aussagen über die Sendungen (inkl. Behandlung des Namens „donum“) in den Lombardussentenzen noch in nicht weniger als vier Distinktionen behandelt werden (I, d. 14-18; Spuren auch schon in d. 12).

[4] Vgl. Suárez, De trin. 12.1.3 (I, 795b): „Est autem advertendum secundo, divinam personam dupliciter denominari missam, primo ratione assumptae naturae per communicationem idiomatum, secundo, ut divina ipsa persona secundum se mitti etiam dicatur.“

[5] Vgl. ebd.: „at vero missionem attributam immediate divinae personae non posse sumi cum hac proprietate, sed significare egressum unius personae ab alia secundum aliquam operationem, seu aliquem effectum, seclusis imperfectionibus.“

der Perspektive unseres Erkennens bleibt. Sie beschreibt einen Vorgang, in dem, wie schon Thomas betont hat[6], eine Veränderung nur an der Kreatur zuzugestehen, aber auf Seiten Gottes selbst auszuschließen ist. Es ist dies die übliche scholastische Erklärung für Attribute Gottes, die in Relation zu Kreatürlichem gebildet sind.

Für die Definition von „Sendung" zieht Suárez aus diesem Blick auf den theologischen Sprachgebrauch die Folgerung, daß ihre Gleichsetzung mit der ewigen Hervorbringung als solcher ebenso verkürzend wäre wie ihre Reduktion auf den Aspekt der Wirksamkeit einer hervorgebrachten Person in der Zeit, in dem die Wirkung zwar als Hinweis auf den innergöttlichen Hervorgang verstanden werden könnte, der Ausgang des Gesandten aus dem Sendenden und damit das eigentliche personale Sendungsmoment jedoch gegenüber dem „effectus productus" vernachlässigt würde[7]. Daß Suárez die zuletzt genannte, auf die franziskanische Sendungstheologie in scotischer Ausformung hindeutende Gefahr offenbar höher einschätzt, zeigt der Blick auf die von ihm vorgelegte Definition, die klar in thomistischer Tradition steht[8]: „Sendung" ist zu verstehen als ewiger „Hervorgang einer göttlichen Person, sofern er in Beziehung zu einer zeitlichen Wirkung steht oder diese konnotiert"[9]. Es handelt sich um den notionalen Akt selbst, sofern er von uns als soteriologisch wirksam erfaßt und benannt werden kann. Als Musterbeispiel gilt die Aussage Christi in Joh 16, 28: „Vom Vater bin ich ausgegangen und in die Welt gekommen". Dabei ist die aus dem ewigen Hervorgang resultierende und mit der personalen Proprietät identische Beziehung des Sohnes zum Vater als real anzusehen, während die Beziehung zur Kreatur eine bloß gedachte ist, die der göttlichen Person keine neue Proprietät hinzufügt[10]. Eine ausdrückliche Differenzierung zwischen „processio" und „missio" vom jeweils betonten Bedeutungsaspekt her (Beziehung zum Ursprung bzw. zur zeitlichen Wirkung), wie sie von Thomas in 1 Sent. d. 15, q. 1, a.

[6] Vgl. Thomas, S. th. I, 43, 2 ad 2: „dicendum quod divinam personam esse novo modo in aliquo, vel ab aliquo haberi temporaliter, non est propter mutationem divinae personae, sed propter mutationem creaturae; sicut et Deus temporaliter dicitur Dominus propter mutationem creaturae."

[7] Vgl. Suárez, De trin. 12.1.4-5 (I, 795b-796a).

[8] Vgl. Thomas, S. th. I, 43, 1-2. Dazu: STOHR (1928) 67f.; STOLZ (1939) 501-504; DONDAINE (1946) II, 423-431.

[9] Vgl. Suárez, De trin. 12.1.6 (I, 796a): „Dicendum est ergo, missionem divinae personae, esse processionem ejus cum habitudine, seu connotatione temporalis effectus."

[10] Vgl. ebd. 8 (796b).

1 angedeutet wird[11], findet sich bei Suárez nicht, wenn er beide Begriffe (unter Voraussetzung der genannten Definition) gleichsetzt[12].

(2) Die Bindung der Sendungen an die Hervorgänge bringt es mit sich, daß nicht der Vater, sondern nur Sohn und Geist gesandt werden können. So hatte es klar schon Augustinus gelehrt[13]. Bei der ersten Person kann man zwar von einem „Sich-Geben" sprechen, doch erkennt Suárez darin keinen eigentlich notionalen Begriff. Von einer „Selbstsendung" kann erst recht nicht im Blick auf den Vater, sondern nur im Blick auf Christus seiner Menschheit nach gesprochen werden[14]: Sofern die Inkarnation auch Werk des Sohnes in seiner Gottheit ist, ist dieser auch für die Sendung des Menschen Jesus in die Welt mitverantwortlich. Wiederum macht hier im Ausgang von Augustinus[15] der Gedanke von den „opera indivisa ad extra" seine allgegenwärtige Autorität geltend[16]. Allerdings schätzt Suárez die Rede vom „mittere se" nicht allzu sehr, sondern greift sie nur deswegen auf, weil sie bei einigen theologischen Autoritäten der Vergangenheit, allen voran Augustinus, zu finden ist[17].

[11] Vgl. Thomas, 1 Sent. d. 15, q. 1, a. 1: „Ex quo patet quod missio de ratione sui differt a processione et datione. Processio enim, inquantum processio, dicit realem distinctionem et respectum ad principium a quo procedit, et non ad aliquem terminum. Datio autem non importat distinctionem dati a principio a quo datur, quia idem potest dare seipsum; sed tantum ab eo cui datur, ut supra dictum est, dist. 14, qu. 2, art. 1. Sed missio ponit distinctionem in misso et ad principium et ad terminum." Vgl. EMERY (2004c) 435f.

[12] Vgl. Suárez, De trin. 12.1.6 (I, 796b): „...ergo necesse est, missionem personae illius esse processionem."

[13] Vgl. SCHMAUS (1927) 163-169, bes. 164f. Da Suárez in der üblichen scholastischen Form lehrt, daß prinzipiell auch der Vater hätte Mensch werden können, weil er wie Sohn oder Geist in der Lage wäre, eine geschöpfliche Natur zu terminieren, erkennt man, daß „Inkarnation" für unseren Theologen in formaler Hinsicht unabhängig von dem notwendig auf Sohn und Geist beschränkten Begriff der „Sendung" zu bestimmen ist: Wie nicht jede Sendung einer göttlichen Person inkarnatorisch ist, so könnte es auch Inkarnation geben, die nicht Sendung wäre. Hingewiesen werden kann in diesem Zusammenhang auf die klare Unterscheidung zwischen ewiger und zeitlicher „Sohnschaft" Christi, die sich nach Suárez u.a. mit dem Argument stützen läßt, daß der Heilige Geist als „Sohn Mariens" hätte Mensch werden können, ohne damit „ewiger Sohn des Vaters" sein zu müssen: De mysteriis vitae Christi 12.2.5 (XIX, 202b-203a).

[14] Vgl. Suárez, De trin. 12.2.3 (I, 797b).

[15] Vgl. Augustinus, De trin. l. 2, 5, 9 (CCL 50, 91): „Quapropter cum eum pater verbo misit, a patre et verbo eius factum est ut mitteretur."

[16] Vgl. auch Molina, Comm. in I$^{am}$ q. 43, a. 8 (552bD-553aB).

[17] Vgl. Augustinus, De trin. l. 2, c. 5 (CCL 50, 91f.): „fortasse aliquis cogat ut dicamus etiam a se ipso missum esse filium quia ille Mariae conceptus et partus operatio trinitatis est qua creante omnia creantur. et quomodo iam, inquit, pater eum misit si ipse se misit? (...) sic ergo intellegat illam incarnationem et ex uirgine natiuitatem in

Die passive Sendung ist von Sohn und Geist problemlos auszusagen, sobald der Sendende als von ihnen verschieden verstanden wird. Gemeint ist dann: Dadurch, daß eine Person innertrinitarisch hervorgeht, erhält sie mit der göttlichen Wesenheit die Vollmacht zum Handeln und die Freiheit, sich in Bezug auf etwas von ihr Verschiedenes (im geschöpflichen Bereich) zu verhalten. Handeln in der Sendung ist also nichts anderes als ein Handeln mit Bezug auf die kreatürliche Wirklichkeit, dessen Kraft und Vollmacht sich einem anderen als dem Handelnden selbst verdankt. Während bei innergeschöpflichen Sendungsvorgängen Befehle, Ratschlüsse oder (im Falle vernunftloser Kreaturen) Bewegungsimpulse die Sendung begründen, übernimmt diese Funktion in Gott nichts anderes als die im ewigen Hervorgang mitgeteilte göttliche (Wesens-)Kraft[18]. Freilich ergibt sich mit dieser Erklärung das Problem, daß der einer Person in der ewigen Zeugung mitgeteilte Wille zwar als freier, aber noch nicht als entschiedener Wille zu denken ist. Ebendiese Entschiedenheit, die Bezogenheit auf ein konkretes Handlungsziel, scheint jedoch im Begriff der Sendung vorausgesetzt zu sein[19]. Wir stehen damit gewissermaßen wieder am gleichen heiklen Problempunkt der Freiheitsthematik wie bereits bei der Frage, welche Objekte dasjenige göttliche Wissen bzw. Lieben haben darf, aus dem Sohn und Geist hervorgehen. Setzt man nämlich die Determination des göttlichen Willens im Bezug auf irgendetwas Geschöpfliches der Hervorbringung einer Person voraus, so scheint dieser Person der Wille nicht mehr als „voluntas libera" mitgeteilt zu werden – der Vater würde den Sohn bereits als einen solchen zeugen, der gar nicht anders kann, als den väterlichen Sendungsauftrag zu vollziehen und der folglich als er selbst für den darin eingeschlossenen Heilsratschluß nicht mehr konstitutiv wäre. Suárez versucht diesem Einwand zu begegnen, indem er den „ordo originis" im Bezug auf die freien Dekrete Gottes in formaler Hinsicht irrelevant erklärt: Alle Personen entscheiden

qua filius intellegitur missus una eademque operatione patris et filii inseparabiliter esse factam, non utique inde separato spiritu sancto...". Vgl. SCHMAUS (1927) 168, mit Anm. 1. Mit der augustinischen Vorgabe mußten sich schon die Theologen der Hochscholastik auseinandersetzen, vgl. etwa Thomas, 1 Sent. d. 15, q. 3, a. 1; S. th. I, 43, 8. Dazu: STOHR (1928) 80f.; DECKER (1967) 571; EMERY (2004c) 437ff.

[18] Vgl. Suárez, De trin. 12.2.5 (I, 798a): „Mitti autem nihil aliud est, quam ire vel venire ad aliquem locum per virtutem alterius, impressam aliquo modo ei, qui mitti dicitur, ut inter homines imprimitur per imperium, vel consilium: rebus autem irrationalibus per aliquem impetum, vel contractum. In divinis autem haec, quae imperfecta sunt, locum non habent, sed per naturalem productionem communicatur, et quasi imprimitur illa virtus, et ideo talis processio per verbum mittendi optime importatur."

[19] Vgl. ebd. 6 (798b).

hier in einem einzigen, gemeinsamen Willensimpuls, und dies darum, weil ihr Wille ein und derselbe ist. Der dynamische Blick auf die Trinität darf erst in einem zweiten Schritt zu diesem statischen hinzutreten, indem man die gemeinsam wollenden Personen auch nach dem Hervorbringungsordo unterscheidet. Dann und insoweit kann der Vater im Blick auf eine Sendung als „fons determinationis" oder „auctor primarius" des bestimmten Wollens gelten. Tatsächlich ist der Primat des Vaters im Falle eines freien Dekrets gegenüber der zu sendenden Person aber kein anderer, als er gegenüber dem Sohn in der Hauchung des Geistes ist, wo dem Vater zwar auch die „virtus spirandi" dadurch früher zukommt, daß er den mit ihm hauchenden Sohn selbst erst hervorbringt, wo aber die Hauchung als solche nichtsdestotrotz ungeteilt-ununterschiedener Akt beider ist. So erhalten die zu sendenden Personen vom Vater auch den Willen als einen solchen mitgeteilt, der sich in Freiheit nicht anders als in Übereinstimmung mit der sendenden Person vollziehen kann. Suárez scheint hier nicht an eine materiale Einzeldetermination des Willens in der Hervorbringung zu denken, wohl aber an eine formale Grundbestimmtheit, die nicht in einer freien Entscheidung des Vaters wurzelt, sondern in der naturalen Beschaffenheit des göttlichen Willens als solchen, der unter dem Gesetz steht, Freiheit allein in interpersonaler Konkordanz vollziehen zu können[20]. Daß zwischen Sendendem und Gesandtem kein Dissens entstehen kann, liegt in derjenigen „Neigung" („propensio"[21]) begründet, die in der Natur Gottes, seiner Güte und Weisheit, dem erst mit der Konstitution aller drei göttlichen Personen möglichen freien Dekret vorausliegt und die im geschöpflichen Bereich ihre Parallele darin findet, daß ein Befehl ebenfalls keine physische Nötigung, wohl aber einen „impulsus

[20] Vgl. ebd. 7 (799a): „Unde in his decretis liberis formaliter, et in se spectatis, verum sine dubio est, non servari ordinem originis, sed omnes personas simul, quasi uno impetu (ut me explicem) sese libere determinare ad hoc, vel illud obiectum ad extra sine ulla sui mutatione. Nihilominus tamen propter ordinem originis, quem inter se habent, intelligitur persona producens primario velle, quidquid omnes volunt, non solum quia persona procedens habet a producente illummet actum quoad totam suam realitatem, quo libere vult, sed etiam quia ex vi originis intelligitur persona procedens accipere illum actum cum tali concordia ad personam producentem, ut necessario volitura sit, quidquid altera voluerit."

[21] Vgl. ebd. 8 (799a): „Unde addo et fortasse proprius et clarius, quoties Filius et Spiritus sanctus ad nos veniunt, venire ex naturali propensione bonitatis suae, et ex prudentissimo consilio sapientiae suae, quod totum habent a Patre, et Spiritus sanctus habet etiam a Filio, atque hoc satis est, ut dicatur persona procedens habere a producente voluntatem liberam veniendi, etiamsi non habeat ab illa decretum liberum quoad ipsam formalem determinationem, quia satis est, quod habeat propensionem ad illud per acceptam bonitatem et sapientiam."

moralis" darstellt[22]. Eine Verlagerung des Freiheitsvollzuges aus den Personen heraus in die vorpersonale göttliche Natur sieht Suárez darin offensichtlich nicht. Da aber auch das Modell des verpflichtenden Anspruchs in seiner Anwendung auf Gott kaum entscheidend weiterführt, da mit seiner Hilfe weder die Tatsache der *notwendigen* Willenskonsonanz zwischen den Personen noch ihr Ursprung in der göttlichen Natur unter Absehung von der Person des Sendenden erklärt werden können, bleibt die Lösung des Suárez wie alle Versuche, das Moment der göttlichen Willensfreiheit mit den ihr vorzuordnenden innergöttlichen Hervorgängen in Einklang zu bringen, mit Schwierigkeiten und offenen Fragen behaftet[23].

(3) Wie allein die hervorgebrachten Personen gesandt werden können, so vermögen allein die hervorbringenden Personen zu senden, und zwar nur ebenjene Personen, die sie selbst hervorgebracht haben. Folglich ist es abzulehnen, wenn in Anknüpfung an einige Schriftstellen von einer Sendung des Sohnes durch den Geist gesprochen wird. Das damit bezeichnete Ursprungsgeschehen betrifft allein den *Menschen* Jesus, der im Schoß Mariens vom Geist geformt wird, und ist nicht mit der Sendung der göttlichen Person identisch, in der die Beziehung zum Vater als einziger Ursprungsperson in der Trinität weder verzichtbar noch ersetzbar ist[24].

Besonders wichtig erscheint Suárez im vorliegenden Kontext die Unterscheidung der Sendungen von allen menschlichen Tätigkeiten in der Zuwendung göttlicher Gnade, näherhin beim Zustandekommen der Sakramente. Wenn ein Priester ein Sakrament spendet, in dem der Heilige Geist wirksam wird, bedeutet dies nicht, daß er selbst zum „Sendenden" dieses Geistes würde. Die menschliche Beteiligung in solcher Gnadenvermittlung ist nämlich niemals als echtes „Geben" der Gnade oder gar als Verfügungsgewalt über sie zu verstehen[25].

[22] Scharfe Kritik an diesem suárezischen Gedanken hat SCHELL (1885) 48-51 geübt. Da er die von Suárez behauptete „propensio" für unmöglich ansieht (u. a. wegen Gefährdung der göttlichen Freiheit in Sohn und Geist), plädiert er für die These, „dass das decretum liberum den göttlichen Personen irgendwie nach der Ordnung und Art ihres Ursprungs zukomme" (51).

[23] Eine unmittelbare Parallele zu diesem Problem stellt die in der barockscholastischen Christologie regelmäßig in großer Ausführlichkeit debattierte Frage dar, wie sich die wahre menschliche Freiheit Christi mit seinem prinzipiell unsündlichen Gehorsam gegenüber dem Vater in Einklang bringen läßt. Vgl. dazu STÖHR (1969).

[24] Suárez, De trin. 12.3.7 (I, 801a).

[25] Vgl. De trin. 12.3.3 (800a).

Wenn ein Mensch instrumental oder deprekativ in das Geschehen der Heilsgabe einbezogen wird, ist er selbst bereits von der Gnade getragen und zwingt Gott nicht herbei. Er bewirkt nicht die Gnade, sondern das Sakrament, in dem Gott kraft seiner Verheißung selbst zum Menschen kommt. Suárez vergleicht den Priester im Vollzug des Sakraments deshalb mit jemandem, der einem anderen dessen zuvor niedergeschriebene Selbstverpflichtung vor Augen stellt, an einen bestimmten Ort zu gehen[26]. Damit sendet nicht der Priester den Geist, sondern „er wird eher selbst vom Heiligen Geist gesandt, auf daß er seine Ankunft mit Hilfe eines Mittels ermögliche, das von diesem selbst [sc. dem Geist] vorbereitet wurde“[27].

## 2) Unterschiedliche Formen der Sendung: „missio invisibilis“ – „missio visibilis“

(1) Unter den Möglichkeiten, die Sendungen klassifizierend zu unterscheiden, hält Suárez diejenige „ex parte modi“ für die bedeutsamste.

In dieser Distinktion lassen sich „unsichtbare“ und „sichtbare“ Sendungen einander gegenüberstellen[28]. Zwischen ihnen ein notwendiges Einschlußverhältnis anzunehmen, so daß jede sichtbare Sendung eine unsichtbare voraussetzte, hält Suárez nicht für notwendig. Auch in dem oftmals als Gegenbeispiel angeführten Fall der Inkarnation des Sohnes reicht es aus, die aufgrund der angenommenen Menschennatur sichtbare Person Jesu Christi als Zielpunkt der Sendung und damit die Sendung selbst als eine rein sichtbare anzusehen; die unsichtbare Heiligung der angenommenen Menschheit ist aus der Perspektive des Sendungsgeschehens ein nur gedanklich von der Konstituierung des gottmenschlichen Suppositum zu trennendes Moment[29]. Zwar führt Suárez selbst häufiger aus, daß die Menschheit Christi von der ganzen Trinität geschaffen wurde und die Inkarnation somit in wirkursächlicher Perspektive unter die allgemeine Regel für alle göttlichen Werke „ad extra“ fällt[30]. Dennoch bleibt

26 Vgl. ebd. 4 (800b): „Sicut qui praesentat alicui Chirographum, quo promisit aliquo ire, non propterea mittit illum“.

27 Ebd.: „Inde potius ipse mittitur a Spiritu sancto, ut suum adventum disponat alio medio ab ipso praeparato“.

28 Vgl. De trin. 12.4.4 (802b).

29 Vgl. ebd. 7 (803a-b).

30 „Deus et tota Trinitas est causa principalis efficiens hoc mysterium (...) Ratio vero est, quia omnia opera Trinitatis ad extra sunt indivisa, procedunt enim a tribus personis, ut sunt unum in natura et voluntate, atque adeo in actione et operatione“: Suárez, De incarnatione 10.1.1 (XVII, 387a). Vgl. auch De mysteriis vitae Christi,

die personale Terminierung der Menschennatur allein Werk des Sohnes, und nur in ihr findet die Sendung ihr sichtbares Ziel[31].

Wiederum stehen wir vor einer engen Konvergenz von christologischer und trinitätstheologischer Argumentation im Werk des Suárez, denn schon im Inkarnationstraktat hatte der Jesuit, wie im dritten Kapitel unserer Studie erwähnt, den Akt der hypostatischen Einung der menschlichen Natur Christi klar von deren Begnadung unterschieden.

Ohne eine unsichtbare Sendung kann auch die Erscheinung der Geisttaube bei der Taufe Christi erklärt werden, da sie in Bezug auf Christus mit keinerlei neuer Gnadengabe verbunden war. Bestenfalls war sie ein Zeichen für die in der Empfängnis geschenkte Gnade und unsichtbare Sendung des Geistes, was aber den formalen Unterschied zur neuen sichtbaren Sendung nicht aufhebt[32].

(2) Auf dem Hintergrund dieser Abgrenzungen kann Suárez das Wesen von unsichtbarer und sichtbarer Sendung im Vergleich schärfer umreißen.

(a) Jede unsichtbare Sendung umfaßt zwei Begriffselemente[33]. In positiver Betrachtung bezeichnet sie eine besondere Wirkung Gottes im Hinblick auf eine Kreatur, nämlich deren „Heiligung", mit der eine neue Seinsweise Gottes in der Kreatur verbunden ist.

Dieses neue Dasein Gottes geschieht nicht durch dessen eigene Veränderung oder durch eine ihn selbst betreffende neue Relation, sondern ist von Gott auszusagen allein von einer Veränderung der Kreatur her („per mutationem creaturae"), die folglich in jeder Sendung geschehen muß. In negativer Hinsicht ist festzuhalten, daß der durch die Sendung begründete neue Existenzmodus nicht in sichtbarer Weise seinen Ausdruck findet,

10.2.1 (XIX, 170a) zur Frage, ob der Heilige Geist alleinige Wirkursache der Empfängnis des Menschen Jesu war: „Non intendimus excludere duas alias Trinitatis personas; supponimus enim opera Trinitatis ad extra esse indivisa quoad effectionem; et ita quanquam appropriate hoc tribuatur Spiritui Sancto, commune tamen esse totius Trinitatis." Dazu: KAISER (1968) 120-125.

31 Vgl. zur exakteren Unterscheidung der allen Personen gemeinsamen „ratio efficiendi incarnationis" und der allein dem Sohn zukommenden „ratio terminandi humanitatem": De incarnatione 12.1.4-5 (XVII, 462b-463a); KAISER (1968) 125-135. Die Begründung lautet: Indem eine jede Relation das göttliche Wesen für sich und von den anderen unterschieden terminiert, konstituiert sie eine unterschiedene göttliche Person. Folglich kann eine jede Person auch durch sich eine menschliche Natur getrennt von den anderen Personen terminieren. Die Bewirkung der Inkarnation dagegen ist als Handeln im umfassenderen Sinn zu verstehen, in das Intellekt und Wille Gottes involviert sind. Da diese aber allen Personen ununterschieden gemeinsam sind, handelt es sich hierbei um ein Werk der gesamten Trinität.

32 Vgl. Suárez, De trin. 12.4.11 (I, 804b).

33 Vgl. zum folgenden ebd. 15 (805b-806a).

sondern, der Unsichtbarkeit der gesandten göttlichen Person entsprechend, selbst unsichtbar bleibt. Diese abstrakt formulierten Aussagen gewinnen an Deutlichkeit, sobald man sie in Verbindung mit der unsichtbaren Sendung *par excellence*, nämlich der Heiligung des Menschen durch den Heiligen Geist im Rechtfertigungsgeschehen, versteht.

(b) Auch die sichtbare Sendung begründet einen neuen Modus des Daseins einer göttlichen Person im Geschöpflichen, der aber nun mit äußerer Wahrnehmbarkeit verbunden ist[34]. Identisch zur ersten Weise ist der Bezug auf die übernatürliche Heiligung des Geschöpfes, zu deren Zweck die Sendung erfolgt. Die sichtbare Sendung läßt sich weiter unterteilen im Ausgang von den „sichtbaren Zeichen", die mit ihr verbunden sind. Auf der einen Seite steht der einzigartige Fall der Inkarnation, in der das Sichtbare der Sendung, nämlich die angenommene Menschheit des in die Welt gekommenen Sohnes, nicht bloß die göttliche Person bezeichnet oder repräsentiert, sondern mit ihr in personaler Seinseinheit steht. Suárez spricht hier von einer „Sichtbarkeit auf substantiale Weise oder im Sein"[35]. Daneben steht die ohne solche Seinsverbundenheit sichtbar gemachte Sendung (mit ihrer Sichtbarkeit „in significando et repraesentando"[36]), in der das wahrnehmbare Moment entweder den bereits geschehenen Vollzug oder aber das Sendungsgeschehen als solches anzeigen kann. Hier ist an die biblischen Szenen zu denken, in denen die Herabkunft des Geistes sinnenfällig zum Ausdruck kommt.

(3) Bei der näheren Erörterung der „missio invisibilis" legt Suárez großen Wert darauf, das Verhältnis zwischen Sendung und Gnadengabe exakt zu bestimmen.

Abgewiesen wird einerseits eine Reduktion des Sendungsgeschehens auf die bloße Eingießung der (geschaffenen) Gnade mit der Folge, daß Gott nur dergestalt in der Seele des Menschen wäre (sc. „per essentiam, praesentiam et potentiam"), wie er in der Luft ist, wenn er sie durch Licht erleuchtet, wenn er also durch ein bestimmtes kreatürliches Mittel eine kreatürliche Wirkung erzielt[37].

Eine zweite von Suárez abgelehnte Theorie neigt zum entgegengesetzten Extrem, indem sie die Begnadung mit echter personaler Sendung verknüpft, ohne dabei die Einheit der Trinität zu wahren. Darnach wird durch die „missio invisibilis" dem Menschen allein der Heilige Geist, aber keine andere der göttlichen Personen geschenkt. Als falsch sieht der Jesu-

[34] Vgl. ebd. 16 (806a).

[35] Vgl. ebd. 17 (806b): „Una [sc. partitio missionis visibilis] est, quia quaedam missio visibilis est substantialiter (ut sic dicam) seu in essendo...".

[36] Ebd.

[37] Vgl. De trin. 12.5.2 (807b).

it schließlich drittens die These an, nach welcher der Heilige Geist dem Menschen wenigstens *de potentia absoluta* ohne jede Verbindung mit geschaffenen Gaben gesandt werden könnte. Gegen sie hatte sich deutlich bereits Thomas gewandt[38]. Suárez hat bei seiner Zurückweisung allerdings speziell die nominalistische Akzeptationslehre in ihrer Ausformung bei Gregor von Rimini im Blick, in der eine Annahme des Menschen durch Gott allein „durch ein äußerliches Wohlwollen Gottes" („per extrinsecam Dei benevolentiam"[39]) für möglich gehalten wird.

Seine eigene Beschreibung der „unsichtbaren Sendung" positioniert Suárez zwischen diesen drei verworfenen Positionen[40]. Hinzuzuziehen sind dabei die bereits an früherer Stelle im Trinitätstraktat entwickelten Aussagen über den Geist als „Gabe" (im notionalen Sinn)[41] sowie im Traktat „De gratia" die Ausführungen zum Begriff der „ungeschaffenen Gnade", unter den ausdrücklich der Heilige Geist im Rechtfertigungsgeschehen, ja letztlich die ganze Trinität gefaßt wird, wie sie zusammen mit den übernatürlichen Tugenden in der Seele des Gerechten Wohnung nimmt[42]. Der Mensch ist über die geschaffene Gnade, die von der ganzen Trinität ausgeht, wie Suárez in üblicher, augustinisch-thomanischer Tradition verpflichteter Redeweise lehrt, auch als „Kind der (ganzen) Trinität"[43] anzusehen, aber er steht zugleich (über die Sendung) in einem besonderen Verhältnis zum Hl. Geist[44].

[38] Vgl. Thomas, S. th. I, 43, 3 ad 2: „gratia gratum faciens disponit animam ad habendam divinam personam, et significatur hoc, cum dicitur quod spiritus sanctus datur secundum donum gratiae." Weitere Belege bei EMERY (2004c) 303ff.

[39] Vgl. Suárez, De trin. 12.5.2 (I, 807b) mit Verweis auf Gregor von Rimini, 1 Sent. d. 14-16, q. 1, concl. 3 (Ed. Trapp et al. II, 205). Dazu auch GARCÍA LESCÚN (1970) 226-232, der auf die Wurzeln der These bei Ockham hinweist.

[40] Vgl. dazu BENAVENT VIDAL (1995) 302-322.

[41] Vgl. Suárez, De trin. 11.4 (I, 782b-784b). Wir haben auf eine nähere Analyse dieses Lehrstücks verzichtet, das weitgehend die scholastische „sententia communis" zum Thema wiedergibt.

[42] Vgl. Suárez, De gratia, Proleg. 3.3.4 (VII, 137b): „Unde ipsa persona Spiritus Sancti, atque adeo tota Trinitas vera est gratia increata, quatenus peculiari modo justis confertur". „Unde licet Magister erraverit, negando charitatem creatam habitualem, tamen in hoc verum dixit, quod cum charitate creata etiam increata donatur. Sicut ergo persona Verbi est gratia increata, respectu humanitatis assumptae, ita Spiritus Sanctus respectu justorum, diverso tamen modo: nam Verbum est gratia per unionem substantialem, Spiritus per accidentalem. Unde etiam Verbum personaliter et omnino proprie habet quod sit talis gratia, Spiritus autem Sanctus solum appropriate, nam commune est toti Trinitati justis donari, et in eis habitare."

[43] Vgl. Augustinus, De trin. V, 11 (CCL 50, 218ff.); Thomas, S. th. III, 23, 2 c.; Suárez, De incarnatione, Comm. in III^am^, q. 23, a. 2 (XVIII, 474a). Die Gotteskindschaft „per adoptionem" ist als ein „opus Dei ad extra" der ganzen Trinität zuzuschreiben. Daraus folgerte bereits Augustinus, daß die ganze Trinität – einschließlich Sohn und

In diesen Passagen stellt Suárez gegen die Deutung der Nominalisten klar: Es gibt keine Sendung des Heiligen Geistes in die Seele eines Menschen, ohne daß damit eine reale Veränderung der Kreatur als Fundament der Sendung verbunden wäre[45]. Denn wenn die Sendung keine Veränderung oder reale Relation von Seiten Gottes darstellen kann, muß notwendig etwas an der Kreatur verändert werden, damit von einer neuen Daseinsweise Gottes in ihr zu sprechen ist. Die bloß äußerliche Akzeptation des Menschen durch Gott, deren prinzipielle Möglichkeit Suárez durchaus zugesteht, reicht für die Begründung einer Sendung nicht aus. Diese verbindet sich vielmehr mit der Eingießung der den Menschen über die natürliche Ordnung erhebenden heiligmachenden Gnade, die den Geheiligten für die endgültige Vereinigung mit Gott in der seligen Schau vorbereitet und die ihrerseits Glaube, Hoffnung und Liebe zusammen mit den anderen Tugenden und den die Gnade begleitenden Gaben einschließt[46]. Suárez' Lösung unterscheidet sich aber auch von den ersten beiden der zuvor referierten Theorien: Mit den übernatürlichen Geschenken zusammen, so ist der Jesuit überzeugt, beginnt der Heilige Geist selbst im Gerechtfertigten zu wohnen, und zusammen mit seiner Sendung treten auch die untrennbar mit dem Geist verbundenen übrigen göttlichen Personen in das Herz des Menschen ein[47].

In der so sich entfaltenden Gnade, wie sie der Geistsendung folgt, wird der dreieinige Gott für den Gläubigen erfahrbar[48] gegenwärtig. Suárez vermeidet es in seinen Aussagen, die Einwohnung des Heiligen Geistes in allzu starker Weise von derjenigen der übrigen Personen abzuheben, wie dies in der Lehre von einer substantiellen Geisteinwohnung der Fall ist, die in der Jesuitentheologie nach Suárez mit dem Namen des Petavius[49] verbunden werden kann.

Geist – „Vater" des begnadeten Menschen genannt werden darf, was den Gerechtfertigten von Christus unterscheidet, der einzig „Sohn des Vaters" ist. Ausführlich zu diesem scholastischen Lehrstück vgl. BOURASSA (1955a).

44 Zur Vereinbarkeit beider Aspekte vgl. BOURASSA (1955b) 155-165.

45 Vgl. ebenso Molina, Comm. in I^am q. 43, a. 3 (551aC-E).

46 Vgl. Suárez, De trin. 12.5.5 (I, 808b).

47 Vgl. ebd. 19 (813a-b). Vgl. zu diesem Zusammenhang im Ausgang von thomanischen Aussagen MÜHLEN (1988) 218-228.

48 Daß die Erfahrbarkeit von Sendung und Einwohnung der göttlichen Personen in Gnade und Glorie ein wichtiges Anliegen thomistischer Theologie ist, arbeitet PATFOORT (1986) heraus. Vgl. zum umfassenderen Kontext CUNNINGHAM (1955).

49 Vgl. zu Petavius KARRER (1970) 122ff.; HOFMANN (1976) 72, mit weiteren Literaturverweisen.

Diese These, an die im 19. Jahrhundert Theologen der Römischen Schule[50] oder Matthias Joseph Scheeben anknüpften[51], hat im 20. Jahrhundert bei vielen Autoren ihre Fortsetzung und Radikalisierung in der Annahme eines durchgängigen heilsökonomischen Eigenwirkens der göttlichen Personen gefunden. Suárez schließt sich dieser Richtung ebensowenig an wie der entgegengesetzten, durch Vázquez repräsentierten, der die Begnadung des Menschen von jeder echten und erfahrbaren Präsenz Gottes in der Seele trennt[52]. Indem Vázquez die Einwohnung Gottes in ihrer Realität für uns auf dessen allgemeine Präsenz in seiner Unermeßlichkeit und Welterhaltung reduziert und den Personen nur appropriativ zuordnet, bleibt der Begnader des Menschen auch als übernatürlich erkannter und geliebter der nicht als er selbst, sondern nur in einer geschöpflichen Wirkung Anwesende. Dagegen werden bei Suárez wie beim Aquinaten geschaffene und ungeschaffene Gabe aufs engste verbunden: Die kreatürliche Gnade wird nach der Lehre des Jesuiten zum Medium realer Gottesgegenwart im Menschen[53]. Dies denkt er in einer Weise, die von der Thomistenschule im allgemeinen sogar als allzu weitreichend abgelehnt worden ist, weil sie die von Vázquez so betonte natürliche Allgegenwart Gottes in seiner Schöpfung als notwendige Vorausset-

[50] Vgl. SCHAUF (1941).

[51] Zu Scheeben: MINZ (1982) 193-199; BINNINGER (2003). MATHA (1960) 71 spricht davon, Scheeben habe Petaus These aus ihrer „Sonderstellung erlöst", was unter Berücksichtigung der Römischen Schule nicht ganz korrekt ist.

[52] Vgl. Vázquez, Comm. in I[am] disp. 30, c. 3, n. 11 (I, 176a): „Quamvis negari non possit personam Spiritus sancti ratione charismatum nobis donari, et ad nos mitti, et totam Trinitatem ad nos venire (...): id tamen non dicitur, quia propter solam donorum largitatem secundum substantiam in nobis esset, etiamsi alioqui immensitate sua non existeret: sed quia cum alias in nobis sit, novo effectu gratiae in nobis apparere dignatur: cumque Spiritui sancto haec dona approprientur, ipse quoque donari, et ad nos mitti dicitur, et cum eo tota Trinitas venire"; ebd. q. 43, a. 3 (II, 378b-379a): „Sic igitur nullus alius effectus potest esse ratio quod divina persona sit novo modo in rationali creatura, nisi gratia gratum faciens. Unde secundum solam gratiam gratum facientem mittitur et procedit temporaliter persona divina." Die Person selbst wird nach Vázquez nur insofern „geschenkt", als der Mensch durch die heiligmachende Gnade affektiv vervollkommnet und zur Schau dieser Person in der Glorie befähigt wird, in der sich die Gnade vollenden soll. Vgl. STÖHR (2000) 41. Auch wenige andere SJ-Theologen tendierten in Richtung der vázquezischen Lösung eines reduktionistischen Sendungsbegriffs; vgl. DORONZO (1968) 290, n. 301.

[53] Vgl. Suárez, De trin. 12.5.8 (I, 809b): „Quando Deus infundit animae dona gratiae sanctificantis, non solum creata Dona, sed ipsaemet divinae personae homini dantur, et animam ejus inhabitare incipiunt, et ideo talium donorum interventu Spiritus sanctus invisibiliter mittitur."

zung und Begleitung der realen, allein in der Freundschaftsliebe gründenden Gnadengegenwart der einwohnenden Personen verwirft[54].

Die von Suárez entwickelte schöne Bestimmung dieser Präsenz des Heiligen Geistes in Folge der freundschaftlich-affektiven Einung des Menschen mit Gott in der Gnade braucht in unserem Kontext nicht näher illustriert zu werden[55]. Es sei nur darauf hingewiesen, daß Suárez mindestens so deutlich wie Thomas Begnadung als Begründung eines personalen Freundschaftsverhältnisses versteht, in dem die wechselseitige Liebe das alles entscheidende Moment im Verhalten Gottes gegenüber dem Menschen wie im Verhalten des Menschen gegenüber Gott darstellt[56]. Die Konstitution dieser Gottesfreundschaft ist für Suárez der entscheidende Grund dafür, Begnadung und (Geist-)Sendung bzw. personale Gegenwart

[54] Die Thomisten wollen hier die „affektive" Freundschaftsliebe nicht wie Suárez als allein hinreichenden Grund der „Gegenwarts-Realität" des Geliebten anerkennen, sondern betonen dafür auf Erden den Rekurs auf die (bei Vázquez überbetonte) Allgegenwart bzw. auf die jetzt noch zu ersehnende unmittelbare Gegenwart Gottes in der seligen Schau; denn einen Freund zu lieben, impliziert nicht notwendig, ihn real gegenwärtig zu haben. Vgl. GARRIGOU-LAGRANGE (1951) 215f.: „Suarez (...) tenet quod missio divinarum personarum ita personas ipsas dat, quod essent realiter in justis praesentes, etiamsi Deus jam non esset in illis causaliter et physice praesens ut conservans eos in esse. Et haec realis praesentia specialis Dei in justis fundatur juxta Suarezium in ipsamet exigentia caritatis creatae etiam in viatore, quae, ut amicitia, exigeret Deum realiter praesentem ut amicum, et non solum affective praesentem. (...) De sententia autem Suarezii quid sentiendum est? (...) Ad hoc respondent plerique thomistae, praesertim Joannes a S. Thoma in I, q. 43, n. 3 (...): Amor amicitiae etiam supernaturalis facit quidem formaliter unionem affectivam, quae jam est inter amicos distantes, non vero facit formaliter unionem realem, quae non habetur absque cognitione experimentali rei realiter praesentis. Sic S. Thomas I-II, q. 28, a. 1 dicit quod amor facit formaliter unionem sec. affectum, et desiderat unionem sec. rem, seu realem." Vgl. auch GARDEIL (1927) II, 31-60; STOLZ (1939) 505-511; DONDAINE (1946) II, 431-453; GARRIGOU-LAGRANGE (1946a) 249ff.; ders. (1946b) 900. Zur ursprünglichen thomanischen Lehre mit einem Ausblick auf die Rezeptionsgeschichte und weiterer Lit.: KRÄMER (2000) 438-460.

[55] Vgl. Suárez, De trin. 12.5.8-20 (I, 809b-813b) und zuvor 11.4.3 (781a): „Sic dicitur Deus donari homini justo, quia in eo incipit esse speciali modo tanquam in templo, et amico suo, ut obiectum intimae cognitionis et amoris." Vgl. dazu ausführlich: BENAVENT VIDAL (1995) 275-343.

[56] Vgl. Suárez, De trin. 12.5.14 (I, 811b), wo Suárez die thomanische Erklärung der Gnadenpräsenz Gottes als „obiectum cognitum et amatum" vollständig in ein Verständnis der göttlichen Gegenwart „per modum amici intime dilecti" zu überführen sucht. Gott erscheint darin „tanquam bonum intime praesens et intra ipsum amantem existens, ut eum particulariter custodiat, et regat, et ab eo in corde suo colatur, et adoretur". Hier wird der bereits angedeutete Unterschied zwischen den Schulen greifbar. Zur „amicitia Dei ad creaturas" vgl. auch Relectio de libertate voluntatis divinae 1.2.16-18 (XI, 404b-406a); interpretierend: BAUMAN (1959).

der göttlichen Personen im Menschen als untrennbar miteinander verknüpft zu sehen[57]. Da diese Freundschaft ein dynamisches Geschehen ist, in dem Gott dem Menschen immer wieder Impulse und Zuwendung schenkt, vollzieht sich darin stets neu die Sendung des Geistes, wann immer im Gerechten die heiligmachende oder das Heil anderer befördernde Gnade als Ermöglichung besonderer Akte und Wirkungen verliehen oder vermehrt wird[58].

Ausdrücklich erwähnt Suárez in diesem Zusammenhang die Sakramente, deren Empfang mit Hilfe der Lehre von der unsichtbaren Sendung als Ermöglichung echter personaler Begegnung zwischen Gott und Mensch verstanden werden kann. So darf etwa jede Feier der Eucharistie als unsichtbare Sendung des Sohnes gelten[59], der auf diese Weise als Menschgewordener je neu zum Menschen kommt.

(4) Die nähere, recht ausführliche Erklärung der sichtbaren Sendung des Heiligen Geistes, mit der Suárez seinen gesamten Traktat über die Trinität beschließt[60], ist für deren spekulatives Verständnis kaum noch von Bedeutung.

Im Vordergrund stehen hier exegetische Erörterungen zu jenen vier biblischen Ereignissen, die nach der Mehrheitsmeinung der Theologen als reale Visualisierungen der Geistsendung angesehen werden dürfen (die Taube bei der Taufe Jesu, die leuchtende Wolke der Verklärung auf dem Berg, die Hauchungsgeste des Auferstandenen gegenüber seinen Jüngern, die visuellen und auditiven Phänomene im Pfingstereignis)[61].

[57] Vgl. De trin. 12.5.15 (I, 812a): „Atque ita intelligitur optime propria ratio, ob quam persona Spiritus sancti non datur, nisi per haec dona divina, quae includunt gratiam sanctificantem et charitatem. Ratio autem est, quia sine his donis non contrahitur vera, et realis amicitia inter Deum et hominem."

[58] Vgl. ebd. 18 (813a): „Deinde assero, quando gratia ita augetur extensive ad peculiares effectus, et actus, sive ejusdem gratiae sanctificantis, sive gratis datae, aut specialis potestatis supernaturalis, ut specialiter sanctificetur persona in ordine ad tales actus, tunc ad illam fit propriissime missio, etiamsi prius facta fuerit."

[59] Vgl. De trin. 12.6.23 (820b). Im Kapitel „de effectibus" des suárezischen Eucharistietraktats (disp. 63: XXI, 393a-431b) spielt der Sendungsgedanke allerdings keine Rolle.

[60] De trin. 12.6 (I, 813b-822b).

[61] Das Sendungsmoment in diesen biblischen Ereignissen erläutert Suárez teilweise auch nochmals in seinem Traktat über die Geheimnisse des Lebens Jesu; vgl. beispielhaft für die Theophanie bei der Taufe Jesu: De mysteriis vitae Christi 27.3.7-8 (XIX, 408a-b). Suárez folgt also nur bedingt dem Wunsch der „Ratio studiorum" von 1599, diese Frage möglichst den Schriftexegeten zu überlassen: „De visibilibus signis, in quibus apparuit Spiritus Sanctus, commodius disputare potest interpres Scripturae": ed. Lukács, 389f. (zu q. 43). Ähnlich sprach sich auch schon die Ratio von 1586 aus (ebd. 59ff.).

Der Wille zur Schriftdeutung in Anbindung an einen möglichst realistisch verstandenen Litteralsinn, wie er bereits im Hochmittelalter zur Durchsetzung kam, ist bei Suárez erhalten geblieben. Da die Sakramente des Neuen Bundes nur instrumental Gnade vermitteln und dies insofern nicht in unfehlbarer Weise, als dabei auch die Disposition des Empfängers eine Rolle spielt, werden sie nicht unter die Repräsentationen der sichtbaren Sendungen gerechnet[62].

Wenn Suárez die historische Wahrheit und theologische Angemessenheit der dem Geist zuzuordnenden Sendungszeichen verteidigt, weist er zugleich noch einmal auf die grundlegende Differenz zum Eintritt des Sohnes in die Welt durch die Inkarnation hin[63], wie sie bereits in der oben erwähnten Unterscheidung der zwei Sichtbarkeitsmodi bei der „missio visibilis" unterstrichen worden war. So stehen Einmaligkeit und Primat der Inkarnation unter allen Sendungen im Neuen Bund, die seit Augustinus immer wieder betont worden sind[64], auch für Suárez außer Frage[65].

[62] Vgl. Suárez, De trin. 12.6.12 (I, 817b-818a).

[63] Vgl. ebd. 19-20 (819b). Vgl. zum Problem in thomanischer Perspektive BOURASSA (1955b) 165-168.

[64] Vgl. mit Verweis auf Augustinus, De trin. IV, 21, 30 (202f.), STUDER (2005) 93.173ff.217ff.

[65] Vgl. Suárez, De trin. 12.6.24 (I, 821a): „Nam missio Verbi altioris multo rationis est, quam Spiritus sancti missiones, ut per se notum est, et ex dictis constat. (...) Unde etiam visibilis missio Verbi semel tantum facta est, et nulli alteri naturae communicata est." Der Behauptung, der Sohn sei vor der Inkarnation bereits in Verbindung mit anderen sichtbaren Repräsentationen gesandt worden, wie es einige Väter mit Blick auf bestimmte Erzählungen des Alten Testaments annehmen wollen, steht Suárez ablehnend gegenüber, da in solcherlei Erscheinungen der die Sendung charakterisierende Heiligungs- und Einwohnungsaspekt fehlte (vgl. ebd. 23, 820a-b). Überhaupt betrachtet, wie schon MICHEL (1950) 1807 anmerkt, die nachtridentinische Theologie die These von alttestamentlichen Trinitätsoffenbarungen skeptischer als noch die mittelalterliche. Allerdings bleibt eine ausdrückliche Lehrmeinung wie die des Alphonsus Tostatus (gen. Abulensis), wonach aus dem Alten Testament gar kein wirksames Zeugnis für die Trinität (gegen die Juden) gewonnen werden könne, ein – von vielen Autoren zensuriertes – Minderheitsvotum; vgl. Alphonsus Tostatus, Opusc. De trin., concl. prima (3aB): „Ex auctoritatibus veteris testamenti personarum pluralitas, licet sit persuasibilis, necessario tamen non est convincibilis". Dazu: Bañez, Comm. in I[am] q. 32, a. 1 (820C-821B), der auch den Auslegungskonflikt zwischen Cajetan und Ambrosius Catharinus betreffend eine trinitätstheologische Deutung von Gen 1,26 referiert (821B-C). Vermittelnd: Bellarmin, Controv. de Christo l. 2, c. 6 (Op. I, 320b).

# Kapitel 11: Ergebnisse

Nach dem ausführlichen analytischen Gang durch die Trinitätstheologie des Suárez soll in diesem abschließenden Kapitel ein synthetisches Fazit gezogen werden. Dafür sei zunächst versucht, zentrale Inhalte der suárezischen Spekulation, wie sie in unserer Studie zur Darstellung gekommen sind, in einer thesenartigen Bündelung zu rekapitulieren, die deren innere Verzahnung, auf die im Verlauf der Interpretation immer wieder aufmerksam gemacht worden ist, noch einmal aufscheinen läßt. Anschließend werden die Quellen benannt, aus denen Suárez in seinem Traktat schöpft, bevor im speziellen die Stellung seines Entwurfs zwischen den beiden scholastischen Hauptautoritäten Thomas und Scotus zu charakterisieren ist. Einige eher systematisch ausgerichtete Bemerkungen zu drei Zentralthemen, die uns im suárezischen Traktat begegnet sind, sollen unsere Studie abschließen.

## 1) Ein Resümee in Kernthesen

(1) In der suárezischen Gotteslehre sind natürlich und übernatürlich zugängliche Wahrheiten strikt getrennt. Die Einsicht in Gottes Tripersonalität gehört anders als die meisten übrigen Themen der Gotteslehre klar zum zweiten der beiden Bereiche[1]. Zwar will der Jesuit die Einheit des Gesamttraktats wahren, doch ist die Scheidung zwischen den weitgehend in die Metaphysik verschiebbaren Erörterungen „De deo uno“ und der allein offenbarungstheologisch zugänglichen Lehre „De deo trino“ bei ihm nicht bloß methodisch-didaktisch, sondern prinzipiell erkenntnislogisch begründet. Selbst zaghafte Tendenzen in Richtung einer rationalen Zugänglichkeit des Mysteriums weist Suárez in seinen nach verschiedenen Zeiten und Subjekten der Heilsgeschichte differenzierenden Ausführungen zur Trinitätserkenntnis zurück[2]. Dabei wird zugleich die transtemporale Relevanz des Glaubens an Gott als dreifaltigen für alle Menschen betont, die berufen sind, diesem Gott in der beseligenden Schau

[1] Vgl. Kap. 2, 1) u. 2).
[2] Vgl. Kap. 2, 3).

des Himmels begegnen zu dürfen. Wie also der Glaube als irdisches Angeld der „visio beatifica" den Erkenntnismodus von seinem übernatürlichen Ziel her vorgegeben erhält, so auch seinen zentralen Inhalt.

(2) Die Qualifizierung der Trinitätserkenntnis ist unmittelbar verknüpft mit der grundlegenden Bestimmung des Verhältnisses Gottes zur Welt. Als Wirkung der göttlichen Ursache in ihrem trinitarischen Sein gibt sich die Schöpfung der natürlichen Vernunft nicht zu erkennen. Sie bildet Gott für uns nur als denjenigen ab, der sie „ut unus" erschaffen hat. Der Mensch als „imago Dei" macht hierbei keine Ausnahme. Die alte Lehre von den „vestigia trinitatis" in der Schöpfung steht in der suárezischen Trinitätslehre ebenso am Rand wie die appropriative Zuschreibung bestimmter Prädikate, die das göttliche Handeln in der Schöpfung betreffen, an die einzelnen göttlichen Personen[3]. Gegenüber der bei Suárez mit streng dogmatischer Konsequenz vertretenen Lehre von Gottes „opera indivisa ad extra"[4] verblaßt das reale Handeln der Personen*trinität* aus der Perspektive der geschöpflichen Wirkungen zum innerlich bedeutungslosen, mit seiner monopersonalen Alternative ohne Konsequenzen austauschbaren Faktum. Ebensowenig wie ein sich im Geschaffenen ausdrückendes Urbild ist die trinitarische Verfaßtheit für Suárez notwendige Voraussetzung für Gottes Schöpferhandeln; denn als Vollzug der göttlichen Allmacht gründet dieses im absoluten, wesenhaften, selbst nicht verursachten Sein Gottes und nicht in der Personendistinktion[5]. Das Prinzipiierungsverhältnis innerhalb Gottes, von dem gilt, daß es, obwohl keine reale Ursächlichkeit implizierend, dennoch eine reale Beziehung zwischen den hervorbringenden und hervorgebrachten Personen begründet, ist bestenfalls in entfernter Analogie zu der Tätigkeit Gottes nach außen zu erklären, in welcher eine echte Ursache-Wirkung-Beziehung vorliegt, ohne daß ein reales Verhältnis zwischen Gott und Welt resultierte. Im göttlichen Wort, so die im Trinitätstraktat des Jesuiten ausführlich begründete These[6], ist in formaler Hinsicht allein die (letztlich mit Gottes Wesensallmacht identische) mögliche Schöpfung, aber nicht die reale

[3] Vgl. Kap. 1, 2), (2) (d). In diesem Sinne urteilt POZO (2000) 14: „Da la impresión de que la definición del concilio IV del Letrán (el Padre y el Hijo y el Espíritu Santo como un único principio de todas las cosas [DS 800]) es entendida tan rígidamente por Suárez que parece perder interés por una teología de las apropiaciones".

[4] Vgl. Kap. 2, 1), (2) (b) (aa); Kap. 10, 1), (2) u. ö.

[5] Vgl. Suárez, De trin. 11.5.18 (I, 789b), wo von der Allmacht festgestellt wird, daß sie nicht als Formalkonstitutiv des göttlichen Wesens gelten darf. Dies gilt vor allem für die Möglichkeit Gottes, sich als Schöpfer nach außen mitzuteilen; sie ist als Konsequenz des göttlichen Wesensseins anzusehen: „nam quia Deus est ipsum esse per essentiam, ideo quasi consequenter habet, ut possit ad extra se communicare".

[6] Vgl. Kap. 9, 1), b), (3) u. (4).

repräsentiert, und aus den Objekten der notionalen Liebe scheiden sogar die Possibilien aus. Gottes Handeln „ad extra" wird somit strikt „hinter" das personale Konstitutionsgeschehen gestellt; es ist Sache aller drei Personen gemeinsam in ihrer wesenhaften Einheit, ohne daß ihm wie den mit der übernatürlichen Begnadung verbundenen „Sendungen" eine „trinitarische Modalisierung" zugesprochen werden dürfte. Das „opera indivisa"-Axiom wird an dieser Stelle vom Jesuiten durchaus im Interesse der Lehre von der immanenten Trinität geltend gemacht, denn nur die strikte Trennung der naturhaft-notwendigen innertrinitarischen Hervorgänge vom Schöpfungswerk vermag Gottes Freiheit im Bezug auf dieses Werk zu garantieren[7]. Mit der Nicht-Verschiedenheit der Freiheit und Ursächlichkeit aller drei Personen im Schöpfungsentscheid ist deren strikte Wesensgleichheit erneut unterstrichen.

(3) Das suárezische Verständnis von „Personalität" in Gott kann nur korrekt verstanden werden auf dem Hintergrund des Modells für die ontologische Letztbestimmung endlicher Naturen zu inkommunikabler Subsistenz, dem Suárez in seiner Metaphysik wie zuvor in der Christologie höchste Aufmerksamkeit gewidmet hat[8]. In Abgrenzung zum Scotismus besteht der Jesuit darauf, daß Personalität als Konstitutionsprinzip des endlichen Suppositum den Charakter einer positiven Entität besitzen muß. Ihrem ontologischen Status nach ist sie als Modus zu bestimmen, der in seiner nur einseitigen Trennbarkeit von der Wesenheit ihr gegenüber eine eigene Weise der realen Unterschiedenheit – eben die „modale" – begründet. In der Nutzbarmachung des Modus-Begriffs bei der Beschreibung des Formalkonstitutivs endlicher Subsistenz knüpft Suárez an die Vorgabe Cajetans an, der seinerseits in einer längeren, erst ansatzweise erforschten Traditionsgeschichte ontologischer Modalkonzeptionen steht[9]. Deutlich ist aber zugleich die Distanzierung von Cajetan und anderen Thomisten, wenn Suárez Sein bzw. Existenz als letztes „quo" personaler Inkommunikabilität zurückweist. Die Existenzbestimmung ist für den Jesuiten nicht real verschieden von der Wesensbestimmung. Indem in Abhebung von ihr Subsistenz als „Für-sich-Existieren" zu denken, folglich als modale Letztbestimmung der in dieser Beziehung indifferenten Existenz zu verstehen ist, setzt sie die letztgenannte Größe voraus und steht zu ihr in einem Verhältnis konstitutionslogischer Posteriorität.

(4) In die Trinitätslehre ist das Schema geschöpflicher Subsistenz nicht unmittelbar zu übernehmen, weil in Gott jede Weise der Zusammenset-

[7] Vgl. Kap. 4, 3), (4).
[8] Vgl. Kap. 3, 1).
[9] Vgl. Kap. 6, *Exkurs* nach 3), a).

zung, und sei es die modale oder formale, abzulehnen ist[10]. Suárez schließt sich bei der Verhältnisbestimmung zwischen Wesen und Personen, die im Trinitätstraktat mehrfach variiert wiederkehrt (nicht nur im eigentlichen Distinktionskapitel, sondern auch in der Relationentheorie, namentlich in der Erklärung der aktiven Hauchung[11], oder in den Ausführungen über die Personkonstitution durch relationale Proprietäten[12]), der Majoritätsthese einer gedanklichen Unterscheidung mit Fundament in der Sache selbst an, die für den Fall Gottes als sog. „virtuelle" Distinktion zu benennen ist[13]. Da andererseits unser Intellekt prinzipiell nicht in der Lage ist, die reale Identität von göttlichen Personen und Wesenheit zu verstehen, bleibt die Betrachtung der Personen *nach Art* von Modi, die das Wesen letztdeterminieren, naheliegend, zumal die Betrachtung der Personen als „Seinsweisen" (mit unterschiedlichen Konkretionsvarianten) eine lange Tradition in der Trinitätstheologie aufweisen kann[14]. Auch in Gott ist der Formalgrund inkommunikabler Subsistenz im Sinne einer positiven Entität zu konzipieren. Da aber aufgrund der einzigartigen Fruchtbarkeit der unendlichen Wesenheit in Gott alles Absolute kommunikabel ist, muß es sich bei diesem Konstitutiv um ein Relativum handeln[15]. Damit ist bei Suárez die thomanische Bestimmung der göttlichen Personalitäten als „relationes subsistentes" gewahrt. Sofern mit dem Begriff der Person in transzendentaler Perspektive (also verglichen mit den konkreten Proprietäten in einem reduzierten Grad der Bestimmtheit) allein der „modus incommunicabiliter subsistendi" bezeichnet wird, läßt er sich univok von Vater, Sohn und Geist, ja sogar von göttlichen wie geschöpflichen Substanzen rationaler Natur prädizieren[16]. Ähnlich erschließt Suárez den univok zu verwendenden Begriff des „Hervorgangs".

(5) Die ontologische Transzendentalientheorie kann in einem noch umfassenderen Rahmen als Paradigma identifiziert werden, auf das Suárez, Ansätze bei Bartholomé Torres fortentwickelnd, immer wieder zurückgreift, um das Trinitätsgeheimnis reflektierend zu durchdringen[17]. Wie die „ratio entis" in allen Seienden, einschließlich der Modi und

[10] Vgl. Kap. 3, 3).
[11] Vgl. Kap. 7, 2).
[12] Vgl. Kap. 8, 3), b).
[13] Vgl. Kap. 6, 3), b), aa).
[14] Vgl. Kap. 6, *Exkurs* nach 3), a).
[15] Vgl. Kap. 5, 3) u. ö.
[16] Vgl. Kap. 3, 3), (3).
[17] Vgl. Kap. 3, 3), (3); Kap. 5, 4); Kap. 6, 1), b), (1) (b) (ee); Kap. 6, 3), b), bb) (3) und ebd. cc), (1) (a); Kap. 8, 3), b), (5); u. ö. Nochmals sei an das Urteil erinnert, das bereits DALMAU (1948) 557 mit Bezug auf das suárezische Denken formuliert: „En el fondo, el problema Trinitario es un problema de transcendencia".

Letztbestimmungen, enthalten ist, ohne daß „Sein" zu einer in Arten auszudifferenzierenden Gattung würde, ist die „essentia divina" gleichermaßen in allen göttlichen Personen, verstanden in Entsprechung zu den geschöpflichen Modal-Subsistenzen, inkludiert (und die Wesensvollkommenheit in den relativen Vollkommenheiten), ohne daß eine Gattung-Art-Zusammensetzung in Gott resultierte. Erst diese Inklusion nach Art ungeteilter Identität macht die drei Personen gleichermaßen göttlich und unendlich. Die Umkehrung (also eine formale Inklusion der Relationen in der Wesenheit) gilt nach Suárez nicht[18], wie wir ja auch in der „ratio entis" als solcher nicht schon formal alle weiteren Seinsbestimmungen inkludiert sehen dürfen. Wie die realen Seienden unter der Hinsicht ihrer univok gemeinsamen transzendentalen Eigenschaften nicht in ihrer begrifflichen Vollbestimmung, sondern auf konfus-präzisive Weise erfaßt werden, so sieht auch die Erfassung von Vater, Sohn und Geist unter der Hinsicht eines ihnen in gleicher Weise gemeinsamen Begriffs von der personalen Letztbestimmtheit ab, um Gemeinsames zu identifizieren. Mit der „ratio entis" werden in den drei jeweils formal eigenbestimmten Personen auch weitere transzendentale Prädikate multiplizierbar, die logisch vorgängig zu der Gott und Welt scheidenden Differenz zwischen „ens infinitum" und „ens finitum" konzipiert werden können und deren „relative" Daseinsweise Suárez im einzelnen erläutert[19].

(6) Die exakte Dreizahl der Personen sowie ihre Verschiedenheit untereinander begründet Suárez in der Lehre von den innergöttlichen Hervorgängen[20]. Während das Dasein des Vaters unmittelbar mit der göttlichen Wesenheit verbunden werden muß, sofern diese zuinnerst durch das Erkennen konstituiert und darin auf eine ihr konnaturale handlungsfähige Subsistenz verwiesen ist, werden die beiden hervorgebrachten Personen von Sohn und Geist nach den Prinzipien der „psychologischen" Trinitätsbetrachtung, wie sie die Scholastiker seit dem 14. Jahrhundert regelmäßig gegen die Einwendungen des Durandus verteidigen, auf Erkenntnis- und Willensvollzug als ihre unmittelbaren Formalprinzipien zurückgeführt[21]. Den thomanischen Weg der Unterscheidung des Sohnes vom Geist über das allein in der Zeugungsdefinition enthaltene Motiv der (formal verstandenen) Ähnlichkeit „kraft des Hervorgangs" im Erken-

[18] Vgl. Kap. 6, 3), b), bb).
[19] Vgl. Kap. 5, bes. 4).
[20] Vgl. Kap. 4, 1); zur Dreizahl der Personalitäten auch Kap. 5, 1).
[21] Vgl. Kap. 4, 2).

nen[22] verstärkt Suárez wiederum dadurch, daß er die „intellectio" zum ersten und eigentlichen Formalkonstitutiv des göttlichen Wesens erklärt[23].

(7) Durch die Realidentität der notionalen Akte mit dem Wesen erweist sich dieses als ihr letztes, wurzelhaftes „principium quo", wenn auch die hervorbringende Relation als zu „konnotierende" nicht gänzlich aus dem Blick gerät[24]. Notionale und essentiale Akte in Gott sind folgerichtig für Suárez identisch; sie werden unterschieden allein durch die jeweilige „personale Bedingung", also den für die Hervorbringungen entscheidenden Modus der Wesenshabe bzw. des Vollzugs der Wesensakte. Stets geht Suárez gegen Tendenzen vor, Wesensakte als solche (in formaler Betrachtung) unter die Bedingung notional-personaler Vollzüge zu stellen, wie an seiner Interpretation der traditionellen Formel des „Sich-Liebens von Vater und Sohn im Heiligen Geist" exemplifiziert werden konnte[25]. Da die Wesenheit für den Jesuiten wie Formalprinzip so auch Terminus der notionalen Akte ist[26], stellt sich das Hervorbringungsgeschehen als Vollzug der „communicatio essentiae" zwischen mit dem Kommunizierten selbst identischen Relationsgliedern dar. Folglich handelt es sich um ein *gott-immanentes* Geschehen im strengsten Sinne: Im Verhältnis der drei Personen ist Gott zuallererst „non aliud". Daß Suárez im Geschöpflichen sowohl Wort als auch Liebe real mit ihren jeweiligen Hervorbringungsakten identifiziert und allein eine modale Unterscheidung zuläßt, unterstützt bei der Übertragung auf Gott sowohl die nach Art einer modalen anzusetzende gedankliche Distinktion zwischen Personen und Wesensakten / Wesenheit wie auch die These vom Wesen als der im Hervorbringungsgeschehen primär angezielten Formalität. In der Zeugung, so hat Suárez im Kapitel über die Objekte des notionalen Erkennens näher ausgeführt, ist die Wesenheit primäres Objekt jener Erkenntnis des Vaters, die das Wort als Repräsentant und Träger ebendieses mit der Wesenheit selbst identischen Erkennens konstituiert[27].

(8) Wie die Personalitäten als solche nicht unmittelbar in die Formalprinzipien der notionalen / essentialen Akte eingehen, so sind sie erst recht aus der Konstitution des Wesens für sich genommen ausgeschlossen. Die Wesenheit, so haben wir schon unter (6) betont, konstituiert formal alles in Gott, ohne als solche selbst durch anderes (und seien es die Relationen) konstituiert zu sein. Dies ist vielleicht das tiefste Motiv für die

[22] Vgl. Kap. 9, 4).
[23] Vgl. ebd. (2) (c).
[24] Vgl. Kap. 8, 2), (2).
[25] Vgl. Kap. 9, 3), (3).
[26] Vgl. Kap. 8, 2), (3).
[27] Vgl. Kap. 9, 1), b), (2) (a).

suárezische Übernahme der Lehre von einer absoluten Wesenssubsistenz im Sinne Cajetans, also der These, daß das göttliche Wesen das „per se existere" aus sich allein logisch vorgängig zu seinen inkommunikablen Subsistenzmodi besitzen muß[28]. Als einzige aller Naturen besitzt die göttliche durch sich selbst nicht bloß die aus der inneren Nichtrepugnanz der Bestimmungsgehalte resultierende „aptitudo essendi" (die ihre Setzung in die aktuelle Realität nicht aus sich selbst heraus zu begründen vermag), sondern das „esse per se". Ihr „Aus-sich" ist nicht bloß formaler, sondern realer Art. Dennoch betont Suárez immer wieder, daß mit der These von der absoluten Subsistenz keineswegs die Irrlehre einer „vierten Person" in Gott befördert wird. Vielmehr ist der Nicht-Zusammenfall von singulärsubstantiellem Sein und inkommunikabler Subsistenz das eigentliche Geheimnis Gottes. Aus ihm folgt das Versagen der natürlichen Vernunft und ihrer Syllogistik am Materialobjekt des dreifaltigen Gottes[29] ebenso wie die irreduzible Duplizität der Betrachtung von absoluter und relativer Subsistenz im Blick auf deren jeweilige formale Konstitution[30].

Auch im Blick auf das Verhältnis von Wesenheit und Subsistenz ist die enge Verbindung zwischen Trinitätslehre und Christologie im suárezischen Entwurf hervorzuheben: Wie die Personalität des Wortes an der Stelle menschlicher Subsistenz in Jesus Christus nicht zugleich die menschliche Natur und ihre Existenz konstituieren darf, da ansonsten Monophysitismus droht, so sind die relativen Subsistenzen in Gott nicht als Konstitutionsprinzipien der absoluten göttlichen Wesenheit und ihres Existierens / Subsistierens anzusehen; sie tragen nichts zu deren Integrität und Perfektion bei[31], ohne damit jedoch negiert zu werden[32].

(9) Suárez verwendet in der trinitarischen Relationenlehre den scotischen, aber auch in der nachfolgenden Thomistenschule rezipierten Begriff der „transzendentalen" Relationen neben demjenigen der „prädikamentalen"[33]. Diese Termini der philosophischen Relationstheorie stellen der Theologie komplementäre, zugleich aber je nur mit Einschränkungen applizierbare Verstehensschlüssel zur Verfügung. Die kategoriale Relation ist nach Suárez' allgemein-philosophischer Auslegung allein gedanklich (wenn auch „cum fundamento in re") von ihrem Fundament unterschieden. Ihre Realität sieht der Jesuit dabei nicht angetastet. Mit dieser These positioniert er sich zwischen den Extremmodellen in Tho-

[28] Vgl. Kap. 6, 4).
[29] Vgl. Kap. 6, 2), (3).
[30] Vgl. neben Kap. 6, 4) auch Kap. 5, 2).
[31] Vgl. Suárez, DM 34.4.28 (XXVI, 376a).
[32] Vgl. Kap. 5, 2) u. 3).
[33] Vgl. Kap. 7, 1).

misten- und Nominalistenschule[34] und legt einen Relationenbegriff vor, der distinktionstheoretisch problemlos auf das Verhältnis zwischen personbildenden Relationen und Wesenheit in Gott angewandt werden kann. Die Übertragbarkeit des philosophischen Paradigmas findet ihre Grenze an der für die innergöttlichen Relationen festzuhaltenden Substantialität und Unendlichkeit, da in Gott keinerlei Akzidentalität Platz hat, wie sie prädikamentalen Relationen im geschöpflichen Bereich eigentümlich ist. Die innergöttlichen Relationen ergeben sich nicht zusätzlich zum Wesen aus dessen Ausrichtung auf einen vom Fundament verschiedenen Terminus, sondern sind für sich selbst subsistierend. Insofern integrieren sie in ihrer höheren Wirklichkeit auf „eminente" Weise auch das entscheidende Konstitutionsmoment, das wir im Geschöpflichen der transzendentalen Relationalität zuschreiben, nämlich das „modale" Ausgerichtetsein der Substanz selbst auf einen Terminus in ihrem notwendigen, aktiven Sich-Entfalten. Man könnte sagen: Während das *prädikamental*-relationale Paradigma vom Geschöpflichen her das innergöttliche Unterscheidungsverhältnis vermittels der „oppositio originis" auszudeuten vermag, kann man das *transzendental*-relationale Paradigma als Zugang zum Verständnis der quasi-modalen Subsistenzresultanz aus der Wesenheit ansetzen, wie sie für den Personbegriff grundlegend ist. Der bloß gedankliche Unterschied zwischen Relationen / Personen und Wesenheit in Gott ist letztlich aus beiden Perspektiven explizierbar. Anders als die Thomisten weigert sich Suárez, die Realität der innergöttlichen Relationen einseitig auf deren Identität mit dem göttlichen Wesenssein (ihr „esse in") zurückzuführen[35]. Vielmehr will er, wie auch seine gegen Cajetan gerichteten Aussagen zum relationalen Konstitutionsprinzip der ersten göttlichen Person deutlich machen[36], diese Realität in den Relationen als solchen begründet sehen, was durch die Lehre vom transzendentalen Einschlußverhältnis der Wesenheit in den vollbestimmten Relationsbegriffen (ganz entsprechend dem früher dargelegten Modell für die Konstitution der Personen, die nach Suárez mit den Relationen real identisch sind) leicht zu begründen ist. Allerdings muß Suárez dadurch (ähnlich wie in seiner strikten Identifizierung von personalen Konstitutions- und Distinktionsprinzipien

[34] Diese auch sonst immer wieder zu beobachtende vermittelnde Position hat, wie CARUSO (1979) 43 feststellt, Suárez eine Rezeption in beiden Schultraditionen gesichert: „Critico delle tesi più accentuatamente realiste, Suarez tenta di stabilire un equilibrio tra realismo e nominalismo. In effetti, riesce a raggiungere una sintesi che ha aperture tanto verso le tesi realiste quanto verso quelle nominaliste. La sua opera infatti sarà richiamata sia nei *Cursus* dei filosofi d'ispirazione realista, sia nei *Cursus* di autori di indirizzo nominalista."

[35] Vgl. Kap. 7, 1), c).

[36] Vgl. Kap. 5, 5), (6); Kap. 7, 1), b), (3) (b); Kap. 7, 1), c), (2).

in Gott) die Konsequenz einer gewissen Verabsolutierung der Relationen im Licht ihrer je eigenen Entitäten und ihrer das Wesen inkludierenden Formbestimmtheiten in Kauf nehmen, obwohl er ein absolutes Konzept der Personkonstitutiva stets vehement zurückweist. Es ist bei ihm nicht wie bei Thomas das eine göttliche Sein, das sich ohne innere Begrenzung in die drei personalen Subsistenzen kommuniziert, sondern es sind die entitativ betrachteten personalen Subsistenzen, in denen „ad modum transcendentis" die eine Wesenheit Gottes als grundlegendes Formalkonstitutiv erkennbar wird. Die Tendenz, den Formalgrund des Terminierens in jeder Relation mit einer „ratio absoluta" zu identifizieren, wie sie sich in der suárezischen Erklärung der aktiven Hauchung in Abgrenzung von thomistischen Korrelationsmodellen fortsetzt[37], wurde dem Jesuiten aus der Thomistenschule immer wieder zum Vorwurf gemacht, weil man darin die Ursache seiner Probleme in der trinitätstheologischen Beibehaltung des logischen Fundamentalaxioms von der Identität solcher Vergleichsgrößen erblickte, die in einem Dritten übereinkommen („principium identitatis comparatae")[38]. Diese Vermittlung ist in der thomistischen Scheidung zweier Konstitutionsebenen in der relationalen Wirklichkeit Gottes („esse in" / „esse ad") leichter zu erreichen.

## 2) Die Stellung des suárezischen Trinitätstraktats und seine Quellen

Was wir bereits in unseren Einleitungskapiteln zur allgemeinen Charakterisierung der Methode frühneuzeitlicher (Trinitäts-)Theologie und zu ihrem Umgang mit den Quellenvorgaben bemerkt haben, kann jetzt durch Beobachtungen aus der detaillierten Analyse der suárezischen Trinitätslehre verifiziert und ergänzt werden.

(1) Unsere Untersuchung hat gezeigt, daß sich die in der neueren Dogmengeschichtsschreibung gängige These von einer „splendid isolation" dieses Traktats in der (spät-)scholastischen Theologie der Gefahr bewußt bleiben muß, möglicherweise in eine anachronistische Beurteilungsperspektive abzugleiten. Am Beispiel des Suárez konnten wir erkennen, daß die Reflexion des Trinitätsgeheimnisses keineswegs zusammenhanglos neben den übrigen Traktaten steht, sondern nur in engster Verzahnung mit Metaphysik und Christologie zu begreifen ist und darüber hinaus

[37] Vgl. Kap. 7, 2), a), (3).
[38] Vgl. Kap. 6, 2), (3) (c).

Querbezüge zu zahlreichen weiteren Themen des dogmatischen Lehrgebäudes besitzt.

Die philosophisch-dialektische Behandlung ihres Gegenstands unterscheidet die Trinitätslehre ebenfalls nicht prinzipiell von anderen Traktaten mit stark spekulativer Ausprägung. Wenn man die erkenntnistheoretischen Prämissen berücksichtigt, unter denen ein scholastischer Theologe über die Inhalte der übernatürlichen Offenbarung im allgemeinen und den dreifaltigen Gott im speziellen nachdenkt, muß man zum Urteil gelangen, daß dieser Traktat nicht mehr oder weniger isoliert dasteht als andere. Wo Bezüge zur Trinitätstheologie fehlen, wie bei Suárez deutlich in der Schöpfungslehre, handelt es sich nicht um eine „Vernachlässigung", sondern um eine aus der Sicht des Autors klar reflektierte und begründete systematische Konsequenz. Nachvollziehbar wird die moderne Kritik also nur dann, wenn sie sich nicht auf den Trinitätstraktat innerhalb des scholastischen Gesamtentwurfs, sondern auf methodische und inhaltliche Grundprämissen dieser Dogmatik insgesamt bezieht, sich also systematisch und nicht historisch positioniert.

(2) In dem als Appendix zu dieser Studie angefügten Register der Namen, die Suárez in seinem Trinitätstraktat zitiert, werden in einer Zusammenschau die Autoritäten sichtbar, mit denen er sich auseinandersetzt. Ein Vergleich mit den zeitgenössischen Paralleltraktaten anderer Autoren der Jesuitenschule würde vermutlich in der Quellenstatistik zu ähnlichen Ergebnissen gelangen.

(a) Aus den zahlreichen Vätern, die Erwähnung finden, sticht Augustinus mit über 150 expliziten Zitierungen bei weitem hervor. Athanasius (freilich vor allem durch das ihm zugeschriebene Symbolum), Damascenus, Hilarius und Basilius folgen mit weitem Abstand. Der „Triumph des Augustinismus", den man für die westliche Trinitätstheologie schon im Blick auf den Aquinaten und das Hochmittelalter festgestellt hat[39] und der ähnlich auch andere Traktate prägt, ist zur Zeit des Suárez ungemindert präsent. Andererseits ist nicht zu übersehen, daß Suárez Augustinus im vorliegenden Traktat kaum mehr in seinem theologischen Eigenprofil zu erfassen sucht, sondern ihn fast ausschließlich im Kontext der nachfolgenden scholastischen Debatten (also indirekt) rezipiert. Noch offensichtlicher ist dies im Blick auf die übrigen Väter. Der Verdacht, daß hier vieles aus Kompendien bzw. aus zweiter Hand zitiert wird, ist kaum sicher abzuweisen und kann angesichts der spekulativen Schwerpunktsetzung der suárezischen Trinitätslehre im Vergleich mit stärker positiv ausgerichteten Darstellungen anderer Autoren des 17. Jahrhunderts auch nicht

[39] Vgl. VANIER (1953) 19: „triomphe de l'augustinisme trinitaire" (bezogen auf die thomanische Summa formuliert).

überraschen. Was Friedo Ricken zum Kirchentraktat des Suárez festgestellt hat, gilt auch für unser Thema: „Wir müssen davon ausgehen, daß Suárez die Verweise und die zitierten *dicta probantia* in Florilegien und Handbüchern der Dogmatik vorgefunden hat. Der ursprüngliche Zusammenhang, in dem diese Texte bei den Vätern standen, ist für seine Argumentation ohne Bedeutung; welche Werke der Patristik er selbst im Original gelesen hat, muß offenbleiben“[40]. Generell ist die Vätertheologie ein wichtiger „locus theologicus“ frühneuzeitlicher Dogmatik; an ihre historische Erschließung in Absehung bzw. Trennung von den lebendigen Debatten der Schule denken die Autoren aber noch nicht[41], weshalb die Darstellung aus historischer Sicht eine gewisse systematisch fixierte Eindimensionalität nicht zu überwinden vermag.

(b) Unter den scholastischen Autoren steht Thomas von Aquin konkurrenzlos an der Spitze der suárezischen Zitatliste. Obwohl der Jesuit keinen formellen Thomaskommentar vorlegt, ist der Aquinate der auch insgesamt am häufigsten namentlich angeführte Autor in dem von uns untersuchten Werk (deutlich mehr als 200mal). Weniger als die Hälfte dieser Nennungen kann demgegenüber Scotus beanspruchen. Ob diese Statistik bereits auch die inhaltlichen Einflüsse der beiden scholastischen Schulhäupter auf Suárez korrekt zum Ausdruck bringt, wird im folgenden Abschnitt eingehender zu diskutieren sein. Hinter Scotus rangieren in der Zählung Durandus, Cajetan, Capreolus, Bonaventura und (in etwa gleich vertreten) Anselm von Canterbury, Richard von St. Viktor, Heinrich von Gent, Marsilius von Inghen, Gabriel Biel und Bartholomé Torres. Torres ist zugleich die jüngste unter den häufiger zitierten scholastischen Autoritäten. Sein Einfluß auf Suárez, aber auch auf die in vielen Punkten differierende Trinitätstheologie des Vázquez ist erheblich[42]. Als Thomist, der auf begrifflich hohem Niveau an wichtigen Punkten scotische Grundeinsichten in seinen Entwurf integriert hat, illustriert der Theologe aus Sigüenza mit seinem Denken die Möglichkeiten des eklektischen Thomaskommentators im 16. Jahrhundert. Jesuitenautoren wie Suárez haben sie anschließend noch umfassender genutzt.

[40] RICKEN (2004) 1014.

[41] Das Urteil bei TSHIAMALENGA (1972) 475 im Blick auf die suárezische Trinitätslehre ist in der Tendenz sicherlich korrekt: „il se contente le plus souvent de citer des noms patristiques mais sans leurs textes. Par ailleurs il affectionne les scholastiques et n'est guère intéressé à l'histoire sémantique des notions qu'il analyse“.

[42] So steht, um nur ein Beispiel zu nennen, Torres mit seiner These von je eigenem „esse“ der göttlichen Relationen, aber der Identität der relationalen Perfektion mit der Perfektion der Wesenheit gleichsam in der Mitte der Wege, die von seiner Vorgabe aus Suárez einerseits und Vázquez andererseits einschlagen werden.

Die Frühscholastik ist bei Suárez als eigenständige theologische Größe – abgesehen von wenigen Namen – nicht zu finden. In der Berücksichtigung der nachfolgenden Scholastik werden Schulzuordnungen nur in der üblichen Dreistufung Thomisten-Scotisten-Nominalisten vorgenommen. Neben der vergleichsweise starken Präsenz des Durandus[43], der zwar oft, aber keineswegs ausschließlich mit abzulehnenden Sonderthesen Erwähnung findet, fällt auf, daß Suárez häufig Vertreter der Thomistenschule (wenn auch meist beschränkt auf die schon in unserer Einleitung erwähnten „vier großen" Kommentatoren Capreolus, Ferrariensis, Cajetan, Torres) namentlich zu Wort kommen läßt, nicht selten mit untereinander variierenden Meinungen. Dagegen tritt eine explizit ausdifferenzierte Schule des Scotus praktisch nicht auf. Auch dies ist in den Trinitätswerken anderer Jesuiten der Zeit ähnlich. Selbst wenn man um die Isolation der Scotisten weiß, die spekulativen Fortschritte in ihren Trinitätstheologien nicht allzu hoch ansetzt und berücksichtigt, daß manche ihrer bedeutenden Vertreter erst nach Suárez zu datieren sind, bleibt das Faktum angesichts der Relevanz, die Scotus selbst beigemessen wird, auffällig. Vermutlich spiegelt sich darin nicht zuletzt die Tatsache, daß die junge Gesellschaft Jesu gegenüber der häufiger zu strikter Thomasobservanz tendierenden Dominikanerschule theologisch wie kirchenpolitisch besonderen Profilierungsdruck empfand. Überraschen mag des weiteren die äußerst schwache Berücksichtigung, die Suárez der Trinitätslehre Ockhams geschenkt hat. Unter den zitierten Nominalisten spielt er eine klar nachgeordnete Rolle, obgleich er (wie andere Autoren auch[44]) in manchen Thesen indirekt präsent sein mag.

(3) Zum suárezischen Umgang mit den von ihm diskutierten scholastischen Autoren und Thesen haben wir im Verlauf unserer Studie unterschiedliche Beobachtungen sammeln können. In den meisten Fällen werden die Kernaussagen treffsicher erfaßt und präzise belegt, Argumente und Argumentationstypen (wie Autoritäts- oder Vernunftgründe) sorgfältig unterschieden. Die immer neue, auf wissenschaftlichen Fortschritt und Vertiefung bedachte Diskussion der gleichen Autoren und Thesen in den Handbüchern der Schule sichert einen hohen Standard in der Vertraut-

[43] Zu bedenken ist dabei, daß es in Salamanca neben Thomas- und Scotus-Lehrstühlen eine eigene Durandus-Kathedra gab. Auch in anderen barockscholastischen Dogmatiken ist Durandus eine der zentralen theologischen Autoritäten. Als eines der wenigen bereits in dieser Hinsicht ausgewerteten Beispiele kann der etwa zwei Generationen nach der suárezischen Trinitätslehre entstandene „Cursus Theologicus Sangallensis" angeführt werden; vgl. ZIHLMANN (1974) 45.63f.

[44] Wenn z. B. ein trinitätstheologisch nicht allzu origineller Autor wie Marsilius von Inghen bei Suárez vergleichsweise häufig zitiert wird, sind auch dessen Quellen (z. B. Thomas von Straßburg oder Adam Wodeham) mittelbar wirksam.

heit mit den scholastischen Quellen in extensiver wie intensiver Hinsicht. Das enzyklopädische Traktatideal der „zweiten Scholastik" läßt jedoch am Beispiel des Suárez auch schon die Grenzen erkennen, vor die sich neuzeitliche Wissenschaft generell in ihrem Versuch gestellt sieht, ein zunehmend unüberschaubar werdendes Textmaterial zugänglich und für systematische Synthesen nutzbar zu erhalten. Zuweilen sind nicht nur Zitatangaben falsch, sondern auch die inhaltlichen Referate ungenau, wie beispielsweise im Blick auf Durandus oder Aureoli nachgewiesen werden konnte[45]. In Referaten, die Scholastiker betreffen, ist ähnlich wie beim Rekurs auf die Väter manches spürbar aus zweiter Hand übernommen; einige der zitierten Autoren (erinnert sei nur an Praepositinus, Raymundus Lullus oder Johannes a Ripa) kennt Suárez ganz sicher nicht aus eigener Lektüre. Eine Aufarbeitung der Problemstellungen, die möglichst alle bislang vorgetragenen Lösungen berücksichtigen will, und die Darbietung der Positionen in systematisch zugespitzten, scheinbar „überzeitlichen" systematischen Thesen läßt deren Ursprungskontexte, die sich seit dem 13. oder 14. Jahrhundert nicht unerheblich verändert haben, ebensowenig hinreichend hervortreten wie all jene Transformations- und Selektionsprozesse, denen die aus Patristik und Hochscholastik überkommenen Inhalte ausgesetzt waren. Bemühungen, im Rückblick Entwicklungslinien oder Familienähnlichkeiten auszumachen, sucht man bei Suárez wie seinen Zeitgenossen meist vergebens. Auch immanente Lehrentwicklungen im Werk wichtiger Theologen (z. B. bei Thomas vom SK zur Summa) sind nur vereinzelt in den Blick gelangt. Eine problematische Konsequenz dieses fehlenden Sinns für die Geschichtlichkeit des Denkens kann darin liegen, daß spätere Fragestellungen allzu schnell bei Autoren wiedergefunden werden, die sie in der intendierten Gestalt sicher noch nicht behandelt haben[46]. Manche traditionell als Sonderthese oder gar häretische Verzerrung abgelehnte Lehrmeinung hätte sich unter Berücksichtigung ihrer historischen Situierung für eine wohlwollendere Deutung angeboten. Die theologische Darstellungsform, so ist insgesamt festzustellen, beginnt in der frühen Neuzeit an Problemen zu laborieren, die der späteren „Neuscholastik" regelmäßig und noch massiver zum Vorwurf gemacht werden konnten. Erst mit dem Beginn der historisch-kritischen Scholastikforschung im ausgehenden 19. Jahrhundert ist ihre Bewältigung möglich geworden – während zugleich scholastisches Denken in systematischer Absicht seinem Ende entgegenging.

[45] Vgl. Kap. 3, 3), (3) (b); Kap. 6, 2), b), aa), (2).

[46] Beispielhaft sei an das für Thomas noch nicht aktuelle Problem erinnert, „wie sich disparate Relationen in ein und derselben Person unterscheiden" (DECKER [1967] 361).

(4) Was die Auseinandersetzung des Suárez mit Zeitgenossen betrifft, haben wir in unserer Untersuchung besonders den Blick auf seinen Ordensbruder Vázquez gerichtet. Dabei hat sich für die Trinitätslehre detailliert bestätigt, was aus der Perspektive anderer theologischer Bereiche bereits vermutet werden konnte: Auch in diesem Traktat standen die beiden Jesuiten in einem lebendigen, teils heftigen Disput, der in den Schriften beider Autoren seinen literarischen Niederschlag gefunden hat, wenn auch nicht selten auf eher „subtextueller" Ebene und ohne Namensnennung. Vázquez, der sich in historischer Hinsicht gewöhnlich besser informiert zeigt als Suárez, trifft in systematischer Hinsicht in ihm auf einen mindestens ebenbürtigen Gegner. Was auch immer über die „Uniformität" des Jesuitenordens in unserer Epoche zu sagen ist – im Verhältnis der beiden prominenten Theologen auf der Wende vom 16. zum 17. Jahrhundert wird man sie nur schwerlich verifizieren können. Wir haben unzählige Beispiele für Divergenzen zwischen Suárez und Vázquez im Hinblick auf Themen ausmachen können, die in Beziehung zum Trinitätstraktat stehen. In Kürze seien rekapituliert: die Bewertung des „Trinitätsbeweises" bei Raymundus Lullus; die Frage nach einer (hypothetischen) Möglichkeit für den geschaffenen Geist, über die intuitive Schau anderer Kreaturen Gott als dreifaltigen zu erkennen; die Prädikation von „Personalität" im Falle Gottes; die These von einem Selbstverhältnis des Vaters als Fundament seiner Innaszibilität; die Unterscheidung zwischen wesenhaften und notionalen Akten in Gott; die Behauptung von „tres existentiae" und ihre mögliche Vorbereitung durch Richard von St. Viktor; die Bestimmung des Begriffs transzendentaler Wahrheit; die Frage nach der Einheit oder Multiplizierbarkeit von „Vollkommenheit" in Gott und der Funktion der Relationen für deren integrales Verständnis; die personale Vervielfachung des Unendlichkeitsattributs; die Vereinbarkeit des „principium identitatis comparatae" mit dem Trinitätsdogma; die Debatte um eine Inklusion des Wesens im Begriff der Relationen; die Annahme einer absoluten Subsistenz in Gott und damit zusammenhängend das Verständnis des „individuum deitatis"; die Stellungnahme zu den Objekten der notionalen Erkenntnis des Vaters, aus welcher der Sohn hervorgeht; die Notwendigkeit des göttlichen Wollens der Possibilien; die Brauchbarkeit des „imago"-Begriffs für die Unterscheidung von Sohn und Heiligem Geist; die Explikation der Einwohnung Gottes in den Seelen der Gerechtfertigten. Vázquez hat in seinem Trinitätstraktat Thesen kritisiert, die Suárez in seinem zuvor erschienenen Werk „De incarnatione" geäußert hatte, und Suárez konnte seinerseits in seiner Trinitätslehre die Auseinandersetzung weiterführen.

Wir haben neben den Bezügen zu Vázquez bei Suárez auch Spuren der Auseinandersetzung mit weiteren zeitgenössischen Autoren innerhalb und außerhalb des Jesuitenordens nachgewiesen; erinnert sei neben dem schon erwähnten B. Torres nur an die Namen von Fonseca, Gregor von Valencia, Molina oder Zumel. Ein umfassender Vergleich mit den Texten der Salmanticenser Thomistenschule in ihren ersten Generationen würde vermutlich noch weitere Bezüge erkennbar werden lassen.

Erwähnt werden darf in diesem Zusammenhang, daß ein ausgeprägt „jesuitisches" Zitiermilieu, wie wir es bei S.J.-Autoren der anschließenden Jahrzehnte vorfinden, denen die „nostri" in den Belegen und Diskussionen klar zur primären Orientierungsquelle werden, bei einem verhältnismäßig frühen Schulautor wie Suárez einsichtigerweise noch nicht zu finden ist. Dafür wurde Suárez selbst einer der wichtigen Referenzautoren für die Debatten der Folgezeit.

### 3) Zwischen Thomas und Scotus

Der interessanteste Aspekt im Komplex der Fragen um die Quellen des suárezischen Denkens betrifft seine Stellung zwischen Thomas und Scotus, den beiden in „De trinitate" meistzitierten scholastischen Autoritäten.

(1) Die Positionen des Aquinaten sind durchgängig in allen Bereichen der suárezischen Trinitätstheologie präsent. Vor allem in Einzeldiskussionen und in den kaum zur Debatte stehenden Konsenslehren der Schule kommen sie zur Geltung, so daß es zu weit führen müßte, sie in umfassender Weise zu resümieren. Wie der Traktat des Jesuiten aber schon formal an einigen wichtigen Punkten vom thomanischen Erörterungsschema abweicht und in Stil und Terminologie die tiefgreifenden Veränderungen widerspiegelt, die insgesamt in der Scholastik nach Scotus unwiderruflich Einzug gehalten haben[47], so ist der scotische Einfluß auch in entscheidenden inhaltlichen Hinsichten nicht zu übersehen. Nach diesen Prägungen haben wir in unserer Studie immer wieder gezielt gesucht. Am Ende sind einseitige Schlußfolgerungen zu vermeiden – ein reines scotistisches Modell vertritt der Jesuit in der Trinitätstheologie ebensowenig wie ein genuin thomistisches. Vielmehr ist ein differenzierendes Urteil, wie es sich in der neueren Forschung im Blick auf Grundansatz und Teil-

[47] Vgl. HONNEFELDER (1995) 77: „«Nach Scotus», so könnte man schlagwortartig sagen, spricht man in Philosophie und Theologie ‚anders'. Man lese nur Ockham, Buridan und Gerson, aber auch die Thomisten des 15. Jahrhunderts, um den Unterschied zu der vor Scotus üblichen Diktion und Argumentation zu verspüren." Daran hat sich bis in die Zeit des Suárez nichts geändert.

aspekte der suárezischen Metaphysik durchgesetzt hat, auch für die Deutung des vorliegenden Traktats angemessen.

(2) Die suárezische Modifizierung des scotischen Transzendentalitätskonzepts bildet sich in der Trinitätstheologie dort ab, wo es darum geht, von den drei inkommunikablen Subsistenzen Vater, Sohn und Geist gemeinsame einfachere Begriffe (wie „persona" bzw. „incommunicabiliter subsistens in natura divina") zu gewinnen. Suárez braucht dafür nicht auf Zusammensetzungsmodelle zurückzugreifen, welche die Einfachheit Gottes gefährden müßten und bei Scotus nicht völlig überzeugend überwunden sind[48]. Für Suárez gilt hier exakt wie in der Metaphysik, daß „der distinkte Begriff des Seienden durch eine begriffliche Trennung in Form einer ‚Einschmelzung' des Begriffs gewonnen (*praecisio per confusionem conceptus*) wird. Die jeweilige oberste kategoriale Bestimmung, bei der das Verfahren ansetzt, wird dabei nicht in Begriffe zerlegt, von denen der eine den anderen nicht einschließt, sondern durch eine ganzheitliche Abstraktion in den unbestimmteren Begriff derselben Sache reduziert"[49]. Es ist dieses transzendentale Einschlußverhältnis, das Suárez zum tiefsten Verstehenszugang für die Glaubenswahrheit wird, wonach eine konkrete göttliche Person (wie die des Vaters oder Sohnes) für unser Verstehen einerseits die göttliche Wesenheit relational zur Inkommunikabilität letztdeterminiert, aber zugleich nicht weniger einfach ist als das eine göttliche Wesen, das in den Personen eingeschlossen ist, ja mit dem die Personen identisch sind. Wie „ens" als universales Implikat in der allgemeinen ontologischen „resolutio" aufweisbar wird, so „ens infinitum" als dasjenige der theologisch-speziellen. Eine entscheidende Differenz liegt freilich darin, daß im Falle Gottes nicht bloß „die Einheit des gemeinsamen prädizierten Begriffs"[50], sondern eine *reale Identität* der Personen mit dem Wesen bei bleibender Verschiedenheit der Personen untereinander anzusetzen ist. Das durch die letztbestimmenden personalen Modi Determinierte (die Wesenheit), das nach Art der Modi betrachtete Formalmoment der Inkommunikabilität (die Personalitäten) und das inkommunikabel Subsistierende selbst (die Personen) sind in Gott anders als im Geschöpflichen nur gedanklich unterscheidbar. Während in der

[48] Vgl. die alte Frage der Thomisten an die Scotisten, „ob derjenige, der in die Einfachheit des göttlichen Wesens, wenn auch noch so subtile, Unterscheidungen einträgt und dies gerade mit der Unendlichkeit Gottes qua unendlicher Mannigfaltigkeit begründen will, nicht doch etwas denkt, über das hinaus man noch unendlich Größeres denken kann: eine grenzenlose Fülle und Weite, die sich in restloser Einfachheit sammelt": OBENAUER (2000) 85

[49] DARGE (2004a) 391.

[50] HONNEFELDER (1990) 405.

philosophischen Ontologie „ens" alles Reale durch die formale, jedes gehaltlichen Inhalts entleerte Benennung des gemeinsamen Realitätsstatus verbindet, ist alles von uns in Gott Unterscheidbare in dessen Wesen „per summam identitatem et simplicitatem" real eins. Die „essentia Dei" als Endpunkt unserer natürlichen Gotteserkenntnis erweist sich so in deren übernatürlich ermöglichter Ausfaltung als Bedingung der Möglichkeit aller weiteren Aussagen, als in jeder Prädikation „in divinis" notwendig mit- und vorauszusetzendes Basismoment. In der logischen Konstitutionsordnung Gottes, die unser Denken „präzisierend" erstellt, ist sie nicht mehr hintergehbar bzw. auf einfachere Gehalte rückführbar. Zwischen Personen und Wesen besteht damit kein größerer Unterschied als etwa zwischen einem Menschen als Menschen und als Seiendem: Es handelt sich um dasselbe, das von uns in bestimmterer bzw. unbestimmterer Weise erfaßt wird, wobei aber im Falle Gottes jede Person die ganze Fülle des göttlichen Wesensseins besitzt und inkommunikabel subsistent sein läßt.

(3) Die Abweichung von Scotus im Verständnis der transzendentalen Begriffsanalyse geht bei Suárez – wiederum in Metaphysik und Trinitätslehre – parallel mit der Ablehnung der scotischen Formaldistinktion. Wie in der suárezischen Erkenntnislehre und Metaphysik der Unterschied zu Scotus gerade darin aufscheint, daß der Jesuit den strengen noetisch-noematischen Parallelismus des Scotus sowie die ihn repräsentierende reale Distinktion derjenigen Formalitäten verwirft, die in einem von uns als ontisch gestuft erfaßten Seienden vorgefunden werden, und die Unterscheidung auf *unser* mehr oder weniger komplexes Erfassen desselben zurückführt[51], so wird Nämliches auch in der Trinitätslehre deutlich. Essentiale und notionale Akte sind real identisch, und zwischen Wesen und Personen ist allein eine gedankliche Unterscheidung anzusetzen, wenn auch eine solche, deren Fundament in der einen göttlichen Wirklichkeit selbst liegt, die von uns nicht durch einen einzigen Begriff komplett repräsentiert werden kann. Während Scotus die vom Wesen formalverschiedenen personalen Proprietäten allein über den mit diesem gemeinsamen Seinsmodus der Unendlichkeit real identifiziert, geht Suárez wie Thomas von der einen, ungeteilten Realität Gottes aus, die virtuell-eminent alles enthält, was wir in den Kategorien geschöpflichen Verste-

[51] Vgl. die resümierende Formulierung bei LEINSLE (1985) 127: „Der verschiedenen Weise des Begreifens entsprechen aber [sc. bei Suárez, Th. M.] nicht unmittelbar verschiedene Entitäten in rerum natura; logisch-erkenntnismäßige und reale Ordnung sind wohlunterschieden. (…) Wohl aber kommt dadurch, daß der objektive Begriff, die Sache als begriffene, Ausgangspunkt der Wissenschaft ist, ein konstruktives Moment in die Metaphysik."

hens nicht anders denn distinktiv zu explizieren wissen. Einheitsprinzip ist dabei für Suárez jedoch nicht wie für Thomas das eine Sein Gottes, das wir mit dem Wesen identifizieren und zugleich als Aktualitätsprinzip der dreifach inkommunikablen Subsistenz ausmachen können. Nicht im „esse" als „quo", sondern im „quod" des „ens infinitum et perfectissimum" finden Einheit und Dreiheit für Suárez zueinander: sofern uns klar wird, daß wir nur in der Unterscheidung von Absolutum und Relativa zu explizieren vermögen, was in und für Gott selbst real ungeteilt ist. Den Unterschied von Suárez gegenüber Scotus bildet nicht der Ausgang vom Quidditativen in Gott, sondern die Bewertung der von uns mit den Begriffen „Wesen" und „Relationen" erfaßten Realität. Während Scotus, um auf ein Bild zurückzugreifen, vom Blick auf zwei Parallelen (die formalverschiedenen Größen) ausgeht, die im Modus der Unendlichkeit konvergieren, weist Suárez auf den Ursprung der beiden Linien in der Brechung des einfachen göttlichen Lichts am Prisma unseres endlichen Verstandes hin. Der stärker „konstruktive" Charakter des suárezischen Denkens und eine nominalistische Tendenz, die Interpreten seiner Erkenntnistheorie im allgemeinen immer wieder betont haben, können also auch hinsichtlich des Gottesbegriffs nicht bezweifelt werden. Unser Intellekt läßt nicht bloß distinkte eidetische Gehalte „aufleuchten", er setzt sie erst als so und so begriffene in der Begegnung mit einer in ihrer einfachen Fülle nicht adäquat erfaßbaren Ursprungsrealität. Daß es mit dem Bekenntnis zur bloßen gedanklichen Verschiedenheit möglich bleibt, nahtlos an die thomistische, in ihrer Orthodoxie unbestrittene Mehrheitsposition in der trinitätstheologischen Distinktionenlehre anzuknüpfen und den gewiß vorhandenen, theologisch angreifbaren nominalistischen Einfluß in dieser Erkenntnislehre eher zu kaschieren[52], macht diese Option für einen Autor wie Suárez zusätzlich attraktiv.

Dennoch wäre es falsch, an diesem Punkt die Abgrenzung gegenüber Scotus allzu stark zu markieren. Denn einerseits glaubt Suárez, mit der Ablehnung der Formaldistinktion der scotischen Fundamentalüberzeugung von der wesenhaften Unendlichkeit Gottes erst vollends gerecht zu werden – ihretwegen vermag es in Gott letztlich nur eine einzige „ratio formalis" zu geben, die sich uns als Äquivalent mehrerer distinkter Vollkommenheiten erschließt. Zum anderen kann sich im Denken des Jesuiten sogar unter dem Vorzeichen „Realidentität bei nur gedanklicher Un-

[52] Gewiß könnte man von hier aus die Frage vertiefen, inwieweit sich Thomismus und Nominalismus in ihrem beiderseitigen „Dualismus von (meta)physischer Wirklichkeit und logischem Begriff" (SCHMIDT [2003] 158) aus erkenntnistheoretischer Perspektive nahestehen. Scotisten haben auf diesen Berührungspunkt mit kritischem Blick hingewiesen (vgl. die zit. Arbeit von A. Schmidt).

terschiedenheit" ein „Als-ob-Scotismus" in der Distinktionslehre entfalten, in dem die vom Wesen unterschiedenen Relationen, was die Zuschreibung ontologischer Prädikate in Entsprechung zur je eigenen Formbestimmung angeht[53], in eine Selbständigkeit gesetzt werden, wie sie weder bei Thomas noch bei Scotus zu finden ist. Als Relationen sind die Personen je ein vom Wesen seinem Formalgehalt nach verschiedenes *Etwas*, und als solches *sind* die Personen schlechthin nicht dasselbe wie die Wesenheit. Den realen Zusammenfall von relativer und absoluter Existenz in Gott macht Suárez (wie Scotus) erst auf einer zweiten Ebene der Betrachtung geltend, nämlich im Rekurs auf die Unendlichkeit des göttlichen Wesens und die daraus folgende Unendlichkeit seiner Existenz und Perfektion, der gegenüber es keine innere Nichtidentität der Gehalte zu geben vermag. Aus dieser Perspektive kann man die suárezische (bzw. allgemein-jesuitische) Kritik an der Formaldistinktion, die auf den ersten Blick bloß jene Ausgrenzung der Scotisten fortzusetzen scheint, wie sie bezüglich der vorliegenden Frage schon im späteren Mittelalter üblich war[54], durchaus als „scotistische Verschärfung" interpretieren[55]. Nicht umsonst hat die starke Fokussierung auf die „ratio propria" der Relationen, die in der Zuschreibung eigener Existenz und Perfektion gipfelt, Suárez von thomistischer Seite her den Vorwurf eingebracht, trotz aller Ablehnung absoluter Personkonstitutiva letztlich doch etwas Formalverschieden-Absolutes in Gott zu multiplizieren und damit in unüberwindliche Probleme bei der Vereinbarkeit zwischen Einheit und Dreiheit Gottes zu geraten[56].

[53] Erinnert sei an die Aussage bei KNEBEL (1995) 989 über die übliche Bezeichnung der Scotisten als „formalizantes": „Sie belegt, daß weniger materiell die Scotus-Orthodoxie als eine Begriffsanalytik, in deren Zentrum eine ihrerseits wieder um den Typ der Formaldistinktion gruppierte subtile Unterscheidungsmetaphysik steht, schulbildend gewirkt hat"

[54] Vgl. HOENEN (2003a) 355f.

[55] Daß solche Mehrdeutigkeiten in der Distinktionenlehre auch bei anderen Jesuitenautoren zu finden sind, kann man etwa am Beispiel Molinas belegen, der zwischen den göttlichen Attributen eine „distinctio ex natura rei" ansetzt – und zwar „virtute et eminentia" (Comm. in I$^{am}$, q. 28. a. 2, disp. 2, 431aA)!

[56] Vgl. GARRIGOU-LAGRANGE (1951) 82: „Principale discrimen in hoc inter Suarezium et sanctum Thomam est quod pro Suarezio «esse ad» relationis est reale ratione suiipsius, sicut tenet quod essentia creata est actualis ratione suiipsius, et sic non realiter distinguitur a sua existentia. Suarez non concipit ens nisi ut quod est, non ut quo aliquid est, et non admittit distinctionem realem inter essentiam (sive substantiae creatae sive accidentis) et esse. Hoc est fundamentum discriminis. (...) Suarez, velit nolit, multiplicat aliquid absolutum in Deo, sic objectio desumpta ex principio identitatis remanet insolubilis." Hier bleibt gegen Suárez derselbe Einwand präsent, den WERNER (1881) 351 gegen Scotus erhoben hatte: „Es läßt sich indes nicht

(4) Der im vorangehenden Abschnitt thematisierte Lehrinhalt steht im Zusammenhang mit einer auffälligen Differenz zwischen Scotus und Suárez in der Metaphysik, die das Verständnis des ontologischen Modus-Begriffs betrifft. Für den Jesuiten nimmt die Unterscheidung zwischen einem Ding und seinen „Modi" eine Mittelstellung zwischen der vollständigen realen Distinktion („sicut res a re") und der bloß gedanklichen ein. „Modi" sind bei Suárez nicht wie bei Scotus bloße Seinsgrade, sondern in einem umfassenderen Sinn positive, funktionale, gleichsam „synkategorematische" ontologische Komponenten mit eigener formaler Charakterisierbarkeit. Als solchen dürfen ihnen die „ratio entis" und alle mit „seiend" konvertiblen Prädikate nicht abgesprochen werden. Suárez steht mit diesem Verständnis in einer langen, facettenreichen Tradition der Modus-Spekulation seit Ende des 13. Jahrhunderts, in deren Verlauf der Begriff nicht selten mit benachbarten Termini wie „formalitas" oder „realitas" verschmolzen ist. Wenn, wie in unserem Resümee bereits erwähnt[57], der Modus-Begriff wenigstens für unseren unvollkommenen Intellekt auch in der Trinitätstheologie ein wichtiger Verstehensschlüssel bleibt (durch die Charakterisierung der Relationen / Personalitäten gegenüber der Wesenheit „nach Art von Modi"[58]), wird der Unterschied zu Scotus, der aus dem suárezischen Verständnis transzendentaler Prädikate erwächst, auch hier bedeutsam. Denn mit den quasimodal konzipierten trinitarischen Personen können die transzendentalen Prädikate vervielfacht werden, einschließlich „Existenz" und „Subsistenz". Nicht multiplizierbar sind allein diejenigen Benennungen, die einen inneren Bezug zum Unendlich-Sein als innerster Bestimmung des göttlichen Wesens haben und damit nicht mehr im umfassenden Sinn alle Determinationen von „seiend" transzendieren.

Einen nachdrücklichen Beweis dafür, daß diese Deutung der Trinitätsthesen des Suárez im Ausgang von seiner Abweichung gegenüber Scotus

läugnen, daß Duns Scotus, indem er die Erörterung der Relationsunterschiede von jener der Essenz so schroff abscheidet, die Schwierigkeiten der Erklärung des Mysteriums der göttlichen Dreieinheit erheblich steigert." Umgekehrt bekennt sich Suárez klar zu dem bis heute regelmäßig vorgebrachten Vorwurf gegen die thomistische Trinitätslehre (vgl. etwa OBENAUER [2000] 72f.), daß in ihr das Eigen-Sein der Personen zu wenig berücksichtigt ist.

57 Vgl. Kap. 11, 1) (5).

58 Nochmals sei betont, daß ein quasi-modales Verständnis der trinitarischen Personen nicht an der speziellen philosophischen Ausformulierung der philosophischen Modus-Lehre hängt, die Suárez vorgelegt hat. Es handelt sich vielmehr um eine Standardformel, deren Explikationsvarianten zwischen den „tropoi tes hyparxeos" der Kappadozier und Rahners „distinkten Subsistenzweisen" unüberschaubar sind. Für die Jesuiten nach Suárez vgl. exemplarisch Ruiz, De trin. 12.5.3 (117b).

in der Transzendentalienfrage korrekt ist, könnte man durch die Kontrastierung mit dem Trinitätsentwurf des ein halbes Jahrhundert nach ihm verstorbenen Valladolider Jesuiten Antonio Bernaldo de Quiros († 1668) führen. In klarer Opposition zur suárezischen Lösung und mit ausdrücklichem Rekurs auf die scotische Lehre über den Ausschluß aller letztdifferenzierenden Modi von der Prädikation als „seiend" („extraneitas formalis differentiarum ab Ente") lehnt Quiros eine formale Inklusion des Wesens in den Relationen und (wie Scotus) konsequenterweise eine Behauptung relativer Perfektionen, Existenzen etc. in Gott ab[59]. Alle Realität kommt den Relationen vielmehr vom Wesen zu; sie selbst sind als „Letztdifferenzen" der einen Wesensperfektion in der Bestimmung des Wesens nur in ihrer reinen „talitas" zu betrachten. Wir müssen uns hier mit dem knappen Hinweis auf diese interessanten Texte begnügen, die einen gegenüber Suárez differenten Weg der Scotus-Rezeption in Metaphysik und Trinitätstheologie bezeugen.

(5) Eines ist gewiß bei Suárez mit der ontologischen Verselbständigung der Relationen infolge des veränderten Modus-Begriffs nicht verbunden: eine Infragestellung des Primats der Wesenheit in der innergöttlichen Konstitutionsordnung. Vielmehr scheint eher das Gegenteil der Fall zu sein, und in diesem Punkt dürfte sich bei Suárez erneut scotischer Einfluß geltend machen. Die scotische Formaldistinktion, wie immer man sie insgesamt ontologisch bewerten mag, vertieft trinitätstheologisch die Kluft zwischen dem Blick auf Gott „als den einen" und „den dreipersonalen"[60]. Dies geschieht in einer doppelten Weise.

Einerseits werden mit der Formaldistinktion Wesens- und Personenbetrachtung wenigstens prinzipiell vollständig trennbar. Das Personale in Gott erscheint auf dieser Unterscheidungsebene gleichermaßen als eine zu den „Formalitäten" zählende Entität wie die Attribute des Wesens und läßt sich so begrifflich von diesem abheben. Ebenso tritt das Wesen als für sich erfaßbarer eidetischer Gehalt in den Blick, der als solcher die Relationen nicht impliziert. Von der determinierend-modifizierenden Funktion, welche die Relationen ausüben, kann unser Verstehen des Wesens darum vollständig absehen.

Zum anderen impliziert die Distinktion ein klares Ordnungsverhältnis. Während bei Thomas über die Einheit des Seinsaktes die Formalkonstitutiva von Wesenheit und Personen eng verbunden sind – gewiß um den Preis einer gewissen Schwierigkeit, das Eigensein des Personalen erkennbar zu halten –, ist bei Scotus die Unterscheidung auf der Formalebene

[59] Vgl. A. Bernaldo de Quiros, Selectae disput. de trin. 41.4 (271a-273a).

[60] Auch die fortschreitende Trennung beider Traktate der Gotteslehre könnte man einmal in diesem Licht betrachten.

deutlich vorgenommen, doch damit zugleich eine (wenn auch nur logische) Abstufung innerhalb Gottes unabwendbar geworden, bei der das Wesen immer vor den Personalitäten steht. Zugespitzt könnte man formulieren: Wenn die einzige Quelle der Realität in Gott das Wesen ist, welches sämtliche Lebens- und Aktvollzüge Gottes umgreift, gerät alles, was formal nicht mit dem Wesen identisch ist, als es selbst in die Nähe des vom eigentlich Göttlichen Verschiedenen oder wenigstens nur in einer sekundären Weise mit ihm zu Vereinbarenden. Dies bestätigt sich in vielfachen Einzelthemen. In der Bestimmung der Selbst- oder Fremdschau Gottes und der Frage, was darin formales Objekt der Beseligung ist, steht nach Scotus das Wesen so im Zentrum, daß die Relationen fast bedeutungslos werden. Im Handeln des einen Gottes nach außen ist das Wesen einziger Formalgrund, und auch die Annahme einer geschöpflichen Natur allein „ratione essentiae“ erachtet Scotus im Blick auf den dreifaltigen Gott für möglich.

(6) Trotz seiner Ablehnung der scotischen Formaldistinktion bleibt Suárez exakt in dieser Tendenz, auch wenn seine Thesen nicht selten das Anliegen einer gewissen Integration thomistischer Gedanken und damit einer „Abfederung“ der scotischen Positionen durchscheinen lassen. Die theologischen Themenfelder, die eine Überprüfung dieses Urteils erlauben, sind die schon bei Scotus selbst eröffneten.

(a) In der Erörterung der „visio beatifica“ zieht Suárez trotz seiner Betonung der Untrennbarkeit von Wesens- und Relationenschau die Relationen als eigene Erkenntnisprinzipien nicht in Betracht und ordnet sie auch in ihrer Funktion für die Beseligung als „sekundäre Objekte“ dem Wesensprimat klar nach. Eine formalkonstitutive Bedeutung der Relationen für Gottes Wesenheit als solche kommt erst recht nicht in Frage. In der „subsistentia absoluta“-Debatte wird der scotische Einfluß (vermittelt durch Cajetan) bei Suárez am Beispiel der christologischen These evident, daß der vom absoluten Wesen her betrachtete Gott trotz seiner Dreipersonalität allein vermittels seiner Wesenssubsistenz eine geschöpfliche Natur terminieren könnte, ähnlich wie er allein gemäß dieser Wesenheit die Welt schafft und erhält.

(b) Daß die Beziehung des dreifaltigen Gottes zur Schöpfung in der scotischen Theologie gegenüber der thomanischen schwächer geworden ist, läßt sich paradigmatisch an der Frage nach der Rolle der Kreaturen in der Hervorbringung des göttlichen Wortes ablesen. Während Thomas die Schöpfung sogar als real verwirklichte im zeugenden Erkennen des Vaters präsent weiß, schließt sie Scotus (selbst in Gestalt der „creaturae possibiles“) gänzlich aus. Indem er das hervorbringende Erkennen und Lieben in Gott streng auf die notwendigen Objekte beschränkt, fordert Scotus die strikte Trennung zwischen dem Geschehen „ad intra" und der Schöpfung „ad extra" ein. Erkennen und Wollen Gottes, wie sie seine Dreipersönlichkeit konstituieren, sind im striktesten Sinn Selbstverhältnisse, und erst auf ihrer Grundlage ist ein schöpferisches Handeln Gottes möglich. Die in der neueren Forschung immer wieder hervorgehobene Relevanz der Trinitätstheologie für das Verständnis der Schöpfung und Erlösung bei Thomas[61], der die Ungeteiltheit des göttlichen Handelns nicht leugnet, aber eine Art „Modalisierung" durch die Personen als je eigene Subjekte dieses Handelns nach Art ihrer personalen Proprietäten kennt[62], geht damit verloren.

Suárez bemüht sich in der eigentlichen trinitätstheologischen Debatte über den Weltbezug des göttlichen Wortes zwar wiederum um eine zwischen Thomas und Scotus vermittelnde Antwort, wenn er nur die „creaturae actuales", nicht aber die „creaturae possibiles" ausschließt. Schon durch diese Differenz zur thomistischen Erklärung[63] und indem als Folge der gegenüber dem Hochmittelalter verstärkten Trennung zwischen natürlicher und übernatürlicher Erkenntnisordnung das „opera indivisa ad

[61] Für viele andere mag noch einmal Gilles Emery zu Wort kommen: „Cette intervention de la sotériologie au coeur de la doctrine trinitaire demande que l'on révise radicalement les jugements hâtifs que trop d'études, aujourd'hui encore, prononcent sur les rapports entre la Trinité immanente et la Trinité économique chez saint Thomas. Le soupçon d'un déficit sotériologique doit être définitivement éliminé" (EMERY [2004c] 484).

[62] Vgl. Thomas, S. th. I, 45, 6 c.: „unde creare non est proprium alicui personae, sed commune toti trinitati. Sed tamen divinae personae secundum rationem suae processionis habent causalitatem respectu creationis rerum." In der S. th. siehe auch I, 74, 3 ad 3 oder I, 93, 5-8. Thomas lehrt also: Wie der je eigene „modus existendi" einer Person diese nicht den anderen gegenüber in wesenhafte Ungleichheit setzt bzw. nicht die Einheit des göttlichen Wesens zerstört, so hebt der dem „modus existendi" entsprechende „modus agendi" der Personen die Einheit des göttlichen Handelns „ad extra" nicht auf; vgl. EMERY (2004c) 412-419. Solche Formulierungen wird man bei Suárez vergeblich suchen.

[63] BRINKTRINE (1954) 175 macht zurecht darauf aufmerksam, daß die Frage, ob die Ordnung der innergöttlichen Hervorgänge im Wirken Gottes tatsächlich „ad extra" ihren Ausdruck findet, eng mit der trinitätstheologischen Frage zusammenhängt, „ob das Wort des Vaters hervorgeht auch aus der auf die Schöpfung sich beziehenden göttlichen Erkenntnis". „Die Ordnung des Ausganges der göttlichen Personen kann bei der Erschaffung der Welt und dem Wirken Gottes nach außen überhaupt nämlich nur dann gewahrt werden, anders ausgedrückt: Der Vater kann nur dann durch den Sohn und den Heiligen Geist nach außen wirken, wenn der Sohn die *vis creandi* vom Vater und der Heilige Geist sie vom Vater und Sohn empfangen; dies ist aber nur dann möglich, wenn der Sohn hervorgeht auch aus der auf die Schöpfung bezüglichen göttlichen Erkenntnis und analog der Heilige Geist auch aus der auf die Schöpfung bezüglichen göttlichen Liebe".

extra"-Axiom jedes Nachdenken über die Gott-Welt-Relation dominiert, wird trotz der teilweisen Scotus-Kritik faktisch eher die scotische Tendenz verstärkt.

(c) An diesem Punkt soll nochmals auf die innere Entsprechung zwischen suárezischer Trinitätstheologie und Christologie hingewiesen werden, deren Distanz zur thomistischen Tradition uns vielfach aufgefallen ist[64]. Wie Gottes Handeln nicht durch seine (Drei-)Personalität geprägt ist, so auch nicht das menschliche Handeln Christi durch die Tatsache, daß die sie formal konstituierende menschliche Natur durch eine göttliche und nicht eine menschliche Person terminiert wird. Christus hätte nicht notwendig „anderes" vollbringen müssen, wenn er es aufgrund derselben Natur „als ein anderer" (d.h. in einer nicht-göttlichen Personalität) vollzogen hätte. Denn für Suárez stellt anders als für die Thomisten nicht bereits die Ein-Einung der menschlichen Natur in die Person des Logos den Menschen Jesus in die „Sohnesbeziehung" zum Vater, weil das Sein des Menschen kein anderes als das Sein des Gottessohnes ist, sondern erst die der Inkarnation *nachfolgende* Begnadung konstituiert ein besonderes Verhältnis des mit eigener geschöpflicher Existenz ausgestatteten Menschen Christus zu Gott – und zwar als dreifaltigem. Die unverkennbare Bemühung des Suárez, die Menschheit Christi vor aller monophysitischen Verkürzung durch ein deifizierendes Inkarnationsverständnis, wie sie als Gefahr des thomistischen Ansatzes benannt wird, zu bewahren, hat als Konsequenz, daß das Sohnsein jener göttlichen Person, die die angenommene Menschennatur terminiert, offenbar für die „natura assumpta" selbst recht äußerlich bleibt. Die Identität von Christus als Mensch und Gottessohn wird gleichsam auf die letzte Ebene ontologischer Abstraktion, nämlich den reinen subsistenzschaffenden Terminierungsakt, zurückgedrängt. Die unendliche personale Würde des Gottmenschen Christus, die Suárez selbstredend nicht bestreitet, wird für seine Menschheit nicht vermittels der eigentlichen „gratia unionis" konkret, da diese ohne Folge in naturaler Hinsicht bleibt, sondern erst durch eine getrennt davon und nachfolgend anzusetzende personale Gnade[65]. Das Geschuldetsein dieser geschaffenen Gnade für den Menschen Jesus Christus „ratione (dignitatis) suppositi" bedeutet nicht, daß sie ihm bereits aufgrund seiner göttlichen Subsistenz zueigen wäre; ihre Gabe erfolgt in einem neuen, formal von der Union verschiedenen Begnadungsakt. Unionsgnade und habituelle Gnade Christi stehen in einem ähnlich äußerlichen Verhältnis wie Lehre bzw. Taten Jesu gegenüber seiner Person. Ein direkter Offenbarungscharakter der Worte und Taten des Herrn,

[64] Vgl. bes. Kap. 3, 2), d).
[65] Vgl. Suárez, De incarnatione 18.3 (XVI, 584b ff.).

wie sie bei Thomas noch greifbar ist, da er die Begnadung Christi, die sich in diesen Taten äußert, viel unmittelbarer mit der „gratia unionis" verbindet und die Menschheit als echtes Heilsorgan der Gottheit betrachtet, tritt bei Suárez zurück.

Man erkennt hier, wie eng bei dem Jesuiten metaphysische Handlungstheorie, trinitarische Gotteslehre auf dem Fundament der „subsistentia-absoluta"-These, Schöpfungsbegriff, Theorie der hypostatischen Union und sogar Offenbarungsverständnis miteinander verbunden sind[66]. In allen Bereichen geht das Bekenntnis zum Eigen-Sein der göttlichen Relationen / Personen mit der Tendenz zu ihrer „Formalneutralisierung" einher, die letztlich in jenem „Formalprimat" der Wesenheit gegenüber den Relationen wurzelt, wie er im scotischen Distinktionsmodell grundgelegt ist.

(7) Das scotische Erbe der suárezischen Trinitätslehre hat nach dem bislang Gesagten also einen ambivalenten Charakter: Die eigenständige Betrachtung der Personen / Relationen gegenüber der Wesenheit in präzisiv-formaler Betrachtung ist letztlich erkauft durch eine stärkere Scheidung von der Wesenheit und deren klarere logische Vorordnung in konstitutionslogischer Perspektive. Fragt man, welche der beiden Tendenzen[67] für die nachfolgende Entwicklung der Gotteslehre größeren Einfluß entfaltet hat, so wird man zu dem Urteil kommen, daß es eher die an zweiter Stelle genannte war. Sie, nämlich die Vorordnung der Wesensbetrachtung und die durch sie auch für den christlichen Theologen unterstrichene Möglichkeit, unter Absehung von der trinitarischen Existenzbestimmtheit allein über den „Deus ut deus est" nachzudenken, konnte sich problemlos mit der im Zeitalter des Rationalismus und der beginnenden Aufklärung zunehmenden Distanz zur Offenbarungstheologie zugunsten des „rein vernünftigen" Redens über Gott und der Scheidung von allen darüber hinaus weisenden theologischen Sonder- und Binnendiskursen

[66] Auch in der Lehre von den göttlichen Sendungen und ihrer Verbindung mit dem Geschenk der heiligmachenden Gnade findet die christologische Grundintention einer Scheidung von personalem Terminierungsakt und Begnadung ihre Bestätigung; vgl. Kap. 10, 2), (3). Dies bestätigt sich bei einem Blick in den suárezischen Traktat „De gratia", in dem eine Rückbindung an das trinitätstheologische Lehrstück über die Sendungen fehlt. Schwach bleibt die trinitarische Prägung auch in der besonders mit der Gnadenlehre verbundenen Mariologie; vgl. STÖHR (2000) 9f.

[67] Auf sie weist schon MAHIEU (1921) 357 hin: „Bien que Suarez ait une tendance à majorer la réalité de la relation, quand il envisage celle-ci du point de vue du bien et de la perfection, il est au contraire moins réaliste que les thomistes quand il la considère en elle-même, puisqu'il ne lui donne d'autre entité que celles du fondement et du terme qui sont des absolus, et qu'il ne voit entre elle et le fondement qu'une distinction de raison."

verbinden[68]. Diese Ausklammerung der Trinitätslehre und die Autonomisierung einer selbstgenügsamen natürlichen Theologie war nicht die Absicht eines Autors wie Suárez, der Philosophie betrieben hat, um damit der Offenbarungswissenschaft und ihren Themen zu dienen. Er kann darum nicht für den Gebrauch seiner streng zwischen natürlichem und übernatürlichem Erkennen unterscheidenden Theorie in einer nachfolgenden Epoche verantwortlich gemacht werden, die eine göttliche Selbstkundgabe generell ablehnt oder zumindest in ihrer heilsnotwendigen Relevanz in Frage stellt. Daß sein Denken über Gott in dieser Situation jedoch faktisch nutzbar gemacht werden konnte, ja vielleicht für ihre Herausbildung sogar unwillentlich katalysatorische Wirkung entfaltet hat, braucht damit nicht bestritten zu werden. Die suárezische Metaphysik und darin (wenigstens zeitweise) auch seine natürliche Theologie sind in der Neuzeit wirksam geworden; der Versuch des Jesuiten, mit ihrer Hilfe das Geheimnis der Trinität tiefer zu begreifen, geriet in Vergessenheit.

(8) Wenn man von den scotischen Elementen bei Suárez spricht, dann, so lautet schließlich eine weitere Einsicht unserer Studie, darf nicht übersehen werden, daß vieles davon durch gewöhnlich als thomistisch klassifizierte Autoren vermittelt wurde. Wir wissen heute, daß das Eindringen scotischer Elemente in Metaphysik, Trinitätslehre und Christologie schon bei prominenten Vertretern der frühen Thomistenschule wie Hervaeus Natalis zu beobachten ist. Dieser Einfluß hat sich in den folgenden Jahrhunderten in unterschiedlichster Form fortgesetzt. Es war ein Fehler der älteren Suárez-Forschung, daß sie diese lebendige Schultradition außer Acht ließ, wenn sie bei Suárez „mangelnde Thomastreue" konstatierte. Tatsächlich hat Suárez in vielen Punkten nur Impulse aufgegriffen, die auch bei prinzipiell thomistischen Autoren vor ihm zu finden waren. Man denke nur an Cajetans Lehre von der Personkonstitution durch eine modal verstandene Subsistenz oder seine These von einem Nebeneinander absoluter und relativer Subsistenz in Gott – mit ihr ist die universalkonstitutive Position des einen „actus essendi" bereits aufgegeben und in den Personen selbst eine eigene Quelle wenigstens für die Inkommunikabilität behauptet[69]. Suárez setzt dies nur fort, wenn er – unter konsequenter

[68] Eine Metaphysik scotischen Typs, als transzendentale Wissenschaft vom „ens inquantum ens", kann, wie der Weg ihrer Transformation in der weiteren Neuzeit bis Kant belegt, ihren Gottesbezug sogar völlig verlieren, bloße Ontologie unter Verzicht auf die ihr nicht notwendig innerliche, sondern allein material zugehörige spezielle Metaphysik „de Deo" werden. Dies unterscheidet sie wohl vom thomanischen Alternativentwurf, für den das Sein des endlichen Seienden letztlich nur als Spur Gottes, als Partizipation am Sein des absoluten Seins überhaupt verstehbar ist.

[69] Schon häufig ist bei Cajetan auf ein Abweichen von thomanischen Grundpositionen hingewiesen worden; vgl. etwa die bei BRAUN (1995) 9f., Anm. 2 gesammelten

Ablehnung der thomistischen Realdistinktion zwischen Sein und Wesen – neben der Subsistenz auch die Existenz und mit ihr alle transzendentalen Seinseigenschaften unmittelbar von den Relationen als Relationen prädiziert. Unsere Studie hat deutlich werden lassen, daß es neben Cajetan zahlreiche weitere thomistische Autoren waren, die bei Suárez mit Thesen wirksam geworden sind, in denen die thomanische Ursprungsaussage bereits entscheidend modifiziert ist. Man kann dabei die Ontologie der Schule von Ferrara (Soncinas, Sylvester von Ferrara)[70] ebenso nennen wie philosophische Thesen der großen Thomisten von Salamanca (Verhältnis Wesen-Existenz, Begriff des „verbum") oder (trinitätstheologisch) die Deutung des Verhältnisses von Wesen und Personen in Entsprechung zu einer Logik des Transzendentalen bei Bartholomé Torres und die Zuschreibung eigener Existenz an die Relationen bei Francisco Zumel. Als ausdrücklicher Nicht-Thomist hat Suárez solche Vorgaben wahrgenommen und konsequent weitergeführt.

## 4) Drei systematische Zentralthemen der Gotteslehre im Licht des suárezischen Entwurfs

Zum Schluß unserer Studie sollen in Kürze noch einmal drei Hauptthemen der Trinitätserörterung Erwähnung finden, die uns in der Begegnung mit den suárezischen Texten immer wieder beschäftigt haben und die auch für heutiges Nachdenken über das Zentrum christlicher Gotteslehre bedeutsam geblieben sind. An ihrem Beispiel mag beurteilt werden, wie weit scholastische Trinitätsdoktrin auf dem Höhe- und wohl auch Endpunkt ihrer spekulativen Entfaltung, wie wir sie in der Epoche des Suárez antreffen, bleibende systematische Impulse zu vermitteln vermag.

### *a) Theologie und Philosophie*

Die nähere Aufklärung des Verhältnisses zwischen Theologie und Philosophie war schon in der Einleitung unserer Studie zu den vielversprechendsten Motiven, die eine Bearbeitung der suárezischen Trinitätslehre nahelegen, gezählt worden, denn dieses Verhältnis ist in dem vorliegen-

Stimmen. Von einem Erstaunen darüber, „wie sehr Cajetans Auslegung von Thomas' Lehre abweicht" (so noch KOSTER [1960] 537), wird man heute kaum mehr sprechen können.

[70] Vgl. SCHMUTZ (2004) 349, Anm. 5.

den Traktat wie kaum in einem anderen von Bedeutung. Die Vermutung, daß die Beziehung zwischen beiden Größen keineswegs einseitig ausfällt und aus der Analyse des dogmatischen Lehrstücks Grundsätzliches zum Verhältnis der Disziplinen erkennbar wird, hat sich an vielen Stellen unseres Durchgangs bestätigt.

Es ist wenig überraschend, daß Suárez wie alle scholastischen Autoren Trinitätstheologie in den Kategorien metaphysischer Seinslehre betreibt. Die „applikative" Funktion, die hier dem philosophischen Argument in der übernatürlichen Theologie zugedacht wird, könnte die Schlußfolgerung nahelegen, daß die philosophische Reflexion der dogmatischen Vorgabe für beide Seiten, wie sie in ihren Ordnungen jeweils eigenständig begründet sind, rein äußerlich bleibt. Unsere Analyse des suárezischen Traktats hat gezeigt, daß dieses Urteil weder im Blick auf die Theologie noch auf die Philosophie aufrechtzuerhalten ist.

(1) Was die Glaubenswissenschaft in ihrer philosophischen Ausformung angeht, hat Gustav Siewerth Recht, wenn er formuliert: „Die Rolle der Philosophie schwankt (...) zwischen einem äußeren, der übernatürlichen Theologie nicht notwendigen Medium, das in Freiheit in den Dienst gestellt wird, und dem inneren, alle denkende Bewegung tragenden und umfassend vollendenden Vollzug"[71]. Gewiß ist die sich in den Grenzen der dogmatischen Prämissen bewegende Spekulation eine Art von „gehegter Dialektik". Indem sie jedoch die Denkform bereitstellt, in welcher der Glaubensinhalt dem Verstehen eröffnet und auf seine Implikationen befragt wird, prägt sie dessen theologische Gestalt nicht weniger entscheidend als die biblischen oder lehramtlichen Fakten, von denen er seinen Ausgang nimmt.

(a) Der Trinitätstraktat, wie ihn Suárez präsentiert, zeigt besonders, was es heißt, daß der Glaube dem Menschen die *Erkenntnis* Gottes ermöglicht, also eine „virtus intellectualis (supernaturalis)" ist. Der „Deus unus et trinus" bietet sich selbst dem Menschen als „obiectum speculabile" dar[72] – das ist die Möglichkeitsbedingung jeder Theologie. Freilich rückt damit im „supranaturalistischen Rationalismus" der von den Jesuiten wesentlich geprägten Scholastik der frühen Neuzeit, in dem wir nach Tilman Ramelow noch mehr als bei Leibniz den Höhepunkt rationalistischer Systematik vor uns haben[73], die Reflexion der Glaubensinhalte in der Gestalt satzhafter Lehre so sehr in das Zentrum der Erörterung, daß ihre Differenz zu den Gegenständen der Offenbarung selbst, wie sie Thomas für den Glaubensakt in einer berühmten Formulierung fest-

[71] SIEWERTH (1987) 186.
[72] Suárez, De fide 7.1.7 (XII, 205b).
[73] Vgl. RAMELOW (1997) 475.

gehalten hatte[74], zuweilen in den Hintergrund tritt und das Kriterium der „inneren Möglichkeit" bzw. Kompossibilität aller Inhalte des Intellekts die starke Betonung ihres freien Offenbartseins durch Gott in eigentümlicher Weise konterkariert.

(b) Bei Suárez ist es das transzendentalwissenschaftliche Grundkonzept seiner Metaphysik, das dazu beiträgt, die durch die strikte Trennung von Natur und Offenbarung und ihren jeweiligen Wissensebenen geschaffene Kluft in der Durchführung der theologischen Reflexion scheinbar aufzuheben. Wenn nämlich Gott und alles Göttliche „seiend" ist wie die Dinge der Welt, dann kann Gott unter dieser Hinsicht nicht nur als der „eine", sondern auch in all denjenigen Eigenschaften betrachtet werden, die uns ihrem Inhalt nach allein auf dem Weg der freien göttlichen Selbstkundgabe zugänglich geworden sind. Dazu gehört mehr als alles andere die göttliche Dreifaltigkeit. Sobald der Christ dieses Faktum aus der Offenbarung akzeptiert, kann er es mit den Denkmitteln der transzendentalen Ontologie ausleuchten. Wie „Gott" (im Sinne des konfus erfaßten Suppositum) in der natürlichen Theologie als „ens" betrachtet werden kann, so lassen sich in der übernatürlichen Theologie die drei relativen Supposita „qua entia" nach allen Regeln der Metaphysik untersuchen, wenn man nur in gewissen Punkten die Besonderheiten Gottes als des „ens infinitum" zu berücksichtigen weiß, an denen unsere Reflexion an ihren Grenzen stößt.

(c) Mit Hilfe der metaphysischen Explikation wird sogar eine gewisse denkerische Vermittlung der im Dogma kaum mehr als auf dem Wege einer äußeren Sprachnormierung entschärften Paradoxie von Einheit und Dreiheit möglich, ohne daß die scharfe Trennung zwischen natürlicher und übernatürlicher Gotteslehre in erkenntnistheologischer Perspektive aufgegeben würde. Weil erst die philosophische Reflexion dem Glaubenden zu verstehen ermöglicht, was das Dogma bedeutet und wie es als in seiner exakten Bedeutung erfaßtes gegen Einwände verteidigt werden kann, ist diese Reflexion (und damit auch deren Denkform und Terminologie) für die Theologie keineswegs eine bloße Äußerlichkeit, sondern gehört gestaltgebend und wesenhaft zu ihrem Selbstvollzug. Sobald die Dogmatik auf die spekulative Durchdringung ihrer Gegenstände verzichtete, wie es seit der Aufklärung zunehmend geschah, verlor sie nicht bloß den Anschluß an die philosophische Entwicklung der Zeit, sondern zugleich ihre innere, meist unausgesprochen präsente glaubensbekräftigende und -verteidigende Dimension, deren völlige Übertragung an eine

[74] Vgl. Thomas, S. th. II-II, 1, 2 ad 2: „Actus autem credentis non terminatur ad enuntiabile, sed ad rem".

„externalistische" Apologetik in Vorordnung zum eigentlichen Glaubensstandpunkt die logische Konsequenz sein mußte.

(d) Eine theologische Vertiefung oder gar Neubegründung der Transzendentalienlehre findet auf dem Wege ihrer trinitätstheologischen Nutzbarmachung bei Suárez nicht statt[75]. Die im Fall Gottes unter den Prämissen der Trinitätsoffenbarung notwendigen Modifikationen verändern das philosophische Grundkonzept der Rede über Seiendes und seine konvertiblen Eigenschaften nicht, so daß in diesem Punkt der Blick wesentlich „aus der Philosophie auf die Theologie" gerichtet bleibt. So wenig Suárez folglich eine „trinitarische Ontologie" intendiert, so sehr betreibt er eine (transzendentale) „Ontologie der Trinität". Damit wird allerdings der universale Anspruch der alle kategorialen Beschränkungen unterfassenden Seinslehre des Jesuiten in einer vom Standpunkt des christlichen Theologen aus kaum überbietbaren Weise bestätigt: Was bei Suárez den natürlich und übernatürlich gewonnenen Gottesbegriff miteinander verbindet, ist die prinzipielle Begreifbarkeit aus der Perspektive der ontologischen Denkform. Der nicht vollständig in sich, sondern im Spiegel des irdischen Glaubens erkannte dreifaltige Gott bleibt Grenz-Objekt der Ontologie; Trinitätstheologie vermag wie jede analoge Gottrede das Fundament der unabhängig von der Offenbarung eröffneten Vernunfterkenntnis nicht zu verlassen. Wo Theologen meinen, ihre Erkenntnis des höchsten Seienden ermögliche erst die wahre Konzeption von Seinsrede überhaupt, verkennen sie die kontingente Position ihrer eigenen Offenbarungsreflexion und überheben sich mit dem Postulat, vom Gottesstandpunkt her die „bessere Philosophie" entwerfen zu können – „trinitarische Ontologie" erweist sich als überschwengliche Theologie.

(2) Neben der Prägung der Trinitätstheologie durch die dialektische Methode läßt sich im Werk des Suárez aber ebenso die meist weitaus weniger beachtete umgekehrte Einflußrichtung erkennen.

(a) Wir haben im Verlauf dieser Arbeit zahlreiche Punkte aus den metaphysischen Disputationen unseres Jesuiten zitieren können, in denen der philosophische Gedanke explizit und unmittelbar eine innere Beziehung zu Themen der Trinitätslehre oder Christologie erkennen läßt. Darunter, um nur einige zu wiederholen, befanden sich die Unterscheidung von Natur und Suppositum bzw. die suárezische Personbestimmung, die in DM-34 fast komplett theologisch (näherhin: christologisch) abgesichert ist[76], die Unterscheidung von „causa" und „principium", die Verteidigung realer Relationen oder die „verbum mentis"-Lehre im „De anima"-Traktat. Was die suárezische Kritik an der scotischen Transzen-

[75] Die im nächsten Punkt (2) (a) notierten Beobachtungen bleiben davon unberührt.
[76] Vgl. ALCORTA (1949) 213, Anm. 674.

dentalienlehre mit deren Ausschluß der „modi" aus dem Bereich der „entia" angeht, so ist die Verbindung zur Trinitätskonzeption derart eng, daß man mutmaßen könnte, mit der theologischen Anwendung die eigentliche Intention hinter der philosophischen These des Jesuiten entdeckt zu haben. Doch auch wenn diese aus den Texten selbst nicht belegbare Schlußfolgerung zu weitreichend sein sollte, steht generell fest: Suárez betreibt seine Philosophie zwar methodisch autonom, aber mit klarer theologischer – also aus Sicht eines modernen Verständnisses „heteronomer" – Finalisierung. Sie ist theologische Propädeutik und steht damit klar unter dem Anspruch, das natürliche Fundament für den übernatürlichen Bau der Theologen bereitzustellen[77]. Die christlichen Dogmen sind – ausgesprochen oder unausgesprochen – für einen Autor wie Suárez in jeder Frage (negativ betrachtet) Grenze und Korrektiv, an denen sich eine philosophische Aussage überprüfen lassen und bewähren muß, und (positiv betrachtet) Maßstab und Ziel, da die Philosophie zu ihrem exakten Verständnis und ihrer korrekten Explikation beizutragen hat. Wie die Trinitätslehre des Suárez zutiefst ontologisch geprägt ist, so steht die Ontologie stets unter dem Anspruch, mit der Trinitätslehre und den übrigen Themen katholischer Dogmatik möglichst problemlos „kompatibel" zu sein. Wenn Autoren der frühneuzeitlichen Scholastik heute oftmals ihre Interpreten in Philosophen ohne theologisches Interesse finden, wird diese Grundcharakteristik gerne übersehen oder in ihrer Bedeutung heruntergespielt.

(b) In systematischer Betrachtungsweise präsentiert sich hier ein Begriff von „christlicher Philosophie", der am Anspruch offenbarungsunabhängiger Methodik und Argumentation festhält, ohne die Ausrichtung des denkerischen Interesses an dieser Offenbarung, wie es ein Christ in der Einheit seiner Existenz als Glaubender und Philosophierender notwendig verfolgt, durch überzogene Autonomiebehauptungen kaschieren zu müssen – in Entwürfen „post Christum natum" sind diese sowieso niemals überzeugend zu begründen. Eine derart sich selbst verstehende Philosophie kann, wie bei Suárez zu erkennen, vom Bezug auf das Dogma innovative Impulse erfahren, ohne theologisch absorbiert und ihrer Selbständigkeit beraubt zu werden.

[77] Dies betont deutlich SCHMUTZ (2004) 350f., hier 351: „La métaphysique jouit à ce titre d'une priorité, mais d'une priorité qui est celle de la servante qui dresse la table à laquelle viendront s'asseoir ensuite les témoins du Christ." Von der Metaphysik bei Suárez gilt darum : „elle jouit d'une autonomie qui est de pure méthode, mais non de finalité" (353).

### *b) Naturalität und Freiheit*

Suárez, so haben wir schon in der Einleitung unserer Arbeit vorausgeschickt, denkt über den dreifaltigen Gott noch nicht in der Auseinandersetzung mit jenen subjekt- und freiheitstheoretischen Bestimmungen von Personalität nach, die einige Jahrzehnte nach seinem Tod in der Philosophie zur Durchsetzung gekommen sind und bis heute eine schwierige Herausforderung in der Rezeption der dogmatischen Ursprungsformeln der Trinitätslehre darstellen, wie sie sich in den Konzilsentscheidungen und Symbola des christlichen Altertums ausgebildet haben[78]. Dies bedeutet jedoch nicht, daß bei unserem Jesuiten die Freiheitsthematik, die in der Dogmatik des nachtridentinischen Zeitalters vor allem gnadentheologisch reflektiert wurde und von dort aus wenigstens am Rande auch Einzug in viele andere Traktate gehalten hat, trinitätstheologisch gänzlich abwesend wäre.

(1) Mit der allgemeinen Theologenmehrheit lehrt Suárez, daß die notionalen Akte naturhaft, nicht intentional bestimmte Vollzüge sind. Anders gesagt: Sie entspringen in ihrer Notwendigkeit nicht einem freien Willensentscheid, widersprechen dem göttlichen Wollen aber auch nicht und tun ihm keine Gewalt an. Suárez spricht in diesem Kontext von einem begleitenden, dem Akt folgenden Zustimmungswollen. Bedenkt man, daß die notionalen Akte nach Suárez mit den essentialen identisch sind, die Hervorbringungen also die unter einer bestimmten Hinsicht erfaßten höchsten Geistvollzüge Gottes als solche sind, so bedeutet dies: Die sich selbst und in sich alle Implikate des Wesensvollzugs und auch das relationale Sein bejahende Liebe Gottes ist eine Willensentfaltung, in der keine Differenz zwischen Freiheit und Notwendigkeit auszumachen ist[79]. Damit wird die Trinitätslehre zum theologischen Beweis dafür, daß es notwendige Vollzüge eines personal voll konstituierten Wollens geben kann, die mit der Freiheit ebendieses Willens vereinbar sind. Gewiß verbietet sich eine unmittelbare Übertragung dieser Einsichten der Gotteslehre auf die Verhältnisse endlicher Freiheit „in via", aber sie stellen doch wichtige Orientierungsmarken für das Bemühen dar, ein „Nicht-anders-

[78] Auf diesem Hintergrund ist zu bezweifeln, ob sich, wie FRANK (2003) 167, Anm. 173, nahelegt, die Vorbereitung des neuzeitlichen Personbegriffs tatsächlich maßgeblich in Christologie und Trinitätslehre festmachen läßt. Dies hat sich tatsächlich wohl eher in der Morallehre abgespielt, während in den dogmatischen Disziplinen die Vorgabe des Dogmas das Festhalten an einem ontologischen Personbegriff nahelegte.

[79] Schon Bonaventura sagt, die innertrinitarische Selbstmitteilung Gottes sei „naturalis et voluntaria, liberalis et necessaria": Bonaventura, Breviloquium V, 6 (ed. Schlosser, 92f.).

wollen-Können" auch dieser Freiheit im Stand der Begnadung und (erst recht) der Verherrlichung zu verstehen. Obgleich Suárez die charitologische Relevanz seiner trinitätstheologischen Überlegungen nicht eingehender reflektiert, hat er zumindest die Notwendigkeit „quoad exercitium et specificationem", mit der die innergöttlichen Hervorgänge geschehen, parallel zu derjenigen Notwendigkeit gesetzt, mit welcher jemand, der Gott unverhüllt schaut, ihn auch lieben muß[80], also mit der eschatologischen *Vollendungsgestalt* der irdischen Glaubensgnade.

In systematischer Perspektive jedenfalls dürfte die unbezweifelbare Notwendigkeit des innertrinitarischen Geschehens, selbst wenn man es als strikt interpersonal, durch gegenseitige Liebe konstituiert betrachtet, als gewichtiges Argument gegen die einseitige Betonung des Moments der Entscheidungsindifferenz in der Bestimmung von Freiheit anzusehen sein. Dies könnte von vielen theologischen Einzelkontexten her unterstrichen werden. In der Beschreibung des gegenseitigen Verhältnisses der göttlichen Personen bleibt ein isoliertes Verständnis ihrer Freiheit als prinzipiell un-bedingter Selbstursächlichkeit ebenso inakzeptabel wie für die Bestimmung des Dependenzverhältnisses gegenüber Gott, in das sich der Mensch Jesus von Nazareth in nicht hintergehbarer Ursprünglichkeit gesetzt vorfand, überhaupt für die Konzeption jedes göttlichen Gnadenwirkens in der Seele eines Menschen oder schließlich für das „Ruhen" kreatürlichen Strebens in der unmittelbaren Anschauung Gottes, das allein „Seligkeit" verspricht („visio beatifica"). In all diesen Realisierungen begegnet uns das Wollen eingebettet in eine allen Einzelvollzügen vorausgehende, sie auf ein objektives Letztziel finalisierende Gerichtetheit, deren Intentionalität den Autonomieinteressen der handelnden Subjekte nicht widerspricht, sondern sie vielmehr durch die Beziehung auf das höchste Gut formal erst ermöglicht. Freiheit erfährt sich dann als um so mehr in ihr Eigensein geführt, je mehr sie von der Indetermination unendlicher Sehnsucht befreit wird im Sich-erfüllen-Lassen durch ein Gut jenseits aller Endlichkeit. Je unmittelbarer sich darum ein Wille in materialer Konkretion vor das ihn allein vollendende „summum bonum" ge-

[80] Vgl. Relectio de libertate voluntatis divinae 2.1.3 (XI, 409b): „Duobus enim modis potest voluntas subdi necessitati in ordine ad aliquem actum: primo simpliciter, ut exerceat et habeat illum, quomodo voluntas divina necessario amat ipsum Deum, et Pater aeternus necessario vult producere Filium, voluntate concomitante; et Pater et Filius necessario volunt et producunt Spiritum Sanctum sua voluntate; et omnes qui clare vident Deum, eodem modo illum amant. Quae necessitas vocatur quoad exercitium, quia necessario exercetur seu elicitur talis actus; et quoad specificationem, quia non potest talis actus ex necessitate exerceri, quin in tali specie fiat. Haec ergo necessitas omnem propriam libertatem indifferentiae excludit. Aliquando vero potest voluntas esse libera ad exercendum vel non exercendum actum...".

stellt sieht, desto widersinniger müßte es (*für ihn*!) sein, das formale „Auch-anders-Können“ zum Sicherungskriterium seines Selbstseins (d. h. seiner Freiheit) zu erheben. In der unmittelbaren Gegenwart dieses Gutes ist dessen Ablehnung sogar schlichtweg unmöglich – ein Wille müßte sich selbst nichten, wollte er sich in der Anschauung Gottes von Gott abwenden. Dies wird in der trinitarisch dynamisierten göttlichen Selbstaffirmation urbildhaft evident.

(2) Verschärft meldet sich die Freiheitsproblematik für die Trinitätslehre in der nachtridentinischen Theologie vor allem in der Frage zu Wort, ob die freien Dekrete Gottes bereits in formaler Hinsicht Objekte jenes Erkennens und Liebens sind, aus dem die Personen des Sohnes und des Heiligen Geistes seit Ewigkeit mit „Naturnotwendigkeit“ hervorgehen. Wir stehen hier vor einem unbezweifelbaren Sachproblem, das Thomas in seiner ganzen Relevanz noch nicht erörtert hat, weil er eine trinitätstheologisch gebrochene Reflexion über die Freiheit Gottes in dieser Weise nicht kannte. Suárez sieht sich mit den Autoren seiner Zeit in einem Dilemma: Schließt man die Dekrete aus dem Gegenstandsbereich der notionalen Akte aus, um sie als durch Sohn und Heiligen Geist ebenso frei hervorgebracht denken zu können wie durch den Vater, dann müssen sie dem eigentlichen trinitarischen Konstitutionsgeschehen nachgeordnet werden; sie sind dann zwar faktisch ganz Werk des dreifaltigen Gottes, aber von seinem innersten Vollzug (den Hervorgängen) so geschieden wie die sie realisierenden „opera ad extra“. Ist damit das göttliche Wort tatsächlich noch „Urbild der Schöpfung“ im vollen Sinn, Repräsentant des ganzen väterlichen Wissens? Und ist diese Einschränkungsstrategie zur Absicherung der personalen Freiheit überhaupt erfolgreich, wenn man bedenkt, daß zur Erklärung der notwendigen Übereinstimmung aller Personen in den Schöpfungsdekreten auf jeden Fall wieder ein gemeinsamer Formalgrund anzuerkennen ist, der letztlich nur in dem einen, auch noch den Hervorgängen logisch vorauszusetzenden Wesen gefunden werden kann? Schließt man umgekehrt nach Art der Thomisten Kontingentes in die Konstitution der Hervorgänge ein, müssen die Schöpfungsdekrete, wenn sie nicht als Entscheidungen des Vaters allein angesehen werden sollen, in denen Sohn und Geist unbeteiligt sind (was einen subtilen Subordinatianismus, konkret: thelematologischen Monarchianismus nahelegen würde), den beiden hervorgebrachten Personen passiv (mit der göttlichen Wesenheit) kommuniziert und somit wiederum in die göttliche Natur als solche (da in ihr impliziert) vorverlagert werden. Dies nun führt handlungstheoretisch zu Schwierigkeiten, weil das Axiom „actiones sunt suppositorum“ bzw. Freiheit als *personaler* Vollzug unterlaufen scheint. Der zweite Ansatz bedingt also im letzten noch mehr als

der erstgenannte eine Neutralisierung der drei Personen als solcher in puncto Schöpfungsdezision und fördert stärker die problematische Vorstellung vom Wesen als einer den Relationen vorausliegenden „Urperson", um deren Gefahr für die Trinitätstheologie die Autoren des 16. und 17. Jahrhunderts durchaus wußten. Beide Vorschläge bleiben somit aporetisch.

Suárez hat die Inkonvenienzen des ersten Lösungsweges für geringer eingeschätzt und sich ihm darum angeschlossen. Die strikte Trennung der notwendigen innergöttlichen Hervorgänge von den freien Akten Gottes „ad extra"[81] sichert die Unterscheidung zwischen Gott und Welt, Trinität und Schöpfung[82] und nimmt dafür die später oft beklagte Isolierung der Trinitäts- gegenüber der Schöpfungslehre in Kauf. Die Freiheit Gottes, der aus seiner notwendigen Possibilienerkenntnis zur nichtnotwendigen Umsetzung *einer* Variante der Weltrealisierung schreitet, ist konkret die Freiheit aller drei göttlichen Personen, wenn auch in untrennbar *gemeinsamer* Wahl. Ob damit nicht die Zeugung des Sohnes durch den Vater und die Hauchung des Geistes durch beide geradezu als Akte eines Gottes zu verstehen sind, der ihrer *bedarf*, um durch sie schöpfungsmächtig und damit im strengen Sinne erst frei zu werden, wird bei Suárez nicht reflektiert. Ebensowenig kommt die sich eigentlich aufdrängende Anschlußfrage zur Erörterung, ob die Einheit der Freiheitsentscheidung aus dreifacher Subjektperspektive nicht auch mit einem irgendwie dreifach modalisierten Bewußtsein bzw. einer relational ausdifferenzierten Intentionalität verbunden sein muß. Suárez weicht hier durch den das Verstehen kaum weiterführenden Verweis auf die Wesenskommunität aus, wie er es auch bei der Parallelfrage im Kapitel über die göttlichen „Sendungen" tut, wo es darum geht, ob Sohn und Geist allein durch ihren Hervorgang aus dem Vater bereits auf die Bejahung aller

[81] Man kann dies bei Suárez exemplifizieren an der objektlogischen Distinktion von Allmacht und Liebe in Gott: Während jene ihr „adäquates Objekt" nur außerhalb Gottes besitzt, weshalb ihr gemäß kein Hervorgang „ad intra" erfolgt, findet diese ihren Gegenstand in Gott selbst: „et ideo foecunditas illius amoris est, ut sit principium quo persona per illam amorem non producta [i.e.: Pater et Filius], intra Deum producat subsistentem amorem personaliter distinctam" (Suárez, De trin. 11.5.18 [I, 789b]).

[82] Die von Hans Blumenberg in seiner genetischen Rekonstruktion des neuzeitlichen Pantheismus formulierte Behauptung, daß „die tief im Schoß der christlichen Theologie entsprungenen Schwierigkeiten, zu unterscheiden zwischen dem innergöttlichen Hervorgang der zweiten Person und dem Akt der Schöpfung, der ‚Umbesetzung' der trinitarischen Stelle des Sohnes durch das Universum bis zur Unausweichlichkeit vorgearbeitet" hätten (vgl. BLUMENBERG [1996] 89), läuft im Blick auf einen scholastischen Autor wie Suárez schlicht ins Leere.

göttlichen Willensdekrete festgelegt sind, die dann allein der väterlichen Ursprungsentscheidung zuzuordnen wären. Einige barocke Jesuitenautoren der Folgezeit haben dieser Problematik größeres Augenmerk geschenkt als Suárez[83]. Zum nicht mehr abweisbaren Thema avancierte sie jedoch erst im 20. Jahrhundert[84], nicht zuletzt durch Beiträge von Jesuitentheologen wie Lonergan[85], Bourassa oder Rahner[86]. Die Beantwortung der Frage, ob sich christliche Gotteslehre zu einer „psychologischen Ausdifferenzierung" der Tripersonalität bekennen muß, bleibt seitdem ein wichtiger Differenzindikator zwischen „unitarischen" und „sozialen"

[83] Nur wenige Autoren seien hier beispielhaft genannt. F. de Lugo († 1652), Theologia scholastica in I. p. D. Thomae, 24.1.12 (795b-796a): „Volunt sane viri alioquin docti determinari Filium a Patre, et Spiritum sanctum ab utroque ex vi processionis ad omnia libera decreta, nec indifferenter remanere ad utrumlibet, nec aliter existimant veram rationem missionis in illis posse consistere. Violenta sane missio, quae missum determinet, ac ita constringat ut nullam ipsi permittat indifferentiam voluntatis circa creatum etiam terminum missionis. Etenim si iussio in humanis ita determinaret iussi voluntatem, ut iam non esset indifferens ad dissentiendum, sed deberet ex suppositione iussionis ire necessario quo dirigitur, quis negaret tolli prorsus iussi libertatem nisi physicam praedeterminationem possit cum nostra libertate componere? Ego certe nec in humanis id audeo, nec in divinis admitto missionem personae productae cum determinatione veniendi sic a producente recepta, ut non possit persona producta resilire? quamvis inde cogar in explicanda missione sine tali determinatione cum Suario, ceterisque Theologis desudare". T. Compton Carleton († 1666), Theologia scholastica, t. 1, 64.9 (295a-296b) diskutiert ausführlich, wenn auch ohne zu einem überzeugenden Ergebnis zu gelangen, in einer sehr modern erscheinenden Form das Problem, daß zumindest in Bezug auf gewisse Willensbekundungen die Sprecherperspektive einer bestimmten göttlichen Person nicht weiter hintergehbar erscheint: „ego volo incarnari" kann nur der Sohn aussagen. Ist damit auch die Freiheit in Gott notwendig personal „modalisiert"? Vgl. dazu auch den Lösungsversuch bei A. Bernaldo de Quiros († 1668), Selectae disput. de trin. 34.4.20 (232b). R. de Arriaga († 1667), Disputationes theologicae, tom. 1, 42.3.4 (448b-450a), sieht die Annahme mehrerer freier Willen in Gott notwendig in Subordinatianismus (durch den die anderen bestimmenden Vorrang des väterlichen Willens) oder Vielgötterei (wegen der Unmöglichkeit einer „prästabilierten Harmonie" innergöttlichen Wollens in drei wirklich freien Subjekten) münden, weiß aber ebenso um die Problematik der Bejahung einer einzigen Freiheit für drei distinkte Personen. Am Ende votiert er für die dogmatisch unverfänglichere Variante: „Si ergo e duabus difficultatibus aeque gravibus unam debeo amplecti, malo illam, quam omnes agnoscunt, et Ecclesia ac fides suadent, quam aliam a me sine fundamento inventam" (n. 47, 449b).

[84] Eindeutig gegen ein innertrinitarisches „Ich" und „Du" argumentiert noch KLEUTGEN (1853) 329.

[85] Vgl. LONERGAN (1957) 165-172; ders. (1964) 186-196; dazu: ROTA (1998) 260-271.

[86] Vgl. RAHNER (1967) 366.

Spielarten der Trinitätstheologie[87]. So verweisen uns manche zunächst abseitig erscheinende Seitenstränge der barockscholastischen Trinitätsspekulation auf das höchst aktuelle und längst nicht befriedigend gelöste Problem, ob bzw. in welcher Form die trinitarischen und christologischen Glaubenssätze für die Explikation mit Hilfe eines bewußtseinstheoretisch konzipierten Personbegriffs offen stehen.

### *c) Einheit und Dreiheit*

Fast alle spekulativen Bemühungen der scholastischen Trinitätslehre laufen auf die Frage nach der Vermittlung von Einheit und Dreiheit in Gott hinaus. In der Konzeption dieses Lehrstücks offenbaren sich die zentralen Differenzen der verschiedenen theologischen Schulen, auf seine Ausgestaltung haben sich, wie wir in der Einleitung unserer Studie gezeigt haben, die Kritiker scholastischen Trinitätsdenkens berufen, um dessen Scheitern auszurufen.

(1) Der dabei bis heute am häufigsten erhobene Vorwurf lautet auf Modalismus. Nicht selten hat man in dieser trinitätstheologischen Tendenz den Sieg griechisch-metaphysischen Einheitsdenkens über die biblisch-heilsgeschichtliche Botschaft von einer Selbstoffenbarung Gottes gesehen, in welcher der Blick auf das in streng formaler Betrachtung dreipersonale Handeln Gottes in Vater, Sohn und Geist dem Begreifen ihrer wesenhaften Einheit vorausgeht. Daß sich ein Trinitätsentwurf wie der suárezische von dem genannten Vorwurf angesprochen fühlen muß, sollte durch die Ergebnisse unserer Studie kaum fraglich geworden sein. Sie hat die Bedeutung, die der Modus-Begriff für die suárezische Personkonzeption besitzt, ebenso unterstrichen wie den ontologischen Primat des Wesens gegenüber den Relationen, der in vielfachen Kontexten der Erörterung nachweisbar geworden ist. Das „eminente" Enthaltensein der Personen und ihrer Vollkommenheit in der Wesenheit belegt, daß die essentiale Unendlichkeit Gottes alle weiteren (auch die personalen) Prädikate zu absorbieren scheint[88]. Es kann dann nicht verwundern, wenn

[87] Vgl. für die letztgenannte Tendenz als ein Beispiel unter vielen GRESHAKE (2001) 122, der von einem Zusammenwachsen des einen Wesens aus drei Bewußtseinen, Freiheiten, Erkenntniszentren sprechen möchte.

[88] Klar formuliert ist der Essentialismus-/Modalismusvorwurf gegen Suárez bei NEIDL (1966) 143: „Daß in der Fassung des innertrinitarischen Lebens nach Suarez nicht so sehr die Personen, sondern vielmehr die Natur die beherrschende Rolle spielt, oder zumindest doch der Akzent auf dieser liegt, ist doch wohl schwerlich zu leugnen. Sie teilt sich ihnen nicht mit, ‚wie sich das universale dem particulare (mitteilt) und auch nicht so, wie das Höhere dem Niederen, sondern so, wie die Form oder die Natur

dieses Wesen, zum absolut subsistierenden erklärt, selbst die Stelle des eigentlichen göttlichen Handlungsträgers einzunehmen scheint, der sich nach innen in die drei inkommunikablen Subsistenzen entfaltet und nach außen gleichsam durch sie hindurch, ihrer allein als ontologischer Bedingungen bedürfend, seine Wirksamkeit real werden läßt.

(2) Man sollte, um dem suárezischen (und ganz allgemein dem scholastischen) Trinitätsdenken Gerechtigkeit widerfahren zu lassen, solche Kritik nicht undifferenziert anerkennen, denn sie steht in der Gefahr, einerseits die Verhältnisbestimmung zwischen Dreiheit und Einheit, wie sie unser Autor vorlegt, allzu stark zu simplifizieren, und andererseits die Schwächen und Probleme, mit denen bis heute auch alle Alternativkonzepte behaftet sind, nicht ehrlich genug herauszustellen.

(a) Die These von einer „absoluten Subsistenz" Gottes, die man häufig als entscheidendes Moment der Schwächung und Entwertung des trinitarischen Seins Gottes identifiziert hat, wird bei Suárez in einer begrifflich sehr präzisen und vielfältige Einwände berücksichtigenden Form präsentiert. Durch die Unterscheidung zwischen einer zweistufigen Subsistenz (als „Perseität" und „Inkommunikabilität") sieht Suárez den Vorwurf, seine Lösung laufe auf die Setzung einer „persona absoluta" in Gott hinaus, überzeugend abgewiesen. Für den Jesuiten steht fest, daß dasjenige, was Formalgrund göttlicher Unabhängigkeit von jedem nicht mit ihm selbst identischen Seinsgrund ist (= Perseität), nicht personal vervielfacht sein kann, sondern strikt einzig und damit absolut sein muß. Dieser Grund muß folglich – weil alles Absolute in Gott kommunikabel ist – in logischer Betrachtung der relational erwirkten personalen Inkommunikabilität vorausgehen. Perseität ist mit der göttlichen Wesenheit als dem Einheitsmoment in Gott zu verbinden, mit derjenigen Größe also, die in Sohn und Geist ebenso da ist wie im Vater, der wiederum als solcher mit

den supposita, in denen sie selbst weder von diesen (selbst) noch von sich selbst geteilt wird, weil sie als ganze in den einzelnen ist und in allen zugleich, von jenen gänzlich ununterschieden' [DM 5.1.6]". Vgl. auch ebd. 144: „Werden aber auf diese Weise nicht die einzelnen Personen, wenn die Natur ‚in omnibus simul, omnino indistincta ab illis' ist, nicht zu bloßen Trägern, ja zu bloßen Funktionsmomenten der einen sich in ihrem formalen Wesen selbstdarstellenden Natur? Liegt hier nicht die Gefahr sehr nahe, daß dieses formale Wesen der einen göttlichen Natur in einem grandiosen Spiegelspiel sich selbst als der sich durch die Personen hindurch zureichende Grund erfährt? Könnte aber bei einer solchen Konzeption des formalen Wesens dieser Natur – falls sie sich als unabweisbar ergibt – die Personhaftigkeit dieser Personen noch voll gewahrt bleiben? Diese Fragen drängen sich hier mit Notwendigkeit auf!"

den beiden anderen Personen *nicht* identisch sein darf[89]. Das „Für-sich-Sein“ entsteht nicht im innergöttlichen Kommunikationsgeschehen, sondern bildet dessen unhintergehbare Möglichkeitsbedingung, denn nur als subsistente kann die Wesenheit verschiedenen Personen in strenger Identität mitgeteilt werden. Diese Überzeugung wird in der nachtridentinischen Theologie auf breiter Front akzeptiert, was deswegen besonders hervorzuheben ist, weil andererseits ihre Bezeichnung mit dem Begriff „absoluter Subsistenz“ äußerst umstritten bleibt und etwa in der Jesuitenschule zur Zeit des Suárez nur einer Minderheit der einflußreichen Theologen zusagt. Viele Autoren nach Suárez konstatieren hier allerdings eher ein Benennungs- denn ein Sachproblem.

Auf den Vorwurf, die Relationen seien nur gleichsam epiphänomenale Modi der subsistierenden Wesenheit, könnte Suárez mit Rekurs auf sein „transzendentales“ Modell der Inbeziehungsetzung beider Größen antworten: In Gott sind Wesen und Relationen gerade nicht „additiv“ zu verstehende ontologische Komponenten – so erscheinen sie bestenfalls unserem Verstehen. In Wirklichkeit „sind“ *in letzter ontologischer Konkretion* nur die Personen, aber wenn wir sie auf das ihnen Gemeinsame und sie je in ihrer Göttlichkeit Konstituierende befragen, erkennen wir sie als gleichermaßen wesenhaft unendlich seiend, also gleichen göttlichen Wesens. Versteht man das suárezische Modell falsch, wenn man sagt: Das als solches in den Blick genommene „Wesen“ ist unsere präzisiv-konfuse Erkenntnisgestalt der drei Personen *in ihrer Einheit*? Das besondere Geheimnis Gottes besteht dann darin, daß das von uns in seiner Wirklichkeit „präzisiv“ Ausgeleuchtete nicht minder real als das „bestimmter“ Begriffene ist, weil beides in strenger Identität zusammenfällt. Damit scheint einigermaßen korrekt erfaßt, was Suárez in seinen Explikationen zu der nur gedanklichen Verschiedenheit von Wesen und Relationen auszudrükken versucht. Nicht ausgeräumt ist sicherlich die Problematik, daß der Jesuit im Fall des dreipersonal konzipierten Gottes in mancherlei Hinsicht zur Verselbständigung der Wesenheit in der Beschreibung göttlichen Wirkens nach innen wie außen neigt. Es wären aber Ausformungen seines unveränderten trinitätstheologischen Grundkonzepts denkbar, in denen diese Tendenzen weniger stark zur Geltung kommen müßten.

(b) Heutige Trinitätstheologie bemüht sich, die Wahrung göttlicher Einheit, auf die es der wesenszentrierten Sicht der Scholastik ankam,

[89] Vgl. Suárez, De deo uno 1.2.8 (I, 7b): „Imo potest illa natura secundum totam suam essentiam esse in aliqua persona, in qua non sit Paternitas, quod locum non habet in ipso esse actualis existentiae talis naturae. Unde etiam constat illud esse naturae divinae non posse esse nisi absolutum quid, ac proinde essentiale, ut latius in dicto tomo l. 3 part. tractavi.“

durch das gegenläufige Anliegen der Betonung personaler Distinktion zu ergänzen, ja die Blickrichtung traditioneller Trinitätstheologie – vom Absoluten hin zum Relativen, von der Einheit zur Dreiheit – radikal umzukehren. Von zahlreichen Autoren werden dabei Modelle vorgelegt, die beide Momente dialektisch zu vermitteln suchen und die Forderung erheben, „daß gerade die ernst genommene Identität zwischen Wesen und Person bzw. deren Proprietät es verlangt, dieses eine Wesen als um seiner selbst, als um seiner ungeteilt einen Selbstidentität willen mit voneinander Unterschiedenem identisch zu denken, auf daß diese Identität zwischen Wesen und Person bzw. Proprietät – bei aller gedanklichen Unterschiedenheit – als eine formelle im strengsten Sinne anzusetzen ist“[90]: Gott ist „der eine“ nur im Beziehungsgeschehen personal-distinkter Subjektgestalt, göttliches Selbst-Sein ist proportional zum Sein-auf-den-anderenhin, das „esse in“ Gottes wächst in direkter Entsprechung zu seinem „esse ad“[91].

In der scholastischen Theologie lassen sich durchaus Anknüpfungspunkte für derartige Interpretationen finden[92]. Wir haben in unserer Studie auf Aureolis enge Bindung der essentialen Betrachtung Gottes an die personale ebenso hingewiesen wie die vorsichtigen Versuche bei Vázquez, die Relationen als bedeutsam für ein „integrales“ Verständnis der Wesenheit und ihre erst trinitarisch vollendete Perfektion zu erfassen. Eine Durchsicht anderer Autoren der Zeit unter dieser Perspektive würde gewiß weitere Aspekte zum Vorschein bringen. Gut dialektisch ausdeutbar

[90] OBENAUER (2000) 73. Mit gewissen Differenzen zielen viele prominente Ansätze der Gegenwart (wie die von Balthasars, Ratzingers, Greshakes oder Ganoczys) in diese Richtung.

[91] Relationalität als solche wird in diesen Entwürfen zum Formalkonstitutiv göttlicher Subsistenz erklärt. Vgl. die starke Formulierung bei RATZINGER (1968) 253: „Gott ist deshalb allem Vergehenden gegenüber schlechthinniges Stehen und Bestehen, weil er Zuordnung der drei Personen aufeinander, ihr Aufgehen im Füreinander der Liebe ist, Akt-Substanz der absoluten und darin ganz »relativen« und nur im Bezogensein aufeinander lebenden Liebe. Nicht die Autarkie, die niemand als sich selber kennt, ist göttlich; die Revolution des christlichen Welt- und Gottesbildes gegenüber der Antike fanden wir darin, daß es das »Absolute« als absolute »Relativität«, als »Relatio subsistens«, verstehen lehrt.“

[92] Gleiches gilt im Blick auf die Relevanz der Relationen für das Handeln Gottes „ad extra“, die ebenfalls bei Zeitgenossen des Suárez stärker anerkannt ist als bei diesem selbst. Vgl. beispielhaft Ruiz, disp. 111 (905b-915b). Auch in der Frage eines besonderen Einflusses des göttlichen Wortes auf die angenommene Menschheit gibt es Jesuiten, die anders als Suárez bejahend antworten und damit von der Christologie her das „opera indivisa“-Axiom lockern. Vgl. die Hinweise bei T. Muniesa, Disputationes scholasticae de mysteriis Incarnationis et Eucharistiae 4.1 (90a-b). Dies alles wäre eigener Erforschung und Darstellung wert.

ist der thomistische Grundgedanke vom einen Seinsakt, der das Wesen Gottes ausmacht und zugleich Grund der dreifachen personalen Subsistenz ist[93]. Dennoch halten auch die klassischen thomistischen Autoren an der logischen Vorordnung des Wesens vor die Relationen, der Subsistenz vor die Personalität fest[94] und vermeiden es, das innergöttliche Beziehungsgeschehen zum Formalkonstitutiv des Wesens zu erklären. Zu groß war die Angst, auf solchem Wege Verzeitlichung, Werden, Zusammensetzung in Gott hineinzutragen[95] oder eine subtile Form jener Trinitätsdeduktion vorzulegen, an der die „theologia nostra" notwendig scheitern muß[96].

(3) Während sich Suárez für eine den strengen Wesensprimat überwindende Vermittlung zwischen Einheit und Dreiheit in den zuletzt genannten Weisen nicht unbedingt als Referenzautor anbietet, stellt auch seine Trinitätslehre einen nicht zu übersehenden Anknüpfungspunkt mit der These zur Verfügung, daß die Unterscheidung von Wesen und Relationen, die unser Denken vornimmt, der eigentlichen Realität Gottes, wie sie in sich selbst besteht, nicht adäquat zu sein vermag. Es ist die in klassischer Gestalt von Cajetan formulierte Einsicht, daß die wahre Realität

[93] Vgl. etwa OBENAUER (1997) 206f., der das Wesen als das „Korrelationsganze" beschreibt: „Das Wesen Gottes kann dann freilich nicht mehr derart als absolut gedacht werden, daß es sich seiner ratio propria nach a-relational vollbringt; dennoch bleibt es aber in dem Sinne absolut, als es unbezogen ist: denn der eine Sachverhalt des Bezogen-Seins ist als dieser in mehreren Beziehungen *eine* und mit diesen einzelnen Beziehungen als seinen Vollzügen identische Sachverhalt auf nichts in Gott bezogen, sondern seine Vollzüge, in denen er allerdings alleine sich hat, verhalten sich korrelativ".

[94] Vgl. OBENAUER (1996) 415: „In der traditionellen Trinitätstheologie wurde der relationale Selbstvollzug der Dreieinigkeit irgendwie abgehoben vom einen Wesen, das quasi statisch ‚hinter' diesem Geschehen verharrt. Wohl weiß man all dasjenige, was zum distinkt-notionalen Bereich in Gott gehört, mit dem einen Wesen identisch, jedoch meint man, begrifflich die beiden Ebenen streng unterscheiden zu müssen."

[95] Diese Sorge um Gottes Einheit und Einzigartigkeit, die verbunden ist mit der Bemühung um größtmögliche denkerische Klarheit durch begriffliche Exaktheit, droht in manchen allzu leichtfertig akzeptierten Vermittlungsformeln der heutigen Debatte verlorenzugehen. Wo im Ausgang von der Personendreiheit das Wesen gleichsam zum bloßen begrifflichen Symbol für *kommuniales Handeln* erklärt wird, bleibt der denkerisch überzeugende Nachweis aus, daß drei untrennbar miteinander handelnde, sich liebende Personen tatsächlich „der eine Gott" sind. Und überhaupt: Was macht *die Göttlichkeit* von Vater, Sohn und Geist aus, die auch in jeder „sozialen Trinitätslehre" vorausgesetzt sein muß, damit die Rede von „den dreien" überhaupt *theologischen* Charakter erhält?

[96] Vgl. EMERY (2003b) 199, Anm. 88, mit kritischen Anmerkungen zum Vermittlungsversuch Obenauers.

Gottes etwas jenseits von Absolutum und Relativum ist[97]. Es lohnt sich, in ihrem spekulativen Bedenken ein wenig über die unmittelbar bei Cajetan oder Suárez zu findenden Feststellungen hinauszugehen.

(a) Will man dahinter nicht bloß wieder eine versteckte Reduktion von Personalität auf Essentialität und damit den Höhepunkt spekulativer Verfremdung der biblischen Kernbotschaft durch neuplatonisches Einheitsdenken erkennen, muß man sagen: Das Ineinander von dreifachem Existenzvollzug und Wesenssein in Gott ist so ursprünglich, daß die Abstraktion der Einheit von der Dreiheit gerade nicht Aufweis eines ursprünglichen Konstitutionsordo ist, sondern Isolierung von in Wirklichkeit gar nicht als sie selbst und für sich selbst bestehenden Momenten. Eine solche Scheidung darf und muß akzeptiert werden, sofern man sie auf die Unvollkommenheit unseres Gottverstehens zurückführt, ja sofern sie für dieses notwendig begrenzte (und darum abgrenzende) Verstehen in der Offenbarung Gottes selbst ermöglicht und gewollt ist. Die Realität Gottes als solche (und wie er sie selbst schaut!) ist freilich weder vollständig als „Wesen" noch als „Relationen" erfaßt; sie tritt für uns nur als Grenzbegriff jenseits von Wesen und Relationen, von Struktur und Person, von Kommunikablem und Inkommunikablem, von „ad se" und „ad alterum" gerichteter Geistigkeit in den Blick. Daß es zwischen Wesen und Relationen in Gott nur einen gedanklichen Unterschied gibt, darf demnach nicht bloß in Richtung einer „Modalisierung" der Relationen (als Weisen der Einheit) ausgedeutet werden, wie es zumeist in der scholastischen Trinitätslehre (und auch bei Suárez) geschehen ist, sondern müßte umgekehrt ebenso die „Einheit" als letztlich inadäquaten Begriff erscheinen lassen. Wenn wir von einer „distinctio rationis cum fundamento in re" sprechen, dann ist die wahre „res" Gottes das durch die beiden „distincta" jeweils nicht zu Erschöpfende und dennoch, sofern sie beide fundiert, d. h. für unser Verstehen legitimiert, das ihnen gegenüber real „Nicht-Andere". Es ist das absolute Geheimnis einer Gottheit, die absolutes Einssein und relationale Dreiheit so in sich einschließt, daß beides von ihr *zurecht* prädiziert werden darf, ohne daß eine der beiden Prädikationen, ja nicht einmal beide *nebeneinander* behaupten dürften, die Realität

[97] Vgl. neben der schon früher in dieser Arbeit zitierten Passage aus Cajetan, Comm. in I^am q. 39, a. 1, n. 7 (Ed. Leon. IV, 397b) auch ders., In III^am, q. 2, a. 2, n. 5 (Ed. Leon. XI, 27a): „Deitas namque si defineretur secundum sua merita, clauderet in ratione sua formalissima et simplicissima non solum quid est sapientiae, intellectus, voluntatis et reliquarum absolutarum perfectionum: sed quid est paternitatis, filiationis ac processionis. Sed quia noster intellectus non potest illius celsitudinem capere, more nostro distinctas rationes formales essentiae et personalis proprietatis formamus, fultas in re unica, excellenti, re et quidditate virtualiter continente has distinctas rationes quas formamus."

Gottes adäquat zu erfassen. Die konsequent durchgeführte scholastische Trinitätslehre transzendiert an den Rändern ihrer spekulativen Endgestalt die offenbar eindeutige Abgrenzung des Dogmas – drei gegen eins, heilökonomischer vs. philosophischer Gottesbegriff, kategoriale vs. transzendentale Offenbarung – in jene Über-Eindeutigkeit der göttlichen Wirklichkeit hinein, wie sie immer das Thema negativer Theologie und mystischer Gotteserfahrung gewesen ist. In Worten Erich Przywaras ausgedrückt: „Infolgedessen besteht ein strenges Verhältnis des In-Über zwischen der heilsoekonomischen Trinität und der Seins-Trinität. Die heilsoekonomische Trinität ist Mitteilung von der Seins-Trinität her, zeigt auf Sie hin, aber die Seins-Trinität in Sich Selbst ist erstens ineffabel, unaussagbar, unbegreiflich, und zweitens besteht Sie in Sich Selbst. Sie ist nicht an die Heils-Trinität gebunden, Sie ist keine Folge, sondern jene ist Ihre freie Selbstmitteilung. Infolgedessen werden – nach Augustinus – nun alle Formeln der Trinität nur analog in das eigentliche Wesen der Trinität hinein. (...) Was sie in sich selbst ist, wissen wir nicht“[98].

(b) Am Endpunkt seiner Trinitätsspekulation erkennt der christliche Theologe „mehr“ über Gott, ohne „ihn“ zu erkennen. Seine durch die Offenbarung begründete Reflexion findet sich in jene Vorläufigkeit zurückgeführt, wie sie dem „status viatoris“ generell eigentümlich bleibt. Gottes „In-Sich“ wird durch den Wortlaut des Dogmas und die ihn explizierende Grammatik der dialektischen Trinitätstheologie nicht definiert, sondern als unaussprechliches Geheimnis geschützt und als reales Ziel bekannt, auf das der Mensch glaubend verwiesen ist. An dieser Stelle klärt sich das Selbstverständnis christlicher Theologie sowohl im Blick auf ihre Letztausrichtung wie ihre Stellung hier und jetzt gegenüber anderen Formen menschlichen Nachdenkens über Gott. Indem der christliche Theologe „mehr“ über Gott weiß als der heidnische Philosoph, weiß er sich nicht weniger als dieser auf der Suche nach der wahren göttlichen Realität – und so zugleich in neu erfahrener Weggemeinschaft mit allen Gott suchenden Menschen. Man kann sogar sagen: Trinitätsglaube und Trinitätslehre der Christen ersetzen nicht das auf Einheit strebende Gottwissen der Völker und Philosophen, sondern richten und „relativieren“ es (im unmittelbaren wie übertragenen Sinne des Wortes) in die größere Transzendenz des in seiner Heiligkeit und Wahrheit unbegreiflichen Gottes hinein, ohne diese Realität schon zu besitzen und präsentieren zu können. Daß sich Gott dem endlichen Erkennen selbst in Welt und Geschichte erschlossen hat, beendet nichts, sondern entbindet und intensiviert vielmehr die Sehnsucht nach diesem Selbst in seiner jetzt noch

[98] PRZYWARA (1955) 309.

unerfaßlichen, aber einem endgültigen Begreifen versprochenen Fülle. Das eigentliche Plus des Christen ist darum nicht sein jetziges Wissen über den Einen und Dreifaltigen, sondern die im Hell-Dunkel des Glaubensmysteriums eröffnete und dem theologischen Nachdenken immer neu anvertraute Gewißheit der Zusage: „videbimus eum sicuti *est*" (1 Joh 3,2).

# Anhang: Namenregister zum suárezischen Trinitätstraktat

*Die Seitenangaben beziehen sich auf den Text in Bd. 1 der Opera Omnia (Paris 1856), 531-822.*

# Literaturverzeichnis

*Abkürzungen nach: S. Schwertner, TRE, Abkürzungsverzeichnis. 2. Aufl. (Berlin / New York 1994).*

## 1) Primärliteratur


Aegidius Romanus, In primum librum sententiarum (Venedig 1521).

Alarcón, Diego de, Prima pars theologiae scholasticae (Lyon 1633).

Albertus Magnus, Opera omnia, Editio Coloniensis (Münster 1951ff.).

- Opera Omnia, cura et labore St. C. A. Borgnet (Paris 1890-1898).

Alexander von Hales, <Summa Halensis / Summa fratris Alexandri> Summa theologica, I-IV (Quaracchi 1924-1948).

Anselm von Canterbury, Opera Omnia, ed. F. S. Schmitt, Bd. 1 (Seckau 1938).

Aristoteles, Opera, rec. I. Bekker. 2 Bde. (Berlin 1831).

Arriaga, Roderigo de, Disputationes theologicae in primam partem D. Thomae, tom. 1 (Lyon 1669).

Augustinus, Corpus Augustinianum Gissense (CD-ROM, Version 1), ed. C. Mayer (Giessen 1995).

Avendaño, Diego de, Problemata Theologica (Antwerpen 1668).

Aversa, Raffaele, Sacra theologia cum Doctore Angelico in tres partes distributa questionibus contexta. Prima pars (Rom 1631).

Baeza, Diego de, Commentaria moralia in evangelicam historiam, tom. 1 (Valladolid 1623).

Bañez, Domingo, Scholastica commentaria in primam partem angelici doctoris S. Thomae (Douai 1614).

Bayle, Pierre, Dictionnaire historique et critique, 4 Bde. (Amsterdam 1740).

Bellarmin, Robert, Opera omnia, Bd. 1 (Paris 1870).

Bernaldo de Quiros, Antonio, Selectae disputationes theologicae de praedestinatione, trinitate, et angelis (Lyon 1654).

Bernhard von Clairvaux, Opera, 8 Bde., edd. J. Leclercq, C. H. Talbot et al. (Rom 1957-1977).

Biel, Gabriel, Collectorium circa quattuor libros sententiarum, edd. W. Werbeck et alii. 6 Bde. (Tübingen 1973ff.).

- Epitome et collectorium ex Occamo circa quatuor sententiarum libros (Tübingen 1501).

Boethius, Die Theologischen Traktate. Lat.-deutsch. Übers., eingel. und mit Anm. vers. von Michael Elsässer = PhB 397 (Hamburg 1988).

Bonaventura, Opera omnia (Quaracchi 1882-1902); Editio minor (Quaracchi 1932ff.).

- Breviloquium, übertragen, eingeleitet und mit einem Glossar versehen von Marianne Schlosser = Christliche Meister 52 (Freiburg 2002).

Borrull, Matthias, Tractatus de Trinitate (Lyon 1662).

Bugis, Petrus de, Tractatus de adorandae Trinitatis mysterio (Lyon 1671).

Cajetan, Thomas de Vio, Commentaria in Summam theologiae S. Thomae Aquinatis: Thomas de Aquino, Summa theologiae, Ed. Leonina, Bde. IV-XI (Rom 1888ff.).

- Commentarium super Opusculum De Ente et Essentia Thomae Aquinatis (Rom 1907).

Cano, Melchor, Opera theologica. Bd. 1-2 (Rom 1900).

Capreolus, Johannes, Defensiones theologiae divi Thomae Aquinatis. De novo ed. cura et studio Ceslai Paban et Thomae Pègues. 7 Bde. (Tours 1900-1908).

Caramuel y Lobkowitz, Iohannes, Theologia moralis ad prima eaque clarissima principia reducta (Löwen 1645).

Carranza, Bartolomé de (gen. Miranda), Summa Conciliorum et Pontificum a Petro usque ad Iulium Tertium succincte complectens omnia, quae alibi sparsim tradita sunt (Salamanca 1551).

Castro, José de S. Pedro de Alcántara, Apología de la Theología Escholástica. 6 Bde. (Segovia 1796-97).

Compton Carleton, Thomas, Cursus theologicus. Tomus prior (Lüttich 1659).

Coninck, Gilles de, Disputationes theologicae de sanctissima trinitate et divini verbi incarnatione (Antwerpen 1645).

Denzinger, H. / Hünermann, P. (Hgg.), Kompendium der Glaubensbekenntnisse und kirchlichen Lehrentscheidungen. 40. Aufl. (Freiburg 2005).

Denzinger, H. / Schönmetzer, A. (Hgg.), Enchiridion symbolorum, definitionum et declarationum de rebus fidei et morum. 35. Aufl. (Barcelona-Rom 1973).

Driedo, Johannes, De ecclesiasticis scripturis et dogmatibus libri 4 (Löwen 1533).

Durandus a Sancto Porciano, In Petri Lombardi Sententias Theologicas Commentariorum libri IV (Venedig 1571).

- Quodlibeta Avenionensia tria additis Correctionibus Hervei Natalis supra dicta Durandi in primo Quolibet, cura P. T. Stella (Zürich 1965).

Epiphanius von Salamis, Ancoratus und Panarion. Hrsg. im Auftrag der Kirchenväter-Commission d. Kgl. Preuss. Akad. d. Wiss. von Karl Holl = GCS 25 (Leipzig 1915).

- The Panarion of Epiphanius of Salamis, Book I (sect. 1-46), transl. F. Williams = Nag Hammadi Studies 35 (Leiden u.a. 1987).

Faydit, Pierre-Valentin, Altération du dogme théologique par la philosophie d'Aristote ou Fausses idées des scholastiques sur toutes les matières de la religion. Traité de la trinité (O. O. 1696).

Fioravanti, Geronimo, De beatissima Trinitate libri tres (Macerata 1618).

Flavin [Flavius], Melchior de, Resolutiones in IV Libros Sententiarum Ioannis Duns, sive Scoti (Paris 1579).

Fonseca, Pedro de, Commentariorum in metaphysicorum Aristotelis Stagiritae libri quatuor (Köln 1615).

Gazzaniga, Petrus Maria, Praelectiones theologicae, Bd. 3 (Venedig 1797).

Genebrard[us], Gilbert, De S. Trinitate libri tres contra huius aevi Trinitarios, Antitrinitarios, et Autotheanos (Paris 1569).

Gerbert, Martin, De Recto Et Perverso Usu Theologiae Scholasticae (St. Blasien 1758).

- De Ratione Exercitiorum Scholasticorum Præcipue Disputationum Cum Inter Catholicos, Tum Contra Hæreticos In Rebus Fidei (St. Blasien 1758).

González de Santalla, Tirso, Selectae disputationes ex universa theologia, 4 vol. (Salamanca, 1680-1686).

Gregor von Rimini, Lectura super primum et secundum Sententiarum, edd. D. Trapp et al. 7 Bde. (Berlin 1979-1987).

Gregor von Valencia, Commentariorum theologicorum tomi quatuor (Paris 1609).

- Libri quinque de Trinitate (Ingolstadt 1586).

Heinrich von Gent, Opera omnia, ed. R. Macken (Löwen 1979ff.).

- Quodlibeta, ed. J. Badius (Paris 1518).

- Summa quaestionum, ed. J. Badius (Paris 1520).

Herice, Valentín de, Quatuor tractatus in primam partem S. Thomae distincti disputationibus (Pamplona 1623).

Herrera, Agustín de, Tractatus de altissimo Trinitatis mysterio (Alcalá 1674).

Hervaeus Natalis, In quatuor libros Sententiarum Commentaria quibus adiectus est eiusdem auctoris Tractatus de potestate papae (Paris 1647).

- Tractatus de relationibus: Ders., Quodlibeta / Tractatus VIII (Venedig 1513) fol. 53v-70v.

Hieronymus, Opera, Pars I, 6: Commentarii in Prophetas minores, ed. M. Adriaen = CCL 76 (Turnhout 1969).

Hilarius von Poitiers, De synodis: PL 10 (Paris 1845) 479B-546B.

Javelli, Crisostomo, Quaestiones in Aristotelis XI Metaphysices libros (Lyon 1575).

Johannes a Sancto Thoma [Poinsot], Cursus theologicus, Bd. 4. Opera et studio monachorum quorumdam Solesmensium O.S.B. (Paris 1953).

Johannes Duns Scotus, Opera omnia, iussu et auctoritate Pacifici M. Perantoni. Studio et cura Commissionis Scotisticae ad fidem codicum ed. praeside Carolo Balić (Vatikanstadt 1950ff.).

- Opera omnia, ed. L. Wadding. 12 Bde. (Lyon 1639).

- Über die Erkennbarkeit Gottes. Texte zur Philosophie und Theologie = PhB 529 (Hamburg 2000).

Lugo, Francisco de, Theologia scholastica in primam partem S. Thomae (Lyon 1647).

Lychetus, Franciscus, In Johannis Duns Scoti super Primo, Secundo, Tertio et Quodlibetis Clarissima Commentaria (Paris 1520).

Maeratius, Ludovicus [Le Mairat, Louis], Disputationes in Summam Theologicam S. Thomae. Bd. 3 (Paris 1633).

Mair, John [Johannes Major], In primum et secundum sententiarum (Paris 1510).

Mansi, Johannes, Sacrorum conciliorum nova et amplissima collectio. 35 Bde. (ND Arnheim 1901-1903).

Marin, Juan de, Theologia speculativa et moralis. Bd. 1 (Venedig 1720).

Marsilius von Inghen, Quaestiones super quattuor libros sententiarum, edd. G. Wieland / M. Santos-Noya = Studies in the History of Christian Thought 87-88 (Leiden 2000ff.).

- Quaestiones super quattuor libros sententiarum (Straßburg 1501).

Martinon, Jean, Disputationes theologicae quatuor tomis distinctae, quibus universa theologia scholastica clare, breviter et accurate explicatur. 2 Bde. (Bordeaux 1644).

Mauro, Silvestro, Quaestionum theologicarum de Deo trino, et uno, l. 1-2 (Rom 1676).

Medina, Bartholomé a, Expositio in primam secundae angelici doctoris D. Thomae (Venedig 1590).

- Expositio in tertiam D. Thomae partem usque ad quaestionem sexagesimam complectens tertium librum Sententiarum (Salamanca 1580).

Meisner, Balthasar, Dissertatio de antiqua vitiosa theologice disputandi ratione (Giessen 1611).

Molanus, Jean, De historia sacrarum imaginum et picturarum pro vero earum usu contra abusus: Thesaurus theologicus, lib. 9 (Venedig 1762) 402-562.

Molina, Luis de, Commentaria in primam D. Thomae partem, in duos tomos divisa (Lyon 1593).

- Liberi arbitrii cum gratiae donis, divina praescientia, providentia, praedestinatione et reprobatione concordia, ed. J. Rabeneck (Madrid u.a. 1953).

Muniesa, Tomás, Disputationes scholasticae de mysteriis Incarnationis et Eucharistiae (Barcelona 1689).

Perez, Antonio, In primam partem D. Thomae tractatus V. Opus posthumum (Rom 1656).

Petau, Denis [Petavius], Dogmata theologica (Paris 1865).

Petrus Aureoli, Scriptum super primum Sententiarum, dist. 1-8, 2 Bde., ed. E. M. Buytaert = FIP.T 3 (St. Bonaventure/NY u.a. 1952-56).

- Commentaria in librum primum Sententiarum (Rom 1596).

- Electronic Scriptum, edd. R. Friedman / C. Schabel: http://www.igl.ku.dk/~russ/ElectronicScriptum.html

Petrus Lombardus, Sententiae in IV libris distinctae = SpicBon 4 / 5 (Quaracchi 1971 / 1981).

Politus, Ambrosius Catharinus, Annotationes in Commentaria Caietani denuo multo locupletiores et castigatiores redditae (Lyon 1542).

Possevino, Antonio, Bibliotheca selecta qua agitur de ratione studiorum in historia, in disciplinis, in salute omnium procuranda (Rom 1593).

Ratio atque institutio studiorum Societatis Jesu, ed. L. Lukács = Monumenta paedagogica Societatis Jesu 5 / Monumenta historica Societatis Jesu 129 (Rom 1986).

Richard von St. Viktor, De trinitate. Texte critique avec introduction, notes et tables publié par Jean Ribaillier = Textes philosophiques du moyen âge 6 (Paris 1958).

Richard von Mediavilla, Super quatuor libros Sententiarum Petri Lombardi questiones subtilissimae, 4 Bde. (Brixen 1591).

Robert Holkot, In quatuor libros Sententiarum quaestiones (Lugduni 1518 / ND Frankfurt am Main 1967).

Ruiz de Montoya, Diego, Commentaria ac disputationes in primam partem sancti Thomae de trinitate (Lyon 1625).

Rupert von Deutz, De sancta Trinitate et operibus eius, ed. Rh. Haacke = CChr.CM 21-24 (Turnhout 1971-72).

Salmeron, Alphonsus, Commentarii in Evangelicam Historiam et in Acta Apostolorum, Tom. secundus qui inscribitur De Verbi ante incarnationem gestis (Köln 1602); Tom. nonus, qui De Sermone in Coena ad Apostolos habito inscribitur (Köln 1604).

Soncinas, Paulus, Quaestiones metaphysicales acutissimae (Venedig 1588 / ND Frankfurt 1967).

Soto, Domingo de, Commentaria in Quartum Sententiarum. Tomus primus (Salamanca 1561); tomus secundus (Salamanca 1566).

- De natura et gratia (Paris 1549).

- In Porphyrii Isagogen, Aristotelis Categorias librosque de Demonstratione absolutissima Commentaria (Venedig 1587).

- Super octo libros Physicorum Aristotelis Quaestiones (Salamanca o. J. [vor 1552]).

Suárez, Francisco, Opera omnia. 28 Bde. (Paris 1856-1878).

Sylvester de Ferrara, Franciscus [Ferrariensis], Commentaria in libros quatuor contra gentiles S. Thomae de Aquino. Cura et studio Ioachim Sestili. – Ed. novissima ... novoque ordine digesta. 4 Bde. (Rom 1897-1901).

Thomas de Argentina, Commentaria in IV libros Sententiarum (Venedig 1564).

Thomas von Aquin, Deutsche Thomas-Ausgabe. Vollständige, ungekürzte deutsch-lateinische Ausgabe der Summa theologica (Salzburg-Leipzig 1933ff.).

- Opera Omnia, iussu impensaque Leonis XIII edita (Rom 1882ff.).

- Opera omnia ut sunt in indice thomistico additis 61 scriptis ex aliis medii aevi auctoribus curante R. Busa. Bd. 1-7 (Stuttgart-Bad Cannstatt 1980).

Tiphaine, Claude, Declaratio ac defensio doctrinae sanctorum patrum doctorisque angelici de hypostasi et persona. Ed. altera ed. R. P. Caroli M. Jovene S. J. (Paris 1881).

Toledo, Francisco de, In Summam theologiae S. Thomae Aquinatis enarratio, ex autographo in Bibliotheca Collegii Romani asservato. Bd. 1 (Rom 1869).

Torres, Bartholomé, Commentaria in XVII. quaestiones primae partis S. Thomae de Aquino de ineffabili Trinitatis mysterio ubi disputantur 33 distinctiones primi magistri sententiarum (Venedig 1588).

Tostatus, Alphonsus. Opuscula eruditissima (Köln 1613).

Tribbechovius, Adam, De doctoribus scholasticis et corrupta per eos divinarum humanarumque rerum scientia. 2. Aufl. (Jena 1719).

Ulloa, Juan de, Theologia scholastica. I. De Deo atque de ejus possessione (Augsburg 1719).

Vázquez, Gabriel, Commentariorum ac disputationum in primam partem S. Thomae tomus primus, complectens vigintisex quaestiones priores (Ingolstadt 1609).

- Commentariorum ac disputationum in primam partem S. Thomae tomus secundus, complectens quaestiones a 27. usque ad 64. et a quaestione 106. usque ad 114. (Ingolstadt 1609).

- Commentariorum ac disputationum in tertiam partem S. Thomae. 4 Bde. (Lyon 1631).

- De cultu adorationis libri tres (Alcalá 1594).

Viva, Domenico, Cursus theologicus ad usum tyronum elucubratus. 8 Bde. (Padua 1719).

Vives, Juan Luis, Opera omnia, 8 Bde., ed. G. Mayans y Síscar (Valencia 1782-90).

Wilhelm von Auxerre (Guillelmus Altissiodorensis), Summa aurea I-IV, ed. J. Ribaillier, = SpicBon 16-20 (Paris-Rom 1980-87).

Wilhelm von Ockham, Opera plurima, t. IV (Lyon 1496 / ND London 1962).

- Opera philosophica, ed. Franciscan Institute (St. Bonaventure 1974-88).

- Opera theologica, ed. Franciscan Institute (St. Bonaventure 1967-86).

Wohlmuth, J. / Alberigo, G. (Hgg.), Dekrete der ökumenischen Konzilien / Conciliorum Oecumenicorum Decreta. Bd. 2: Konzilien des Mittelalters (Paderborn 2000).

Zumel, Francisco, Commentaria in primam D. Thomae partem. Bd. 2 (Venedig 1601).

Zuñiga [Cuniga], Francisco de, Tractatus de trinitate, in primam partem S. Thomae (Lyon 1623).

## 2) SEKUNDÄRLITERATUR

ABRAMOWSKI, L. (1995), Zur Trinitätslehre des Thomas von Aquin: ZThK 92 (1995) 466-480.

ADAMS, M. McCord (1976), Ockham on Identity and Distinction: FrS 36 (1976) 5-74.

ADAMS, M. McCord (1982), Universals in the Early Fourteenth Century: KRETZMANN, N. / KENNY, A. / PINBORG, J. (Hgg.), The Cambridge History of Later Medieval Philosophy (Cambridge u.a.) 411-439.

ADAMS, M. McCord (1987), William Ockham, 2 Bde. (Notre Dame).

AERTSEN, J. A. (1987), Ockham, ein Transzendentalphilosoph? Eine kritische Diskussion mit G. Martin: BOS, E. P. / KROP, H. A. (Hgg.), Ockham and Ockhamists. Acts of the Symposium organized by the Dutch Society for Mediaeval Philosophy Medium Aevum on the occasion of its 10th Anniversary (Nijmegen).

AERTSEN, J. A. (2002), „Res“ as Transcendental. Its Introduction and its Significance: FEDERICI VESCOVINI (2002) 139-156.

AERTSEN, J. A. (2006), 'Transcendens' im Mittelalter: Das Jenseitige und das Gemeinsame: RTPM 73 (2006) 291-310.

ALCORTA, J. J. (1949), La teoría de los modos en Suárez (Madrid).

ALDAMA, J. A. de (1932), Ruiz de Montoya y el problema Trinitario del principio de identidad comparada: EE 11 (1932) 547-559.

ALEJANDRO, J. M. (1948), La gnoseología del Doctor Eximio y la acusación nominalista = Publicaciones anejas à „Miscelanea Comillas”, Ser. Filos. 1 (Santander).

ALMUZARA, E. F. (1948), El P. Francisco Suárez en Coimbra: MCom 9 (1948) 247-259.

ÁLVAREZ, M. (2000), La omnipotencia de Dios y el principio de contradicción en Francisco Suárez: CANZIANI, G. et al., Potentia Dei. L'onnipotenza divina nel pensiero dei secoli XVI e XVII = Filosofia e Scienza nel Cinquecento e nel Seicento (Milano) 173-193.

ANDRÉS, M. (1976-77), La teología española en el siglo XVI. 2 Bde. = BAC 13-14 (Madrid).

ANDRÉS MARTÍN, M. (Hg.) (1983-87), Historía de la teología española. 2 Bde. (Madrid).

ANGELINI, G. (1972), L'ortodossia e la grammatica. Analisi di struttura e deduzione storica della teologia trinitaria di Prepositino = AnGr 183 (Rom).

ANTOGNAZZA, M. R. (1999), Trinità e incarnazione. Il rapporto tra filosofia e teologia rivelata nel pensiero di Leibniz = Scienze filosofiche 64 (Mailand).

ARNOLD, J. (1995), „Perfecta communicatio“. Die Trinitätstheologie Wilhelms von Auxerre = BGPhMA NF 42 (Münster).

ARNOLD, J. / BERNDT, R. / STAMMBERGER, R. M. W. (Hgg.), Väter der Kirche. Ekklesiales Denken von den Anfängen bis in die Neuzeit. FS H. J. Sieben SJ zum 70. Geburtstag (Paderborn u. a.).

ASHWORTH, E. J. (1995), Suárez on the Analogy of Being. Some Historical Background: Vivarium 33 (1995) 50-75.

ATTEBERRY, J. / RUSSELL, J. (Hgg.) (1999), Ratio studiorum. Jesuit Education, 1540-1773 (Boston).

AUBENQUE, P. (1999), Suarez et l'avènement du concept d'être: CARDOSO / MARTINS / REIBEIRO DOS SANTOS (1999) 11-20.

AUER, J. (1957), Die aristotelische Logik in der Trinitätslehre der Spätscholastik: AUER / VOLK (1957) 457-496.

AUER, J. / VOLK, H. (Hgg.) (1957), Theologie in Geschichte und Gegenwart. FS M. Schmaus (München).

BACHELET, X. Le (1910), Art. Bellarmin, Robert: DThC II/1 (Paris) 560-599.

BACHELET, X. Le (1924), Art. Jésuites I-II: DThC VIII (Paris) 1012-1070.

BACIERO, C. (1968), Contexto filosófico del axioma „actiones sunt suppositorum" en Suárez, Vázquez y Lugo: MCom 20 (1968) 21-71.

BACIERO, C. (1972), Los problemas de la subsistencia creada en Suárez, Vázquez y Lugo: MCom 30 (1972) 205-243.

BÄCK, A. (1997), Reduplicative Propositions in the Theology of John Duns Scotus: MARMO (1997) 203-221.

BAERT, E. (1997), Aufstieg und Untergang der Ontologie = Osnabrücker philosophische Schriften A/2 (Osnabrück).

BAEZA, F. J. (1948), Significación de nuestro homenaje al P. Suárez: MCom 9 (1948) 35-45.

BAILLEUX, E. (1961), Le personnalisme de saint Thomas en théologie trinitaire: RThom 61 (1961) 25-42.

BALDINI, U. (1992), Legem impone subactis. Studi su filosofia e scienza dei gesuiti in Italia (1540-1632) = Collana dell'Istituto di Filosofia, NS 3 (Rom).

BALDINI, U. (2000), Saggi sulla cultura della Compagnia di Gesù (secoli XVI-XVIII) (Padova).

BALTHASAR, H. U. von (1965), Herrlichkeit. III/1: Im Raum der Metaphysik. Teil 2: Neuzeit (Einsiedeln).

BALTHASAR, H. U. von (1985), Theologik. II: Wahrheit Gottes (Einsiedeln).

BALTHASAR, H. U. von (1989), Schleifung der Bastionen. 5. Aufl. (Einsiedeln).

BANNACH, K. (2000), Relationen. Ihre Theorie in der spätmittelalterlichen Theologie und bei Luther: FZPhTh 47 (2000) 101-125.

BARTLETT, D. A. (1984), The Evolution of the Philosophical and Theological Elements of the Jesuit *Ratio Studiorum*. A Historical Study 1540-1599 (Ann Arbor).

BASABE, F. (1960), Teoría tomista de la causa instrumental y la crítica suareciana: Pens. 16 (1960) 5-40.189-223.

BATLLORI, M. (1949), Les fonds manuscrits de Suárez dans les bibliothèques et les archives de Rome: Actas del Congreso Internacional de Filosofía, Barcelona, 4-10 octubre 1948, con motivo del Centenario de los filósofos Francisco Suárez y Jaime Balmes (Madrid) III, 327-333.

BAUER, E. J. (1999), Francisco Suárez. Scholastik nach dem Humanismus: BLUM, P. R. (Hg.), Philosophen der Renaissance (Darmstadt) 206-221.

BAUMAN, M. M. (1959) Die Gottesfreundschaft nach Franz Suarez (1548-1617). Mschr. Lizentiat-Arbeit (München).

BAUR, F. C. (1842-43), Die christliche Lehre von der Dreieinigkeit und Menschwerdung Gottes. Bd. 2: Das Dogma des Mittelalters; Bd. 3: Die neuere Geschichte des Dogma, von der Reformation bis in die neueste Zeit (Tübingen).

BAYÓN, A. (1987), La escuela jesuitica desde Suárez y Molina hasta la guerra de sucesión: ANDRÉS MARTÍN (1983-87) II, 39-73.

BECHER, H. (1928), Der Gottesbegriff und Gottesbeweis bei Wilhelm von Ockham: Schol. 3 (1928) 369-393.

BECKMANN, J. P. (1967), Die Relationen der Identität und Gleichheit nach Johannes Duns Scotus. Untersuchungen zur Ontologie der Beziehungen (Bonn).

BECKMANN, J. P. (1996), Entdecken oder Setzen? Die Besonderheit der Relationstheorie des Duns Scotus und ihre Bedeutung für die Metaphysik: HONNEFELDER, L. / WOOD, R. / DREYER, M. (Hgg.), John Duns Scotus. Metaphysics and Ethics = STGMA 53 (Leiden – Köln – New York) 367-384.

BEIERWALTES, W. (2001), Gutheit als Grund der Trinität. Dionysius und Bonaventura: ders. (Hg.), Platonismus im Christentum. 2. Aufl. = PhA 73 (Frankfurt/M.) 85-99.

BELDA PLANS, J. (1995), Domingo de Soto y la defensa de la Teología escolástica en Trento: ScrTh 27 (1995) 423-458.

BELDA PLANS, J. (2000), La Escuela de Salamanca y la renovación de la teología en el siglo XVI (Madrid).

BELTRÁN DE HEREDIA, V. (1960), Domingo de Soto. Estudio biográfico documentado = BTE 20 (Salamanca).

BENAVENT VIDAL, E. (1995), Amigos de Dios. El acontecimiento de la justificación en el pensamiento de Suárez = SVal 34 (Valencia).

BENDEL-MAIDL, L. (2004), Tradition und Innovation. Zur Dialektik von historischer und systematischer Perspektive in der Theologie am Beispiel von Transformationen in der Rezeption des Thomas von Aquin im 20. Jahrhundert = Religion – Geschichte – Gesellschaft 27 (Münster).

BENRATH, G. A. (1978), Art. Antitrinitarier: TRE Bd. 3 (Berlin-New York) 168-174.

BERETTA, B. (1999), Ad aliquid. La relation chez Guillaume d'Occam (Fribourg).

BERGERON, M. (1932), La structure du concept latin de personne: Études d'histoire litteraire et doctrinale du XIII$^{e}$ siècle. 2$^{e}$ série (Paris) 121-161.

BERTRAND, D. (1997), The Society of Jesus and the Church Fathers in the Sixteenth and Seventeenth Century: BACKUS, I. (Hg.), The Reception of the Church Fathers in the West. From the Carolingians to the Maurists (Leiden) II, 889-950.

BEUCHOT, M. (1992), La esencia y la existencia en los escolásticos post-medievales. La lucha entre Francisco Suárez y Juan Martínez de Prado: DoC 45 (1992) 153-161.

BEUCHOT, M. (1994), La teoría de las distinciones en la edad media y su influjo en la edad moderna: Revista Española de Filosofía Medieval 1 (1994) 37-48.

BIENERT, W. A. (1994), Christologische und trinitätstheologische Aporien der östlichen Kirche aus der Sicht Martin Luthers: HEUBACH (1994) 95-112.

BILLOT, L. (1910), De Deo Uno et Trino. Commentarius in primam partem S. Thomae. Ed. 5ª, aucta et emendata (Prati).

BILZ, J. (1909), Die Trinitätslehre des hl. Johannes von Damaskus = FChLDG IX, 3 (Paderborn).

BINNINGER, C. (2003), Mysterium inhabitationis trinitatis. M. J. Scheebens theologische Auseinandersetzung mit der Frage nach der Art und Weise der übernatürlichen Verbindung der göttlichen Personen mit dem Gerechten = MThS.S 62 (St. Ottilien).

BLUM, P. R. (1998), Philosophenphilosophie und Schulphilosophie. Typen des Philosophierens in der Neuzeit = StLeib.SdrH 27 (Stuttgart).

BLUMENBERG, H. (1996), Die Legitimität der Neuzeit. Erneuerte Ausgabe = stw 1268 (Frankfurt).

BÖHNKE, M. / HEINZ, H. (Hgg.) (1985), Im Gespräch mit dem Dreieinen Gott. Elemente einer trinitarischen Ontologie. FS W. Breuning (Düsseldorf).

BOLLIGER, D. (2003), Infiniti contemplatio. Grundzüge der Scotus- und Scotismusrezeption im Werk Huldrych Zwinglis. Mit ausführlicher Edition bisher unpublizierter Annotationen Zwinglis = SHCT 107 (Leiden-Boston-Köln).

BOOTH, E. (2000), Saint Thomas Aquinas's Critique of Saint Augustine's Conceptions of the Image of God in the Human Soul: BRACHTENDORF (2000) 219-239.

BORAK, H. (1965), De fundamento distinctionis formalis scotisticae: Laur. 6 (1965) 157-181.

BORCHERT, E. (1940), Der Einfluß des Nominalismus auf die Christologie der Spätscholastik nach dem Traktat De communicatione idiomatum des Nicolaus Oresme. Untersuchungen und Textausgabe = BGPhMA 35, 4/5 (Münster).

BORCHERT, E. (1974), Die Trinitätslehre des Johannes de Ripa. 2 Bde. = VGI 21 (München).

BOTTE, P. C. (1965), Alexandri de Hales eminentia doctrinae de ss. trinitatis mysterio (Grottaferrata).

BOTTE, P. C. (1968), Ioannis Duns Scoti doctrina de constitutiva formali Patris: De Doctrina Ioannis Duns Scoti, vol. III (Rom) 85-104.

BOUCHÉ, B. (1938), La doctrine du „Filioque“ d'après Saint Anselme de Cantorbery. Son influence sur Saint Albert le Grand et sur Saint Thomas d'Aquin. Diss. P.U.G. (Rom).

BOULNOIS, O. (1999), Être et représentation. Une généalogie de la métaphysique moderne à l'époque de Duns Scot (XIIIe-XIV[e] siècle) (Paris).

BOURASSA, F. (1955a), Appropriation ou propriété: ScEc 7 (1955) 57-85.

BOURASSA, F. (1955b), Rôle personnel des Personnes et relations distinctes aux Personnes: ScEc 7 (1955) 151-172.

BOURASSA, F. (1962), Le Saint-Esprit unité d'amour du Père et du Fils: ScEc 14 (1962) 375-415.

BOURASSA, F. (1970), Questions de théologie trinitaire (Rom).

BOYER, C. (1949), Synopsis praelectionum de SS. Trinitate (Rom).

BOYLE, J. F. (2000), St. Thomas and the analogy of „potentia generandi": Thom. 64 (2000) 581-592.

BRACHTENDORF, J. (Hg.) (2000), Gott und sein Bild. Augustinus „De Trinitate" im Spiegel gegenwärtiger Forschung (Paderborn u. a.).

BRAUN, B. (1995), Ontische Metaphysik. Zur Aktualität der Thomasdeutung Cajetans (Würzburg).

BREUER, A. (1929), Der Gottesbeweis bei Thomas und Suarez. Der wissenschaftliche Gottesbeweis auf der Grundlage von Potenz- und Aktverhältnis oder Abhängigkeitsverhältnis (Freiburg).

BREUNING, W. (Hg.) (1984). Trinität. Aktuelle Perspektiven der Theologie = QD 101 (Freiburg u. a.).

BRINKTRINE, J. (1954), Die Lehre von Gott. Zweiter Band: Von der göttlichen Trinität (Paderborn).

BROWN, S. F. (1993), Medieval Supposition Theory in its Theological Context: Medieval Philosophy and Theology 3 (1993) 121-157.

BURGER, M. (1994), Personalität im Horizont absoluter Prädestination. Untersuchungen zur Christologie des Johannes Duns Scotus und ihrer Rezeption in modernen theologischen Ansätzen = BGPhMA NF 40 (Münster).

BURGER, M. (1996), Univozität des Seienden – Univozität der Person. Zwei Grenzbegriffe: HONNEFELDER, L. (Hg.), John Duns Scotus. Metaphysics and Ethics = STGMA 53 (Leiden u.a.) 317-326.

BURNS, J. P. (1964), Action in Suarez: NSchol 38 (1964) 453-472.

BURNS, P. (1993): The status and function of divine simpleness in Summa Theologiae Ia, qq. 2-13: Thom. 57 (1993) 1-26

CABADA CASTRO, M. (1974), Die Suarezische Verbegrifflichung des Thomasischen Seins: ThPh 49 (1974) 324-342.

CACCIAPUOTI, P. (1998), „Deus existentia amoris". Teologia della carità e teologia della trinità negli scritti di Riccardo di san Vittore († 1173) = Bibliotheca Victorina 9 (Turnhout).

CAILLAT, M. (1939), La dévotion au Dieu le Père. Une discussion au XVIIe siècle: RAM 20 (1939) 35-49.136-157.

CANNIZZO, G. (1962), La dottrina del „verbum mentis“ in Enrico di Gand: RFNS 54 (1962) 243-266.

CANTENS, B. J. (2000), The Relationship between God and Essences and the Notion of Eternal Truths according to Francisco Suarez: MSM 77 (2002) 127-143.

CANTENS, B. J. (2002), Ultimate Reality in the Metaphysics of Francisco Suárez: URM 25 (2002) 73-92.

CANTIMORI, D. (1949), Italienische Haeretiker der Spätrenaissance (Basel).

CARBONE, G. M. (2001), L'image trinitaire de Dieu dans l'homme. À travers les oeuvres de saint Thomas d'Aquin: NV 76 (2001) 13-26.

CARDOSO, A. / MARTINS, A. M. / RIBEIRO DOS SANTOS, L. (Hgg.) (1999), Francisco Suárez (1548-1617). Tradição e modernidade (Lisboa).

CAROSI, A. (1940/41), La sussistenza ossia il formale costitutivo del supposito: DT (P) 17 (1940) 394-420; 18 (1941) 3-26.

CARRAUD, V. (2002), Causa sive ratio. La raison de la cause de Suárez à Leibniz (Paris).

CARUSO, E. (1979), Pedro Hurtado de Mendoza e la rinascità del nominalismo nella scolastica del Seicento (Firenze).

CASTELLOTE CUBELLS, S. (1976), El hombre como persona según F. Suárez: AnVal 2 (1976) 179-208.

CASTELLOTE CUBELLS, S. (1980), Der Stand der heutigen Suárez-Forschung auf Grund der neu gefundenen Handschriften: PhJ 87 (1980) 134-142.

CASTELLOTE CUBELLS, S. (1981), Las relaciones humanas. Estudio metafísico-jurídico con especial consideración de las relaciones transcendentales según Francisco Suárez: AnVal 13 (1981) 85-133.

CASTELLOTE CUBELLS, S. (1982), Die Anthropologie des Suárez. Beiträge zur spanischen Anthropologie des XVI. und XVII. Jahrhunderts. 2. Aufl. (Freiburg-München).

CASTELLOTE CUBELLS, S. (1994), Un manuscrito inédito suareciano „Controversiae de anima“: AnVal 20 (1994) 251-346.

CASTELLOTE CUBELLS, S. (2003), La Encarnación según Suárez: La Encarnación al encuentro de los hombres. Hg. von der Facultad de Teología ‘San Vicente Ferrer’ (Valencia) 437-460.

CATANIA, F. J. (1993), John Duns Scotus on Ens Infinitum: American Catholic Philosophical Quarterly 67 (1993) 37-54.

CEÑAL, R. (1948), Alejandro de Alejandría, su influjo en la metafísica de Suárez: Pens. 4 (1948) 91-122.

CHAMBAT, L. (1943), Les missions des personnes de la Sainte-Trinité selon Saint Thomas d'Aquin (Fontenelle).

CHARAMSA, K. O. (2003), La teologia del Dio che si revela immutabile. L'approccio di Francisco Suárez (1548-1617): BENAVENT VIDAL, E. / MORALI, I. (Hgg.), Sentire cum ecclesia. Homenaje al Padre Karl Josef Becker SJ = SVal 49 (Valencia) 139-168.

CHÂTILLON, J. (1974), Unitas, aequalitas, concordia vel connexio. Recherches sur les origines de la théorie thomiste des appropriations (Sum. theol. I, q. 39, art. 7-8): MAURER, A. (Hg.), St. Thomas Aquinas. Commemorative Studies 1274-1974. Vol. I (Toronto) 337-379.

CHÊNEVERT, J. (1961), Le verbum dans le commentaire sur les Sentences de Saint Thomas d'Aquin: ScEc 13 (1961) 191-223.359-390.

CICOGNANI, C. (1948), Grandeza del P. Suarez como pensador cristiano y como religioso: MCom 9 (1948) 7-22.

COMBES, A. (1963), La metaphysique de Jean de Ripa: WILPERT, P. (Hg.), Die Metaphysik im Mittelalter. Ihr Ursprung und ihre Bedeutung = MM 2 (Berlin) 543-557.

COMOTH, K. (1992), Quasi Perfectum. Subjektivität im Umkreis der Trinität = Beiträge zur Philosophie. Neue Folge (Heidelberg).

CONGAR, Y. (1982), Der Heilige Geist (Freiburg 1982).

CONZE, E. (1928), Der Begriff der Metaphysik bei Suarez. Gegenstandsbereich und Primat der Metaphysik (Leipzig).

COOMBS, J. (2003), The Ontological Status of Logical Possibility in Catholic Second Scholasticism: FRIEDMAN / NIELSEN (2003) 191-229.

COUJOU, J.-P. (1998), Suárez et la Renaissance de la métaphysique: Francis Suárez, Disputes métaphysiques I, II, III, texte intégral présenté et traduit par J.-P. Coujou (Paris) 7-45.

COUJOU, J.-P. (1999), Suárez et la refondation de la métaphysique comme ontologie. Étude et traduction de l'Index détaillé de la Métaphysique d'Aristote de F. Suárez = PhMed 38 (Louvain-la-Neuve).

COURTENAY, W. (1987), Schools and Scholars in Fourteenth Century England (Princeton).

COURTENAY, W. (1989), Art. Potentia absoluta / ordinata: HWPh Bd. 7 (Basel) 1157-1162.

COURTH, F. (1985), Trinität. In der Scholastik = HDG II/1b (Freiburg).

COURTH, F. (1996), Trinität. Von der Reformation bis zur Gegenwart = HDG II/1c (Freiburg).

COURTINE, J.-F. (1990), Suarez et le système de la métaphysique (Paris).

CROSS, R. (1999), Duns Scotus (New York-Oxford).

CROSS, R. (2003), A Trinitarian Debate in Early Fourteenth-Century Christology: RThAM 70 (2003) 233-274.

CROSS, R. (2005), Duns Scotus on God (Aldershot).

CROWE, F. E. (2000), For inserting a new question (26A) in the „Prima pars": Thom. 64 (2000) 565-580.

CUNNINGHAM, F. (1955), The Indwelling of the Trinity. A Historico-Doctrinal Study of the Theory of St. Thomas Aquinas (Dubuque).

CUNNINGHAM, F. (1962), Distinction According to St. Thomas: NSchol 36 (1962) 279-312.

DAFARA, M. (1945), De Deo uno et trino (Turin).

DALBIEZ, R. (1939), Les sources scolastiques de la théorie cartésienne de l'être objectif: RHP 3 (1939) 464-472.

D'ALÈS, A., (1934), De deo trino (Paris).

DALMAU, J. M. (1926), El principio de identidad comparada según Suárez: EE 5 (1926) 91-98.

DALMAU, J. M. (1948), Metafisica y teología en Suárez: EE 22 (1948) 549-569.

DALMAU, J. M. (1949), Los dones del Espiritu Santo según Suárez: Manresa 21 (1949) 103-120.

DALMAU, J. M. (1953), Art. Suárez: EC Bd. 11 (Vatikanstadt) 1452-1458.

DALMAU, J. M. (1955), De Deo uno et trino: Sacrae Theologiae Summa, Bd. 2 (Madrid) 13-458.

DANIEL, S. H. (2000), Berkeley, Suárez and the esse-existere distinction: American Catholic Philos. Quarterly 74 (2000) 621-636.

DARGE, R. (1999a), „Ens in quantum ens": Die Erklärung des Subjekts der Metaphysik bei F. Suárez: RTPM 66 (1999) 335-361.

DARGE, R. (1999b), Grundthese und ontologische Bedeutung der Lehre von der Analogie des Seienden nach F. Suárez: PhJ 106 (1999) 312-333.

DARGE, R. (2000a), ‚Ens intime transcendit omnia'. Suarez' Modell der transzendentalen Analyse und die mittelalterlichen Transzendentalienlehren: FZPhTh 47 (2000) 150-172.

DARGE, R. (2000b), Die Grundlegung einer allgemeinen Theorie der transzendentalen Eigenschaften des Seienden bei F. Suarez: ZPhF 54 (2000) 339-358.

DARGE, R. (2000c), Suarez' Analyse der Transzendentalien 'Ding' und 'Etwas' im Kontext der scholastischen Metaphysiktradition: ThPh 75 (2000) 339-358.

DARGE, R. (2001), Der Begriff der transzendentalen Einheit bei Suarez. Zur Entfaltung metaphysischer Grundbegriffe in der Spätscholastik: ABG 43 (2001) 37-57.

DARGE, R. (2003a), Eines oder Vieles. Zu einem Grundproblem der scholastischen Theorien über das Eine: ZPhF 57 (2003) 27-52.

DARGE, R. (2003b), Seinswahrheit und Erkenntniswahrheit. Francisco Suárez und die thomistische Lehre von der analogia entis: PICKAVÉ (2003) 246-265

DARGE, R. (2004a), Suárez' transzendentale Seinsauslegung und die Metaphysiktradition = STGMA 80 (Leiden).

DARGE, R. (2004b), Vom Gutsein der Dinge. Suárez' Theorie des ontischen Guten und die Metaphysiktradition: Francisco Suárez. „Der ist der Mann". Homenaje al Prof. Salvador Castellote = SVal 50 (Valencia) 133-159.

DAVENPORT, A. A. (1999), Measure of a Different Greatness. The Intensive Infinite, 1250-1650 = STGMA 67 (Leiden).

DECKER, B. (1967), Die Gotteslehre des Jakob von Metz. Untersuchungen zur Dominikanertheologie zu Beginn des 14. Jahrhunderts = BGPhMA 42,1 (Münster).

DECORTE, J. (1995), Modus or Res. Scotus' Criticism of Henry of Ghent's Conception of the Reality of a Real Relation: SILEO (1995) 407-429.

DECORTE, J. (1996), Giles of Rome and Henry of Ghent on the Reality of a Real Relation: Documenti e studi sulla tradizione filosofica medievale 7 (1996) 183-211.

DECORTE, J. (1997), Studies on Henry of Gent. The Relevance of Henry's Concept of Relation: RTPM 64 (1997) 230-238.

DEGL' INNOCENTI, U. (1967), Il problema della persona nel pensiero di S. Tommaso (Rom).

DEN BOK, N. (1996), Communicating the Most High. A Systematic Study of Person and Trinity in the theology of Richard of St. Victor = Bibliotheca Victorina 7 (Paris-Turnhout).

DENEFFE, A. (1923), Perichoresis, circumincessio, circuminsessio. Eine terminologische Untersuchung: ZKTh 47 (1923) 497-532.

DESCOQS, P. (1924), Le suarezisme: ArPh 2 (1924) 123-154.

DESCOQS, P. (1925), Institutiones Metaphysicae Generalis. Éléments d'Ontologie. Tom. 1 (Paris).

DESCOQS, P. (1927), Thomisme et suarezisme: ArPh 4 (1927) 82-192.

DEWAN, L. (1999), The Individual as a Mode of Being according to Thomas Aquinas: Thom. 63 (1999) 403-424.

DIETRICH, H. (1967), Die Trinitätslehre des Augustinereremiten Hugolin von Orvieto (München).

DI VONA, P. (1968), Studi sulla Scolastica della Controriforma. L'esistenza e la sua distinzione metafisica dall'essenza (Milano).

DI VONA, P. (1994), I concetti trascendenti in Sebastián Izquierdo e nella scolastica del Seicento (Napoli)

DI VONA, P. (2002), I trascendentali nell'età moderna: FEDERICI VESCOVINI (2002) 221-227.

DIXON, P. (2003), Nice and Hot Disputes. The Doctrine of the Trinity in the Seventeenth Century (London-New York).

DOLFEN, C. (1936), Die Stellung des Erasmus von Rotterdam zur scholastischen Methode (Osnabrück).

DOMÍNGUEZ, D. (1929/30), ¿Es censurable el eclecticismo filosófico suareziano?: EE 8 (1929) 471-486; 9 (1930) 213-238.

DOMÍNGUEZ, F. (2003), Art. Summenkommentare: ECKERT, M. u. a. (Hgg.), Lexikon der theologischen Werke (Stuttgart) 682-686.

DONDAINE, H.-F. (1943-46), „Notes explicatives" / „Renseignements techniques": Saint Thomas d'Aquin, Somme théologique, La Trinité, t. I : I$^{a}$, Questions 27-52. T. II : I$^{a}$, Questions 33-43 (Paris-Tournai-Rome).

DORONZO, E. (1968), Theologia dogmatica. Vol. II: De Deo trino. De Deo creante et elevante. De gratia (Washington).

D'ORS, A. (1997), Insolubilia in Some Medieval Theological Texts: MARMO (1997) 133-150.

DOUCET, V. (1938), Der unbekannte Skotist des Vaticanus lat. 1113 fr. Anfredus Gonteri O.F.M.: FS 25 (1938) 202-240.

DOYLE, J. P. (1969), Suarez on the Analogy of Being: MSM 46 (1969) 219-249.323-341.

DOYLE, J. P. (1984), Prolegomena to a Study of Extrinsic Denomination in the Work of Francis Suárez, S.J.: Vivarium 22 (1984) 121-160.

DOYLE, J. P. (1987/88), Suárez on Beings of Reason and Truth: Vivarium 25 (1987) 47-76; 26 (1988) 51-72.

DOYLE, J. P. (1998), Supertranscendental Being. On the Verge of Modern Philosophy: BROWN, S. F. (Hg.), Meeting of the Minds. The Relation between Medieval and Classical Modern European Philosophy (Turnhout) 297-315.

DRECOLL, V. H. (2000), *Mens-notitia-amor*. Gnadenlehre und Trinitätslehre in De Trinitate IX und in *De peccatorum meritis et remissione / De spiritu et anima*: BRACHTENDORF (2000) 137-153.

DUDON, P. (1931), Le projet de Somme théologique du P. Jacques Laynez: RSR 21 (1931) 351-374.

DUMINUCO, V. J. (Hg.) (2000), The Jesuit Ratio studiorum. 400th anniversary perspectives (New York).

DUMONT, P. (1936), Liberté humaine et concours divin d'après Suárez (Paris).

DUMONT, P. (1941), Art. Suárez. II. Théologie dogmatique: DThC Bd. XIV/2 (Paris) 2649-2691.

DURAND, E. (2006), L'innascibilité et les relations du Père, sous le signe de sa primauté, dans la théologie trinitaire de Bonaventure : RThom 126 (2006) 531-563.

EHRLE, F. (1930), Los Manoscritos Vaticanos de los teólogos Salmantinos del siglo XVI = Biblioteca de estudios eclesiásticos. Serie de opúsculos 1 (Madrid).

ELDERS, L. J. (2005), Geheimnischarakter und Rationalität in der Trinitätslehre nach Thomas von Aquin: Ders., Gespräche mit Thomas von Aquin. Hg. von D. Berger und J. Vijgen (Siegburg) 211-226.

ELERT, W. (1958), Theologie und Weltanschauung des Luthertums, hauptsächlich im 16. und 17. Jahrhundert = Morphologie des Luthertums 1 (München).

ELORDUY, E. (1944), Las perfecciones relativas de la Trinidad en la doctrina suareciana: ATG 7 (1944) 187-219.

ELORDUY, E. (1948a), El concepto objectivo en Suárez: Pens. 4 (1948), num. extr., 335-423.

ELORDUY, E. (1948b), Estado actual de los estudios suarecianos: MÚGICA, P. (Hg.), Bibliografia Suareciana (Granada) 6-39.

ELORDUY, E. (1955), Influjo de Fonseca en Suárez: RPF 11 (1955) 507-519.

ELORDUY, E. (1962), Cartas y Mss. de Suarez: MCom 38 (1962) 270-330.

ELORDUY, E. (1963), La acción de resultancia en Suárez: Anales de la Cátedra „F. Suárez“ 3 (1963) 45-71.

ELORDUY, E. (1968), Duns Scoti influxus in Francisci Suárez doctrinam: De Doctrina Ioannis Duns Scoti, vol. IV, Scotismus decursu saeculorum (Roma) 307-337.

ELORDUY, E. (1969), Filosofía cristiana de San Agustín y Suárez: Augustinus 14 (1969) 3-42.

ÉMERY, G. (1995), La Trinité créatrice. Trinité et création dans les commentaires aux Sentences de Thomas d'Aquin et de ses précurseurs Albert le Grand et Bonaventure = BiblThom 47 (Paris).

ÉMERY, G. (1997), La théologie trinitaire des Evidentiae contra Durandum de Durandellus: RThom 97 (1997) 173-219.

ÉMERY, G. (1999), Dieu, la foi et la Théologie chez Durand de Saint-Pourçain: RThom 99 (1999) 659-699.

ÉMERY, G. (2001), La rélation dans la théologie de saint Albert le Grand: SENNER, W. (Hg.), Albertus Magnus. Zum Gedenken nach 800 Jahren. Neue Zugänge, Aspekte und Perspektiven = QGDOD N.F. 10 (Berlin) 455-465.

ÉMERY, G. (2003a), Le mode personnel de l'agir trinitaire suivant Thomas d'Aquin: FZPhTh 50 (2003) 334-353.

ÈMERY, G. (2003b), Trinity in Aquinas (Ypsilanti).

ÉMERY, G. (2004a), The Doctrine of the Trinity in St. Thomas Aquinas: WEINANDY, T. G. / KEATING, D. A. / YOCUM, J. P. (Hgg.), Aquinas on Doctrine. A Critical Introduction (London-New York) 45-65.

ÉMERY, G. (2004b), Le propos de la théologie trinitaire spéculative chez saint Thomas d'Aquin: NV 79 (2004) 13-43.

ÉMERY, G. (2004c), La théologie trinitaire de saint Thomas d'Aquin (Paris).

ÉMERY, G. (2004d), Le Verbe-Vérité et l'Esprit de vérité. La doctrine trinitaire de la vérité chez Saint Thomas d'Aquin: RThom 104 (2004) 167-204.

ERLER, M. (2000), Art. Hypostase: RGG, 4. Aufl., Bd. 3 (Tübingen) 1980f.

ESCHWEILER, K. (1928), Die Philosophie der spanischen Spätscholastik auf den deutschen Universitäten: SFGG, Erste Reihe 1 (1928) 251-326.

ESCHWEILER, K. (1929), Zur Geschichte der Barockscholastik: ThRv 28 (1929) 337-344.

ESPOSITO, C. (1995), Ritorno a Suárez. Le Disputationes metaphysicae nella critica contemporanea: LAMACCHIA (1995) 465-573.

ETHIER, A. M. (1939), Le „De Trinitate“ de Richard de St. Victor (Paris-Ottawa).

FABRO, C. (1941), Neotomismo e neosuarezismo. Una battaglia di principi: DT (P) 44 (1941) 167-215.420-498.

FABRO, C. (1947), Una fonte antitomista della metafisica suareziana: DT (P) 50 (1947) 57-68.

FARTHING, J. L. (1988), Thomas Aquinas and Gabriel Biel. Interpretations of St. Thomas Aquinas in German Nominalism on the Eve of the Reformation = DMMRS 9 (Durham-London).

FEDERICI VESCOVINI, G. (Hg.) (2002), Le Problème des Transcendantaux du XIVe au XVIIe siècle = Bibliothéque d'Histoire de la Philosophie (Paris).

FERRARO, D. (2000), Il dibattito sulla Potentia Dei nella seconda scolastica: CANZIANI, G. et al., Potentia Dei. L'onnipotenza divina nel pensiero dei secoli XVI e XVII = Filosofia e Scienza nel Cinquecento e nel Seicento (Milano) 157-172.

FLORES, J. C. (2006), Henry of Ghent. Metaphysics and the Trinity. With a Critical Edition of Question Six of Article Fifty-Five of the Summa Quaestionum Ordinariarum = Ancient and Medieval Philosophy, Ser. I, 36 (Löwen).

FLOUCAT, Y. (2001), L'intime fécondité de l'intelligence. Le verbe mental selon saint Thomas d'Aquin (Paris).

FORLIVESI, M. (2002), La distinction entre concept formel et concept objectif. Suarez, Pasqualigo, Mastri: EPh 60 (2002) 3-30.

FORLIVESI, M. (2004), Ontologia impura. La natura della metafisica secondo Francisco Suárez: Francisco Suárez. „Der ist der Mann". Homenaje al Prof. Salvador Castellote = SVal 50 (Valencia) 161-207.

FORMENT, E. (1995), Mistero trinitario y metafisica de la persona: PIOLANTI, A. (Hg.), S. Tommaso Teologo. Ricerche in occasione dei due centenari accademici (Roma) 200-214.

FRANK, G. (2003), Die Vernunft des Gottesgedankens. Religionsphilosophische Studien zur frühen Neuzeit = Quaestiones 13 (Stuttgart-Bad Canstatt).

FRANK, G. (2006), Die Kirchenväter als Apologeten der natürlichen Theologie und Religionsphilosophie in der frühen Neuzeit: FRANK, G. / LEINKAUF, T. / WRIEDT, M. (Hgg.), Die Patristik in der frühen Neuzeit. Die Relektüre der Kirchenväter in den Wissenschaften des 15. bis 18. Jahrhunderts = Melanchthon-Schriften der Stadt Bretten 10 (Stuttgart-Bad Canstatt) 253-276.

FRANZELIN, J. B. (1874), Tractatus de Deo trino secundum personas. Ed. altera (Rom).

FRIEDMAN, R. L. (1996), Relations, Emanations, and Henry of Ghent's Use of the „Verbum Mentis" in Trinitarian Theology. The Background in Thomas Aquinas and Bonaventure: Documenti e studi sulla tradizione filosofica medievale 7 (1996) 131-182.

FRIEDMAN, R. L. (1997a), Conceiving and Modifying Reality. Some Modist Roots of Peter Auriol's Theory of Concept Formation: MARMO (1997) 305-321.

FRIEDMAN, R. L. (1997b), In principio erat Verbum. The Incorporation of Philosophical Psychology into Trinitarian Theology, 1250-1325. Mschr. Ph. D. Dissertation (The University of Iowa).

FRIEDMAN, R. L. (1999a), Divergent Traditions in Later-Medieval Trinitarian Theology: Relations, Emanations, and the Use of Philosophical Psychology, 1250-1325: StTh 53 (1999) 13-25.

FRIEDMAN, R. (1999b), Francis of Marchia and John Duns Scotus on the Psychological Model of the Trinity: Picenum Seraphicum 18 / NS 1 (1999) 11-56.

FRIEDMAN, R. L. (2003), Gabriel Biel and Later-Medieval Trinitarian Theology: FRIEDMAN / NIELSEN (2003) 99-120.

FRIEDMAN, R. L. / NIELSEN, L. O. (Hgg.) (2003), The Medieval Heritage in Early Modern Metaphysics and Modal Theory, 1400-1700 = New Synthese Historical Library 53 (Dordrecht).

FRIEDMAN, R. L. / SCHABEL, C. (2001-2004), Trinitarian Theology and Philosophical Issues I-IV: CIMAGL 72 (2001) 89-168; 73 (2002) 21-40; 74 (2003) 39-88; 75 (2004) 121-160.

FUETSCHER, L. (1933), Akt und Potenz = PGW 4 (Innsbruck).

FUNKENSTEIN, A. (1986), Theology and the Scientific Imagination from the Middle Ages to the Seventeenth Century (Princeton).

GALLEGO SALVADORES, J. (1973), La aparición de las primeras metafísicas sistemáticas en la España del XVI. Diego Más (1587), Francisco Suárez y Diego de Zuñiga (1597): EsVe 3 (1973) 91-162.

GARCIA, F. M. (1910), Lexicon scholasticum philosophico-theologicum (Quaracchi).

GARCÍA LESCÚN, E. (1966), La teoria filósofica de la relación y sus consecuencias trinitarias en Gregorio de Rimini: Aug (L) 16 (1966) 54-88.

GARCÍA LESCÚN, E. (1970), La teología trinitaria de Gregorio de Rimini. Contribución a la historia de la escolástica tardia. Prólogo de Michael Schmaus = Publicaciones de la Facultad de Teología del Norte de España, Sede de Burgos 21 (Burgos).

GARCÍA LÓPEZ, J. (1969), La concepción suarista del ente y sus implicaciones metafísicas: AnFil 2 (1969) 137-167.

GARCÍA MARTÍNEZ, F. (1948a), El sentido de la realidad metafísica suareciana: Homenaje al Dr. Eximio P. Suárez, S.J. en el IV centenario de su nacimiento = AcSal.D I/2 (Salamanca) 133-146.

GARCÍA MARTÍNEZ, F. (1948b), Algunos principios diferenciales de la metafísica suareciana frente al tomismo tradicional: Pens. 4 (1948) 11-30.

GARDEIL, A. (1927), La structure de l'âme et l'expérience mystique. 2 Bde. (Paris).

GARRIGOU-LAGRANGE, R. (1934), De Personalitate iuxta Caietanum: Ang. 11 (1934) 407-424.

GARRIGOU-LAGRANGE, R. (1934-35), L'éminence de la Déité. Ses Attributs et les Personnes Divines selon Cajétan: RThom 39 (1934/35) 297-318.

GARRIGOU-LAGRANGE, R. (1946a), La synthèse thomiste (Paris).

GARRIGOU-LAGRANGE, R. (1946b), Art. Thomisme: DThC Bd. XV (Paris) 823-1025.

GARRIGOU-LAGRANGE, R. (1951), De deo trino et creatore. Commentarius in summam theologicam s. Thomae. 2. Aufl. (Turin).

GAZZANA, U. (1946), De formali constitutivo personae juxta Cajetanum: Gr. 27 (1946) 319-326.

GELBER, H. G. (1974), Logic and the Trinity. A Clash of Values in Scholastic Thought, 1300-1335. Ph. D. Dissertation (The University of Wisconsin).

GELBER, H. G. (Hg.) (1983), Exploring the Boundaries of Reason. Three questions on the nature of God by Robert Holcot = STPIMS 62 (Toronto).

GEMEINHARDT, P. (2002), Die Filioque-Kontroverse zwischen Ost- und Westkirche im Frühmittelalter = AKG 82 (Berlin-New York).

GEMMEKE, E. (1965), Die Metaphysik des sittlich Guten bei Franz Suarez = FThSt 84 (Freiburg).

GIACON, C. (1947), La seconda scolastica. Bd. 2: Parecedenze teoretiche ai problemi giuridici. Toledo, Pereira, Fonseca, Molina, Suarez (Mailand).

GIACON, C. (2001), La seconda scolastica. Bd. 1: I grandi commentatori di San Tommaso. Neudruck (Turin).

GILSON, E. (1948), L'être e l'essence (Paris).

GNEMMI, A. (1969), Il fondamento metafisico. Analisi di struttura sulle Disputationes metaphysicae di F. Suárez (Mailand).

GNEMMI, A. (1973), Postille a proposito di fondamento metafisico di F. Suárez: RFNS 65 (1973) 410-417.

GÓMEZ ARBOLEYA, F. (1946), Francisco Suárez (1548-1617). Situación espiritual, vida y obras, metafísica = Publicaciones de la catédra F. Suárez (Granada).

GÓMEZ CAFFARENA, J. (1957), Ser participado y ser subsistente en la metafisica de Enrique de Gante = AnGr 93 (Rom).

GÓMEZ HELLÍN, L. (1940), Toledo lector de filosofía y teología en el colegio romano: ATG 3 (1940) 1-18.

GONZÁLEZ, O. (1966), Misterio trinitario y existencia humana. Estudio histórico teológico en torno a San Buenaventura = BTeo 6 (Madrid).

GONZÁLEZ TORRES, J. (1957), El concepto de potencia y sus diversas accepciones en Suárez (Quito).

GONZÁLEZ RIVAS, S. (1950), Suárez frente al misterio de la inhabitación: EE 24 (1950) 341-366.

GOUDRIAAN, A. (1999), Philosophische Gotteserkenntnis bei Suarez und Descartes im Zusammenhang mit der niederländischen reformierten Theologie und Philosophie des 17. Jahrhunderts = Brill's studies in intellectual history 98 (Leiden).

GRABMANN, M. (1909-11), Die Geschichte der scholastischen Methode. 2 Bde. (Freiburg).

GRABMANN, M. (1926), Die disputationes metaphysicae des Franz Suárez in ihrer methodischen Eigenart und Fortwirkung: Ders., Mittelalterliches Geistesleben, Bd. 1 (München) 525-560.

GRABMANN, M. (1933), Die Geschichte der katholischen Theologie seit dem Ausgang der Väterzeit (Freiburg).

GRACIA, J. J. E. (1979), What the Individual Adds to the Common Nature according to Suárez: NSchol 53 (1979) 221-233.

GRACIA, J. J. E. (1991a), Francisco Suárez. The Man in History: American Catholic Philosophical Quarterly 65 (1991) 259-266.

GRACIA, J. J. E. (1991b), Suárez's Conception of Metaphysics: A Step in the Direction of Mentalism?: American Catholic Philosophical Quarterly 65 (1991) 287-309.

GRACIA, J. J. E. (1992), Suárez and the Doctrine of Transcendentals: Topoi 11 (1992) 121-133.

GRACIA, J. J. E. (1993), Suárez and Metaphysical Mentalism. The Last Visit: American Catholic Philosophical Quarterly 67 (1993) 349-354.

GRACIA, J. J. E. (1997), Hispanic Philosophy. Its Beginning and Golden Age: WHITE, K. (Hg.), Hispanic Philosophy in the Age of Discovery = Studies in Philosophy and the History of Philosophy 29 (Washington) 3-27.

GRACIA, J. J. E. (1998a), Suarez: Ders. (Hg.), Concepciones de la metafísica = Enciclopedia Ibero-Americana de Filosofía, Bd. 17 (Madrid) 101-124.

GRACIA, J. J. E. (1998b), The Ontological Status of the Transcendental Attributes of Being in Scholasticism and Modernity. Suárez and Kant: AERTSEN, J. A. / SPEER, A. (Hgg.), Was ist Philosophie im Mittelalter? = MM 26 (Berlin) 213-225.

GRAJEWSKI, M. J. (1944), The Formal Distinction of Duns Scotus (Washington).

GREDT, J. (1929), Elementa philosophiae aristotelico-thomisticae. 5. Aufl. 2 Bde. (Freiburg).

GREIVE, H. (1967), Zur Relationslehre Wilhelms von Ockham: FS 49 (1967) 248-258.

GRESHAKE, G. (2001), Der dreieine Gott. Eine trinitarische Theologie. 4. Aufl. (Freiburg).

GROSSO, G. (1995), Sulla distinzione di essenza ed esistenza in Suárez: LAMACCHIA (1995) 415-427.

GUERRERO, E. (1933), ¿Afirma alguna vez Suárez que los primeros principios son inductivos?: EE 12 (1933) 5-32.

GUMMERSBACH, J. (1933), Unsündlichkeit und Befestigung in der Gnade nach der Lehre der Scholastik mit besonderer Berücksichtigung des Suárez. Ein Beitrag zur spekulativen Theologie und ihrer Geschichte (Frankfurt).

GUNTEN, A. F. van (1993), In principio erat Verbum. Une évolution de saint Thomas en théologie trinitaire: PINTO DE OLIVEIRA, C.-J. (Hg.), Ordo Sapientiae et Amoris. Hommage au Professeur Jean-Pierre Torrell OP à l'occasion de son 65 anniversaire (Fribourg/SU) 119-141.

HÄFNER, R. (2003), Götter im Exil. Frühneuzeitliches Dichtungsverständnis im Spannungsfeld christlicher Apologetik und philologischer Kritik (ca. 1590-1736) = Frühe Neuzeit 80 (Tübingen).

HALLAMAA, O. (2003), Defending Common Rationality. Roger Roseth on Trinitarian Paralogisms: Vivarium 41 (2003) 84-119.

HALLENSLEBEN, B. (1985), Communicatio. Anthropologie und Gnadenlehre bei Thomas de Vio Cajetan = RGST 123 (Münster).

HANKEY, W. J. (1987), God In Himself. Aquinas' Doctrine of God as Expounded in the *Summa Theologiae* (Oxford).

HARNACK, A. von (1909-10), Lehrbuch der Dogmengeschichte. 4. Aufl. 3 Bde. (Tübingen).

HARRIS, C. R. S. (1927), Duns Scotus. Bd. 2: The Philosophical Doctrines of Duns Scotus (Oxford).

HAUBST, R. (1951), Johannes von Segovia im Gespräch mit Nikolaus von Kues und Jean Germain über die göttliche Dreieinigkeit und ihre Verkündigung vor den Mohammedanern: MThZ 2 (1951) 115-129.

HAUBST, R. (1952), Das Bild des Einen und Dreieinen Gottes in der Welt nach Nikolaus von Kues = TThSt 4 (Trier).

HAUDEL, M. (2001), Art. Trinität. V. Ökumenisch: LThK, 3. Aufl., Bd. 10 (Freiburg) 251-253.

HAYEN, A. (1955), L'être et la personne selon B. Jean Duns Scot: RPL 53 (1955) 525-541.

HEGYI, J. (1959), Die Bedeutung des Seins bei den klassischen Kommentatoren des heiligen Thomas von Aquin. Capreolus, Silvester von Ferrara, Cajetan = PPhF 4 (Pullach b. München).

HEINZ, H. (1985), Trinitarische Begegnungen bei Bonaventura. Fruchtbarkeit einer appropriativen Trinitätstheologie = BGPhMA NF26 (Münster).

HELL, L. (1999), Entstehung und Entfaltung der theologischen Enzyklopädie = VIEG 176 (Mainz).

HELLIN, J. (1946), De la analogía del ser y los posibles en Suárez: Pens. 2 (1946) 267-294.

HELLIN, J. (1948a), Lineas fundamentales del sistema metafisico de Suárez: Pens. 4, num. esp. (1948) 122*-167*.

HELLIN, J. (1948b), Sobre la inmesidad de Dios en Suárez: EE 22 (1948) 227-263.

HELLIN, J. (1949), Sobre el constitutivo esencial y diferencial de la criatura segùn Suárez: Actas del IV Centenario del Naciemiento de Francisco Suárez, 1548-1948 (Burgos) 251-290.

HELLIN, J. (1950a), La teoría de los modos en Suárez: Pens. 6 (1950) 216-226.

HELLIN, J. (1950b), Art. Vázquez, Gabriel: DThC Bd. XV/2 (Paris) 2601-2610.

HELLIN, J. (1950-51), El principio de identidad comparada, según Suárez: Pens. 6 (1950) 435-463; 7 (1951) 169-202.

HELLIN, J. (1961), El ente real y los posibles en Suárez: Espíritu 10 (1961) 146-163.

HELLIN, J. (1962), El concepto formal según Suárez: Pens. 18 (1962) 407-432.

HELLIN, J. (1980), El ente y la existencia en Suárez: Espíritu 29 (1980) 45-54.

HELLIN, J. (2000), Suarezianismus: ATG 63 (2000) 191-197.

HELMER, C. (1999), The trinity and Martin Luther. A study on the relationship between genre, language und the trinity in Luther's works (1523-1546) = VIEG 174 (Mainz).

HELMER, C. (2002), Gott von Ewigkeit zu Ewigkeit. Luthers Trinitätsverständnis: NZSTh 44 (2002) 1-19.

HENGST, K. (1981), Jesuiten an Universitäten und Jesuitenuniversitäten. Zur Geschichte der Universität in der Oberdeutschen und Rheinischen Provinz der Gesellschaft Jesu im Zeitalter der konfessionellen Auseinandersetzung = QFGG NF 2 (Paderborn [u.a.]).

HENNINGER, M. G. (1985), Peter Aureoli and William of Ockham on relations: FrS 45 (1985) 231-243.

HENNINGER, M. G. (1987), Aquinas on the Ontological Status of Relations: JHP 25 (1987) 491-515.

HENNINGER, M. G. (1989), Relations. Medieval Theories 1250-1325 (Oxford).

HEUBACH, J. (Hg.) (1994), Luther und die trinitarische Tradition. Ökumenische und philosophische Perspektiven = VLAR 23 (Erlangen).

HIBBERT, G. (1964), Mystery and metaphysics in the trinitarian theology of St. Thomas: IThQ 31 (1964) 187-213.

HILBERATH, B. J. (1986), Der Personbegriff der Trinitätstheologie in Rückfrage von Karl Rahner zu Tertullians „Adversus Praxean" = ITS 17 (Innsbruck-Wien).

HINZ, M. (Hg.) (2004), I gesuiti e la Ratio studiorum = Biblioteca del Cinquecento 113 (Roma).

HIRSCHER, J. B. (1823), Ueber das Verhältniß des Evangeliums zu der theologischen Scholastik der neuesten Zeit im katholischen Deutschland. Zugleich als Beitrag zur Katechetik (Tübingen).

HÖDL, L. (1965), Von der Wirklichkeit und Wirksamkeit des Dreieinen Gottes nach der appropriativen Trinitätstheologie des 12. Jahrhunderts = MGI 12 (München).

HÖDL, L. (2002), Das trinitätstheologische Fundamentalprinzip des Anselm von Canterbury. Ursprung und Geschichte: RTPM 69 (2002) 172-214.

HÖDL, L. (2003), Die Unterscheidungslehren des Heinrich von Gent in der Auseinandersetzung des Johannes von Polliaco mit den Gandavistae: GULDENTOPS, G. / STEEL, C. (Hgg.), Henry of Ghent and the Transformation of Scholastic thought. Studies in Memory of Jos Decorte = AMP 31 (Leuven) 371-386.

HÖDL, L. (2004), Die Opposition des Johannes de Polliaco gegen die Schule der Gandavistae: Bochumer Philosophisches Jahrbuch für Antike und Mittelalter 9 (2004) 115-177.

HÖDL, L. (2006), Der trinitätstheologische Relationssatz des Boethius in der Schule des Thomas von Aquin: RTPM 73 (2006) 175-194.

HOENEN, M. J. F. (1998), Trinität und Sein. Der Traktat *De signis notionalibus trinitatis et unitatis supernae* und seine Bedeutung für das trinitarische Weltbild des Heymericus de Campo: FZPhTh 45 (1998) 206-263.

HOENEN, M. J. F. / BAKKER, P. J. (Hgg.) (2000), Philosophie und Theologie des ausgehenden Mittelalters. Marsilius von Inghen und das Denken seiner Zeit (Leiden).

HOENEN, M. J. F. (2003a), *Formalitates phantasticae*. Bewertungen des Skotismus im Mittelalter: PICKAVÉ (2003) 337-357.

HOENEN, M. J. F. (2003b), *Via antiqua* and *Via moderna* in the Fifteenth Century. Doctrinal, Institutional, and Church Political Factors in the *Wegestreit*: FRIEDMAN / NIELSEN (2003) 9-36.

HOERES, W. (1961), Bewußtsein und Erkenntnisbild bei Suárez: Scholastik 36 (1961) 192-216.

HOERES, W. (1962a), Wesenheit und Individuum bei Suárez: Schol. 37 (1962) 181-210.

HOERES, W. (1962b), Der Wille als reine Vollkommenheit nach Duns Scotus = SSPh 1 (München).

HOERES, W. (1965), Francis Suárez and the Teaching of John Duns Scotus on Univocatio Entis: RYAN, J. K. / BONANSEA, B. M. (Hgg.), John Duns Scotus 1265-1965 (Washington, D.C.) 263-294.

HOFFMANN, F. (1959), Die Schriften des Oxforder Kanzlers Iohannes Lutterell. Texte zur Theologie des vierzehnten Jahrhunderts = EThS 6 (Leipzig).

HOFFMANN, F. (1963), Robert Holcot – die Logik in der Theologie: WILPERT, P. (Hg.), Die Metaphysik im Mittelalter = MM 2 (Berlin) 624-639.

HOFFMANN, F. (1972), Die theologische Methode des Oxforder Dominikanerlehrers Robert Holkot = BGPhMA NF 5 (Münster).

HOFFMANN, F. (1998), Ockham-Rezeption und Ockham-Kritik im Jahrzehnt nach Wilhelm von Ockham in Oxford 1322-1332 = BGPhMA NF 50 (Münster).

HOFFMANN, T. (2002), Creatura intellecta. Die Ideen und Possibilien bei Duns Scotus mit Ausblick auf Franz von Mayronis, Poncius und Mastrius = BGPhMA NF 60 (Münster).

HOFMANN, M. (1976), Theologie, Dogma und Dogmenentwicklung im theologischen Werk Denis Petau's. Mit einem biographischen und einem bibliographischen Anhang = RSTh 1 (Frankfurt/M.-München).

HOFMANN, P. (2001), Die Trinitätslehre als tragende Struktur der Fundamentaltheologie. Das Beispiel Richards von St. Victor: ZKTh 123 (2001) 211-236.

HOFMEIER, J. (1963), Die Trinitätslehre des Hugo von St. Viktor, dargestellt im Zusammenhang mit den trinitarischen Strömungen seiner Zeit = MThS.S 25 (München).

HOLZER, O. (1951), Zur Beziehungslehre des Doctor Subtilis Johannes Duns Scotus: FrS 33 (1951) 22-49.

HONNEFELDER, L. (1979), Ens inquantum ens. Der Begriff des Seienden als solchen als Gegenstand der Metaphysik nach der Lehre des Johannes Duns Scotus = BGPhMA NF 16 (Münster).

HONNEFELDER, L. (1990), Scientia transcendens. Die formale Bestimmung der Seiendheit und Realität in der Metaphysik des Mittelalters und der Neuzeit (Duns Scotus – Suárez – Wolff – Kant – Peirce) = Paradeigmata 9 (Hamburg).

HONNEFELDER, L. (1995), Wie ist Metaphysik möglich? Ansatz und Methode der Metaphysik bei Johannes Duns Scotus: SILEO (1995) 77-93.

HORN, C. (1998), Art. Subsistenz: HWPh Bd. 10 (Basel) 486-493.

HORST, U. (1964), Die Trinitäts- und Gotteslehre des Robert von Melun = WSAMA.T 1 (Mainz).

HORVÁTH, A. M. (1914), Metaphysik der Relationen (Graz).

HUCULAK, B. (2002), Quomodo Ioannes Duns Scotus ditaverit theologiam de Trinitate: Anton. 77 (2002) 683-698.

HÜBENER, W. (1985), Zum Geist der Prämoderne (Würzburg).

HÜNERMANN, P. (1994), Jesus Christus. Gottes Wort in der Zeit. Eine systematische Christologie (Münster).

HUGON, E. (1920), De Deo uno et trino = Tractatus dogmatici I (Paris).

HURTADO, G. (1999), Entes y modos en las Disputaciones metafísicas: CARDOSO / MARTINS / REIBEIRO DOS SANTOS (1999) 99-117.

IMBACH, R. / PUTALLAZ, F.-X. (1997), Notes sur l'usage du terme *imago* chez Thomas d'Aquin: Micrologus 5 (1997) 69-88.

INGOLD, A. (1913), Art. Faydit, Pierre: DThC Bd. 5 (Paris) 2114f.

IRIBARREN, I. (2002), Some Points of Contention in Medieval Trinitarian Theology. The Case of Durandus of Saint-Pourçain in the Early Fourteenth Century: Trad. 57 (2003) 289-316.

IRIBARREN, I. (2005), Durandus of St Pourçain. A Dominican Theologian in the Shadow of Aquinas (New York).

ITURRIOZ, J. (1949), Estudios sobre la metafísica de Francisco Suárez (Madrid).

ITURRIOZ, J. (1950), Existencia tomista y subsistencia suareciana: Actas del I Congreso Nacional de Filosofía, Mendoza (Argentina), Universidad Nacional de Cuyo (Buenos Aires) II, 798-804.

JANSEN, B. (1929), Beiträge zur geschichtlichen Entwicklung der Distinctio formalis: ZKTh 53 (1929) 317-344.517-544.

JANSEN, B. (1938), Die Pflege der Philosophie im Jesuitenorden während des 17.-18. Jahrhunderts (Fulda).

JANSEN, B. (1940a), Die Wesenart der Metaphysik des Suárez: Schol. 15 (1940) 161-185.

JANSEN, B. (1940b), Der Konservativismus in den Disputationes metaphysicae des Suárez: Gr. 21 (1940) 452-481.

JANSEN, R. (1976), Studien zu Luthers Trinitätslehre = BSHST 26 (Bern/Frankfurt).

JANSSENS, L. (1900), Tractatus de Deo trino (Freiburg).

JOLIVET, R. (1949), Suárez et le problème du „vinculum substantiale“: Actas del IV Centenario del Nacimiento de Francisco Suárez, 1548-1948 (Burgos) 235-250.

JOLIVET, J. / KALUZA, Z. / LIBERA, A. de (Hgg.) (1991), Lectionum varietates. Hommage à Paul Vignaux (1904-1987) (Paris).

JORDAN, M. (1985), What's new in Ockham's Formal Distinction?: FrS 45 (1985) 97-110.

JORISSEN, H. (1985), Zur Struktur des Traktates „De Deo" in der Summa theologiae des Thomas von Aquin: BÖHNKE / HEINZ (1985) 231-257.

JUNGMANN, J. A. (1962), Missarum Sollemnia. Eine genetische Erklärung der römischen Messe. 5. Aufl. (Freiburg).

KAINZ, H. P. (1970), The Suarezian Position on Being and the Real Distinction. An Analytical and Comparative Study: Thom. 34 (1970) 289-305.

KAISER, P. (1968), Die Gott-menschliche Einigung in Christus als Problem der spekulativen Theologie seit der Scholastik = MThS.S 36 (München).

KANY, R. (2000), Typen und Tendenzen der „De Trinitate“-Forschung seit Ferdinand Christian Baur: BRACHTENDORF (2000) 13-28.

KARRER, L. (1970), Die historisch-positive Methode des Theologen Dionysius Petavius = MThS.S 37 (München).

KAUFMANN, M. (1995), Ockham's Criticism of the Formal Distinction – a Mere «petitio principii»?: SILEO (1995) 337-345.

KEATY, A. (2000), The Holy Spirit Proceeding as Mutual Love. An Interpretation of Aquinas' Summa Theologiae I. 37: Ang. 77 (2000) 533-557.

KENNEDY, L. A. (1972), La doctrina de la existencia en la Universidad de Salamanca durante el siglo XVI: ATG 35 (1972) 5-71.

KENNEDY, L. A. (1993), The Philosophy of Robert Holcot. Fourteenth Century Skeptic (Lewiston).

KING, P. (2001), Duns Scotus on Possibilities, Powers and the Possible: BUCHHEIM, T. u. a. (Hgg.), Potentialität und Possibilität. Modalaussagen in der Geschichte der Metaphysik (Stuttgart-Bad Canstatt) 175-199.

KING, P. (2003), Scotus on Metaphysics: WILLIAMS, T. (ed.), The Cambridge Companion to Duns Scotus (Cambridge) 15-68.

KIRN, O. (1908), Art. Trinität: RE Bd. 20 (Leipzig) 111-123.

KLASMEIER, W. (1939), Die Transzendentalienlehre des F. Suárez. Mschr. Diss. (Würzburg).

KLEUTGEN, J. (1853), Die Theologie der Vorzeit vertheidigt. Bd. 1 (Münster).

KNEBEL, S. K. (1992), Art. Repugnanz: HWP Bd. 8 (Basel) 879-883.

KNEBEL, S. K. (1993), Modus essendi / existendi: ABG 36 (1993) 7-42.

KNEBEL, S. K. (1995), Art. Skotismus: HWP Bd. 9 (Basel) 988-991.

KNEBEL, S. K. (1998a), Antonio Perez SJ (1599-1649) in seinen Beziehungen zur polnischen Jesuitenscholastik: Forum Philosophicum 3 (1998) 219-223.

KNEBEL, S. K. (1998b), The Early Modern Rollback of Merely Extrinsic Denomination: BROWN, S. F. (Hg.), Meeting of the Minds. The Relations between Medieval and Classical Modern European Philosophy = Rencontres de philosophie médiévale 7 (Turnhout) 317-331.

KNEBEL, S. K. (2000), Wille, Würfel und Wahrscheinlichkeit. Das System der moralischen Notwendigkeit in der Jesuitenscholastik 1550-1700 = Paradeigmata 21 (Hamburg).

KNEBEL, S. K. (2001), Art. Virtualität. 1: HWPh Bd. 11 (Basel) 1062-1066.

KNEBEL, S. K. (2002a), Distinctio rationis ratiocinantis. Die scholastische Unterscheidungslehre vor dem Satz „A = A“: ABG 44 (2002) 145-173.

KNEBEL, S. K. (2002b), Entre logique mentaliste et metaphysique conceptualiste. La *distinctio rationis ratiocinantis*: EPh 60 (2002) 145-168.

KNOCH, W. (1985), „Deus unus est trinus“. Beobachtungen zur frühscholastischen Gotteslehre: BÖHNKE / HEINZ (1985) 209-230.

KNOLL, A. (2004), Von ‚positiver' zu ‚kontroverstheologischer' Lehrweise. Die Kirchenväter im Werk der ersten Jesuiten: ARNOLD / BERNDT / STAMMBERGER (2004) 923-943.

KNUUTTILA, S. (1993a), Modalities in Medieval philosophy (London-New York).

KNUUTTILA, S. (1993b), Trinitarian Sophisms in Robert Holcot's Theology: READ, S. (Hg.), Sophisms in Medieval Logic and Grammar (Dordrecht u.a.) 348-356.

KNUUTTILA, S. (1997), Positio impossibilis in Medieval Discussions on the Trinity: MARMO (1997) 277-288.

KNUUTTILA, S. / SAARINEN, R. (1997), Innertrinitarische Theologie in der Scholastik und bei Luther: BAYER, O. u. a. (Hgg.), Caritas Dei. FS T. Mannermaa (Helsinki) 243-264.

KNUUTTILA, S. / SAARINEN, R. (1999), Luther's Trinitarian Theology and its Medieval Background: StTh 53 (1999) 3-12.

KOBUSCH, T. (1987), Sein und Sprache. Historische Grundlegung einer Ontologie der Sprache = SPGAP 11 (Leiden).

KOBUSCH, T. (1997), Die Entdeckung der Person. Metaphysik der Freiheit und modernes Menschenbild. 2. Aufl. (Darmstadt).

KOCH, J. (1927), Durandus de San Porciano. Forschungen zum Streit um Thomas von Aquin zu Beginn des 14. Jahrhunderts. 1. Literargeschichtliche Grundlegung = BGPhMA 26 (Münster).

KOCH, L. (1934), Jesuiten-Lexikon. Die Gesellschaft Jesu einst und jetzt (Paderborn).

KÖSTER, H. (1982), Urstand, Fall und Erbsünde. Von der Reformation bis zur Gegenwart = HDG II/3c (Freiburg).

KOHLS, E.-W. (1966), Die Theologie des Erasmus. 2 Bde. (Basel).

KOLTER, W. (1941), Die Universalienlehre des Franz Suárez. Mschr. Diss. (Freiburg).

KOPLER, L. (1933), Die Lehre von Gott dem Einen und Dreieinigen (Linz).

KOSTER, M. D. (1960), Zur Metaphysik Cajetans. Ergebnisse neuester Forschung: Schol. 35 (1960) 537-551.

KRÄMER, K. (2000), Imago Trinitatis. Die Gottebenbildlichkeit des Menschen in der Theologie des Thomas von Aquin = FThSt 164 (Freiburg).

KRAML, H. (1995), Beobachtungen zum Ursprung der «distinctio formalis»: SILEO (1995) 305-318.

KRAPIEC, A. (1950), Inquisitio circa divi Thomae doctrinam de Spiritu Sancto prout amore: DT (P) 53 (1950) 474-495.

KREBS, E. (1930), Dogma und Leben. 3. Aufl. (Paderborn).

KREMPEL, A. (1952), La doctrine de la relation chez S. Thomas. Exposé historique et systématique (Paris).

KREMPEL, A. (1959a), Anerkannte Thomas von Aquin transzendentale Beziehungen?: PhJ 67 (1957) 171-178.

KREMPEL, A. (1959b), Des hl. Thomas Natur- und Personbegriff im Zusammenhang mit dem Dreifaltigkeits- und Menschwerdungsverständnis: MThZ 10 (1959) 114-122.

KRETZMANN, N. (1981), *Sensus compositus, sensus divisus* and Propositional Attitudes: Medioevo 7 (1981) 195-229.

KRETZMANN, N. (1989), Trinity and Transcendentals: FEENSTRA, R. J. / PLANTINGA, C. (Hgg.), Trinity, Incarnation and Atonement. Philosophical and Theological Essays = Library of Religious Philosophy 1 (Notre Dame) 79-109.

LAARMANN, M. (1999), Deus, primum cognitum. Die Lehre von Gott als dem Ersterkannten des menschlichen Intellekts bei Heinrich von Gent († 1293) = BGPhMA NF 52 (Münster).

LAMACCHIA, A. (ed.), La filosofia nel Siglo de Oro. Studi sul tardo Rinascimento spagnolo (Bari).

LAMONT, J. (2004), Aquinas on Subsistent Relations: RTPM 71 (2004) 260-279.

LARRAINZAR, C. (1977), Una introducción a Francisco Suárez (Pamplona).

LASALA, F. J. de (1986), La „Ratio studiorum“ de la Compañía de Jesús. Historia y esencia de un modelo pedagógico: MCom 44 (1986) 157-174.

LAURIOLA, G. (1999), Il concetto di persona in Duns Scotus come scelta ermeneutica: Ders. (Hg.), Scienza e filosofia della persona in Duns Scoto. Quinto convegno internazionale di studi scotisti (Alberobello).

LAVALETTE, H. de (1959), La notion d'appropriation dans la théologie trinitaire de S. Thomas d'Aquin (Roma).

LECHNER, M. (1911), Die Erkenntnislehre des Suárez (Fulda).

LECHNER, M. (1912), Die Erkenntnislehre des Suárez: PhJ 25 (1912) 125-150.

LEE, S.-S. (2006), Wirklichsein und Gedachtsein. Die Theorie vom Sein des Gedachten bei Thomas von Aquin unter besonderer Berücksichtigung seiner Verbum-Lehre = Epistemata 390 (Würzburg).

LEFF, G. (1961), Gregory of Rimini. Tradition and Innovation in Fourteenth Century Thought (Manchester).

LEFF, G. (1975), William of Ockham. The Metamorphosis of Scholastic Discourse (Manchester).

LEIBOLD, G. / RICHTER, V. (2002), Zu den Texten De Trinitate von Johannes Duns Scotus: BRACHTENDORF, J. (Hg.), Prudentia und Contemplatio. Ethik und Metaphysik im Mittelalter. FS G. WIELAND (Paderborn u. a.) 276-293.

LEICHTFRIED, A. (2002), Trinitätstheologie als Geschichtstheologie. „De sancta Trinitate et operibus eius" Ruperts von Deutz (ca. 1075-1129) = Studien zur systematischen und spirituellen Theologie 37 (Würzburg).

LEINKAUF, T. (1993), Mundus combinatus. Studien zur Struktur der barocken Universalwissenschaft am Beispiel Athanasius Kirchers SJ (1602 - 1680) (Berlin).

LEINSLE, U. G. (1985), Das Ding und die Methode. Methodische Konstitution und Gegenstand der frühen protestantischen Metaphysik (Augsburg).

LEINSLE, U. G. (1988), Reformversuche protestantischer Metaphysik im Zeitalter des Rationalismus (Augsburg).

LEINSLE, U. G. (1995), Einführung in die scholastische Theologie = UTB 1865 (Paderborn).

LEINSLE, U. G. (1997), Delectus opinionum. Traditionsbildung durch Auswahl in der frühen Jesuitenschule: SCHMUTTERMAYR, G. u. a. (Hgg.), Im Spannungsfeld von Tradition und Innovation. FS J. Ratzinger (Regensburg) 159-175.

LEINSLE, U. G. (2006), Dilinganae Disputationes. Der Lehrinhalt der gedruckten Disputationen an der Philosophischen Fakultät der Universität Dillingen 1555-1648 = Jesuitica 11 (Regensburg).

LEIWESMEIER, J. (1938), Die Gotteslehre bei Franz Suarez = Geschichtliche Forschungen zur Philosophie der Neuzeit 6 (Paderborn).

LEIWESMEIER, J. (1941), Unsere Erkenntnis Gottes und die Analogia entis nach der Lehre des F. Suárez: ThQ 122 (1941) 73-80.191-202.

LENSI, G. (1940), Le relazioni nella santissima trinità secondo Ruiz da Montoya SJ (Roma).

LEPPIN, V. (1995), Geglaubte Wahrheit. Das Theologieverständnis Wilhelms von Ockham = FKDG 63 (Göttingen).

LEPPIN, V. (2005), Gotteslehre und Logik bei Wilhelm von Ockham: PERLER / RUDOLPH (2005) 429-445.

LEVERING, M. (2000), Wisdom and the Viability of Thomistic Trinitarian theology: Thom. 64 (2000) 593-618.

LEVERING, M. (2001), Speaking the Trinity. Anselm and His 13th-Century Interlocutors on Divine Intelligere and Dicere: FORTIN, J. R. (Hg.), Saint Anselm. His Origins and Influence (Lewiston-New York) 131-143.

LEVERING, M. (2004), Scripture and Metaphysics. Aquinas and the Renewal of Trinitarian Theology (Oxford).

LEWALTER, E. (1935), Spanisch-jesuitische und deutsch-lutherische Metaphysik des 17. Jahrhunderts. Ein Beitrag zur Geschichte der iberisch-deutschen Kulturbeziehungen und zur Vorgeschichte des deutschen Idealismus (Hamburg).

LISKE, M.-T. (1985), Die sprachliche Richtigkeit bei Thomas von Aquin. Am Beispiel der Symmetrie bzw. Asymmetrie von Relationen (Ähnlichkeit, relatio realis – relatio rationis): FZPhTh 32 (1985) 373-390.

LLAMAS MARTINEZ, E. (1979), Bartolomé de Torres. Teologo y obispo de Canarias. Una vida al servicio de la iglesia (Madrid).

LLORCA, B. (1948), Biografía de Francisco Suárez, obra del P. Raúl de Scorraille, S.I.: EE 22 (1948) 593-600.

LOHR, C. H. (1976), Jesuit Aristotelianism and Sixteenth-Century Metaphysics: Paradosis. Studies in the Memory of Edwin A. Quain, S.J. (New York) 203-220.

LOMBARDO, M. G. (1995), La forma che dà l'essere alle cose. Enti di ragione e bene trascendentale in Suarez, Leibniz, Kant (Mailand).

LONERGAN, B. (1957), Divinarum personarum conceptio analogica. Ad usum auditorum (Rom).

LONERGAN, B. (1964), De Deo Trino. 2 Bde. Ed. 2a (Roma).

LONERGAN, B. (1968), Verbum. Word and Idea in Aquinas (London).

LÓPEZ CASUSO, J. A. (1971), La teología trinitaria de G. de Rimini: EstTrin 5 (1971) 155-169.

LÓPEZ VÁZQUEZ, J. R. (1988), La relación según Guillermo de Ockham: Pens. 44 (1988) 425-438.

LOWE, E. (2003), The Contested Theological Authority of Thomas Aquinas. The Controversies between Hervaeus Natalis and Durandus of St. Pourçain = Studies in medieval history and culture 17 (New York).

LUNA, C. (1988), Essenza divina e relazioni trinitarie nella critica di Egidio Romano a Tommaso d'Aquino: Medioevo 14 (1988) 3-69.

LUSSER, D. (2006), Individua substantia. Interpretation und Umdeutung des Aristotelischen *usia*-Begriffs bei Thomas von Aquin und Johannes Duns Scotus = Ad fontes 1 (Frankfurt/M.).

MACKEY, J. P. (1983), The Christian Experience of God as Trinity (London).

MAHIEU, L. (1921), François Suarez, sa philosophie et les rapports qu'elle a avec sa théologie (Paris).

MAHIEU, L. (1925), L'eclécticisme suarézien: RThom 30 (1925) 250-285.

MAHLMANN-BAUER, B. (2004), Antonio Possevino's *Bibliotheca selecta*. Knowledge as a Weapon: HINZ, M. / RIGHI, R. / ZARDIN, D. (Hgg.), I Gesuiti e la Ratio Studiorum = Biblioteca del Cinquecento 113 (Roma) 315-355.

MAIERÙ, A. (1981), Logica aristotelica e teologia trinitaria. Enrico Totting de Oyta: MAIERÙ, A. / PARAVICINI BAGLIANI, A. (Hgg.), Studi sul XIV secolo in Memoria di Anneliese Maier (Rom) 481-512.

MAIERÙ, A. (1985), À propos de la doctrine de la supposition en théologie trinitaire au XIV siècle: EGBERT, B. (Hg.), Mediaeval Semantics and Metaphysics. Studies Dedicated to L. M. de Rijk, Ph. D. on the Occasion of his 60th Birthday (Nijmegen) 221-235.

MAIERÙ, A. (1986), Logique et théologie trinitarie dans le moyen-âge tardif. Deux solutions en présence: ASZTALOS, M. (Hg.), The Editing of Theological and Philosophical Texts from the Middle Ages. Acts of the Conference Arranged by the Department of Classical Languages, University of Stockholm, 29-31 August 1984 (Stockholm) 185-201.

MAIERÙ, A. (1988), Logic and Trinitarian Theology. De Modo Predicandi ac Sylogizandi in Divinis: KRETZMANN, N. (Hg.), Meaning and Inference in Medieval Philosophy = SyHL 32 (Dordrecht u. a.) 247-295.

MAIERÙ, A. (1991), Logica e teologia trinitaria nel commento alle Sentenze attribuito a Petrus Thomae: JOLIVET / KALUZA / DE LIBERA (1991) 177-198.

MAIERÙ, A. (2002), Universaux et Trinité du XIIe au XIVe siècle: SOLÈRE, J.-L. / KALUZA, Z. (Hgg.), La servante et la consolatrice. La philosophie dans ses rapports avec la théologie au Moyen Âge (Paris) 151-172.

MAIERÙ, A. (2005), Le *De primo principio complexo* de François de Meyronnes. Logique et théologie trinitaire au début du XIVe siècle : PERLER / RUDOLPH (2005) 401-428.

MALET, A. (1956), Personne et amour dans la théologie trinitaire de Saint Thomas d'Aquin = BiblThom 32 (Paris).

MANSER, G. (1949), Das Wesen des Thomismus. 3. Aufl. (Fribourg).

MARGERIE, B. de (1975), La trinité dans l'histoire = ThH 31 (Paris).

MARINELLI, F. (1969), Personalismo trinitario nella storia della salvezza. Rapporti tra la Ss.ma trinità e le opere ad extra nello Scriptum super Sententiis di San Tommaso. Pref. di André Combes = Spiritualitas 10 (Rom [u.a.]).

MARION, J.-L (1996), Substance et subsistance. Suarez et le traité de la substantia dans les Principia I, § 51-54: Ders., Questions cartésiennes, II (Paris) 91-99.

MARMO, C. (Hg.) (1997), Vestigia, Imagines, Verba. Semiotics and Logic in Medieval Theological Texts (XIIth-XIVth Century) = Semiotic and Cognitive Studies 4 (Turnhout).

MARRANZINI, A. (1954), Il metodo teologico del Maldonado nella «Disputatio de Trinitate» (Reggio).

MARSCHLER, T. (2003), Auferstehung und Himmelfahrt Christi in der scholastischen Theologie bis zu Thomas von Aquin. 2 Bde. = BGPhMA NF 64/I-II (Münster).

MARSCHLER, T. (2006), Art. Torres, Bartholomé de: BERGER, D. / VIJGEN, J. (Hgg.), Thomistenlexikon (Bonn) 673-675.

MARSHALL, B. W. (1994), Entscheidung über die Wahrheit nach Thomas von Aquin und Martin Luther: HEUBACH (1994) 175-217.

MARTIN, A. (1899), Suarez théologien et la doctrine de saint Thomas, le mystère de la sainte Trinité: ScCath 13 (1899) 865-885.

MARTIN, G. (1949), Wilhelm von Ockham. Untersuchungen zur Ontologie der Ordnungen (Berlin).

MARTIN, G. (1950), Ist Ockhams Relationstheorie Nominalismus?: FS 32 (1950) 31-49.

MARTINS, A. M. (1994), Lógica e ontología em Pedro da Fonseca (Lissabon).

MARTINS, D. (1948), Un manuscrito bracarense do Doutor Eximio: RPF 4 (1948) 395-408.

MARX, H.-J. (1977), Filioque und Verbot eines anderen Glaubens auf dem Florentinum. Zum Pluralismus in dogmatischen Formeln = VMStA 26 (St. Augustin).

MASNOVO, A. (1910), La distinzione fra essenza ed esistenza: RFNS 2 (1910).

MATHA, A. H. (1960), Die neue Theologie (München).

McCABE, H. (2001), Aquinas on the Trinity: Ang. 78 (2001) 535-557.

MEERSCH, J. van der (1917), Tractatus de Deo uno et trino (Brugis).

MEIER, G. A. (1844), Die Lehre von der Trinität in ihrer historischen Entwicklung. 2 Bde. (Hamburg-Gotha).

MEIER-OESER, S. (2001), Potentia vs. Possibilitas? Posse! Zur cusanischen Konzeption der Möglichkeit: BUCHHEIM, T. / KNEEPKENS, C. H. / LORENZ, K. (Hgg.), Potentialität und Possibilität. Modalaussagen in der Geschichte der Metaphysik (Stuttgart-Bad Canstatt) 237-253.

MENN, S. (1997), Suárez, Nominalism, and Modes: WHITE, K. (Hg.), Hispanic Philosophy in the Age of Discovery = SPHP 29 (Washington D.C.) 201-225.

METZ, W. (1998), Die Architektonik der Summa theologiae des Thomas von Aquin. Zur Gesamtsicht des thomasischen Gedankens = Paradeigmata 18 (Hamburg).

MICHEL, A. (1922), Art. Hypostase: DThC Bd. VII/1 (Paris) 369-437.

MICHEL, A. (1932), Art. Père: DThC Bd. XII/1 (Paris) 1188-1192.

MICHEL, A. (1937), Art. Relations divines: DThC Bd. XIII/2 (Paris) 2135-2156.

MICHEL, A. (1950), Art. Trinité II. La théologie latine du VIe au XXe siècle: DThC Bd. XV/2 (Paris) 1802-1855.

MINGES, P. (1908), Zur distinctio formalis des Duns Scotus: ThQ 90 (1908) 409-436.

MINGES, P. (1919a), Suarez und Duns Scotus: PhJ 32 (1919) 334-340.

MINGES, P. (1919b), Zur Trinitätslehre des Duns Scotus: FS 6 (1919) 24-35.

MINGES, P. (1930), Ioannis Duns Scoti doctrina philosophica et theologica quoad res praecipuas proposita et exposita. Tom. II: Theologia specialis (Quaracchi).

MINZ, K. H. (1982), Pleroma Trinitatis. Die Trinitätstheologie bei Matthias Joseph Scheeben = Disputationes Theologicae 10 (Frankfurt).

MÖHLER, W. (1949), Die Trinitätslehre des Marsilius von Inghen (Limburg).

MOLINA, D. B. (2003), La vera sposa de Cristo. La primera Eclesiología de la Compañía de Jesús. Los tratados eclesiológicos de los jesuitas anteriores a Belarmino (1540-1586) = BTGran 34 (Granada).

MONDIN, B. (1996), Storia della teologia. T. 3 (Bologna).

MONNOT, P. (1941), Art. Suárez. I. Vie et œuvres: DThC Bd. XIV/2 (Paris) 2638-2649.

MOONAN, L. (2002), Aquinas and the Number of Divine Persons: EThL 78 (2002) 490-496.

MOORE, E. (1983-1988), Manuscritos Teológicos Postridentinos de la Biblioteca de la Universidad de Granada. I-III: ATG 51 (1988) 135-250.

MOORE, E. (1992-93), Manuscritos teológicos postridentinos (Archivo Romano de la Compañia de Jesús): ATG 55 (1992) 93-170; 56 (1993) 131-187.

MORABITO, G. (1939), L'essere e la causalità in Suárez ed in Tommaso: RFNS 31 (1939) 18-45.

MORABITO, G. (1940), L'idea dell'essere e la trascendenza divina in Suárez e in S. Tommaso d`Aquino: RFNS 32 (1940) 367-415.

MÜHLEN, H. (1953), Sein und Person nach Johannes Duns Scotus (Werl).

MÜHLEN, H. (1965), Person und Appropriation: MThZ 16 (1965) 37-57.

MÜHLEN, H. (1988), Der Heilige Geist als Person in der Trinität, bei der Inkarnation und im Gnadenbund. 5. Aufl. = MBTh 26 (Münster).

MÜHLING, M. (2005), Gott ist Liebe. Studien zum Verständnis der Liebe als Modell des trinitarischen Redens von Gott. 2. Aufl. = MThSt 58 (Marburg).

MÜLLER, G. L. (2003) Katholische Dogmatik für Studium und Praxis der Theologie. 5. Aufl. (Freiburg).

MÜLLER, H. J. (1968), Die Lehre vom verbum mentis in der spanischen Scholastik. Untersuchungen zur historischen Entwicklung und zum Verständnis dieser Lehre bei Toletus, den Conimbricensern und Suárez. Diss. (Münster).

MÜLLER, S. (2000), Nominalismus in der spätmittelalterlichen Theologie: HOENEN / BAKKER (2000) 47-65.

MÜLLER, S. (2004), Sprache, Wirklichkeit und Allmacht Gottes. Das Bild der moderni bei Johannes Capreolus (1380-1444) und seine Bedeutung im Kontext der Schulbildung des 15. Jahrhunderts: AERTSEN, J. A. / PICKAVÉ, M. (Hgg.), „Herbst des Mittelalters"? Fragen zur Bewertung des 14. und 15. Jahrhunderts = MM 31 (Berlin-New York) 157-172.

MULSOW, M. (2002), Moderne aus dem Untergrund. Radikale Frühaufklärung in Deutschland 1680-1720 (Hamburg).

MUNCUNILL, J. (1918), Tractatus de Deo uno et trino (Barcelona).

MUÑIZ, F. (1945/46), El constitutivo formal de la persona creada en la tradición tomista: CTom 68 (1945) 5-89; 70 (1946) 201-293.

MUÑOZ, V. (1970), Francisco Zumel en los últimos cincuenta años: Miscelanea Manuel Cuervo López (Salamanca) 271-305.

MUÑOZ DELGADO, V. (1992), Art. Lógica trinitaris: PIKAZA / SILANES (1992) 829-841.

NEIDL, W. M. (1966), Der Realitätsbegriff des Franz Suarez nach den Disputationes metaphysicae (München).

NGIEN, D. (2005), Apologetic for Filioque in Medieval Theology (London).

NIEDEN, M. (1997), Organum deitatis. Die Christologie des Thomas de Vio Cajetan = SMRT 42 (Leiden-New York-Köln).

NIELSEN, L. O. (1999), The Intelligibility of Faith and the Nature of Theology. Peter Auriole's Theological Programme: StTh 53 (1999) 26-39.

NIELSEN, L. O. (2002), Peter Auriol's Way with Words. The Genesis of Peter Auriol's Commentaries on Peter Lombard's First and Fourth Books of the Sentences: EVANS, G. R. (Hg.), Medieval Commentaries on the Sentences of Peter Lombard. Bd. 1 (Leiden) 149-219.

NISSING, H.-G. (2006), Sprache als Akt bei Thomas von Aquin = STGMA 87 (Leiden-Boston).

NOREÑA, C. G. (1985), Suárez and Spinoza: the Metaphysics of Modal Being: Cuadernos salmantinos de filosofía 12 (1985) 163-182.

NOREÑA, C. G. (1991), Suárez and the Jesuits: American Catholic Philosophical Quarterly 65 (1991) 267-286.

OBENAUER, K. (1996), Summa actualitas. Zum Verhältnis von Einheit und Verschiedenheit in der Dreieinigkeitslehre des heiligen Bonaventura = EHS.T 559 (Frankfurt am Main [u.a.]).

OBENAUER, K. (1997), Zur subsistentia absoluta in der Trinitätstheologie: ThPh 72 (1997) 188-215.

OBENAUER, K. (2000), Thomistische Metaphysik und Trinitätstheologie. Sein – Geist – Gott – Dreifaltigkeit – Schöpfung – Gnade = Philosophie 37 (Münster u.a.).

OBERDORFER, B. (2001), Filioque. Geschichte und Theologie eines ökumenischen Problems = FSÖTh 96 (Göttingen).

OBERMAN, H. A. (2003), Zwei Reformationen. Luther und Calvin – Alte und Neue Welt (Berlin).

O'BRIEN, A. J. (1964), Duns Scotus Teaching on the Distinction between Essence and Existence: NSchol 38 (1964) 61-77.

OEING-HANHOFF, L. (1953), Ens et unum convertuntur. Stellung und Gehalt des Grundsatzes in der Philosophie des hl. Thomas von Aquin = BGPhMA 37,3 (Münster).

OEING-HANHOFF, L. (1984), Art. Modalismus: HWPh Bd. 6 (Basel) 7f.

OEING-HANHOFF, L. (1988), Trinitarische Ontologie und Metaphysik der Person: Ders., Metaphysik und Freiheit. Gesammelte Abhandlungen, hg. von Th. Kobusch und W. Jaeschke (München) 133-165.

ÖRY, N. (1959), Suárez in Rom. Seine römische Lehrtätigkeit auf Grund handschriftlicher Überlieferung: ZKTh 81 (1959) 133-147.

OISCHINGER, J. N. (1860), Commentarii theologici (München).

OISCHINGER, J. N. (1862), Die Einheitslehre der göttlichen Trinität. Nach der kirchlichen Tradition bewiesen und gegen die Irrlehren festgestellt (München).

OLIVARES, E. (1985), Francisco de Lugo (1579-1652). Datos biográficos y escritos: ATG 48 (1985) 5-62.

OLIVARES, E. (1986), Diego Ruiz de Montoya (1562-1632). Datos biográficos. Sus escritos. Estudios sobre su doctrina. Bibliografía: ATG 49 (1986) 5-118.

OLIVARES, E. (1997), Cuarto Centenario de la publicación de las *Disputationes Metaphysicae* de Francisco Suárez: ATG 60 (1997) 201-206.

OLIVO, G. (1993), L'homme en personne: VERBEEK, T. (Hg.), Descartes et Regius (Amsterdam u. a.) 69-91.

OLIVO, G. (1995), L'impossibilité de la puissance: les conditions de la pensée de l'individu chez Suarez: CAZZANIGA, G. M. / ZARKA, Y. C. (Hgg.), L'individu dans la pensée moderne, 16ᵉ - 18ᵉ siècle (Pisa) 137-171.

ONG-VAN-CUNG, K. (1997), Substance et distinctions chez Descartes, Suárez et leurs prédecesseurs médiévaux: BIARD, J. / RASHED, R. (Hgg.), Descartes et le Moyen-Âge (Paris) 215-229.

ORREGO SÁNCHEZ, S. (2004), La Actualidad de ser en la « Primera escuela » de Salamanca con lecciones inéditas de Vitoria, Soto y Cano = Colección de pensamiento medieval y renacentista 56 (Pamplona).

PAISSAC, H. (1951), Théologie du verbe. Saint Augustin et saint Thomas (Paris).

PARENTE, P. (1938), De deo trino (Rom).

PATFOORT, A. (1986), Missions divines et experience des Personnes divines selon saint Thomas: Ang. 63 (1986) 545-559.

PECCORINI, F. L. (1972), Suárez's Struggle with the Problem of the One and the Many: Thom. 36 (1972) 433-471.

PECCORINI, F. L. (1974), Knowledge of the Singular. Aquinas, Suárez and Recent Interpreters: Thom. 38 (1974) 606-655.

PÈGUES, T. M. (1901), Théologie thomiste d'après Capréolus. La Trinité: RThom 9 (1901) 694-715.

PEITZ, D. (2006), Die Anfänge der Neuscholastik in Deutschland und Italien (Bonn).

PEREIRA, J. (1999), The Achievement of Suárez and the Suarezianization of Thomism: CARDOSO / MARTINS / REIBEIRO DOS SANTOS (1999) 133-156.

PEREIRA, J. (2004), The Existential Integralism of Suárez. Reevaluation of Gilson's Allegation of Suarezian Essentialism: Greg. 85 (2004) 660-688.

PERINO, A. (1952), La dottrina trinitaria di S. Anselmo (Rom).

PERLER, D. / RUDOLPH, U. (Hgg.) (2005), Logik und Theologie. Das Organon im arabischen und im lateinischen Mittelalter = STGMA 84 (Leiden-Boston).

PESCH, C. (1914), Praelectiones dogmaticae, t. 2. Ed. quarta (Freiburg).

PESCH, O. H. (2001), Kleines Plädoyer für eine „asketische" Lehre vom dreieinen Gott. Am Beispiel Thomas von Aquin und Martin Luther: RAFFELT, A. (Hg.), Weg und Weite. FS K. Lehmann. 2. Aufl. (Freiburg u. a.) 171-196.

PFEIFFER, F. (1924), Vives und seine Stellung zur Scholastik. Ein Beitrag zur Geschichte des Kampfes zwischen Humanismus und Scholastik. Mschr. Diss. (Köln).

PFIZENMAIER, T. C. (1997), The Trinitarian Theology of Dr. Samuel Clarke (1675-1729). Context, Sources and Controversy = SHCT 75 (Leiden).

PHILIPPE, M.-D. (1947), Les processions divines selon Durand de Saint-Pourçain: RThom 47 (1947) 244-288.

PICARD, G. (1949), Le thomisme de Suárez: ArPh 18 (1949) 108-128.

PICKAVÉ, M. (Hg.) (2003), Die Logik des Transzendentalen. FS J. A. Aertsen = MM 30 (Berlin-New York).

PIKAZA, X. / SILANES, N. (Hgg.) (1999), Diccionario teológico. El Dios cristiano (Salamanca).

PIÑEROS, F. (1983), Bibliografia de la escuela de Salamanca (Pamplona).

PINI, G. (2003), Henry of Ghent's Doctrine of *Verbum* in its Theological Context: GULDENTOPS, G. / STEEL, C. (Hgg.), Henry of Ghent and the Transformation of Scholastic Thought. Studies in Memory of Jos Decorte = AMP 31 (Leuven) 307-326.

PIOLANTI, A. (1995), Dio Uomo. Ed. 2ª (Vatikanstadt).

POLGÁR, L. (1981-90), Bibliographie sur l'histoire de la Compagnie de Jésus, 1901-1980. 6 Bde. (Rom).

POMPEI, A. M. (1953), La dottrina trinitaria di S. Alberto Magno O. P. Esposizione organica del commentario delle sentenze in rapporto al movimento teologico scolastico (Rom).

PORRO, P. (1995), Esistenza e durata. Le tesi di Molina sulla distinzione di essenza ed esistenza e il dibattito scolastico sulla categoria 'quando': LAMACCHIA (1995) 349-413.

POZO, C. (1962), Fuentes para la historia del método teológico en la escuela de Salamanca, t. 1: Francisco de Vitoria, Domingo de Soto, Melchior Cano y Ambrosio de Salazar (Granada).

POZO, C. (1966), Teología española posttridentina del s. XVI. Estado actual de la investigación de fuentes para su estudio: ATG 29 (1966) 87-121.

POZO, C. (2000), La Trinidad y María en la obra 'De mysteriis vitae Christi' de Francisco Suárez: ATG 63 (2000) 5-16.

PRADO, N. del (1911), De veritate fundamentali Philosophiae Christianae (Fribourg).

PRANTL, C. (1855-67), Geschichte der Logik im Abendlande. 4 Bde. (Leipzig).

PRZYWARA, E. (1955), In und gegen. Stellungnahmen zur Zeit (Nürnberg).

PURWATMA, M. (1990), The Explanation of the Mystery of the Trinity Based on the Attribute of God as Supreme Love. A Study on the „De trinitate“ of Richard of St. Victor (Rom).

QUARELLO, E. (1952), Il problema scolastico della persona nel Gaetano e nel Capreolo: DT (P) 55 (1952) 34-63.

RÁBADE ROMEO, S. (1961), Influencia de Durando en la metafísica de Suárez: EPOM 17 (1961) 249-263.

RÁBADE ROMEO, S. (1963), La metafísica de Suárez y la acusación de esencialismo: Anales de la Catedra Francisco Suárez 3 (1963) 73-86.

RABENECK, J. (1953), De principio identitatis comparatae et mysterio Ss. Trinitatis secundum Concilium Lateranense IV.: EE 27 (1953) 301-316.

RABENECK, J. (1957), Die Konstitution der ersten göttlichen Person: ThGl 47 (1957) 102-112.

RAHNER, K. (1967), Der dreifaltige Gott als transzendenter Urgrund der Heilsgeschichte: MySal II, 317-401.

RAHNER, K. (1972), Über künftige Wege der Theologie: SzT X (Einsiedeln) 41-69.

RAHNER, K. (1975a), Einfache Klarstellung zum eigenen Werk: SzT XII (Zürich u. a.) 599-604.

RAHNER, K. (1975b), Einige Bemerkungen zu einer neuen Aufgabe der Fundamentaltheologie: SzT XII (Zürich u. a.) 198-211.

RAMELOW, T. (1997), Gott-Freiheit-Weltenwahl. Der Ursprung des Begriffes der besten aller möglichen Welten in der Metaphysik der Willensfreiheit zwischen Antonio Perez S.J. (1599-1649) und G. W. Leibniz (1646-1716) = Brill's studies in intellectual history 72 (Leiden u. a.).

RANGEL RIOS, A. (1991), Die Wahrheit der Aussagesätze und das göttliche Wissen von zukünftig Kontingentem bei Francisco Suárez. Mschr. Diss. (Berlin).

RAST, M. (1935), Die Possibilienlehre des Franz Suárez: Schol. 10 (1935) 340-368.

RATZINGER, J. (1968), Einführung in das Christentum (München).

RATZINGER, J. (1977), Dogma und Verkündigung. 3. Aufl. (München).

RATZINGER, J. (1989), Schriftauslegung im Widerstreit. Zur Frage nach Grundlagen und Weg der Exegese heute: Ders. (Hg.), Schriftauslegung im Widerstreit = QD 117 (Freiburg) 15-44.

RÉGNON, T. de (1892), Études de théologie positive sur la Sainte Trinité. 2 Bde. (Paris).

REICHBERG, G. (1993), La communication de la nature divine en Dieu selon Thomas d'Aquin: RThom 93 (1993) 50-65.

REICHMANN, J. B. (1959), St. Thomas, Capreolus, Cajetan and the Created Person: NSchol 33 (1959) 1-31.202-230.

REILLY, J. P. (1971), Cajetan's Notion of Existence (The Hague-Paris).

REINHARDT, H. (1989), „Processio" und „causa" bei Thomas von Aquin: FKTh 5 (1989) 44-50.

RICHARD, P. (1913), Art. Fils de Dieu: DThC Bd. V/2 (Paris) 2353-2476.

RICHARD, R. L. (1963), The Problem of an Apologetical Perspective in the Trinitarian Theology of St. Thomas Aquinas (Rom).

RICHELDI, F. (1938), La Cristologia di Egidio Romano (Modena).

RICHTER, V. (1999/2000), Zur Entwicklung philosophischer und theologischer Lehren bei Johannes Duns Scotus: Studia Mediewistyczne 34/35 (1999/2000) 157-162.

RICKEN, F. (2004), Die Disputation des Francisco Suárez über die Kirche: ARNOLD / BERNDT / STAMMKÖTTER (2004) 1011-1032.

RIEGER, R. (2005), Contradictio. Theorien und Bewertungen des Widerspruchs in der Theologie des Mittelalters = BHTh 133 (Tübingen).

RINALDI, T. (1998), Francisco Suarez. Cognitio singularis materialis / De anima = Vestigia 16 (Bari).

RIVA, F. (1979), La dottrina suareziana del concetto e le sue fonti storiche: RFNS 71 (1979) 686-699.

RIVERA DE VENTOSA, E. (1998), Der Philosophieunterricht an den Universitäten / Der philosophische Beitrag der Jesuiten: SCHOBINGER, J. P. (Hg.), Die Philosophie des 17. Jahrhunderts. Band 1: Allgemeine Themen. Iberische Halbinsel. Italien = Grundriß der Geschichte der Philosophie. Begr. von Friedrich Ueberweg (Basel) 356-358.388-392.

RIVIÈRE, P. / SCORRAILLE, R. de (1918), Suárez et son œuvre. I. La Bibliographie des ouvrages imprimés et inédites. II. La doctrine (Toulouse-Barcelona).

ROBINET, A. (1980), Suárez dans l'oeuvre de Leibniz: Cuadernos salmantinos de Filosofía 6 (1980) 191-209.

RODLER, K. (2005), Die Prologe der Reportata Parisiensia des Johannes Duns Scotus = Mediaevalia Oenipontana 2 (Innsbruck).

RODRÍGUEZ, F. (1980), La docencia romana de Suárez: Cuadernos Salmantinos der Filosofía 7 (1980) 295-313.

RODRÍGUEZ, F. (1990), Art. Suárez: DSp Bd. 14 (Paris) 1275-1283.

ROIG GIRONELLA, J. (1944), Algunas distinciones sobre la distinción modal y sobre la distinción escotistica ‚formalis ex natura rei': EE 18 (1944) 201-215.

ROIG GIRONELLA, J. (1948), La síntesis metafísica de Suárez: Pens. 4, num. spec. (1948) 169-213.

ROIG GIRONELLA, J. (1961), Para la historia del nominalismo y de la reacción antinominalista de Suárez: Pens. 17 (1961) 279-310.

ROMANO, A. (2000), Pratiques d'enseignement et orthodoxie intellectuelle en milieu jésuite (deuxième moitié du XVIe siècle): ELM, S. / REBILLARD, É. / ROMANO, A. (Hgg.), Orthodoxie, Christianisme, Histoire = CEFR 270 (Rom) 241-260.

ROMEYER, B. (1950), Art. Valencia, Grégoire de: DThC Bd. XV/2 (Paris) 2465-2497.

ROMPE, E. M. (1968), Die Trennung von Ontologie und Metaphysik. Der Ablösungsprozess und seine Motivierung bei Benedictus Pererius und anderen Denkern des 16. und 17. Jahrhunderts. Mschr. Diss. (Bonn).

ROTA, G. (1998), „Persona" e „Natura" nell'itinerario speculativo di Bernard J. F. Lonergan (Mailand).

ROTH, B. (1936), Franz von Mayronis O.F.M. Sein Leben, seine Werke, seine Lehre vom Formalunterschied in Gott = FrFor 3 (Werl).

RUBIANES, E. (1952), La subsistencia creada según Suárez. Diss. P.U.G. (Bogotá).

RUELLO, F. (1955), Une source probable de la théologie trinitaire de saint Thomas: RSR 43 (1955) 104-128.

RUHSTORFER, K. (2004), Humane Relevanz. Zur bleibenden Bedeutung der klassischen Trinitätslehre (Thomas von Aquin) angesichts einer aktuellen Kontroverse: Jahrbuch für Religionsphilosophie 3 (2004) 45-57.

RUMMEL, E. (1989), Erasmus and His Catholic Critics. II: 1523-1536 = BHRef 45 (Nieuwkoop).

SACCHI, M. E. (1995), Santo Tomás de Aquino y el conocimiento humano del mistero de la santisima trinidad: PIOLANTI, A. (Hg.), S. Tommaso Teologo. Ricerche in occasione dei due centenari accademici (Rom) 191-199.

SÁNCHEZ-BLANCO, F. (1977), Michael Servets Kritik an der Trinitätslehre. Philosophische Implikationen und historische Auswirkungen (Frankfurt).

SÁNCHEZ GÍL, V. (1987), La teología española hasta la illustración 1680-1750: ANDRÉS MARTÍN (1983-87) II, 359-442.

SANTAMARÍA PEÑA, F. (1917), En el tercer centenario de F. Suárez S. I. Estudio crítico de las teorías de Sto. Tomás y de Suárez acerca de la distinción entre esencia, subsistencia y existencia y en relación con las verdades teológicas (Madrid).

SANTIAGO-OTERO, H. (1998), Guillermo de Rubió. Su Influjo en la Síntesis Suareciana: BROWN, S. J. (Hg.), Meeting of the Minds. The Relations between Medieval and Classical Modern European Philosophy (Turnhout) 27-42.

SANTOS, D. (1949), Objecto da Metafisica em Suárez: Actas del IV Centenario del Nacimiento de Francisco Suárez, 1548-1948 (Burgos) 327-337.

SANTOS-ESCUDERO, C. (1980), Bibliografia Suareciana de 1948 a 1980: Cuadernos Salmantinos de Filosofía 7 (1980) 337-375.

SANTOS-NOYA, M. (2000), Die „auctoritates theologicae" im Sentenzenkommentar des Marsilius von Inghen: HOENEN / BAKKER (2000) 197-210.

SANZ, V. (1989), La teoría de la posibilidad en Francisco Suárez (Pamplona).

SANZ, V. (1992), La reducción suareciana de los transcendentales: AnFil 25 (1992) 403-420.

SCHADEL, E. (1984-88), Bibliotheca trinitariorum. Internationale Bibliographie trinitarischer Literatur. 2 Bde. (Paris-München).

SCHADEL, E. (2006), La Trinidad como problema filosófico: EstTrin 40 (2006) 305-421.

SCHÄRTL, Th. (2003), Theo-Grammatik. Zur Logik der Rede vom trinitarischen Gott = ratio fidei 18 (Regensburg).

SCHAUF, H. (1941), Die Einwohnung des Heiligen Geistes. Die Lehre von der nicht-appropriierten Einwohnung des Heiligen Geistes als Beitrag zur Theologiegeschichte des neunzehnten Jahrhunderts unter besonderer Beriicksichtigung der beiden Theologen Carl Passaglia und Clemens Schrader = FThS 59 (Freiburg).

SCHEFFCZYK, L. (1957), Die Grundzüge der Trinitätslehre des Johannes Scotus Eriugena: AUER / VOLK (1957) 497-518.

SCHEFFCZYK, L. (1967), Lehramtliche Formulierungen und Dogmengeschichte der Trinität: MySal II, 146-220.

SCHEFFCZYK, L. (1992), Art. Régnon, Théodore de: PIKAZA / SILANES (1992) 1207-1211.

SCHEFFCZYK, L. (1995), Die Trinitätslehre des Thomas von Aquin im Spiegel gegenwärtiger Kritik: Div. 39 (1995) 211-238.

SCHELL, H. (1885), Das Wirken des dreieinigen Gottes (Mainz).

SCHELL, H. (1972), Katholische Dogmatik. Kritische Ausgabe. Herausgegeben, eingeleitet und kommentiert von J. Hasenfuss und P.-W. Scheele. Bd. II: Die Theologie des dreieinigen Gottes. Die Kosmologie der Offenbarung (München-Paderborn-Wien).

SCHINZER, R. (1976), Objektivation der Existenz. Versuch über die trinitarischen Personen bei Heinrich von Gent: NZSTh 18 (1976) 225-245.

SCHLAPKOHL, C. (1999), Persona est naturae rationabilis individua substantia. Boethius und die Debatte um den Personbegriff = MThSt 56 (Marburg).

SCHLÜTER, D. (1984), Art. Modus: HWPh Bd. 6 (Basel) 66ff.

SCHMAUS, M. (1927), Die psychologische Trinitätslehre des hl. Augustinus = MBTh 11 (Münster).

SCHMAUS, M. (1930a), Augustinus und die Trinitätslehre Wilhelms von Ware: GRABMANN, M. / MAUSBACH, J. (Hgg.), Aurelius Augustinus. FS der Görres-Gesellschaft zum 1500. Jubiläum des Todestages Augustins (Köln) 315-352.

SCHMAUS, M. (1930b), Der liber propugnatorius des Thomas Anglicus und die Lehrunterschiede zwischen Thomas von Aquin und Duns Scotus, II. Teil: Die trinitarischen Lehrdifferenzen = BGPhMA 29,1 (Münster).

SCHMAUS, M. (1974), Die trinitarische Gottesebenbildlichkeit nach dem Sentenzenkommentar Alberts des Großen: MÖLLER, J. (Hg.), Virtus politica. FS A. Hufnagel (Stuttgart) 273-306.

SCHMAUS, M. (1975), Die trinitarische Ebenbildlichkeit des Menschen nach Richard von Mediavilla: ROSSMANN, H. / RATZINGER, J. (Hgg.), Mysterium der Gnade. FS J. Auer (Regensburg) 251-258.

SCHMIDBAUR, H. C. (1995), Personarum trinitas. Die trinitarische Gotteslehre des heiligen Thomas von Aquin = MThS.S 52 (St. Ottilien).

SCHMIDT, A. (2003), Natur und Geheimnis. Kritik des Naturalismus durch moderne Physik und scotische Metaphysik = Symposion 119 (Freiburg).

SCHMIDT, M. A. (1956), Gottheit und Trinität nach dem Kommentar des Gilbert Porreta zu Boethius, De Trinitate (Basel).

SCHMIDT, M. A. (1984), Zur Trinitätslehre der Frühscholastik. Eine problemgeschichtliche Orientierung: ThZ 40 (1984) 181-192.

SCHMUTZ, J. [Internetseite 1999ff.], Scholasticon. Ressources en ligne pour l'étude de la scolastique moderne (1500-1800). Auteurs, textes, institutions:

http://www.ulb.ac.be/philo/scholasticon

SCHMUTZ, J. (2000), Bulletin de scolastique moderne (I): RThom 100 (2000) 270-341.

SCHMUTZ, J. (2002a), Gabriel Vázquez: BARDOUT, J. C. / BOULNOIS, O. (Hgg.), Sur la science divine (Paris) 382-411.

SCHMUTZ, J. (2002b), L'héritage des Subtils. Cartographie du scotisme de l'âge classique: EPh 60 (2002) 51-81.

SCHMUTZ, J. (2003), Dieu est l'idée. La métaphysique d'Antonio Pérez (1599-1649) entre Néo-Augustinisme et crypto-Spinozisme: RThom 103 (2003) 495-526.

SCHMUTZ, J. (2004), Science divine et métaphysique chez Francisco Suárez: Francisco Suárez, "Der ist der Mann". Libro Homenaje al Profesor Salvador Castellote Cubells, Valencia, Facultad de Teología San Vicente Ferrer = AnVal 50 (Valencia) 347-359.

SCHNEIDER, J. (1961), Die Lehre vom dreieinigen Gott in der Schule des Petrus Lombardus = MThS.S 22 (München).

SCHNEIDER, M. (1961), Der angebliche philosophische Essentialismus des Suárez: WiWei 24 (1961) 40-68.

SCHNIERTSHAUER, M. (1996), Consummatio caritatis. Eine Untersuchung zu Richard von St. Victors De Trinitate = TSTP 10 (Tübingen).

SCHÖNBERGER, R. (1986), Die Transformation des klassischen Seinsverständnisses. Studien zur Vorgeschichte des neuzeitlichen Seinsbegriffs im Mittelalter = QSP 21 (Berlin-New York)

SCHÖNBERGER, R. (1990), Realität und Differenz. Ockhams Kritik an der distinctio formalis: Ders. / VOSSENKUHL, W. (Hgg.), Die Gegenwart Ockhams (Weinheim) 97-122.

SCHÖNBERGER, R. (1994), Relation als Vergleich. Die Relationstheorie des Johannes Buridan im Kontext seines Denkens und der Scholastik = STGMA 43 (Leiden).

SCHRAMA, M. (1981), Gabriel Biel en zijn Leer over de Allerheiligste Drievuldigheid volgens het eerste Boek van zijn Collectorium = VKHUT 9 (München).

SCHRÖCKER, H. (2003), Das Verhältnis der Allmacht Gottes zum Kontradiktionsprinzip nach Wilhelm von Ockham = VGI 49 (Berlin).

SCHULZ, M. (1997), Sein und Trinität. Systematische Erörterungen zur Religionsphilosophie G.W.F. Hegels im ontologiegeschichtlichen Rückblick auf J. Duns Scotus und I. Kant und die Hegel-Rezeption in der Seinsauslegung und Trinitätstheologie bei W. Pannenberg, E. Jüngel, K. Rahner und H.U. von Balthasar = MThS.S 53 (St. Ottilien).

SCHULZ, M. (2001), Art. Trinitätslehre: LThK, 3. Aufl., Bd. 10 (Freiburg) 259f.

SCHUMACHER, T. (1997), Trinität. Zur Interpretation eines Strukturelements Cusanischen Denkens (München).

SCHURR, V. (1935), Die Trinitätslehre des Boethius im Lichte der „skythischen Kontroversen“ = FChLDG 18,1 (Paderborn).

SCHWANE, J. (1892-95), Dogmengeschichte. 2. Aufl. 4 Bde. (Freiburg).

SCHWÖBEL, C. (2002), Art. Trinität III/IV. Reformationszeit/Systematisch-theologisch: TRE Bd. 34 (Berlin-New York) 105-121.

SCORRAILLE, R. de (1912-13), François Suarez, de la Compagnie de Jésus d'après ses lettres, ses autres écrits inédits et un grand nombre de documents nouveaux. 2 Bde. (Paris).

SEEBERG, R. (1953-54), Lehrbuch der Dogmengeschichte. 4. Aufl. 4 Bde. (Graz).

SEGOVIA, A. (1956), La generación eterna del Hijo de Dios y su enunciación verbal en la Escolástica. Síntesis de Ruiz de Montoya: ATG 19 (1956) 151-234.

SEGOVIA, A. (1986), El Espiritu Santo como Amor en la Escolástica. Síntesis de Diego Ruiz de Montoya SJ: ATG 49 (1986) 119-158.

SEIDL, H. (1987), The Concept of Person in St. Thomas Aquinas: Thom. 51 (1987) 435-460.

SEIGFRIED, H. (1967), Wahrheit und Metaphysik bei Suárez (Bonn).

SERVIÈRE, J. de la (1909), La théologie de Bellarmin. 2. ed. (Paris).

SIEGMUND, G. (1928), Die Lehre vom Individuationsprinzip bei Suarez: PhJ 41 (1928) 50-70.172-198.

SHANK, M. H. (1988), „Unless You Believe, You Shall not Understand“. Logic, University and Society in Late Medieval Vienna (Princeton).

SIEWERTH, G. (1987), Das Schicksal der Metaphysik von Thomas zu Heidegger = Gesammelte Werke IV (Düsseldorf).

SILEO, L. (Hg.) (1995), Via Scoti. Methodologica ad mentem Joannis Duns Scoti. Atti del Congresso Scotistico Internazionale Roma 9-11 marzo 1993 (Rom).

SIMON, B.-M. (1989), Amore e Trinità nel pensiero di Giovanni di san Tommaso: Ang. 66 (1989) 108-124.

SIMON, R. (1994), Das Filioque bei Thomas von Aquin. Eine Untersuchung zur dogmengeschichtlichen Stellung, theologischen Struktur und ökumenischen Perspektive der thomanischen Gotteslehre = Kontexte 14 (Frankfurt am Main u.a.).

SIMON DIAZ, J. (1975), Jesuitas de los siglos XVI y XVII. Escritos localizados = Col. „Espirituales españoles“, Serie C, 2 (Madrid).

SIMON DIAZ, J. (1977), Dominicos de los siglos XVI y XVII. Escritos localizados = Col. „Espirituales españoles“, Serie C, 7 (Madrid).

SIMONIS, W. (1972), Trinität und Vernunft. Untersuchungen zur Möglichkeit einer rationalen Trinitätslehre bei Anselm, Abaelard, den Viktorinern, A. Günther und J. Frohschammer = FTS 12 (Frankfurt).

SIX, K. u. a. (Hgg.) (1917), P. Franz Suarez S.J. Gedenkblätter zu seinem dreihundertjährigen Todestag (25. September 1917). Beiträge zur Philosophie des P. Suarez (Innsbruck-München).

SLIPYJ, J. (1926), De principio spirationis in Ss. Trinitate (Leopoli).

SLIPYJ, J. (1927-28), Num Spiritus Sanctus a Filio distinguatur si ab eo non procederet?: Bohoslovia 5 (1927) 2-19; 6 (1928) 1-17.

SMITH, G. (ed.) (1939), Jesuit Thinkers of the Renaissance (Milwaukee).

SMITH, T. L. (1999), The Context and Character of Thomas' Theory of Appropriations: Thom. 63 (1999) 579-612.

SMITH, T. L. (2003), Thomas Aquinas' Trinitarian Theology. A Study in Theological Method (Washington).

SOLÁ, F. de P. (1948a), Suárez y las ediciones de sus obras. Monografía bibliográfica con ocasión del IV Centenario de su nacimiento 1548-1948 = Colección filosofica „Lux", IV.2 (Barcelona).

SOLÁ, F. de P. (1948b), Un trabajo inédito del P. Juan Muncunill S. J. (1848-1928). „Eximius Doctor P. Suarez fidelis S. Thomae discipulus": EE 22 (1948) 509-548.

SOLANA, M. (1928), Los grandes escolásticos españoles de los siglos XVI y XVII. Sus doctrinas filosóficas y su significación en la historia de la filosofía (Madrid).

SOLANA, M. (1941), Historia de la filosofía espagñola. Época del Renacimiento (siglo XVI). 3 Bde. (Madrid).

SOLANA, M. (1948a), Doctrina de Suárez sobre el primer principio metafísico: Pens., num spec., 4 (1948) 245-270.

SOLANA, M. (1948b), Suárez, maestro de Metafísica para teólogos: Homenaje al Dr. Eximio P. Suárez, S.J. en el IV centenario de su nacimiento = AcSal.D I/2 (Salamanca) 45-76.

SOMMERVOGEL, C. / BACKER, A. / CARAYON, A. (1890-1932), Bibliothèque de la Compagnie de Jésus. 12 Vol. (Bruxelles / Louvain).

SPAEMANN, R. (1996), Personen. Versuche über den Unterschied zwischen „etwas" und „jemand" (Stuttgart).

SPARN, W. (1976), Wiederkehr der Metaphysik. Die ontologische Frage in der lutherischen Theologie des frühen 17. Jahrhunderts = CThM B 4 (Stuttgart 1976).

SPECHT, R. (1988), Über den Stil der Disputationes metaphysicae von Franciscus Suárez: AZP 13 (1988) 23-35.

SPRUIT, L. (1995), Species intelligibilis. From Perception to Knowledge. Vol. 2: Renaissance Controversies, Later Scholasticism, and the Elimination of the Intelligible Species in Modern Philosophy = Brill's studies in intellectual history 49 (Leiden-New York-Köln).

STEGMÜLLER, F. (1931a), Die spanischen Handschriften der Salmantiner Theologen: ThRv 30 (1931) 361-365.

STEGMÜLLER, F. (1931b), Zur Literaturgeschichte der Philosophie und Theologie an den Universitäten Évora und Coimbra im XVI. Jahrhundert: SFGG, Reihe 1, Bd. 3 (1931) 385-438.

STEGMÜLLER, F. (1934), Zwei Autographen des Suárez über seine Lehrdifferenzen mit Ludwig Molina: RQ 42 (1934) 333-339.

STEMMER, R. (1983), Perichorese. Zur Geschichte eines Begriffs: ABG 27 (1983) 9-55.

STEVENSON, W. B. (2000), The problem of Trinitarian processions in Thomas's „Roman commentary": Thom. 64 (2000) 619-629.

STICKELBROECK, M. (1994), Mysterium venerandum. Der trinitarische Gedanke im Werk des Bernhard von Clairvaux = BGPhMA NF 41 (Münster).

STINGLHAMMER, H. (2002), Art. Trinität II. Mittelalter: TRE Bd. 34 (Berlin-New York) 100-105.

STOCK, K. (1996), Art. Person II. Theologisch: TRE Bd. 26 (Berlin-New York) 225-231.

STÖHR, J. (1969), Das Miteinander von Freiheit, Unsündlichkeit und Gehorsam in der Erlösungstat Christi: DoC 22 (1969) 57-81.225-241.365-380.

STÖHR, J. (1989), Neuzeitliche Diskussionen über die Einwohnung des dreifaltigen Gottes: SCHMIDT, M. / DOMINGUEZ REBOIRAS, F. (Hgg.), Von der Suche nach Gott. Helmut Riedlinger zum 75. Geburtstag = Mystik in Geschichte und Gegenwart, Abt. I, 15 (Stuttgart-Bad Cannstatt) 249-282.

STÖHR, J. (2000), Maria und die Trinität bei F. Suárez und M. J. Scheeben: Mariologisches Jahrbuch 4 (2000) 5-46.

STOHR, A. (1923), Die Trinitätslehre des heiligen Bonaventura I = MBTh 3 (Münster).

STOHR, A. (1925a), Des Gottfried von Fontaines Stellung in der Trinitätslehre: ZKTh 50 (1926) 177-195.

STOHR, A. (1925b), Die Hauptrichtungen der spekulativen Trinitätslehre in der Theologie des 13. Jahrhunderts: ThQ 106 (1925) 113-135.

STOHR, A. (1928), Die Trinitätslehre Ulrichs von Straßburg. Mit besonderer Berücksichtigung ihres Verhältnisses zu Albert dem Großen und Thomas von Aquin = MBTh 13 (Münster).

STOLZ, A. (1939), Anmerkungen und Kommentar: Deutsche Thomas-Ausgabe, Bd. 3, S. th. I, 27-43: Gott der dreieinige (Salzburg-Leipzig) 343-518.

STRÄTER, C. (1962), Le point de départ du traité thomiste de la Trinité: ScEc 14 (1962) 71-87.

STRICKER, N. (2003), Die maskierte Theologie von Pierre Bayle = AKG 84 (Berlin-New York).

STRIET, M. (2002), Spekulative Verfremdung? Trinitätstheologie in der Diskussion: HK 56 (2002) 202-207.

STUDER, B. (1974), Art. Hypostase: HWPh, Bd. 3 (Basel-Stuttgart) 1255-1259.

STUDER, B. (2005), Augustinus *De Trinitate*. Eine Einführung (Paderborn).

SUÁREZ-NANI, T. (1986), „Apparentia" und „Egressus". Ein Versuch über den Geist als Bild des trinitarischen Gottes nach Petrus Aureoli: PhJ 93 (1986) 39-60.

SWIEZAWSKY, S. (1990), Histoire de la philosophie européenne au XVe siècle, adaptée par Mariusz Propopowicz (Paris).

TAMIZEY DE LARROQUE, P. (1878), De l'emprisonnement de l'Abbé Faydit (Paris).

TEMIÑO SAIZ, A. (1940), Bartolomé Torres teólogo. Contribución al estudio del renacimiento teologico español del siglo XVI: RET 1 (1940) 55-137.

TERRACCIANO, A. (1993), La teologia trinitaria di Gioacchino da Fiore. Ricerca sullo Psalterium decem chordarum (Napoli).

THERON, S. (1987), The divine attributes in Aquinas: Thom. 51 (1987) 37-50.

TÖLG, C. (1997), Grundzüge der Gotteslehre bei Michael Schmaus. Diss. Pont. Ath. S. Crucis (Roma).

TORRANCE, T. F. (1969-70), La philosophie et la théologie de Jean Mair ou Major, de Haddington (1469-1550): ArPh 32 (1969) 531-547; 33 (1970) 261-293.

TRAPP, D. (1935), Aegidii Romani de doctrina modorum: Ang. 12 (1935) 449-501.

TRÜTSCH, J. (1949), SS. Trinitatis inhabitatio apud theologos recentiores (Rom).

TSHIAMALENGA, I.-M. (1972), La méthode théologique chez Denys Petau: EThL 48 (1972) 427-478.

USCATESCU BARRÓN, J. (2003), Zu Duns Scotus' Bestimmung des transzendentalen Guten als Hinsicht: PICKAVÉ (2003) 269-284.

VAGGAGINI, C. (1959), La hantise des rationes necessariae de saint Anselme dans la théologie des processions trinitaires de saint Thomas: SpicBec 1 (1959) 103-139.

VALENTE, L. (2005), Aequivoca oder univoca ? Die essentiellen Namen in der Trinitätstheologie des späten 12. und frühen 13. Jahrhunderts: PERLER / RUDOLPH (2005) 305-330.

VANIER, P. (1953), Theologie trinitaire chez S. Thomas d'Aquin = PIEM 13 (Paris).

VENTIMIGLIA, G. (1997), Differenza e contraddizione = Metafisica e storia della metafisica 17 (Mailand).

VENTIMIGLIA, G. (2002), Se Dio sia uno. Essere, trinità, inconscio = Filosofia 58 (Pisa).

VIGNAUX, P. (1976a), Note sur la rélation du conceptualisme de Pierre d'Auriole à sa théologie trinitaire: Annuaire de l'École pratique des Hautes Études, Sciences religieuses (1935 [1937]) 5-23; ND in: Ders., De Saint Anselme à Luther (Paris 1976) 155-173.

VIGNAUX, P (1976b), Recherche metaphysique et theologie trinitaire chez Jean Duns Scot: Aquinas 5 (1962) 301-323; ND in: Ders., De Saint Anselme à Luther (Paris 1976) 207-229.

VILLOSLADA, R. G. (1938), La Universidad de Paris durante los estudios de Francisco de Vitoria O.P. (1507-1522) = AnGr 14 (Roma).

VOLPI, F. (1993), Suárez et le problème de la métaphysique: RMM 98 (1993) 395-411.

VOLZ, W. (1969), Die Lehre des Johannes de Bassolis von den Produktionen in Gott. Mschr. Diss. (München).

VOS JACZN., A. (1994), Johannes Duns Scotus = Kerkhistorische Monografieen 2 (Leiden).

VRIES, J. de (1945-49), Die Erkenntnislehre des Franz Suarez und der Nominalismus: Schol. 20-24 (1945-49) 321-344.

WALD, B. (1996), Aristoteles, Boethius und der Begriff der Person im Mittelalter: ABG 29 (1996) 161-179.

WALD, B. (2005), Substantialität und Personalität. Philosophie der Person in Antike und Mittelalter (Paderborn).

WALKER, D. A. (1993), Trinity and Creation in the Theology of St. Thomas Aquinas: Thom. 57 (1993) 443-455.

WALTER, P. (1991), Theologie aus dem Geist der Rhetorik. Zur Schriftauslegung des Erasmus von Rotterdam = TSTP 1 (Mainz).

WEILER, A. G. (1962), Heinrich von Gorkum (gest. 1431). Seine Stellung in der Philosophie und der Theologie des Spätmittelalters (Hilversum u. a.).

WEINBERG, J. (1965), The Concept of Relation. Some Observations on its History: Ders., Abstraction, Relation, and Induction. Three Essays in the History of Thought (Madison/ Milwaukee) 61-119.

WELLS, N. J. (1962), Suárez, Historian and Critic of the Modal Distinction Between Essential Being and Existential Being: NSchol 36 (1962) 419-444.

WELLS, N. J. (1993), Esse Cognitum and Suárez revisited: American Catholic Philosophical Quarterly 67 (1993) 339-348.

WELLS, N. J. (1997), Suárez and a Salamancan Thomist. Tale of a Text: WHITE, K. (Hg.), Hispanic philosophy in the age of discovery = SPHP 29 (Washington, D.C.) 201-225.

WELLS, N. J. (1998), Suárez on Material Falsity: BROWN, S. J. (Hg.), Meeting of the Minds. The Relations between Medieval and Classical Modern European Philosophy (Turnhout) 1-26.

WERBECK, W. (1998), Gabriel Biel als spätmittelalterlicher Theologe: KÖPF, U. / LORENZ, S. (Hgg.), Gabriel Biel und die Brüder vom gemeinsamen Leben. Beiträge aus Anlaß des 500. Todestages des Tübinger Theologen = Contubernium 47 (Stuttgart)

WERBICK, J. (1996), Art. Trinitätslehre (1): EKL, 3. Aufl., Bd. 4 (Göttingen) 967-974.

WERBICK, J. (2001), Art. Trinität II-III. Theologie- und dogmengeschichtlich / Systematisch-theologisch: LThK, 3. Aufl., Bd. 10 (Freiburg) 242-251.

WERNER, K. (1859) Der heilige Thomas von Aquino. Dritter Band: Geschichte des Thomismus (Regensburg).

WERNER, K. (1866), Geschichte der katholischen Thelogie. Seit dem Trienter Concil bis zur Gegenwart = Geschichte der Wissenschaften in Deutschland, Bd. 6 (München).

WERNER, K. (1881), Johannes Duns Scotus = Die Scholastik des späteren Mittelalters, Bd. 1 (Regensburg).

WERNER, K. (1883a), Der Augustinismus in der Scholastik des späteren Mittelalters = Die Scholastik des späteren Mittelalters, Bd. 3 (Regensburg).

WERNER, K. (1883b), Die nachscotistische Scholastik = Die Scholastik des späteren Mittelalters, Bd. 2 (Regensburg).

WERNER, K. (1887a), Der Endausgang der mittelalterlichen Scholastik = Die Scholastik des späteren Mittelalters, Bd. 4,1 (Regensburg).

WERNER, K. (1887b), Der Übergang der Scholastik in ihr nachtridentinisches Entwicklungsstadium = Die Scholastik des späteren Mittelalters, Bd. 4,2 (Regensburg).

WERNER, K. (1889), Franz Suárez und die Scholastik der letzten Jahrhunderte. 2. Aufl. 2 Bde. (Regensburg).

WETTER, F. (1967), Die Trinitätslehre des Johannes Duns Scotus = BGPhMA 41,5 (Münster).

WILLIAMS, M. E. (1951), The Teaching of Gilbert Porreta on the Trinity as Found in his Commentaries on Boethius (Roma).

WILLIAMS, T. (2002), The Life and Works of John Duns the Scot: Ders. (Hg.), The Cambridge Companion to Duns Scotus (Cambridge) 1-14.

WINANDY, J. (1934), Le quodlibet II, a. 4 de Thomas d'Aquin et la notion de suppôt: EThL 11 (1934) 1-29.

WIPFLER, H. (1965), Die Trinitätsspekulation des Petrus von Poitiers und die Trinitätsspekulation des Richard von St. Viktor = BGPhMA 41,1 (Münster).

WÖLFEL, E. (1965), Seinsstruktur und Trinitätsproblem. Untersuchungen zur Grundlegung der natürlichen Theologie bei Johannes Duns Scotus = BGPhMA 40,5 (Münster).

WOLLGAST, S. (1988), Philosophie in Deutschland zwischen Reformation und Aufklärung 1550-1650 (Berlin Ost).

WOLTER, A. B. (1990), The Philosophical Theology of John Duns Scotus. Ed. by M. McCord Adams (Ithaca-London).

WOSCHITZ, K. M. (2005), Parabiblica. Studien zur jüdischen Literatur in der hellenistisch-römischen Epoche. Tradierung – Vermittlung – Wandlung (Münster).

WUNDT, M. (1939), Die Schulmetaphysik des 17. Jahrhunderts (Tübingen).

XIBERTA, B. (1933), Enquesta historica sobre el principi d'identitat comparada: Estudis Franciscans 45 (1933) 291-336.

YAMABE, K. (1974), Eucharistie und Kirche bei F. Suárez. Mschr. Diss. (München).

YPMA, E. (1991), La relation est-elle un être réel ou seulement un être de raison, d'après Jacques de Viterbe: JOLIVET / KALUZA / DE LIBERA (1991) 155-161.

ZECHMEISTER, M. (1985), Mystik und Sendung. Ignatius von Loyola erfährt Gott (Würzburg).

ZIHLMANN, H. (1974), Der Cursus Theologicus Sangallensis. Ein Beitrag zur Barockscholastik (Fribourg).

ZUBIMENDI MARTÍNEZ, J. (1984), La teoría de las distincciones de Suárez y Descartes: Pens. 40 (1984) 179-202.

# Namenregister